आर. गुप्ता® कृत

पॉपुलर मास्टर गाइड

झारखंड पात्रता परीक्षा JET

For Assistant Professor and Admission in Ph.D.

शिक्षण एवं शोध अभिवृत्ति

Teaching and Research Aptitude

PAPER-I

झारखंड लोक सेवा आयोग (JPSC)
द्वारा आयोजित

परीक्षा के नवीनतम पाठ्यक्रम पर आधारित

RPH संपादक मंडल
द्वारा संपादित

2026 EDITION

रमेश पब्लिशिंग हाउस, नई दिल्ली

प्रकाशक

ओ॰पी॰ गुप्ता, **रमेश पब्लिशिंग हाउस**

प्रशासनिक कार्यालय

12-H, न्यू दरियागंज रोड, ऑफिसर्स मेस के सामने,

नई दिल्ली-110002 ✆ 23275224, 23245124

E-mail: info@rameshpublishinghouse.com

For Online Shopping: www.rameshpublishinghouse.com

विक्रय केन्द्र

• बालाजी मार्किट, नई सड़क, दिल्ली-6 ✆ 23282525 📱 9354373464

• 4457, नई सड़क, दिल्ली-110006

Book Code: R-2870

ISBN: 978-93-5477-979-4

मूल्यः ₹ 485

मुद्रक : Guruji Printers, New Delhi-110096

अनुक्रमणिका

सैम्पल पेपर (हल सहित)

झारखंड लोक सेवा आयोग, रांची

झारखंड पात्रता परीक्षा (JET), 2025

प्रश्न-पत्र : I – शिक्षण एवं शोध अभिवृत्ति

निर्देश (प्र.सं. 1 से 5 तक): *निम्नलिखित तालिका में A-F अलग-अलग छः पुरुषों द्वारा प्रदत्त अवधि के लिए तय ब्याज दर पर किसी बैंक में निवेशित धनराशि (मूलधन) और प्राप्त धनराशि (₹ में) दर्शायी गयी है। तालिका में कुछ मान ('___') के रूप में दर्शाये गए नहीं दिये गये हैं। जिनकी आपको आवश्यकतानुसार गणना करनी है। तालिका में दिए आंकड़ों के आधार पर नीचे दिए प्रश्नों का उत्तर दीजिए:*

निवेशित धन का व्यक्ति-वार विवरण

व्यक्ति	ब्याज दर (%)	समय (वर्षों में)	मूलधन (₹ में)	प्राप्त राशि (₹ में)
A	6%	–	18000	–
B	6%	–	30000	–
C	–	5	–	29000
D	–	3	45000	–
E	8%	–	20000	–
F	–	2	60000	–

टिप्पणीः जब विनिर्दिष्ट न हो सरल ब्याज दर ज्ञात करें।

1. यदि C द्वारा प्राप्त राशि उसके द्वारा निवेशित धन की दुगुणी है तो 2 वर्षों के बाद उसे कितनी धनराशि प्राप्त होगी यदि वह उतनी ही राशि छमाही आधार पर चक्रवृद्धि ब्याज की दर से 2 वर्षों के लिये निवेश करें।
A. ₹ 21229.45
B. ₹ 21929.45
C. ₹ 21292.45
D. ₹ 21992.45

2. यदि F द्वारा प्राप्त ब्याज, D द्वारा प्राप्त ब्याज से ₹ 7575 अधिक है और F द्वारा प्राप्त ब्याज दर A द्वारा प्राप्त ब्याज दर से 2% अधिक है, तो D द्वारा प्राप्त ब्याज दर कितनी है?
A. 8% B. 1.3%
C. 1.4% D. 1.5%

3. यदि E और B द्वारा प्राप्त ब्याज में ₹ 4200 का अंतर है और E ने अपना धन B द्वारा निवेशित धन की अवधि की तुलना में दोगुने समय के लिए निवेश किया तो E द्वारा प्राप्त राशि कितनी है:
A. ₹ 30,000 B. ₹ 28,600
C. ₹ 29,600 D. ₹ 35,400

4. यदि A और C द्वारा प्राप्त ब्याज दर 2 : 3 के अनुपात में है तो C द्वारा निवेशित धन ______ वर्षों में दो गुणा हो जाएगा।
A. $12\frac{1}{7}$ B. $15\frac{1}{2}$
C. $13\frac{1}{3}$ D. $11\frac{1}{9}$

5. यदि F द्वारा प्राप्त ब्याज उसके द्वारा निवेशित धन का 20% है तो उसे ब्याज के रूप में कितनी अधिक धनराशि प्राप्त होती यदि उसने चक्रवृद्धि ब्याज दर पर धन निवेश किया होता?
A. ₹ 700 B. ₹ 600
C. ₹ 300 D. ₹ 400

6. 10% वार्षिक की दर से ₹ 10000 पर 3 वर्षों के चक्रवृद्धि ब्याज और साधारण ब्याज के मध्य अंतर कितना है?
A. ₹ 310 B. ₹ 300
C. ₹ 200 D. ₹ 430

7. निम्न में से किस के दौरान जैव विविधता संबंधी अभिसमय (कन्वेशन) को हस्ताक्षर के लिए खोला गया था?
A. रियो शिखर सम्मेलन
B. स्टॉक होम सम्मेलन
C. रामसर कन्वेंशन
D. मॉन्ट्रियल प्रोटोकॉल

1. A	**2.** D	**3.** C	**4.** D	**5.** B	**6.** A	**7.** A

8. निम्नलिखित विषयों में से किन-किन में गैर-शाब्दिक संचार का अध्ययन किया जाता है?

(*a*) भौतिकशास्त्र (*b*) रसायनशास्त्र

(*c*) भाषाविज्ञान (*d*) सामाजिक मनोविज्ञान

(*e*) मानवशास्त्र

नीचे दिए गए विकल्पों में से सबसे उपयुक्त उत्तर का चयन कीजिए:

A. केवल (*a*), (*b*) और (*c*)

B. केवल (*b*), (*c*) और (*d*)

C. केवल (*c*), (*d*) और (*e*)

D. केवल (*a*), (*b*) और (*e*)

9. **कथन I:** माईगव (MyGov) एक ऐसा मंच है जिसके माध्यम से भारत सरकार नागरिकों से सुशासन के संबंध में उनके विचार और सुझाव प्राप्त कर उसकी भागीदारी को प्रोत्साहित करने को लक्षित करती है।

कथन II: माईगव मंच को फ्लिपकार्ट के तीन पूर्व कर्मियों ने नकदी रहित एवं निर्बाध भुगतान अनुभव प्रदान करने के लिए विकसित किया है।

उपरोक्त कथन के आलोक में, नीचे दिए गए विकल्पों में से सही उत्तर का चयन कीजिए:

A. कथन I और II दोनों सत्य हैं

B. कथन I और II दोनों असत्य हैं

C. कथन I सत्य है, लेकिन कथन II असत्य है

D. कथन I असत्य है, लेकिन कथन II सत्य है

10. प्रकृतिवादी प्रेक्षण में, चाहे कोई व्यवहार घटित होता हो, या न हो, द्विभाजी अभिलेखन की पद्धति संस्थापित करती है:

A. समूह प्रतिचयन

B. समयान्तराल प्रतिचयन

C. एक/शून्य प्रतिचयन

D. सतत वास्तविक-काल प्रतिचयन

11. कलकत्ता के हिन्दू कॉलेज को बाद में निम्नलिखित नाम से पुनर्नामित किया गया था:

A. सुरेन्द्रनाथ कॉलेज B. राम मोहन राय कॉलेज

C. यूनिवर्सिटी कॉलेज D. प्रेसीडेन्सी कॉलेज

12. संचार के दृष्टिकोण से भारतीय अलंकार-शास्त्र में उसके हिंदू और बौद्ध स्वरूपों में:

A. भौतिकवादी आधार होता है।

B. नैतिक आधार होता है।

C. यूरोपिकेंद्रित आधार होता है।

D. गैर-धार्मिक आधार होता है।

13. निम्नलिखित में से किस उपागम में शिक्षक रहस्यमय परिस्थिति प्रदान करता है और विद्यार्थी दत्त (डाटा) एकत्रित करके एवं उनके निष्कर्षों के परीक्षण द्वारा समस्या का समाधान करते हैं?

A. अन्वेषण अधिगम

B. प्रच्छन्न अधिगम

C. स्थितिक अधिगम

D. पृच्छा अधिगम

14. किसी परीक्षण सांख्यिकी के निम्नलिखित में से किन *p*-मानों के लिए शून्य परिकल्पना के अस्वीकृत होने की संभावना होती है?

(*a*) 2% का 0.38

(*b*) 38%

(*c*) 2%

(*d*) 0.46

नीचे दिए गए विकल्पों में से सबसे उपयुक्त उत्तर का चयन कीजिए:

A. केवल (*a*) और (*b*)

B. केवल (*a*) और (*c*)

C. केवल (*b*) और (*c*)

D. केवल (*b*) और (*d*)

15. सहकारी अधिगम का कौन-सा तत्व एक साथ 'सिंक एंड स्विम' के बारे में चर्चा करता है?

A. व्यक्तिगत उत्तरदायित्व

B. प्रोत्साहक अन्योन्यक्रिया

C. सकारात्मक परस्पर-निर्भरता

D. सामूहिक प्रक्रमण

16. पाँच (5) लुप्त अक्षरों का सही क्रम ज्ञात करें जिनसे निम्नलिखित वर्ण-शृंखला पूरी हो जाएगी।

daa _ bc _ cda _ a _ c _ c

A. a, b, a, c, b

B. a, c, b, a, c

C. a, c, a, b, c

D. a, c, a, c, b

17. "यदि आप केचअप पसंद करते हैं और आप आईसक्रीम भी पसंद करते है, तो आप निश्चित रूप से केचअप आइसक्रीम पसंद करेंगे।" इस युक्ति में कौन-सा तर्कदोष है?

A. व्यक्ति विशेष के लिए

B. अविचारित सामान्यीकरण

C. फिसलनयुक्त ढलान

D. संहति दोष

8. C **9.** C **10.** C **11.** D **12.** B **13.** D **14.** B **15.** C **16.** C **17.** D

18. इंटरनेट कुकीज के संबंध में निम्नलिखित (*a*)-(*d*) में से कौन-सा/से कथन सही है/हैं?

(*a*) वे स्पाईवेयर के रूप हैं।

(*b*) उनका केवल विज्ञापन में प्रयोग होता है।

(*c*) उनका प्रयोग ब्राउजर प्रयोग की खबर रखने के लिए होता है।

(*d*) वे वायरस की तरह ही कार्य करते हैं।

नीचे दिए गए विकल्पों में से सबसे उपयुक्त उत्तर का चयन कीजिएः

A. केवल (*a*) B. केवल (*a*) और (*b*)

C. केवल (*c*) D. केवल (*c*) और (*d*)

19. कथन I: ओजोन अवक्षयकारी पदार्थ (ODS) की दो श्रेणियाँ वर्ग I व वर्ग II थीं।

कथन II: वर्ग II ODS का उत्पादन 2000 में बंद हो गया था।

उपरोक्त कथन के आलोक में, नीचे दिए गए विकल्पों में से सही उत्तर का चयन कीजिए।

A. कथन I और II दोनों सत्य हैं

B. कथन I और II दोनों असत्य हैं

C. कथन I सत्य है, लेकिन कथन II असत्य है

D. कथन I असत्य है, लेकिन कथन II सत्य है

20. आदर्श सामान्य वितरण हेतु माध्यिका निम्नलिखित में से किन मापों के समतुल्य होगी?

(*a*) द्वितीय चतुर्थक (*b*) माध्य

(*c*) 50वां शतमक (*d*) बहुलक

(*e*) 5वां दशमक

नीचे दिए गए विकल्पों में से सबसे उपयुक्त उत्तर का चयन कीजिए:

A. केवल (*a*), (*b*) और (*c*)

B. केवल (*a*), (*b*) और (*d*)

C. केवल (*a*), (*b*), (*c*) और (*d*)

D. (*a*), (*b*), (*c*), (*d*) और (*e*)

21. कथन I: आगमनात्मक युक्तियाँ केवल दृढ़ या कमजोर हो सकती हैं।

कथन II: निगमनात्मक युक्तियाँ या तो अवैध होती हैं या वैध होती हैं।

उपरोक्त कथन के आलोक में, नीचे दिए गए विकल्पों में से सही उत्तर का चयन कीजिएः

A. कथन I और II दोनों सत्य हैं

B. कथन I और II दोनों असत्य हैं

C. कथन I सत्य है, लेकिन कथन II असत्य है

D. कथन I असत्य है, लेकिन कथन II सत्य है

22. कथन I: ड्रापबॉक्स इंटरनेट पर ई-मेल सेवा का एक उदाहरण है।

कथन II: गूगल डाक्स एक आनलाइन वर्ड प्रोसेसर है।

उपरोक्त कथन के आलोक में, नीचे दिए गए विकल्पों में से सही उत्तर का चयन कीजिएः

A. कथन I और II दोनों सत्य हैं

B. कथन I और II दोनों असत्य हैं

C. कथन I सत्य है, लेकिन कथन II असत्य है

D. कथन I असत्य है, लेकिन कथन II सत्य है

23. कथन I: विशेष समय एवं स्थान से सहबद्ध सूचना हेतु दीर्घकालिक स्मृति, विशेषतः किसी व्यक्ति के जीवन की घटनाओं की स्मृति अन्तर्निहित स्मृति कहलाती है।

कथन II: वह ज्ञान जिसके अनुस्मरण की चेतना हममें नहीं होती किन्तु वह हमारे व्यवहार या विचार को बिना हमारी अभिज्ञा के प्रभावित करता है, उसे प्रासंगिक स्मृति कहते हैं।

उपरोक्त कथन के आलोक में, नीचे दिए गए विकल्पों में से सही उत्तर का चयन कीजिए:

A. कथन I और II दोनों सत्य हैं

B. कथन I और II दोनों असत्य हैं

C. कथन I सत्य है, लेकिन कथन II असत्य है

D. कथन I असत्य है, लेकिन कथन II सत्य है

24. कथन I: गतिक आर.ए.एम. (डी.आर.ए.एम.) कंप्यूटरों में प्रयोग होने वाला आर.ए.एम. का सर्वाधिक सामान्य प्रकार है परन्तु जहाँ पर परम गति अनिवार्य होती है, वहाँ पर आर.ए.एम. (एस.आर.ए.एम.) प्रौद्योगिकी को वरीयता दी जाती है।

कथन II: प्रोसेसर की मेमोरी काशे मेमोरी का उच्च गति भाग है और उसके लिए एस.आर.ए.एम. प्रभावी प्रौद्योगिकी है।

उपरोक्त कथन के आलोक में, नीचे दिए गए विकल्पों में से सही उत्तर का चयन कीजिए:

A. कथन I और II दोनों सत्य हैं

B. कथन I और II दोनों असत्य हैं

C. कथन I सत्य है, लेकिन कथन II असत्य है

D. कथन I असत्य है, लेकिन कथन II सत्य है

18. C **19.** C **20.** D **21.** A **22.** D **23.** B **24.** A

25. निम्नलिखित युक्ति में कौन-सा आकरिक दोष है: "कोई भी राजनीतिज्ञ मूर्ख नहीं होता है। कुछ मतदाता मूर्ख नहीं होते है। इसलिए कुछ मतदाता राजनैतिज्ञ नहीं है"?

A. व्यावर्तक आधारवाक्य

B. अस्तित्वपरक तर्कदोष

C. फलवाक्य-विधान-दोष

D. हेतुवाक्य निषेध दोष

26. **कथन I:** शिक्षा पर राष्ट्रीय नीति (1986) का अभीष्ट सामाजिक विज्ञानों में अंतर-विषयी अनुसंधान को प्रोत्साहित करना था।

कथन II: शिक्षा पर राष्ट्रीय नीति (1986) के अनुसार ग्रामीण विश्वविद्यालयों का विचार अतर्कसंगत था।

उपरोक्त कथन के आलोक में, नीचे दिए गए विकल्पों में से सही उत्तर का चयन कीजिए:

A. कथन I और II दोनों सत्य हैं

B. कथन I और II दोनों असत्य हैं

C. कथन I सत्य है, लेकिन कथन II असत्य है

D. कथन I असत्य है, लेकिन कथन II सत्य है

27. कार्बनिक (ऑर्गेनिक) प्रकाश उत्सर्जक डायोड (ओएलईडी) के संदर्भ में निम्नलिखित में से कौन-से कथन सही है?

(*a*) प्लास्टिक कार्बनिक परतों के कारण, परंपरागत एलसीडी/एलईडी/प्रारूपों (फार्मेटों) की अपेक्षा ओएलईडी अधिक सघन और भारी होते हैं।

(*b*) एलईडी की तुलना में ओएलईडी अधिक तेज प्रकाश देते हैं जिसके कारण रंग अधिक सुस्पष्ट होते हैं।

(*c*) एलसीडी/एलईडी फार्मेट की अपेक्षा ओएलईडी अधिक वृहद दृश्य क्षेत्र की रचना करते हैं।

(*d*) ओएलईडी को किसी प्रकार के पार्श्व प्रकाश की आवश्यकता होती है ताकि स्क्रीन प्रकाशित हो सके।

(*e*) एलसीडी/एलईडी फार्मेटों की अपेक्षा ओएलईडी अधिक उर्जा का उपभोग करते हैं अतः अधिक ऊष्मा उत्पन्न करते हैं।

नीचे दिए गए विकल्पों में सबसे उपयुक्त उत्तर का चयन कीजिए:

A. केवल (*a*), (*b*) और (*c*)

B. केवल (*b*), (*c*) और (*e*)

C. केवल (*c*), (*d*) और (*e*)

D. केवल (*b*) और (*c*)

28. किसी वस्तु को 10% लाभ पर बेचा गया। यदि इसे इस विक्रय मूल्य से ₹ 20 अधिक पर बेचा गया होता तो 15% लाभ हुआ होता। वस्तु का लागत मूल्य है:

A. ₹ 480 B. ₹ 500

C. ₹ 510 D. ₹ 520

29. एक वृत्त का व्यास और एक समभुज त्रिकोण की एक भुजा की लम्बाई समान है। उनके क्षेत्रफलों का अनुपात क्या होगा?

A. $11 : 7\sqrt{3}$ B. $22 : 7\sqrt{3}$

C. $11 : \frac{14}{\sqrt{3}}$ D. $11 : \frac{7}{\sqrt{3}}$

30. यदि किसी योजना में 'FATHER' को '104' के रूप में कूटरचित किया गया है, तो उसी योजना में 'MOTHER' शब्द को कैसे कूटरचित किया जाएगा?

A. 104 B. 83

C. 87 D. 102

31. वायु प्रदूषकों के एक प्रकार, PAN का पूर्ण नाम निम्न में से कौन-सा है?

A. पॉलीसाइक्लिक ऐरोमेटिक नाइट्रेट

B. पॉलीसाइक्लिक ऐसिटाइल नाइट्रेट

C. पेरोक्सी ऐरोमेटिक नाइट्रेट

D. पेरोक्सी ऐसिटाइल नाइट्रेट

32. **कथन I:** कैन्वा पोस्टर, सूचना-लेखाचित्रण (इन्फोग्राफिक्स) प्रस्तुतिकरण आदि के रूप में सृजनात्मक विषय-वस्तु तैयार करने में प्रयुक्त ऑनलाइन उपकरण है।

कथन II: एडपजल, अन्योन्यकारी वीडियो बनाने के लिए प्रयुक्त एक ऑनलाइन उपकरण है।

उपरोक्त कथन के आलोक में, नीचे दिए गए विकल्पों में से सही उत्तर का चयन कीजिए:

A. कथन I और II दोनों सत्य हैं

B. कथन I और II दोनों असत्य हैं

C. कथन I सत्य है, लेकिन कथन II असत्य है

D. कथन I असत्य है, लेकिन कथन II सत्य है

33. संचार परिवेश में शरीर और मन के बीच विरोधाभासी संबंध किसमें फलित होता है?

A. सतर्कता

B. आत्म-महत्व

C. आज्ञाकारिता

D. परिहास (विनोद)

25. A	**26.** C	**27.** D	**28.** D	**29.** B	**30.** B	**31.** D	**32.** A	**33.** D

34. रिचर्ड जोहानसन के अनुसार, निम्नलिखित में से कौन-से कथोपकथनात्मक संचार के अत्यावश्यक घटक हैं?

(*a*) सुखद अभिवादन का दिखाना

(*b*) दूसरों के प्रति स्वत्वबोधक आत्मीयता

(*c*) तदनुभूतिक बोध

(*d*) परस्पर समत्व का भाव

(*e*) दूसरों के प्रति सकारात्मक सम्मान

नीचे दिए गए विकल्पों में से सबसे उपयुक्त उत्तर का चयन कीजिए:

A. केवल (*a*), (*b*) और (*c*)

B. केवल (*b*), (*c*) और (*d*)

C. केवल (*c*), (*d*) और (*e*)

D. केवल (*a*), (*d*) और (*e*)

35. कथन I: प्रतिनिध्यात्मक अनुसंधान में, अनुसंधानकर्ता अलग-अलग समय पर उसी जनसंख्या का अध्ययन करता है।

कथन II: भूतलक्षी अध्ययन में अनुसंधानकर्ता लोगों की अतीत की स्तृतियों एवं अनुस्मरणों पर निर्भर रहता है।

उपरोक्त कथन के आलोक में, नीचे दिए गए विकल्पों में से सही उत्तर का चयन कीजिए:

A. कथन I और II दोनों सत्य हैं

B. कथन I और II दोनों असत्य हैं

C. कथन I सत्य है, लेकिन कथन II असत्य है

D. कथन I असत्य है, लेकिन कथन II सत्य है

36. डॉ. बी.आर. अम्बेडकर निम्नलिखित से संबद्ध थे:

(*a*) एल्फिन्सटन कॉलेज, मुंबई

(*b*) खालसा कॉलेज, मुंबई

(*c*) मिलिंद कॉलेज, औरंगाबाद

(*d*) सिद्धार्थ कॉलेज, मुंबई

(*e*) फर्गुसन कॉलेज, पुणे

नीचे दिए गए विकल्पों में से सबसे उपयुक्त उत्तर का चयन कीजिए:

A. केवल (*a*), (*b*) और (*c*)

B. केवल (*b*), (*c*) और (*d*)

C. केवल (*c*), (*d*) और (*e*)

D. केवल (*a*), (*d*) और (*e*)

37. कथन I: प्रत्येक संचार में विषयवस्तु और संबंध दोनों के तत्व विद्यमान रहते हैं।

कथन II: आंखों के व्यवहार से परासंचारी संकेत मिलते हैं।

उपरोक्त कथन के आलोक में, नीचे दिए गए विकल्पों में से सही उत्तर का चयन कीजिए:

A. कथन I और II दोनों सत्य हैं

B. कथन I और II दोनों असत्य हैं

C. कथन I सत्य है, लेकिन कथन II असत्य है

D. कथन I असत्य है, लेकिन कथन II सत्य है

38. नई राष्ट्रीय शिक्षा नीति, 2020 के अंतर्गत निम्नलिखित में से शिक्षा के किन मौलिक सिद्धांतों को रेखांकित किया गया है?

(*a*) मौलिक अधिकार के रूप में उच्चतर शिक्षा

(*b*) बहु-विषयिकता और समग्र शिक्षा

(*c*) शिक्षा के भाग के रूप में उत्कृष्ट अनुसंधान

(*d*) शिक्षण और अधिगम में बहुभाषावाद को प्रोत्साहन

(*e*) अन्य ज्ञान आयोग की स्थापना

नीचे दिए गए विकल्पों में से सबसे उपयुक्त उत्तर का चयन कीजिए:

A. केवल (*a*), (*b*) और (*c*)

B. केवल (*b*), (*c*) और (*d*)

C. केवल (*c*), (*d*) और (*e*)

D. केवल (*a*), (*d*) और (*e*)

39. निम्न सौर ऊर्जा संग्रहण प्रणलियों में से किस प्रणाली में उष्मा ऊर्जा के भंडारण के लिए लवण प्रवणता की संकल्पना का प्रयोग किया जाता है?

A. सौर ताप संग्रहक

B. सौर सेल

C. सौर ताल

D. सौर भट्टी

40. निम्नलिखित शब्द समूहों को वस्त्वर्थ के आरोही क्रम में व्यवस्थित कीजिए:

(*a*) स्तनपायी

(*b*) वनबिलाव

(*c*) विडाल

(*d*) पशु

(*e*) कशेरूकी

नीचे दिए गए विकल्पों में से सही उत्तर का चयन कीजिए:

A. (*b*), (*c*), (*a*), (*e*), (*d*)

B. (*d*), (*e*), (*a*), (*c*), (*b*)

C. (*d*), (*a*), (*e*), (*b*), (*c*)

D. (*c*), (*b*), (*e*), (*a*), (*d*)

34. C **35.** D **36.** B **37.** A **38.** B **39.** C **40.** A

41. किशोरों के मानसिक विकास के अभिलक्षण निम्नलिखित में से कौन-से हैं?

(*a*) तथ्यों को सामान्यीकृत करने के लिए वर्धित अभिक्षमता

(*b*) स्मृति एवं कल्पनाशीलता का विकास

(*c*) संक्षेपीकरण से संबंधित ह्रासित अभिक्षमता

(*d*) समझने की ह्रासित अभिक्षमता

(*e*) समस्या निवारण की वर्धित अभिक्षमता

उपरोक्त कथन के आलोक में नीचे दिए गए विकल्पों में से सही उत्तर का चयन कीजिए:

A. केवल (*c*), (*d*) और (*e*)

B. केवल (*a*), (*b*) और (*e*)

C. केवल (*a*), (*c*) और (*d*)

D. केवल (*c*) और (*d*)

42. पर्यावरणीय शिक्षा निम्नलिखित के लिए आवश्यक है:

(*a*) प्राकृतिक संसाधनों का संरक्षण

(*b*) प्रदूषण के कारणों का ज्ञान

(*c*) प्रदूषण रोकने के उपायों का ज्ञान

(*d*) प्राकृतिक संसाधनों का व्यापक निष्कर्षण

(*e*) वैज्ञानिक आविष्कार पर मितव्ययिता

नीवे दिए गए विकल्पों में से सबसे उपयुक्त उत्तर का चयन कीजिए:

A. केवल (*a*), (*b*) और (*c*)

B. केवल (*b*), (*c*) और (*d*)

C. केवल (*c*), (*d*) और (*e*)

D. केवल (*a*), (*d*) और (*e*)

43. कथन I: साहित्यिक चोरी संबंधी यू.जी.सी. विनियम, 2018 के अनुसार, उच्चतर शिक्षा संस्थानों के प्राधिकारी साहित्यिक चोरी के कृत्य का स्वयं से संज्ञान नहीं ले सकते हैं।

कथन II: साहित्यिक चोरी का आशय उस व्यवहार से है जिसमें किसी अन्य के कार्य या विचार को ग्रहण करना तथा उसे अपने नाम से आगे बढ़ाया जाना है।

उपरोक्त कथन के आलोक में, नीचे दिए गए विकल्पों में से सही उत्तर का चयन कीजिए:

A. कथन I और II दोनों सत्य हैं

B. कथन I और II दोनों असत्य हैं

C. कथन I सत्य है, लेकिन कथन II असत्य है

D. कथन I असत्य है, लेकिन कथन II सत्य है

44. अभिकथन (A): प्लास्टिक, काष्ठ उत्पादों, विद्युत-रोधी सामग्री, सरेस व वस्त्रों में व्यापक रूप से प्रयुक्त होने वाला फार्मलडिहाइड गंभीर एलर्जी कारक है।

कारण (R): एलर्जीकारक वे पदार्थ होते हैं जो प्रतिरक्षा प्रणाली को सक्रिय कर देते हैं।

उपरोक्त कथन के आलोक में, नीचे दिए गए विकल्पों में से सही उत्तर का चयन कीजिए:

A. (A) और (R) दोनों सत्य हैं और (R), (A) की सही व्याख्या है

B. (A) और (R) दोनों सत्य हैं, लेकिन (R), (A) की सही व्याख्या नहीं है

C. (A) सत्य है, लेकिन (R) असत्य है

D. (A) असत्य है, लेकिन (R) सत्य है

45. तर्क के भारतीय शास्त्रीय न्याय मत के अनुसार निम्न में से किन युक्तियों में हेतु किसी अन्य हेतु से प्रतिसंतुलित हो जाता है?

(*a*) सभी वस्तुएं गैर-शाश्वत हैं क्योंकि वे ज्ञेय हैं।

(*b*) अग्नि शीतल होती है क्योंकि वह पदार्थ है।

(*c*) ध्वनि शाश्वत है क्योंकि वह उत्पादित होती है

(*d*) ध्वनि गुण है क्योंकि वह दृश्य है।

नीचे दिए गए विकल्पों में से सबसे उपयुक्त उत्तर का चयन कीजिए:

A. केवल (*b*) और (*c*)   B. केवल (*a*) और (*d*)

C. केवल (*c*) और (*d*)   D. केवल (*b*) और (*d*)

निर्देश (प्र.सं. 46 से 50 तक): *निम्नलिखित गद्यांश को सावधानीपूर्वक पढ़िए व उसके नीचे पूछे गए प्रश्नों के उत्तर दीजिए:*

ऊर्जा की बचत करने का अर्थ है धन की बचत करना। मकान मालिक व किराएदार इस बुनियादी सच को जानते हैं। परंतु अक्सर उन्हें यह मालूम नहीं होता है कि वे अपने घरों और फ्लैटों में किस तरह के समायोजन कर सकते हैं जिनके फलस्वरूप बचत होगी।

जो लोग कुछ समय और धन लगाकर दीर्घकालिक ऊर्जा बचत का लाभ लेना चाहते हैं, उनके लिए ऊर्जा लेखा-परीक्षा सही रास्ता है। ऊर्जा लेखा परीक्षक आपके घर आएगा और उसकी ऊर्जा दक्षता का आकलन करेगा। लेखा परीक्षक आपके घर के उन क्षेत्रों की पहचान करेगा जहाँ सर्वाधिक ऊर्जा उपभोग होता है और आपके ऊर्जा उपयोग और लागत को कम करने के हल प्रस्तुत करेगा। प्रशिक्षित ऊर्जा लेखा परीक्षक जानते हैं कि उन्हें किसकी तलाश करनी है और वे ऐसे अनेक दोष ढूंढ सकते हैं जिनके कारण ऊर्जा अक्षमता आ रही हो। इनमें अपर्याप्त विद्युत रोधन, निर्माण दोष व असमान उष्मा वितरण शामिल है।

इसके साथ ही त्वरित व कम खर्चीले उपाय भी है। धन बचत का एक रास्ता है ताप दीप्त लाइटों को प्रतिदीप्त लाइटों से बदलना। इसके फलस्वरूप लाइटों पर आपके मासिक खर्च में 50% से अधिक की बचत हो सकती है। जब पुराने उपकरणों को बदलने का समय आए

41. B **42.** A **43.** D **44.** B **45.** A

तो ऊर्जा दक्ष मॉडल पर थोड़ा अधिक खर्च करने में बुद्धिमानी है और आप यह भी सुनिश्चित करें कि आप अपने वर्तमान फ्रिज, डिशवाशर, वांशिंग मशीन अथना ड्रायर की पहले से लगी ऊर्जा बचत की सैटिंग का लाभ उठा रहे हैं।

खिड़कियाँ ऊर्जा लागत में कटौती करने का एक अन्य अवसर प्रदान करती है। हवा के झोंकों को रोकने के लिए पुरानी खिड़कियों के छिद्रों को बंद करें और यदि आप अतिरिक्त खिड़की लगा रहे हैं अथवा पुरानी खिड़कियों को बदल रहे हैं, तो दोहरे पैनल वाली खिड़कियाँ चुनिए।

आपके घर अथवा फ्लैट के अधिकतर हिस्से ऊर्जा व धन की बचत करने के लिये अवसर प्रस्तुत करते हैं। परिणाम सार्थक है और यह प्रयास करने योग्य है।

46. गद्यांश के अनुसार ऊर्जा लेखा-परीक्षक निम्न में से क्या-क्या करेगा?

(*a*) अनेक ऐसे दोषों का पता लगाएगा जिनके कारण ऊर्जा अक्षमता होती हो और उन्हें ठीक करेगा।

(*b*) निर्माण दोषों की जांच करेगा।

(*c*) उष्मा वितरण संबंधी समस्याओं को ढूंढेगा।

(*d*) आपकी ऊर्जा लागत को कम करने के समाधान प्रस्तुत करेगा।

नीचे दिए गए विकल्पों में से सबसे उपयुक्त उत्तर का चयन कीजिए:

A. केवल (*a*)

B. केवल (*b*) और (*c*)

C. केवल (*c*) और (*d*)

D. केवल (*b*), (*c*) और (*d*)

47. गद्यांश के अनुसार दोहरे पैनल वाली खिड़कियों/खिड़कियां:

A. का कभी भी घरों में पुरानी खिड़कियों को बदलने अथवा नई खिड़कियों में प्रयोग नहीं करना चाहिए।

B. की मरम्मत नहीं की जा सकती है।

C. आपकी उष्मन लागत को 50% तक कम करेगी

D. ऊर्जा दक्ष होती हैं।

48. गद्यांश के चौथे अनुच्छेद के संदर्भ में 'Caulk' शब्द का अर्थ है:

A. बंद करना

B. अधिक आकर्षक बनाना

C. छिद्रों को बंद करना

D. समस्या का कारक ढूंढना

49. गद्यांश निदर्शित करता है कि पुराने उपकरण:

A. अधिक ऊर्जा की खपत करते हैं

B. कम ऊर्जा की खपत करते हैं

C. भली-भाँति काम करते हैं

D. लंबे समय तक चलते हैं

50. निम्नलिखित में से कौन-सा विचार गद्यांश में शामिल नहीं है?

A. ताप दीप्त बल्बों के स्थान पर प्रतिदीप्त बल्बों के प्रयोग से आप अपनी मासिक प्रकाशन लागत को 50% से अधिक तक घटा सकते हैं।

B. दोहरे पैनल वाली खिड़कियाँ ऊर्जा लागत में कटौती कर सकती है।

C. भारत में ऊर्जा लेखा-परीक्षा प्रत्येक घर व फ्लैट के लिए अनिवार्य की जानी चाहिए।

D. कुछ साधनों में ऊर्जा बचत की सैटिंग्स होती है।

व्याख्यात्मक उत्तर

1. (A): मूलधन = ₹ 14500

दर = 10%

समय = 4 वर्ष

$$\text{मिश्रधन} = \text{मूलधन}\left(1+\frac{\text{दर}}{100}\right)^{\text{समय}}$$

$$= 14500\times\left(1+\frac{10}{100}\right)^4$$

$$= 14500\times\frac{11\times11\times11\times11}{10\times10\times10\times10}$$

$$= \frac{145\times14641}{1000} = ₹\ 21229.45.$$

2. (D): F का मूलधन = ₹ 60000, समय = 2 वर्ष

F का ब्याज दर = 6% + 2% = 8%

D का मूलधन = ₹ 45000, समय = 3 वर्ष

$$\text{F का ब्याज} = \frac{60000\times8\times3}{100} = ₹\ 2025$$

$\therefore$ D का ब्याज = 9600 − 7575 = ₹ 2025

$$\text{D का ब्याज दर} = \frac{2025\times100}{45000\times3} = \frac{3}{2}\% = 1.5\%.$$

3. (C): E का दर = 8%, मूलधन = 20000, समय = $2t$ वर्ष

46. D	**47.** D	**48.** C	**49.** A	**50.** C

$$\text{B का दर} = 6\%,$$

$$\text{मूलधन} = 30000,$$

$$\text{समय} = t \text{ वर्ष}$$

$$\text{E का ब्याज} = \frac{20000 \times 8 \times 2t}{100}$$

$$= 3200t$$

$$\text{B का ब्याज} = \frac{30000 \times 6 \times t}{100}$$

$$= 1800t$$

$$3200t - 1800t = 4200$$

$$\Rightarrow \quad 1400t = 4200$$

$$\Rightarrow \quad t = 3 \text{ वर्ष}$$

$$\text{E द्वारा प्राप्त राशि} = 20000 + \frac{20000 \times 6 \times 8}{100}$$

$$= 20000 + 9600$$

$$= ₹\ 29600.$$

4. (D): $\text{A का ब्याज दर} = 6\%$

$$\text{C का ब्याज दर} = x\%$$

$$\frac{\text{A का ब्याज दर}}{\text{B का ब्याज दर}} = \frac{2}{3}$$

$$\Rightarrow \frac{6}{x} = \frac{2}{3}$$

$$\Rightarrow \quad x = 9\%$$

$$\therefore \text{ C का ब्याज दर} = 9\%$$

$$\text{अभीष्ट समय} = \frac{14500 \times 100}{14500 \times 9}$$

$$= \frac{100}{9}$$

$$= 11\frac{1}{9} \text{ वर्ष।}$$

5. (B): $\text{F का मूलधन} = ₹\ 60000$

$$\text{ब्याज} = \frac{20}{100} \times 60000$$

$$= ₹\ 12000$$

$$\text{मिश्रधन} = 60000 + 12000$$

$$= ₹\ 72000$$

$$\text{समय} = \frac{12000 \times 100}{60000 \times 20}$$

$$= 1 \text{ वर्ष}$$

$$\text{मिश्रधन} = \text{मूलधन}\left(1 + \frac{\text{दर}}{100}\right)^{\text{समय}}$$

$$= 60000\left(1 + \frac{10}{100}\right)^2$$

$$= 60000 \times \frac{11 \times 11}{10 \times 10}$$

$$= ₹\ 72600$$

चक्रवृद्धि ब्याज दर पर उसे ₹ 600 अधिक राशि प्राप्त होती।

6. (A): $\text{साधारण ब्याज} = \frac{10000 \times 10 \times 3}{100} = ₹\ 3000$

$$\text{चक्रवृद्धि ब्याज} = [\text{मिश्रधन} - \text{मूलधन}]$$

$$= 10000\left(1 + \frac{10}{100}\right)^3 - 10000$$

$$= 10000 \times \frac{11 \times 11 \times 11}{10 \times 10 \times 10} - 10000$$

$$= 13310 - 10000$$

$$= ₹\ 3310$$

$$\text{ब्याज में अंतर} = 3310 - 3000 = ₹\ 310.$$

7. (A): रियो डी जनेरियो पृथ्वी शिखर सम्मेलन 1992 में सदस्य राष्ट्रों ने जैव विविधता पर हस्ताक्षर किए। इस सम्मेलन के तीन मुख्य लक्ष्य थे:

- जैव विविधता का संरक्षण
- जैव घटकों का सतत उपयोग
- अनुवांशिक संसाधनों से उत्पन्न होने वाले लाभों का उचित और न्यायसंगत विभाजन।

सदस्य देशों में संयुक्त राज्य अमेरिका एकमात्र देश है जिसने इस सम्मेलन की पुष्टि नहीं की।

8. (C): गैर-शाब्दिक संचार मौखिक संदेश का स्थानापन्न तरीका है। उदाहरण–चेहरे की अभिव्यक्ति शब्दों की तुलना में कहीं अधिक स्पष्ट संदेश देता है। गैर-शाब्दिक संचार शांत स्थिति में भी उपयोगी होता है। यह मूर्त विषयों के अधीन अध्ययन संभव नहीं है। इसका अध्ययन भाषाविज्ञान, मानवशास्त्र, मनोविज्ञान जैसे विषयों के अंतर्गत किया जाता है।

9. (C): कथन I सत्य है : माईगव (MyGov) एक सरकारी मंच है जिसे भारत सरकार ने नागरिकों से सुशासन के संबंध में उनके विचार और सुझाव प्राप्त करने और उनकी भागीदारी को प्रोत्साहित करने के लिए स्थापित किया है। यह प्लेटफॉर्म नागरिकों को सरकारी नीतियों और पहलों में सक्रिय रूप से भाग लेने का अवसर प्रदान करता है।

दूसरी ओर, कथन II असत्य है क्योंकि माईगव प्लेटफॉर्म का विकास तीन पूर्व फ्लिपकार्ट कर्मचारियों द्वारा नकदी रहित और निर्बाध भुगतान अनुभव प्रदान करने के लिए नहीं किया गया था। यह विवरण ''फोनपे'' नामक डिजिटल भुगतान प्लेटफॉर्म के बारे में है।

10. (C): प्रकृतिवादी प्रेक्षण में, द्विभाजी अभिलेखन की पद्धति का उपयोग करते हुए यह दर्ज किया जाता है कि कोई विशेष व्यवहार एक निश्चित अवलोकन अंतराल के दौरान हुआ या नहीं। इसे एक/शून्य प्रतिचयन कहा जाता है, जहाँ ''एक'' का मतलब है कि व्यवहार हुआ, और ''शून्य'' का मतलब है कि व्यवहार नहीं हुआ।

11. (D): 1817 ई. में डेविड हेयर, राधाकांत देब, बैद्यनाथ मुखोपाध्याय, राजा राममोहन राय आदि को अथक प्रयासों से हिन्दू कॉलेज की स्थापना की गई। 1855 ई. में इसका नाम परिवर्तित कर प्रेसीडेंसी कॉलेज कर दिया गया।

12. (B): संचार किसी संदेश को एक लक्षित समूह को स्थानांतरित या संप्रेषित करना है। यह तीन चीजों से मिलकर बना है, प्रेषक, संचार चैनल और प्राप्तकर्ता। चूंकि प्राचीन बौद्ध ग्रंथ पाली भाषा में रचित थे तथा ये आर्यन भाषा संस्कृत एवं परवर्ती अपभ्रंश से निकलकर जनभाषा के तौर पर प्रयुक्त की जाती थी। इन बौद्ध ग्रंथों में भारतीय अलंकार शास्त्र ही प्रयुक्त होते थे।

दिए गए प्रश्नानुसार बौद्ध तथा हिंदू धर्म के मतानुयायियों में एक ही भाषा परिवार से उत्पति के कारण संचार में अलंकार के प्रयोग नैतिक आधार माना जा सकता है।

13. (D): पृच्छा अधिगम के मुख्य प्रवर्तक रिचर्ड सचमैन हैं। इसका आशय छात्रों को प्रश्न पूछने के लिए प्रेरित करना है। इस अधिगम में शिक्षक ऐसी रहस्यमय परिस्थिति प्रदान करता है जिसमें विद्यार्थी आंकड़े एकत्र कर संबंधित जिज्ञासा को शांत कर सके। सचमैन को विश्वास था कि बालक स्वभाव से जिज्ञासु होते हैं तथा वे अपनी जिज्ञासा को संतुष्टि के लिए पूछताछ में आनंद का अनुभव करते हैं।

14. (B): (*a*) $\frac{2}{100} \times \frac{38}{100} = \frac{76}{10000} = 0.0076$

(*b*) $38\% = \frac{38}{100} = 0.38$

(*c*) $2\% = \frac{2}{100} = 0.02$

(*d*) $0.46 = \frac{46}{100} = 0.46$

स्पष्टतः केवल (*a*) और (*c*) को अस्वीकृत होने की सम्भावना होती है।

15. (C): सहकारी अधिगम एक विशिष्ट प्रकार का अधिगम है। इस अधिगम में, छात्र छोटे समूहों में एक संरचित गतिविधि पर एक साथ कार्य करते हैं। वे अपने कार्य के लिए व्यक्तिगत रूप से उत्तरदायी होते हैं और पूरे समूह के कार्य का भी आकलन किया जाता है। सहकारी समूह आमने-सामने कार्य करते हैं और एक टीम के रूप में कार्य करते हैं। 'सिंक एण्ड स्विम' के अंतर्गत छात्र परस्पर निर्भर होते हुए अंतःक्रिया कर एक-दूसरे की सहायता करते हैं। साथ ही अन्य छात्र की तुलना में बेहतर करना चाहते हैं जो प्रतिस्पर्धा के कारण अपने साथियों की तुलना में अधिक ग्रहण करने के लिए सीखने और प्रगति के रूप में उनकी उच्च उपलब्धियों की ओर जाता है।

17. (D): संहति दोष एक अनौपचारिक भ्रांति है जो तब उत्पन्न होती है जब कोई इस तथ्य से यह निष्कर्ष निकालता है कि कोई चीज सम्पूर्ण के बारे में सत्य है या सम्पूर्ण के कुछ भाग के लिए सत्य है। जैसे :

- यदि आप केचअप पसंद करते है और आप आइसक्रीम भी पसंद करते हैं, तो आप निश्चित रूप से केचअप आइसक्रीम पसंद करेंगे।
- यदि कोई धावक तेज दौड़ता है, तो वह दौड़ जीत सकता है। इसलिए, यदि सभी धावक तेज दौड़े, तो वे सभी दौड़ जीत सकते हैं।

18. (C): इंटरनेट कुकीज छोटी टेक्स्ट फाइले होती हैं। यह उपयोगकर्ता के ब्राउजर पर उन वेबसाइटों द्वारा भेज दी जाती है जिस पर वह काम कर रहा होता है। इसके द्वारा वेबसाइट उपयोगकर्ता के उस वेबसाइट पर आने-जाने की जानकारी याद रखी जाती है। यह एक तरह से स्पाईवेयर की तरह है जो वायरस की तरह कार्य करता है।

19. (C): ओजोन अवक्षयकारी पदार्थों (ODS) को दो श्रेणियों में वर्गीकृत किया गया है : वर्ग I और वर्ग II। यह कथन सत्य है। वर्ग I में क्लोरोफ्लोरोकार्बन (CFCs) और हैलोन शामिल हैं, जबकि वर्ग II में हाइड्रोक्लोरोफ्लोरोकार्बन (HCFCs) शामिल हैं। हालांकि, कथन II असत्य है क्योंकि वर्ग II ODS का उत्पादन 2000 में पूरी तरह से बंद नहीं हुआ था। वर्ग II पदार्थों का चरणबद्ध उन्मूलन एक बाद की तिथियों तक विस्तारित हुआ है, जो विकसित और विकासशील देशों के लिए अलग-अलग हैं।

20. (D): आदर्श सामान्य वितरण में, माध्यिका निम्नलिखित मापों के समतुल्य होती है :

- **द्वितीय चतुर्थक** : क्योंकि यह डेटा को दो बराबर भागों में विभाजित करता है।
- **माध्य** : सामान्य वितरण में माध्य, माध्यिका और बहुलक सभी समान होते हैं।
- **50वां शतमक** : यह वह बिंदु है जहां 50% आबादी उस मान से कम है।
- **बहुलक** : सामान्य वितरण की सममित प्रकृति के कारण, बहुलक, माध्यिका और माध्य सभी समान होते हैं।
- **5वां दशमक** : दशमक डेटा को दस बराबर भागों में विभाजित करते हैं, और 5वां दशमक माध्यिका के बराबर होता है।

इसलिए, सभी विकल्प सही हैं।

21. (A): दृढ़ आगमनात्मक युक्ति जिसमें सभी आधार वाक्य सत्य होते हैं।

वैध युक्तियाँ वे होती हैं जो निष्कर्ष परिसर से तार्किक रूप से अनुसरण करती हैं। दूसरे अर्थ में यदि परिसर सत्य है तो निष्कर्ष भी सत्य होना चाहिए।

इसके ठीक विपरीत कमजोर और अवैध आगमनात्मक युक्तियाँ होती है।

अतः दोनों कथन सही है।

22. (D): ड्रॉपबॉक्स किसी उपयोगकर्ता को एक निर्दिष्ट फोल्डर में किसी भी फाइल को ड्रॉप करने के लिए सक्षम बनाता है, जिससे यह फोल्डर इंटरनेट के जरिए उपयोगकर्ता के कम्प्यूटर और उपकरणों के साथ सिंक्रोनाइज किया जा सके। अतः यह इंटरनेट पर ई-मेल सेवा का उदाहरण नहीं है। कथन I असत्य है।

गूगल डॉक्स गूगज इंक का फ्री इंटरनेट आधारिंत अनुप्रयोग अर्थात ऑनलाइन वर्ड प्रोसेसर है। जिसमें शब्द-संसाधन, स्प्रेडशीट, प्रस्तुतीकरण, फार्म तथा डेटा-भण्डार की सुविधा प्रदत्त है। अतः कथन II सही है।

23. (B): वह जानकारी जो लोग जानबूझकर याद रखने की कोशिश नहीं करते हैं, अंतर्निहित स्मृति में संग्रहित हो जाती है जिसे अचेतन स्मृति के रूप में भी जाना जाता है।

वह स्मृतियाँ जो घटित होने के समय के साथ संकलित होती रहती हैं, प्रासंगिक स्मृति के नाम से जानी जाती है। हमारे जीवन के अनुभवों के बहुत सारे प्रसंग जो कुटांकित संकलित एवं पुनरूद्धार स्मृति के रूप में दीर्घकालिक स्मृति में रहती है। ये हमारे व्यक्तिगत अनुभव होते हैं।

अतः दिए गए परिभाषानुसार दोनों ही कथन असत्य हैं।

24. (A): डयनामिक रैम (DRAM) एक प्रकार का सेमीकंडकटर मेमोरी होता है जिसका उपयोग कम्प्यूटर और डिजिटल डिवाइस में डेटा संग्रह करने के लिए किया जाता है यह रैम का सर्वाधिक सामान्य प्रकार है परंतु अधिक गति के लिए स्थिर रैम (SRAM) को प्रयुक्त किया जाता है। अतः कथन I सही है।

स्थिर रैम (SRAM) का उपयोग आमतौर पर कैश मेमोरी के लिए किया जाता है, जैसे प्रोसेसर का L2 या L3 कैश। इसके लागत और आकार के कारण अधिकांश कम्प्यूटर इसके जगह डायनामिक रैम (DRAM) का उपयोग करते हैं। अतः कथन II भी सत्य है।

25. (A): व्यावर्तक अभिलक्षण सिद्धांतानुसार 'स्थानीय भाषा की सबसे छोटी और स्वतंत्र इकाई नहीं है बल्कि प्रत्येक स्वनिम कुछ लक्षणों का एक गुच्छ है। इनमें एक या एकाधिक अभिलक्षणों के होने या न होने के आधार पर दो स्वनिमों में भेद किया जाता है। इनके माध्यम से किसी स्वनिम और उस स्वनिम के वर्ग का निर्धारण किया जाता है। एक तर्क के निर्माण में अमान्य या दोषपूर्ण तर्क का उपयोग एक हेत्वाभास है। ये अवैध या अप्रासंगिक बिंदु हो सकते हैं। उदाहरण कोई भी राजनीतिक मूर्ख नहीं होता है। कुछ मतदाता मूर्ख नहीं होते है। इसलिए कुछ मतदाता राजनीतिज्ञ नहीं ये दोनों आधारवाक्य नकारात्मक है इसलिए यह व्यावर्तक आधारवाक्य का हेत्वाभास है।

26. (C): राष्ट्रीय शिक्षा नीति (1986) का उद्देश्य असमानताओं को दूर करने विशेष रूप से भारतीय महिलाओं, अनुसूचित जनजातियों और अनुसूचित जाति समुदायों के लिए शैक्षिक अवसर की बराबरी करने पर विशेष जोर देना था। इस नीति के तहत प्राथमिक स्कूलों को बेहतर बनाने के लिए 'ऑपरेशन ब्लैकबोर्ड' लांच किया गया। इसके अंतर्गत अभीष्ट सामाजिक विज्ञानों में अंतर-विषयी अनुसंधान को प्रोत्साहित करना था। इसके अंतर्गत ग्रामीण शिक्षा को प्रोत्साहित एवं विश्वविद्यालय को तर्कसंगत बताया गया था।

अतः कथन I सत्य है, परंतु कथन II असत्य है।

27. (D): आर्गेनिक लाइट इमिटिंग डायोड (OLED) के पास LED-डिस्प्ले के विपरीत डिस्प्ले में हर एक पिक्सेल के साथ अपनी खुद की लाइट होती है। साथ ही हर एक पिक्सेल आवश्यकतानुसार बंद भी हो सकता है। इससे OLED स्क्रीन में डीप ब्लैक मिलता है जिससे उत्कृष्ट कॉन्ट्रास्ट प्राप्त होता है। यह LED की तुलना में ज्यादा क्षेत्र तक प्रकाश देता है।

28. (D): माना कि वस्तु का क्रय मूल्य = ₹ x

प्रश्नानुसार, x का 5% = 26

$$\Rightarrow \quad \frac{x \times 5}{100} = 26$$

$$\Rightarrow \quad x = 26 \times 20 = ₹\ 520$$

अतः वस्तु का लागत मूल्य = ₹ 520.

29. (B): वृत्त का व्यास तथा समबाहु त्रिभुज की भुजा की लंबाई समान है।

$\therefore$ वृत्त की त्रिज्या = $\frac{x}{2}$

$$\frac{\text{वृत का क्षेत्रफल}}{\text{समबाहु त्रिभुज का क्षेत्रफल}} = \frac{\pi r^2}{\frac{\sqrt{3}}{4}(\text{भुजा})^2}$$

$$= \frac{\frac{\pi \times x^2}{4}}{\frac{\sqrt{3}}{4} \times x^2}$$

$$= \frac{\pi x^2}{4} \times \frac{4}{\sqrt{3}x^2}$$

अतः क्षेत्रफलों का अनुपात = $\frac{22}{7\sqrt{3}} = 22 : 7\sqrt{3}$.

31. (D): PAN का पूर्ण रूप पेराक्सी एसिटाइल नाइट्रेट्स है, जो वाष्पशील कार्बनिक यौगिकों नाइट्रोजन आक्साइड और सूर्य के प्रकाश के बीच अभिक्रियाओं की एक जटिल शृंखला के माध्यम से गठित वायु प्रदूषक का एक प्रकार है।

32. (A): एडपजल (Edpuzzle) अन्योन्यकारी वीडियो बनाने के लिए प्रयुक्त एक ऑनलाइन उपकरण है। इसके माध्यम से उपयोगकर्त्ता शब्दावली, लेखन और व्याकरण निर्देश को ऑनलाइन प्रस्तुत करने के लिए करता है।

केन्वा (Canva) पोस्टर ऑनलाइन ग्राफिक टूल है जिसके द्वारा किसी भी तरह का ग्राफिक ऑनलाइन या ऑफलाइन उपयोग के लिए बना सकते हैं। यह फेसबुक कवर, इंस्टाग्राम पोस्टर, यू-ट्यूब बैनर, लोगो आदि के लिए प्रयुक्त किया जाता है। अतः दिए गए दोनों कथन सही हैं।

33. (D): शारीरिक भाषा अमौखिक संचार का एक रूप है जिसे शरीर की मुद्रा, चेहरे की अभिव्यक्ति, इशारों और आंखों की गति के द्वारा व्यक्त किया जाता है। इसे मस्तिष्क के द्वारा नियंत्रित किया जाता है। जैसी मानसिकता होती है शरीर की वैसी गतिविधि होती है। किंतु विनोद, परिहास के समय दोनों में विरोधाभाषी संबंध है। इस वक्त शरीर मन से इतर गतिविधि प्रदर्शित करता है।

34. (C): रिचर्ड जोहानसन के अनुसार, कथोपकथनात्मक संचार के अत्यावश्यक घटक हैं :

- **तदनुभूतिक बोध :** दूसरों की भावनाओं और दृष्टिकोण को समझने की क्षमता।
- **परस्पर समत्व का भाव :** सभी सहभागियों के बीच समानता का अनुभव।
- **दूसरों के प्रति सकारात्मक सम्मान :** संचार में आदर और सम्मान का भाव।

अतः विकल्प (*c*), (*d*) और (*e*) सही हैं।

35. (D): कथन I असत्य है क्योंकि "प्रतिनिध्यात्मक अनुसंधान" में अनुसंधानकर्ता एक बार में जनसंख्या के प्रतिनिधि नमूने का अध्ययन करता है, न कि अलग-अलग समय पर उसी जनसंख्या का। अलग-अलग समय पर उसी जनसंख्या का अध्ययन "पैनल अनुसंधान" या "अनुदैर्ध्य अध्ययन" कहलाता है।

कथन II सत्य है क्योंकि "भूतलक्षी अध्ययन" (Retrospective Study) में अनुसंधानकर्ता लोगों के अतीत के अनुभवों और स्मरणों पर निर्भर रहता है ताकि पूर्व घटनाओं और स्थितियों का विश्लेषण किया जा सके।

इसलिए कथन I असत्य है, लेकिन कथन II सत्य है।

36. (B): डॉ. बी.आर. अम्बेडकर निम्नलिखित से संबद्ध थे :

- **खालसा कॉलेज, मुंबई :** डॉ. बी.आर. अम्बेडकर का इस संस्थान से जुड़ाव था।
- **मिलिंद कॉलेज, औरंगाबाद :** डॉ. अम्बेडकर ने इस कॉलेज की स्थापना की थी।
- **सिद्धार्थ कॉलेज, मुंबई :** यह कॉलेज भी डॉ. अम्बेडकर द्वारा स्थापित किया गया था।

अतः विकल्प (*b*), (*c*) और (*d*) सही हैं।

37. (A): संचार के पाँच स्तर हैः मौखिक, शारीरिक, श्रवण भावनात्मक और ऊर्जावान। इसमें विषयवस्तु के साथ विषयों के साथ संबध दोनों ही विद्यमान रहते हैं।

आंखों का संचार में उपयोग परा-संचार का उदाहरण है। इसमें बिना शब्द के आँखों के हरकत से सामने वाले से संवाद संभव है। अतः दोनों कथन सही हैं।

38. (B): नई राष्ट्रीय शिक्षा नीति 2020, अंतरिक्ष वैज्ञानिक के कस्तूरीरंगन की अध्यक्षता वाली समिति की रिपोर्ट पर आधारित है। इसमें बुनियादी साक्षरता और संख्यात्मक ज्ञान पर एक राष्ट्रीय मिशन की स्थापना का प्रस्ताव किया गया है। इसके अंतर्गत बहुविषयिकता और समग्र शिक्षा, शिक्षा के भाग के रूप में उत्कृष्ट अनुसंधान तथा शिक्षण और अधिगम में बहुत भाषावाद के प्रोत्साहन पर बल दिया गया है।

39. (C): सौर ताल (Solar Pond) एक ऐसी प्रणाली है जो लवण प्रवणता की संकल्पना का उपयोग करके उष्मा ऊर्जा को भंडारित करती है। इसमें पानी की विभिन्न परतों में लवण की सांद्रता अलग-अलग होती है, जिससे उष्मा ऊर्जा नीचे की परत में संचित होती है और बाद में उपयोग की जा सकती है।

40. (A): आरोही क्रम में शब्द समूह :

- **वनबिलाव** : विशिष्ट जीव
- **विडाल** : बिल्ली परिवार
- **स्तनपायी** : स्तनधारी प्राणी
- **कशेरूकी** : रीढ़धारी जीव
- **पशु** : समस्त प्राणी समूह

यह क्रम विशिष्ट से सामान्य की ओर है।

41. (B): किशोरों के मानसिक विकास के अभिलक्षण :

- **तथ्यों को सामान्यीकृत करने के लिए वर्धित अभिक्षमता** : अमूर्त और विश्लेषणात्मक सोच का विकास।
- **स्मृति एवं कल्पनाशीलता का विकास** : मानसिक क्षमताओं का विस्तार।
- **समस्या निवारण की वर्धित अभिक्षमता** : जटिल समस्याओं को हल करने की क्षमता।

अतः विकल्प (*a*), (*b*) और (*e*) सही हैं।

42. (A): पर्यावरणीय शिक्षा आवश्यक है :

- **प्राकृतिक संसाधनों का संरक्षण** : यह शिक्षा लोगों को संसाधनों के सतत उपयोग और संरक्षण के महत्व को समझने में मदद करती है।
- **प्रदूषण के कारणों का ज्ञान** : प्रदूषण के स्रोतों और उनके प्रभावों के बारे में जागरूकता बढ़ाती है।
- **प्रदूषण रोकने के उपायों का ज्ञान** : प्रदूषण को कम करने के तरीकों और उपायों की जानकारी प्रदान करती है।

प्राकृतिक संसाधनों का विस्तृत निष्कर्षण पर्यावरणीय शिक्षा के उद्देश्यों के विपरीत है, क्योंकि यह संसाधनों के अति दोहन को बढ़ावा देता है।

वैज्ञानिक आविष्कार पर मितव्ययिता का सीधा संबंध पर्यावरणीय शिक्षा से नहीं है।

इसलिए, सही विकल्प (*a*), (*b*) और (*c*) हैं।

43. (D): कथन I असत्य है क्योंकि यूजीसी के साहित्यिक चोरी संबंधी विनियम, 2018 के अनुसार, उच्चतर शिक्षा संस्थानों के प्राधिकारी साहित्यिक चोरी के कृत्यों का स्वयं से संज्ञान ले सकते हैं। वे संस्थानों में साहित्यिक चोरी की रोकथाम और निवारण के लिए जिम्मेदार हैं।

कथन II सत्य है क्योंकि साहित्यिक चोरी का अर्थ है किसी अन्य के कार्य या विचार को ग्रहण करना और उसे अपने नाम से प्रस्तुत करना। यह बौद्धिक संपदा के अधिकारों का उल्लंघन है।

44. (B): अभिकथन (A) सत्य है क्योंकि फार्मलडिहाइड प्लास्टिक, काष्ठ उत्पादों, विद्युत-रोधी सामग्री, सरेस और वस्त्रों में व्यापक रूप से उपयोग किया जाता है और यह एक गंभीर एलर्जी कारक है।

कारण (R) भी सत्य है क्योंकि एलर्जी कारक वे पदार्थ होते हैं जो प्रतिरक्षा प्रणाली को सक्रिय कर देते हैं।

हालांकि, (R), (A) की सही व्याख्या नहीं करता है क्योंकि यह केवल एलर्जी कारकों की सामान्य परिभाषा प्रदान करता है, लेकिन यह नहीं बताता कि फार्मलडिहाइड विशेष रूप से गंभीर एलर्जी कारक क्यों है।

49. (A): गद्यांश में स्पष्ट कहा गया है कि 'धन बचत' का एक रास्ता है ताप दीप्त लाइटों को प्रतिदीप्त लाइटों से बदलना जब पुराने उपकरणों को बदलने का समय आए तो ऊर्जा दक्ष मॉडल पर थोड़ा अधिक खर्च करने में बुद्धिमानी है और आप यह भी सुनिश्चित करे कि आप अपने वर्तमान फ्रिज, डिशवासर, वाशिंग मशीन अथवा ड्रायर की पहले से लगी ऊर्जा बचत की सैटिंग का लाभ उठा रहे है। उपर्युक्त गद्यांश से निष्कर्ष निकलता है कि पुराने उपकरण अधिक ऊर्जा की खपत करते हैं।

50. (C): दिए गए गद्यांश में यह कहा गया है कि जो लोग दीर्घकालिक ऊर्जा बचत का लाभ लेना चाहते है उनके लिए ऊर्जा लेखा-परीक्षा सही रास्ता हैं। यह मात्र उन लोगों के लिए है जिन्हें ऊर्जा बचत का सही तरीका नहीं मालूम है। सबके लिए अनिवार्य ऊर्जा लेखा-परीक्षा की चर्चा दिए गए गद्यांश में नहीं है।

शिक्षण और शोध अभिवृत्ति
(PAPER-I)

UNIT–1

शिक्षण अभिवृत्ति
(Teaching Aptitude)

शिक्षण (Teaching)

शिक्षण की अवधारणा

शिक्षण एक ऐसी सतत् प्रक्रिया है, जिसमें बहुत से ऐसे कारक शामिल होते हैं जिनसे छात्र अपने ज्ञान और कौशल को अर्जित करता है। साधारणतः शिक्षण का अर्थ 'शिक्षा लेना है' जबकि इसका वास्तविक अर्थ 'सीखना या सीख देना है'।

शिक्षण एक सामाजिक प्रक्रिया है, जिसके द्वारा छात्र में मानवीय मूल्यों का विकास किया जाता है। वृहद रूप में शिक्षण वह सतत् प्रक्रिया है जिसमें छात्र या व्यक्ति औपचारिक या अनौपचारिक रूप से आजीवन सीखते-सिखाते रहता है। व्यवहारिक रूप में शिक्षण से अभिप्राय औपचारिक रूप से किसी शिक्षण संस्थान में शिक्षा ग्रहण करने से होता है। वर्तमान अधिगम प्रणाली में शिक्षा का अभिप्राय विद्यार्थियों में अधिगम के द्वारा प्रयोगात्मक विधियों द्वारा करके सिखाना है न की बलपूर्वक ज्ञान को छात्र के मस्तिष्क में बिठाना। शिक्षण वह प्रक्रिया है जिसके द्वारा शिक्षार्थी नवीन ज्ञान का अर्जन करता है।

शिक्षण की परिभाषाएँ

एच.सी. मॉरिसन के अनुसार, ''शिक्षण वह प्रक्रिया है जिसमें अधिक विकसित व्यक्तित्व कम विकसित व्यक्तित्व के संपर्क में आता है और कम विकसित व्यक्तित्व के अग्रिम शिक्षा के लिए विकसित व्यक्तित्व की व्यवस्था करता है''।

बी.एफ. स्किनर के अनुसार, ''शिक्षण पुनर्वलन की आकस्मिकताओं का क्रम है।''

बर्टन के अनुसार, ''शिक्षण सीखने के लिए दी जाने वाली प्रेरणा, निदेशन, निर्देशन एवं प्रोत्साहन है।''

रायबर्न के अनुसार, ''शिक्षण के तीन बिन्दु हैं– शिक्षक, शिक्षार्थी एवं पाठ्यवस्तु। इन तीनों के बीच संबंध स्थापित करना ही शिक्षण है। यह सम्बंध बालक की शक्तियों के विकास में सहायता प्रदान करता है।''

फिलिप्स के अनुसार, (1) शिक्षण एक संस्था है (2) जिसका केन्द्रीय तत्व ज्ञान का संग्रह करना है।

रेमंड के अनुसार, शिक्षण को विकास की प्रक्रिया मानते हैं। मनुष्य बचपन से प्रौढ़ावस्था तक कुछ न कुछ सीखता है, वह भी अनेकों तरीकों से, अपने भौतिक, सामाजिक, आध्यात्मिक वातावरण में रहकर सीखता है।

रियान्स के अनुसार, ''दूसरों को सीखाने, दिशा-निर्देश देने एवं उन्हें निर्देशित करने की प्रक्रिया ही शिक्षण है''।

गेज के अनुसार, ''शिक्षण एक पारस्परिक प्रभाव है, जिसका उद्देश्य दूसरे व्यक्तियों के व्यवहारों में अपेक्षित परिवर्तन लाना है''।

बी.ओ. स्मिथ के अनुसार, ''अधिगम को अभिप्रेरित करने वाली क्रिया शिक्षण है''।

जॉन डीवी के अनुसार, ''शिक्षण एक त्रिमुखी प्रक्रिया है''।

स्वामी विवेकानन्द के अनुसार, ''शिक्षा मनुष्य में पहले से ही विराजमान पूर्णता का आविर्भाव है।

शिक्षण के प्रमुख उद्देश्य

तीव्र गति से जीवन के विभिन्न क्षेत्रों में हो रहे परिवर्तनों का प्रभाव शिक्षा प्रक्रिया पर भी पड़ा है, जिससे शिक्षा व शिक्षण के उद्देश्यों, विधियों/प्रविधियों, पाठ्यक्रम व शिक्षक की भूमिका में व्यापक बदलाव आया है। आज शिक्षण का मुख्य व महत्वपूर्ण उद्देश्य सीखने की प्रक्रिया को बालोपयोगी, रुचिकर, आनन्ददायी, प्रभावी, व्यावहारिक व बोधगम्य बनाना है जिससे बच्चे अपनी क्षमता के अनुसार विषय वस्तु को अच्छी तरह से समझ सकें व उसका यथा समय प्रयोग कर सकें।

शिक्षण के प्रमुख उद्देश्य निम्नलिखित हैं–

- छात्रों में आत्मविश्वास की भावना जाग्रत करना।
- शिक्षण का उद्देश्य शिक्षार्थियों को जीवनोपयोगी ज्ञान प्रदान करके उनके व्यक्तित्व/क्षमताओं/योग्यताओं व कुशलताओं का अधिकतम विकास करना है।
- शिक्षार्थियों को सीखने के लिए प्रोत्साहित करना जिससे वे पढ़ने व अन्य कार्यों में रुचि ले सकें।
- छात्रों की मूल प्रवृत्तियों को सही दिशा देना व उनमें स्वस्थ दृष्टिकोण का विकास करना जिससे वे समाज, देश व विश्वकल्याण में अपना महत्वपूर्ण योगदान दे सकें।
- जीविकोपार्जन करना प्रत्येक व्यक्ति के जीवन में महत्वपूर्ण होता है। अतः छात्रों को स्वावलंबी बनाना व उनमें व्यावसायिक क्षमता उत्पन्न करना भी शिक्षण का उद्देश्य है।
- छात्रों में नेतृत्व क्षमता तथा नैतिक व सामाजिक मूल्यों का विकास करना।
- छात्रों को स्वास्थ्य, स्वच्छता व अपने परिवेश के प्रति जागरुक बनाना।
- छात्रों का मार्गदर्शन करना क्योंकि उचित समय पर प्राप्त मार्गदर्शन सफलता दिलाने में सहायक होता है।
- यह आदेशात्मक न होकर निर्देशात्मक व जनतंत्रीय आदर्शों पर आधारित होता है अर्थात् हर छात्र महत्वपूर्ण होता है।
- इसमें सीखने वाला स्वयं सीखने के लिए प्रेरित होता है।
- अच्छा शिक्षण शिक्षक व छात्रों के सहयोग पर आधारित व प्रगतिशील होता है।
- उत्तम शिक्षण में छात्रों की कठिनाइयों को जानकर उन्हें दूर करने का प्रयास किया जाता है।
- इसमें छात्र सदैव क्रियाशील रहते हैं तथा उनकी अन्तर्निहित क्षमताओं का पूर्ण विकास होता है।
- यह प्रेरणात्मक व सृजनात्मक होता है।
- उत्तम शिक्षण में छात्रों की वैयक्तिक भिन्नताओं को ध्यान में रखा जाता है।

शिक्षण के स्तर

शिक्षण के मुख्यतः तीन स्तर हैं, जिनके आधार पर बालकों की शिक्षण प्रक्रिया का क्रियान्वयन किया जाता है साथ ही छात्रों का बौद्धिक और मानसिक विकास किया जाता है।

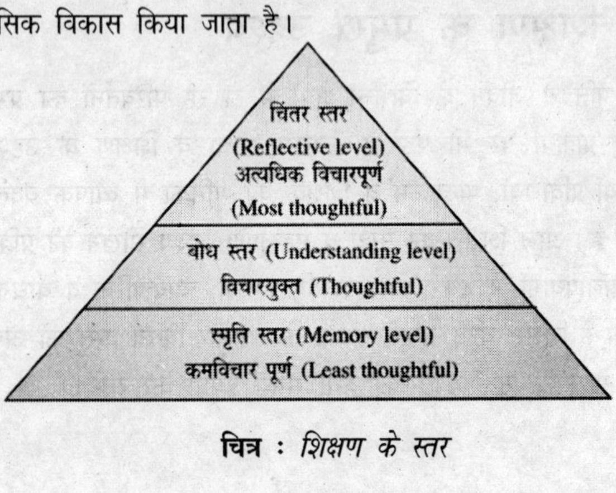

चित्र : *शिक्षण के स्तर*

शिक्षण के निम्नलिखित तीन स्तर हैं–

1. चिंतन स्तर (Reflective Level)
2. बोध स्तर (Understanding Level)
3. स्मृति स्तर (Memory Level)

चिन्तन/मनन-स्तर का शिक्षण

चिन्तन स्तर का शिक्षण समस्या-केन्द्रित होता है। छात्र विषय-वस्तु के सम्बन्ध में आलोचनात्मक दृष्टिकोण अपनाते हैं। छात्र सीखे हुए तथ्यों तथा सामान्यीकरणों की जांच करता है और नवीन तथ्यों की खोज करता है। वस्तुतः यह शिक्षण स्तर अधिगम क्रिया का अन्तिम बिन्दु है। इसमें शिक्षार्थी मौलिक चिन्तन का प्रयास करता है तथा शिक्षार्थी ज्ञात तथ्यों का मूल्यांकन करता है।

बिग्गी के अनुसार, "शिक्षण का चिन्तन या परावर्तन स्तर कक्षा में ऐसे वातावरण को विकसित करता है जो अधिक सजीव, प्रेरक, अधिक आलोचनात्मक और संवेदनशील तथा नवीन और मौलिक चिन्तन को खुला अवसर प्रदान करें। इससे भी अधिक, इस प्रकार का शिक्षण बोध स्तर के शिक्षण की अपेक्षा अधिक कार्य उत्पादन को बढ़ावा देता है।"

चिन्तन/मनन-स्तर के शिक्षण में रटने या समझने तक ही सीमित नहीं रखा जाता अपितु इस बात की चेष्टा की जाती है कि जिज्ञासा, रुचि, अनुसन्धान, धैर्य आदि का भी विकास हो जा सके। चिन्तन-स्तर सर्वोच्च स्तर का शिक्षण है। चिन्तन वस्तुतः एकात्मक मानसिक प्रक्रिया है इसमें ज्ञान की प्राप्ति, ज्ञान का विकास, परिवर्तन और उसका निष्कर्ष सन्निहित है। छात्रों में इस स्तर पर जिज्ञासा, रुचि, अन्वेषण और अध्यवसाय विकसित होता है। इस स्तर का शिक्षण 'समस्या केन्द्रित' शिक्षण है। शिक्षण पर विचारधारा, दर्शन, शासन प्रणाली आदि सभी का प्रभाव पड़ता है। जीवन दर्शन शिक्षा के साथ ही शिक्षण-प्रणाली को भी प्रभावित करती है। शिक्षण प्रक्रिया में क्रियाओं का विशेष महत्व है। ये क्रियायें ही छात्रों को अधिगम में सहायता प्रदान करती हैं।

हंट के अनुसार चिंतन स्तर के शिक्षण प्रतिमान

प्रतिमान पक्ष	चिंतन स्तर शिक्षण
उद्देश्य	• छात्रों में मौलिक व स्वतन्त्र चिंतन शक्ति का विकास करना • छात्रों में समस्या समाधान हेतु आलोचनात्मक तथा सृजनात्मक चिंतन शक्ति का विकास समस्या की प्रकृति पर आधारित
संरचना	• छात्रों के सामने समस्या परिस्थिति उत्पन्न करना • छात्रों द्वारा उपकल्पना का निर्माण करना • उपकल्पना पुष्टि के लिए सूझ, चिंतन, मनन का प्रयोग करना • उपकल्पना का परीक्षा तथा समस्या समाधान करना

प्रतिमान पक्ष	चिंतन स्तर शिक्षण
सामाजिक प्रणाली	• कक्षा का वातावरण पूर्ण रूप से खुला और स्वतन्त्र होता है • छात्र क्रियाशील और स्वप्रेरित होते हैं • छात्रों के समाजीकरण का दृढ़ आधार है • सहयोग, सामाजिक संवेदनशीलता तथा सहानुभूति का वातावरण होता है
मूल्यांकन प्रणाली	• निबंधात्मक मूल्यांकन अधिक उपयोगी है • अभिवृत्ति, समस्या समाधान, सृजनात्मक आदि के परीक्षण उपादेय हैं।

बोध-स्तर का शिक्षण

यह शिक्षण की द्वितीय अवस्था है। इस शिक्षण के स्तर को सामान्य रूप में स्मृति स्तर के विचारहीन एवं चिन्तन स्तर के विचारयुक्त शिक्षण के मध्य का माना जाता है। बोध स्तर शिक्षण में शिक्षार्थियों को सामान्यीकरण, सिद्धान्तों व तथ्यों के सम्बन्ध का बोध या प्रत्यक्षीकरण या अनुभूति करायी जाती है।

स्मृति स्तर का शिक्षण इसकी प्रथम आवश्यकता है। इस स्तर के शिक्षण में शिक्षार्थियों के सम्मुख तथ्यों एवं सिद्धान्तों के सम्बन्ध तथा सामान्य सिद्धान्तों के वर्णन के माध्यम से बोध को प्रस्तुत किया जाता है।

शिक्षक अपने अनुदेशन को बोध स्तर पर लाने का प्रयास करता है। यदि वह बोध स्तर तक अनुदेशन को शिक्षण में लाने में सफल हो जाता है, उस स्थिति में शिक्षार्थी में नियमों को पहचानने, समझने, अनुभूति करने, तथ्यों में सम्बन्ध देखने तथा उनके प्रयोग करने की क्षमता का विकास हो जाता है जिससे शिक्षण की प्रक्रिया अर्थपूर्ण रूप ग्रहण कर लेती है।

बिग्गी के अनुसार, "बोध-स्तर का शिक्षण वह शिक्षण है जो शिक्षार्थियों में सामान्य एवं विशेष अर्थात् सिद्धान्तों एवं तथ्यों में सम्बन्ध का ज्ञान कराने का प्रयत्न करता है और उन उपयोगों का विकास करता है जिसमें कि सिद्धान्तों का प्रयोग किया जा सकता है"।

बोध-स्तर का शिक्षण छात्रों में विषय-वस्तु का बोध या समझ विकसित करने के लिए होता है। बोध के द्वारा ही अन्तर्दृष्टि उत्पन्न होती है। बोध विकसित होने पर छात्र अपनी ज्ञानात्मक संरचना को पुनःसंरचित कर सकते हैं तथा ज्ञान में अन्तर्निहित घटकों में नए-नए सम्बन्ध देख सकते हैं।

बोध-स्तर के शिक्षण का प्रतिमान

- उद्देश्य (Aim)
- संरचना (Syntax)
- परिपाक (Assimilation)
- व्यवस्था (Organisation)
- वर्णन (Recitation)
- सामाजिक व्यवस्था (Social system)
- मूल्यांकन प्रणाली (Support system)

मॉरिसन के अनुसार बोध स्तर के शिक्षण प्रतिमान

प्रतिमान पक्ष	बोध स्तर शिक्षण
उद्देश्य	प्रत्यय का स्वामित्व प्राप्त करना
संरचना	बोध स्तर के शिक्षण में निम्नांकित पाँच सोपान होते हैं– 1. अन्वेषण, 2. प्रस्तुतीकरण, 3. आत्मीकरण, 4. व्यवस्था एवं 5. अभिव्यक्तिकरण
सामाजिक प्रणाली	• शिक्षक व्यवहार का नियंत्रक होता है। • शिक्षक एवं छात्र दोनों सक्रिय रहते हैं। • छात्र अपने विचार प्रदर्शित कर सकते हैं। • बाह्य तथा आतंरिक दोनों प्रकार की प्रेरणाएँ उपयोगी हैं। • सामाजिक व्यवस्था के प्रथम दो सोपानों में शिक्षक और अंतिम तीन सोपानों में छात्र-शिक्षक दोनों ही अधिक क्रियाशील हो जाते हैं।
मूल्यांकन प्रणाली	• इसमें आवश्यकतानुसार लिखित, मौखिक, निबंधात्मक तथा वस्तुनिष्ठ मूल्यांकन विधियाँ प्रयोग में लायी जाती है। प्रत्ययों के स्पष्टीकरण पर विशेष बल दिया जाता है।

स्मृति स्तर

स्मृति स्तर वह आधार है जिसमें छात्रों के मानसिक स्तर के एक स्मृति पक्ष को आधार बनाकर शिक्षा प्रदान की जाती है। यह बाल्यावस्था एवं शिशुअवस्था में प्रदान करवाई जाती है क्योंकि इसमें बालक का बौद्धिक विकास अपने शुरुआती दौर में होता है।

बालक किसी भी चीज को समझने हेतु उसका एक चित्र या चिन्ह के रूप में अपने मस्तिष्क में धारण कर लेते हैं। उदाहरणतः जब उन्हें कोई कहानी सुनाई जाती है तो वह बिना उस कहानी के पात्रों की आकृति अपने मस्तिष्क में धारण कर लेता है इसे ही सामान्यतः शिक्षण का स्मृति स्तर कहा जाता है।

हरबर्ट के अनुसार स्मृति स्तर के शिक्षण प्रतिमान

प्रतिमान पक्ष	स्मृति स्तर शिक्षण
उद्देश्य	• मानसिक पक्ष का प्रशिक्षण • तथ्यों का ज्ञान प्रदान करना • सीखे हुए तथ्यों का प्रत्यास्मरण रखना • सीखे हुए ज्ञान का प्रत्यास्मरण करना तथा पुनः प्रस्तुत करना

प्रतिमान पक्ष	स्मृति स्तर शिक्षण
संरचना	• योजना बनाना • प्रस्तुतीकरण • तुलना तथा समरूपता • सामान्यीकरण तथा उपयोग करना
सामाजिक प्रणाली	• अभिप्रेरणा के बाह्य रूप का अधिक प्रयोग • शाब्दिक प्रेरणा, पुरस्कार आदि का विशेष रूप से प्रयोग
मूल्यांकन प्रणाली	• मूल्यांकन लिखित और मौखिक परीक्षाओं द्वारा किया जाता है • परीक्षा में रटने की क्षमता पर अधिक बल

स्मृति की अवस्थाएं

- **अधिगम :** जब किसी व्यक्ति के व्यवहार अनुभव, अभ्यास और प्रशिक्षण में वांछित परिवर्तन लाया जाता है या लाने का प्रयास किया जाता है तो उसे अधिगम कहते हैं, स्मृति केवल अधिगम अथवा अनुभवों के अंकित होने पर आधारित होती है।
- **धारण :** सीखी हुई पाठ्यवस्तु अथवा संस्कारों को मस्तिष्क में स्थाई रूप से बनाए रखना धारण कहलाता है। जब किसी व्यक्ति का मस्तिष्क किसी बात को अधिक समय तक धारण किए रहता है तो उसकी स्मृति बहुत अच्छी होती है।
- **प्रत्यास्मरण :** सीखे हुए अनुभवों को चेतना में लाना प्रत्यास्मरण कहलाता है। व्यक्ति की स्मृति का अच्छा अथवा बुरा होना उसके भूतकाल के इन अनुभवों को पुनः स्मरण करने पर ही निर्भर करता है।
- **पहचान :** किसी वस्तु अथवा व्यक्ति को देखकर यह बता देना कि हमने उसे पहले भी कभी देखा है, पहचान कहलाता है।

स्मृति का वर्गीकरण

किसी बात को याद करने की योग्यता प्रत्येक व्यक्ति में अलग-अलग होती है। कुछ व्यक्ति ऐसे होते हैं जो किसी बात को एक बार याद करने के पश्चात कभी नहीं भूलते इसके विपरीत कुछ ऐसे भी व्यक्ति होते हैं जो एक बात को बार-बार याद करने के पश्चात भी हर बार भूल जाते हैं। व्यक्तियों की इन भिन्न-भिन्न योग्यताओं के आधार पर स्मृति का वर्गीकरण निम्न प्रकार से किया जा सकता हैः

- तात्कालिक स्मृति (Immediate Memory)
- स्थाई स्मृति (Permanent Memory)
- व्यक्तिगत स्मृति (Personal Memory)
- अव्यक्तिगत स्मृति (Impersonal Memory)
- सक्रिय स्मृति (Active Memory)
- निष्क्रिय स्मृति (Passive Memory)
- यांत्रिकी स्मृति (Mechanical Memory)
- रटन्त स्मृति (Rote Memory)
- तार्किक स्मृति (Logical Memory)

अच्छी स्मृति की विशेषता

- **शीघ्र अधिगम :** अच्छी स्मृति वह होती है, जिसको सुनते ही हमारे मस्तिष्क में उसकी आकृतियाँ या चिह्न स्थापित हो जाते हैं, ऐसी स्मृति स्थायी होती हैं।
- **स्थायित्व :** वह स्मृति सर्वश्रेष्ठ मानी जाती है, जिनको हम अधिक समय तक धारण कर सकते हैं।
- **पुनः स्मरण :** अच्छी स्मृति वह है जिसे आवश्यकता पड़ने पर आसानी से पुनःस्मरण किया जा सके।

शिक्षण के सूत्र

सूत्र मात्र सरल दिशा-निर्देश या सिद्धान्त हैं जो शिक्षकों को शिक्षण-अधिगम प्रक्रिया के दौरान निर्णय लेने और उसके अनुसार कार्य करने में सहायक होते हैं। रिचर्ड द्वारा दी गई परिभाषा के अनुसार, "शिक्षक के सूत्र सांस्कृतिक कारकों, विश्वास प्रणालियों, अनुभव, प्रशिक्षण और कौन-से सूत्र को शिक्षक प्राथमिकता देते हैं, को प्रदर्शित करते हैं।" ये शिक्षक के शिक्षण कार्य को किस प्रकार प्रभावित करते हैं, यह शिक्षक विकास का महत्वपूर्ण लक्ष्य है।

शिक्षण सूत्रों की विषयवस्तु

कक्षाकक्ष में शिक्षक यह निश्चित कर सकती/सकता है कि कौन-से क्रियाकलाप शिक्षार्थियों को विषयवस्तु ग्रहण करने में सहायक होंगे। इसलिए, शिक्षण सूत्रों में निम्नलिखित विषयवस्तु होनी आवश्यक है।

- **सरल से जटिल की ओर :** यह बाल मनोविज्ञान है कि बच्चा विषयवस्तु को सरल रूप में चाहता है। इसलिए शिक्षक को सरल तथ्यों से आरंभ करके शिक्षार्थियों को कुछ कठिन तथ्यों की ओर ले जाना चाहिए।
- **ज्ञात से अज्ञात की ओर :** जब शिक्षण का प्रारंभ पूर्व-ज्ञान से नए प्रदान किए जाने वाले ज्ञान की ओर होता है तो शिक्षार्थी ज्ञात से अज्ञात की ओर बढ़ने में कठिनाई अनुभव नहीं करता।
- **अमूर्त से मूर्त की ओर :** यह मनोविज्ञान के सिद्धान्त पर आधारित है। जब शिक्षार्थी किसी वस्तु या घटना की अनुभूति इसके वास्तविक या भौतिक रूप में करता है तो वह उससे सरलता से जुड़ जाता है। उसके बाद शिक्षार्थी को अमूर्त तथ्यों की ओर ले जाना चाहिए।
- **प्रत्यक्ष से अप्रत्यक्ष की ओर :** जो भी विषयवस्तु का शिक्षण शिक्षार्थी के लिए करना हो, उसे प्रत्यक्ष रूप से शिक्षार्थी के सम्मुख सीधे प्रस्तुत नहीं किया जा सकता। इसके लिए विषयवस्तु को उन तथ्यों से जोड़ना चाहिए जिन्हें वह पहले से जानता हो।

- **विशिष्ट से सामान्य की ओरः** शिक्षार्थी के सम्मुख विशिष्ट तथ्य प्रस्तुत करने चाहिए और सामान्य कथन तक पहुँचने के लिए इन्हें संगठित तरीके से संयोजित करना चाहिए।
- **विश्लेषण से संश्लेषण की ओरः** यह मनोविज्ञान के सहसम्बन्धित सिद्धान्त पर आधारित है। जब कभी हम नए सिद्धान्त से परिचित होते हैं तो इसे विश्लेषित करने का प्रयास करते हैं और फिर उन्हें एक में जोड़ने का।
- **अनुभव सिद्ध से तर्कसंगत की ओरः** शिक्षार्थी द्वारा प्राप्त प्राथमिक ज्ञान वास्तविक और व्यावहारिक होता है जो वह अपने स्वयं के अनुभवों से प्राप्त करता है। उसके बाद वह अधिक संतुलित और संवेदनशील विषयवस्तु की ओर बढ़ता है।
- **मनोवैज्ञानिक से तार्किक की ओरः** इसे शिक्षण की पूर्व क्रियात्मक अवस्था के दौरान देखा जाता है, जहाँ विषयवस्तु को इस प्रकार संगठित किया जाता है कि प्राथमिकता शिक्षार्थी का मनोविज्ञान (जैसे रूचि, योग्यता, आदि) हो। उसके बाद वास्तविक शिक्षण सरल से जटिल की ओर तार्किक तरीके से संचालित होता है।
- **पूर्ण से अंश की ओरः** जैसा कि अंतःदृष्टि का सिद्धान्त बताता है कि किसी भी वस्तु या घटना को पूर्ण के रूप में देखना चाहिए और बाद में इसे टुकड़ों में समझा जाता है। एक शिक्षार्थी किसी विषयवस्तु को पूर्ण रूप में प्रस्तुत करती/करता है, फिर इसे छोटी-छोटी इकाइयों में तोड़ा जाता है और तब शिक्षार्थियों को समझाया जाता है।
- **अनिश्चित से निश्चित की ओरः** कक्षा में शिक्षण की विषयवस्तु शिक्षण के लिए निश्चित होनी चाहिए परंतु शिक्षार्थियों के लिए नहीं। इसलिए शिक्षण शैली ऐसी हो कि शिक्षार्थी प्रत्यक्ष ज्ञान प्राप्त करने में सक्षम हो जो तभी संभव है जब वह इससे परिचित हों।

शिक्षण शैलियाँ

दिये गये चित्र से स्पष्ट है कि सभी शिक्षक परिस्थिति के अनुसार विभिन्न शिक्षण शैलियों का उपयोग करते हैं और शिक्षण शैलियों को प्रभावित करने वाले कुछ कारक हैं। वास्तव में, निम्न कारकों जैसे—व्यक्तिगत, व्यावसायिक, ज्ञान, पाठ्यक्रम, संस्थानीय और व्यवसाय अवस्था कारक, में से किसी एक या अधिक कारकों का प्रभाव शिक्षण प्रक्रिया में शिक्षण शैली को निश्चित करता है। इस प्रकार हम कह सकते हैं कि ऐसी कोई निश्चित शिक्षण शैली नहीं है जो प्रभावी और सफल शिक्षण के लिए अग्रणी हो। प्रभावशाली शिक्षक मिश्रित शैलियों का उपयोग करते हैं। वे अच्छी तरह से जानते हैं कि कैसे और कब सर्वाधिक उपयुक्त शिक्षण शैली का चुनाव करना है।

डेनियल के. श्नाइडर के अनुसार, शिक्षण शैली का संदर्भ अपनाई गई शिक्षण की रणनीतियों और विधियों तथा कुछ विशेष प्रकार के साहित्य-शास्त्र के उपयोग से है।

दूसरी ओर **गाल्टन** के अनुसार, "शिक्षण शैली की कोई सहमत परिभाषा नहीं है परंतु अधिक विस्तृत रूप से स्वीकृत परिभाषा इस रूप में है— "शिक्षण युक्ति का एक समूह"।

चित्र : *विभिन्न शिक्षण शैलियाँ*

थौर्नटन, बी. पौल (2013) के तीन बुनियादी शिक्षण शैलियाँ सुझाई हैं :

1. **निर्देशन शैली :** यह शैली मूल रूप से अनुदेश आधारित शिक्षण पर आधारित है, शिक्षक कक्षाकक्ष में चल रही संपूर्ण शिक्षण-अधिगम प्रक्रिया के माध्यम से शिक्षार्थियों का मार्गदर्शन करता है। सामान्यतया शिक्षण के दौरान प्रयुक्त की जाने वाली विधियाँ हैंः भाषण, प्रदर्शन, भाषण-सह-प्रदर्शन, श्रव्य-दृश्य प्रस्तुतीकरण, वाचन, लिखना, आदि। इस शैली में शिक्षक सुनिश्चित करता/करती है कि सभी शिक्षार्थी अनुदेशों और दिशानिर्देशों का पालन उपयुक्त ढंग से करें। यह शैली लगभग पारंपरिक प्रकार का शिक्षण है।
2. **चर्चा शैलीः** इस शैली में शिक्षार्थियों को अपने विचार या प्रश्नों की चर्चा के लिए अभिव्यक्ति की स्वतंत्रता और मुक्त वातावरण कुछ अधिक मात्रा में प्राप्त होता है। यहाँ पर शिक्षक एक सहजकर्ता के रूप में कार्य करता है जो शिक्षार्थियों को आलोचनात्मक ढंग से सोचने, विश्लेषण करने और चर्चा करने के प्रचुर अवसर प्रदान करता है। शिक्षक यह सुनिश्चित करता है कि चर्चा का एक औचित्य और तर्क हो। शिक्षार्थियों की सृजनात्मकता और विचार प्रक्रिया सक्रिय हो जाती है और वे अधिक स्वच्छंद हो जाते हैं।

3. **प्रत्यायोजन शैली:** इस शैली में शिक्षार्थियों को उनके कार्य सौंप दिए जाते हैं। शिक्षार्थी अपने आवंटित कार्यों को स्वयं स्वतंत्र रूप से पूरा करते हैं। इस प्रक्रिया के दौरान शिक्षक/शिक्षिका उन्हें यह अधिकार प्रदान करता/करती है कि कार्य कैसे संपन्न करना है, जो उनके कार्य के सफल निष्पादन को सुनिश्चित करेगा।

प्रभावी शिक्षण शैली अपनाने के लिए सुझाव

- शिक्षण शैली ऐसी हो कि शिक्षार्थी और शिक्षकों को पढ़ाई जाने वाली विषयवस्तु और उसके उद्देश्य स्पष्ट हों।
- "3C" अर्थात् स्पष्टता (Clarity), संक्षिप्तता (Conciseance) और व्यापकता (Comprehensiveness) सार है, जिन्हें किसी भी अच्छी शिक्षण शैली में शामिल करना चाहिए।
- कोई भी भ्रामक, अधूरी या अस्पष्ट विषयवस्तु शिक्षार्थियों द्वारा स्वीकार नहीं की जाती। इसलिए इन्हें टालना चाहिए।
- एक शिक्षक में विषयवस्तु के ज्ञान का आत्मविश्वास आवश्यक है।
- शिक्षक को सदैव किसी भी अप्रत्याशित स्थिति के लिए भी तैयार रहना चाहिए। यह उसकी शिक्षण शैली को बेहतर बनाता है।
- पूर्वाग्रह विहीन और निष्पक्ष शिक्षक सदैव सम्मानित होते हैं। कक्षा क्रियाकलापों के दौरान सभी शिक्षार्थियों को समान अवसर प्रदान करने चाहिए।

शिक्षण प्रतिमान

एक शिक्षक को अच्छी शिक्षण शैली की आवश्यकता होती है, परंतु इसके साथ शिक्षक को कक्षाकक्ष में प्रयोग होने वाले शिक्षण प्रतिमानों का ज्ञान भी अवश्य होना चाहिए। शिक्षण को एक दिशा दी जाती है और इसके लिए एक उपयुक्त ढाँचा या प्रारूप सहायक होता है, जिसे एक शिक्षण प्रतिमान कह सकते हैं। जैसे एक वास्तुकार इमारत बनाने के लिए एक कागज पर विस्तृत योजना बनाता है, इसी प्रकार एक शिक्षक को शिक्षार्थियों को पढ़ाने से पूर्व एक ढाँचे या विचार के साथ तैयार होना पड़ता है। **पॉल. डी. रमन** के अनुसार, प्रतिमान विशिष्ट अनुदेशनात्मक लक्ष्यों को प्राप्त करने के लिए संरचित प्रतिपादित शिक्षण युक्तियाँ हैं। एक शिक्षण प्रतिमान, शिक्षक को सभी शिक्षार्थियों तक प्रभावी एवं सफलतापूर्वक पहुँच बनाने में सहायता करता है।

अच्छे शिक्षण प्रतिमान की विशेषताएँ

- यह परस्पर संवादात्मक होना चाहिए।
- इससे शिक्षक और शिक्षार्थी दोनों के बेहतर निष्पादन में सहायता मिलनी चाहिए।
- इसमें दार्शनिक और मनोवैज्ञानिक दोनों पृष्ठभूमि होनी चाहिए।
- इसे पढ़ाई जाने वाली विषयवस्तु का संपूरक होना चाहिए।
- यह कक्षाकक्ष में रोचक और प्रेरक वातावरण बनाने में सहायक होनी चाहिए।
- इसे शिक्षक और शिक्षार्थियों में सृजनात्मकता एवं अभिनव विचारों के विकास में सहायक होना चाहिए।
- यह शिक्षार्थियों में वांछित व्यवहारगत परिवर्तन लाने में सहायक होना चाहिए।
- यह शिक्षार्थियों की सबलताओं और दुर्बलताओं को पहचानने और प्रतिपुष्टि द्वारा उनका आकलन करने में व्यवहार्य होना चाहिए।

शिक्षण प्रतिमानों के प्रकार

शिक्षण प्रतिमान चार प्रकार के हैं :

सामाजिक अंतःक्रियात्मक प्रतिमान	व्यवहार परिवर्तन प्रतिमान	सूचना विकास प्रतिमान	व्यक्तिगत आधारित प्रतिमान
समूह जांच प्रतिमान	प्रत्यक्ष	गेग्ने का सूचना प्रतिमान	अभ्यास आधारित
सामाजिक प्रेक्षा प्रतिमान	अप्रत्यक्ष	शूमैन का प्रतिमान	जेरोम ब्रूनर का प्रतिमान
प्रयोगशाला प्रतिमान	अभ्यास आधारित	जेरोम ब्रूनर का प्रतिमान	सृजनात्मक/ परियोजना प्रतिमान

चित्र : *शिक्षण प्रतिमान*

1. सामाजिक अंतःक्रिया प्रतिमान

- **समूह जाँच प्रतिमान :** यह प्रतिमान जॉन डी.वी. और हर्बर्ट थेलिम द्वारा सुझाया गया है। यह सामाजिक अंतःक्रिया का स्रोत है जिसमें समर्थक और विरोधी दोनों प्रकार के व्यक्तित्वों से बने हुए समूहों में कार्य करना शामिल है।
- **सामाजिक प्रेक्षा प्रतिमान :** यह प्रतिमान बैंजामिन कौक्स और बायरौन द्वारा प्रस्तुत किया गया। यह सामाजिक और मानवीय मुद्दों से सम्बन्धित है जिन्हें आँकड़ों की सहायता से अनुसंधानित और प्रमाणित किया जाता है।
- **प्रयोगशाला प्रतिमान :** यह प्रतिमान विज्ञान या जीव विज्ञान विषयों में किए जाने वाले प्रयोगों पर आधारित है।

2. व्यवहार-परिवर्तन प्रतिमान

- **प्रत्यक्ष प्रतिमान :** यह लगभग शिक्षण की प्रत्यक्ष शैली के समान है। शिक्षक कक्षा में मुख्य स्थान लेता है और कक्षा के माध्यम से शिक्षार्थियों का मार्गदर्शन करता है।
- **क्रमादेशित :** यह शिक्षण की क्रमादेशित अनुदेश शैली है जैसे कि कम्प्यूटर सहायतिक अधिगम (CAL), जहाँ कम्प्यूटर और वैब तक़नीक का उपयोग शिक्षण के लिए किया जाता है। इसे सर्वप्रथम बी.एफ. स्किनर ने बताया था।

- **अभ्यास आधारित :** इसमें उपयुक्त विधियों, सहायक सामग्री, आदि द्वारा शिक्षण सम्मिलित है। बाद में प्रतिपुष्टि प्राप्त करने के बाद विषयवस्तु में प्रवीणता प्राप्त करने हेतु उपचारात्मक कक्षाओं की व्यवस्था करना।

3. सूचना विकास प्रतिमान

- **गेग्ने का सूचना प्रतिमान :** यह संवेदी स्मृति से सम्बन्धित है। यह रटने और अभ्यास पर आधारित है। इसके कई पक्ष हैं : जैसे शिक्षार्थियों की तत्परता, प्रेरणा, अनुभूति, अधिगम का स्थानांतरण और ठहराव।
- **ब्रूनर का प्रतिमान :** इस तथ्य पर आधारित है कि पर्यावरण में सभी वस्तुओं और घटनाओं का एक-दूसरे के साथ सम्बन्ध है। हमारे चारों ओर बहुत-सी जटिलताएँ हैं जिनको छोटे भागों में वर्गीकृत करके समझा जा सकता है।
- **शूमैन का प्रतिमान :** वैज्ञानिकों द्वारा प्रयुक्त रणनीतियों और मान्यताओं पर आधारित है। यह मूल रूप से वैज्ञानिक जाँच प्रतिमान है। समस्या का समाधान शिक्षक और शिक्षार्थियों दोनों के द्वारा वैज्ञानिक उपागम के उपयोग के माध्यम से किया जाता है।

4. व्यक्तिगत आधारित प्रतिमान

- **अप्रत्यक्ष प्रतिमान :** इसे कार्ल रोजर्स द्वारा सुझाया गया। वह मानव सम्बन्धों की अवधारणा पर विश्वास रखते थे और यह सुझाया कि अनुदेशन इस प्रतिमान पर आधारित होने चाहिए, यह शिक्षण की चर्चा शैली के समान है।
- **आत्म जागरूकता :** इसे फ्रिट्ज पौल्स और डब्ल्यू शूट्ज द्वारा बताया गया। यहाँ पर "स्व" के विकास पर बल दिया गया है। जहाँ शिक्षार्थी की जन्मजात शक्तियों और सृजनात्मकता की प्रगति हेतु स्वतंत्रता प्रदान की जाती है।
- **सृजनात्मक/परियोजना प्रतिमान :** इसे विलियम गोर्डन द्वारा प्रस्तुत किया गया। यह बताता है कि शिक्षार्थियों को ऐसी परियोजनाएँ सौंपी जा सकती हैं जिनमें वे स्वयं कार्य करके सीख सकते हैं। शिक्षक मात्र एक पर्यवेक्षक होता है। शिक्षार्थी या तो क्षेत्र में कार्य करने के लिए जाते हैं या किसी क्रियाकलाप पर परियोजना बनाते हैं; यह शिक्षण की प्रतिनिधि शैली के समान ही है।

शिक्षण विधियाँ और उपागम

विषयवस्तु के शिक्षण के दौरान शिक्षण विधियाँ और उपागम महत्वपूर्ण भूमिका निभाते हैं। शिक्षक को यह निश्चित करने में कि शिक्षार्थी के लिए कौन-सी विधि उपयुक्त होगी, पर्याप्त रूप से सक्षम होना चाहिए, शिक्षक को शिक्षण के सही उपागम द्वारा शिक्षा प्रदान करने के लिए मार्गदर्शित किया जाता है।

कुछ महत्वपूर्ण और अधिकांशतः उपयोग की जाने वाली विधियाँ इस प्रकार हैं :

- **व्याख्यान विधि :** शिक्षक की इस विधि में मुख्य भूमिका होती है, जबकि शिक्षार्थियों की भूमिका बहुत कम या बिल्कुल नहीं होती। यह विधि उच्च कक्षाओं के लिए उपयुक्त है, जहाँ पाठ्यक्रम अधिक होता है। इस विधि का उपयोग कक्षाकक्षों में सामान्यतया और अधिकतर किया जाता है, परंतु भाषण की प्रवृत्ति है कि कई बार यह नीरस हो जाता है। अतः शिक्षिका को अपने भाषण की योजना कुछ रोचक उपकरणों के साथ बनानी चाहिए। जैसे–उदाहरण, घटना विवरण (एनक्डोट्स) आदि।
- **प्रदर्शन विधि :** गणित और विज्ञान विषयों के शिक्षण में उपयोग की जाने वाली यह सामान्य विधि है। श्रव्य और दृश्य इंद्रियाँ शिक्षार्थी को अधिक सतर्क बनाती हैं। इस विधि की कमी यह है कि इसमें शिक्षार्थियों को प्रदर्शन से प्रयुक्त उपकरणों के प्रयोग को अनुमति नहीं होती।
- **व्याख्यान सह प्रदर्शन विधि :** यह विधि उपर्युक्त चर्चित दोनों विधियों का मात्र संयोग है। बेहतर परिणामों के लिए शिक्षार्थी द्वारा दोनों के सर्वोत्तम का उपयोग किया जा सकता है। यह लगभग शिक्षार्थी केन्द्रित है।
- **ह्यूरिस्टिक/खोज विधि :** प्रोफेसर एच.ई. आर्मस्ट्रांग के अनुसार, "विज्ञान सीखने की आत्मा "खोज" है। शिक्षार्थियों को तथ्यों और सिद्धान्तों की खोज स्वयं करनी चाहिए।" यह परिभाषा स्पष्ट रूप से व्याख्या करती है कि ह्यूरिस्टिक का अर्थ "अनुभव द्वारा खोजना" है। अनुभव प्राप्त करने के लिए व्यक्ति को खोजने का प्रयास करना पड़ता है। इस विधि द्वारा शिक्षार्थी समाधान तक पहुँचता है और इससे अधिगम होता है। यह विधि उच्च कक्षाओं के लिए बहुत अच्छी है क्योंकि यह एक शिक्षार्थी केन्द्रित उपागम है।
- **समस्या समाधान विधि :** आसूबेल के अनुसार, "समस्या समाधान में अवधारणा निर्माण और खोज द्वारा अधिगम शामिल है।" खोज अधिगम विधि में पालन किए जाने वाले चरणों की शिक्षक द्वारा रूपरेखा बनाई जानी चाहिए। मुख्य चरण हैं : समस्या, इसे क्यों लिया गया है, परिकल्पना निर्माण, आँकड़ों का संकलन, विश्लेषण, व्याख्या और निष्कर्ष।
- **परियोजना विधि :** यह दो प्रकार की हो सकती है–पहला, जब एक स्थिर या कार्यकारी प्रतिमान बनाया जाए, जैसेः विज्ञान और सामाजिक विज्ञान में। दूसरा, जाँच संबंधी परियोजना जहाँ कुछ शोध या सर्वेक्षण किया जाता है और प्राप्तियों के

आधार पर एक प्रतिवेदन तैयार किया जाता है। यह विधि प्रयोग विधि या प्रयोगशाला विधि के अंतर्गत भी आती है। इस विधि को किलपैट्रिक द्वारा प्रतिपादित किया गया।

- **आगमन और निगमन विधि :** आगमन विधि में विशिष्ट से सामान्य की ओर और निगमन विधि में सामान्य से विशिष्ट की ओर बढ़ने की क्रिया होती है। आगमन विधि में विशिष्ट तथ्य और उदाहरण प्रस्तुत किए जाते हैं और शिक्षार्थी सामान्यीकरण तक पहुँचती/पहुँचता है तथा इसका उल्टा निगमन विधि में होता है।
- **विश्लेषण और संश्लेषण विधि :** विश्लेषण का अर्थ है—एक बड़ी या जटिल समस्या या अवधारणा को लेना और बेहतर तरीके से समझने के लिए इसे छोटी इकाइयों में तोड़कर समझने का प्रयास करना, इस विधि में हम ज्ञात से अज्ञात की ओर या निष्कर्ष से परिकल्पना की ओर जाते हैं।

शिक्षण की मूल अपेक्षाएँ

शिक्षण, बालक को भावी जीवन के लिये तैयार करता है। इसकी मूल आवश्यकताएँ निम्नलिखित होती हैं :

- शिक्षण के माध्यम से विद्यार्थियों के व्यवहार में परिवर्तन किया जाता है। इससे उनमें अच्छे गुणों का विकास किया जाता है।
- शिक्षण विद्यार्थियों को ज्ञान प्रदान करता है।
- शिक्षण द्वारा विद्यार्थियों के भावात्मक, ज्ञानात्मक एवं क्रियात्मक पक्षों को समझने में सहायता मिलती है।
- शिक्षण क्रिया सीखने की परिस्थितियाँ उत्पन्न करने में सहायता देता है।
- शिक्षण, विद्यार्थियों की कमजोरियों का पता लगाकर उन्हें दूर करने में सहायता करता है।
- शिक्षण, विद्यार्थियों को ज्ञान प्रदान करने के साथ ही उनके संवेगों को प्रशिक्षित करता है। इससे सामाजिक समायोजन में सहायता मिलती है।
- शिक्षण छात्रों में जिज्ञासा उत्पन्न करता है।
- शिक्षण वर्तमान एवं भावी जीवन के निर्माण का एक महत्वपूर्ण साधन होता है।
- शिक्षण क्रियाओं के द्वारा अध्यापक शिक्षण की विभिन्न बातों से परिचित होता है।
- शिक्षण के द्वारा विद्यार्थियों की रचनात्मक शक्ति को विकसित किया जाता है। इससे विद्यार्थी नवीन ज्ञान की खोज, नवीन चिंतन एवं आविष्कार आदि करने में सक्षम बनते हैं।
- शिक्षण, बालक के सर्वांगीण विकास का माध्यम है। यह बालक के व्यक्तित्व के विकास में सहायता करता है।
- शिक्षण विद्यार्थियों में क्रियाशीलता, संगठन क्षमता एवं व्यावहारिक गुणों का विकास करता है।
- शिक्षण के माध्यम से प्रशिक्षण, अनुदेशन आदि का विकास किया जाता है।
- शिक्षण क्रियाएँ, अनुदेशन का निर्माण करने के लिए वैज्ञानिक आधार प्रदान करती हैं।
- शिक्षण के द्वारा विद्यार्थियों में एक उत्तम नागरिक के गुण विकसित होते हैं।

शिक्षण विधियाँ एवं उनके प्रतिपादक

क्रम	शिक्षण विधियाँ	प्रतिपादक
1.	डाल्टन विधि	डेलन पार्कहर्स्ट
2.	प्रश्नोत्तर विधि	सुकरात
3.	सूक्ष्म शिक्षण विधि	राबर्ट
4.	ड्रेकाली शिक्षण विधि	ड्रेकाली
5.	आगमन विधि	अरस्तू
6.	निगमन विधि	प्लेटो
7.	किंडर गार्ड	फ्रोबेल
8.	मोंटेसरी विधि	मारिया मांटेसरी
9.	खेल विधि	हेनरी कोल्डवेल कुक
10.	संवाद विधि	प्लेटो
11.	प्रश्नावली विधि	वुडबर्थ
12.	अवरोही अभिक्रमित अनुदेशन	थॉमस एफ, गिलबर्ट
13.	शाखीय अभिक्रमित अनुदेशन विधि या आंतरिक अनुदेशन विधि	नॉर्मन ए. क्राउडर
15.	इकाई उपागम	एच.सी. मॉरीसन
16.	मूल्यांकन विधि	जे.एम. राइस
17.	प्रोजेक्ट विधि के प्रतिपादक	विलियम एच. किलपैट्रिक
18.	वैज्ञानिक विधि	गुडवार स्केट्स
19.	पर्यटन विधि	पेस्टोलॉजी
20.	खोज विधि (ह्यूरिस्टिक विधि या अन्वेषण विधि)	आर्मस्ट्रांग
21.	समस्या समाधान विधि	सुकरात
22.	विनेटिका विधि	कार्लटन बाशबर्न
23.	ब्रेल लिपि या पद्धति	लुई ब्रेल
24.	समाजमिति विधि	एल मोरेनो
25.	बेसिक शिक्षा पद्धति	महात्मा गांधी

शिक्षार्थी (Learner)

एक शिक्षार्थी वह है जो लगातार सीखता रहता है हम सभी अपने दैनिक जीवन में किसी न किसी समय सीखने वाले होते हैं एक विशेष के संदर्भ में एक शिक्षार्थी वह व्यक्ति है जो किसी विशेष विषय के बारे में सीख रहा है। बेहतर टीचिंग के लिए शिक्षार्थी की विशेषताओं को जानना महत्वपूर्ण है। यह जानना आवश्यक है कि कौन-से कारक उनके सीखने को प्रभावित करते हैं। इससे सीखने के प्रभावों का वर्णन किया जा सकता है कि नए ज्ञान प्राप्त करने या मौजूदा ज्ञान, कौशल मूल्यों, व्यवहार और वरीयताओं को संशोधित करने की प्रक्रिया को कैसे उचित ढंग से लागू करें।

सीखना बौद्धिक स्तर, संज्ञानात्मक क्षमता, धारणा, व्यक्तित्व और सीखने वाले के दृष्टिकोण पर आधारित है। व्यक्तिगत रूप से कई कारक व्यक्ति के सीखने को प्रभावित करते हैं। वे सामाजिक क्षेत्र, सांस्कृतिक आदतों, और किसी व्यक्ति को परिवर्तन को अपनाने की इच्छा से सम्बंधित हो सकते हैं।

अध्येता/शिक्षार्थी की विशेषताएं

शिक्षार्थियों की विशेषताएं कई हैं जैसे कि व्यक्तिगत, शैक्षणिक, सामाजिक, भावनात्मक, संज्ञानात्मक इत्यादि।

व्यक्तिगत विशेषताएं : व्यक्तिगत विशेषताओं को शिक्षार्थी के बारे में जनसांख्यिकीय जानकारी के रूप में परिभाषित किया जा सकता है जैसे कि आयु, लिंग, सांस्कृतिक पृष्ठभूमि, परिपक्वता, भाषा, सामाजिक, आर्थिक स्थिति इत्यादि।

शैक्षणिक विशेषताएं : शिक्षा के प्रकार, शिक्षा का स्तर, शैक्षणिक कौशल इत्यादि।

संज्ञानात्मक विशेषताएं : शिक्षार्थी की संज्ञानात्मक विशेषताओं में स्मृति, मानसिक दबाव, समस्याओं को हल करने, बौद्धिक कौशल, याद, व्यवस्थित और मस्तिष्क में जानकारी संग्रहीत करने के रूप में वर्णित किया जा सकता है।

- **जिज्ञासु प्रवृत्ति :** एक शिक्षार्थी कभी संतुष्ट नहीं होता है वे हमेशा जानकारी के भूखे होते हैं, खोज से प्यार करते हैं और समस्याओं के समाधान का पता लगाने की कोशिश करते हैं। लर्नर सर्वश्रेष्ठ अध्ययन सामग्री और नवीनतम जानकारी के बारे में सूचना एकत्र करता है।
- **ध्यान से समझना :** एक अच्छा शिक्षार्थी समझ की विशेषता रखता है। अधिकांश ज्ञान कड़ी मेहनत और प्रयासों से प्राप्त किया जा सकता है। एक शिक्षार्थी को विषय वस्तु को ध्यान से समझने की कोशशि करनी चाहिए। एक प्रभावी शिक्षार्थी हमेशा नए ज्ञान की व्याख्या, संयोजन और अंतर करने की कोशिश करता है और उन्हें कुछ अर्थ देता है।
- **सामाजिक और व्यक्तिगत गुणवत्ता :** एक शिक्षार्थी जिसके पास व्यक्तिगत गुणवत्ता है विषय वस्तु को आसानी से समझता है और समस्याओं को बहुत तेजी से हल करता है। अलग-अलग शिक्षार्थियों के अलग-अलग व्यक्तिगत और सामाजिक, संज्ञानात्मक शक्ति होती है। एक शिक्षार्थी जो विभिन्न सामाजिक संरचना से संबंधित है अन्य जगह पर अध्ययन के दौरान समस्या का सामना कर सकता है तथा एक अच्छा शिक्षार्थी आसानी से वर्ग के वातावरण को अनुकूल और समायोजित करता है।
- **तरक्की और विकास :** शिक्षार्थी की विशेषताएं उसके मानसिक और बौद्धिक विकास और विकास के अधीन है। शिक्षण और प्रशिक्षण सकारात्मक विकास और विकास के लिए सहायक है। एक अच्छा शिक्षाविद् स्वयं सीखने वाले की विशेषताओं की पहचान करने और उसके अंदर कौशल विकसित करने की जिम्मेदारी लेता है।
- **जानने की इच्छा :** एक सीखने वाला हमेशा नये ज्ञान के लिए सीखने को तैयार रहता है। उसके पास एक व्यापक मानसिक स्थान है और लगातार परिवर्तनों को स्वीकार करता है। शिक्षार्थी की जिज्ञासु प्रकृति उनके माता-पिता, भाई-बहन, पड़ोसियों, रिश्तेदारों, शिक्षकों, समाज से अधिक ज्ञान प्राप्त करने के लिए उसमें एक आग्रह विकसित करती है।
- **सीखने के इच्छुक व्यक्ति की मनोवृति :** एक शिक्षक हमेशा अपनी रुचि और योग्यता हेतु शिक्षार्थियों का आकलन करने के लिए एक महत्वपूर्ण भूमिका निभाता है ताकि वे अपनी योग्यता के अनुसार मार्गदर्शन कर सकें।
- **समायोजन क्षमता :** हालांकि प्रत्येक शिक्षार्थी को हर स्थिति में समायोजित करना संभव नहीं है क्योंकि एक अलग शिक्षार्थी में समायोजन की अलग-अलग विशेषताएं हैं। कुछ शिक्षार्थी कक्षा के वातावरण को आसानी से अपना लेते हैं और कुछ कक्षा के माहौल में असहज महसूस करते हैं। अतः एक अच्छे शिक्षार्थी को स्थिति के अनुसार समायोजित होना चाहिए।
- **आंतरिक प्रेरणा :** प्रेरणा एक शिक्षार्थी को अपने लक्ष्यों को प्राप्त करने के लिए एक महत्वपूर्ण कारक है। शिक्षार्थियों की प्रेरणा की क्षमताओं में भिन्नता होती है। कुछ शिक्षार्थी आसानी से प्रेरित होते हैं जबकि कुछ अपने प्रशिक्षकों द्वारा प्रेरित होने से पहले लंबे समय तक झिझक महसूस करते हैं।
- **सामाजिक-सांस्कृतिक पृष्ठभूमि :** शिक्षार्थी विभिन्न संस्कृति, क्षेत्र और पारिवारिक पृष्ठभूमि से आते हैं। ये सीखने वाले एक समरूप समूह में प्रदर्शन करते हैं। कक्षा के वातावरण को समझने और अनुकूलन करने के लिए शिक्षार्थी को कुछ समय

लगता है। झुकाव के लिए शुरुआत में विभिन्न विषयों को अनुकूलित करना, समझना और विलय करना बहुत मुश्किल है।

- **सीखने की शक्ति** : कुछ शिक्षार्थी प्रश्नों को बहुत जल्दी समझते हैं और समस्याओं को हल करते हैं। यदि शिक्षार्थी समस्याओं को आसानी से हल कर लेते हैं तो इसका मतलब है कि किसी अन्य व्यक्ति की तुलना में शिक्षार्थी का समझ स्तर उच्च है उनसे जो समस्याओं को समझने और हल करने में अधिक समय लेता है।
- **मन और रचनात्मकता का अनुप्रयोग** : सभी शिक्षार्थियों के जीवन में अलग दृष्टिकोण होते हैं। अधिकांश शिक्षार्थी स्वीकार करते हैं कि उन्हें क्या सिखाया जाता है लेकिन उनके पास कई रचनात्मक क्षमताएं भी होती है, जैसे–चीजों का पता लगाने और नवाचारों को सोचने की क्षमता।

शिक्षार्थी की विशेषताओं के संदर्भ में प्रमुख विद्वानों का मत

बड़ौदा विश्वविद्यालय के सेंटर ऑफ एडवांस्ड स्टडीज में डॉ, बी.के. पासी, एम.एस. भट्टाचार्य एवं अब्राहिम ने शिक्षण के निम्न 12 कौशलों को बताया है :

1. समीपता प्राप्त करना
2. श्याम पट्ट का प्रयोग
3. शिक्षार्थियों के कार्यो को प्रोत्साहन
4. पुनर्बलन
5. मौन तथा अशाब्दिक अन्तःक्रिया
6. उद्दीपन परिवर्तन
7. अनुदेश
8. पाठोपस्थान
9. प्रश्नों की प्रवाहशीलता
10. खोजपूर्ण प्रश्न
11. व्याख्या करना
12. दृष्टान्त देना।

एलन ने स्पष्ट किया कि विभिन्न शिक्षण कौशलों की पहचान करना तथा शिक्षक प्रशिक्षण के समय कौशलों का विकास करना, शिक्षण योग्यता में बढ़ोतरी करता है। फ्लैण्डर्स ने अन्तःक्रिया विश्लेषण के आधार पर इन्हें विश्लेषित किया है। ये कौशल विभिन्न विषयों के अनुसार भिन्न-भिन्न होते हैं या अपनाए जाते हैं। एलन तथा रॉयन ने सन् 1969 में सर्वप्रथम इन सब विषयों के शिक्षण कौशलों की पहचान की। इन्होंने अमेरिका के स्टेनफोर्ड विश्वविद्यालय में शिक्षक प्रशिक्षण के संबंध में 13 शिक्षण कौशलों का विवरण दिया है :

1. पूर्ण सम्प्रेषणीयता
2. उद्दीपन परिवर्तन
3. उच्चस्तरीय प्रश्न
4. समीपता
5. छात्र व्यवहार का ज्ञान
6. विन्यास प्रेरणा
7. नियोजित पुनरावृत्ति
8. व्याख्यान
9. पुनर्बलन
10. खोजपूर्ण प्रश्न
11. प्रश्न पूछना
12. विकेन्द्रित प्रश्न
13. दृष्टान्त देना।

किशोर और वयस्क शिक्षार्थी की अपेक्षाएँ

किशोर और वयस्क शिक्षार्थी के बेहतर शिक्षा प्रबन्धन हेतु विशेष परिस्थितियाँ और अपेक्षाएं अपेक्षित होती हैं। बेहतर शैक्षिक स्थितियों के लिए निम्नलिखित कारक जिम्मेदार माने जाते हैं–

वंशानुक्रम एवं वातावरण

साधारणतः यह मान्यता है कि बच्चे अपने गुण एवं दोष अपने माता-पिता से ही प्राप्त करते हैं, इस प्रकार सभी बालकों में अपने माता-पिता के गुण जन्मजात ही आ जाते हैं, इसे ही वंशानुक्रम की संज्ञा दी जाती है। विद्वानों ने वंशानुक्रम को व्यक्ति की जन्मजात विशेषताओं का पूर्ण योग माना है।

वंशानुक्रम की प्रक्रिया

मानव शरीर कोशिकाओं से मिलकर बना है। मानव शरीर का निर्माण दो उत्पादक कोशिकाओं के परस्पर संयोग से बनता है। इनमें एक 'जर्म सैल' माता के 'ओवम' (Ovum) से आता है तथा दूसरा जर्म सैल पिता के स्पर्म (Sperm) से आता है। पुरुष-स्त्री के प्रत्येक जर्म सैल में 23-23 गुणसूत्र (Chromosomes) होते हैं। प्रत्येक गुणसूत्र में 40 से 100 तक 'जीन्स' होते हैं। ये जीन्स किसी एक गुण का निर्धारण करते हैं। बालकों में यही जीन्स पहुँचकर उनके माता-पिता के गुणों को सम्प्रेषित करते हैं। इन जीन्स की सम्मिलित प्रक्रियाओं को ही वंशानुक्रम कहते हैं।

वंशानुक्रम की प्रक्रिया कुछ विशेष नियमों के द्वारा निर्धारित होती है। वंशानुक्रम के प्रमुख नियम निम्नलिखित हैं :

- बीजकोष की निरंतरता का नियम
- समानता का नियम
- विभिन्नता का नियम
- प्रत्यागमन का नियम
- अर्जित गुणों के संक्रमण का नियम

अधिगमकर्ता पर वंशानुक्रम का प्रभाव

वंशानुक्रम का अधिगमकर्ता के व्यवहार पर प्रभाव का उल्लेख निम्न प्रकार से किया जा सकता है :

- शारीरिक विकास पर प्रभाव
- शारीरिक लक्षणों पर प्रभाव
- बौद्धिक योग्यताओं पर प्रभाव
- मूल प्रवृत्तियों का प्रभाव
- चरित्र पर प्रभाव

वातावरण का अर्थ एवं परिभाषा

वातावरण का अर्थ है–मानव के चारों ओर ऊपर-नीचे धरती, आकाश, जल, वायु एवं जीवों के रूप में जो परिलक्षित है उसे ही वातावरण अथवा मानव के चारों ओर फैला हुआ परिवेश समझा जाता है।

शिक्षार्थी पर वातावरण का प्रभाव

- शारीरिक वृद्धि एवं विकास
- बालक पर बहुमुखी प्रभाव
- बौद्धिक योग्यताओं पर प्रभाव
- मानसिक विकास
- प्रजाति की गुणवत्ता पर प्रभाव

शिक्षक के लिए वंशानुक्रम एवं वातावरण का महत्व

शिक्षण कार्य में शिक्षक के लिए बालक के वंशानुक्रम एवं उसके चारों ओर के वातावरण का महत्व निम्न प्रकार से समझा जा सकता है :

वंशानुक्रम का महत्व

- बालकों की मूल एवं वर्तमान प्रवृत्तियों में अंतर का होना।
- शिक्षा योजना का निर्माण एवं संवर्द्धन और विकास।
- अलग-अलग पीढ़ियों में होने वाले आनुवंशिक परिवर्तन।
- बालकों के सीखने की प्रवृत्ति का होना।

वातावरण का महत्व

- बालकों पर उसकी पारिवारिक एवं सामाजिक पृष्ठभूमि का प्रभाव।
- बालक की सांस्कृतिक, चारित्रिक पृष्ठभूमि का समकालीन ज्ञान।
- बच्चों के संबंधित वातावरण पर पड़ने वाले क्रियाकलाप और उसकी सामाजिक, आर्थिक व्यवस्था प्रभाव।

अतः निश्चित ही यह कहा जा सकता है कि बालक अपने विकास की प्रत्येक अवस्था में अपने चारों ओर के वातावरण से अनुग्रहित तत्वों का ही प्रतिबिम्ब होता है और अपने कार्यों एवं व्यवहार के द्वारा उसे परिलक्षित करते हैं। इस प्रकार शिक्षक द्वारा विकास के इस आधार को समझना अत्यंत महत्वपूर्ण है।

मूल अपेक्षाएँ

विलियम मैक्डूगल ने सर्वप्रथम किशोर एवं वयस्क शिक्षार्थियों के मूल प्रवृत्तियों का वर्णन अपनी प्रसिद्ध पुस्तक ''इंट्रोडक्शन टू सोशल साइकोलॉजी'' में किया है।

मूल प्रवृत्तियों की विशेषताएँ

- मूल प्रवृत्तियाँ विकास के अनुक्रम में इस प्रकार आगे बढ़ती हैं, जिससे वातावरण की स्थितियों में स्वीकार्यिता अधिक होती है।
- मूल प्रवृत्तियाँ जन्म से विद्यमान होती हैं, जो कि समय-समय पर उनके आदतों में प्रकट होती रहती हैं।
- मूल प्रवृत्तियाँ संवेगात्मक और प्रयोजनात्मक प्रकृति की होती हैं, जो कि समय और स्थिति के अनुसार संशोधित होती रहती है।

मूल प्रवृत्तियों का शैक्षिक महत्व

- मूल प्रवृत्तियाँ शिक्षा ग्रहण करने को प्रेरणा प्रदान करती है।
- मूल प्रवृत्तियों के कारण ही व्यक्ति में सृजनात्मक क्षमता का विकास होता है।
- ये प्रवृत्तियाँ उसके व्यावहारिक जीवन एवं अनुशासन में सहायक होती हैं।

संवेग का अर्थ एवं परिभाषा

ड्रेवर के अनुसर, ''संवेग प्राणी की एक जटिल दशा है, जिसमें शारीरिक परिवर्तन प्रबल भावना के कारण उत्तेजित दशा और एक प्रकार का व्यवहार करने की प्रवृत्ति निहित रहती है।'' संवेग की विशेषताएँ निम्नलिखित है–

- यह परिवर्तनशील होती है और परिवर्तन मनोवैज्ञानिक एवं मानसिक दोनों स्तर पर होता है।
- मानसिक एवं शारीरिक स्थिति की दशा और दिशा में परिवर्तन होता है।
- इसका क्षेत्र व्यापक होता है और वस्तुनिष्ठता होता है।

स्थायी भाव का अर्थ

''स्थायी भाव से आशय यह है कि–किसी व्यक्ति, वस्तु, विचार एवं आदर्श स्थान के प्रति उत्पन्न हुए स्थायी संवेगों की अनुभूति होना, जो कि समयानुसार व्यक्ति की मनःस्थिति में पूर्णतः स्थापित हो जाते हैं, इन्हें ही स्थायी संवेग माना जाता है।''

शिक्षार्थी का विकास एवं अभिवृद्धि

शिक्षार्थी के सर्वांगीण और समन्वित विकास के लिए जबतक उसके गुण-दोष का मूल्यांकन नहीं होता तब तक उसकी विशेषताओं को एवं लक्षणों को भली प्रकार जांचा और परखा नहीं जा सकता है। ऐसी स्थिति में शिक्षार्थी में ऐसा विकास हो जिसमें उच्च आदर्श के प्रतिमान स्थापित हो। अतः विकास एकीकृत तथा संतुलित हो।

हालांकि, बालक (अधिगमकर्ता के रूप में) की अभिवृद्धि एवं विकास का ज्ञान एक विस्तृत विषय है तथा उसे संक्षिप्त करना अत्यधिक कठिन है, किन्तु यूजीसी-एनटीए द्वारा आयोजित NET परीक्षा के पाठयक्रम के संदर्भ में इन गुणों को विभिन्न विकास की अवस्थाओं के अन्तर्गत संकलित किया गया है।

आदत एवं थकान

आदत एक ऐसी क्रिया है, जो किसी कार्य को स्वेच्छापूर्वक निरंतर जारी रखने के परिणामस्वरूप स्थायी रूप से व्यवहार का अभिन्न अंग बन जाती है। एवं बालक के व्यवहार में समय-समय पर स्वतः ही परिलक्षित होने लगती है।

स्वस्थ आदतें बालकों के जीवन में अत्यंत महत्वपूर्ण भूमिका निभाती है तथा विभिन्न कार्यों के लिए समय और मानसिक शक्ति की बचत करने की क्षमता को विकसित करती है। इन सभी आदतों में अध्ययन करने की आदत का निर्माण बालकों को अध्ययन प्रेमी एवं अध्यवसाय के लिए उत्तम बनाता है। यही आदतें बालकों के चारित्रिक निर्माण की आधारशिलाएँ होती हैं।

थकान

थकान किसी बालक/व्यक्ति की कार्य क्षमता को निरंतर प्रभावित करने की एक शारीरिक दशा है, जो कि बालक/व्यक्ति द्वारा किये जाने वाले किसी कार्य को सम्पादित करने में कठिनाई उत्पन्न करती है।

थकान के गुण

- मानसिक एवं शारीरिक असक्षमता और दुर्बलता के द्वारा न्यूनतम उत्पादन होता है।
- न्यूनतम एकाग्रता होने से विषयवस्तु पर अभिरुचि अथवा अन्मनस्कता की स्थिति पैदा होती है। ऐसी स्थिति में दिया गया कार्य पूरा नहीं हो पाता है जिससे चिड़चिड़ापन, क्रोध और संवेग पैदा होता है।

शिक्षार्थी की अपेक्षाएँ (शैक्षिक, सामाजिक, भावनात्मक और संज्ञानात्मक)

किसी भी शिक्षार्थी के शैक्षिक ज्ञानार्जन के लिए बहुत सारी परिस्थितियाँ जिम्मेदार होती हैं। इनमें से सामाजिक परिस्थितियाँ सबसे प्रभावी होती हैं यानी शिक्षार्थी कहाँ और किस वातावरण से, किस परिवेश से और किस परिवार से संबंधित है। यह उसके सम्पूर्ण शैक्षिक कार्यक्रम पर प्रभाव डालती है। शिक्षार्थी की प्रथम पाठशाला परिवार और उसके परिवार की सामाजिक व्यवस्था उसको प्रभावित करता है।

शिक्षार्थी के लिए भावनात्मक स्थितियाँ, उसके लक्ष्य के निर्धारण एवं उसके उद्देश्यों की पूर्ति के लिए उत्प्रेरक के लिए काम करती है। यदि देखा जाये तो समाज के विभिन्न वर्गों और विभिन्न क्षेत्रों के लिए विभिन्न लोगों ने जो शिक्षा अर्जित की और उसके उद्देश्यों की पूर्ति में लग गये वे कहीं न कहीं उनकी जड़ें, उनकी भावनात्मक परिस्थिति से गहरा संबंध रखती थीं। संज्ञानात्मक स्थितियाँ शिक्षार्थी के शिक्षा का आरंभिक स्रोत है। इसी के माध्यम से वह बेहतर शिक्षक, कॉलेज, अध्ययन से सम्बन्धित बेहतर संसाधनों को प्राप्त करता है और इसी संसाधनों के माध्यम से वह क्रमशः अपने शिक्षा को प्राप्त करता है।

व्यक्तिगत विभिन्नताएँ

अर्थ व स्वरूप

वैयक्तिक भिन्नता से अभिप्राय है प्रत्येक व्यक्ति में जैविक, मानसिक, सांस्कृतिक, संवेगात्मक अन्तर पाया जाना। इसी अन्तर के कारण व्यक्ति, दूसरे से भिन्न माना जाता है। मनोविज्ञान के क्षेत्र में 19वीं सदी में फ्रांसिस गाल्टन, पियर्सन, कैटेल, टर्मन आदि ने व्यक्तिगत भिन्नता का पता लगाया तथा उनके कारणों की खोज की।

कोई भी दो व्यक्ति समान नहीं होते। यहाँ तक कि जुड़वाँ बच्चों में भी असमानता पाई जाती है। इस दृष्टि से वैयक्तिक भिन्नता प्रकृति द्वारा प्रदत्त स्वाभाविक गुण है।

सभी प्रकार की शिक्षा-संस्थायें अति प्राचीन काल में मानसिक योग्यताओं के आधार पर छात्रों में अन्तर करती चली आ रही हैं। यद्यपि उन्होंने अपनी इस प्राचीन परम्परा का अभी तक परित्याग नहीं किया है, पर वे इस धारणा का निर्माण कर चुकी हैं कि छात्रों में अन्य योग्यतायें और कुशलतायें भी होती हैं, जिनके फलस्वरूप उसमें कम या अधिक विभिन्नता होती है। इस धारणा को मनोवैज्ञानिक भाषा में व्यक्त करते हुए स्किनर ने लिखा है–"व्यक्तिगत विभिन्नता में सम्पूर्ण व्यक्तित्व का कोई भी ऐसा पहलू सम्मिलित हो सकता है, जिसका माप किया जा सकता है।"

स्किनर की व्यक्तिगत विभिन्नताओं की इस परिभाषा के अनुसार उनमें व्यक्तित्व के वे सभी पहलू आ जाते हैं, जिनका माप किया जा सकता है। माप किये जा सकने वाले ये पहलू कौन-से हैं, इनके सम्बन्ध में टायलर ने लिखा है–"शरीर के आकार और स्वरूप, शारीरिक कार्यों, गति सम्बन्धी क्षमताओं, बुद्धि, उपलब्धि, ज्ञान, रुचियों, अभिवृत्तियों और व्यक्तित्व के लक्षणों में माप की जा सकने वाली विभिन्नताओं की उपस्थिति सिद्ध की जा चुकी है।"

टायलर के अनुसार–"एक व्यक्ति का दूसरे व्यक्ति से अन्तर एक सार्वभौमिक घटना जान पड़ती है।"

वर्तमान में किसी व्यक्ति की किसी गुण की दृष्टि से स्थिति को उस गुण के मध्यमान (Mean) से विचलन (Variation or Deviation) द्वारा स्पष्ट किया जाता है।

प्रकृति एवं विशेषताएँ

वैयक्तिक भिन्नता की प्रकृति अथवा विशेषताएँ निम्नलिखित हैं–

- कोई दो व्यक्ति आपस में एकदम समान नहीं होते। हम सब जानते हैं कि संसार के कोई दो व्यक्ति शारीरिक, मानसिक, संवेगात्मक और सामाजिक दृष्टि से एक से नहीं होते, उनमें कुछ न कुछ अन्तर अवश्य होता है। ये सब वैयक्तिक भिन्नता के मुख्य आधार होते हैं।
- वैयक्तिक भिन्नता में व्यक्तित्व के केवल मापीय लक्षणों को ही समाहित किया जाता है। जैसे–भार, लम्बाई, बुद्धि, अभिक्षमता, क्रोध एवं सामाजिकता आदि।
- किसी भी समूह में व्यक्तियों के किसी भी लक्षण का झुकाव मध्यमान अर्थात् औसत प्राप्तांक की ओर होता है। इसे सामान्य सम्भावना वक्र द्वारा स्पष्ट किया जाता है।
- व्यक्ति-व्यक्ति में किसी गुण में भिन्नता उनके प्राप्तांकों के गुण विशेष के मध्यमान से विचलन के अन्तर द्वारा प्राप्त होती है।

- कोई व्यक्ति किसी गुण विशेष की दृष्टि से औसत प्राप्तांक के निकट हो सकता है, दूसरे गुण में औसत प्राप्तांक से कम हो सकता है।
- वैयक्तिक भिन्नता के मापीय व्यक्तित्व लक्षण सामान्यतः एक दूसरे से प्रभावित होते हैं; उच्च बुद्धि के बालकों की शैक्षिक उपलब्धि भी प्रायः उच्च ही होती है।
- वैयक्तिक भिन्नता मानव के विविध प्रकार के विकास का आधार होती है।

व्यक्तिगत विभिन्नताओं के प्रकार

व्यक्तिगत विभिन्नताओं के प्रमुख प्रकार निम्नलिखित हैं–

- **शारीरिक विभिन्नता (Physical Difference):** शारीरिक दृष्टि से व्यक्तियों में अनेक प्रकार की विभिन्नताओं का अवलोकन होता है; जैसे–रंग, रूप, भार, कद, बनावट, यौन-भेद, शारीरिक परिपक्वता आदि।
- **मानसिक विभिन्नता (Mental Difference):** मानसिक दृष्टि से व्यक्तियों में विभिन्नताओं के दर्शन होते हैं। कोई व्यक्ति प्रतिभाशाली, कोई अत्यधिक बुद्धिमान, कोई कम बुद्धिमान और कोई मूर्ख होता है। **वुडवर्थ** (Woodworth) का मत है कि प्रथम कक्षा के बालकों की 'बुद्धि-लब्धि' 60 से 160 तक होती है।
- **संवेगात्मक विभिन्नता (Emotional Difference):** संवेगात्मक दृष्टि से व्यक्तियों की विभिन्नताओं को सहज ही जाना जा सकता है। इन विभिन्नताओं के कारण ही कुछ व्यक्ति उदार हृदय, कुछ कठोर हृदय, कुछ खिन्न चित्त और कुछ प्रसन्न-चित्त होते हैं।
- **रुचियों में विभिन्नता (Interests Difference):** रुचियों की दृष्टि से व्यक्तियों में कभी-कभी आश्चर्यजनक विभिन्नतायें देखने को मिलती हैं। किसी को संगीत में, किसी को चित्रकला में, किसी को खेल में और किसी को वार्तालाप में रुचि होती है।
- **विचारों में विभिन्नता (Difference in Thoughts):** विचारों की दृष्टि से व्यक्तियों की विभिन्नताओं को सामान्यतः स्वीकार किया जाता है। व्यक्तियों में इन विचारों के विविध रूप मिलते हैं : जैसे–उदार, अनुदार, धार्मिक, अधार्मिक, नैतिक, अनैतिक आदि।
- **सीखने में विभिन्नता (Difference in Learning):** सीखने की दृष्टि से व्यक्तियों और बालकों में अनेक विभिन्नतायें दृष्टिगत होती हैं। कुछ बालक किसी कार्य को जल्दी और कुछ देर में सीखते हैं।
- **गत्यात्मक योग्यताओं में विभिन्नता (Difference in Motor Activities):** गत्यात्मक योग्यताओं (Motor Abilities) की दृष्टि से व्यक्तियों में अत्यधिक विभिन्नताओं का होना पाया जाता है। इन विभिन्नताओं के कारण ही कुछ व्यक्ति एक कार्य को अधिक कुशलता से और कुछ कम कुशलता से करते हैं। इस कुशलता या योग्यता में आयु के साथ-साथ वृद्धि होती जाती है। फिर भी, जैसा कि क्रो एवं क्रो ने लिखा है–''शारीरिक क्रियाओं में सफल होने की योग्यता में एक समूह के व्यक्तियों में भी महान् विभिन्नता होती है।''
- **चरित्र में विभिन्नता (Difference in Character):** चरित्र की दृष्टि से सभी व्यक्तियों में कुछ-न-कुछ विभिन्नता का होना अनिवार्य है। व्यक्ति अनेक बातों से प्रभावित होकर एक विशेष प्रकार के चरित्र का निर्माण करते हैं।
- **विशिष्ट योग्यताओं में विभिन्नता (Difference in Special Ability):** विशिष्ट योग्यताओं की दृष्टि से व्यक्तियों में अनेक विभिन्नताओं का अनुभव किया जाता है।
- **व्यक्तित्व में विभिन्नता (Difference in Personality):** व्यक्तित्व की दृष्टि से व्यक्तियों की विभिन्नतायें हमें किसी-न-किसी रूप में आकर्षित करती हैं। टायलर ने लिखा है–''सम्भवतः व्यक्ति, योग्यता की विभिन्नताओं के बजाय व्यक्तित्व की विभिन्नताओं से अधिक प्रभावित होता है।''

व्यक्तिगत विभिन्नताओं के कारण

व्यक्तिगत विभिन्नताओं के अनेक कारण हैं, जिनमें से अधिक महत्वपूर्ण निम्नांकित हैं–

- **वंशानुक्रम (Heredity):** व्यक्तिगत विभिन्नताओं का पहला आधारभूत कारण है–वंशानुक्रम। रूसो, पीयरसन और गाल्टन इस कारण के प्रबल समर्थक हैं। उनका कहना है कि व्यक्तियों की शारीरिक, मानसिक और चारित्रिक विभिन्नताओं का एकमात्र कारण उनका वंशानुक्रम ही है। इसीलिए स्वस्थ, बुद्धिमान और चरित्रवान माता-पिता की सन्तान भी स्वस्थ, बुद्धिमान और चरित्रवान होती है।
- **वातावरण (Environment):** व्यक्तिगत विभिन्नताओं का दूसरा आधारभूत कारण है–वातावरण। मनोवैज्ञानिकों का तर्क है कि व्यक्ति जिस प्रकार के सामाजिक वातावरण में निवास करता है, उसी के अनुरूप उसका व्यवहार, रहन-सहन, आचार-विचार आदि होते हैं। अतः विभिन्न सामाजिक वातावरणों में निवास करने वाले व्यक्तियों में विभिन्नताओं का होना स्वाभाविक है। यही बात भौतिक और सांस्कृतिक वातावरणों के विषय में कही जा सकती है।
- **जाति, प्रजाति व देश (Caste, Race and Country):** व्यक्तिगत विभिन्नताओं का तीसरा कारण है–जाति, प्रजाति और देश। ब्राह्मण जाति के मनुष्य में अध्ययनशीलता और क्षत्रिय जाति के मनुष्य में युद्धप्रियता का गुण मिलता है। नीग्रो प्रजाति की अपेक्षा श्वेत प्रजाति अधिक बुद्धिमान और कार्य-कुशल होती है।

- **आयु व बुद्धि (Age and Intelligence):** व्यक्तिगत विभिन्नताओं का चौथा कारण है—आयु और बुद्धि। आयु के साथ-साथ बालक का शारीरिक, मानसिक और संवेगात्मक विकास होता है। इसीलिए, विभिन्न आयु के बालकों में अन्तर मिलता है।
- **शिक्षा व आर्थिक दशा (Education and Economic Status):** व्यक्तिगत विभिन्नताओं का पाँचवाँ कारण है—शिक्षा और आर्थिक दशा। शिक्षा—व्यक्ति को शिष्ट, गम्भीर और विचारशील बनाकर अशिक्षित व्यक्ति से उसे भिन्न कर देती है।
- **लिंग-भेद (Sex Difference):** व्यक्तिगत विभिन्नताओं का छठवाँ कारण है—लिंग-भेद। इस भेद के कारण बालकों और बालिकाओं की शारीरिक बनावट, संवेगात्मक विकास की कार्यक्षमता में अन्तर मिलता है।
- **रचनात्मक शक्ति (Creative Power):** मनोवैज्ञानिक एडलर ने रचनात्मक शक्ति को वैयक्तिक भिन्नता का प्रमुख कारण माना है। एडलर ने यह बात स्वीकार की कि वैयक्तिक भिन्नता के मूल कारण वंशानुक्रम एवं पर्यावरण ही हैं परन्तु साथ ही यह भी कहा कि व्यक्ति के व्यक्तित्व निर्माण में उसकी रचनात्मक शक्ति का भी बड़ा हाथ रहता है।

व्यक्तिगत भिन्नताओं पर आधारित प्रविधियाँ

व्यक्तिगत भिन्नताओं पर आधारित प्रमुख प्रविधियाँ निम्नलिखित हैं :

- **प्रोजेक्ट प्रणाली (Project Method):** इस पद्धति का जन्म अमेरिका में हुआ तथा इस पद्धति के जन्मदाता किलपाट्रेक थे। उनके अनुसार—"प्रोजेक्ट पूरे मन से किया जानें वाला एक उद्देश्यपूर्ण कार्य है जो सामाजिक वातावरण में सम्पन्न होता है।" इस प्रणाली में छात्र अपनी रुचि से योजना का चयन करता है।
- **डाल्टन प्रणाली (Dalton Method):** इस प्रणाली को मिस हेलेन पार्कहर्स्ट ने दिया। इस प्रणाली में छात्र को अपनी योग्यता, क्षमता व रुचि के अनुसार कार्य करने की स्वतंत्रता होती है। उसे समय-सारणी के बन्धन में नहीं बाँधा जाता। विद्यार्थी चाहे तो सारे दिन एक ही विषय पढ़ सकता है।
- **ईकाई या विनेटिका प्रणाली (Winnetka Method):** इस योजना का प्रतिपादन डॉ. कार्लटन वाशबर्न ने किया। इस योजना में भी बालक को कार्य करने की पूर्ण स्वतंत्रता रहती है। इसमें पूरे पाठ्यक्रम को छोटी-छोटी इकाइयों में बाँट दिया जाता है। छात्र एक इकाई का सफलता पूर्वक अध्ययन करने के बाद ही दूसरी इकाई का अध्ययन करता है। छात्र अपने ज्ञान की परीक्षा स्वयं करता है। अध्यापक मात्र मार्ग - दर्शक होता है।
- **डेक्रोली प्रणाली (Descroley Method):** इस प्रणाली के जन्मदाता डॉ. ओविड डेक्रोली थे। वे बेल्जियम में प्रोफेसर थे। उनके अनुसार बालक को शिक्षा उसके जीवन से ही मिलनी चाहिये। इस विधि में बालक का विभाजन उनकी रुचि, क्षमता एवं स्तर के आधार पर कर दिया जाता है। फिर उन्हें उनकी क्षमता के अनुसार आगे बढ़ने दिया जाता है। डेक्रोली प्रणाली में स्कूल का वातावरण प्राकृतिक होता है जहाँ बालकों को उदार शिक्षा दी जाती है।
- **कान्ट्रेक्ट प्रणाली (Contract Method):** यह योजना एक प्रकार से डाल्टन प्रणाली तथा विनेटिका प्रणाली का मिला-जुला रूप है। इसमें छात्र को सप्ताह, महीने या वर्ष भर का कार्य एक साथ ही दे दिया जाता है। कोई समय-सारणी का बन्धन नहीं होता और न ही पाठ्यक्रम के छोटे-छोटे भाग किये जाते हैं। छात्र को कार्य करने की पूरी स्वतंत्रता रहती है।
- **क्रिया-योजना (Activity Method):** यह योजना वस्तुतः कोई योजना नहीं है बल्कि शिक्षण प्रक्रिया का एक पहलू है। अध्यापक का यह प्रयास रहता है कि उसके विद्यार्थी कक्षा में पूरे समय सक्रिय बने रहें। इसलिये जब तक विद्यार्थी प्रश्न पूछकर पाठ्य-वस्तु को आत्मसात् करने की कोशिश नहीं करता, अध्यापक को संतुष्टि नहीं होती। इस विधि में अध्यापक छात्र की क्रियाओं का निरीक्षण करता है।
- **अभिक्रमित अनुदेश (Programmed Instruction):** यह प्रणाली एक प्रकार से विनेटिका प्रणाली का ही रूप है। जिस प्रकार विनेटिका प्रणाली में हम पाठ्यक्रम को छोटी-छोटी इकाइयों में बाँट लेते हैं वैसे ही ये इकाइयाँ इस अभिक्रमित अनुदेशन में प्रोग्राम कहलाती हैं।
- **किण्डरगार्टन प्रणाली (Kindergarten Method):** इस प्रणाली के जन्मदाता फ्रोबेल हैं। किण्डरगार्टन शब्द का अर्थ है बच्चों का बगीचा। फ्रोबेल शिक्षक को एक माली तथा बच्चे को पौधा मानता है। उसका कहना है कि बालक एक अविकसित पौधा है जो शिक्षक रूपी माली की देख-रेख में पनपता है। इस प्रणाली में बालक को पुस्तकों से नहीं लादा जाता बल्कि उसे स्वतन्त्र रूप से हँसने, खेलने, बोलने व घूमने दिया जाता है। प्रणाली में बालक खेल-खेल में सब कुछ सीख जाता है।
- **मान्टेसरी प्रणाली (Montessori Method):** छोटे बच्चों को शिक्षित करने की यह एक लोकप्रिय प्रणाली है। इस प्रणाली की जन्मदात्री डॉ. मेरिया मांटेसरी हैं। यह विधि मन्द बुद्धि बालकों के लिये बहुत उपयोगी है। यह प्रणाली मनोवैज्ञानिक सिद्धान्तों पर आधारित है।

व्यक्तिगत विभिन्नताओं का शैक्षिक महत्त्व

आधुनिक मनोवैज्ञानिक, बालकों की व्यक्तिगत विभिन्नताओं को अत्यधिक महत्त्व देते हैं। उनका अटल विश्वास है कि इन विभिन्नताओं का ज्ञान प्राप्त करके शिक्षक अपने छात्रों का अवर्णनीय हित कर सकता है और

साथ ही शिक्षा के परम्परागत स्वरूप में क्रान्तिकारी परिवर्तन करके उसे बालकों की वास्तविक आवश्यकताओं के अनुकूल बना सकता है। उनका यह विश्वास निम्नांकित तथ्यों पर आश्रित है–

- **छात्र-वर्गीकरण की नवीन विधि (Students Classification):** विद्यालय में शिक्षा प्राप्त करने के लिए आने वाले बालकों में केवल आयु का ही अन्तर नहीं होता है। उनमें शारीरिक, मानसिक और संवेगात्मक अन्तर भी होते हैं। अतः उनका परम्परागत विधि के अनुसार कक्षाओं में विभाजन करना सर्वथा अनुचित है। वस्तुतः उनकी विभिन्नताओं के अनुसार उनका विभाजन समरूप समूहों (Homogeneous Groups) में किया जाना चाहिए। इस प्रकार का सर्वोत्तम विभाजन उनकी मानसिक योग्यता के आधार पर किया जा सकता है।
- **व्यक्तिगत शिक्षण की व्यवस्था (Individual Coaching):** मानसिक योग्यताओं की विभिन्नताओं के कारण सामूहिक शिक्षण निस्सार और निष्प्रयोजन है। अतः व्यक्तिगत शिक्षण की व्यवस्था किया जाना न केवल वांछनीय, वरन् आवश्यक है। इस विचार से प्रेरित होकर व्यक्तिगत शिक्षण की दो नवीन योजनायें आरम्भ की गई हैं–डाल्टन योजना और विनेटका योजना। इसी प्रकार की व्यक्तिगत शिक्षण की योजना प्रत्येक विद्यालय में कार्यान्वित की जानी चाहिए। इस बात पर बल देते हुए क्रो एवं क्रो ने लिखा है–"विद्यालय का यह कर्त्तव्य है कि वह प्रत्येक बालक के लिए उपयुक्त शिक्षा की व्यवस्था करें, भले ही वह अन्य सब बालकों से कितना ही भिन्न क्यों न हो।"
- **कक्षा का सीमित आकार (Limited Class Size):** जब कक्षा में छात्रों की संख्या 40 या 50 होती है, तब शिक्षक के लिये उनसे व्यक्तिगत सम्पर्क स्थापित करना असम्भव हो जाता है। ऐसी दशा में वह उनकी व्यक्तिगत विभिन्नताओं के अनुसार उनकी शैक्षिक आवश्यकताओं को पूर्ण करने में असमर्थ रहता है। अतः मनोवैज्ञानिकों का मत है कि कक्षा के छात्रों की संख्या लगभग 20 होनी चाहिए। रॉस का कथन है–"प्रत्येक अध्यापक की संरक्षता में छात्रों की संख्या इतनी कम होनी चाहिये कि वह उन्हें व्यक्तिगत रूप से भली-भाँति जान सके, क्योंकि इस ज्ञान के बिना वह उनसे ऐसे कार्यो को करने को कह सकता है, जो उनमें से बहुतों के स्वभाव के अनुसार उनके लिए असम्भव हों।"
- **शिक्षण-पद्धतियों में परिवर्तन (Change in Teaching Method):** सब बालकों के लिये एक ही प्रकार की और घिसी-पिटी शिक्षण-पद्धतियों का प्रयोग करना सर्वथा अनुचित और अमनोवैज्ञानिक है। इस बात की परम आवश्यकता है कि बालकों के व्यक्तिगत भेदों के अनुसार शिक्षण-पद्धतियों में यथाशीघ्र परिवर्तन किया जाये। शिक्षण की ये नवीन विधियाँ गतिशील, क्रियात्मक और मनोवैज्ञानिक होनी चाहिये।
- **गृह-कार्य की नवीन धारणा (New Concept of Home Work):** व्यक्तिगत भेदों के कारण सब बालकों में समान कार्य की समान मात्रा पूर्ण करने की क्षमता नहीं होती है। अतः प्राचीन प्रथा के अनुसार सब बालकों को एक-सा गृह-कार्य देना उनके प्रति अन्याय करना है। आवश्यकता इस बात की है कि गृह-कार्य देते समय उनकी क्षमताओं और योग्यताओं का पूर्ण ध्यान रखा जाये। इस दृष्टि से मन्द बुद्धि और तीव्र बुद्धि बालकों को दिये जाने वाले गृह-कार्य में अन्तर किया जाना विवेक का प्रतीक है।
- **बालकों में विशेष रुचियों का विकास (Development of Interest):** यदि सब नहीं, तो कुछ बालक ऐसे अवश्य होते हैं, जिनमें कुछ विशेष रुचियाँ होती हैं। इन रुचियों का विकास करके उनका और उनके द्वारा समाज एवं देश का हित किया जा सकता है। अतः शिक्षक का यह कर्त्तव्य है कि बालकों की विशेष रुचियों का ज्ञान प्राप्त करके उनका अधिकतम विकास करने का सतत् प्रयास करे।
- **शारीरिक दोषों के प्रति ध्यान (Attention towards Physical Defects):** आधुनिक शिक्षा की माँग है कि बालकों के शारीरिक दोषों और असमर्थताओं के प्रति पूर्ण ध्यान दिया जाये, ताकि वे अपनी आवश्यकताओं के अनुकूल शिक्षा प्राप्त करने से वंचित न रह जायें। इस सम्बन्ध में स्किनर ने चार सुझाव दिये हैं– (*i*) जिन बालकों को कम दिखाई या सुनाई देता है, उन्हें कक्षा में सबसे आगे बैठाया जाये, (*ii*) निर्बल और कुपोषित बालकों के लिए विश्राम के घण्टे (Periods) निश्चित किये जायें, (*iii*) प्रत्येक बालक की डाक्टरी जाँच की जाये, (*iv*) प्रत्येक विद्यालय में डॉक्टर की नियुक्ति की जाये।
- **लिंग-भेद के अनुसार शिक्षा (Education According to Sex):** लिंग-भेद के कारण बालकों और बालिकाओं की रुचियों, क्षमताओं, योग्यताओं, आवश्यकताओं आदि में पर्याप्त अन्तर होता है। जैसे-जैसे वे बड़े होते हैं, वैसे-वैसे यह अन्तर अधिक से अधिक स्पष्ट होता जाता है। इस दृष्टि से प्राथमिक कक्षाओं में उनके लिए समान पाठ्य-विषय हो सकते हैं, पर माध्यमिक कक्षाओं में इन विषयों में अन्तर की स्पष्ट रेखा का खींचा जाना आवश्यक है।
- **आर्थिक व सामाजिक दशाओं के अनुसार शिक्षा (Education According to Socio-Economic Conditions):** बालकों के परिवारों की आर्थिक और सामाजिक दशायें उनके विचारों, दृष्टिकोणों, आवश्यकताओं आदि में भेद उत्पन्न कर देती हैं। उनके इस भेद को ध्यान में रखकर ही उनके लिए उपयुक्त प्रकार की शिक्षा की व्यवस्था की जा सकती है। ऐसा न करने से उनको प्रदान की जाने वाली शिक्षा का निरर्थक सिद्ध होना स्वाभाविक है।

- **पाठ्यक्रम का विभिन्नीकरण (Differentiation in Curricula):** विभिन्न आयु के बालकों एवं बालिकाओं की रुचियों, रुझानों, अभिवृत्तियों और आकांक्षाओं में इतना अधिक अन्तर होता है कि सबके लिए समान पाठ्यक्रम का निर्माण करना उनके प्रति अन्याय करना है। अतः पाठ्यक्रम लचीला होना चाहिये और उसमें इतने विभिन्न प्रकार के विषय होने चाहिए कि किसी भी बालक या बालिका को अपनी इच्छानुसार विषयों का चयन करने में किसी प्रकार की कठिनाई न हो। इस विचार के समर्थन में स्किनर ने लिखा है—"बालकों की विभिन्नताओं के चाहे जो भी कारण हों, वास्तविकता यह है कि विद्यालय को विभिन्न पाठ्यक्रमों द्वारा उनका सामना करना चाहिए।"

सारांश यह है कि बालकों की वैयक्तिक विभिन्नताओं का शिक्षा में अति महत्त्वपूर्ण स्थान है। इन विभिन्नताओं का ज्ञान प्राप्त करके शिक्षक अपने छात्रों को विविध प्रकार के लाभ पहुँचा सकता है।

शिक्षण प्रभावक तत्व (Factor Affecting Teaching)

शिक्षण एक जटिल एवं सतत् प्रक्रिया है। शिक्षण को प्रभावी बनाने में शिक्षण विधियों एवं शिक्षण सामग्रियों का महत्व होता है। यदि शिक्षण प्रभावशाली नहीं होता तो विद्यार्थी कुछ सीख नहीं पाएंगे और अन्ततः अधिगम (Learning) की अधिकता हेतु शिक्षण का प्रभावी होना भी आवश्यक है। जो कारक शिक्षण को प्रभावित करते हैं, उन्हें निम्नलिखित वर्गों में विभक्त किया जा सकता है—

- शिक्षक से सम्बन्धित कारक
- शिक्षार्थी से सम्बन्धित कारक
- पाठ्य-वस्तु से सम्बन्धित कारक
- अधिगम व्यवस्था से सम्बन्धित कारक
- वातावरण से सम्बन्धित कारक
- संस्थागत सुविधाएँ

शिक्षक से सम्बन्धित कारक

- **विषय का ज्ञान :** अध्यापक को अपने विषय का पूर्ण ज्ञान है तो वह आत्मविश्वास के साथ छात्रों को नवीन ज्ञान देने में सक्षम होगा तथा उसका शिक्षण प्रभावी होगा।
- **शिक्षक का व्यवहार :** अध्यापक के व्यवहार में सहानुभूति सहयोग, समानता, शिक्षण कला में निपुणता, मृदुभाषी, संयत आदि गुण है तो छात्र कक्षा वातावरण में सहज रूप से सब कुछ सीख सकेगा।
- **मनोविज्ञान का ज्ञान :** अध्यापक को बाल विकास प्रक्रिया, वंशानुक्रमण व्यक्तिगत विभेद, प्रेरणा, सीखने के सिद्धान्त आदि का ज्ञान अतिआवश्यक है। आधुनिक शिक्षा में मनोविज्ञान की महत्वपूर्ण भूमिका रही है।
- **शिक्षण विधि :** प्रत्येक अध्यापक का पढ़ाने का तरीका भिन्न होता है। शिक्षण विधि जितनी अधिक वैज्ञानिक एवं प्रभावशाली होगी उतनी सीखने की प्रक्रिया सरल एवं लाभप्रद होगी।
- **व्यक्तिगत भेदों का ज्ञान :** अध्यापक को तीन प्रकार के छात्रों का सामना करना पड़ता है—मेधावी, सामान्य तथा पिछड़े हुए बालक। इन्हीं के अनुरूप शिक्षण व्यवस्था करनी होती है। व्यक्तिगत भेद छात्र को समझने में अध्यापक का सहयोग करते हैं।
- **वैयक्तिक :** छात्र जाने-अनजाने शिक्षक के व्यवहार से प्रभावित हो बहुत-सी बातें सीख लेते हैं। इस दृष्टि से एक अध्यापक को आत्मविश्वासी, दृढ़इच्छा शक्ति, कर्तव्यनिष्ठ, निरोगी, श्रेष्ठ रूचियों एवं अभिरूचियों वाला होना चाहिए।
- **बाल केन्द्रित शिक्षा :** आधुनिक युग में शिक्षक के लिए यह आवश्यक है कि वह जो भी ज्ञान छात्रों को प्रदान करे वह उसकी रूचियों, क्षमताओं एवं स्तर के अनुकूल होना चाहिए।
- **समय-सारणी :** समय सारणी बनाते समय मौसम, बालकों की योग्यता, रूचि एवं व्यक्तिगत विभेदों पर भी ध्यान दिया जाना चाहिए।
- **पाठ्य सहभागी क्रियायें :** शिक्षा में मनोविज्ञान के योगदान के रूप में आज पाठ्यक्रम में अनेक महत्वपूर्ण सहभागी क्रियाओं को स्थान दिया जाता है जैसे वाद-विवाद, निबन्ध, लेख कहानी, कविता, अन्ताक्षरी, भ्रमण, छात्रसंघ, खेलकूद, अभिनय, संगीत आदि।
- **अनुशासन :** मनोविज्ञान परीक्षण यह सिद्ध करते हैं कि छात्र अपराध करने पर दण्ड से डरता नहीं इसका यह अर्थ नहीं कि छात्र को मनमानी करने दी जाए उसे अपराध के अनुकूल दण्ड दिया जाए।

शिक्षार्थी से सम्बन्धित कारक

- **बालक :** बालक शिक्षण अधिगम प्रक्रिया का आधार है इसलिए उसके अभाव में अधिगम की कल्पना नहीं की जा सकती।
- **सीखने की इच्छा :** बालकों में सीखने के प्रति जिज्ञासा उत्पन्न की जाए जिससे बालक कठिन तथ्यों को भी आसानी से समझ सके।
- **शैक्षिक पृष्ठभूमि :** छात्र की एक विषय में शैक्षिक योग्यता सामान्य से अधिक है तो छात्र उस विषय में नया ज्ञान सुगमता से सीख लेगा।

- **शारीरिक व मानसिक स्वास्थ्य :** सीखने से पहले बालक का स्वस्थ रहना जरूरी है क्योंकि किसी भी प्रकार की मानसिक विकृति, शारीरिक रूग्णता तथा मानसिक तनाव का प्रत्यक्ष प्रभाव बालकों के अधिगम पर प्रतिकूल पड़ता है। अस्वस्थ बालक शीघ्र थक जाते हैं।
- **परिपक्वता :** बहुत सी चीजें बालक तभी सीख पाता है जब उसमें परिपक्वता आ जाती है चाहें हम उसे कितना भी प्रशिक्षण दें।
- **अभिप्रेरणा :** अभिप्रेरणा उत्पन्न करने के लिए यह आवश्यक है कि बालक को उसका लक्ष्य स्पष्ट कर दिया जाये। किसी नये कार्य को सीखने के लिए प्रेरित नहीं किया जाता तो वह उस क्रिया में रूचि नहीं लेगा।
- **सीखने वाले की अभिवृत्ति :** सीखने वाले की किसी कार्य की नकारात्मक या सकारात्मक अभिवृत्ति पर उस कार्य की प्रगति निर्भर करती है।
- **सीखने का समय तथा अवधि :** छात्र किसी कार्य को देर तक करता है तो उसे थकान हो जाती है। थकान होने से अधिगम प्रक्रिया में शिथिलता आ जाती है।
- **बुद्धि :** बालक की तीव्र या मन्द बुद्धि किसी कार्य को सीखने में सरलता या बाधा उत्पन्न करती है।
- **अधिगम प्रक्रिया :** यह सच है कि बालक किसी भी कार्य को अपने ढंग से सीखता है चाहे प्रक्रिया किसी भी ढंग से क्यों न सम्पादित की जाये।

पाठ्यवस्तु से सम्बन्धित कारक

- **विषय-वस्तु की प्रकृति :** निर्भर करता है कि सिखायी जाने वाली वस्तु सरल है या कठिन तो बालक को सीखने में सरलता या कठिनाई का अनुभव होगा।
- **विषय-वस्तु का आकार :** विस्तृत विषय वस्तु से वह शीघ्र ही ऊब जाता है व छोटे पाठों को वह जल्दी ही ग्रहण कर लेता है।
- **विषय-वस्तु का क्रम :** विषय वस्तु को छात्रों के समक्ष प्रस्तुत करने का क्रम सीखने की प्रक्रिया को पर्याप्त रूप से प्रभावित करता है अर्थात् क्रम 'सरल से कठिन की ओर होना चाहिए'।
- **उदाहरण प्रस्तुतीकरण :** पढ़ाते समय शिक्षकों को बालक के दैनिक जीवन से सम्बन्धित उदाहरणों का प्रयोग करने से प्रत्ययों का स्पष्टीकरण आसानी से हो जाता है।
- **भाषा-शैली :** विषय वस्तु को सरल भाषा में बालकों के समक्ष प्रस्तुत किया जाए तो वह सरलता से उसे सीख लेता है।
- **दृश्य-श्रव्य सामग्री :** कठिन से कठिन पाठ्यवस्तु को भी दृश्य श्रव्य सामग्री के उपयोग से सरल व सुगम बनाया जा सकता है।
- **रूचिकर विषय वस्तु :** शिक्षक को अपनी सूझ-बूझ से विषय वस्तु को रोचक बनाने के प्रयास करना चाहिए जिससे बालक खूब मन लगाकर सीखते हैं।
- **विषय वस्तु की उद्देश्यपूर्णता :** विषय वस्तु बालकों को पढ़ाने से पूर्व अध्यापक को उससे जुड़े उद्देश्यों एवं उपयोगिता को स्पष्ट करना चाहिए क्योंकि उपयोगी वस्तु बालक जल्दी सीखता है।
- **विभिन्न विषयों का कठिनाई स्तर :** प्रत्येक विषय की प्रकृति अनूठी होती है उसी आधार पर बालक उसमें रूचि व अरूचि दिखाता है व उसी आधार पर सीखता है।

अधिगम-व्यवस्था से सम्बन्धित कारक

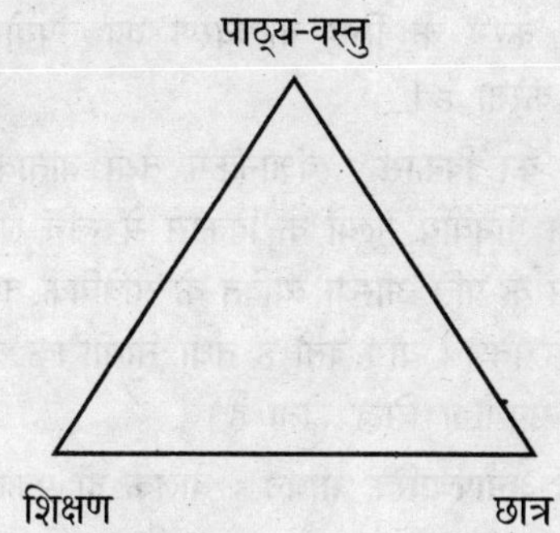

चित्र : *शिक्षण अधिगम प्रक्रिया*

- **सम्पूर्ण बनाम खण्ड विधि :** इसकी मुख्य विशेषता यह है कि इससे विद्यार्थी अपनी स्मरण शक्ति बढ़ा सकता है।
- **उप-विषय बनाम सकेन्द्रीय विधि :** बालक की मानसिक स्तर और आयु के अनुसार उपविषय पढ़ाये जाते हैं व उसी कक्षा में पूर्ण कर दिए जाते हैं। सकेन्द्रीय विधि में उपविषय को उसी कक्षा में समाप्त नहीं किए जाते बल्कि आयु व स्तर बढ़ने के अनुसार उस विषय को पुनः पढ़ाया जाता है।
- **संकलित बनाम वितरित विधि :** संकलित विधि में सम्पूर्ण विषय वस्तु को एक ही सत्र में समाप्त कर दिए जाते हैं। जबकि वितरित विधि में विषय वस्तु अंतराल देकर समाप्त की जाती है।
- **आयोजित बनाम प्रासंगिक विधि :** इस विधि का सिद्धान्त यह है कि ज्ञान एक ईकाई है। इसके भिन्न-भन्न अंग नहीं हैं, ज्ञान ईकाई के रूप में दिया जाना चाहिए। अतः विद्यार्थी ज्ञान के सभी अंगों से परिचित हो सकेगा।
- **सक्रिय बनाम निष्क्रिय विधि :** सक्रिय विधि के अंतर्गत विद्यार्थी पाठ को जोर-जोर से या धीरे-धीरे बोल कर याद करता है जबकि निष्क्रिय विधि के अंतर्गत विद्यार्थी पाठ को मन-ही-मन पढ़कर याद करता है। दोनों विधि अपने आप में महत्वपूर्ण है। विद्यार्थी अपनी अभिवृत्ति के अनुरूप नवीन ज्ञान को सीखने में इनमें से किसी एक का चयन करता है।

वातावरण से सम्बन्धित कारक

- **वंशानुक्रम :** बालक में अस्सी प्रतिशत योग्यताएं एवं क्षमतायें उसके वंशानुक्रम की ही देन है। रॉस के अनुसार, ''बालक जो कुछ भी है और जिस रूप में विकसित होता है, वह वंशक्रम की ही देन है। व्यक्ति का जीवन सुखमय या दुखमय होना भी उसके वंशक्रम से प्राप्त गुणों पर निर्भर करता है''।
- **सामाजिक वंशक्रम का ज्ञान :** बालक पूर्वजों के आदर्शों से बहुत कुछ सीखता है तथा उनके चरित्र को अपना आदर्श मानकर तदनुसार कार्य करके महान बनने का प्रयास करता है।
- **वातावरण का प्रभाव :** बालक के लिए वातावरण का उचित होना वंशानुक्रम के विकास के लिए एक अनिवार्य शर्त है। अतः व्यक्ति वंशानुक्रम की आधारभूत मान्यताओं को विकसित करने के लिए वातावरण को उपयोगी बनाने में विश्वास करता है।
- **व्यक्तित्व का विकास :** वंशानुक्रम तथा वातावरण के ज्ञान से व्यक्ति मानवीय मूल्यों के विकास में रूचि लेने लगता है। वंशानुक्रम के प्रति आस्था व्यक्ति के सांवेगिक तथा सामाजिक विकास में विशेष योग देती हैं तथा सामाजिक व्यक्ति समाज के लिए उपयोगी सिद्ध होता है।
- **शिक्षा के अनौपचारिक साधन :** बालक दो प्रकार के साधनों द्वारा शिक्षा प्राप्त करता है—औपचारिक तथा अनौपचारिक। दोनों ही प्रकार के साधनों का बालकों के अधिगम पर गहन प्रभाव पड़ता है।
- **परिवार का वातावरण :** परिवार के वातावरण का प्रभाव बच्चों की अधिगम प्रक्रिया पर पड़ता है यदि परिवार में कलह होती है तो बालक के मस्तिष्क पर बहुत बुरा प्रभाव पड़ता है वो उदास तथा खिन्न रहने लगते हैं।
- **कक्षा का भौतिक वातावरण :** कक्षा में छात्रों को भौतिक वातावरण जैसे-प्रकाश, वायु, कोलाहल आदि की समुचित व्यवस्था नहीं मिलती तो ऐसी स्थिति में छात्रों का मन अधिगम से उचाट हो जाता है।
- **मनोवैज्ञानिक वातावरण :** छात्रों में एक दूसरे के प्रति सहयोग और सहानुभूति की भावना है और उनमें आपस में मधुर सम्बन्ध है तो सीखने की प्रक्रिया सूचारू रूप से आगे बढ़ती है।
- **सामाजिक एवं सांस्कृतिक वातावरण :** सांस्कृतिक वातावरण वह है जो व्यक्ति द्वारा निर्मित या प्रभावित उन समस्त नियमों, विचारों, विश्वासों एवं भौतिक वस्तुओं की पूर्णता से है जो जीवन को चारो ओर से घेरे रहते हैं। सामाजिक वातावरण में रीतिरिवाज, मान्यताएँ, आदर्श मूल्य एवं स्वयं व्यक्ति की समाज में स्थिति आती है जो व्यक्ति के अधिगम को प्रभावित करती हैं।
- **सम्पूर्ण परिस्थिति :** विद्यालय का सम्पूर्ण व्यवहार परिवेश इस प्रकार से निर्मित किया जाता है जो विद्यार्थी को पूर्ण संतुष्टि प्रदान करे व शैक्षिक उपलब्धि स्तर को ऊँचा उठाने के साथ-साथ उसके मनोबल को बनाये रखे। सम्पूर्ण परिस्थिति का संतोषप्रद होना अधिगम की अनिवार्य शर्त है।

संस्थागत सुविधाएँ

किसी भी शैक्षिक संस्थान की गुणात्मक और सकारात्मक प्रगति, उस संस्थान में दी जाने वाली सुविधाओं पर निर्भर करती है। सुविधाएं आवश्यकतानुरूप होनी चाहिए और इनमें भी क्रमिक विकास के अनुसार हों, तो सम्पूर्ण शैक्षिक संस्थान में कार्यरत शिक्षक, विद्यार्थी, शोधार्थी, अभिभावक, संरक्षक इन सुविधाओं के द्वारा मिलने वाले अप्रत्यक्ष लाभ से जुड़ाव महसूस करते हैं। यह जुड़ाव इन सभी शैक्षिक संस्थान में कार्यरत शैक्षिक समूह को आगे चल कर प्रत्यक्ष रूप से जोड़ता है और इस प्रत्यक्ष जुड़ाव द्वारा भावनात्मक लगाव बढ़ता है, जिससे कर्त्तव्य की भावना जन्म लेती है। किसी भी शैक्षिक संस्थान में सामूहिक उत्तरदायित्व का विकास होता है, जिसके द्वारा ही कोई शैक्षिक संस्थान उन्नति कर सकता है। प्रायः बातचीत में लोग एक-दूसरे से कहते हैं कि वे अमुख संस्थान के पूर्व छात्र, पूर्व शोधार्थी, पूर्व शिक्षक रह चुके हैं। पूर्व विद्यार्थियों को जोड़ने से उस शैक्षिक संस्थान की विचारधारा और सोच का विकास होता है।

उच्च अधिगम संस्थाओं में शिक्षण की पद्धति (Teaching Methods in Higher Learning Institutions)

शिक्षण विधि या पद्धति से तात्पर्य शिक्षक द्वारा निर्देशित ऐसी क्रियाओं से है जिनके परिणामस्वरूप छात्र कुछ सीखते हैं। इस प्रकार शिक्षण विधि अनेक क्रियाओं का एक पुंज है। यह एक ऐसी प्रक्रिया है जिसके परिणामस्वरूप छात्र कुछ ज्ञानार्जन करता है। उच्च अधिगम शिक्षण संस्थाओं में शिक्षण की पद्धति को मुख्यतः दो वर्गों में विभाजित किया जा सकता है—

1. **अध्यापक केन्द्रित पद्धतियाँ :** यह पद्धति निर्देशक या शिक्षक केन्द्रित शिक्षण पद्धति है। इस पद्धति में शिक्षक किसी विषय के ज्ञाता के रूप में भूमिका निभाता है। इस पद्धति में छात्र, जो भी ज्ञान प्राप्त करते हैं, वह शिक्षक से ही प्राप्त करते हैं। इस पद्धति में विषय को समझाने के लिए शिक्षक, विद्यार्थियों को उचित निर्देश एवं सलाह देते हैं।
2. **शिक्षार्थी केन्द्रित पद्धतियाँ :** इस प्रकार के पद्धति में छात्र और शिक्षक दोनों ध्यान केन्द्रित करते हैं। छात्र सक्रिय श्रोता होता है। वे एक दूसरे के साथ अच्छी तरह संवाद करते हैं।

विभिन्न शिक्षण पद्धतियाँ

विभिन्न शिक्षण पद्धतियाँ निम्नलिखित हैं–

व्याख्यान विधि

यह शिक्षण विधि शिक्षक केन्द्रित होती है इसमें विद्यार्थी निष्क्रिय श्रोता होता है। कक्षा में पूरा नियंत्रण शिक्षक का ही होता है। शिक्षक बिना किसी श्रव्य-दृश्य सहायक सामग्री के इस्तेमाल के शिक्षण कार्य सम्पन्न करता है। इस प्रकार का शिक्षण बहुत नीरस, उबाऊ और एक तरफा होता है, जिसमें विद्यार्थी ध्यान केन्द्रित नहीं कर पाता है।

व्याख्यान विधि के लाभ

- इसमें पाठ्य वस्तु कम समय में अधिक मात्रा में प्रस्तुत की जा सकती है।
- यदि शिक्षक विधिवत् ढंग से उच्च स्तर के विद्यार्थियों के लिए इसके द्वारा शिक्षण कराता है तब यह विधि बहुत प्रभावशाली होती है।
- इस विधि में शिक्षक स्वतंत्र होकर होकर अपने तरीके से शिक्षण कार्य करता है इसलिए यह विधि बहुत सुविधाजनक और आसान होती है।

व्याख्यान विधि की सीमाएँ

- इसमें विद्यार्थी की सहभागिता बिल्कुल नहीं होती है। विद्यार्थी सृजनात्मक नहीं हो पाते तथा शिक्षक के नियन्त्रण में रहते हैं।
- यह शिक्षण विधि बहुत नीरस होती है, शिक्षक ही केवल सक्रिय रहता है।
- इसमें विद्यार्थी के पूर्व ज्ञान को ध्यान में रखकर शिक्षक द्वारा कार्य नहीं कराया जाता है।
- इसमें वैज्ञानिक कौशलों का विकास नहीं होता है।
- शिक्षक को शिक्षण कार्य कराने के लिए पूर्व तैयारी में मेहनत अधिक करनी होती है।

ह्यूरिस्टिक विधि

यह छात्र केन्द्रित शिक्षण विधि है, इसमें विद्यार्थी एक खोज कर्त्ता होता है, वह स्वयं खोज करके, निरीक्षण और प्रयोग करता है और सीखता है। इसमें शिक्षक ऐसी गतिविधियों को सम्मिलित करता है, जिसमें विद्यार्थी स्वतंत्र रहकर कार्य करता है, और सीखता है। 'ह्यूरिस्टिक' शब्द ग्रीक भाषा से आया है जिसका अर्थ होता है 'खोज करना'। इसमें विद्यार्थी स्वयं खोज करने के लिए उत्साहित होता है।

इस विधि में कक्षा के समक्ष कोई समस्या प्रस्तुत की जाती है जिसमें प्रत्येक विद्यार्थी की जिम्मेदारी होती है विभिन्न स्रोतों से सूचनाएँ एकत्रित करके समस्या को जानना। उसको स्वतंत्रता होती है कि वे कक्षा में इधर-उधर जाकर अपने साथियों से समस्या पर चर्चा कर सकते हैं। प्रत्येक विद्यार्थी को समस्या से सम्बन्धित एक कागज पर निर्देश लिखकर दिए जाते हैं। इसमें विद्यार्थी शिक्षक से बहुत कम दिशा-निर्देश प्राप्त करते हैं, जबकि शिक्षक सदैव सहायता करने के लिए तत्पर रहता है। इसमें विद्यार्थी के निरीक्षण, प्रयोग व पढ़ने की क्षमताओं का विकास होता है।

ह्यूरिस्टिक विधि के गुण

- इस शिक्षण विधि से बालकों में वैज्ञानिक और एक समालोचक दृष्टिकोण विकसित होता है।
- विद्यार्थी आत्मनिर्भर बनकर स्वयं में आत्मविश्वास विकसित करता है। इनका विकास स्वयं गतिविधि करने से होता है।
- इसमें शिक्षक प्रत्येक विद्यार्थी पर ध्यान दे सकता है और उनमें आपस में अधिक घनिष्ठता बढ़ती है।
- जो तथ्य, सम्प्रत्यय वह करके सीखता है उनका स्मरण अधिक समय के लिए होता है।
- विद्यार्थी को वैज्ञानिक विधि का ज्ञान हो जाता है, जिससे वे जीवन को व्यवस्थित रूप से जीने की कला सीख जाते हैं।
- यह शिक्षण विधि मनोवैज्ञानिक और शिक्षा के अधिगम सिद्धांतों पर आधारित है।

सीमाएं और कठिनाइयाँ

- ह्यूरिस्टिक शिक्षण विधि में विद्यार्थी को खोजकर्त्ता माना जाता है, परन्तु विद्यालय में विद्यार्थियों में ज्ञान का विस्तार और चिंतन सीमित होती है, इसीलिए उनसे एक खोजकर्त्ता की तरह सभी कार्य वह स्वयं करे यह अपेक्षा संभव नहीं हो पाती है।
- शिक्षण विधि बहुत धीमी गति से चलती है, अतः भारी भरकम पाठ्यचर्या को समय पर पूर्ण करने में असमर्थता होती है।
- इस शिक्षण विधि पर विशेषज्ञ शिक्षक और प्रतिभाशाली विद्यार्थी ही कार्य कर सकते हैं। इस विधि पर आधारित विशेषज्ञों का मिलना मुश्किल होता है।
- किसी भी समस्या को 'ग्रेड' या स्तर पर हल करना मुश्किल होता है, इसके लिए बहुत कौशल की आवश्यकता होती है।

अन्तःक्रिया विधि

प्रमुखतः कक्षा में निम्न चार प्रकार की अन्तःक्रिया होती है।

TLI (Teacher-Learner Interaction)
–अध्यापक-विद्यार्थी अन्तःक्रिया

LLI (Learner-Learner Interaction)
–विद्यार्थी-विद्यार्थी अन्तःक्रिया

TMI (Teacher-Material Interaction)
–अध्यापक-सामग्री अन्तःक्रिया

LMI (Learner-Material Interaction)
–विद्यार्थी-सामग्री अन्तःक्रिया

शिक्षक-विद्यार्थी जब अन्तःक्रिया में सम्मिलित होते हैं, तब शिक्षण विधि बहुत अधिक प्रभावी हो जाती है। इस विधि में शिक्षक-प्रशिक्षक व्याख्यान करते हुए, शिक्षक-प्रशिक्षक और विद्यार्थी-शिखक के मध्य अन्तःक्रिया को ट्यूटोरियल में अथवा छोटे-छोटे समूहों में आरम्भ करता है।

अन्तःक्रिया के द्वारा शिक्षण अधिक प्रभावी होता है। जब विद्यार्थी शिक्षक कक्षा में कोई प्रभावी प्रयोग करता है तब LMI, LLI अथवा TLI का अधिक उपयोग होता है। इस अन्तःक्रिया के माध्यम से शिक्षण कार्य पूर्ण सुग्राही व प्रभावी हो जाता है।

अन्तःक्रिया विधि के लाभ

- इस शिक्षण विधि में कम बोलने वाले विद्यार्थियों को भी अपने तर्क प्रस्तुत करने का अवसर मिलता है।
- विषय-वस्तु को अन्तःक्रियाओं TLI, LLI, TMI, LMI के द्वारा अधिक सुग्राही बनाया जा सकता है।
- इस विधि में शिक्षक और विद्यार्थी होनों ही सक्रिय रहते हुए अध्ययन करते हैं।
- यह शिक्षण विधि माध्यमिक एवं उच्च माध्यमिक स्तर के विद्यार्थियों के लिए लाभदायी होती है।

सीमाएँ

- अन्तःक्रिया विधि में शिक्षक को विषय आधारित पहलुओं की पहल करना आना आवश्यक है।
- कई बार विषय से भटककर भी अन्तःक्रिया आरम्भ हो जाती है जिससे समय बर्बाद होता है।

प्रायोजना विधि

प्रायोजना भी एक उद्देश्यपूर्ण गतिविधि है जिसमें अन्वेषण हो भी सकता है, नहीं भी हो सकता। जिसमें अन्वेषण किया जाता है उसे अन्वेषण प्रायोजना कहते हैं। यह विधि कार्य द्वारा अधिगम (Learning by doing) तथा जीवन के अधिगम (Learning by living) पर आधारित होती है। प्रायोजना में विद्यार्थी सहकार व सहयोग के द्वारा सीखता है।

प्रायोजना विधि के लाभ

- विज्ञान व अन्य प्रायोगिक विषयों में यह विधि रूचि उत्पन्न करती है।
- इस विधि के द्वारा अवबोध व सृजनात्मकता का विकास होता है।
- इस विधि से आत्मविश्वास, सहयोग, नेतृत्व तथा संवेदनात्मक स्थायित्व विकसित होता है।
- यह विधि जिज्ञासा और वैज्ञानिक स्वभाव विकसित करती है।
- यह विधि स्थूल और सूक्ष्म वैज्ञानिक कौशलों का भी विकास करती है।
- खाली समय का सदुपयोग करने में भी यह विधि उपयोगी है।

सीमाएँ

- यह विधि शिक्षक के लिए बहुत कठिन होती है, क्योंकि इसमें शिक्षक को बहुत अधिक परिस्थितियों का निर्माण तथा योजनाएँ बनानी पड़ती है, और उनको क्रियान्वित करने के लिए भी अधिक प्रयास करना पड़ता है।
- इस विधि में प्रदर्शन विधि से भी अधिक उपकरणों की आवश्यकता होती है।
- इस विधि के द्वारा शिक्षण में समय अधिक लगता है।

आगमन विधि

यह विधि "विशिष्ट से सामान्यीकरण की ओर" शिक्षण सिद्धांत पर आधारित है। इस विधि में बालकों का ध्यान अनेक विशिष्ट उदाहरणों पर केन्द्रित कर उनकी सहायता से सामान्यीकरण द्वारा सिद्धांत निकलवाए जाते हैं। इसके उपरान्त प्राप्त सिद्धांत की सत्यता सिद्ध करने के लिए शिक्षक कुछ और उदाहरण प्रस्तुत करता है। इसके पश्चात् वह छात्रों से नियम निकलवाता है।

विशेषताऐं

- विद्यार्थी इस विधि के द्वारा स्वयं परिश्रम करता है।
- विद्यार्थी स्वाभाविक रूप से ज्ञान प्राप्त करता है।
- विद्यार्थियों में आत्मविश्वास और आत्मनिर्भरता की भावना विकसित होती है।
- विद्यार्थियों को अन्वेषण तथा खोज करने का प्रोत्साहन मिलता है।
- इस विधि से अध्ययन करना सरल, रोचक बन जाता है।
- यह विधि प्रत्यक्ष तथ्यों पर आधारित है अतः वैज्ञानिक विधि है।
- इस विधि द्वारा प्राप्त ज्ञान स्थायी होता है।
- यह छोटी कक्षाओं के लिए बहुत उपयोगी है।

सीमाएँ

- इसमें ज्ञानार्जन की गति बहुत धीमी रहती है।
- यह बड़ी कक्षाओं के लिए कम उपयोगी है।
- शिक्षक नियम विद्यार्थियों को पहले से न बताएँ।
- उदाहरण बहुत ही रोचक एवं आकर्षक तरीके से प्रस्तुत किए जाने चाहिए।
- उदाहरणों का चयन विद्यार्थियों के बौद्धिक स्तर के अनुकूल होना चाहिए।

निगमन विधि

यह विधि आगमन विधि के विपरीत है। इसमें विद्यार्थी "सामान्यीकरण से विशिष्ट की ओर" तथा "सूक्ष्म से स्थूल की ओर" सूत्रों से प्रस्तुत करता है।

निगमन विधि के लाभ

- यह विधि छोटी और समय की बचत करने वाली है।
- इस विधि से स्मरण शक्ति विकसित होती है।
- इस विधि को आगमन विधि से जोड़ कर सम्पूर्ण किया जा सकता है।
- इस विधि से समस्या समाधान करने की गति बढ़ती है।

निगमन विधि का दोष

- यह विधि नये शिक्षकों/विद्यार्थियों के लिए कठिन होती है।

समस्या समाधान विधि

इस विधि में किसी भी शैक्षिक समस्या को पहचान कर व्यवस्थित रूप से विभिन्न कौशलों का उपयोग करते हुए उसका समाधान प्राप्त किया जा सकता है। इसके चार प्रमुख चरण हैं–

1. **समस्या को समझना :** विद्यार्थियों को सर्वप्रथम समस्या की प्रकृति को समझकर उसके संदर्भ को जानना चाहिए एवं उसके लिए परिस्थितियों व सामग्री की उपलब्धता पर विचार करना चाहिए। समाधान में आने वाली बाधाओं व उनके निराकरण को भी चिह्नित करना चाहिए।
2. **विभिन्न समस्याओं को पहचानना :** इस चरण में विद्यार्थियों को समस्या से संबंधित सभी संभावित समाधानों पर विचार करना चाहिए। प्रत्येक समस्या हेतु सभी समाधानों को समक्ष रखकर ही सही दिशा में बढ़ा जा सकता है।
3. **सूचनाओं का एकत्रीकरण, परीक्षण एवं सत्यापन :** इस चरण में समस्या से संबंधित सूचानाओं को एकत्रित करके, सभी समाधानों का परीक्षण और सत्यापन किया जाता है।
4. **विश्लेषण एवं निष्कर्ष निकालना :** समस्या हल हेतु सभी आंकड़ों के विश्लेषण के फलस्वरूप सही व उपयुक्त समाधान इस चरण में किया जाता है तथा विद्यार्थी शिक्षकों द्वारा किए गए सभी कार्यों का रिकार्ड भी रखा जाता है।

सेमिनार पद्धति

शिक्षण की इस पद्धति में बहुत सारे विद्यार्थी एवं शिक्षक भाग लेते हैं। इस पद्धति के द्वारा किसी उन्नत अध्ययन या शोध परियोजना पर कार्य कर रहे समूह को निर्देश दिया जाता है। इस पद्धति में किसी समस्या का बातचीत करके हल ढूँढने का प्रयास किया जाता है।

इस पद्धति के मुख्य लाभ निम्न प्रकार हैं :

- यह पद्धति सहभागियों में अभिप्रेरणा एवं उत्साह का संचार करती है।
- यह पद्धति सहभागियों को सक्रिय रूप से भाग लेने हेतु प्रोत्साहित करती है।

इस पद्धति के मुख्य दोष निम्न प्रकार हैं :

- यह पद्धति शिक्षण की अन्य विधियों की तुलना में ज्यादा खर्चीली होती है।
- इस पद्धति के लिए उच्च स्तर के प्रशिक्षित शिक्षकों एवं निर्देशकों की आवश्यकता होती है।

प्रश्नोत्तर विधि

इस विधि का प्रतिपादन प्लेटो के गुरु सुकरात द्वारा किया गया था। प्रश्नोत्तर विधि द्वारा छात्रों के चिंतन स्तर का विस्तार किया जाता है और यह छात्रों की पुनः स्मरण शक्ति का भी विकास करती है। इसके प्रयोग से कक्षा अनुशासन में रहती है साथ ही यह प्रकरण को लेकर छात्रों की रुचि बढ़ाने का भी कार्य करती हैं।

इसके प्रयोग से छात्रों के मध्य की व्यक्तिगत भिन्नता (Individual differences) को पहचान कर छात्रों में भेद (मेधावी, औसत, निम्न) किया जा सकता है जिससे शिक्षण की गुणवत्ता एवं लक्ष्यों को प्राप्त किया जा सकता है। यह शिक्षण विधि की सबसे अधिक उपयोग की जाने वाली विधियों में से एक है।

खेल विधि

खेल विधि का श्रेय श्री कार्डवेल कुक को है। कुक ने अपनी पुस्तक प्ले-वे में इसकी उपयुक्तता अंग्रेजी पढ़ाने के संबंध में की है। खेल विधि में खेल के विषय में अनेक सिद्धांतों का प्रतिपादन किया गया है। शीलर और हरबर्ट का अतिरिक्त शिक्षा का सिद्धांत, लॉर्ड क्रिम्स का शक्ति वर्धन का सिद्धांत, कार्लग्रूस का भावी जीवन की तैयारी का सिद्धांत तथा यूनान के प्राचीन दार्शनिक अरस्तु का रेचन का सिद्धांत आदि खेल के प्रसिद्ध सिद्धांत हैं। खेल को परिभाषित करते हुए ग्यूलिक ने अपनी पुस्तक "फिलासफी आफ प्ले" में लिखा है– जो कार्यक्रम अपनी इच्छा से स्वतंत्रता पूर्वक करें वही खेल है।

योजना विधि

योजना अथवा प्रोजेक्ट विधि की उत्पत्ति दार्शनिक विचारधाराओं के प्रयोजनवादी सम्प्रदाय के फलस्वरूप हुई। यह विधि जॉन डीवी के शिक्षा सम्बन्धी मत तथा समस्या विधि के स्वाभाविक विकास से विकसित हुई। **योकम एवं सिम्पसन** का मत है कि योजना विधि का प्रयोग सबसे पहले व्यावसायिक क्षेत्र में किया गया था। शिक्षा के क्षेत्र में इसका प्रयोग कोलम्बिया विश्वविद्यालय के प्रो. जॉन डीवी तथा उनके शिष्य किलपैट्रिक द्वारा किया गया। डीवी शिक्षा के तत्कालीन रूप एवं व्यवस्था से असन्तुष्ट थे तथा वे चाहते थे कि शिक्षा छात्रों को यथार्थ अथवा व्यावहारिक जीवन से परिचित कराये।

प्रोजेक्ट पद्धति के प्रमुख लाभ निम्नवत हैं–

- योजना पद्धति के द्वारा हम विभिन्न विषयों का अध्ययन एक सम्मिलित एकीकृत रूप में कर सकते हैं।

- प्रोजेक्ट पद्धति में छात्रों को विभिन्न सामाजिक सिद्धान्तों तथा मनोवैज्ञानिक नियमों का ज्ञान प्राप्त होता है।
- यह पद्धति व्यक्तिगत विभिन्नताओं के आधार पर पिछड़े एवं अति प्रतिभाशाली छात्रों के लिए लाभदायी है।
- प्रोजेक्ट पद्धति के द्वारा छात्रों एवं नागरिकों को लोकतंत्र का प्रशिक्षण प्रदान करके उनमें सामाजिक, राजनैतिक एवं नागरिक गुणों की समझ विकसित करने में अधिक सफलता मिलती है।
- इस पद्धति के द्वारा शिक्षण से छात्रों को सीखने के विभिन्न नियमों, विभिन्न मनोदशाओं, जिज्ञासाओं तथा इच्छाओं का ज्ञान प्राप्त होता है।
- प्रोजेक्ट पद्धति के द्वारा शिक्षण को मितव्ययिता तथा प्रभावशीलता की दृष्टि से अधिक प्रभावी बनाया जा सकता है।
- शिक्षण में प्रोजेक्ट योजना पद्धति के द्वारा जीवन से सम्बन्धित वास्तविक समस्याओं का उद्देश्यपूर्ण ज्ञान प्राप्त होता है।
- शिक्षण में प्रोजेक्ट पद्धति के द्वारा कार्य अनुभव, विभिन्न क्षेत्रों में विचारशीलता, सामाजिक कुशलता इत्यादि को विकसित करने में सहायता मिलती है।

सामान्यतः प्रोजेक्ट विधि के कुछ हानियाँ भी हैं जो निम्नलिखित हैं–

- श्रम अधिक खर्च होता है।
- यह प्रत्येक विद्यालय से सम्भव नहीं है।
- शिक्षण कार्य व्यवस्थित नहीं हो पाता है।
- योजना के लिए उचित सन्दर्भ साहित्य का अभाव हो सकता है।
- यह विधि अधिक महंगी होती है।
- उच्च स्तर पर केवल प्रोजेक्ट से शिक्षण नहीं किया जा सकता।
- परियोजनाओं के लिए उपकरणों तथा प्रयोगशालाओं की आवश्यकता होती है।
- छात्रों का उचित मूल्यांकन करने में समस्या होती है।

प्रदर्शन पद्धति

इस पद्धति में पूरी विषय-सामग्री को इस प्रकार छोटे चरणों में प्रस्तुत किया जाता है कि धीमी गति से सीखने वाले विद्यार्थी भी इससे पूरा लाभ उठा सके। इस पद्धति में शिक्षक, विद्यार्थियों को किसी विषय या टॉपिक को समझाने के लिए विभिन्न प्रकार के हाव-भावों का सहारा लेता है। इसके अलावा वह विद्यार्थियों के सामने किसी मॉडल, मानचित्र या ग्लोब आदि का प्रदर्शन भी कर सकता है।

इस पद्धति के मुख लाभ इस प्रकार हैं–

- यह पद्धति विद्यार्थियों की अनेक शक्तियों का विकास करती है। यह उन्हें स्थायी ज्ञान प्राप्त करने में सहायता करती है।
- यह पद्धति शिक्षकों के लिए विशेष रूप से लाभदायक होती है क्योंकि प्रदर्शन के माध्यम से वह किसी अवधारणा या सिद्धांत को आसानी से छात्रों को समझा पाता है।
- यह पद्धति सभी विषयों के लिए उपयोगी होती है।

इस पद्धति के मुख्य दोष इस प्रकार हैं–

- यह पूरी तरह से शिक्षक केंद्रित पद्धति है तथा इसकी सफलता पूरी तरह से शिक्षक के व्यक्तित्व पर निर्भर करती है।
- इस पद्धति में उचित समायोजन की आवश्यकता होती है तथा इसे सभी विषयों के लिये उपयोगी नहीं माना जाता है।
- इस पद्धति का एक मुख्य दोष यह है कि यह केवल शिक्षक के प्रदर्शन करने तक ही सीमित नहीं होती है बल्कि इसके उपरांत भी इसमें शिक्षक द्वारा छात्रों का निरीक्षण एवं अवलोकन किये जाने की जरूरत पड़ती है।
- इस पद्धति के द्वारा शिक्षण तभी संभव होता है, जब अच्छे साधन एवं उपकरण उपलब्ध हों।

कार्यक्रमयुक्त निर्देशन पद्धति

शिक्षण की यह पद्धति, स्वयं को निर्देशित करने से संबंधित होती है। इस पद्धति का उपयोग तब किया जाता है, जब विद्यार्थियों के साथ कक्षा में देर से आने, अनुपस्थित रहने एवं न समझ में आने जैसी समस्याएँ होती हैं। यह पद्धति विद्यालयों को उपचारात्मक निर्देशन प्रदान करती हैं। इस पद्धति के द्वारा विद्यार्थियों के अधिगम स्तर को जाँचा जाता है।

इस पद्धति के मुख्य लाभ निम्न प्रकार हैं–

- यह पद्धति विद्यार्थियों में असफलता दर को कम करती है।
- यह पद्धति समय की बचत करती है तथा विद्यार्थियों को आत्म-निर्देशन हेतु तैयार करती है।
- यह पद्धति पाठ्यक्रम को अंत तक पूरा करने में सहायता करती है।

इस पद्धति के मुख्य दोष इस प्रकार हैं :

- इस पद्धति के लिए प्रशिक्षकों की आवश्यकता पड़ती है। अच्छे प्रशिक्षकों के अभाव में इस विधि का उपयोग नहीं किया जा सकता है।
- इस पद्धति द्वारा शिक्षण किये जाने से धन ज्यादा खर्च होता है।
- इस पद्धति का एक दोष यह है कि इसमें बड़े स्तर पर तैयारी की आवश्यकता होती है।

ऑफलाइन शिक्षण बनाम ऑनलाइन शिक्षण

ऑफलाइन शिक्षण

ऑफलाइन अधिगम पारंपरिक शिक्षण पद्धति है। यहाँ शिक्षक एक प्रेषक के रूप में कार्य करता है और छात्र एक रिसीवर के रूप में कार्य करता है। इन दोनों के मध्य का संवाद कालक और चॉकबोर्ड या ओवरहेड प्रोजेक्टर के माध्यम से होता है। इस पद्धति का उपयोग दशकों से एक शैक्षिक रणनीति के रूप में किया जाता रहा है।

ऑफलाइन विधियों के लाभ

- आसान एवं सरल दृष्टिकोण
- लोकप्रिय विधि
- अंक उन्मुख

ऑफलाइन विधियों के नुकसान

- इनमें छात्र शिक्षकों पर निर्भर होते हैं।
- यह परिणाम उन्मुख होने के बजाए अंक उन्मुख है।
- इसमें अतिरिक्त ज्ञान प्राप्त नहीं कर सकते हैं।

ऑनलाइन शिक्षण

ऑनलाइन अधिगम शिक्षण की आधुनिक विधि है। यह इलेक्ट्रॉनिक गैजेट्स द्वारा सुविधाजनक है। यह ई-लर्निंग के रूप में संक्षिप्त है।

ऑनलाइन विधियों के लाभ

- सामग्री अद्यतन सरल है
- समय का बचत
- यात्रा लागत का बचत
- पहुँच एवं उपयुक्तता

ऑनलाइन विधियों के नुकसान

- प्रतिक्रिया सीमित है
- सीखने की महंगी विधि
- व्यक्तिगत संबंध का अभाव
- इंटरनेट की सीमित पहुँच

ऑफलाइन एवं ऑनलाइन शिक्षण में अन्तर

ऑफलाइन कक्षा	ऑनलाइन कक्षा
• यह अध्यापक केन्द्रित होती है। शिक्षक-शिक्षण अधिगम प्रक्रिया का घटक होती है।	• यह छात्र केन्द्रित होती है। छात्र-शिक्षण अधिगम प्रक्रिया का केन्द्रीय घटक होता है।
• अभिप्रेरणा और स्वअधिगम के अवसर कम होते हैं।	• छात्रों को स्वअधिगम और अभिप्रेरणा के अवसर उपलब्ध होते हैं।
• परम्परागत अधिगम शैली का अधिक प्रयोग होता है।	• अनुदेशन की नवाचार आधारित तकनीकियों का प्रयोग होता है।
• अध्ययन की अवधि और कालांश तय होता है।	• अध्ययन की अवधि और कालांश तय नहीं होते।
• प्रकृति अपेक्षाकृत कठोर होती है।	• प्रकृति अपेक्षाकृत लोचशील होती है।
• सीखने की प्रक्रिया में सीखने वाले की न्यूनतम भूमिका होती है। सीखना निष्क्रिय होता है।	• सीखने की प्रक्रिया में सीखने वाले की भूमिका अपेक्षाकृत अधिक होती है।
• छात्रों का तकनीक के माध्यम से न्यूनतम संपर्क होता है।	• छात्रों की तकनीकी के साथ साधन अन्तःक्रिया होता है।
• छात्र और शिक्षक के बीच प्रत्यक्ष (फेस-टू-फेस) अन्तः क्रिया पर बल।	• छात्र और शिक्षक के बीच प्रत्यक्ष (फेस-टू-फेस) अन्तःक्रिया के अवसर कम होते हैं।

पाठ्यक्रम आधारित शिक्षा चैनल

पाठ्यक्रम आधारित शिक्षा चैनल इस प्रकार हैं–

कला, विज्ञान, व्यापार, कला प्रदर्शन, सामाजिक विज्ञान, मानविकी विषयों, अभियांत्रिकी, प्रौद्योगिकी, कानून, दवा और कृषि है।

स्वयं पोर्टल

इस पोर्टल की शुरुआत राष्ट्रपति प्रणव मुखर्जी द्वारा साल 2017 में जुलाई माह में की गयी थी। इस पोर्टल का क्रियान्वयन मानव संसाधन विकास मंत्रालय और अखिल भारतीय तकनीकी शिक्षा परिषद द्वारा किया जा रहा है। स्वयं एक ऑनलाईन लर्निंग पोर्टल है, जो विद्यार्थियों के लिए निःशुल्क है। इसलिए स्वयं पोर्टल पर उपलब्ध कोर्स भी निःशुल्क हैं। इस पर 9वीं कक्षा से लेकर स्नातकोत्तर तक के कोर्स उपलब्ध हैं। जो छात्र प्रमाणपत्र लेना चाहेंगे उन्हें कुछ फीस लेकर कोर्स को सफलतापूर्वक उत्तीर्ण करने के बाद प्रमाणपत्र दियां जाएगा।

स्वयं पोर्टल पर उपलब्ध पाठ्यक्रम के 4 भाग हैं—विडियो व्याख्यान, खास तौर से तैयार की गई अध्ययन सामग्री जो डाउनलोड और मुद्रित की जा सकती है, परीक्षा तथा प्रश्नोत्तरी के माध्यम से स्व-मूल्यांकन परीक्षा तथा अंतिम शंकाओं के समाधान के लिए ऑनलाईन विचार-विमर्श। स्वयं पोर्टल पर इंजीनियरिंग, विज्ञान, कला भाषा, वाणिज्य, प्रबंधन, लाइब्रेरी, शिक्षा आदि विषयों के कोर्स उपलब्ध हैं। वर्ष 2019 में स्वयं के अन्तर्गत कौशल विकास कार्यक्रम को भी जोड़ दिया गया है।

स्वयंप्रभा

मानव संसाधन विकास मंत्रालय, सूचना एवं प्रसारण मंत्रालय के साथ मिलकर 12 डिजिटल शैक्षिक टी.वी. चैनलों के माध्यम से आई.आई.टी., इग्नु इत्यादि के विद्यार्थियों के लिये एक कार्यक्रम चला रहा है, जिसका नाम स्वयंप्रभा है।

- स्वयंप्रभा के अन्तर्गत सभी मानविकी, सामाजिक, इंजीनियरिंग प्रोद्यौगिकी, कानून, चिकित्सा, वाणिज्य तथा कृषि से सम्बन्धित पाठ्यक्रम टेलीविजन चैनल के द्वारा प्रसारित किए जाएंगे।
- चार घंटे तक प्रसारित होने वाले इस कार्यक्रम की प्रारम्भिक भाषा अंग्रेजी है फिर इसे क्षेत्रीय भाषाओं में प्रारम्भ किया जाएगा।
- इसके अन्तर्गत बच्चों को वीडियो के साथ-साथ विषय विशेषज्ञों द्वारा तीन इंटरैक्टिव लेक्चर भी दिए जाएंगे। कार्यक्रम के बाद दिए जाने वाले टॉल फ्री नंम्बर पर फोन करके अपना शंका समाधान कर भी सकते हैं।
- स्वयंप्रभा योजना के अन्तर्गत मानव संसाधन विकास मंत्रालय विषय विशेषज्ञों की नियुक्ति करेगा, जो कि छात्रों को डिजिटल सामग्री उपलब्ध करायेंगे।

स्वयंप्रभा, भारत सरकार की वर्ष 2017 में प्रारम्भ की गई डिजीटल, सजीव, प्रसारण योजना है, जो शिक्षा के क्षेत्र में एक क्रांतिकारी परिवर्तन लाएगी। टेलीएजुकेशन तथा टेलीकम्यूनिकेशन आधारित शिक्षा व्यवस्था भारत के शिक्षा क्षेत्र में जहाँ एकरूपता लाएगी, वहीं शिक्षा के क्षेत्र में क्षेत्रीय असंतुलन, ग्रामीण और शहरी शिक्षा के बीच में अन्तर अर्थात डिजीटल डिवाइड की समस्या भी दूर होगी।

MOOC

मैसिव ओपन ऑनलाइन कोर्सेज (Massive Open Online Courses-MOOCs) मुफ्त ऑनलाइन पाठ्यक्रम प्रदान करके शिक्षा की दुनिया को बदल रहे हैं। MOOC वेब-आधारित मुफ्त दूरस्थ शिक्षा कार्यक्रम है जो शिक्षा के क्षेत्र में भौगोलिक रूप से दूरस्थ क्षेत्रों के छात्रों की भागीदारी सुनिश्चित करता है। यह उच्च शिक्षा, कार्यकारी शिक्षा और कर्मचारी विकास के लिये मुफ्त ऑनलाइन पाठयक्रम प्रदान करता है। इस कार्यक्रम के जरिये दुनिया के किसी भी कोने में लोगों को इंटरनेट के द्वारा शिक्षा प्रदान की जाती है। दुनिया में उच्च शिक्षा के उज्ज्वल भविष्य के लिये MOOCs को महत्त्वपूर्ण माना जा रहा है। MOOCs विशेष तौर पर STEM (विज्ञान, प्रौद्योगिकी, इंजीनियरिंग और चिकित्सा) क्षेत्र में ऐसे छात्रों के लिये अंतिम विकल्प बन गए हैं जो सीधे तौर पर विश्वविद्यालय से शिक्षा प्राप्त करने में असक्षम हैं।

शिक्षण सहायक सामग्री (Teaching Support System)

शिक्षण कार्य के दौरान पाठ को समझाते समय शिक्षक जिन-जिन सामग्रियों का प्रयोग करता है, वे सब शिक्षण सहायक सामग्री कहलाती हैं।

शिक्षण सहायक सामग्री की परिभाषाएँ

- **डेण्ड के अनुसार :** 'सहायक सामग्री वह सामग्री है जो कक्षा में या अन्य शिक्षण परिस्थितियों में लिखित या बोली गई पाठ्य सामग्री को समझने में सहायता प्रदान करती है।'
- **कार्टर ए. गुड के अनुसार :** 'कोई भी ऐसी सामग्री जिसके माध्यम से शिक्षण प्रक्रिया को उद्दीप्त कियां जा सके अथवा श्रवणेन्द्रिय संवेदनाओं के द्वारा आगे बढ़ाया जा सके, वह **सहायक सामग्री** कहलाती है।'
- **शिक्षा परिभाषा कोष के अनुसार :** "सीखने की प्रक्रिया में सहायक देखने सुनने के साधन जैसे—चार्ट, मॉडल, टेप रिकॉर्डर, चलचित्र या चित्र आदि को श्रव्य-दृश्य साधन कहते हैं।"
- **एडगर ब्रूस वैसले के अनुसार :** "श्रव्य-दृश्य साधन अनुभव प्रदान करते हैं। उनके प्रयोग से वस्तुओं तथा शब्दों का सम्बन्ध सरलता से जुड़ जाता है। बालकों के समय की बचत होती है। जहाँ बालकों का मनोरंजन होता है वहीं बालकों की कल्पना शक्ति तथा निरीक्षण शक्ति का भी विकास होता है।

शिक्षण सहायक सामग्री का महत्व

शिक्षण सहायक सामग्री का महत्व निम्नलिखित है :

- **वैज्ञानिक दृष्टिकोण का विकास :** इसमें बच्चों का दृष्टिकोण वैज्ञानिक बनता है।
- **विद्यार्थियों को सक्रिय बनाने में सहायक :** शिक्षा सामग्री द्वारा पढ़ने से विद्यार्थी कक्षा में सक्रिय रहते हैं।
- **निरीक्षण शक्ति का विकास :** शिक्षण सामग्री द्वारा पढ़ने से बच्चों में निरीक्षक शक्ति का विकास होता है।
- **पिछड़े बालकों को सहायता :** शिक्षण सामग्री द्वारा पढ़ने से पिछड़े बालकों को सीखने में सहायता मिलती है।
- **अभिप्रेरणा के लिए :** किसी भी कार्य को सीखने के लिए अभिप्रेरणा को आधारशिला माना जाता है। शिक्षण सहायक सामग्री अभिप्रेरणा का सर्वोत्तम स्रोत है, क्योंकि अध्यापक जैसे ही शिक्षण सहायक सामग्री लेकर कक्षा में प्रवेश करता है छात्रों में उन्हें देखने की उत्सुकता पैदा हो जाती है।
- **नवीनता :** शिक्षण सहायक सामग्री के द्वारा पढ़ने के ढंगों में नवीनता तथा विकास आता है।
- **समय और शक्ति की बचत :** शिक्षण सामग्री द्वारा पढ़ने से समय और शक्ति की बचत होती है।
- **शिक्षण में कुशलता :** शिक्षण सहायक सामग्री शिक्षण में कुशलता की भावना का विकास करती है जिसके उपयोग से शिक्षक में कुशलता तथा आत्मविश्वास पैदा होता है।
- **रटने की प्रवृत्ति में कमी :** शिक्षण सहायक सामग्री की सहायता से विद्यार्थी रटने की अपेक्षा पाठ्यक्रम को सीखने में समझने की कोशिश करते हैं जिससे उसमें रटने की प्रवृत्ति में कमी होती है।
- **स्थायी ज्ञान :** शिक्षण सामग्री द्वारा पढ़ने से स्थाई ज्ञान की प्राप्ति होती है।
- **ध्यान केंद्रित करना :** विद्यार्थियों का ध्यान केंद्रित करने वाला अध्यापक ही सफल अध्यापक है। बच्चों के मन की चंचलता के कारण शिक्षण सहायक सामग्री छात्रों का ध्यान केंद्रित करने की विधि है।
- **शब्द भंडार में विधि :** शिक्षण सहायक सामग्री के द्वारा बच्चों को नए-नए शब्द प्राप्त होते हैं। जिनसे उसके शब्द भंडार में वृद्धि होती है।
- **विषय को रोचक बनाना :** शिक्षण सहायक सामग्री द्वारा पढ़ने से विषय में रोचकता आती है।

शिक्षण सहायक सामग्री के उपयोग

शिक्षण सहायक सामग्री के उपयोग निम्नलिखित हैं :

- चार्ट और ग्राफिक्स उन कठिन और दुरुह डायग्रामों तथा चित्रों को कक्षा में दिखाने में सहायक होते हैं, जिनको श्यामपट्ट पर आसानी से नहीं बनाया जा सकता है अथवा उन्हें बनाने में समय अधिक लगता है।
- एक बार बनाने के बाद इनको बार-बार प्रयोग किया जा सकता है।
- इनके लिए प्रोजेक्टर या अंधेरे कमरे की जरूरत नहीं है।
- अमूर्त विचारों को स्थूल रूप में प्रस्तुत करने में सहायक है।
- किसी भी बड़ी फैक्टरी अथवा मशीन की उचित संकल्पना के विकास में सहायक है।
- फिल्म के द्वारा छात्रों का ध्यान विषयवस्तु की ओर सहज ही आकर्षित हो जाता है, क्योंकि इनमें गति होती है।
- फिल्म के द्वारा विगत की घटनाओं को स्पष्ट रूप में प्रस्तुत किया जा सकता है।
- कठिन शिक्षण इकाइयों को आसानी से स्पष्ट कर सकते हैं।
- छात्रों की रुचि बने रहने के कारण अधिगम प्रभावी तथा अधिक समय तक बना रहता है।

शिक्षण सहायक सामग्री के प्रकार

जो सामग्री शिक्षण कार्य को आसान बनाती है, उन्हें शिक्षण सहायक सामग्री कहते हैं। इसको मुख्यतः तीन भागों में बाँटा गया है :

1. दृश्य सामग्री (Visual Aids)
2. श्रवण सामग्री (Audio Aids)
3. दृश्य-श्रव्य सामग्री (Audio-Visual Aids)

दृश्य सामग्री

वह शिक्षण सामग्री जिसको देखकर बच्चों के द्वारा शिक्षण कार्य पूर्ण किया जाता है या जिसको देखकर उस वस्तु तथा विषय के वास्तविक गुणों की पहचान की जाती है, उसे दृश्य सामग्री कहा जाता है। कुछ प्रमुख दृश्य शिक्षण सहायक सामग्री निम्नलिखित हैं :

1. **श्यामपट्ट :** प्राध्यापक के लिए चॉक तथा बोर्ड उतने ही आवश्यक हैं जितने कि एक सैनिक के लिए शस्त्र। अच्छा प्राध्यापक सदैव इनका प्रयोग करता है। भारतवर्ष जैसे विकासशील राष्ट्र में यह एक सामान्य-शिक्षण की सहायक सामग्री है, जिनका उपयोग प्रत्येक विद्यालय में किया जाता है। हमारे पास ग्रामीण विद्यालयों में भी जहाँ कि अन्य श्रव्य-दृश्य सामग्री का अभाव पाया जाता है, श्यामपट्ट का ही प्रयोग किया जाता है।

शिक्षण सहायक सामग्री

दृश्य सामग्री	श्रव्य सामग्री	दृश्य-श्रव्य सामग्री
1. श्यामपट्ट	1. रेडियो	1. दूरदर्शन चलचित्र
2. चित्र	2. टेपरिकार्डर	2. दृश्य-श्रव्य प्रयोगशालाएँ
3. चार्ट, ग्राफ	3. अध्यापन यंत्र	3. चलचित्र (फिल्म)
4. समाचार पत्र एवं पत्रिकाएं	4. ग्रामोफोन	4. कम्प्यूटर
5. स्लाइड अथवा फिल्म पट्टियां		5. मोबाइल
6. समय सारणी		6. टेली-कॉन्फ्रेंस
7. वास्तविक पदार्थ		7. नाटक
8. ग्लोब		
9. मानचित्र		
10. पाठ्य पुस्तकें		
11. संग्रहालय		
12. मॉडल		
13. बुलेटिन बोर्ड		
14. पोस्टर		
15. फ्लेनल बोर्ड		
16. भित्ति चित्र		

2. **चित्र :** चित्रों का प्रयोग उस समय किया जाता है जब न मॉडल हो और न ही वास्तविक पदार्थ हो। चित्र स्पष्ट रंगीन तथा आकर्षक होते हैं, जिनसे बालक वास्तविक पदार्थ के आकार, रंग-रूप से परिचित हो जाता है। इनसे भूगोल, विज्ञान और इतिहास आदि विषयों का शिक्षण आसान हो जाता है।
3. **चार्ट/ग्राफ :** चार्ट के द्वारा बच्चे वस्तुओं की आकृति का सही से आंकलन कर पाते हैं और पाठ के हर पहलू को जब चार्ट में दर्शाया जाता है तो बच्चों को आसानी से समझ में आ जाता है। ग्राफ के द्वारा बच्चे अपनी बौद्धिक क्षमताओं का अच्छी तरह से प्रयोग कर सकते हैं और वस्तु की वास्तविक स्थिति का ज्ञान कर पाते हैं।
4. **समाचार पत्र एवं पत्रिकाएँ :** समाचार पत्र भी शिक्षण में अत्यधिक महत्वपूर्ण भूमिका निभाते हैं। समाचार पत्र में शुद्ध भाषा का प्रयोग होता है जिससे बच्चा भाषा को अच्छी तरह से समझ पाता है तथा स्वयं भी कम-से-कम अशुद्धियाँ करता है। समाचार पत्र एवं पत्रिकाओं में चित्र भी बने होते हैं जो छात्र की शिक्षण के प्रति रुचि भी दर्शाते हैं।
5. **स्लाइडें अथवा फिल्म पट्टियां :** स्लाइडें एवं फिल्म पट्टियों का प्रयोग शिक्षण में सहायक सामग्री के तौर पर किया जाता है इसके लिए प्रोजेक्टर की सहायता ली जाती है। प्रोजेक्टर द्वारा चित्रों की स्लाइडों अथवा फिल्म पट्टियों को एक क्रम में दिखाया जा सकता है।

6. **समय सारणी :** इसके द्वारा बच्चों को वास्तविक जानकारी मिलती है। इसके द्वारा बच्चों में अवलोकन कौशल का विकास होता है और सैद्धान्तिक तथ्यों को व्यावहारिक रूप से समझ सकते हैं।

7. **वास्तविक पदार्थ :** वास्तविक पदार्थ वे पदार्थ होते हैं जिसे बालक देख सकता है तथा छू सकता है। बालक पदार्थ छूकर तथा देखकर निरीक्षण एवं परीक्षण करता है जिससे बालक के ज्ञान इंद्रियों विकास होता है साथ ही उनके सोचने समझने या अवलोकन शक्ति का विकास होता है।

8. **ग्लोब :** ग्लोब की मदद से बच्चों को महाद्वीप, महासागर, नदी, पर्वत की सीमाओं को दिखाया जाता है। सबसे ज्यादा भूगोल विषय में ग्लोब का प्रयोग किया जाता है जिसमें पृथ्वी की आकृति, उत्तरी दक्षिणी गोलार्ध, अक्षांश, देशांतर रेखाओं के बारे में बच्चों को बताने एवं समझाने में आसानी होती है।

9. **मानचित्र :** मानचित्र का प्रयोग हम तभी करते हैं जब हमें बच्चों को ऐतिहासिक घटनाओं तथा भौगोलिक तत्व या स्थानों के बारे में बताना होता है। मानचित्र का प्रयोग करते समय शिक्षकों को कुछ बातों का ध्यान रखना चाहिए जैसे कि उनके ऊपर नाम, शीर्षक, दिशा तथा संकेत आदि अवश्य लिखे हों।

10. **पाठ्यपुस्तकें :** पाठ्यपुस्तकें शिक्षण कार्य के लिए सर्वोत्तम साधन मानी जाती हैं। इनके द्वारा छात्र अपने शिक्षण कार्य को आसान बनाता है। पाठ्यपुस्तकें छात्र एवं शिक्षक दोनों के लिए जरूरी हैं तथा दोनों की सहायता करती हैं। पाठ्य पुस्तकों में चित्र, रेखाचित्र, ग्राफ, मानचित्र, उदाहरण आदि का समावेश होता है जो शिक्षण कार्य को रुचिकर तथा सरल बनाता है।

11. **संग्रहालय :** बालक के ज्ञान को बढ़ाने के लिए संग्रहालय भी शिक्षा का एक महत्वपूर्ण उपकरण है। इसमें सभी वस्तुओं को एक जगह रखा जाता है। इन वस्तुओं से पाठ को और भी रोचक एवं संजीव बनाया जा सकता है। संग्रहालय में एकत्रित वस्तुएं भूगोल, इतिहास, गणित, विज्ञान जैसे विषयों में बहुत ज्यादा सहायक होता है। इससे हमें अपने इतिहास के बारे में भी पता चलता है।

12. **मॉडल्स प्रतिमान :** मॉडल किसी भी वस्तु का वह प्रतिनिधित्व रूप है जिसमें कम-से-कम तीन या अधिक नाम हों, जिसमें लंबाई, चौड़ाई, गोलाई आदि मॉडल या प्रतिमान कहलाता है। मॉडल वास्तविक पदार्थों अथवा मूल वस्तुओं के छोटे रूप होते हैं। इनका प्रयोग उस समय किया जाता है जब वास्तविक पदार्थ या तो उपलब्ध न हो या इतने बड़े हों कि उन्हें कक्षा में दिखाना संभव न हों, जैसे इंजन, जहाज, हाथी, रेल आदि।

13. **बुलेटिन बोर्ड :** यह शिक्षा का उपयोगी उपकरण है। इस पर देश की राजनैतिक, आर्थिक तथा सामाजिक समस्याओं के संबंध में चित्र, ग्राफ, आकृति तथा लेख एवं आवश्यक सूचनाओं को दिखाकर बालकों की जिज्ञासा को बढ़ाया जाता है, ताकि उनके ज्ञान में निरंतर वृद्धि होती रहे।

14. **पोस्टर :** पोस्टर वस्तुओं, व्यक्तियों व स्थानों का ज्ञान देते हैं। यह विचारों या भावों की चित्रात्मक अभिव्यक्ति है। पोस्टर के माध्यम से हम विषय-वस्तु को रोचक ढंग से प्रस्तुत करने का प्रयास करते हैं। पोस्टर का प्रभाव छात्रों पर बहुत अधिक होता है।

15. **फ्लेनल बोर्ड :** इसे फैल्ट बोर्ड (Felt Board) भी कहा जाता है। यह भारी बोर्ड से बना होता है जिस पर फ्लेनल या खादी का कपड़ा चिपका दिया जाता है। इसके प्रयोग के लिए कार्ड बोर्ड के छोटे-छोटे टुकड़ों पर चित्र तैयार करते हैं जिनके पीछे रेगमाल लगा देते हैं और फिर उन्हें फ्लेनल बोर्ड पर लगा देते हैं।

16. **भित्ति चित्र :** प्राथमिक विद्यालयों के कक्षाओं में भित्ति चित्र बनाया हुआ रहता है जिसमें चित्रों के साथ वर्ण (alphabet), फलों के नाम, नंबर, जानवरों के नाम, महीनों के नाम, पहाड़ा, सप्ताह के नाम, वस्तुओं आदि का चित्र बना हुआ रहता है जिसे बच्चे देख-रेख कर उसे पढ़ते हैं तथा उन्हें याद भी रहता है। इसलिए प्राथमिक कक्षा में भित्ति चित्र बना हुआ रहता है। शिक्षक चित्र के माध्यम से बच्चों को पढ़ाते भी हैं शिक्षक उन चित्रों का प्रयोग अपने सहायक सामग्री के रूप में भी करते हैं।

श्रव्य सामग्री

वह शिक्षण सामग्री जिसको सुनकर बच्चों के द्वारा शिक्षण कार्य पूर्ण किया जाता है, उसे श्रव्य सामग्री कहते हैं। कुछ प्रमुख श्रव्य सामग्री निम्नलिखित हैं :

1. **रेडियो :** जार्ज वाटसन ने कहा कि "रेडियो स्वयं शिक्षा है।" प्रसिद्ध विद्वान सैयद जहीर का विचार है कि "रेडियो ने शिक्षण तथा अधिगम की प्रक्रिया में महत्त्वपूर्ण सहायता प्रदान की है और जैसे-जैसे हमारे साधन बढ़ते जायेंगे, वैसे ही हम प्रत्येक स्तर पर अध्यापक के लिए इस सामग्री को उपलब्ध बना देंगे।" बाइनिंग एवं बाइनिंग का विचार है कि "रेडियो कक्षा-शिक्षण का सहयोग है व यह अध्यापक एवं छात्रों के सामान्य ज्ञान का विस्तार करता है और पाठ्यक्रम की विषय-वस्तु को नवीन ढंग से व्यवस्थित करता है।"

2. **टेपरिकार्डर :** टेपरिकार्डर की सहायता से हम रेडियो पाठ की सीमाओं को दूर कर सकते हैं। शिक्षण सम्बन्धी कैसेट विशेषज्ञों द्वारा तैयार किये जाते हैं जो कक्ष में रखे होते हैं

और समयानुसार उनका प्रयोग होता है। इन्हें बीच-बीच में बन्द कर सकते हैं व प्रस्तुत किये गये अंश पर विचार-विमर्श किया जा सकता है।

3. **अध्यापन यंत्र :** अध्यापन यंत्र वस्तुतः एक विद्युत युक्ति है जिसका संचालन छात्रों द्वारा किया जाता है। वास्तव में अध्यापन यन्त्र ऐसे स्वचालित या कुछ अंशों में स्वचालित युक्तियाँ हैं जो प्रश्न या एक उद्दीपन को दूसरा उद्दीपन प्रस्तुत करते हैं, जवाब देने का साधन उपलब्ध कराते हैं और जवाब मिलने के तुरन्त बाद उसके सही होने की जानकारी प्रदान करते हैं। **जी.सी. फरूर्को** के अनुसार, "अध्यापन यन्त्र विषय को पूर्व निश्चित क्रम के अनुसार प्रस्तुत करते हैं। छात्र को जवाब देने का अवसर देते हैं और उसे तुरन्त प्रतिपुष्टि देते हैं।"

4. **ग्रामोफोन :** यह एक ऐसा यंत्र है जो सुई के दोलनों को वायु में संचारित कर ध्वनि उत्पन्न करता है। यूनानी भाषा में ग्रामो का अर्थ है–अक्षर तथा फोन का अर्थ है–ध्वनि। इस यंत्र के द्वारा ध्वनि का पुनरुत्पादन होता है।

दृश्य-श्रव्य सामग्री

1. **दूरदर्शन :** थट व गेरवेरिच के अनुसार, "दूरदर्शन सबसे अधिक आशापूर्ण श्रव्य-दृश्य उपकरण है क्योंकि सन्देशवाहन के इस एक यंत्र में रेडियो तथा चलचित्र के गुणों का सम्मिश्रण है।"

   शिक्षा जगत में उसे "Blackboard dramatized, the picture brought of life" भी कहा जाता है। इसके द्वारा हम छात्रों के समक्ष जो भी ज्ञान प्रस्तुत करते हैं, उसको ग्रहण करने में वह अपने दृश्य व श्रवण इन्द्रियों का प्रयोग करते हैं।

2. **दृश्य-श्रव्य प्रयोगशाला :** राष्ट्रीय अध्यापक प्रशिक्षण परिषद् (NCTE) के दिशा-निर्देशों के अनुसार, प्रत्येक शिक्षण-प्रशिक्षण संस्थान में दृश्य-श्रव्य प्रयोगशाला का निर्माण किया जाना आवश्यक है। इसके अभाव में उसे मान्यता प्रदान नहीं की जा सकती है। इस प्रकार के प्रयोगशाला में दृश्य-श्रव्य सामग्री को व्यवस्थित तरीके से सजाया जाता है। इसके साथ ही प्रयोगशाला में निम्न उपकरणों का होना अनिवार्य होता है– दृश्य-श्रव्य प्रयोगशाला के उपकरण निम्नलिखित हैं– (*i*) माइक्रोप्रोजेक्टर/सूक्ष्मदर्शी, (*ii*) टेपरिकॉर्डर, (*iii*) मैजिक लालटेन, (*iv*) कॉम्पेक्ट डिस्क, (*v*) ओवर हैड प्रोजेक्टर, (*vi*) फिल्म स्ट्रिप्स, (*vii*) एपीडायास्कोप, (*viii*) कम्प्यूटर, (*ix*) टेलीविजन, (*x*) शिक्षण-मशीन, (*xi*) स्लाइड प्रोजेक्टर, (*xii*) फिल्म प्रोजेक्टर, (*xiii*) रेडियो/ट्रांजिस्टर, (*ix*) कॉम्पेक्ट डिस्क प्लेयर।

3. **चलचित्र (फिल्म) :** चलचित्र अथवा सिनेमा के अनेक लाभ हैं। इसके द्वारा प्राप्त किया गया ज्ञान अन्य उपकरणों की अपेक्षा अधिक उपयोगी होता है क्योंकि बालक देखकर तथा सुनकर अच्छी तरीका से सीख पाते हैं इसके द्वारा बालकों को विभिन्न देशों, स्थानों तथा घटनाओं का ज्ञान बड़ी ही आसानी से कराया जा सकता है साथ ही बालक की कल्पना शक्ति या सोचने की क्षमता का भी विकास होता है।

4. **कम्प्यूटर :** शैक्षिक तकनीकी शास्त्र में हुए प्रयोगों के फलस्वरूप अनेक उपकरणों का जन्म हुआ है, जिनसे अनुदेशन प्रभावशाली होने लगा है। कम्प्यूटर आधुनिक तकनीकी शास्त्र का सबसे बड़ा योगदान है। इसका जीवन के प्रत्येक क्षेत्र में व्यापक प्रभाव पड़ा है। शिक्षा एवं शिक्षण का क्षेत्र भी इससे अछूता नहीं रहा। आज कम्प्यूटर सहायक अनुदेशन प्रणाली शैक्षिक तकनीकी की एक महत्त्वपूर्ण उपलब्धि है।

   कम्प्यूटर को 'विद्युत मस्तिष्क' भी कहा जाता है। कम्प्यूटर एक ऐसा उपकरण है जिसमें की-बोर्ड, इलैक्ट्रॉनिक सर्किट, स्टोरेज कम्पार्टमेंट व रिकॉर्डिंग तथा युक्तियों से युक्त होते हैं और अत्यन्त तीव्र गति से कार्य करते हैं। कम्प्यूटर में सूचना सामग्री अपनी विशिष्ट सांकेतिक भाषा में संग्रहीत रहती है और यह सामग्री आवश्यकतानुसार सही रूप में कम्प्यूटर से प्राप्त की जा सकती है। कम्प्यूटर का एक Equipment, Key Board होता है। बाह्य जानकारी इसमें फीड की जाती है। Output विभाग में यही जानकारी पुनः समझने योग्य भाषा में परिवर्तित होकर आती है। Memory विभाग में यह जानकारी संग्रहीत रहती है तथा Processing यूनिट सभी प्रकार की सामग्री की Processing करता है तथा Control विभाग नियन्त्रण का कार्य करता है।

   कम्प्यूटर के बिना अब शिक्षण की कल्पना करना मुश्किल लगता है। आजकल शिक्षण प्रणाली व संस्थानों में प्रशासनिक समस्याओं के समाधान के लिए इनका प्रयोग किया जाता है। शैक्षिक संस्थाओं में प्रवेश, परीक्षा, परीक्षाफल एवं अन्य पहलुओं से सम्बन्धित आँकड़ों के विश्लेषण करने तथा निष्कर्ष तक पहुँचने में इनकी उपयोगिता का मुकाबला नहीं है।

   वास्तव में कम्प्यूटर, शिक्षक की शिक्षण में सहायता के लिए है, जिसका उपयोग करके शिक्षक एक अत्यन्त प्रभावशाली शिक्षक की भूमिका निभा सकता है।

5. **मोबाइल :** मोबाइल कंप्यूटर का एक छोटा रूप ही कहा जा सकता है क्योंकि आज के आधुनिक शिक्षा जगत में शिक्षक किया विद्यार्थी मोबाइल के माध्यम से हर प्रकार के जानकारी घर बैठे ही प्राप्त कर लेते हैं। साथ ही अपने प्रोजेक्ट और गृह कार्य बड़ी ही आसानी से इंटरनेट के माध्यम से जानकारी हासिल कर बना लेते हैं आज कंप्यूटर से ज्यादा मोबाइल फोन की मांगें बढ़ती जा रही हैं और इसका प्रयोग शिक्षा जगत में भी किया जा रहा है।

6. **टेलीकान्फ्रेंसिंग :** टेलीकान्फ्रेंसिंग किसी दूर बैठे व्यक्ति से कम लागत में बातचीत करने का तरीका है। शिक्षा के क्षेत्र में टेलीकान्फ्रेंसिंग विभिन्न शिक्षण संस्थानों एवं अलग-अलग परिसरों में बैठे विद्वानों, शिक्षाविदों के साथ कम लागत में बिना उनकी अन्य गतिविधि को प्रभावित किये उनसे विभिन्न शैक्षिक विषयों पर विचार-विमर्श का एक तरीका है। इसके द्वारा शिक्षण प्रशिक्षण कार्यक्रम, सेमिनार, कांफ्रेंस आदि आसानी से आयोजित कर सकते हैं।
7. **नाटक :** यदि बच्चों को किसी भी लंबी-लंबी कहानी उपन्यास आदि को नाटक के माध्यम से दिखाया जाता है तो उन्हें पूरी घटनाएँ अच्छी तरह याद भी हो जाती है और उन्हें आसानी से समझ भी पाते हैं। इसलिए शिक्षकों के द्वारा अध्यापन में नाटक का उपयोग किया जाना चाहिए।

आई.सी.टी. (ICT) आधारित शिक्षण प्रणाली

- सूचना एवं संचार प्रौद्योगिकी (ICT) एक व्यापक क्षेत्र है, जिसमें सूचना के संचार के लिए सभी प्रकार की प्रौद्योगिकी समाहित है।
- ई लर्निंग के रूप में मोबाइल लर्निंग एक बढ़ती प्रवृत्ति है जहाँ शिक्षा ने कक्षाओं की भौतिक बाधाओं को दूर कर दिया है और गतिशीलता हासिल कर ली है।
- यह शैक्षिक संस्था के दिन-प्रति-दिन की प्रशासनिक गतिविधियों को आसान तथा पारदर्शी तरीके से नियंत्रित तथा समन्वय के साथ निगरानी करने में सहायक है।
- यह छात्रों के प्रदर्शन, नियुक्ति, वेबसाइट एनालिटिक्स और ब्राण्ड के ऑडिट के लिए सोशल मीडिया मैट्रिक्स के विश्लेषण के प्रयोग में सहायक होता है।
- छात्र जब भी और जहाँ चाहें जानकारी प्राप्त करते हैं, और ऐसे उन्नत तकनीकी क्षेत्र प्रदान करने वाले संस्थान दिन-ब-दिन बढ़ते जा रहे हैं।
- यह उच्च शिक्षण संस्थानों में पंजीकरण, नामांकन, पाठ्यक्रम आवंटन, उपस्थिति की निगरानी आदि जानकारियां उपलब्ध कराने में सहायक है।
- कक्षा में व्याख्यान देने के लिए माइक्रोफोन का उपयोग।
- यह उच्च शिक्षा में शैक्षिक अवसरों को विस्तृत करने, उच्च शिक्षा के क्षेत्र में उल्लेखनीय विकास एवं शिक्षा के गुणवत्ता बढ़ाने के लिए महत्वपूर्ण साधन है।
- इसके माध्यम से ई. लर्निंग और दूरस्थ शिक्षा कार्यक्रमों में ऑनलाइन शिक्षा के माध्यम से शिक्षण अधिक रोचक और आसान हो रहा है।
- कम्प्यूटर या लैपटॉप और प्रौद्योगिकी संचालित कक्षाओं का उपयोग पावरपॉइंट प्रस्तुति और इंटरेक्टिव वीडियो की मदद से स्मार्ट इंटरएक्टिव बोर्ड।
- यह रेडियो, टेलीविजन, सेलफोन, कम्प्यूटर आदि के अनुप्रयोगों से सूचना प्रसारण करता है।
- अवधारणाओं, गतिविधि सीखने और प्रयोगशालाओं पर जोर देना।
- यह उपग्रह और अन्य माध्यमों द्वारा पाठ्यक्रमों के वितरण के साथ दूरस्थ शिक्षा सुविधाजनक बनाने में सहायक।
- इससे दूरवर्ती स्थानों में पढ़ाई की गुणवत्ता बढ़ाई जा सकती है।
- इसके माध्यम से शिक्षण को इंटरनेट तथा वर्ल्ड वाइड वेब के माध्यम से शिक्षार्थी तक पहुँचने में मदद मिलती है।

शिक्षण अधिगम में आई.सी.टी. का उपयोग

आधुनिक समाज के विकास में सूचना एवं संचार तकनीकी ICT, आधारभूत क्षेत्र के रूप में उभर रहा है। शिक्षा में भी सूचना एवं संचार तकनीकी के उपयोग का प्रचलन काफी बढ़ा है। शिक्षा में सूचना और संचार तकनीकी के उपयोग के पक्ष में कुछ तथ्य निम्नांकित हैं :

- आई.सी.टी. अधिगमकर्ता को समान अवसर देता है। यहाँ तक की गंभीर रूप से निःशक्त विद्यार्थियों के लिए उनके अनुकूल हार्डवेयर और सॉफ्टवेयर उपलब्ध करने के अवसर देता है।
- आई.सी.टी. सूचनाओं को इकट्ठा करने, उसके संरक्षण तथा उसे पुनःप्राप्ति के लिए सक्षम बनाता है।
- आई.सी.टी. का उचित उपयोग शिक्षण अधिगम क्रिया को रूचिकर बनाने में मदद करता है।
- आई.सी.टी. स्वतंत्र अधिगमकर्ता बनने के लिए संसाधन और शैक्षणिक ढांचा दोनों प्रदान कर सकते हैं।
- शैक्षिक प्रौद्योगिकी आधुनिक समाज के सभी पहलुओं में व्याप्त है आज मोबाईल स्मार्टफोन के जरिये बहुत सारे सोशल ग्रुप से लोग जुड़े रहते हैं। विश्व की किसी भी घटना या कोई भी ज्ञानवर्धक जानकारी हो सेकंड में सभी उपयोगकर्ताओं तक पहुँच जाती है।
- विद्यालय एवं शिक्षण संस्थाओं में इस आई.सी.टी. का प्रयोग किया जा सकता है। रेडियो के संवाद को सीधे छात्राध्यापकों को सुनाना। टेलीविजन के शैक्षिक कार्यक्रमों को सीधे छात्राध्यापकों को दिखाना, एजुसेट के माध्यम से सीधा संपर्क कराना एवं उसके कार्यक्रम को देखना-सुनना।
- वर्तमान समय में विभिन्न वेबसाइट में शैक्षिक जानकारियाँ ऑनलाईन भी मिल जाती हैं। छात्राध्यापक इसका उपयोग अपने अध्ययन में कर सकते हैं।

- रिकार्ड किए गये कार्यक्रम को प्रोजेक्टर के माध्यम से हम अपनी सुविधा के अनुसार कभी भी देख सकते हैं।
- हम शिक्षण अधिगम प्रक्रिया में आई.सी.टी. के उपयोग को कक्षा आधारित शिक्षण अधिगम तथा दूरस्थ शिक्षा के लिए अलग-अलग कर सकते हैं।
- दूसरी ओर ब्लेंडेड लर्निंग संस्थागत तथा दूरस्थ के विभिन्न माध्यमों का समावेशन है। इस शिक्षण-अधिगम प्रारूप में आई.सी.टी. संसाधनों के साथ-साथ परम्परागत कक्षा आधारित अनुक्रियाओं को भी महत्वपूर्ण स्थान दिया गया है।

ICT आधारित शिक्षण में प्रयुक्त उपकरण

ICT आधारित शिक्षण प्रणाली में प्रयुक्त उपकरण निम्नलिखित हैं :

- लैपटॉप/पैड/इलैक्ट्रोनिक्स
- ऑडियो विजुअल टीचिंग एड्स
- फ्लैश शैक्षिक खेल
- सीडी/डीवीडी/प्रोजेक्टर
- संवादात्मक श्वेतपट्ट
- गेम्स, बीआर का समर्थन करने के लिए विभिन्न इलैक्ट्रॉनिक्स उपकरण

मूल्यांकन (Evaluation)

मूल्यांकन की प्रक्रिया शिक्षा प्रक्रिया का ही अविच्छिन्न अंग है। यह शिक्षण के साथ ही चलती रहती है। शिक्षा के विभिन्न उद्देश्य होते हैं। जैसा कि राइटस्टोन ने लिखा है, "मूल्यांकन एक 'नवीन प्राविधिक पद' है जिसका प्रयोग मापन की धारणा को परम्परागत परीक्षणों व समीक्षाओं की अपेक्षा अधिक व्यापक रूप में व्यक्त करने के लिए किया गया है।" शिक्षा के सभी उद्देश्यों का मुख्य उद्देश्य बालकों अथवा विद्यार्थियों के 'व्यक्तित्व' के अनेक पहलुओं, जैसे— शारीरिक, मानसिक, संवेगात्मक, सामाजिक, नैतिक इत्यादि का वांछित विकास करना अथवा सम्पूर्ण व्यवहार में ऐसा बदलाव लाना है जो व्यक्ति तथा समाज की दृष्टि से उचित व लाभकारी हो। इस उद्देश्य को पूरा करने हेतु सम्पूर्ण व्यवहार में वांछित परिवर्तन लाने के लिए शिक्षा के अन्य पहलुओं, जैसे—पाठ्यक्रम, विद्यालय, शिक्षण विधि, शिक्षक, शिक्षार्थी, अनुशासन इत्यादि का निर्धारण करना पड़ता है।

मूल्यांकन की परिभाषाएँ

मूल्यांकन की प्रमुख परिभाषाएँ निम्नलिखित हैं :

- **कोठारी आयोग :** "मूल्यांकन एक क्रमिक प्रक्रिया है जो कि सम्पूर्ण शिक्षा-प्रणाली का एक महत्वपूर्ण अंग है और जो शिक्षा के उद्देश्यों से घनिष्ठ रूप से सम्बन्धित है।"
- **डेप्सी की एक पत्रिका :** "मूल्यांकन एक ऐसा शब्द है जो केवल मापन की ही व्याख्या नहीं करता, बल्कि उसके विस्तृत अर्थ को बतलाता है। मापन केवल निर्देश के परिणाम की संख्यात्मक जाँच के लिए प्रयोग में लाया जाता है जबकि मूल्यांकन छात्रों की प्रगति की जाँच की एक व्यापक, विस्तृत एवं निरन्तर प्रक्रिया है। इस दृष्टि से मूल्यांकन शिक्षा के सम्पूर्ण कार्य के साथ सम्बन्धित है और इसका मुख्य अभिप्राय केवल निर्देश की निष्पत्ति की जाँच ही नहीं वरन् निर्देश को सुधारना भी है।"
- **क्विलन एवं हैना :** "विद्यालय की प्रगति के साथ बालक के व्यवहार में जो परिवर्तन होते हैं उनके विषय में सूचना एकत्रित करने एवं उनकी व्याख्या करने की प्रक्रिया ही मूल्यांकन है।"
- **विजले :** "मूल्यांकन एक समावेशित धारणा है जो कि इच्छित परिणामों के गुण, महत्व एवं प्रभावशीलता का निर्णय करने के लिए समस्त प्रकार के प्रयासों एवं साधनों की ओर संकेत करता है। यह वस्तुगत प्रमाण तथा आत्मगत निरीक्षण का मिश्रण है। यह सम्पूर्ण एवं अन्तिम अनुपात है। यह नीतियों के रूप-परिवर्तनों एवं भावी कार्य के लिए महत्वपूर्ण एवं आवश्यक पथ-प्रदर्शक है।"
- **ब्रेडफील्ड :** "मूल्यांकन का कार्य तत्वों के लिए प्रतीक निर्धारण करना है जो विभिन्न तत्वों की उपयोगिता या महत्व को लाक्षणिक रूप प्रदान करता है। साधारणतया यह कार्य कुछ विशिष्ट सामाजिक, सांस्कृतिक या वैज्ञानिक स्तरों को मापने के लिए किया जाता है।

मूल्यांकन के उद्देश्य

- मूल्यांकन शिक्षकों और छात्रों को ऐसे उद्देश्यों की जानकारी देता है, जिन्हें प्राप्त करना कठिन होता है।
- मूल्यांकन के द्वारा शिक्षकों एवं अभिभावकों को बच्चों की आवश्यकताओं और कुशलताओं को समझने में सहायता मिलती है।
- मूल्यांकन शिक्षकों और छात्रों का विभिन्न शैक्षणिक क्रियाओं को कार्यान्वित करने के लिए योजना बनाने में मदद करते हैं।
- मूल्यांकन शिक्षक की योग्यता एवं कुशलता की जांच करता है।
- मूल्यांकन के माध्यम से शिक्षक और छात्रों के अध्ययन और उनके विकास का पता लगता है।
- मूल्यांकन शिक्षकों एवं अभिभावकों को बच्चों में होने वाले परिवर्तनों की जानकारी देता है।
- मूल्यांकन के द्वारा यह जानकारी मिलती है कि निर्धारित उद्देश्य कहाँ तक प्राप्त हुए हैं।
- मूल्यांकन शिक्षकों और छात्रों को स्वयं का विकास करने में भी सहायता करता है।

मूल्यांकन की विशेषताएँ

मूल्यांकन की निम्नलिखित विशेषताएँ हैं :

- मूल्यांकन एक 'व्यापक प्रक्रिया' है जिसमें मापन तथा जाँच दोनों शामिल रहते हैं।
- मूल्यांकन एक 'लगातार चलने वाली प्रक्रिया' है जिसके माध्यम से विद्यार्थियों के दिन-प्रतिदिन के आचरण के बदलावों की जाँच होती है।
- यह प्रक्रिया मात्र 'शैक्षिक निष्पत्ति' का मापन नहीं करती है वरन् समस्त शिक्षा प्रणाली में 'सुधार' भी करती है।
- मूल्यांकन का 'क्षेत्र' बहुत अधिक विस्तृत होता है। यह विद्यार्थियों के 'व्यक्तित्व के सभी पहलुओं' जैसे—शारीरिक, मानसिक, संवेगात्मक, चारित्रिक तथा सामाजिक इत्यादि का मूल्यांकन करता है।
- मूल्यांकन समस्त शिक्षा-प्रणाली का एक अत्यधिक 'महत्वपूर्ण अंग' है तथा इसका शिक्षा के अनेक पाठ्यक्रम अंगों व शिक्षा के उद्देश्यों, शिक्षण-विधि, पाठ्यक्रम, परीक्षा इत्यादि समस्त अंगों से घनिष्ठ सम्बन्ध होता है।

मूल्यांकन के प्रकार

मूल्यांकन एक सतत सकारात्मक प्रक्रिया है जो शैक्षिक उद्देश्यों की सीमा निर्धारित करके उनकी प्राप्ति के स्तर को ज्ञात कर उचित-अनुचित का निर्णय लेने में सहायता करती है। इसके लिए शैक्षिक मूल्यांकन हेतु परीक्षा महत्वपूर्ण साधन है। छात्र मूल्यांकन हेतु परीक्षा दो भागों में विभाजित किया जा सकता है :

- परिमाणात्मक मूल्यांकन
- गुणात्मक मूल्यांकन

परिमाणात्मक मूल्यांकन

परिमाणात्मक मूल्यांकन को तीन भागों में विभाजित किया जा सकता है :

- मौखिक परीक्षा
- लिखित परीक्षा
- प्रायोगिक परीक्षा

मौखिक परीक्षा : मौखिक परीक्षा का प्रारम्भ ग्लेडाइड्स ने प्रारम्भ किया था और इसे सुकरात ने भी महत्वपूर्ण स्थान दिया। यह प्रविधि मुख्यतः वैयक्तिक होती है। इसमें छात्र से मौखिक रूप से प्रश्न करके उसके ज्ञान, अभिव्यक्ति की क्षमता और उसके आत्मविश्वास को परखा जाता है।

लिखित परीक्षा : वर्तमान समय में लिखित परीक्षाओं के माध्यम से मूल्यांकन का प्रचलन अधिक है। इस परीक्षा में चार प्रकार के प्रश्नों का समावेश होता है :

(1) वस्तुनिष्ठ प्रश्न, (2) अति लघुउत्तरीय प्रश्न, (3) लघु उत्तरीय प्रश्न तथा (4) दीर्घ उत्तरीय या निबन्धात्मक प्रश्न।

प्रायोगिक परीक्षा : मूल्यांकन में प्रयोग विधि का प्रमुख स्थान है। शिक्षा का उद्देश्य ही है कुछ करके सीखना। प्रायोगिक मूल्यांकन को दो भागों में वर्गीकृत किया जा सकता है।

1. **आन्तरिक प्रयोग :** जब किसी सूत्र या अवधारणा को प्रयोगशाला में सामग्री, उपकरण की सहायता से छात्र द्वारा कार्य किया जाता है जिससे उसकी सफलता-असफलता का मूल्यांकन किया जाता है। इसे आन्तरिक मूल्यांकन कहते हैं। यह प्रायः विज्ञान विषय में किया जाता है।
2. **ब्राह्य प्रयोग :** इस प्रकार के मूल्यांकन को छात्र के जीवन से जोड़कर ज्ञान, सिद्धान्त को व्यवहार रूप में परिवर्तित करने को कहा जाता है जैसे—कुछ दूरी दौड़ना, सत्य बोलना, चित्र बनाना, मिट्टी का कार्य करना आदि। यह मूल्यांकन-शारीरिक शिक्षा, गृह विज्ञान, कला, नैतिक शिक्षा, कृषि विज्ञान आदि विषयों में किया जाता है।

गुणात्मक मूल्यांकन

गुणात्मक मूल्यांकन को निम्नलिखित भागों में विभाजित किया जा सकता है :

- जाँच की सूची और स्तर माप
- अवलोकन/निरीक्षण
- घटनावृत्त
- साक्षात्कार
- **जाँच सूची और स्तर माप :** जाँच सूची का उपयोग छात्र के प्रयोगात्मक ज्ञान, अभिवृत्तियों, रूचियों, अवधारणाओं तथा मूल्यों आदि के सम्बन्ध में उपलब्धियों का पता लगाने के उद्देश्य से किया जाता है। जबकि स्तर माप के माध्यम से यह जाना जाता है कि किसी शिक्षार्थी ने कुछ विशिष्ट गुणों के सन्दर्भ में अन्य शिक्षार्थियों एवं शिक्षकों पर क्या प्रभाव डाला है।
- **अवलोकन/निरीक्षण :** किसी व्यक्ति या समूह के दैनिक व्यवहार को सुनिश्चित अवधियों के लिए देखना और उस अवधि के दौरान पाये गये व्यवहार के कुछ निश्चित और वस्तुनिष्ठ रूपों की उपस्थिति को दर्ज करना अवलोकन है। अवलोकन को व्यवस्थित करने के लिए अवलोकनकर्ता, चैकलिस्ट, अवलोकन चार्ट, मापनी परीक्षण आदि उपकरणों का प्रयोग कर सकता है।
- **घटनावृत्त :** घटनावृत्त को विभिन्न शिक्षाविदों ने कहा है कि यह शिक्षार्थियों के जीवन की सार्थक घटना, विवरण क्रिया हो सकती है या कोई ऐसी घटना जो अवलोकन करने वाले की दृष्टि में शिक्षार्थियों के लिए महत्वपूर्ण हो या शिक्षक के द्वारा संकलित विभिन्न परिस्थितियों में घटित शिक्षार्थियों का वास्तविक व्यवहार हो सकता है।

- **साक्षात्कार :** साक्षात्कार का प्रयोग विभिन्न प्रकार की परिस्थितियों में व्यक्तियों से सूचना संकलन का सर्वाधिक प्रचलित साधन है। साक्षात्कार में व्यक्तियों को आमने-सामने बैठाकर विभिन्न प्रकार के प्रश्न पूछे जाते हैं। उनके आधार पर उनकी योग्यताओं का मूल्यांकन किया जाता है। शिक्षा के क्षेत्र में छात्रों की शैक्षिक उपलब्धि का मापन करने के लिए किए जाने वाले साक्षात्कार को मौखिकी के नाम से जाना जाता है।

विगत कुछ दशकों से मापन तथा मूल्यांकन के क्षेत्र में विभिन्न प्रकार के नवाचारों का प्रादुर्भाव हुआ है। इनमें से रचनात्मक व आंकलित मूल्यांकन, सामान्यीकृत व इप्सेटिव मापन, प्रश्न बैंक, खुली पुस्तक परीक्षा प्रणाली, सेमेस्टर प्रणाली, कम्प्यूटरों के उपयोग, प्राप्तांकों का परिमापन, परीक्षा में पारदर्शिता तथा सार्वजनिक परीक्षाओं का प्रभावीकरण जैसे नवाचारों पर विशेष जोर दिया जा रहा है। निःसन्देह ये नवाचार वर्तमान समय में प्रचलित परिपाटियों एवं साधनों की कमियों को दूर करने की दृष्टि से अपनाये गये हैं।

मिचैल स्क्रीवेन ने सन् 1967 में मूल्यांकन की भूमिका पर चर्चा करते हुए इसे दो भागों में विभाजित किया है। ये दो भाग हैं :

1. रचनात्मक मूल्यांकन (संरचनात्मक)
2. आंकलित मूल्यांकन (योगात्मक मूल्यांकन)

रचनात्मक मूल्यांकन

रचनात्मक मूल्यांकन से तात्पर्य यह है कि किसी शैक्षिक कार्यक्रम, योजना प्रक्रिया, सामग्री आदि में मूल्यांकन करके सुधार किया जाये अर्थात रचनात्मक मूल्यांकनकर्ता किसी शैक्षिक कार्यक्रम, योजना प्रक्रिया की सामग्री की प्रभावशीलता, गुणवत्ता, उपयोगिता/सीमाएँ आदि का पुनः आंकलन करता है ताकि उस कार्यक्रम, योजना को और अधिक गुणवत्तापूर्ण तथा प्रभावशाली बनाया जा सके। उसमें जो कमियाँ रह गई हों उन्हें दूर किया जा सके।

इस मूल्यांकन के द्वारा शिक्षकों और छात्रों दोनों को ही अपने में सुधार करने का अवसर प्राप्त होता है। इस प्रकार से रचनात्मक मूल्यांकन अल्पकालीन निर्णयों को लेने में महत्वपूर्ण भूमिका अदा करता है।

आंकलित मूल्यांकन

आंकलित या योगात्मक मूल्यांकन से तात्पर्य पहले से निर्धारित किसी शैक्षिक कार्यक्रम, योजना सामग्री की समग्र वांछनीयता को ज्ञात करने की प्रक्रिया से है जिससे उसके बारे में यह निर्णय लिया जा सके कि वह भविष्य में पूर्ण रूप से जारी रखी जाये या फिर उसके कुछ भागों को जारी रखा जाये और अनावश्यक भाग को हटा दिया जाये। जैसे—जब कोई शिक्षक या मूल्यांकनकर्त्ता पाठ्यक्रम की समाप्ति पर या शैक्षिक कार्यक्रम के अन्त में या शिक्षा सत्र की समाप्ति पर छात्रों की उपलब्धि का मूल्यांकन करता है तो इसे आंकलित मूल्यांकन कहा जाता है। इस मूल्यांकन के आधार पर ही छात्रों को अन्य कक्षाओं के लिए प्रोन्नत किया जा सकता है। आंकलित मूल्यांकन दीर्घकालीन निर्णयों को लेने में महत्वपूर्ण भूमिका निभाता है।

उच्च शिक्षा में विकल्प आधारित क्रेडिट प्रणाली में मूल्यांकन

भारत में विभिन्न विषयों में पाठकों की उपलब्धियाँ अंकों (Marks) द्वारा मापी जाती है जिसमें शून्य (0) से ले कर सौ (100) तक के अंक परीक्षार्थी को प्रदान किए जाते हैं। इसी अंक प्रणाली के आधार पर परीक्षार्थी को प्रथम, द्वितीय अथवा तृतीय श्रेणियों में विभाजित किया जाता है तथा अनुत्तीर्ण घोषित किया जाता है।

ग्रेडिंग प्रणाली

संक्षिप्त रूप	टर्म (पद)	अंक
O	सर्वोत्तम	10
A+	अति उत्कृष्ट	09
A	बहुत अच्छा	08
B+	अच्छा	07
B	औसत से ऊपर	06
C	औसतन	05
P	पास	04
F	अनुत्तीर्ण	00
Ab	अनुपस्थित	00

विकल्प आधारित क्रेडिट प्रणाली

इस प्रणाली के अन्तर्गत छात्रों को पाठ्यक्रमों को अपनी स्वेच्छा से चुनने की स्वतंत्रता होती है। जैसे—कोई विज्ञान वर्ग का विद्यार्थी का कला वर्ग से आगे की पढ़ाई करनी है तो वह कर सकता है। 2015-16 से दिल्ली विश्वविद्यालय ने इस प्रक्रिया को स्नातक के पाठ्यक्रम में शामिल किया है। प्रभावी और सन्तुलित परिणाम प्रदान करने हेतु तीनों मुख्य पाठ्यक्रमों का मूल्यांकन और उपयोग किया जाता है। इसके तीन मुख्य पाठ्यक्रम हैं—मूल, वैकल्पिक और बुनियादी। वह प्रणाली सभी केन्द्रिय, राज्य और मान्यता प्राप्त विश्वविद्यालय के लिए एक समान होती है।

यह मुख्यतः तीन तरीके से काम करता है— सेमेस्टर, क्रेडिट और क्रेडिट ट्रांसफर।

1. **सेमेस्टर सिस्टम (Semester System) :** इसमें छात्रों का मूल्यांकन सेमेस्टर के अनुसार किया जाता है। एक छात्र विज्ञान, कला, वाणिज्य के लिए 3 साल या इंजीनियरिंग के लिए 4 साल देता है। वह सेमेस्टर के आधार पर बंटा हुआ होता है। प्रत्येक सेमेस्टर में 15 से 18 सप्ताह के शैक्षणिक कार्य होते हैं जो 90 शिक्षण दिनों के बराबर होता है। पाठ्यक्रम की सामग्री और शिक्षण के घंटे के आधार पर पाठ्यक्रम बनाने और क्रेडिट प्रदान किया जाता है।

2. **क्रेडिट सिस्टम (Credit System) :** प्रत्येक पाठ्यक्रम को एक निश्चित क्रेडिट, सौंपा जाता है। जब छात्र उस पाठ्यक्रम से गुजरता है तो वह उसका क्रेडिट अर्जित करता है। यदि कोई छात्र किसी सेमेस्टर में एक पाठ्यक्रम पास करता है तो उसे बाद में उस पाठ्यक्रम को दोहराना नहीं पड़ता है। छात्र अपनी परिश्रम एवं क्षमता के अनुसार क्रेडिट कमा सकता है।

3. **क्रेडिट ट्रान्सफर (Credit Transfer) :** इसके तहत यदि किसी कारण कोई छात्र अध्ययन कार्य नहीं कर पाता है या फिर वह बीमार हो जाता है तो ऐसी स्थिति में पाठ्यक्रमों का अध्ययन करने और कम क्रेडिट अर्जित करने का भी नियम बनाया गया है जिस नियम के तहत अगले सेमेस्टर में वह अपने क्रेडिट पूरा कर सकता है।

क्रेडिट मुख्यतः तीन तरीके से अर्जित किया जा सकता है :

1. प्रति सप्ताह व्याख्यान (Lecture)
2. ट्यूटोरियल (Tutorial)
3. व्यवहारिक कार्य (Practical)

विकल्प आधारित क्रेडिट प्रणाली के लाभ

- क्रेडिट प्रणाली एक छात्र को अपने अनुसार अध्ययन करने की अनुमति देता है।
- अतिरिक्त पाठ्यक्रमों के लिए विकल्प चुन सकते हैं और आवश्यकता से अधिक क्रेडिट प्राप्त कर सकते हैं।
- देश के भीतर और बाहर के कॉलेज/विश्वविद्यालय में क्रेडिट का हस्तांतरण किया जा सकता है।

विकल्प आधारित क्रेडिट प्रणाली के नुकसान

- सटीक अंकों का अनुमान लगाना आसान नहीं होता है।
- शिक्षकों के कार्यभार में काफी उतार-चढ़ाव आता है।

कम्प्यूटर आधारित परीक्षा

वर्तमान समय में कम्प्यूटर आधारित परीक्षा का प्रचलन तेजी से बढ़ रहा है, क्योंकि इसके द्वारा एक बहुत बड़े विशाल समूह के विद्यार्थियों को एक ही तल पर उनसे परीक्षा कराई जा सकती है। समय व संसाधनों की बचत के साथ-साथ इसमें पारदर्शिता होती है और एक ही निश्चित समय में एक साथ परीक्षा सम्पादित की जा सकती है और कुछ दिनों या घंटों में सूचनाओं को विद्यार्थियों तक प्रेषित किया जा सकता है। इसकी निम्नलिखित विशेषताएं हैं :

- आंकड़ों, तथ्यों को लम्बे समय तक संग्रहित किया जा सकता है। साथ-ही-साथ इसके आकड़ों (डाटा) को सम्प्रेषित किया जा सकता है, अर्थात सूचना का भण्डारण व सम्प्रेषण दोनों सम्भव है।
- इसमें विश्वसनीयता और पारदर्शिता होती है।
- कम्प्यूटर आधारित परीक्षा एक सेन्ट्रल कम्प्यूटर और मास्टर कम्प्यूटर फिर परीक्षा देने वाले कम्प्यूटर से सम्पर्क करता है। यहाँ पासवर्ड और ओटीपी के माध्यम से सूचनाओं की सुरक्षा की जाती है, लेकिन कम्प्यूटर आधारित परीक्षा वस्तुनिष्ठ प्रकार की ही होती है।
- एक निश्चित समय में ही टेस्ट/मॉक टेस्ट कराये जाते हैं, जिससे विद्यार्थी को पुनराभ्यास में मदद मिलती है।

मूल्यांकन प्रणाली में नवाचार

- छात्रों से किसी घटना पर उनके विचार जानकर उनका पक्ष जानकर बौद्धिकता को मापा जा सकता है। ऐसे ही किसी अन्य घटना को उनके प्रोजेक्टर कार्य में समाहित कर भी शिक्षण प्रक्रिया में मूल्यांकन को प्रभावी बनाया जा सकता है।
- शिक्षण प्रक्रिया में वर्तमान में नवीन तकनीकों, जैसे—ऑडियो-वीडियो द्वारा संचालित तकनीकी, कम्प्यूटर आधारित तकनीकों, व्यक्तिगत प्रभावों आदि का मूल्यांकन को प्रभावी बनाने में प्रयोग किया जा सकता है।
- शिक्षण में शिक्षार्थी के लक्ष्य उन्मुखी प्रयोजनों के माध्यम से भी मूल्यांकन किया जा सकता है।
- मूल्यांकन का शिक्षण और अधिगम दोनों में ही महत्वपूर्ण योगदान है।
- मूल्यांकन में नवाचार का प्रमुख स्थान है। इससे वर्तमान शैक्षिक विधियों और तरीकों में नवीन तकनीकों का प्रयोग कर मूल्यांकन की प्रक्रिया को सरल व पारदर्शी और बुद्धि हीन बनाता है।

अभ्यास प्रश्न

1. उन शिक्षण युक्तियों की पहचान कीजिए जो अधिगमकर्ता केंद्रित होती हैं:

(*a*) सहकारी अधिगम
(*b*) टीम शिक्षण
(*c*) प्रयोगशाला आधारित प्रोजेक्ट्स
(*d*) युग्मित (पेयर) सहभागी चर्चा
(*e*) पावर प्वायंट प्रस्तुतीकरण के साथ व्याख्यान

नीचे दिए गए विकल्पों में से सही उत्तर चुनिए:

A. केवल (*a*), (*b*) और (*c*)
B. केवल (*b*), (*c*) और (*d*)
C. केवल (*a*), (*c*) और (*d*)
D. केवल (*c*), (*d*) और (*e*)

2. विमर्शी स्तर शिक्षण स्मृति स्तर शिक्षण से अलग होता है क्योंकि इसमें शामिल सम्प्रेषण की पद्धति मूलतः ______ होती है।

A. एकरेखीय
B. नीचे से ऊपर की ओर
C. अंतरक्रियात्मक
D. क्रियान्वितिकारी

3. निम्नलिखित में से उन विशेषताओं की पहचान कीजिए जो 'अप्रत्यक्ष शिक्षण रणनीतियों' के साथ जुड़ी हैं:

(*a*) निर्देशित विद्यार्थी अभ्यास
(*b*) प्रश्नोत्तरी सत्रों के माध्यम से अवधारणा अर्जन पर बल
(*c*) उद्दीपक सामग्री को लघु एवं सरल पदों में प्रस्तुत करना
(*d*) समस्या आधारित प्रस्तुतीकरण
(*e*) सहभागितापूर्ण और सहयोगात्मक अभियानों पर बल दिया जाना

नीचे दिए गए विकल्पों में से सही उत्तर को चुनिए:

A. केवल (*b*), (*d*) और (*e*)
B. केवल (*a*), (*b*) और (*c*)
C. केवल (*b*), (*c*) और (*d*)
D. केवल (*c*), (*d*) और (*e*)

4. प्रवर्तमान (चालू) शिक्षण-अधिगम सत्रों के दौरान कौन-सी आकलन प्रक्रिया अपनायी जाती है?

A. संकलनात्मक
B. निर्माणात्मक
C. मानक संदर्भित
D. निकर्ष संदर्भित

5. विद्यार्थियों का अकादमिक निष्पादन किससे निर्धारित होता है?

(*a*) प्रज्ञा
(*b*) अभिप्रेरण
(*c*) शारीरिक गठन
(*d*) लिंग

A. केवल (*a*) और (*b*)
B. केवल (*a*) और (*d*)
C. केवल (*b*) और (*c*)
D. केवल (*c*) और (*d*)

6. एक महाविद्यालय का शिक्षक अभिप्रेरक प्रतिभाग की गति को बढ़ावा देने के लिए प्रश्न-पहेली सत्र को अपनाता है। यह मूल्यांकन के किस प्रकार के रूप में लिया जाएगा?

A. संकलनात्मक मूल्यांकन
B. निकष-आधारित मूल्यांकन
C. निर्माणात्मक मूल्यांकन
D. निदानात्मक मूल्यांकन

7. निम्नलिखित में से कौन पारंपरिक मूल्यांकन का एक विकल्प नहीं है?

A. बहुविकल्पीय प्रश्न
B. कार्यनिष्पादन परीक्षण
C. पोर्टफोलियो
D. प्रदर्शनियाँ

8. नीचे शिक्षण विधियां और उपागम दिए गए हैं। उनमें से कौन-कौन सा व्यष्टिसापेक्ष उपागम है?

(*a*) प्रदर्शन विधि
(*b*) माड्यूलर उपागम
(*c*) अभिक्रमित/अधिगम
(*d*) व्यष्टिसापेक्ष शिक्षण
(*e*) सहयोगात्मक विधि

नीचे दिए गए विकल्पों में से सही उत्तर दीजिए:

A. (*a*), (*b*) और (*c*)
B. (*b*), (*c*) और (*d*)
C. (*c*), (*d*) और (*e*)
D. (*a*), (*d*) और (*e*)

9. शिक्षण की प्रभावशीलता का निर्णय करने में निम्नलिखित में से किन बिन्दुओं पर विचार किया जाता है?

(*a*) सभी विषयों में विद्यार्थियों का प्राप्तांक
(*b*) शिक्षण उद्देश्यों की प्राप्ति का स्तर
(*c*) सीखने में विद्यार्थियों द्वारा लिया जानेवाला समय
(*d*) शिक्षण में अध्यापक द्वारा प्रयोग में लाया जाने वाला संसाधन
(*e*) कक्षा में विद्यार्थियों की उपस्थिति की नियमितता

नीचे दिए गए विकल्पों में से सही उत्तर दीजिए:

A. (*a*), (*b*) और (*c*)
B. (*a*), (*b*) और (*d*)
C. (*c*), (*d*) और (*e*)
D. (*b*), (*c*) और (*d*)

10. निम्नलिखित में से कौन-सा कथन टीम शिक्षण की अवधारणा को सर्वोत्तम रूप से व्याख्यायित करता है?

A. दो से अधिक अध्यापक शिक्षण कार्य करते हैं

B. दो से अधिक अध्यापक एक ही कक्षा को एक साथ मिलकर पढ़ाने की योजना बनाते हैं और पढ़ाते हैं

C. दो से अधिक अध्यापक अपनी विशेषता के अनुसार एक ही कक्षा को पढ़ाने की योजना बनाते और पढ़ाते हैं

D. अध्यापकों की एक टीम जो विद्यार्थियों को पढ़ाने हेतु तैयार और उपलब्ध रहती है

11. जीन पियाजे के संज्ञानात्मक विकास सिद्धांत के अनुसार, किशोर विद्यार्थी विकास के किस चरण में होते हैं?

A. संवेदी प्रेरक चरण

B. मूर्त्त संक्रियात्मक चरण

C. संक्रियात्मक चरण

D. औपचारिक संक्रियात्मक चरण

12. एक अध्यापक के रूप में आपके द्वारा तैयार किए गए परीक्षण के मामले में निम्नलिखित में से कौन-सा कथन सही है?

A. यदि परीक्षण विश्वसनीय है तो वह वस्तुनिष्ठ होगा

B. यदि परीक्षण वैधता रखता है तो वह विश्वसनीय भी होगा

C. यदि परीक्षण विश्वसनीय है तो वह वैधता भी रखेगा

D. यदि परीक्षण वैधता रखता है और विश्वसनीय है तो यह उपयोज्य होगा

13. किसी कक्षा में विद्यार्थी को एक प्रभावी श्रोता होना चाहिए, उसे ______ ध्यान रखना चाहिए?

(*a*) अध्यापक के शक्ल का

(*b*) साथियों का

(*c*) अकादमिक पाठ का

(*d*) संप्रेषण विकर्षणों का

नीचे दिए गए विकल्पों का प्रयोग करते हुए सही उत्तर का चयन कीजिए:

A. (*a*), (*b*) और (*c*) B. (*b*), (*c*) और (*d*)

C. (*a*), (*d*) और (*c*) D. केवल (*c*) और (*d*)

14. निम्नलिखित में से कौन शोध द्वारा प्राप्त साक्ष्य के आधार पर प्रभावी अध्यापन में मुख्य व्यवहार का संकेतक है?

A. अध्यापक-शिक्षार्थी संबंध विकसित करने में शिक्षक की भावात्मकता

B. विद्यार्थी द्वारा अधिगम में संलिप्तता

C. विद्यार्थी के विचारों तथा उसके योगदान का उपयोग करना

D. अध्यापन के दौरान प्रक्रियात्मक तथा विषयवस्तु आधारित प्रश्नों का उपयोग

15. निम्नलिखित में से कौन-से कथन 'मानक संदर्भित परीक्षण' के बारे में हैं? नीचे दिए गए कूट का चयन कीजिए तथा उत्तर दीजिए।

(*a*) केवल स्वल्प अधिगम कार्यों, जिनमें थोड़े से प्रश्न ही विशिष्ट कार्यों के मापन हेतु शामिल हों, के आधार पर बड़े अनुक्षेत्र को आच्छादित कर लेना।

(*b*) अधिगम के सापेक्ष स्तर के आधार पर व्यक्तियों के मध्य विभेद कर सकने पर जोर।

(*c*) किसी विशिष्ट अनुक्षेत्र के अधिगम कार्यों, जिनमें अधिसंख्य प्रश्न विशिष्ट कार्यों का मापन करते हैं, पर बल देना।

(*d*) निर्वचन के लिए सुपरिभाषित समूह की आवश्यकता होती है।

(*e*) निर्वचन के लिए सुपरिभाषित निष्पत्ति अनुक्षेत्र की आवश्यकता होती है।

(*f*) उन अधिगम कार्यों के विवरण पर बल देना जिन्हें व्यक्ति कर सकते हैं अथवा नहीं कर सकते हैं।

A. (*a*), (*b*) और (*d*) B. (*b*), (*c*) और (*f*)

C. (*a*), (*b*) और (*c*) D. (*d*); (*e*) और (*f*)

16. नीचे दो समुच्चय दिए गए हैं। समुच्चय-I में शिक्षण तथा अधिगम के विभिन्न स्तर दिए गए हैं तथा समुच्चय-II में उनके उदाहरण तथा महत्व दिए गए हैं। दोनों समुच्चयों को सुमेलित कीजिए तथा सही कूट चुनकर उत्तर दीजिए।

समुच्चय-I (शिक्षण तथा अधिगम का स्तर)	**समुच्चय-II (उदाहरण तथा महत्व)**
(*a*) स्मृति स्तर	(*i*) आलोचनात्मक चिंतन आधारित संज्ञानात्मक अंतर्विनिमय को बढ़ावा देना।
(*b*) अवबोध स्तर	(*ii*) व्यक्तिगत हित तथा अभिवृत्तिक महत्व का अनुरक्षण करता है।
(*c*) विमर्शी स्तर	(*iii*) तथ्यों को स्मरण करने एवं उन्हें पहचानने की प्रक्रिया को सुकर बनाता है।
	(*iv*) संबंध तथा अर्थ देखने की संभावना को बढ़ाता है।

कूट:

	(*a*)	(*b*)	(*c*)
A.	(*i*)	(*ii*)	(*iii*)
B.	(*iii*)	(*ii*)	(*iv*)
C.	(*iii*)	(*iv*)	(*i*)
D.	(*iv*)	(*iii*)	(*ii*)

17. निम्नलिखित सूची से शिक्षक एवं विद्यार्थी के प्रतिबद्धता क्षेत्र की पहचान कीजिए। सही कूट का चयन कीजिए एवं उत्तर दीजिए।

(*a*) 'ठीक से करो' उपागम

(*b*) समुदाय के साथ संपर्क बढ़ाना

(*c*) कक्षागत निष्पादन, जिसमें शिक्षण-अधिगम की प्रक्रिया शामिल है, को अभिवृद्ध करना

(*d*) सर्वांगीण विकास के प्रति विशेष रुचि तथा सहायता हेतु तत्परता

(*e*) शैक्षणिक एवं विषयवस्तु से संबंधित प्रवीणताओं का अर्जन

(*f*) निष्पक्षता, वस्तुनिष्ठता तथा बौद्धिक ईमानदारी का सम्मान

A. (*a*), (*b*) और (*c*)

B. (*b*), (*c*) और (*d*)

C. (*a*), (*d*) और (*f*)

D. (*d*), (*e*) और (*f*)

18. कक्षा में शिक्षकों की मुखाकृति द्वारा की गई अभिव्यक्ति में होने वाले क्षणिक परिवर्तन कहलाते हैं:

A. सार्थक - क्षणिक संचलन

B. सूचनात्मक - क्षणिक संचलन

C. वृहत् - क्षणिक संचलन

D. सूक्ष्म - क्षणिक संचलन

19. निम्नलिखित में से कौन-सा कथन समुच्चय शिक्षण की प्रकृति और उद्देश्य का उत्तम ढंग से विवरण प्रस्तुत करता है।

(*a*) शिक्षण और अधिगम अविच्छिन्न रूप से संबंधित हैं।

(*b*) शिक्षण और प्रशिक्षण के बीच कोई अंतर नहीं है।

(*c*) समस्त शिक्षण का सरोकार छात्रों में कुछ प्रकार के रूपांतरण को सुनिश्चित करने से होता है।

(*d*) समस्त अच्छा शिक्षण प्रकृति में औपचारिक होता है।

(*e*) शिक्षण एक वरिष्ठ व्यक्ति होता है।

(*f*) शिक्षण एक सामाजिक कृत्य है, जबकि अधिगम एक व्यक्तिगत कृत्य है।

कूट:

A. (*a*), (*b*) और (*d*)

B. (*b*), (*c*) और (*e*)

C. (*a*), (*c*) और (*f*)

D. (*d*), (*e*) और (*f*)

20. अधिगमकर्ता की निम्नलिखित में से कौन-सी विशेषता शिक्षण की प्रभावोत्पादकता से अत्यंत रूप से संबंधित है?

A. अधिगमकर्ता का पूर्व-अनुभव

B. अधिगमकर्ता के अभिभावकों का शैक्षिक प्रस्तर

C. अधिगमकर्ता के साथी समूह

D. परिवार का आकार, जिसका अधिगमकर्ता एक अंग है

21. नीचे दिए गए दो समुच्चों में समुच्चय-I में शिक्षण विधियाँ इंगित की गई हैं, जबकि समुच्चय-II में सफलता / प्रभावोत्पादकता की मूल अपेक्षाएँ दी गई हैं। इन दोनों समुच्चयों को सुमेलित कीजिए और नीचे दिए गए कूट में से अपने उत्तर को चुनिए:

समुच्चय-I (शिक्षण विधि)	**समुच्चय-II (सफलता/प्रभावोत्पादकता की मूल आवश्यकताएँ)**
(*a*) व्याख्यान देना	(*i*) प्रतिपुष्टि सहित लघु पदों में प्रस्तुति
(*b*) समूहों में चर्चा	(*ii*) बड़ी संख्या में विचारों को प्रस्तुत करना
(*c*) विचारावेश प्रक्रिया	(*iii*) स्पष्ट भाषा में विषयवस्तु का सम्प्रेषण
(*d*) अभिक्रमित अनुदेशन की पद्धति	(*iv*) शिक्षण-उपकरणों का उपयोग
	(*v*) प्रतिभागियों में प्रकरण-आधारित भागीदारी

कूट:

	(*a*)	(*b*)	(*c*)	(*d*)
A.	(*i*)	(*ii*)	(*iii*)	(*iv*)
B.	(*ii*)	(*iii*)	(*iv*)	(*v*)
C.	(*iii*)	(*v*)	(*ii*)	(*i*)
D.	(*iv*)	(*ii*)	(*i*)	(*iii*)

22. नीचे दी गई मूल्यांकन प्रक्रियाओं में से उसकी पहचान कीजिए, जिसको 'निर्माणात्मक मूल्यांकन' कहा जाता है। नीचे दिए गए कूट का प्रयोग करते हुए अपने उत्तर को चुनिए:

(*a*) शिक्षक पाठ्यक्रम का कार्य पूरा करने के बाद छात्रों को ग्रेड देता है।

(*b*) शिक्षक कक्षा में छात्रों के साथ अंतःक्रिया के दौरान सुधारात्मक प्रतिपुष्टि प्रदान करता है।

(*c*) शिक्षक इकाई परीक्षण में छात्रों को अंक देता है।

(*d*) शिक्षक कक्षा में ही छात्रों के संदेहों को स्पष्ट करता है।

(*e*) छात्रों के समग्र निष्पादन के बारे में प्रत्येक तीन माह के अंतराल पर अभिभावकों को रिपोर्ट किया जाता है।

(*f*) शिक्षक प्रश्न-उत्तर सत्र के माध्यम से अधिगमकर्ता की अभिप्रेरणा में वृद्धि करता है।

कूट:

A. (*a*), (*b*) और (*c*)

B. (*b*), (*c*) और (*d*)

C. (*a*), (*c*) और (*e*)

D. (*b*), (*d*) और (*f*)

23. अभिकथन (A): समस्त शिक्षण का उद्देश्य अधिगम को सुनिश्चित करना होना चाहिए।

तर्क (R): समस्त अधिगम शिक्षण का परिणाम होता है।

नीचे दिए गए कूट में से **सही** उत्तर को चुनिए:

A. (A) एवं (R) दोनों सही हैं, और (R), (A) की सही व्याख्या है।

B. (A) एवं (R) दोनों सही हैं, लेकिन (R), (A) की सही व्याख्या नहीं है।

C. (A) सही है, लेकिन (R) गलत है।

D. (A) गलत है, लेकिन (R) सही है।

24. निम्नलिखित कथनों के समुच्चय में से कौन-सा शिक्षण और अधिगम के प्रकृति एवं उद्देश्य को सर्वोत्तम रूप में प्रस्तुत करता है?

(*a*) शिक्षण विक्रय के समान है और अधिगम खरीदारी के जैसा है।

(*b*) शिक्षण सामाजिक कृत्य है जबकि अधिगम व्यक्तिगत कृत्य है।

(*c*) शिक्षण में अधिगम निहित है जबकि अधिगम शिक्षण को समाहित नहीं करता।

(*d*) शिक्षण एक प्रकार का ज्ञान का अंतरण है जबकि अधिगम इसे प्राप्त करने जैसा है।

(*e*) शिक्षण एक अन्तःक्रिया है और प्रकृति में त्रिपदी है जबकि अधिगम एक विषय के अन्तर्गत सक्रिय कार्य है।

कूटः

A. (*a*), (*d*) और (*e*)

B. (*b*), (*c*) और (*e*)

C. (*a*), (*b*) और (*c*)

D. (*a*), (*b*) और (*d*)

25. नीचे दी गई सूची में से विद्यार्थी के उन अभिलक्षणों को चिह्नित करें जो शिक्षण-अधिगम प्रणाली को प्रभावी बनाने में सहायक हैं। अपने उत्तर को इंगित करने के लिए सही कूट का चयन करें।

(*a*) विद्यार्थी का पूर्व अनुभव

(*b*) विद्यार्थी की पारिवारिक वंश परंपरा

(*c*) विद्यार्थी की अभिक्षमता

(*d*) विद्यार्थी के विकास की अवस्था

(*e*) विद्यार्थी की खाने की आदतें और शौक

(*f*) विद्यार्थी की धार्मिक सम्बद्धता

कूटः

A. (*a*), (*c*) और (*d*)

B. (*d*), (*e*) और (*f*)

C. (*a*), (*d*) और (*e*)

D. (*b*), (*c*) और (*f*)

26. अभिकथन (A) : सभी शिक्षण में अधिगम निहित होता है।

तर्क (R) : अधिगम को उपयोगी होने के लिए उसे आवश्यक रूप से शिक्षण से व्युत्पन्न होना चाहिए।

निम्नलिखित में से सही उत्तर का चयन करें:

A. (A) और (R) दोनों सही हैं और (R), (A) का सही स्पष्टीकरण है।

B. (A) और (R) दोनों सही हैं, लेकिन (R), (A) का सही स्पष्टीकरण नहीं है।

C. (A) सही है, लेकिन (R) गलत है।

D. (A) गलत है, लेकिन (A) सही है।

27. संकलनात्मक परीक्षणों के आधार पर एक शिक्षक अपने विद्यार्थियों के निष्पादन व्यवहार को उसमें अभिव्यक्त सुस्थित जीवन शैली के संदर्भ में व्याख्यायित करता है। इसे कहा जाएगा:

A. निर्माणात्मक परीक्षण

B. सतत् एवं व्यापक मूल्यांकन

C. मानक संदर्भित परीक्षण

D. निकष संदर्भित परीक्षण

28. निम्नलिखित में से कौन प्रभावी शिक्षण में प्रमुख व्यवहार है?

A. विद्यार्थी के विचारों एवं अवदान का अनुप्रयोग

B. संरचना

C. अनुदेशनात्मक विविधता

D. प्रश्न पूछना

29. नीचे दो समुच्चय दिए गए हैं: अनुसंधान विधियाँ (समुच्चय-I) तथा प्रदत्त संकलन उपकरण (समुच्चय-II)। दोनों समुच्चय का मिलान करें तथा सही उत्तर का चयन करें।

समुच्चय-I (अनुसंधान विधि)	**समुच्चय-II (प्रदत्त संकलन उपकरण)**
(*a*) प्रयोगात्मक विधि	(*i*) प्राथमिक तथा द्वितीयक स्रोतों का उपयोग करना
(*b*) कार्योत्तर विधि	(*ii*) प्रश्नावली
(*c*) विवरणात्मक सर्वेक्षण विधि	(*iii*) मानकीकृत परीक्षाएँ
(*d*) इतिवृत्तात्मक (ऐतिहासिक) विधि	(*iv*) विशेष अभिलक्षण परीक्षाएँ

कूटः

	(*a*)	(*b*)	(*c*)	(*d*)
A.	(*ii*)	(*i*)	(*iii*)	(*iv*)
B.	(*iii*)	(*iv*)	(*ii*)	(*i*)
C.	(*ii*)	(*iii*)	(*i*)	(*iv*)
D.	(*ii*)	(*iv*)	(*iii*)	(*i*)

30. शिक्षण-अधिगम संबंधों के संदर्भ में निम्नांकित कथनों के समुच्चय में से कौन-सा स्वीकार्य कथन है? अपना उत्तर दर्शाने के लिए सही कूट का चयन करें।

(*i*) जब छात्र किसी परीक्षा में असफल होते हैं, तो वह शिक्षक है जो असफल होता है।
(*ii*) प्रत्येक शिक्षण का उद्देश्य अधिगम सुनिश्चित करना होता है।
(*iii*) अधिगम के बिना शिक्षण हो सकता है।
(*iv*) शिक्षण के बिना कोई अधिगम नहीं हो सकता है।
(*v*) कोई शिक्षक शिक्षण करता है, किंतु वह सीखता भी है।
(*vi*) वास्तविक अधिगम का अभिप्राय कंठस्थ किया जाने वाला अधिगम है।

कूटः
A. (*ii*), (*iii*), (*iv*) और (*v*)
B. (*i*), (*ii*), (*iii*) और (*v*)
C. (*iii*), (*iv*), (*v*) और (*vi*)
D. (*i*), (*ii*), (*v*) और (*vi*)

31. अभिकथन (A): अधिगम एक जीवन-पर्यन्त प्रक्रिया है।

तर्क (R) : अधिगम के उपयोग होने के लिए इसे जीवन प्रक्रमों से जोड़ा जाना चाहिए।

नीचे दिए गए कूटों से सही उत्तर का चयन करें:
A. (A) और (R) दोनों सही हैं और (R), (A) की सही व्याख्या है।
B. (A) और (R) दोनों सही हैं, किंतु (R), (A) की सही व्याख्या नहीं है।
C. (A) सही है, किंतु (R) गलत है।
D. (A) गलत है, किंतु (R) सही है।

32. शिक्षण की प्रभावकारिता का निर्णय निम्नांकित में से किस रूप में किया जाना चाहिए?
A. विषय-वस्तु के आच्छादन के आधार पर
B. छात्रों की अभिरुचि के आधार पर
C. छात्रों के अधिगम परिणामों के आधार पर
D. कक्षा में शिक्षण सहायक सामग्रियों के उपयोग के आधार पर

33. निम्नांकित में से किस शिक्षण विधि में शिक्षार्थी की भागीदारी को इष्टतम तथा पहलकारी बनाया जाता है?
A. परिचर्चाओं की विधि में
B. युग्मित वार्ता सत्र की विधि में
C. विचारवेश सत्र की विधि में
D. परियोजना विधि में

34. शिक्षण प्रभावकारिता को प्रभावित करने वाला एक सर्वाधिक शक्तिशाली कारक किससे संबंधित है?
A. देश की सामाजिक व्यवस्था से
B. समाज की आर्थिक स्थिति से
C. विद्यमान राजनैतिक व्यवस्था से
D. शैक्षणिक व्यवस्था से

35. अभिकथन (A): निर्माणात्मक मूल्यांकन अधिगम की गति को त्वरित बनाता है।

तर्क (R): संकलनात्मक मूल्यांकन की तुलना में निर्माणात्मक मूल्यांकन अधिक विश्वसनीय है।

नीचे दिए गए कूटों से सही उत्तर का चयन करें:
A. (A) और (R) दोनों सही हैं और (R), (A) की सही व्याख्या है।
B. (A) और (R) दोनों सही हैं, किंतु (R), (A) की सही व्याख्या नहीं है।
C. (A) सही है, किंतु (R) गलत है।
D. (A) गलत है, किंतु (R) सही है।

36. शिक्षण की प्रभावकारिता में योगदान देने वाले सकारात्मक कारकों वाले विकल्प का चयन कीजिए:

कारकों की सूची:
(*a*) अध्यापक को विषय का ज्ञान
(*b*) अध्यापक की सामाजिक-आर्थिक पृष्ठभूमि
(*c*) अध्यापक का संप्रेषण कौशल
(*d*) विद्यार्थियों को संतुष्ट करने की अध्यापक की योग्यता
(*e*) विद्यार्थियों के साथ अध्यापक का व्यक्तिगत संपर्क
(*f*) कक्षा संव्यवहार के संचालन और अनुश्रवण में अध्यापक की क्षमता

कूटः
A. (*b*), (*c*) और (*d*)
B. (*c*), (*d*) और (*f*)
C. (*b*), (*d*) और (*e*)
D. (*a*), (*c*) और (*f*)

37. शिक्षण संबंधी सहायक-उपकरणों की उपयोगिता के औचित्य का आधार है
A. कक्षा में विद्यार्थियों का ध्यान आकर्षित करना।
B. कक्षा में अनुशासनहीनता की समस्या को कम करना।
C. विद्यार्थियों के अधिगम परिणामों को इष्टतम करना।
D. अधिगम कार्यों में विद्यार्थियों को प्रभावी ढंग से लगाना।

38. मूल्यांकन प्रणाली की दृष्टि से सेट-I के मदों को सेट-II के मदों के साथ सुमेलित कीजिए। सही कूट का चयन कीजिए:

सेट-I	सेट-II
(*a*) रचनात्मक मूल्यांकन	1. नियमितता के साथ संज्ञानात्मक, सह-संज्ञानात्मक पहलुओं का मूल्यांकन करना।
(*b*) संकलनात्मक मूल्यांकन	2. किसी समूह और कुछ मानदंडों के आधार पर परीक्षण और उनकी व्याख्या
(*c*) सतत और व्यापक मूल्यांकन	3. अंतिम अधिगम परिणामों का श्रेणीकरण
(*d*) मानक और निकष संदर्भित परीक्षण	4. प्रश्नोत्तरी और चर्चाएँ

कूट:

	(*a*)	(*b*)	(*c*)	(*d*)
A.	4	3	1	2
B.	1	2	3	4
C.	3	4	2	1
D.	1	3	4	2

39. मूल्य शिक्षा प्रदान करने का सर्वोत्तम तरीका है:

A. शास्त्रीय ग्रंथों पर चर्चा

B. मूल्यों पर व्याख्यान/परिसंवादात्मक विवरण

C. मूल्यों पर संगोष्ठियाँ/परिसंवाद

D. मूल्यों पर आदर्शात्मक प्रस्तुति/विमर्शी सत्र

40. एक महाविद्यालय स्तर के सहायक प्रोफेसर ने विश्लेषण और संश्लेषण कौशल पर केंद्रित, विद्यार्थियों के संज्ञानात्मक आयाम का विकास करने के उद्देश्य से अपने व्याख्यानों की एक योजना बनाई है। नीचे मदों के दो सेट दिए गए हैं—सेट-I संज्ञानात्मक अंतर्विनिमय के स्तर से संबंधित है और सेट-II उन्हें बढ़ावा देने के लिए मूलभूत अपेक्षाओं से संबंधित है। दोनों सेटों को सुमेलित कीजिए और कूट से सही विकल्प का चयन करके अपना उत्तर दीजिए:

सेट-I (संज्ञानात्मक अंतर्विनिमय का स्तर)	सेट-II (संज्ञानात्मक अंतर्विनिमय को बढ़ावा देने के लिए मूलभूत आवश्यकताएँ)
(*a*) स्मृति स्तर	1. किसी बिंदु के उदाहरणों और गैर-उदाहरणों को पृथक करने का अवसर देना।
(*b*) अवबोध स्तर	2. प्रस्तुतीकरण के दौरान दिए गए महत्वपूर्ण बिंदुओं को दर्ज करना।
(*c*) विमर्शी स्तर	3. सूचना के विभिन्न मदों पर चर्चा करने के लिए विद्यार्थियों से कहना।
	4. विवेच्य बिंदुओं का आलोचनात्मक विश्लेषण करना और उन पर चर्चा करना।

कूट:

	(*a*)	(*b*)	(*c*)
A.	2	4	1
B.	3	4	2
C.	2	1	4
D.	1	2	3

41. प्रभावी शिक्षण-अधिगम व्यवस्थाओं के अभिकल्पन में शिक्षार्थी की विशेषताओं का कौन-सा सेट सहायक समझा जा सकता है? नीचे दिए गए कूट से सही विकल्प का चयन कीजिए:

(*i*) विषय के संबंध में अधिगमकर्ताओं का पूर्व-अनुभव

(*ii*) अधिगमकर्ताओं के परिवार के मित्रों का अंतर्वैयक्तिक संबंध

(*iii*) विषय के संदर्भ में अधिगमकर्ताओं की योग्यता

(*iv*) विद्यार्थियों की भाषा-पृष्ठभूमि

(*v*) निर्धारित ड्रेस कोड अपनाने में विद्यार्थियों की रुचि

(*vi*) विद्यार्थियों का अभिप्रेरणात्मक अभिमुखीकरण

कूट:

A. (*i*), (*ii*), (*iii*) और (*iv*)

B. (*i*), (*iii*), (*iv*) और (*vi*)

C. (*ii*), (*iii*), (*iv*) और (*v*)

D. (*iii*), (*iv*), (*v*) और (*vi*)

42. शैक्षणिक संस्थानों में आनेवाले छात्रों को जितनी बाधाएं आएंगी, उतनी अधिक अपेक्षाएं:

A. परिवार से होंगी   B. समाज से होंगी

C. शिक्षक से होंगी   D. राज्य से होंगी

43. सतत् एवं व्यापक मूल्यांकन की विशेषताएं क्या-क्या हैं?

(*a*) यह अनेक परीक्षाओं के कारण छात्रों के कार्यभार में वृद्धि करता है

(*b*) यह प्राप्तांकों को ग्रेड से प्रतिस्थापित करता है

(*c*) यह छात्र के प्रत्येक पहलू का मूल्यांकन करता है

(*d*) यह परीक्षा के डर को कम करने में सहायता करता है

नीचे दिए गए कूट से **सही** उत्तर का चयन कीजिए:

A. (*a*), (*b*), (*c*) और (*d*)

B. (*b*) और (*d*)

C. (*a*), (*b*) और (*c*)

D. (*b*), (*c*) और (*d*)

44. निम्नलिखित में से कौन-कौन से गुण किसी शिक्षक की बड़ी ताकत को प्रदर्शित करते हैं?

(*a*) संस्थागत प्रबंधन में पूर्णकालिक सक्रिय संलिप्तता

(*b*) उदाहरण प्रस्तुत करना

(*c*) अवधारणाओं के परीक्षण के लिए तत्पर रहना

(*d*) गलतियों को स्वीकार करना

नीचे दिए गए कूट से **सही** उत्तर का चयन कीजिए:

A. (*a*), (*b*) और (*d*)
B. (*b*), (*c*) और (*d*)
C. (*a*), (*c*) और (*d*)
D. (*a*), (*b*), (*c*) और (*d*)

45. निम्नलिखित में से कौन-सा कथन बहु-विकल्प प्रकार के प्रश्नों के संदर्भ में **सही** है?

A. वे सही-गलत वाले प्रश्नों की तुलना में अधिक वस्तुनिष्ठ होते हैं
B. वे निबंध वाले प्रश्नों की तुलना में कम वस्तुनिष्ठ होते हैं
C. वे लघु-उत्तर वाले प्रश्नों की तुलना में अधिक व्यक्तिनिष्ठ होते हैं
D. वे सही-गलत वाले प्रश्नों की तुलना में अधिक व्यक्तिनिष्ठ होते हैं

46. अच्छे शिक्षण के लिए क्या-क्या अपेक्षित हैं?

(*a*) निदान (*b*) उपचार
(*c*) निदेश (*d*) प्रतिपुष्टि

नीचे दिए गए कूट से **सही** उत्तर का चयन कीजिए:

A. (*a*), (*b*), (*c*) और (*d*)
B. (*a*) और (*b*)
C. (*b*), (*c*) और (*d*)
D. (*c*) और (*d*)

47. विद्यार्थियों द्वारा शिक्षकों के मूल्यांकन के मुख्य उद्देश्य हैं:

(*a*) विद्यार्थियों की कमजोरियों के बारे में जानकारी एकत्र करना।
(*b*) शिक्षक को शिक्षण कार्य गंभीरता से लेने का संदेश देना।
(*c*) शिक्षण की नवीन विधियां अपनाने में शिक्षकों की सहायता करना।
(*d*) शिक्षक के गुणों में और अधिक सुधार के क्षेत्रों की पहचान करना।

नीचे दिये गये कूट से **सही** उत्तर का चयन कीजिये:

A. केवल (*a*) और (*b*)
B. केवल (*b*), (*c*) और (*d*)
C. केवल (*a*), (*b*) और (*c*)
D. केवल (*a*)

48. निम्नांकित में से ज्ञान सम्बन्धी योग्यता का उच्चतम स्तर क्या है?

A. जानना B. समझना
C. विश्लेषण करना D. मूल्यांकन करना

49. निम्नांकित में से कौन-सा तत्व शिक्षण को प्रभावित **नहीं** करता?

A. शिक्षक का ज्ञान
B. कक्षा की ऐसी गतिविधियाँ जो सीखने को प्रोत्साहित करती हैं
C. शिक्षकों और विद्यार्थियों की सामाजिक-आर्थिक पृष्ठभूमि
D. अनुभव द्वारा सीखना

50. शिक्षण सहायक सामग्री के बारे में निम्नलिखित में से कौन-से कथन सही हैं?

(*a*) वे संकल्पना धारण को लंबे समय तक बनाए रखने में मदद करती हैं।
(*b*) वे विद्यार्थियों को अच्छी तरह से सीखने में मदद करती हैं।
(*c*) वे शिक्षण और अधिगम प्रक्रिया को रोचक बनाती हैं।
(*d*) वे रटकर सीखने की प्रक्रिया को बढ़ावा देती हैं।

नीचे दिए कूटों से सही उत्तर का चयन करें:

A. (*a*), (*b*), (*c*) और (*d*)
B. (*a*), (*b*) और (*c*)
C. (*b*), (*c*) और (*d*)
D. (*a*), (*b*) और (*d*)

51. शिक्षक द्वारा अध्यापन के लिए उपयोग की जाने वाली तकनीक में शामिल हैं:

(*a*) व्याख्यान
(*b*) पारस्परिक क्रिया आधारित व्याख्यान
(*c*) सामूहिक कार्य
(*d*) स्वाध्याय

नीचे दिए कूटों से सही उत्तर का चयन कीजिए:

A. (*a*), (*b*) और (*c*) B. (*a*), (*b*), (*c*) और (*d*)
C. (*b*), (*c*) और (*d*) D. (*a*), (*b*) और (*d*)

52. उपलब्धि परीक्षण प्रायः निम्न में से किसके लिए प्रयुक्त किए जाते हैं?

A. किसी विशिष्ट कार्य हेतु चयन करने के लिए
B. किसी पाठ्यक्रम हेतु प्रत्याशियों के चयन के लिए
C. सीखने वालों के सबल व दुर्बल पक्षों की पहचान के लिए
D. शिक्षण के पश्चात् सीखने की मात्रा के मूल्यांकन के लिए

53. एक अच्छा शिक्षक वह है, जो:

A. उपयोगी सूचनायें देता है
B. संकल्पनाओं और सिद्धांतों को स्पष्ट करता है
C. विद्यार्थियों को मुद्रित नोट्स देता है
D. छात्रों को सीखने के लिए अभिप्रेरित करना है

54. शिक्षक की अभिवृत्ति जिसका उसके शिक्षण पर प्रभाव पड़ता है, का संबंध है

A. भावात्मक क्षेत्र से B. ज्ञानात्मक क्षेत्र से
C. सहजातात्मक क्षेत्र से D. मनश्चालक क्षेत्र से

55. निम्नलिखित में से किसे अभिप्रेरित शिक्षण का संकेत माना जाता है?

A. विद्यार्थी अध्यापक से प्रश्न पूछते हैं
B. विद्यार्थियों की उपस्थिति अधिकतम हो
C. कक्षा में पूर्ण शान्ति हो
D. विद्यार्थी अपनी कापियों में नोट्स ले रहे हों

56. मूल्यांकन के उस वर्ग की पहचान कीजिये जो विद्यार्थियों के शिक्षा काल के दौरान उनके सीखने की प्रगति को जाँचने के लिये निरंतर फीडबैक देता है।

A. स्थानन B. नैदानिक
C. रचनात्मक D. संकलनात्मक

57. व्याख्यान देते समय यदि कक्षा में कोई विघ्न-बाधा हो तो शिक्षक को निम्नलिखित में से क्या करना चाहिए?

A. कुछ देर के लिए चुप हो जाए और फिर शुरू कर दे।
B. जो बाधा डाल रहे हों उन्हें दंडित करे।
C. जो बाधा डाल रहे हों उन्हें सीखने के लिए प्रेरित करे।
D. कक्षा में जो कुछ हो रहा है उसके बारे में कोई परवाह न करे।

58. प्रभावी शिक्षण निम्नलिखित में से क्या है?

A. शिक्षक का संतोष
B. शिक्षक की ईमानदारी और प्रतिबद्धता
C. शिक्षक का छात्रों को पढ़ाना और समझाना
D. व्यावसायिक श्रेष्ठता के प्रति शिक्षक की रुचि

59. अधिगम का सबसे उपयुक्त अर्थ है

A. कौशल-अर्जन
B. व्यवहार-संशोधन
C. व्यक्तिगत समायोजन
D. ज्ञान को दिमाग में बैठाना

60. निम्नलिखित शिक्षण-प्रक्रिया ठीक क्रम में व्यवस्थित कीजिए:

(*i*) वर्तमान ज्ञान को पहले के ज्ञान से जोड़ना
(*ii*) मूल्यांकन
(*iii*) पुनर्शिक्षण
(*iv*) शिक्षण-लक्ष्यों को सूत्रबद्ध करना
(*v*) शिक्षण-सामग्री का प्रस्तुतीकरण

A. (*i*), (*ii*), (*iii*), (*iv*), (*v*)
B. (*ii*), (*i*), (*iii*), (*iv*), (*v*)
C. (*v*), (*iv*), (*iii*), (*i*), (*ii*)
D. (*iv*), (*i*), (*v*), (*ii*), (*iii*)

61. प्रभावी और स्थायी शिक्षा ग्रहण के लिए शिक्षा ग्रहणकर्ता के पास होना चाहिए :

A. केवल शिक्षा प्राप्त करने की योग्यता
B. केवल उत्प्रेरक का अपेक्षित स्तर
C. केवल शिक्षा ग्रहण के अवसर
D. योग्यता और प्रेरणा का वांछित स्तर

62. ''दंड न देकर बच्चे को बिगाड़ना'' से अभिप्राय है :

A. कक्षा में दंड पर रोक लगा देनी चाहिए।
B. शारीरिक दंड स्वीकार्य नहीं है।
C. अवांछित व्यवहार पर दंड दिया जाना चाहिए।
D. बच्चों को छड़ी से पीटा जाना चाहिए।

63. एक अध्यापक के लिए, ब्लैकबोर्ड पर लिखने के लिए निम्नलिखित में से कौन-सी पद्धति सही है?

A. तेजी से तथा जहाँ तक सम्भव हो स्पष्ट लिखना
B. सर्वप्रथम विषयवस्तु को लिख देना तथा फिर विद्यार्थियों को उसे पढ़ने के लिये कहना
C. सर्वप्रथम विद्यार्थियों से प्रश्न पूछना और फिर उत्तर को बिल्कुल वैसे ही लिखना
D. मुख्य बातों को जहाँ तक सम्भव हो स्पष्टता से लिखना

64. एक अध्यापक सफल हो सकता है यदि वहः

A. विद्यार्थियों को बेहतर नागरिक बनने में मदद करता है।
B. विद्यार्थियों को विषय का ज्ञान देता है।
C. विद्यार्थियों को परीक्षा में उत्तीर्ण होने के लिये तैयार करता है।
D. विषयवस्तु को सुव्यवस्थित ढंग से पेश करता है।

65. अध्यापन के प्रति गत्यात्मक उपागम का तात्पर्य हैः

A. अध्यापन सशक्त तथा प्रभावशाली होना चाहिये।
B. अध्यापकों को ऊर्जावान तथा गतिशील होना चाहिये।
C. अध्यापन के प्रकरण स्थैतिक नहीं गतिशील होने चाहिए।
D. विद्यार्थियों से गतिविधियों के माध्यम सीखने की अपेक्षा करनी चाहिये।

66. विद्यार्थियों का सही मूल्यांकन निम्नलिखित पद्धतियों में से किससे किया जा सकता है?

A. पाठ्यक्रम के अन्त में मूल्यांकन
B. वर्ष में दो बार मूल्यांकन
C. सतत मूल्यांकन
D. निर्माणात्मक मूल्यांकन

67. मान लें कि एक विद्यार्थी अपनी समस्याओं को अपने अध्यापक के साथ बाँटना चाहता है और इसके लिये वह अध्यापक के घर जाता है तो अध्यापक को

A. विद्यार्थी के माता-पिता से सम्पर्क करके उसकी समस्या का समाधान करना चाहिये।
B. उसे बताये कि वो उसके घर कभी न आये।
C. उसे बताये कि वो प्रधानाध्यापक से मिले और समस्या का हल करे।
D. उसे युक्ति संगत सहायता दे और उसके मनोबल को प्रोत्साहित करे।

68. जब कुछ विद्यार्थी शरारत करके कक्षा के अनुशासन को जानबूझ कर भंग करने की चेष्टा कर रहे हों तो एक अध्यापक के रूप में आपकी भूमिका क्या होगी?
A. उन विद्यार्थियों को विद्यालय से निकालना।
B. उन विद्यार्थियों को पृथक रखना।
C. अपनी सत्ता के साथ उस समूह का सुधार करना।
D. उन्हें आत्मपरीक्षण का अवसर देना और उनके व्यवहार में सुधार लाना।

69. निम्नलिखित में से कौन सा प्रक्षेपित साधन का उदाहरण है?
A. ब्लैकबोर्ड
B. त्रिविम प्रदर्श (डायोरमा)
C. छाया-क्षेपित्र (एपिडाइस्कोप)
D. ग्लोब

70. अध्यापक को प्रश्न पूछने में अनिरूद्ध (धारावाही) माना जाता है, यदि वह निम्नलिखित प्रश्न पूछ सकता है:
A. अर्थपूर्ण प्रश्न
B. जितना ज्यादा सम्भव हो उतने प्रश्न
C. निश्चित समय में प्रश्नों की अधिकतम संख्या
D. निश्चित समय में बहुत से अर्थपूर्ण प्रश्न

71. अध्यापक के लिये निम्नलिखित विशेषताओं (गुण) में से कौन सी सर्वाधिक अनिवार्य है?
A. वह विद्वान व्यक्ति होना चाहिये।
B. वह सुवेशभूषा में होना चाहिये।
C. उसमें धैर्य होना चाहिये।
D. वह अपने विषय में निपुण होना चाहिये।

72. प्रभावी शिक्षण-सहायक सामग्री वह है, जो
A. रंग-बिरंगी तथा देखने में अच्छी हो।
B. सभी ज्ञानेन्द्रियों को सक्रिय करती हो।
C. सभी छात्रों को दिखाई देती हो।
D. बनाने तथा प्रयोग करने में आसान हो।

73. छात्रों में वे अध्यापक लोकप्रिय होते हैं, जो
A. उनके साथ निकटता बना लेते हैं।
B. उनकी समस्याओं के समाधान में सहायक होते हैं।
C. अच्छे अंक प्रदान करते हैं।
D. उन्हें अतिरिक्त शुल्क पर ट्यूशन पढ़ाते हैं।

74. एक प्रभावी कक्षा-कक्ष (class room) के वातावरण का मूल तत्त्व है
A. शिक्षण सामग्री की विविधता।
B. शिक्षक-छात्रों की सजीव अन्तःक्रिया।
C. सम्पूर्ण शान्ति
D. सख्त (कठोर) अनुशासन

75. यदि कक्षा के पहले दिन छात्र किसी अध्यापक को स्वयं का परिचय देने के लिए कहे तो अध्यापक को चाहिये कि वह :
A. उन्हें कक्षा के बाद मिलने के लिए कहे।
B. संक्षेप में अपने बारे में बताये।
C. इस माँग की उपेक्षा करे तथा पढ़ाना शुरू करे।
D. इस प्रकार की अनिष्ट माँग के लिए उन्हें डाँटे।

76. नैतिक मूल्यों का प्रभावी रूप से विकास किया जा सकता है, यदि अध्यापक :
A. बार-बार मूल्यों की बात करें।
B. स्वयं उन पर आचरण करें।
C. महान् व्यक्तियों की कहानी सुनायें।
D. देवी-देवताओं की बात करें।

77. कक्षा में कुछ छात्र बहुत अधिक अधिगम-जिज्ञासा प्रदर्शित करते हैं। यह इसलिए हो सकता है कि छात्र
A. प्रतिभाशाली हैं।
B. धनी परिवारों के हैं।
C. बनावटी व्यवहार करते हैं।
D. कक्षा में उद्दण्डता पैदा करना चाहते हैं।

78. एक अध्यापक की सबसे महत्त्वपूर्ण विशेषता है :
A. विषय का गूढ़ ज्ञान।
B. अच्छी सम्प्रेषण क्षमता।
C. छात्र-कल्याण की चिन्ता।
D. प्रभावी नेतृत्व के गुण।

79. शिक्षक-छात्र सम्बन्धों के सन्दर्भ में निम्न में से कौन-सी बात सही है?
A. बहुत अनौपचारिक तथा निकट
B. कक्षा-कक्ष तक सीमित
C. सद्भावपूर्ण तथा सम्मानपूर्ण
D. उदासीन

80. छात्रों की शैक्षिक निष्पत्ति में सुधार लाया जा सकता है यदि उनके माँ-बाप को प्रेरित किया जाये

A. अपने बालकों के कार्य के निरीक्षण के लिए।
B. अतिरिक्त ट्यूशन की व्यवस्था करें।
C. इसके बारे में चिन्ता न करें।
D. बार-बार अध्यापक के साथ अंतःक्रिया करें।

81. एक सजीव कक्षा की स्थिति में यह हो सकता है कि

A. समय-समय पर हँसी के फव्वारे उड़ें।
B. सम्पूर्ण शान्ति रहे।
C. बार-बार शिक्षक-छात्र वार्तालाप हो।
D. छात्रों में जोर-जोर से वाद-विवाद हो।

82. यदि कोई अभिभावक अपने बालक की परीक्षा में किसी प्रकार का भेदभाव अथवा पक्षपात करने के लिए कहे, तो अध्यापक को चाहिए कि

A. उसकी सहायता करने का प्रयत्न करे।
B. उससे कहे कि वह फिर कभी ऐसा न कहे।
C. नम्रता तथा दृढ़ता के साथ ऐसा करने से मना करे।
D. कठोरता से उसे वहाँ से चले जाने के लिए कहे।

83. निम्नलिखित में से अच्छा अध्यापक होने के लिए कौन सा गुण सबसे महत्त्वपूर्ण है?

A. समय की पाबन्दी और गांभीर्य
B. विषय में निपुणता
C. विषय में निपुणता और प्रतिक्रियाशील
D. विषय में निपुणता और सामाजिकता

84. अध्यापक के समन्वय का प्राथमिक उत्तरदायित्व किसका है?

A. बालकों का B. प्रिंसिपल का
C. स्वयं अध्यापक का D. समुदाय का

85. एक सफल अध्यापक वह है, जो

A. संवेदनशील और अनुशासनप्रिय हो
B. शान्त और प्रतिक्रियाशील हो
C. सहनशील और प्रभुत्वकारी हो
D. निष्क्रिय और सक्रिय हो

86. निम्नलिखित में से कौन सी कार्यकुशलता है जो आज के अध्यापक के लिए कक्षा-अध्यापन में समायोजन करने में प्रभावशाली सिद्ध होती है?

1. प्रौद्योगिकी का ज्ञान
2. अध्यापन अधिगम में प्रौद्योगिकी का प्रयोग
2. विद्यार्थियों की आवश्यकताओं का ज्ञान
3. विषय पर अधिकार

A. 1 और 3 B. 2 और 3
C. 2, 3 और 4 D. 2 और 4

87. निम्नलिखित में से किसने भारत की अध्यापक शिक्षा संस्थानों से अधिस्वीकृति के लिए समझौता-पत्र पर हस्ताक्षर किये हैं?

A. एन.ए.ए.सी. और यू.जी.सी
B. एन.सी.टी.ई. और एन.ए.ए.सी.
C. यू.जी.सी. और एन.सी.टी.ई.
D. एन.सी.टी.ई. और आई.जी.एन.ओ.यू. (इग्नू)

88. अध्यापक का प्रारम्भिक कार्य है

A. विद्यार्थियों के बौद्धिक स्तर को ऊँचा करना
B. विद्यार्थियों के शारीरिक स्तर को ऊँचा करना
C. विद्यार्थियों के सर्वपक्षीय विकास में सहायता पहुँचाना
D. विद्यार्थियों में मूल्य-पद्धति भरना

89. सूक्ष्म (माइक्रो) अध्यापन अधिक प्रभावशाली है

A. अध्यापन-अभ्यास की तैयारी के दौरान
B. अध्यापन-अभ्यास के दौरान
C. अध्यापन-अभ्यास के बाद
D. प्रत्येक समय

90. विद्यार्थी अध्यापक में किस गुण को सबसे अधिक पसन्द करते हैं?

A. आदर्शवादी दर्शन
B. करुणा
C. अनुशासन
D. मनोरंजक

91. स्वामी विवेकानन्द के अनुसार शिक्षक की सफलता निर्भर करती हैः

A. अपने निजी हितों का परित्याग और दूसरों की सेवा
B. उसका व्यावसायिक प्रशिक्षण और सृजनात्मकता
C. उसका अपने कार्य के प्रति संकेन्द्रण और ईश्वर के प्रति आज्ञा पालन की भावना
D. उसका विषय पर अधिकार तथा विद्यार्थियों को नियंत्रित करने की क्षमता

92. निम्नांकित में कौनसा शिक्षक अधिक पसंद किया जायेगाः

A. उच्च आदर्श दृष्टिकोण वाला शिक्षक
B. एक स्नेही शिक्षक
C. एक अनुशासित शिक्षक
D. एक शिक्षक जो प्रायः विद्यार्थियों को खुश रखता है

93. एक शिक्षक के लिए सर्वाधिक चुनौतीपूर्ण हैः

A. विद्यार्थियों को गृह कार्य करने के लिए तैयार करना
B. शिक्षण व सीखनें की प्रक्रिया को आनन्ददायक बनाना
C. कक्षा में अनुशासन बनाए रखना
D. प्रश्न-पत्र तैयार करना

94. मूल्य शिक्षण का तात्पर्य है :
A. विद्यार्थी को स्वस्थ बनाना
B. विद्यार्थी को नौकरी प्राप्त करने के लिए तैयार करना
C. गुणों का विकास करना
D. व्यक्तित्व का बहु-आयामी विकास

95. जब कोई सामान्य विद्यार्थी कक्षा में अनियंत्रित व्यवहार करे तो आपः
A. विद्यार्थी को उसी जगह, उसी समय खड़ा कर देंगे
B. कक्षा के बाहर विद्यार्थी से बात करेंगे
C. विद्यार्थी को कक्षा छोड़ने के लिए कहेंगे
D. विद्यार्थी की उपेक्षा करेंगे

96. अध्यापक को 'मित्र, दार्शनिक एवं मार्गदर्शक' की अभिव्यक्ति से गौरवान्वित किया गया है, इसका कारण हैः
A. उसे समाज में महत्वपूर्ण भूमिका अदा करनी है।
B. वह छात्रों को मानवता के महान मूल्यों को हस्तांतरित करता है।
C. वह महान समाज सुधारक होता है।
D. वह महान देशभक्त होता है।

97. अध्यापक की असफलता का सबसे बड़ा कारणः
A. अन्तर्वैयक्तिक संबंध
B. विषय के ऊपर पर्याप्त नियंत्रण न होना
C. भाषिक दक्षता
D. छात्रों के प्रति कठोरता का व्यवहार

98. अध्यापक अपने छात्रों के साथ निम्नलिखित में से किसके द्वारा सामंजस्य स्थापित कर सकता है?
A. विषय का प्राधिकृत विद्वान
B. अपने ज्ञान एवं कौशल से छात्रों को प्रभावित करके
C. मार्गदर्शक की भूमिका अदा करके
D. छात्रों का मित्र बनकर

99. शिक्षा निम्नलिखित में से किसका एक शक्तिशाली साधन है?
A. सामाजिक रूपांतरण का
B. व्यक्तिगत रूपांतरण का
C. सांस्कृतिक रूपांतरण का
D. उपरोक्त सभी का

100. विद्यार्थी की अधिकतम आत्मोपलब्धि (self-realization) में अध्यापक का योगदान निम्नलिखित में किसके द्वारा होता है?
A. छात्रों की आवश्यकता की अनवरत पूर्ति द्वारा
B. कक्षा में छात्र के क्रियाकलापों पर कठोर नियंत्रण द्वारा
C. छात्रों की आवश्यकताओं, लक्ष्यों एवं उद्देश्यों के प्रति संवेदनशीलता द्वारा
D. शैक्षिक स्तर का कठोरता से क्रियान्वयन

101. अधिगम में, शिक्षक की भूमिकाओं का सबसे महत्वपूर्ण पक्ष क्या है?
A. आन्तरिक विकास करना, जो पर्याप्त निष्पादन के रचकों में परिणत हो जाए
B. आन्तरिक विकास करना, जिससे खतरों एवं किसी के जाल में फँसने से बचा जा सके
C. प्रोत्साहन एवं नैतिक सहारा देने का प्रबंध करना
D. सतत् निदान एवं उपचार सहायता का प्रबन्ध करना

102. अधिगम (सीखने) का सर्वाधिक उपयुक्त उद्देश्य है–
A. वैयक्तिक समायोजन
B. व्यवहार का रूपान्तरण
C. सामाजिक एवं राजनैतिक चेतना
D. अपने को रोजगार के लिये तैयार करना

103. जो छात्र कक्षा में सवाल पूछते रहते हैंः
A. उन्हें स्वतंत्र रूप से उत्तर प्राप्त करने के लिए प्रोत्साहित किया जाना चाहिए।
B. कक्षा के बाद अध्यापक से मिलने की सलाह दी जानी चाहिए।
C. उन्हें हमेशा सवाल पूछते रहने को प्रोत्साहित किया जाना चाहिए
D. व्याख्यान के बीच में बाधा न डालने की सलाह दी जानी चाहिए

104. छात्रों की अधिकतम प्रतिभागिता संभव हैः
A. परिचर्चा विधि द्वारा
B. व्याख्यान विधि द्वारा
C. श्रव्य-दृश्य साधनों द्वारा
D. पाठ्य-पुस्तक विधि द्वारा

105. अध्यापक दृश्य साधनों का उपयोग अध्यापन को निम्नलिखित बनाने के लिए करता हैः
A. सरल
B. अधिक ज्ञान के लिए
C. समय कम करने के लिए
D. रुचिकर बनाने के लिए

106. उच्च शिक्षा में अध्यापक की भूमिका का लक्ष्य हैः
A. छात्रों को सूचना प्रदान करना
B. छात्रों में स्व-अध्ययन को प्रोत्साहित करना
C. छात्रों में स्वस्थ प्रतिस्पर्धा बढ़ाना
D. छात्रों को व्यक्तिगत समस्याओं के समाधान हेतु सहायता करना

107. नीचे लिखे गुणों वाला कौन अध्यापक आपको सबसे अच्छा लगता है?

A. समय का पाबंद
B. अनुसंधान की ओर प्रवृत
C. लोकप्रिय और आदर्शवादी दर्शन वाला
D. जो प्रायः छात्रों का मनोरंजन करता है

108. माइक्रोशिक्षण छात्र-अध्यापकों के लिए किस अवधि में सबसे प्रभावशाली होता है?

A. शिक्षण-अभ्यास के दौरान
B. शिक्षण-अभ्यास के बाद
C. शिक्षण-अभ्यास से पहले
D. उपरोक्त में कोई नहीं

109. अध्यापन में सबसे अनावश्यक कारक कौन है?

A. छात्रों को दण्ड देना
B. कक्षा में अनुशासन रखना
C. प्रभावशाली ढंग से व्याख्यान देना
D. ब्लैकबोर्ड पर चित्र और रेखाचित्र बनाना

110. अधोलिखित में से अध्यापन कौशल किसमें हैं?

A. श्याम-पट लेखन B. प्रश्न करना
C. समझाना D. उपरोक्त सभी

111. टीम अध्यापन में क्षमता हैः

A. प्रतियोगिता के भावना के विकास की
B. सहयोग-विकास की
C. एक दूसरे के अध्यापन के पूरक के रूप में आदत के विकास की
D. एक दूसरे के अध्यापन में हुए अन्तराल को रेखांकित करने की

112. अधोलिखित महत्वपूर्ण विशेषताओं में से खुली किताब परीक्षा पद्धति की विशेषता क्या है?

A. छात्र गम्भीर रहते हैं।
B. इसके कारण कक्षा में उपस्थिति बढ़ जाती है।
C. यह छात्रों की परीक्षा सम्बन्धी चिन्ता को कम करती है।
D. यह छात्रों को चिन्तन के लिये बाध्य करती है।

113. अध्यापन की कौन-सी विधि अधिकतम ज्ञान के प्रयोग को प्रोत्साहित करती है?

A. समस्या-समाधान विधि
B. प्रयोगशाला विधि
C. स्वाध्ययन विधि
D. टीम-अध्यापन विधि

114. अधोलिखित में से कौन वक्तव्य सही है?

A. संप्रेषक को सूक्ष्म ज्ञान होना चाहिये।
B. संप्रेषक में सहन-शक्ति होनी चाहिये।
C. संप्रेषक को मृदुभाषी होना चाहिये।
D. संप्रेषक का व्यक्तित्व सुन्दर होना चाहिये।

115. प्रभावी अध्यापक वह है

A. जो कक्षा पर नियन्त्रण रख सकता है
B. जो कम समय में अधिक सूचना दे सकता है
C. जो छात्रों को सीखने के लिये प्रेरित करता है
D. जो आबंटित कार्यों ('एसाइनमेंन्टस') का ध्यानपूर्वक संशोधन करता है

116. शिक्षण के लिए ज्ञान, प्रशिक्षण, अनुभव तथा अनुसंधान के अतिरिक्त और किस बात की महत्वपूर्ण भूमिका पाई जाती है?

A. सकारात्मक अभिवृत्ति की
B. अभिरुचि की
C. (A) और (B) दोनों की
D. उपरोक्त में से कोई नहीं

117. अभिवृत्ति एक सामाजिक प्रत्यय एवं मानसिक पहलू है, यह किसके व्यवहार के मानसिक पक्ष से होता है?

A. शिक्षार्थी B. अध्यापक
C. व्यक्ति D. उपरोक्त सभी

118. मनोवैज्ञानिकों के अनुसार अभिवृत्तियाँ किसके प्रति व्यक्ति विशेष के विचारों से अवगत कराती है?

A. व्यक्ति B. संस्था
C. परिस्थिति D. उपरोक्त सभी

119. अभिवृत्ति को कभी-कभी मनोवृत्ति भी कहा जाता है, क्योंकि यह :

A. अभिव्यक्ति है
B. भावनात्मक गुण प्रदर्शित करती है
C. संख्यात्मक माप में सहायक होती है
D. हमेशा सकारात्मक होती है

120. प्रत्यक्ष अनुभूतियाँ किसके परिवर्तन में सर्वाधिक प्रभावशाली होती है?

A. प्रतिगमन B. अभिवृत्ति
C. अभिरुचि D. इनमें से कोई नहीं

121. ''अभिवृत्ति अनुभवों के द्वारा व्यवस्थित वह संवेगात्मक प्रवृत्ति है, जो किसी मनोवैज्ञानिक वस्तु के प्रति सकारात्मक या नकारात्मक रूप से प्रतिक्रिया करती हैं'' यह कथन सम्बन्धित है :

A. रेमर्स से B. आलपोर्ट से
C. फ्रीमैन से D. इनमें से कोई नहीं

122. जब किसी व्यक्ति, विचार या घटना अथवा संस्था आदि की उपस्थिति हमें सुखद लगती है तथा उसके प्रति हमारी प्रतिक्रिया सकारात्मक होती है, तो ऐसी अभिवृत्ति होती है :

A. स्वीकारात्मक अभिवृत्ति
B. सकारात्मक अभिवृत्ति
C. (A) और (B) दोनों
D. विशिष्ट अभिवृत्ति

123. घड़ी अथवा प्राकृतिक घटना के सम्बन्ध में व्यक्ति द्वारा व्यक्त किया गया विचार किस अभिवृत्ति को इंगित करता है?

A. सामान्य अभिवृत्ति
B. विशिष्ट अभिवृत्ति
C. स्वीकारात्मक अभिवृत्ति
D. नकारात्मक अभिवृत्ति

124. एक व्यक्ति में अपनी माँ के प्रति श्रद्धा एवं स्नेह का जो भाव पाया जाता है, वह विशिष्ट अभिवृत्ति है, परन्तु सभी माताओं के प्रति आदर भाव किस प्रकार की अभिवृत्ति है?

A. सम्मान अभिवृत्ति B. सामान्य अभिवृत्ति
C. ऐच्छिक अभिवृत्ति D. सम्प्रेषण अभिवृत्ति

125. सम्पूर्ण वर्ग के प्रति विशेष घृणा का भाव किस प्रकार की अभिवृत्ति है?

A. सामान्य
B. विशिष्ट
C. (A) और (B) दोनों
D. इनमें से कोई नहीं

126. किसी राजनीतिक पार्टी से घृणा एवं अविश्वास करना किस प्रकार की अभिवृत्ति है?

A. भावात्मक B. निषेधात्मक
C. सामान्य D. इनमें से कोई नहीं

127. निम्नलिखित में से कौन अभिवृत्ति की विशेषता है?

A. संवेगबद्धता B. संज्ञानात्मकता
C. अनुकूलनशीलता D. उपरोक्त सभी

128. अभिवृत्ति जाँच उपयोगी होती है :

A. सफलता के मापन में
B. कार्य तीव्रता के मापन में
C. किसी कार्य को करने की सफलता को इंगित करने में
D. क्षमता व कार्य कुशलता की माप में

129. "एक शिक्षक में विद्यार्थियों को पढ़ाने वाले गुणों का पाया जाना" कहलाता है :

A. शिक्षण अभिवृत्ति B. शैक्षिक नेतृत्व
C. अवधान D. उपरोक्त में से कोई नहीं

130. शाब्दिक एवं क्रियात्मक व्यवहारों से किसका पता लगाया जा सकता है?

A. शिक्षण अभिवृत्ति B. शिक्षण अभिरुचि
C. शिक्षण कौशल D. शिक्षण शोध

131. निम्नलिखित में से किस विधि द्वारा किसी व्यक्ति की सही अभिवृत्ति का पता लगाया जा सकता है?

A. पूछताछ विधि B. प्रक्षेपण विधि
C. निरीक्षण विधि D. एनेक डॉटल विधि

132. किसी एक क्षेत्र के समूह में व्यक्ति की कार्य कुशलता की विशिष्ट योग्यता या विशिष्ट क्षमता कहलाती है :

A. सहानुभूति B. अभिवृत्ति
C. अभिरुचि D. इनमें से कोई नहीं

133. अर्जित अभिरुचि किस प्रकार उत्पन्न होती है?

A. भाव B. ज्ञान
C. प्रशिक्षण D. उपरोक्त सभी

134. यदि कोई बालक किसी खेल में अधिक रुचि लेता है, तो वह किस अभिरुचि का उदाहरण है?

A. व्यक्त अभिरुचि
B. अभिव्यक्त अभिरुचि
C. परीक्षित अभिरुचि
D. उपरोक्त में से कोई नहीं

135. शिक्षण अभिरुचि में क्या होना चाहिए?

A. क्षमता B. कुशलता
C. रुचि D. उपरोक्त सभी

136. शिक्षा का उद्देश्य होना चाहिए :

A. विद्यार्थियों में व्यावसायिक कुशलता का विकास करना
B. विद्यार्थियों में सामाजिक जागरूकता का विकास करना
C. विद्यार्थियों को परीक्षा के लिए तैयार करना
D. व्यावहारिक जीवन के लिए विद्यार्थियों को तैयार करना

137. निम्नलिखित में से कौन शिक्षा के उद्देश्य हैं?

A. छात्रों का शारीरिक व मानसिक विकास करना
B. छात्रों को जीविकोपार्जन के योग्य बनाना
C. छात्रों में नेतृत्व क्षमता का विकास करना
D. उपरोक्त सभी

138. अध्यापक शिक्षा द्वारा बच्चों में उनकी योग्यताओं को विकसित करने में सहायता देने का उद्देश्य रखते हैं :

A. वैयक्तिक रूप से
B. वैयक्तिक रूप से तथा सामाजिक वांछनीय तरीकों से
C. केवल सामाजिक वांछनीय तरीकों से
D. जिस तरह से बच्चे चाहते हैं, उन तरीकों से

139. आप निम्नलिखित कथनों में से किस प्रकार की कक्षा को प्रजातान्त्रिक मूल्यों में ओत-प्रोत पाते हैं?

A. केवल एक छात्र समूह को ही निर्णयात्मक स्वतन्त्रता प्रदान की गई हो
B. छात्रों को नियमानुसार नियन्त्रण में रखा गया हो
C. छात्रों को कक्षा के सभी सदस्यों के साथ अन्तःक्रिया के समान अवसर प्राप्त हों
D. छात्रों को पाठ्यक्रम सम्बन्धी अनुभवों को ग्रहण करने

140. किस प्रकार की शिक्षा व्यवस्था में शिक्षा नियमित एवं आवश्यक रूप से तथा पाठ्यक्रम के अनुसार दी जाती है?

A. औपचारिक शिक्षा   B. अनौपचारिक शिक्षा
C. निरौपचारिक शिक्षा   D. सामान्य शिक्षा

141. औपचारिक शिक्षा छात्रों को कहाँ प्रदान की जाती है?

A. विद्यालयों   B. महाविद्यालयों
C. विश्वविद्यालयों   D. उपरोक्त सभी

142. अनौपचारिक शिक्षा का मुख्य उद्देश्य क्या है?

A. शिक्षा का बजट कम करना
B. विद्यालयों का एकाधिकार समाप्त करना
C. औपचारिक शिक्षा की शेष पूर्ति करना
D. लोगों में शिक्षा का प्रसार करना

143. निम्नलिखित में से कौन-सी शिक्षा किसी भी समय, कहीं भी प्राप्त की जा सकती है?

A. औपचारिक शिक्षा
B. अनौपचारिक शिक्षा
C. (A) और (B) दोनों
D. उपरोक्त में से कोई नहीं

144. शिक्षा की वह व्यवस्था, जिसके उद्देश्य, पाठ्यचर्या और विधियाँ प्रायः निश्चित होते हैं, किन्तु औपचारिक शिक्षा की भाँति कठोर नहीं होते हैं कहलाती है :

A. सामान्य शिक्षा   B. निरौपचारिक शिक्षा
C. विशिष्ट शिक्षा   D. अनौपचारिक शिक्षा

145. निरौपचारिक शिक्षा व्यवस्था के अन्तर्गत निम्न में से किसे शामिल किया जाता है?

A. प्रौढ़ शिक्षा   B. दूरस्थ शिक्षा
C. सतत् शिक्षा   D. उपरोक्त सभी

146. आपके बालक ने चोरी की है। भविष्य में वह ऐसा न करे, इसके लिए आप :

A. किसी काम के लिए जब वह पैसे माँगेगा, तब कहेंगे—''तुम मुझसे पैसे क्यों माँगते हो, तुम तो चोरी करके अपनी जरूरतें पूरी कर सकते हो''
B. चोरों की दुर्गति बताएँगे
C. चोरी से होने वाली हानियों से परिचित कराएँगे
D. उसको डाँटेंगे

147. शिक्षण सातत्यांक की परिकल्पना की जाती है :

A. अनुबंधन से लेकर विश्वास प्रतिपादक तक
B. व्यावहारिक परिवर्तन से लेकर विश्वास परिवर्तन तक
C. प्रारूपिक सामान्य अधिगम से लेकर संपूर्ण आस्था में परिवर्तन तक
D. उपर्युक्त सभी सत्य हैं

148. प्रशिक्षण प्रदान किया जाता है :

A. मांसपेशियों को
B. निम्न श्रेणी के जीवों को
C. दस्तकारों को
D. उपर्युक्त सभी को

149. अनुबंधन द्वारा व्यवहार में परिवर्तन किया जाता है :

A. कुत्ते एवं बिल्ली के   B. मानव शिशु के
C. वयस्क व्यक्ति के   D. उपर्युक्त सभी के

150. नीचे दिए गए शिक्षण के विभिन्न स्तरों को क्रम में लगाइये :

1. चिंतन स्तर
2. अवबोध स्तर
3. स्मृति स्तर

इनमें सत्य विकल्प है :

A. 1, 2, 3   B. 3, 2, 1
C. 2, 3, 1   D. 3, 1, 2

151. ''मनोगत्यात्मक'' का अर्थ है :

A. मन की गति अत्यधिक तीव्र होती है
B. मन के विचार गामक होते हैं
C. मानसिक योग्यताएँ ही वास्तविक व्यवहार में अभिव्यक्त होती है
D. एक सामान्य मनोवैज्ञानिक प्रत्यय है

152. मानसिक योग्यताओं में समाहित है :

A. स्मृति, तर्क, चिंतन, सृजनात्मकता
B. रुचि, अवधान, भावुकता
C. क्रियाशीलता
D. मनःक्रियाएँ

153. शिक्षक प्रायः शिक्षण प्रदान करते हैं :

A. एक समान (यूनिफॉर्म) स्तर पर
B. विविध स्तरों पर
C. त्रिस्तर पर
D. चतुष्पद पर

154. विद्यालय में अपने विषय के शिक्षण को बेहतर बनाने के लिए :

A. परीक्षण द्वारा छात्रों का मूल्यांकन करेंगे व कक्षा में ही कार्य करने पर बल देंगे
B. छात्रों को प्रश्न पूछने के लिए प्रोत्साहन देंगे
C. छात्रों को गृहकार्य देंगे
D. छात्रों के पाठ्यक्रम को बार-बार कराएँगे

155. विद्यालय के एक उद्दण्ड बालक को अनुशासित करने के लिए :

A. यदि उसको किसी खेल में दक्षता प्राप्त हो, तो उसे प्रोत्साहन प्रदान कर तत्संबंधी दायित्व सौंपा जाए
B. उसे कक्षा का मॉनीटर बना दिया जाए
C. उसके माता-पिता को बुलाकर छात्र को उनके सामने दण्ड दिया जाए
D. उसे सभी के सम्मुख शारीरिक दण्ड दिया जाए

156. आगमन विधि में शिक्षण प्रक्रिया की गति होती है :

A. विशिष्ट उदाहरण से सामान्य उदाहरण की ओर
B. साधारण से विशिष्ट की ओर
C. विशिष्ट से विशिष्ट की ओर
D. उपरोक्त में से कोई नहीं

157. शिक्षक "पुनर्बलन कौशल" में .... करता है।

A. छात्रों को अपमानित
B. छात्रों की प्रशंसा
C. छात्रों पर अत्याचार
D. छात्रों का तिरस्कार

158. निम्नलिखित में से किसका संबंध सूक्ष्म-शिक्षण से नहीं है?

A. परमाण्विक शिक्षण प्रक्रिया का
B. ज्ञान-प्राप्ति की स्थिति का
C. कौशल अधिग्रहण स्थिति का
D. विषय-वस्तु हस्तांतरण का

159. कक्षा के अन्दर बालकों के अधिगम पर सर्वाधिक प्रभाव दृष्टिगोचर होता है :

A. कक्षा का अनुशासन
B. कक्षा का मनोवैज्ञानिक वातावरण
C. कक्षा का सामाजिक वातावरण
D. कक्षा का आर्थिक वातावरण

160. विवेचन करने का संबंध .... से है।

A. विश्लेषण उद्देश्य   B. अवबोध उद्देश्य
C. ज्ञान उद्देश्य   D. अनुप्रयोग उद्देश्य

161. .... प्रोजेक्ट विधि का आधार है।

A. प्रगतिवाद   B. आदर्शवाद
C. प्रयोजनवाद   D. व्यक्तिवाद

162. निम्नलिखित में से कौन प्रयोग-प्रदर्शन विधि का गुण है?

A. यह एक क्रियात्मक विधि है
B. इसका मितव्ययी होना
C. इसमें जटिल एवं हानिकारक प्रयोगों को शिक्षक स्वयं करते हैं
D. उपरोक्त सभी

163. आनुवंशिकता के प्रभाव के विरुद्ध निम्नलिखित में से कौन-से तर्क प्रस्तुत किए जाते हैं?

A. आनुवंशिकता का प्रभाव सीमित है
B. बुद्धि पर पर्यावरण का प्रभाव
C. शारीरिक लक्षणों पर पर्यावरण का प्रभाव
D. उपर्युक्त सभी

164. मूल्यांकन में लिखित परीक्षाएँ .... से आरंभ हुई।

A. सन् 1800   B. सन् 1890
C. सन् 1860   D. सन् 1850

165. शैक्षिक उद्देश्यों एवं शिक्षण उद्देश्यों में विभेव किया जाता है :

A. स्वरूप/प्रकृति के आधार पर
B. अंश एवं सम्पूर्णता के आधार पर
C. कालिक आधार पर
D. उपर्युक्त सभी आधारों पर

166. शिक्षण युक्तियों (Teaching Tactics) का संबंध है :

A. अधिगम संरचना (Learning Structures) से
B. अधिगम उपलब्धियों (Learning Objectives) से
C. अधिगम अनुभवों (Learning Experiences) से
D. अधिगम परिस्थितियों (Learning Conditions) से

167. .... को शिक्षण मशीन का जन्मदाता कहा जाता है।

A. एस.एस. प्रैसी   B. क्लार्क
C. कोटलर   D. स्टांटन

168. "शिक्षा एक त्रिमुखी प्रक्रिया है।" इस कथन से निम्नलिखित में से कौन संबंधित है?

A. जॉन डेवी   B. एनी बेसेंट
C. टेलर   D. सुकरात

169. रीजनल कॉलेज ऑफ ऐजूकेशन, मैसूर (RCEM) के अनुसार ज्ञानात्मक उद्देश्यों का सही वर्गीकरण है :

A. ज्ञान-बोध-प्रयोग-विश्लेषण-संश्लेषण-मूल्यांकन
B. ज्ञान-बोध-प्रयोग-सर्जनात्मकता
C. ज्ञान-बोध-प्रयोग-विश्लेषण-सर्जनात्मकता
D. ज्ञान-बोध-प्रयोग-विश्लेषण-संश्लेषण-सर्जनात्मकता

170. श्रवण करना, स्वीकृति देना तथा रुचि प्रकट करना—इन तीनों कार्य सूचक क्रियाओं का सम्बन्ध होना चाहिए :
A. आग्रहण (Responding) से
B. प्रतिक्रिया (Racting) से
C. अनुमूल्य (Valuing) से
D. व्यवस्थापन (Organising) से

171. निम्नलिखित में से कौन-सा एक ऐसा तत्व है जिसका प्रभावी शिक्षण में न्यूनाधिक सहयोग पाया जाता है?
A. शिक्षण नियोजन
B. शिक्षण व्यवस्था
C. शिक्षण सहायक सामग्री
D. शिक्षण अनुभूति

172. "ज्ञान" (Knowledge) के अन्तर्गत आने वाले अधिगम बिंदु हैं :
A. विशिष्ट वस्तुओं का ज्ञान कराना
B. सामान्यीकरण करना
C. तात्विक विश्लेषण करना
D. बाह्य एवं आंतरिक निर्णय लेना

173. व्याख्यान विधि के द्वारा एक शिक्षक कौन-से अधिगम उद्देश्य की प्राप्ति नहीं कर पाता है?
A. ज्ञानात्मक B. भावात्मक
C. क्रियात्मक D. उपरोक्त सभी

174. ओवरहैड प्रोजेक्टर द्वारा विषय सामग्री को तैयार किया जाता है :
A. स्टैण्डर्ड ट्रांसपेरेंसीज पर
B. पॉलीथिन शीट पर
C. सामान्य पेपर पर
D. राइस पेपर पर

175. स्लाइड के प्रोजेक्शन के साथ-साथ शिक्षक करता है :
A. उसका शिक्षण में तर्कसंगत सम्मिश्रण
B. छात्रों का मनोरंजन
C. छात्र अभिप्रेरण
D. उपर्युक्त में से कोई नहीं

176. बुलेटिन बोर्ड का उपयोग किया जाता है :
A. विद्यालय कार्यक्रम का प्रदर्शन करने के लिए
B. विभिन्न समाचार-पत्रों से संकलित सूचनाओं के प्रदर्शन के लिए
C. शैक्षणिक, सामाजिक, सांस्कृतिक सूचनाओं के सम्प्रेषण के लिए
D. उपर्युक्त सभी के लिए

177. फ्लानेल बोर्ड प्रायः बनाये जाते हैं :
A. फलालैन से
B. खादी कपड़े से
C. किसी भी कपड़े से
D. रबड़ शीट से

178. पारंपरिक टेलीविजन शिक्षण का एक दोष है :
A. शिक्षक छात्र अन्त/क्रयाओं का अभाव
B. शिक्षक निष्क्रियता
C. शिक्षक को इस मीडिया से पढ़ाने की अयोग्यता
D. कह नहीं सकते हैं

179. श्रव्य सहायक सामग्री में सर्वोच्च स्थान प्राप्त है :
A. रेडियो को B. लाउडस्पीकर को
C. दूरदर्शन को D. वॉकी-टॉकी को

180. निम्नलिखित में से किसे "मैजिक लालटेन" कहा जाता है?
A. डायास्कोप
B. टेलीस्कोप
C. पेरिस्कोप
D. इनमें से कोई नहीं

181. निम्नलिखित में से किस ग्राफ में बहुकोणीय रेखाएँ बनती हैं?
A. पॉलीगॉन B. पाई चार्ट
C. हिस्टोग्राम D. इनमें से कोई नहीं

182. ब्लूम का परीक्षा-प्रणाली में अत्यधिक महत्वपूर्ण योगदान है :
A. परीक्षाओं को उद्देश्य-आधारीय बनाकर पाठ्यवस्तु के महत्व को समाप्त करना
B. अभिक्रमित अनुदेशन के अनुरूप उद्देश्यों को लिखना
C. परीक्षाओं में क्रियात्मक उद्देश्यों को अत्यधिक महत्व प्रदान करना
D. उपर्युक्त सभी सत्य है

183. ब्लूम की प्रसिद्ध पुस्तक का नाम है :
A. टैक्सोनोमी ऑफ एजूकेशनल ऑकजैक्टिव्स ऑफ कॉगनीटिव डॉमेन
B. टैक्सोनोमी ऑफ इनस्ट्रक्शनल ऑबजैक्टिव्स ऑफ कॉगनीटिव डॉमेन
C. टैक्सोनोमो ऑफ अफेक्टिव ऑब्जैक्टिव्स
D. उपर्युक्त में से कोई नहीं

184. शिक्षण सहायक सामग्री के द्वारा किया जाना चाहिए :
A. प्रभावशाली शिक्षण
B. शिक्षक का प्रतिस्थापन
C. शिक्षक को हैरान
D. शिक्षक का अपमान

185. मॉडल से तात्पर्य है :

A. ऐसी नकल या बनावट, जो वास्तविक वस्तु की हूबहू प्रतिलिपि होती है तथा सामान्यतया प्रदर्शन हेतु उपलब्ध नहीं हो पा रही है
B. किसी वस्तु की एक नकल मात्र
C. प्रदर्शनकारी वस्तुमात्र
D. फैशन विज्ञापन में व्यस्त स्त्री-पुरुष

186. डॉक्यूमेंटरी फिल्मों का निर्माण किया जाता है :

A. किसी शिक्षण-अधिगम को सफल बनाने के लिए
B. किसी विषयवस्तु के केंद्रीय घटक या घटना की जानकारी देने के लिए
C. किसी राजनेता के जीवन की घटनाओं का वर्णन करने के लिए
D. उपर्युक्त में से कोई नहीं

187. एपीडायास्कोप (Epidiascope) क्या है?

A. एक दृश्य-श्रव्य उपकरण
B. पारदर्शी एवं अपारदर्शी वस्तुओं का पर्दे पर प्रक्षेपण
C. एपीस्कोप एवं डायास्कोप का सम्मिश्रण
D. वस्तुओं का बड़े आकार में प्रदर्शन

188. ''ओवरहैड प्रोजेक्टर'' में प्रदर्शित सामग्री का प्रतिबिंब दिखाई देता है :

A. बोलने वाले के सिर के ऊपर
B. बोलने वाले की पीठ के पीछे और सिर के ऊपर
C. बोलने वाले की पीठ के पीछे स्क्रीन पर और सिर के ऊपर
D. उपर्युक्त सभी त्रुटिपूर्ण हैं

189. दृश्य-श्रव्य सहायक सामग्री शिक्षण प्रक्रिया पर प्रभाव डालती है :

A. धारण शक्ति में वृद्धि करके
B. शिक्षण स्थानांतरण करके
C. ज्ञान प्राप्ति एवं पुनर्बलन के रूप में
D. उपर्युक्त सभी रूपों में

190. प्रशंसा एवं निंदा दोनों ही अभिप्रेरणा प्रविधियाँ हैं। इनमें से ''निंदा'' का प्रयोग करना उचित रहेगा :

A. दुर्बल छात्रों के साथ B. होशियार छात्रों के साथ
C. सामान्य छात्रों के साथ D. उपर्युक्त में से कोई नहीं

191. अधिगम उद्देश्यों की संपूर्ण प्राप्ति में लाभदायक सहायक सामग्री युग्म है :

A. टेप, ग्रामोफोन, दूरदर्शन
B. चित्र, प्रतिमान एवं चलचित्र
C. शैक्षिक यात्रा, भाषा-प्रयोगशाला एवं रेडियो
D. रेडियो, दूरदर्शन एवं टेपरिकॉर्डर

192. एक सैकेन्डरी विद्यालय में छात्रों के सामाजिक एवं प्रजातान्त्रिक गुणों को विकसित करने के लिए उत्तम शिक्षण विधि कही जा सकती है :

A. भूमिका अभिनीत करके B. रटने की विधि
C. प्रोजेक्ट विधि D. व्याख्यान विधि

193. छात्रों में श्रेष्ठ संस्कारों का विकास करना आप क्यों आवश्यक मानते हैं?

A. संस्कार व्यक्तित्व को संकुचित बना देते हैं
B. संस्कार चरित्र निर्माण करते हैं
C. मैं संस्कारों पर विश्वास नहीं रखता
D. संस्कार व्यक्तित्व का भरण करते हैं

194. भाषा प्रयोगशाला (Language Laboratory) के माध्यम से अधिगम के निम्नलिखित स्वरूपों की प्राप्ति संभव होती है :

A. संकेत, शृंखला एवं बहुभेदीय अधिगम
B. प्रत्यक्ष, सिद्धान्त एवं बहुभेदीय अधिगम
C. संकेत, प्रत्यक्ष एवं सिद्धान्त अधिगम
D. शृंखला, सिद्धान्त एवं बहुभेदीय अधिगम

195. शिक्षक नवीन प्रयोग एवं तकनीकियों को अपनाने के लिए प्रयासरत रहता है :

A. छात्र-केंद्रित विधियों में
B. शिक्षक-केन्द्रित विधियों में
C. उपर्युक्त दोनों विधियों में
D. उपर्युक्त में से किसी भी विधि में नहीं

196. शिक्षक-केन्द्रित शिक्षण विधियों का अन्तिम परिणाम है :

A. तथ्यों को याद करना
B. पारंपरिक संस्थाओं में आस्था व्यक्त करना
C. शिक्षक के प्रभुत्व पर आश्रित रहना
D. उपर्युक्त सभी

197. एक शिक्षण विधि की विमा है :

A. मूल तथ्यात्मक विमा B. प्रक्रियात्मक विमा
C. पर्यावरणीय विमा D. उपर्युक्त तीनों ही

198. जब शिक्षक अति सक्रिय हो तथा छात्रगण निष्क्रिय हों और केवल श्रोतामात्र ही हो-तो ऐसी पद्धति को कहते हैं :

A. व्याख्यान पद्धति B. असाइनमेंट पद्धति
C. प्रोजेक्ट पद्धति D. उपर्युक्त में से कोई नहीं

199. व्याख्यान विधि पर दोष आरोपित किया जाता है :

A. वैज्ञानिक अभिवृत्ति का अभाव
B. करके सीखने के सिद्धान्त का प्रतिकार
C. एकमार्गीय शिक्षण क्रिया
D. उपर्युक्त सभी

200. व्याख्यान विधि का प्रमुख गुण है :
A. मितव्ययता
B. शिक्षक को आरामप्रद
C. तथ्यपरक सूचनाओं के सम्प्रेषण में सहायक
D. उपर्युक्त में से कोई नहीं

201. भाषण विधि का दोष है :
A. स्मृति पर अत्यधिक बल
B. स्वतंत्र चिंतन का अभाव
C. वैज्ञानिक दृष्टिकोण के विकास के बाधक
D. उपर्युक्त सभी

202. जब एक व्याख्यान को प्रायोगिक प्रदर्शन के साथ जोड़ दिया जाता है तो इससे लाभ प्राप्त होता है :
A. यह अधिक विस्तृत हो जाता है
B. यह अधिक तार्किक हो जाता है
C. यह मनोवैज्ञानिक हो जाता है
D. यह उत्तम गुणवत्ता वाला हो जाता है

203. अपने नीरस व्याख्यान को सरस बनाने के लिए आप क्या उपाय करेंगे?
A. आप बीच-बीच में कुछ हास्य का पुट सम्मिलित करेंगे
B. आप छात्रों को प्रश्न पूछने की स्वतंत्रता प्रदान करेंगे
C. जहाँ तक संभव होगा श्यामपट्ट की अधिकाधिक मदद लेंगे
D. उपर्युक्त सभी

204. निम्नलिखित में से दृश्य-श्रव्य सामग्री की कौन-सी परिभाषा उपयुक्त है?
A. ऐसी सामग्री, जो एक कक्षा में लिखित या बोली जाने वाले सामग्री के अवबोध में सहायक होती है
B. ऐसी सामग्री, जिसके माध्यम से शिक्षण प्रक्रिया को उद्दीप्त किया जाता है
C. ऐसी सामग्री, जो छात्रों की रुचि एवं अवधान को केंद्रित करती है
D. उपर्युक्त सभी उपयुक्त परिभाषाएँ हैं

205. श्यामपट्ट की आवश्यकता होती है :
A. छात्रों को B. शिक्षक को
C. प्राचार्य को D. किसी को भी नहीं

206. श्यामपट्ट के साथ किस आविष्कारक का नाम जुड़ा है?
A. विलियम जेम्स का B. जेम्स विलियम का
C. जेम्स वाट का D. जेम्स वाटसन का

207. "आपरेशन ब्लैड बोर्ड" ने सर्वप्रथम किस न्यूनतम सहायक सामग्री की संस्तुति प्रस्तुत की थी?
A. श्यामपट्ट एवं चॉक
B. टाटपट्टी एवं खड़िया
C. पाठ्य पुस्तकें एवं नोटबुक्स
D. उपर्युक्त सभी

208. फोटोग्राफिक स्लाइड्स किस प्रकार की फिल्म पर तैयार की जाती है?
A. सामान्य फोटोग्राफिक फिल्म द्वारा
B. स्लाइड के लिए प्रयुक्त होने वाली फोटोग्राफिक फिल्म के द्वारा
C. कैमरे के द्वारा
D. उपर्युक्त में से कोई नहीं

209. चित्रों का कक्षा में उपयोग किया जाना चाहिए :
A. छात्रों के मानसिक स्तर के अनुकूल
B. छात्रों की रुचियों के अनुकूल
C. छात्रों की योग्यताओं के अनुकूल
D. उपर्युक्त सभी के अनुकूल

210. स्लाइड्स का निर्माण किया जाता है :
A. सूक्ष्मतम जीव-जन्तुओं के अध्ययन के लिए
B. रोग की जीवाणुओं के अध्ययन के लिए
C. नेत्रों से अदृश्य वस्तुओं को स्लाइड बनाकर सूक्ष्मदर्शी द्वारा देखने के लिए
D. उपर्युक्त में से कोई नहीं

211. दृश्य-श्रव्य सामग्री प्रायः बढ़ा देती है :
A. छात्रों की धारणा (Retention)
B. छात्रों की अवधान (Attention)
C. छात्रों द्वारा विषयवस्तु की पहचान
D. उपर्युक्त सभी

212. हम नेत्रों से ज्ञान की मात्रा ग्रहण करते हैं :
A. 84 प्रतिशत B. 64 प्रतिशत
C. 16 प्रतिशत D. 14 प्रतिशत

213. श्यामपट्ट है एक :
A. दृश्य सहायक सामग्री
B. श्रव्य सहायक सामग्री
C. दृश्य-श्रव्य सहायक सामग्री
D. उपर्युक्त में से कोई नहीं

214. श्रव्य सामग्री में सम्मिलित करते हैं :
A. रेडियो एवं टेपरिकॉर्डर को
B. दूरदर्शन एवं वी.सी.आर. को
C. फिल्म एवं स्लाइड्स को
D. उपर्युक्त में से कोई नहीं

215. रेडियो पाठों का प्रसारण किया जाना चाहिए :
A. पूर्व योजना बनाकर
B. कक्षाओं में रेडियो लगाकर
C. छात्रों को पूर्व सूचना देकर
D. उपर्युक्त सभी

216. ओवरहैड प्रोजेक्टर का प्रयोग करते हैं :
A. चित्रों के निर्माण को समझाने के लिए
B. किसी विषयवस्तु को एक बड़े समूह में प्रदर्शित करने के लिए
C. किसी कठिन विषयवस्तु को समझाने के लिए
D. उपर्युक्त सभी सत्य हैं

217. ट्रांसपेरेंसीज पर लिखने के लिए उपकरण प्रयोग किए जाते हैं :
A. अलग प्रकार के स्थायी इंक पैन
B. सामान्य स्केच पैन
C. पेपर पर लिखने वाले पैन
D. उपर्युक्त में से कोई नहीं

218. दृश्य-श्रव्य सामग्री हैं :
A. जिनमें नेत्र एवं कान दोनों ही अतिरिक्त सक्रियता ग्रहण करके सहभागिता करते हैं
B. जिनमें केवल नेत्रों को प्राथमिकता दी जाती है
C. जो समस्त संवेदी अंगों को प्रभावित करते हैं
D. उपर्युक्त सभी

219. मूल्यांकन में प्रयुक्त होने वाली परीक्षण प्रक्रिया है :
A. मौखिक परीक्षाएँ B. लिखित परीक्षाएँ
C. निष्पादन परीक्षाएँ D. उपर्युक्त सभी परीक्षाएँ

220. प्रभावी एवं सफल शिक्षण के लिए सर्वाधिक आवश्यक है :
A. साहित्यिक भाषा पर आधिकारिक उपयोग
B. श्यामपट्ट का अधिकाधिक उपयोग करना
C. व्यावहारिक उदाहरणों द्वारा विषय को स्पष्ट करना
D. विद्यार्थियों को अधिकाधिक नोट्स लिखवाना

221. टेलीविजन का शिक्षण में योगदान है :
A. अत्यधिक B. सामान्य
C. अधिक D. शून्य

222. दृश्य-श्रव्य सामग्री को कक्षा में ले जाते समय निम्नलिखित सावधानी रखनी होगी :
A. उसे उचित ढंग से ले जाएँ
B. यह सामग्री खुली न रहे
C. जब उसे प्रदर्शित करना हो, तभी खोला जाए
D. उपर्युक्त सभी

223. मूल्यांकन का उद्देश्य है :
A. यह पाठ्यवस्तु के परिमार्जन में उपयोगी है
B. यह विभिन्न शिक्षण विधियों को प्रभावी बनाता है
C. यह वैज्ञानिक ढंग से शिक्षण-प्रक्रिया के विभिन्न बिंदुओं को एकीकृत करता है
D. उपर्युक्त सभी

224. उपलब्धिलब्धि (Achievement Quotient) का सही सूत्र है :
A. $\frac{\text{शैक्षिक आयु}}{\text{मानसिक आयु}}\times 100$ B. $\frac{\text{मानसिक आयु}}{\text{वास्तविक आयु}}\times 100$
C. $\frac{\text{शैक्षिक आयु}}{\text{शैक्षिक लब्धि}}\times 100$ D. $\frac{\text{मानसिक आयु}}{\text{बुद्धि लब्धि}}\times 100$

225. उद्देश्य शिक्षण, उस शिक्षण को कहते हैं, जिसमें :
A. शिक्षण, निर्धारित उद्देश्यों की प्राप्ति हेतु किया जाता है
B. शिक्षण, पाठ्यक्रम पूरा करने के लिए किया जाता है
C. शिक्षण, छात्रों को नवीन सूचनाएं देने हेतु किया जाता है
D. शिक्षण, परीक्षा की तैयारी हेतु किया जाता है

226. कारगर शिक्षण, कुल मिलाकर किसका एक प्रकार्य है :
A. कक्षा में अनुशासन बनाए रखना
B. अध्यापक की ईमानदारी
C. अध्यापक द्वारा विद्यार्थियों को सिखाना और उनमें समझ विकसित करना
D. अध्यापन व्यवसाय के प्रति अध्यापक की रुचि

227. अध्यापन की सर्वाधिक महत्वपूर्ण तकनीक है :
A. जो अध्यापक कहता है विद्यार्थियों में उसकी समझ पैदा करना
B. अपने विषय में निर्धारित पाठ्यक्रम को पूरा करना
C. पढ़ाते समय विद्यार्थियों को आराम की स्थिति में रखना
D. कक्षाएं नियमित रूप से लेना

228. शिक्षकों को बालकों में राष्ट्रीयता के विकास हेतु क्या करना चाहिए?
A. राष्ट्रीय वेशभूषा धारण करनी चाहिए
B. राष्ट्रीय कार्यक्रमों में भाग लेना चाहिए
C. विद्यालय में राष्ट्रीय कार्यक्रमों को आयोजित करना चाहिए
D. राष्ट्रीयता के विरोधी तत्वों का दमन करना चाहिए

229. मनोचित्रण का सन्दर्भ है :
A. अर्थग्राहता को बढ़ाने की एक तकनीक
B. जोखिम भरे कार्य के लिए कर्म योजना
C. मन का चित्रण खींचना
D. मन के प्रकार्य का अन्वेषण

230. एक शिक्षक के लिए सबसे महत्वपूर्ण है :
A. कक्षा में अनुशासन बनाए रखना
B. कक्षा में समयानुवर्ती होना
C. विद्यार्थियों की कठिनाइयों को दूर करना
D. एक सुवक्ता होना

उत्तरमाला

1	2	3	4	5	6	7	8	9	10
C	D	A	B	A	C	A	B	D	C
11	12	13	14	15	16	17	18	19	20
D	B	D	B	A	C	C	D	C	A
21	22	23	24	25	26	27	28	29	30
C	D	C	B	A	C	D	C	B	B
31	32	33	34	35	36	37	38	39	40
A	C	D	D	C	D	C	A	D	C
41	42	43	44	45	46	47	48	49	50
B	C	D	B	A	A	D	D	C	B
51	52	53	54	55	56	57	58	59	60
A	D	D	A	A	C	C	C	B	D
61	62	63	64	65	66	67	68	69	70
D	C	D	A	D	D	D	D	C	D
71	72	73	74	75	76	77	78	79	80
C	B	B	B	B	B	A	B	C	D
81	82	83	84	85	86	87	88	89	90
C	C	B	C	A	C	B	C	B	C
91	92	93	94	95	96	97	98	99	100
D	C	B	C	B	B	B	B	D	C
101	102	103	104	105	106	107	108	109	110
A	B	A	A	D	A	A	B	A	D
111	112	113	114	115	116	117	118	119	120
C	D	B	A	C	C	C	D	B	B
121	122	123	124	125	126	127	128	129	130
A	C	A	B	A	B	D	C	A	A
131	132	133	134	135	136	137	138	139	140
B	C	D	A	D	D	D	B	D	A
141	142	143	144	145	146	147	148	149	150
D	D	B	B	D	C	D	D	D	B
151	152	153	154	155	156	157	158	159	160
C	A	C	A	A	A	B	A	B	B
161	162	163	164	165	166	167	168	169	170
C	D	D	B	D	A	A	A	B	A
171	172	173	174	175	176	177	178	179	180
D	A	C	B	A	D	A	A	A	A
181	182	183	184	185	186	187	188	189	190
A	A	A	A	A	B	B	C	D	C
191	192	193	194	195	196	197	198	199	200
A	A	B	A	A	B	D	A	D	A
201	202	203	204	205	206	207	208	209	210
D	C	D	D	B	B	A	B	D	C
211	212	213	214	215	216	217	218	219	220
D	A	A	A	C	D	A	A	D	C
221	222	223	224	225	226	227	228	229	230
A	D	D	A	A	C	A	C	D	C

❖❖❖

UNIT–2

शोध अभिवृत्ति
(Research Aptitude)

शोध : अर्थ, प्रकार और विशेषताएँ
(Research : Meaning, Type and Characteristic)

शोध एक प्रक्रिया (Process) है, जिनमें प्रदत्तों के विश्लेषण के आधार पर किसी समस्या का विश्वसनीय समाधान ढूँढ़ा जाता है।

शोध व अनुसंधान एक व्यवस्थित (Systematic) तथा सुनियोजित प्रक्रिया है, जिसके द्वारा मानवीय ज्ञान में वृद्धि की जाती है और मानव जीवन को सुगम तथा भावी बनाया जाता है।

एक सार्थक शोध, जीवन के किसी क्षेत्र में विकास को आगे बढ़ाता है। शोध मनुष्य के कौतुहल से जन्म लेता है। यह कौतुहल, हाव-भाव, व्यवहार, गति इत्यादि के कारण हो सकता है। शोध की प्रकृति के संबंध में विचार करने से पूर्व इसी अर्थ में प्रयुक्त होने वाले दो अन्य शब्दों को भी देख लेना उचित होगा। ये शब्द हैं 'शोध' और 'अन्वेषण'। 'शोध' शब्द एक प्रकार की शुद्धि, संस्कार या संशोधन का अर्थ देता है। इस संदर्भ में यह कहा जा सकता है कि प्रदत्तों के विश्लेषण, सारणीयन और कुछ-कुछ स्पष्टीकरण के लिए 'शोध' शब्द का प्रयोग कर तो सकते हैं किन्तु इससे व्यापक निष्कर्षों तक पहुँचने की प्रक्रिया का आभास नहीं मिलता है।

शोध की प्रकृति

- यह हमेशा किसी समस्या के समाधान के लिए होता है।
- यह किसी परीक्षण या निरीक्षण पर आधारित होता है।
- इसमें सही निरीक्षण एवं निश्चित व्याख्या आवश्यक है।
- इसमें नये सिद्धांतों, नियमों एवं उनके सामान्यीकरण के विकास पर जोर दिया जाता है जिसका प्रयोग किसी भी विषय के अध्ययन में होता है।
- यह क्रमबद्ध, वस्तुनिष्ठ एवं तर्कपूर्ण होता है।

शोध की परिभाषा

'शोध' के लिए अंग्रेजी में 'रिसर्च' (Research) शब्द का प्रयोग किया जाता है। 'रिसर्च' मूल रूप से लैटिन के 'रि' (Re) अर्थात् दुबारा और 'सर्च' (Search) अर्थात् 'खोजना' से बना है। सामान्यतः शोध अर्थात् रिसर्च का अर्थ है, किसी उद्देश्य विशेष के लिए सूचनाएँ जुटाना।

अलग-अलग विद्वानों ने शोध को कुछ इस तरह से परिभाषित किया है-

रस्क के अनुसार, "शोध एक दृष्टिकोण है, जाँच-परख का तरीका और मानसिकता है।"

रेडमैन और मोरी के अनुसार, नवीन ज्ञान की प्राप्ति के लिए किये गये व्यवस्थित प्रयत्न को हम शोध या अनुसंधान कहते हैं।"

जॉन डब्ल्यू. बेस्ट के अनुसार, "नियंत्रित अवलोकन (Controlled Observation) के व्यवस्थित और तथ्यात्मक विश्लेषण और एकत्रीकरण को शोध के रूप में परिभाषित किया जा सकता है, जो हमें धारणाओं के सामान्यीकरण, सिद्धांतों के विकास, घटनाओं के भावी स्वरूप और उन पर नियंत्रण की दिशा देता है।"

इमोरी के अनुसार, "किसी समस्या को हल करने के लिए व्यवस्थित ढंग से जाँच-पड़ताल करना और सूचनाएँ उपलब्ध कराना शोध है।"

रूमेल के अनुसार, ज्ञान को खोजना, विकसित करना और सत्यापित करना शोध है।"

क्लोवर और बाल्सले के अनुसार, "किसी उपयुक्त और महत्त्वपूर्ण प्रश्न का व्यवस्थित और सटीक उत्तर खोजने के लिए वैज्ञानिक विधि से सूचनाओं को एकत्रित करने और उनकी व्याख्या करने की प्रक्रिया शोध है।"

गुडे के अनुसार, "आदर्श रूप में अनुसंधान एक समस्या का सावधानीपूर्वक और निष्पक्ष भाव से किया गया अध्ययन होता है, तो तथ्यों की भिन्नता, उनके स्पष्टीकरण तथा सामान्यीकरण पर निर्भर करता है।"

जॉर्ज. जे. मुले के अनुसार, "समस्याओं के समाधान के लिए व्यवस्थित रूप में बौद्धिक ढंग से वैज्ञानिक विधि के प्रयोग तथा अर्थापन को अनुसंधान कहते हैं।"

जॉन डब्ल्यू वेस्ट के अनुसार, "शोध अधिक औपचारिक, व्यवस्थित तथा गहन प्रक्रिया है, जिसमें वैज्ञानिक विधि विश्लेषण को प्रयुक्त किया जाता है। अनुसंधान में व्यवस्थित स्वरूप को सम्मिलित किया जाता है, जिसके फलस्वरूप निष्कर्ष प्राप्त किए जाते हैं और उनका औपचारिक आलेख तैयार किया जाता है।"

मोजर के अनुसार, "व्यवस्थित जानकारी, जो सामूहिक घटनाओं और समस्याओं के संबंध में दी जाती है, शोध कहलाती है।"

कुक के अनुसार, "किसी समस्या के संदर्भ में ईमानदारी, विस्तार तथा बुद्धिमानी से तथ्यों, उनके अर्थ तथा उपयोगिता की खोज करना ही शोध है।

क्राफोर्ड के अनुसार, "अनुसंधान किसी समस्या के अच्छे समाधान के लिए क्रमबद्ध तथा विशुद्ध चिंजन एवं विशिष्ट उपकरणों के प्रयोग की एक विधि है।"

मुनरो के अनुसार, "अनुसंधान उन समस्याओं के अध्ययन की एक विधि है, जिनका आपूर्ण अथवा पूर्ण समाधान तथ्यों के आधार पर ढूँढना है।"

शोध की प्रमुख विशेषताएँ

- शोध एक वैज्ञानिक अन्वेषण पद्धति है। इस आधार पर शोध एक व्यवस्थित, नियंत्रित, निरपेक्ष, वस्तुनिष्ठ, गहन तथा आनुभविक (Empirical) अध्ययन होता है।
- इसका उद्देश्य एक दी गई स्पष्ट तथा सीमित समस्या से संबंधित नवीन तथ्यों तथा सामान्य नियमों की खोज करना होता है। साथ ही उससे संबंधित पूर्व-स्थापित सिद्धांतों का नवीनतम यंत्रों, उपकरणों तथा प्रविधियों द्वारा सत्यापन करना भी होता है। अतः शोध एक अत्यन्त उद्देश्यपूर्ण, धैर्यपूर्ण तथा विवेकपूर्ण प्रक्रम होता है।
- शोध में संबंधित समस्या के अध्ययन के आधार ऐसी परिकल्पना (Hypothesis) अथवा परिकल्पनात्मक तर्क-वाक्य (Hypothetical Propositions) होते हैं, जिनसे आनुभविक (Empirical) तथा मात्रात्मक (Quantitative) अध्ययन में सुविधा हो।
- इसमें संबंधित आँकड़ों का विश्लेषण कठोर वैज्ञानिक तथा सांख्यिकीय पद्धतियों के आधार पर किया जाता है। इस प्रकार शोध का स्वरूप कुशल, विशिष्ट तथा वस्तुनिष्ठ होता है।
- इसमें प्राप्त परिणामों तथा संबंधों की पुनरावृत्ति (Replication) इस उद्देश्य से बार-बार की जाती है, ताकि सुनिश्चित तथा सुसंगत (Consistent) निष्कर्ष उपलब्ध प्राप्त हो सके।
- शोध पर आधारित ज्ञान में एक प्रकार की क्रमबद्धता, निरंतरता तथा एकता अन्तर्निहित रहती है इस प्रकार का ज्ञान कठोर वैज्ञानिक मापदण्ड पर परिशुद्ध (Precise), वैध (Valid) तथा विश्वसनीय (Reliable) रहता है।
- शोध के प्रक्रम तथा प्राप्त निष्कर्षों को नियमबद्ध रूप से एक प्रतिवेदन के रूप में प्रस्तुत किया जाता है, ताकि उस क्षेत्र के आगामी शोधों में उनका संदर्भ सहज रूप से उपलब्ध हो सके। इस आधार पर शोध के प्रतिवेदन का प्रकाशन भी शोध प्रक्रम का एक महत्वपूर्ण अंग माना जाता है।

शोध का महत्व

- शोध हमारे ज्ञान का विस्तार करता है।
- मानव समाज की समस्याओं के समाधान का रास्ता सुझाता है।
- शोध से तार्किक और समीक्षा की दृष्टि मिलती है।
- शोध के बिना ज्ञान और विकास में वृद्धि संभव नहीं है।
- शोध बदलती परिस्थितियों में तथ्यों की व्याख्या और पुनर्व्याख्या सिखाता है।
- शोध कई पूर्वाग्रहों के निदान एवं निवारण में महत्वपूर्ण भूमिका निभाता है।

शोध के उद्देश्य

शोध के प्रमुख उद्देश्य निम्नलिखित हैं-

- वर्तमान ज्ञान का संश्लेषण एवं समीक्षा करना।
- विद्यमान, अनजाने रहस्यों और तथ्यों को वैज्ञानिक विधि का प्रयोग करते हुए खोजना।
- मानव समाज की समस्याओं को देख पाने की अन्तर्दृष्टि प्राप्त करना।
- परिस्थिति विशेष के कारणों को जानना।
- वर्तमान परिस्थितियों का अध्ययन करके भविष्य के संकेत ढूढँना और उसके अनुसार रणनीति बनाने में सहायता करना।
- नये सिद्धांत, परम्पराओं और मान्यताओं की स्थापना।
- प्रभावों और अन्तर्सम्बन्धों का अध्ययन करना।
- सामाजिक व्यवहार को नियंत्रण करने के तरीके खोजना।
- पूर्व में किये गये शोध/अध्ययनों द्वारा स्थापित मान्यताओं और अवधारणाओं को कार्य रूप देना।
- मानव के आचार-व्यवहार का अध्ययन करने के लिए दिशानिर्देश तैयार करना।
- आँकड़ों के सुनियोजित और व्यवस्थित संग्रह, विश्लेषण और व्याख्या द्वारा किसी समस्या के विश्वसनीय हल तक पहुँचना।
- सामान्य मुद्दों का विश्लेषण एवं अन्वेषण करना।
- एक नई प्रक्रिया या प्रणाली का सृजन करना।

शोध के प्रेरक तत्व

इस संदर्भ में डॉ. पी.वी. युंग द्वारा अपनी पुस्तक 'साइंटिफिक सोशल सर्वेज एंड रिसर्च' में सुझाये गये शोध के लिए प्रेरित करने वाले चार तत्त्व निम्नलिखित हैं :

- अज्ञात को जानने की जिज्ञासाः जिज्ञासा मानव मस्तिष्क की ऐसी मौलिक विशेषता है, जो उसे अपने आसपास को जानने-समझने के लिए उकसाती है।
- मौजूदा गहन समस्या के कारणों और प्रभावों को जानने की इच्छा।
- एक सामान्य व्यक्ति सामाजिक समस्या के प्रति भावुकतापूर्ण प्रतिक्रिया व्यक्त करता है लेकिन समाज विज्ञानी भावुकता से परे होकर उसके असली कारणों की खोज करता है और इस प्रकार गहन समस्या का हल खोज लेता है।
- नया खोजने और पुरानी वैज्ञानिक प्रक्रियाओं/विधियों को जाँचने की इच्छा, जिससे कि उपयोगी और मौलिक ज्ञान प्राप्त किया जा सके। सामाजिक समस्याओं से निबटने के लिए बेहतर तकनीकें और विधियाँ विकसित करने के लिए इस तरह के अनेक शोध किये गये हैं। इस संचार शोध प्रक्रिया में मात्रात्मक (Quantitative) और सांख्यिकी विधियों के प्रयोग पर बल दिया जाता है ताकि इसे ज्यादा सुनिश्चित और वैज्ञानिक रूप दिया जा सके।

शोध के प्रकार

शोध में समस्या की प्रकृति और शोध विषय के स्वरूप को देखते हुये विद्वानों ने शोध के कई प्रकारों का विकास किया है। यहाँ पर हम शोध के मुख्य प्रकारों की चर्चा करेंगे जो निम्नलिखित हैं-

मौलिक शोध

जिस शोध द्वारा प्रघटनाओं के संबंध में शुद्ध मौलिक सिद्धांतों और सामान्यीकरण का प्रतिपादन किया जाता है, वह मौलिक शोध कहा जाता है। ऐसे शोधों में निष्कर्षों के आधार पर नये सिद्धांत का सृजन होता है। इस प्रकार के शोध में सिर्फ ज्ञान प्राप्ति को प्राथमिकता दी जाती है। यहाँ पर उस ज्ञान के व्यवहारिक पक्ष को गौण रखा जाता है। जैसा कि पी.वी. युंग कहते हैं कि शुद्ध अथवा मौलिक शोध की संज्ञा उसे दी जाती है, जिसके अंतर्गत ज्ञान की प्राप्ति ज्ञान के लिये हो इस प्रकार के शोध गणित, भौतिक, खगोलशास्त्र तथा रसायनशास्त्र इत्यादि में किये जाते हैं। मौलिक शोध द्वारा रचित सिद्धांतों की मदद से व्यवहारिक समस्याओं का पता लगाया जाता है।

गुडे तथा हट ने मौलिक शोध की चर्चा करते हुये इसके चार पक्षों का उल्लेख किया है:

- सामान्य सिद्धांतों को विकसित करके सिद्धांत बहुत-सी व्यवहारिक समस्याओं का समाधान करता है।
- विशुद्ध शोध एक व्यवहारिक समस्या के केन्द्रीय कारकों का पता लगाने में सहायता प्रदान करता है।
- प्रशासन के दृष्टिकोण से शोध समस्याओं का उत्तर देने के लिये एक प्रमाणिक प्रणाली हो सकती है।
- सैद्धांतिक शोध बहुत वैकल्पिक समाधान विकसित करता है ताकि वैकल्पिक व्यपत भारित तथा अन्ततोगत्वा न्यूनीकृत कर दिया जाय।

वर्णनात्मक शोध

जैसा कि नाम से पता चलता है, इस प्रकार का शोध 'स्थिति का वर्णन' करता है। यह 'क्या है' या 'क्या था' जैसे प्रश्नों का उत्तर देने का प्रयास करता है। यह रिपोर्टिंग करने जैसा है। इस प्रकार के शोध में सर्वेक्षण पद्धति का उपयोग किया जाता है। इस प्रकार के शोध में शोधकर्त्ता का चरों पर कोई नियंत्रण नहीं होता। इसमें जाँच परिस्थितियों या वातावरण में कोई बदलाव या परिवर्तन किए बिना ही सूचना एकत्रित की जाती है, इसमें चर के साथ हेरफेर नहीं किया जाता। इसे सहसंबंध (Correlational) या अवलोकन (Observation) शोध के रूप में प्रयोग किया जाता है।

वर्णनात्मक शोध के उद्देश्यः

- वर्तमान स्थिति का स्पष्टीकरण तथा भावी नियोजन अथवा परिवर्तन में सहायता करना।
- भावी शोध के प्राथमिक अध्ययन में सहायता करना जिससे शोध को अधिक नियंत्रित एवं वस्तुनिष्ठ बनाया जा सके।
- मनोवैज्ञानिक विशेषताओं से परिचय प्राप्त करना तथा शैक्षिक नियोजन में सहायता करना।
- मानव व्यवहार के विभिन्न पक्षों की जानकारी प्राप्त करना।

ऐतिहासिक शोध

करलिंगर (1973) ने ऐतिहासिक अनुसंधान को समझाते हुए कहा कि ऐतिहासिक शोध अतीत की घटनाओं तथा विकास क्रमों की समालोचनात्मक खोज, अतीत से संबंधित सूचना के स्रोतों की वैधता के प्रमाण का सावधानी पूर्ण मापन तथा मापित प्रमाण का विवेचन है। इस प्रकार के शोध में ऐतिहासिक दस्तावेजों, रिकार्डों, पुरातत्व स्रोतों के दत्त सामग्री संकलित करता है। इसकी वैधता की जाँच करता है। इनका मूल्यांकन एवं तुलनात्मक विवेचन कर सामान्यीकरण प्रस्तुत किये जाते हैं। इस प्रकार के शोध का मुख्य उद्देश्य समाज, संस्कृति, आदि की उत्पत्ति, उद्विकास और परिवर्तनों के घटनाक्रम का पता लगाना होता है।

अनुसंधानमूलक या समन्वेशी शोध

अनुसंधानमूलक शोध प्रायः प्रणालियों और सिद्धांत को यथायोग्य स्थान दिए बगैर, केवल अनुभवों अथवा प्रेक्षणों पर ही भरोसा करता है। यह शोध सामग्री आधारित शोध है जिसके निष्कर्षों को आगे और प्रेक्षण अथवा प्रयोग द्वारा सत्यापित किया जा सकता है। इस प्रकार के शोध में आंखों देखे तथ्य प्राप्त करना आवश्यक होता है ताकि एक कामचलाऊ प्राक्कल्पना की जा सके, और एक प्रयोगात्मक प्रारूप तैयार किया जा सके। इस प्रकार का शोध तब यथोचित होता है जब यह सिद्ध करने

का प्रयास किया जाता है कि कुछ परिवर्तियां दूसरी परिवर्तियों को किसी-न-किसी तरीके से प्रभावित करती हैं। प्रयोगों अथवा अनुभवजन्य अध्ययनों के माध्यम से जुटाया गया साक्ष्य प्रदत्त प्राक्कल्पना हेतु एक सशक्त आधार होता है।

यह मुख्य अनुपूर्वक या गौण (Secondary) आंकड़ों, अनुभव, सर्वेक्षण, प्रकरण अध्ययन, साक्षात्कार और प्रक्षेपी तथा डेल्फी (delphi) तकनीकों का उपयोग करता है।

व्यवहारिक शोध

वह शोध जो कि किसी समस्या विशेष के समाधान के लिये किये जाता है वह व्यवहारिक अनुसंधान कहलाता है। इस प्रकार के शोध में मौलिक बुनियादी सिद्धांतों और नियमों का प्रयोग करते हुये व्यवहारिक समस्या का समाधान करने का प्रयास किया जाता है। व्यवहारिक शोध से जो ज्ञान प्राप्त होता है वह समस्या समाधान के लिये उपयोग किया जाता है। पी.वी. युंग ने व्यवहारिक शोध को परिभाषित करते हुये कहा है कि व्यवहारिक शोध की संज्ञा उसे दी जाती है, जिसमें ज्ञान प्राप्ति मानवीय भाग्य के सुधार में सहायता प्रदान कर सकें। आपसी संबंधों के निर्माण, सामाजिक अन्तःक्रिया, सामाजिक क्रिया आदि का अध्ययन किया जाता है। यहाँ पर शोधकर्ता का उद्देश्य उस समाज के समूह का अध्ययन उसके विशिष्ट रूप में करना होता है। यहाँ पर अनुसंधान का उद्देश्य सामान्यीकरण नहीं करना होता है।

मात्रात्मक या परिमाणात्मक शोध

परिमाणात्मक शोध वह शोध है जिसमें सांख्यिकीय विश्लेषण और परिमाणात्मक मापन का प्रयोग होता है। इस शोध का संबंध प्रत्यक्षवादी ज्ञान मीमांसा से है जिसमें शोध के आनुभाविक साक्ष्यों और उनके विश्लेषण के लिये विशुद्ध विज्ञान जैसे गणित, सांख्यिकीय आदि का प्रयोग किया जाता है। इस प्रकार के शोध में दत्त सामग्री का संग्रहण एवं विश्लेषण संख्यात्मक रूप में किया जाता है। जैसे उत्तरदाताओं के जवाब को मात्रात्मक रूप अर्थात् प्रतिशत, संख्या, बारम्बारता, मध्यमान इत्यादि के रूप प्रदर्शित करना। इस प्रकार के शोध के द्वारा सिद्धांतों और परिकल्पनाओं की जाँच की जाती है। इसमें तर्क की निगमन विधि का प्रयोग होता है। परिमाणात्मक शोध का प्रयोग विज्ञान में ज्यादा होता है।

क्रिया शोध

क्रिया शोध स्थानीय लोगों से जुड़ी व्यवहारिक समस्याओं के समाधान के लिये आपेक्षित सामाजिक परिवर्तनों को लाने वाले साधनों की खोज करता है। क्रिया शोध का संबंध लोगों की सामाजिक दशा को सुधारने तथा सामाजिक समस्याओं के निराकरण से है। इस प्रकार के शोध में व्यवहारिक शोध पैदा करने के लिये क्रियात्मक रूप दिया जाता है। इस प्रकार के शोध का परीक्षण करते हैं और इससे प्राप्त सिद्धांतों और रणनीतियों का परीक्षण करते हैं और इससे प्राप्त अनुभवों को कार्यक्रम, योजना, रणनीति आदि के रूप में सामाजिक दशाओं को सुधारने के लिये लागू किये जाते हैं। समाजकार्य शोध में क्रिया शोध का सबसे ज्यादा प्रयोग होता है, क्योंकि यही एक ऐसी शोध विधि है जिसमें समस्या के स्वरूप के अध्ययन के साथ-साथ समाधान संप्रत्ययों से साधनों की भी जाँच की जाती है।

शिक्षा के क्षेत्र में क्रियात्मक शोध को निम्नलिखित स्थितियों में प्रयुक्त किया जा सकता है :

- शिक्षार्थी-अधिगम शैली, मनोवृत्ति तथा प्रेरित करना आदि।
- शिक्षक सशक्तिकरण-शिक्षण-अधिगम प्रक्रिया को और भी प्रभावी ढंग से लागू करना।
- मूल्यांकन-प्रक्रिया को सामाजिक और औद्योगिक आवश्यकताओं से संबंधित करना।
- पाठ्यचर्या में सुधार करना
- संस्था प्रशासन
- सामाजिक सहयोग आदि।

गुणात्मक शोध

गुणात्मक शोध में गैर मात्रात्मक प्रकार के विश्लेषण प्रस्तुत किया जाते हैं, जिसमें दत्त सामग्री का संकलन अनुभूत और अवलोकन द्वारा ग्रहण किया जाता है। इसमें दत्त सामग्री का विश्लेषण के सामाजिक अन्तर्क्रियाओं के कारण पैदा हुई समझ के द्वारा की जाती है। इस प्रकार के शोध का प्रयोग समाज शास्त्र, सामजकार्य, जनजाति अध्ययन, संस्कृति अध्ययन इत्यादि में किया जाता है। जिसमें शोधकर्ता सहभागिक अवलोकन पद्धति या व्यक्ति अध्ययन के द्वारा किसी सामाजिक प्रघटना को समझने के लिये वैज्ञानिक सिद्धांतों का सहारा न लेकर के सामाजिक अन्तर्क्रिया के कारण उत्पन्न सामाजिक वास्तविकता का व्यक्तिनिष्ठ स्वरूप में अध्ययन करते हैं। गुणात्मक शोध का उपयोग अक्सर नीति और कार्यक्रम मूल्यांकन शोध के लिए किया जाता है। विश्वसनीयता और वैधता को गुणात्मक शोध का एक मुख्य विषय माना गया है।

सर्वेक्षण शोध

सर्वेक्षण शब्द फ्रेंच भाषा के Sun और लैटिन भाषा के Veen शब्दों से मिलकर बना है, जिसका शाब्दिक अर्थ (Sun + Veen = To See) ऊपरी तौर पर देखना। इसका तात्पर्य यह है कि किसी प्रघटना को ऊपर अथवा बाह्य रूप से देखना या अवलोकन करना है। करलिंगर के अनुसार सर्वेक्षण शोध समाज वैज्ञानिक खोज की वह शाखा है जो समाजशास्त्रीय एवं मनोवैज्ञानिक चरों की सापेक्ष घटना, आवंटन एवं पारस्परिक संबंधों का पता लगाने के लिये समग्र से चुने हुये प्रतिदर्शों के चुनाव एवं अध्ययन द्वारा बड़ी एवं छोटी जनसंख्याओं का अध्ययन करती है। उपरोक्त परिभाषा से स्पष्ट होता है कि सर्वेक्षण शोध में लोगों के समूह की संख्या रहन-सहन, सामाजिक स्थिति, मनोदशाओं और जननांकीय स्वरूप का अध्ययन किया जाता है। करलिंगर की परिभाषा में सर्वेक्षण के दो महत्वपूर्ण चरों के बारे में जानकारी प्राप्त होती है। सामाजिक चर से आशय उन गुणों से है जो व्यक्ति को समाज में रहने के कारण विकसित होते हैं जैसे- धर्म, जाति, लिंग, आयु, परिवार, विवाह, पेशा, आय इत्यादि। मनोवैज्ञानिक चरों की श्रेणी

में लोगों के मतों, विश्वासों दृष्टिकोणों, मूल्यों, पूर्वाग्रहों, अभिरुचियों, अभिवृत्तियों इत्यादि को शामिल किया जाता है। सर्वेक्षण शोध की प्रकृति सम-अन्वेषणात्मक होने के कारण किसी समस्या पर शोध के प्राथमिक स्तर पर बहुत ही उपयोगी है।

घटनोत्तर शोध

Ex-post का हिन्दी अनुवाद किसी घटना के घटित होने के बाद किया गया कार्य होता है। घटनोत्तर शोध के द्वारा शोधार्थी घटना के कारण पैदा हुये प्रभावों के अध्ययन के आधार पर उसके सम्भावित कारणों का पता लगाने का प्रयास करता है। वस्तुतः इस प्रकार का शोध किसी घटना के घटित होने के बाद उसके अध्ययन के लिये प्रयोग की जाती है।

करलिंगर ने इसे परिभाषित करते हुये कहा है कि घटनोत्तर शोध वह है जिसमें स्वतंत्र चर अथवा अनेकों चर घटित हो चुके होते हैं और जिसमें शोधकर्ता एक आश्रित चर अथवा अनेकों चरों के पर्यवेक्षण से आरम्भ करता है, तत्पश्चात् वह अतीत में स्वतंत्र चरों के आश्रित चरों के साथ सम्भावित संबंधों एवं प्रभाव का अध्ययन करता है।

इस शोध विधि में घटित घटना के प्रभावों को आश्रित चर के रूप में देखते हैं इन्हीं आश्रित चरों के स्वतंत्र चर से सहसंबंधों को जानने का प्रयास इस शोध में किया जाता है।

प्रत्यक्षवाद एवं उत्तर–प्रत्यक्षवाद (Positivism and Post-Positivism)

प्रत्यक्षवाद

कॉम्ट को प्रत्यक्षवाद (Positivism) का जन्मदाता कहा जाता है। आपकी अनेक अवधारणाएँ प्रत्यक्षवादी सिद्धांत पर आधारित हैं, परन्तु उनके लेखों में इसका अधिक स्पष्टीकरण नहीं हुआ है। फिर भी इसे निम्न प्रकार से समझाया जा सकता है-

कॉम्ट के अनुसार प्रत्यक्षवाद का अर्थ 'वैज्ञानिक' (Scientific) है। इनका विचार है कि समग्र ब्रह्माण्ड (Whole universe) 'अपरिवर्तनीय प्राकृतिक नियमों' (Invariable natural laws) द्वारा व्यवस्थित तथा निर्देशित होता है और यदि इन नियमों को हमें समझाना है तो धार्मिक (Theological) या तात्विक (Metaphysical) आधारों पर नहीं अपितु विज्ञान की विधियों द्वारा ही समझा जा सकता है। वैज्ञानिक विधियों में कल्पना का कोई स्थान नहीं, यह तो निरीक्षण, परीक्षण, प्रयोग और वर्गीकरण की एक व्यवस्थित कार्य-प्रणाली होती है। इस प्रकार निरीक्षण, परीक्षण, प्रयोग और वर्गीकरण पर आधारित वैज्ञानिक विधियों के द्वारा सब कुछ समझना और उससे ज्ञान प्राप्त करना ही प्रत्यक्षवाद है।

कॉम्ट का कथन है कि अनुभव, निरीक्षण, प्रयोग तथा वर्गीकरण की व्यवस्थित कार्य-प्रणाली द्वारा न केवल प्राकृतिक घटनाओं का ही अध्ययन सम्भव है बल्कि समाज का भी क्योंकि समाज भी प्रकृति का एक अंग है। जिस प्रकार प्राकृतिक घटनाएँ कुछ निश्चित नियमों पर आधारित होती हैं, उसी प्रकार प्रकृति के अंग के रूप में सामाजिक घटनाएँ भी कुछ निश्चित नियमों के अनुसार घटित होती हैं, जिस प्रकार पृथ्वी को गति ऋतु-परिवर्तन, चाँद और सूर्य का आवागमन, दिन और रात का होना आदि प्राकृतिक घटनाएँ आकस्मिक नहीं हैं, बल्कि कुछ सुनिश्चत नियमों द्वारा निर्देशित होती हैं, उसी प्रकार मानवीय या सामाजिक घटनाएँ भी आकस्मिक नहीं होतीं, वे भी कुछ सामाजिक नियमों के अन्तर्गत आती हैं। अतः सामाजिक घटनाएँ किस प्रकार घटित होती हैं उनका क्या क्रम व गति हो सकती है? इसका अध्ययन यथार्थ रूप से सम्भव है। यही प्रत्यक्षवाद का प्रथम आधारभूत सिद्धांत है।

प्रत्यक्षवाद की दूसरी महत्वपूर्ण विशेषता यह है कि यह अपने को धार्मिक (Theological) और तात्विक (metaphysical) विचारों से दूर रखने का प्रयत्न करता है क्योंकि इनकी अध्ययन-प्रणाली वैज्ञानिक कदापि नहीं हो सकती। प्रत्यक्ष कल्पना या ईश्वरीय महिमा के आधार पर नहीं बल्कि निरीक्षण, परीक्षण, प्रयोग और वर्गीकरण की व्यवस्थित कार्य-प्रणाली के आधार पर सामाजिक घटनाओं की व्याख्या करता है।

प्रत्यक्षवाद अपने क्षेत्र से धार्मिक (Theological) और तात्विक (Metaphysical) विचारों का दृढ़तापूर्वक बहिष्कार करता है। ऐसा वह इस कारण करता है क्योंकि इस तरह के विचार एक प्रकार की 'सट्टेबाजी' (Speculations) है। दूसरे शब्दों में, कॉम्ट का विश्वास है कि धार्मिक व तात्विक 'अटकलपच्चू' चिंतन द्वारा प्राप्त निष्कर्ष सत्य भी हो सकता है और काल्पनिक भी अर्थात् ऐसे निष्कर्षों का सत्य या काल्पनिक होना 'संयोग' या 'अनुमान' की बात है और उनके सत्यासत्य का निर्णय अगर संभव नहीं तो कठिन तो अवश्य ही है। कुछ भी हो, वैज्ञानिक चिंतन 'संयोग' या 'अनुमन' पर कदापि निर्भर नहीं हो सकता और न होना ही चाहिए। चूँकि प्रत्यक्षवाद एक वैज्ञानिक विचार-प्रणाली है इस कारण इसे यथार्थ होना चाहिए और यथार्थता के क्षेत्र में 'सट्टेबाजी' या अनुमान का कोई स्थान हो ही नहीं सकता।

अतः स्पष्ट है कि प्रत्यक्षवादी प्रणाली के आधार पर किये गये अध्ययन और उसके द्वारा प्राप्त निष्कर्ष वैज्ञानिक तथा विश्वसनीय होते हैं। कॉम्ट का कथन है कि यही कारण है कि धार्मिक तथा तात्विक विचारधारा को वैज्ञानिक लोग अधिक महत्व नहीं देते हैं। उनका क्षेत्र अब केवल मात्र सामाजिक अध्ययन तक ही सीमित रह गया है। परन्तु यदि हम सामाजिक अध्ययन को वैज्ञानिक स्तर पर लाना चाहते हैं तो इस सामाजिक अध्ययन के क्षेत्र में भी तात्विक तथा धार्मिक विचारधारा को निकाल देता ही उचित होगा। ऐसा किये बिना समाजशास्त्र विज्ञान नहीं हो सकता।

कॉम्ट के अनुसार, प्रत्यक्षवादी प्रणाली के अंतर्गत सर्वप्रथम हम अध्ययन-विषय को चुनते हैं और फिर अवलोकन या निरीक्षण

(Observation) द्वारा उस विषय से संबंधित प्रत्यक्ष होने वाले समस्त तथ्यों (Facts) को एकत्रित करते हैं और इसके बाद इन तथ्यों का विश्लेषण करके सामान्य विशेषताओं के आधार पर इनका वर्गीकरण करते हैं और अन्त में उसी विषय से संबंधित कोई निष्कर्ष निकालते हैं। इस प्रकार निरीक्षण, परीक्षण और वर्गीकरण प्रत्यक्षवाद की नींव है।

कॉम्ट का प्रत्यक्षवाद या विज्ञान उपस्थित घटनाओं व तथ्यों के बाहर न कुछ देखता है और न पहचानता है अर्थात् जिन घटनाओं और तथ्यों को हम प्रत्यक्ष रूप से देख या निरीक्षण कर सकते हैं, प्रत्यक्षवाद का क्षेत्र वहीं तक सीमित है। इसका तात्पर्य यह नहीं है कि जो कुछ भी अज्ञेय या अज्ञात है उसको जानने या खोज निकालने का प्रयत्न प्रत्यक्षवाद के अंतर्गत नहीं आता। इसका तात्पर्य केवल इतना ही है कि प्रत्यक्षवाद अज्ञात और अज्ञेय के पीछे बिना किसी वास्तविक आधार के नहीं दौड़ता है क्योंकि इस प्रकार काल्पनिक दौड़ दौड़ना किसी भी विज्ञान को शोभा नहीं देता, न ही किसी प्रकार का 'ख्याली पुलाव' पकाकर वह अपने वैज्ञानिक स्तर पर स्थिर रह सकता है। इसलिए प्रत्यक्षवाद घटनाओं (Phenomena) के बाहर या पार जाने का प्रयत्न नहीं करता है क्योंकि केवल घटनाओं को ही जाना जा सकता है। डॉ. ब्रिजेस (Dr. Bridges) ने इस संबंध में कॉम्ट के दृष्टिकोण का स्पष्टीकरण करते हुए लिखा है कि "कॉम्ट घटनाओं की दुनिया के उस पार अवस्थित गूढ़ रहस्य के संबंध में अत्यधिक सचेत थे। इसे आप प्रत्येक पग पर उसी तरह अनुभव करते रहे जिस प्रकार एक नाविक (Sailor) उस अथाह समुद्र के विषय में सचेत रहता है जिसके कि बीच से होकर उसे अपना मार्ग निश्चित करना पड़ता है। लेकिन चूँकि उस रहस्य को भेद करना मनुष्य का काम नहीं, इसलिए उसे अपनी क्रियाओं को उस क्षेत्र की ओर मोड़ना होगा जहाँ कि उसका फल उसे मिल सके।"

प्रत्यक्षवाद की कुछ आधारभूत मान्यताएँ

इसे निम्नलिखित बिन्दुओं पर रेखांकित किया जा सकता है।

- प्रत्यक्षवाद की दृष्टि में भौतिक विज्ञान सर्वश्रेष्ठ ज्ञानात्मक उपलब्धि है। सभी शास्त्रों के सिद्धांत को विज्ञान के सिद्धांतों के प्रतिमानों का ही अनुसरण करना चाहिए, तभी शास्त्र विज्ञान की श्रेष्ठ कोटि के ज्ञान की मान्यता प्राप्त कर सकते हैं।
- प्रत्यक्षवाद की दृष्टि में इस सम्पूर्ण विश्व (मानव-जगत जिसका एक अंश है) एक बन्द (Closed) नियत, निश्चित नियमानुसार चलने वाली व्यवस्था है। ये सभी व्यवस्थाएँ स्वचालित नियमों से प्रतिमानित व्यवस्थाएँ हैं। इन व्यवस्थाओं में अन्तर्निहित कार्यकारण संबंधों के सार्वभौमिक नियमों, प्रतिमानों का अन्वेषण सभी विज्ञान की शाखाओं का एकमात्र लक्ष्य है।
- कार्यकारण संबंधों की स्थापना प्रत्यक्षवाद की एक प्रधान दिशा रही है। कारण किसी परिणाम की एक ऐसी पूर्ववर्ती घटना है जो उसके सम्पादन हेतु अनिवार्य एवं पर्याप्त पूर्ववर्ती दशा है। कारण परिणामों के इन सार्वभौमिक संबंधों में कोई अपवाद की संभावना नहीं है।
- प्रत्यक्षवाद एक अनुभाविक पद्धति है। सभी आधारभूत तत्व अवलोकन प्रयोग से परखे जाते हैं। सभी नियमों का प्रयोग के माध्यम से पुनः सत्यापन सभी देश, काल और परिस्थितियों से संभव होना चाहिए।
- प्रत्यक्षवाद विशेषवाद से 1920 के बाद का तार्किक प्रत्यक्षवाद सिद्धांतों की अर्थवत्ता की अपेक्षा सत्यापन की विधि अथवा प्रक्रिया को अधिक महत्वपूर्ण मानता है। जिस सिद्धांत के सत्यापन की कोई विधि न हो या वह विधि देश काल सापेक्ष हो तो उस सिद्धांत को विज्ञान का दर्जा नहीं दिया जा सकता है।
- प्रत्यक्षवाद की दृष्टि में सभी सिद्धांत अनुभव, प्रयोग एवं सत्यापन के क्रम में किसी भी समय गलत सिद्ध होने की पूरी सम्भावना रखते हो तभी वो अनुभाविक सिद्धांत कहे जा सकते हैं। दूसरे शब्दों में कालक्रम में जो सिद्धांत कभी सिद्ध न होने की कोई संभावना नहीं रखते हों ऐसे अक्षुण्ण सिद्धांतों को वैज्ञानिक सिद्धांत नहीं कहा जा सकता है।
- भौतिक विज्ञानों में प्रत्यक्षवाद की पद्धति से पदार्थों का विश्लेषण या अपघटन (Reduction) आवश्यक है। पदार्थों के अन्तिम निर्णायक इकाई की खोज से अपघटन ही एकमात्र विधि हो सकती है।

उपर्युक्त विवेचना से स्पष्ट है कि प्रत्यक्षवाद का प्रथम और सर्वप्रमुख उद्देश्य धार्मिक तथा तात्विक अवधारणाओं या विचारों से मानव-मस्तिष्क को मुक्त करके सामाजिक अध्ययन व अनुसंधान को वैज्ञानिक स्तर पर लाना है। प्रत्यक्षवाद प्राकृतिक विज्ञानों की पद्धति को सामाजिक अध्ययन में प्रयोग में लाकर, सामाजिक विज्ञान को भी उतना ही यथार्थ बनाना चाहता है जितना की भौतिकशास्त्र, रसायशास्त्र आदि हैं। इस प्रकार प्रत्यक्षवाद वह वैज्ञानिक साधन बन जाता है जिसके द्वारा मानव का बौद्धिक विकास संभव और सरल होगा।

प्रत्यक्षवाद के प्रकार

कांट के द्वारा प्रत्यक्षवाद को निम्नलिखित प्रकार से विभाजित किया जा सकता है।

- व्यक्तिवादी प्रत्यक्षवाद (Individualistic Positivism)
- समष्टिवाद प्रत्यक्षवाद (Collective Positivism)
- तार्किक प्रत्यक्षवाद (Logical Positivism)
- नव प्रत्यक्षवाद (Neo Positivism)

उत्तर-प्रत्यक्षवाद

उत्तर-प्रत्यक्षवाद सिद्धांतों के वैज्ञानिक या सामाजिक विज्ञान होने का प्रयास नहीं करता बल्कि वह मामलों की गहराई से विश्लेषण करने

की कोशिश करता है ताकि यह तय किया जा सके कि घटना के पीछे क्या कारण है।

उत्तर-प्रत्यक्षवाद में प्रत्यक्षवाद के साथ अपने अनुभवों को मिलाकर किसी घटना का परीक्षण किया जाता है। अपनी एपिस्टमोलॉजी (epistemology) स्वयं बनाई जाती है। इसके अनुसार वैज्ञानिकों की सोच और काम करने के तरीके तथा हमारे दैनिक जीवन में सोचने के तरीके अलग नहीं है। इसके अनुसार सभी अवलोकन अस्थिर है और यह सभी सिद्धांत पुनः प्रयोज्य है। इसमें मात्रात्मक विधि का प्रयोग किया जाता है परन्तु कभी-कभी गुणात्मक विधि का भी प्रयोग किया जा सकता है।

प्रत्यक्षवाद तथा उत्तर-प्रत्यक्षवाद में अंतर

आधार	प्रत्यक्षवाद	उत्तर-प्रत्यक्षवाद
प्रकृति	बाह्य	बाह्य
अनुसंधान का उद्देश्य	सार्वभौमिक खोज	सार्वभौमिक खोज
विधि और आंकड़े	वैज्ञानिक विधि वस्तुनिष्ठ आंकड़े	वैज्ञानिक विधि वस्तुनिष्ठ आंकड़े
उपयोग	सिद्धांतों को विकसित करने के लिए	सिद्धांतों को परीक्षण करने के लिए

शोध पद्धतियाँ (Research Methods)

प्रत्येक क्षेत्र में अनुसंधान का विशिष्ट स्थान है। वर्तमान एवं पुरातन ज्ञान के परीक्षण, सत्यापन एवं मूल्यांकन का यह अत्यन्त महत्त्वपूर्ण माध्यम है। साथ ही नवीन ज्ञान के सृजन का भी सशक्त आधार है।

शिक्षा का क्षेत्र अत्यंत विशद् एवं व्यापक है। अनेक ज्ञान-क्षेत्रों की सीमाओं का उसमें अतिक्रमण एवं समावेश होता है। अतः अनेक प्रकार की समस्याएँ उसके क्षेत्र को आच्छादित करती हैं। उनके समाधान हेतु अनेक प्रकार की अनुसंधान विधियों एवं तकनीकों का प्रयोग उसके क्षेत्र में किया जाता है।

शोध पद्धतियों का वर्गीकरण

इन विधियों का एक निश्चित एवं सर्वमान्य, वर्गीकरण नहीं हो सका है और न यह संभव है। जैसा कि **बार** का कहना है शिक्षा-अनुसंधान की विधियों का कई दृष्टिकोणों से वर्गीकरण किया जा सकता है, यथा-उद्देश्यों के आधार पर, शोध-सामग्री-संग्रह के तकनीकों के दृष्टिकोण से, सामग्री के विश्लेषण के आधार पर, चरों के नियंत्रण की मात्रा के दृष्टिकोण से, सामग्री के स्रोत एवं अन्य बहुत से आधारों पर। भिन्न-भिन्न लेखकों ने अपने-अपने ढंग से इनका वर्गीकरण किया है।

बेस्ट (1959) ने शिक्षा-अनुसंधान को तीन भागों में वर्गीकृत किया गया है। ये वर्ग हैं- (*i*) ऐतिहासिक, (*ii*) सर्वेक्षण एवं (*iii*) प्रयोगात्मक। **कौरनेल** एवं **मनरो** (1953) ने पाँच वर्गों में इन अनुसंधान विधियों को बाँटा है। ये हैं : (*i*) वर्णनात्मक, (*ii*) मीटरिक, (*iii*) क्लीनिकल, (*iv*) सहसंबंधात्मक तथा (*v*) प्रयोगात्मक। साथ ही एक छठे वर्ग की संभावना व्यक्त की है। अधिकांश लेखकों ने जिस वर्गीकरण को अपनाया है उसी को इसमें भी अपनाया गया है। यह प्रमुख वर्गीकरण है-

- प्रयोगात्मक अनुसंधान
- वर्णनात्मक अनुसंधान
- ऐतिहासिक अनुसंधान
- गुणात्मक एवं मात्रात्मक

प्रयोगात्मक अनुसंधान

प्रयोगात्मक अनुसंधान में शोधकर्ता अध्ययन की किसी परिस्थिति का जिसे वह उपयुक्त समझता है यथेच्छ रूप में प्रयोग (manipulate) करता है। **हेमैन** के अनुसार, वह स्वयं किसी परिस्थिति अथवा घटना को यथेच्छ उत्पन्न करता है तथा उसके प्रभाव का अध्ययन करता है।

सत्य अथवा वास्तविक प्रयोग (true experiment) केवल प्रयोगशाला में ही किया जा सकता है क्योंकि उसकी मान्य प्रक्रिया (standard procedure) का पालन करना प्रयोगशाला में ही संभव हो सकता है। शिक्षा, मनोविज्ञान एवं समाजशास्त्र के क्षेत्रों में इस मान्य प्रक्रिया का पूर्णतया पालन किया जाना संभव नहीं हो पाता क्योंकि इन क्षेत्रों में अधिकतर जिन को लेकर अध्ययन किए जाते हैं बहुत जटिल होते हैं, तथा प्रयोगशाला में उनका अध्ययन नहीं किया जा सकता।

प्रयोगात्मक अनुसंधान के प्रकार

प्रयोगात्मक अनुसंधान के निम्नलिखित भेद किए गए हैं-

- प्रयोगशालागत प्रयोग (True Experiment)
- क्षेत्र-प्रयोग (Field Experiment)
- क्षेत्राध्ययन (Field Studies)
- घटनोत्तर अध्ययन (Expost-facto studies)
- प्रयोगात्मक सिमुलेशन (Experimental Simulation)।

प्रयोगशालागत प्रयोग

प्रयोगशाला में किए गए प्रयोगों के माध्यम से जो अनुसंधान किए जाते हैं, उन्हें सत्य अथवा वास्तविक (true) प्रयोगात्मक अध्ययन के रूप में स्वीकार किया गया है क्योंकि अध्ययन की सम्पूर्ण परिस्थिति अत्यधिक नियंत्रित होती है। **कर्लिंगर** के अनुसार, प्रयोगशालागत प्रयोग के तीन प्रमुख लक्ष्य होते हैं :

(*i*) शुद्ध एवं दोषरहित परिस्थितियों में घटनाओं के बीच कार्यात्मक (functional) संबंध को ज्ञात करना,

(*ii*) दूसरे अध्ययनों एवं सिद्धांतों के आधार पर प्रस्तावित भविष्यवाणियों का परीक्षण करना,

(*iii*) सिद्धांतों एवं उपकल्पनाओं की परिभाषा करना, नयी उपकल्पनाओं का सृजन करना तथा सैद्धांतिक तंत्र (theoretical system) का निर्माण करना।

प्रयोगात्मक अनुसंधान मूलतः सिद्धांत-निरूपण से संबंधित है। नवीनतम विश्वसनीय एवं वैध ज्ञान के सृजन का अत्यन्त उपयोगी एवं प्रभावशाली माध्यम है, परन्तु यह बात तभी सही होती है जब प्रयोग पूर्णतया नियंत्रित ढंग से किया जाता है जोकि प्रत्येक परिस्थिति में संभव नहीं होता। इसीलिए कुछ प्रयोगात्मक अध्ययन अधिक विश्वसनीय एवं वैध होते हैं तथा कुछ कम।

क्षेत्र-प्रयोग

क्षेत्र प्रयोगशाला से बहुत भिन्न होता है और यह भिन्नता क्षेत्र-प्रयोग के स्वरूप को भी प्रभावित करती है। प्रयोगशाला में शोधकर्ता के लिए प्रत्येक परिस्थिति को नियंत्रित करना संभव होता है। वह जब चाहे अध्ययन की व्यवस्था में अभीष्ट परिवर्तन कर सकता है। इसके विपरीत क्षेत्र बहुत विस्तृत होता है तथा उसमें अनेक तत्व, परिस्थितियाँ, चर क्रियाशील रहते हैं तथा उनको नियंत्रित कर पाना शोधकर्ता के लिए संभव नहीं होता। इनेक क्षेत्रीय शक्तियाँ (field forces) एक-दूसरे को एक साथ प्रभावित करते रहते हैं। इन्हें नियंत्रित करना तो दूर रहा यह जानना भी सरल नहीं होता कि किसी अध्ययन की स्थिति में कौन-कौन से तत्व कार्य कर रहे हैं तथा परिणामों को प्रभावित कर रहे हैं। अतः प्रयोगशाला से बाहर क्षेत्र में किए गए प्रयोग उनसे भिन्न होते हैं जो प्रयोगशाला में किए जाते हैं। इन प्रयोगों को क्षेत्र-प्रयोग कहा जाता है।

क्षेत्र-प्रयोग इस दृष्टिकोण से अधिक उपयोगी होते हैं कि उनमें अध्ययनगत इकाइयों के व्यवहार नैसर्गिक होने के कारण परिणामों की बाह्य वैधता (सामान्यीकरण की व्यापकता) बढ़ जाती है जो प्रयोगशालागत प्रयोगों में अतिनियंत्रणाधीन होने एवं शोधकर्ता द्वारा उत्पन्न किए जाने के फलस्वरूप, इकाइयों के व्यवहार अस्वाभाविक होने के कारण सदैव कम रहती है।

क्षेत्र-अध्ययन

क्षेत्र अध्ययन (field studies) भी प्रयोगात्मक अनुसंधान की श्रेणी में आते हैं क्योंकि उनमें भी कारण-कार्य संबंध स्थापित करने का प्रयास किया जाता है, परन्तु ये भी प्रयोगशाला प्रयोग (true experiment) (सत्य प्रयोग) एवं क्षेत्र प्रयोग से भिन्न होते हैं।

कर्लिगर के अनुसार, क्षेत्र अध्ययन (field studies) घटनोत्तर अध्ययन (expost facto studies) ही हैं जिनका उद्देश्य वास्तविक सामाजिक व्यवस्था में क्रियमाण समाजशास्त्रीय, शैक्षिक एवं मनोवैज्ञानिक चरों के बीच संबंधों तथा अन्तःक्रियाओं की खोज करना होता है।

कर्लिगर का मत है कि क्षेत्र-अध्ययनों में "यथार्थता, महत्त्व, चरों की सुदृढ़ता, सिद्धांतोन्मुखता एवं प्रश्नवाची विशेषता अधिक होती है।" क्योंकि ये अध्ययन जीवन की वास्तविक परिस्थितियों में किए जाते हैं, अतः उनके परिणाम अन्य समान परिस्थितियों पर भी लागू माने जा सकते हैं। इस दृष्टिकोण से वे यथार्थता के काफी समीप माने जाते हैं। महत्वपूर्ण इसलिए माने जाते हैं कि उनके द्वारा अध्ययनगत घटनाओं के विषय में बहुत सारी जानकारी प्राप्त होती है जिसको लेकर बाद में बहुत-से नियंत्रणपूर्ण प्रयोग किए जा सकते हैं।

प्रयोगात्मक सिमुलेशन

यह भी प्रयोगात्मक अनुसंधान की एक विधि है। इसका प्रयोग बहुत पहले से होता आ रहा है, परन्तु व्यवहार-विज्ञान के क्षेत्र में उसका प्रयोग हाल के वर्षों से होना आरम्भ हुआ है।

इन अध्ययनों में अध्ययनगत व्यवहारों जिनमें अध्ययनगत चरों की अभिव्यक्ति होती है, के परिवेशों का अस्वाभाविक सृजन किया जाता है जो वास्तविक परिवेशों के बहुत समान होता है। जैसे, यह जानने के लिए कि कोई शिक्षण-विधि दसवीं कक्षा को पढ़ाने हेतु कितनी प्रभावशाली है- छात्राध्यापक वास्तविक कक्षा में उसका प्रयोग न करके अपने साथियों को ही बैठाकर उसे कक्षा 10 ही समझकर पढ़ाते हैं तथा कुछ दिन बाद उस शिक्षण विधि का मूल्यांकन करते हैं, यह प्रयोग सिमुलेशन प्रयोग कहलाएगा। इसमें यह आवश्यक है कि अस्वाभाविक परिस्थिति अधिक से अधिक वास्तविक परिस्थिति के समान हो।

प्रयोगशालागत अनुसंधान की भाँति सिमुलेटिड प्रयोग में भी चरों का नियंत्रण, स्वतंत्र चर का यथेच्छ प्रयोग तथा समसंभाविक विधि आदि का समावेश रहता है।

सिमुलेटिड अनुसंधान व्यवहार-विज्ञान के क्षेत्र में अधिक प्रचलित नहीं हैं। संभवतः इसका कारण यह है कि व्यवहार-विज्ञान के क्षेत्र में इस प्रकार के अध्ययनों की संभावना कम है तथा उनके परिणामों को वास्तविक परिस्थितियों में हस्तांतरित करने पर उनकी उपयोगिता अधिक नहीं पाई जाती है।

वर्णनात्मक अनुसंधान

वर्णनात्मक अनुसंधान प्रमुख रूप से घटना, परिस्थिति, संस्था अथवा किसी विशेषता का केवल वर्णन मात्र करता है। शोध पूरा होने के पश्चात् वह इनके विषय में केवल इस बात की व्याख्या करता है कि "वह क्या है?" विगत काल में कुछ ऐसी परम्परा रही है कि वर्तमान परिस्थितियों के विश्वसनीय एवं वैध मूल्यांकन को वर्णनात्मक अनुसंधान के अंतर्गत रखा जाता रहा है। इसी प्रकार गत्यात्मक (dynamic) प्रक्रियाओं के स्वरूप को निर्धारित करना तथा व्यक्तियों, संस्थाओं एवं तंत्रों की व्याख्या करना भी इसी प्रकार के अनुसंधान के अंतर्गत समझा जाता है, परन्तु वर्तमान में विभिन्न घटनाओं, चरों एवं स्थितियों के पारस्परिक संबंधों को ज्ञात करना तथा उनकी व्याख्या करना भी वर्णनात्मक अनुसंधान के अंतर्गत माना जाता है।

वर्णनात्मक अनुसंधान के प्रकार

वान डालेन ने इस अनुसंधान के तीन प्रकारों का उल्लेख किया है। ये हैं-

- सर्वेक्षण अध्ययन,
- अंतर्सबंधात्मक अध्ययन एवं
- विकासात्मक अध्ययन।

सर्वेक्षण अध्ययन

सर्वेक्षण अध्ययन मुख्यतः घटनाओं (phenomena), चरों (variables) एवं विशेषताओं की वर्तमान स्थिति का वर्णन करते हैं।

कर्लिंगर के अनुसार, सर्वेक्षण अध्ययनों के उद्दश्य होते हैं:

- किसी घटना (incidence) की व्यापकता, गम्भीरता, घटने की संभावना, उसका विवरण आदि का पता लगाना तथा
- समाजशास्त्रीय एवं मनोवैज्ञानिक चरों के पारस्परिक संबंधों का वर्णन करना।

सर्वेक्षण-अध्ययनों के प्रकारः सर्वेक्षण-अध्ययनों के माध्यम से अनेक बातों का अध्ययन किया गया है। उनका स्पष्ट रूप में वर्गीकरण करना कठिन है फिर भी कुछ इस प्रकार उनका वर्गीकरण किया गया है:

- संस्थागत सर्वेक्षण,
- व्यवसायों के सर्वेक्षण,
- जन-समुदायों के सर्वेक्षण,
- दस्तावेजों के सर्वेक्षण,
- जनमत सर्वेक्षण,
- जनसंख्या सर्वेक्षण,
- समाजशास्त्रीय सर्वेक्षण,
- मनोवैज्ञानिक सर्वेक्षण।

दस्तावेजों के सर्वेक्षण को विषय-वस्तु विश्लेषण (content analysis), कार्य विश्लेषण (activity analysis) भी कहा जाता है जो ऐतिहासिक अनुसंधान से बहुत मिलते-जुलते होते हैं। समाजशास्त्रीय अध्ययनों के केन्द्र सामाजिक तथ्य होते हैं जैसे सामाजिक धारणाएँ, अभिवृत्तियाँ, लोगों की आदतें, रीति-रिवाज आदि। इसी प्रकार किसी कक्षा के विद्यार्थियों की औसत बुद्धि का पता लगाना तथा बुद्धि का कक्षा के विद्यार्थियों में वितरण ज्ञात करना मनोवैज्ञानिक सर्वेक्षण का एक उदाहरण है।

सर्वेक्षण अध्ययनों की विधि (Methodology) : सर्वेक्षण अध्ययन की विधि में न्यादर्श-चयन की प्रक्रिया को बहुत अधिक महत्व दिया गया है। न्यादर्श का चयन (sample design) किस प्रकार किया जाए इसकी विस्तार से व्याख्या की गई है। अध्ययन-प्रक्रिया की सम्पूर्ण रूपरेखा जिन तत्वों से मिलकर बनती है, वे हैं:

- उद्देश्यों का विशिष्टीकरण,
- उपकल्पनाओं का निर्धारण,
- सूचना-सामग्री एकत्र करने का विधान निश्चित करना।

सूचना-सामग्री (data) एकत्र करने के कई माध्यम होते हैं, जैसे- प्रश्नावली, कथनावली, मनोवैज्ञानिक परीक्षाएँ, साक्षात्कार, व्यक्तिगत गमन (personal visits), आलेखों की जाँच एवं मूल्यांकन आदि। सम्पूर्ण प्रक्रिया कुछ प्रश्नों के उत्तरों पर आधारित होती है, जैसे-लक्ष्य **क्या** है, उस लक्ष्य की प्राप्ति हेतु किस प्रकार की सूचनाएँ आवश्यक होंगी, उन्हें **किनसे, कहाँ से, किस प्रकार** प्राप्त किया जा सकता है, इस सूचना-सामग्री का तालिकाकरण (tabulation) एवं विश्लेषण (analysis) किस प्रकार किया जाएगा आदि।

सर्वेक्षण-अध्ययनों को अन्य प्रकार के अध्ययनों की तुलना में किसी प्रकार भी हीन अथवा कम महत्त्व का नहीं समझना चाहिए। विशिष्ट परिस्थितियों में उनकी बहुत उपयोगिता होती है।

अंतर्सबंधात्मक अध्ययन

सर्वेक्षण की भाँति इनका उद्देश्य घटनाओं एवं तथ्यों का केवल वर्णन करना मात्र ही नहीं होता। वरन् वे उससे आगे जाकर तथ्यों के पारस्परिक संबंधों पर प्रकाश डालते हैं। **वान डालेन** ने इस प्रकार के अध्ययनों को तीन क्षेणियों में बाँटा है। ये हैं:

1. एकक वृत्त अध्ययन (Case studies)।
2. कारणवाची-तुलनात्मक अध्ययन (Causal comparative studies)।
3. सह-संबंधात्मक अध्ययन (Correlational studies)।

एकक वृत्त अध्ययन (Case Studies) : इस प्रकार के अध्ययन की सबसे बड़ी विशेषता यह है कि इसमें एक समय में केवल एक इकाई का अत्यन्त गहराई से अध्ययन किया जाता है। वह इकाई एक व्यक्ति भी हो सकता है और एक समूची संस्था अथवा कोई नीति, प्रक्रिया, प्रथा आदि भी हो सकती है। इसी प्रकार किसी एक परिवार, एक जन-समूह, एक जाति-विशेष, धर्म आदि का व्यापक रूप से किया गया अध्ययन भी एकक अध्ययन के अन्तर्गत आता है। इन अध्ययनों का उद्देश्य उस इकाई का प्रत्येक दृष्टिकोण से गहन अध्ययन करके इस बात पर प्रकाश डालना होता है कि वास्तव में समस्या क्या है, वह किस प्रकार उत्पन्न हुई है, उसे जन्म देने वाले कारक, तत्व एवं प्रक्रियाएँ क्या हैं तथा वे किस प्रकार गतिशील रही हैं। लक्ष्यानुसार अनुसंधानकर्ता उस इकाई के विभिन्न पक्षों से संबंधित तथा विभिन्न स्रोतों से सूचना-सामग्री एकत्र करता है। उस सूचना-सामग्री को लक्ष्य-केन्द्रित प्रश्नों के संदर्भ में वर्गीकृत करके समायोजित करता है तथा आलोचनात्मक विश्लेषण के आधार पर ही निष्कर्ष पर पहुँचता है।

कारणवाची तुलनात्मक अध्ययन (Causal Comparative Studies) : यह अन्तर्संबंधारित वर्णनाात्मक अनुसंधान का दूसरा प्रकार है। इस प्रकार के अध्ययनों में भी घटना के कारण की खोज का प्रयास किया जाता है। इसीलिए इसे कारणवाची (causal) कहा गया है, परन्तु कारण का निर्धारण जिस विधि के आधार पर किया जाता है वह तुलनात्मक (comparative) होती है। इसलिए उसे कारणवाची-तुलनात्मक अध्ययन की संज्ञा दी जाती है। इस दृष्टिकोण से इन अध्ययनों को

कारण-प्रभाव-संबंध (cause-effect-relationship) अध्ययनों की श्रेणी में भी रखा जा सकता है। वास्तव में कारण-प्रभाव-संबंध का अध्ययन प्रयोगात्मक अनुसंधान (experimental research) के अंतर्गत आता है। दोनों प्रकार के अध्ययनों का उद्देश्य समान है। केवल अध्ययन-विधि में अंतर होता है। कारणवाची-तुलनात्मक अध्ययन की विधि तुलनात्मक होती है तथा प्रयोगात्मक अनुसंधान के नियम एवं कसौटी का उसमें पालन नहीं होता। अतः इस प्रकार के अध्ययनों को वर्णनात्मक अनुसंधान की श्रेणी में रखा जाता है।

सह संबंधात्मक अध्ययन (Correlation Studies) : यह गुणांक ±1.0 की सीमा के भीतर ही होता है। गुणांक +1.0 का अर्थ होता है **पूर्ण एवं सकारात्मक संबंध** एवं –1.0 का अर्थ होता है **पूर्ण परन्तु नकारात्मक संबंध**। इनके बीच में जो गुणांक होते हैं वे पूर्ण से कम सकारात्मक एवं नकारात्मक संबंध के परिचायक होते हैं। सकारात्मक संबंध का अर्थ होता है दोनों चरों का एक ही दिशा में घटना अथवा बढ़ना। जैसे-बुद्धि एवं शैक्षिक उपलब्धि के बीच यदि सकारात्मक संबंध है तो इसका अर्थ होगा कि बुद्धि बढ़ती है तो शैक्षिक उपलब्धि भी बढ़ेगी। यदि नकारात्मक अथवा विपरीत सह-संबंध है तो स्थिति यह होगी कि यदि बुद्धि बढ़ती है तो शैक्षिक उपलब्धि घटती है।

ये अध्ययन सांख्यिकीय विधियों पर आधारित होते हैं। इनका प्रयोग अत्यन्त जटिल (complex) संबंधों को ज्ञात करने में भी किया जाता है तथा इनके आधार पर बहुचरीय विश्लेषण (multivariate analysis) तथा पूर्वकथन अध्ययन (predictive studies) किए जाते हैं।

इन अध्ययनों की एक कमी यह है कि इनमें चरों के बाच के केवल संबंध की ही जानकारी प्राप्त होती है। यह नहीं ज्ञात किया जा सकता कि कौन किसका कारण है। अतः इनमें कारण-परिणाम का अध्ययन नहीं किया जा सकता। इस दृष्टिकोण से अध्ययन प्रयोगात्मक अध्ययनों से बिल्कुल भिन्न होते हैं।

ऐतिहासिक अनुसंधान

ऐतिहासिक अनुसंधान की परिभाषा इस प्रकार की जाती है- "ऐसे अनुसंधान जिनमें उन घटनाओं, प्रक्रियाओं एवं परम्पराओं का अध्ययन किया जाता है जो अतीत में घटी होती हैं।" **स्मिथ** एवं **स्मिथ** के अनुसार, ऐतिहासिक अनुसंधान का उद्देश्य अतीत का सही-सही वर्णन करना होता है बीते सत्य की विद्वत्तापूर्ण खोज करना, अर्थात् जिज्ञासा का वह स्वरूप जिसमें शोधकर्ता जानना चाहता है कि "अतीत में इसका रूप, इसकी स्थिति कैसी थी, क्यों और कैसे ऐसा हुआ।" **बोर्ग** के अनुसार, ऐतिहासिक अनुसंधान "अतीत की घटनाओं के संबंध में निष्कर्ष उपलब्ध कराने एवं तथ्यों का सत्यापन करने हेतु ऐतिहासिक साक्ष्यों का वस्तुनिष्ठ एवं विधिपूर्वक खोजा जाना, उनका मूल्यांकन एवं संश्लेषण है।"

सभी ऐतिहासिक अध्ययन वर्णनात्मक (descriptive) एवं विश्लेषणात्मक (analytical) प्रकार के होते हैं। उनमें घटना के अतीत की जानकारी देने वाले प्रलेखों, प्रपत्रों, स्मारकों, पुस्तकों, अभिलेखों, ऐतिहासिक अवशेषों आदि का अध्ययन किया जाता है। उनके आधार पर भाँति-भाँति के तथ्यों को एकत्र किया जाता है तथा उनका विश्लेषण करके निष्कर्ष निकाले जाते हैं।

ऐतिहासिक अनुसंधान की प्रक्रिया

इस प्रकार के अध्ययनों में भी प्रक्रिया का लगभग वही पदक्रम रहता है जो वर्णनात्मक विधि में अपनाया जाता है। **वान डालेन** ने निम्नलिखित पाँच पदों का उल्लेख किया है:

1. समस्या का निर्धारण, उसकी परिभाषा एवं विस्तृत व्याख्या करना।
2. आधारभूत सामग्री (source material) एकत्र करना जिसके आधार पर समस्या संबंधी-शोध-सामग्री एकत्र की जानी है, समस्या संबंधी जानकारी एवं सूचनाएँ प्राप्त की जानी हैं।
3. आधारभूत सामग्री का आलोचनात्मक मूल्यांकन।
4. उपकल्पनाओं का सृजन (formulation of hypotheses) जिनके आधार पर वस्तु-स्थिति की व्याख्या की जानी है।
5. सामग्री का विश्लेषण, निष्कर्षों का निरूपण एवं आख्या तैयार करना।

ऐतिहासिक अनुसंधान की शोध-सामग्री

ऐतिहासिक अनुसंधान की शोध-सामग्री (data) ऐतिहासिक तत्व एवं घटनाएँ ही होती हैं। अन्य अनुसंधानों में इस सामग्री का स्रोत मूलतः मनोवैज्ञानिक परीक्षाएँ, प्रश्नावलियाँ, साक्षात्कार आदि होते हैं, परन्तु ऐतिहासिक अनुसंधान में यह ऐतिहासिक तथ्यों, घटनाओं एवं जानकारी के रूप में होती हैं, जिन्हें अनेक स्रोतों से एकत्र किया जाता है।

मौली ने ऐतिहासिक जानकारी अथवा साक्ष्य के स्रोतों को दो श्रेणियों में बाँटा है :

1. ऐतिहासिक प्रलेख (documents, प्रपत्र)।
2. ऐतिहासिक अवशेष (relics or remains)।

प्रलेखीय स्रोत के अंतर्गत बहुत से प्रकार के अभिलेख आते हैं, जैसे-

- सरकारी अभिलेख।
- व्यक्तिगत अभिलेख।
- विभिन्न प्रकार के चित्र, नक्शे, ड्राइंग, फोटो आदि।
- प्रकाशित सामग्री।
- यांत्रिक सामग्री जैसे-टेप, वीडियो कैसेट आदि।

अवशेषों के अंतर्गत भी कई प्रकार की वस्तुएँ आती हैं, जैसे-

- स्थूल वस्तुएँ : इमारतें, फर्नीचर, बहुत-से प्रकार के उपकरण, परिधान, औजार, मृत शरीरों के अवशेष आदि।
- प्रकाशित सामग्री।
- हस्तलिखित सामग्री आदि।

उपरोक्त सभी स्रोत वह समस्त जानकारी, सूचनाएँ (data) प्रस्तुत करते हैं जिनके आधार पर समस्यागत प्रश्नों के उत्तर प्राप्त किये जाते हैं एवं उपकल्पनाओं की जांच की जाती है, परन्तु विश्वसनीय एवं वैध निष्कर्ष प्राप्त करने हेतु यह आवश्यक है कि साक्ष्य के ये आधार भी विश्वसनीय हों। अन्य प्रकार के अनुसंधानों में जिस प्रकार यह आवश्यक है कि मनोवैज्ञानिक परीक्षण, प्रश्नावली आदि विश्वसनीय तथा वैध हों, उसी प्रकार ऐतिहासिक अध्ययनों में उपरोक्त-साक्ष्य-स्रोतों का भी विश्वसनीय एवं वैध होना आवश्यक समझा जाता है तथा शोध-सामग्री का विश्लेषण करने से पहले उसकी विश्वसनीयता एवं वैधता निर्धारित करना महत्त्वपूर्ण समझा जाता है। इसकी प्रमुख विधि साक्ष्य-समालोचना (criticism) होती है।

ऐतिहासिक अनुसंधान का मूल्यांकन

प्रायः यह प्रश्न उठाया जाता है कि क्या ऐतिहासिक अनुसंधान वैज्ञानिक अनुसंधान है। कुछ लोग इसे वैज्ञानिक मानते हैं, कुछ नहीं मानते, परन्तु सभी यह स्वीकार करते हैं कि आंशिक रूप में यह वैज्ञानिक है। हौकेट के अनुसार, वैज्ञानिक अनुसंधान की तीन विशेषताएँ हैं :

- निरीक्षण,
- उपकल्पना,
- परीक्षण।

ये थोड़े बहुत हेर-फेर के साथ ऐतिहासिक अनुसंधान में भी विद्यमान रहती हैं। कुछ विद्वानों का मानना है कि ऐतिहासिक अनुसंधान में कारण-कार्य (cause-effect) संबंध का निर्धारण नहीं किया जा सकता। अतः वह वैज्ञानिक अनुसंधान की श्रेणी में नहीं रखा जा सकता, परन्तु बहुत से इतिहासकारों का कहना है कि इन अनुसंधानों में घटना के कारणों का भी निर्धारण किया जा सकता है। इसी प्रकार कुछ का कहना है कि ऐतिहासिक अध्ययनों में भविष्यवाणी (prediction) संभव नहीं है, परन्तु कुछ इतिहासकार मानते हैं कि कुछ विशिष्ट परिस्थितियों में पूर्वकथन अथवा भविष्यवाणी भी संभव है।

मौलि का मत है कि ''ऐतिहासिक अनुसंधान को अवैज्ञानिक कहकर नकारना बुद्धिमानी की बात नहीं है''। उनका यह भी कहना है कि शिक्षा की महत्त्वपूर्ण समस्याओं के समाधान खोजने हेतु ऐतिहासिक अनुसंधान एक परिप्रेक्ष्य (perspective), एक पृष्ठभूमि प्रदान कर सकते हैं। कुछ विद्वानों का यह भी कहना है कि ऐतिहासिक अनुसंधानों के आधार पर मोटे तौर से सामान्यीकरण एवं नियम-निरूपण (derivation of laws) भी संभव है। थ्युसीडाइड्स की भाँति उनका भी कहना है कि ''मानव-स्वभाव के अनुरूप जो घट चुका है वह पुनः घटेगा ही।''

मात्रात्मक एवं गुणात्मक शोध

मात्रात्मक शोध एक प्रकार से समस्या को बाह्य दृष्टि से हमारे सामने लाता है तो वहीं गुणात्मक शोध उसी समस्या को विस्तार से जानने में मदद करता है। मात्रात्मक शोध में समस्या को संक्षिप्त और आंकड़ों में पता लगाते हैं। गुणात्मक शोध में उसी समस्या को विस्तार से हम जानते हैं।

गुणात्मक शोध

गुणात्मक शोध का उद्देश्य मानवीय व्यवहार और ऐसे व्यवहार को शासित करने वाले कारणों को गहराई से समझना है। गुणात्मक विधि न केवल क्या, कहां, कब की छानबीन करती है, बल्कि क्यों और कैसे को भी खोजती है। इसलिए, बड़े नमूनों की बजाय अक्सर छोटे पर संकेंद्रित नमूनों की जरूरत होती है। गुणात्मक शोध निर्देशन से कार्य करता है। गुणात्मक शोध में आमतौर पर अभिकल्प का प्रयोग नहीं करते, यह विकल्प खुले रखते हैं। गुणात्मक शोध बहुत लचीला होता है तथा चयन में अधिक स्वतंत्र रहता है। इस शोध में चरों का उनके गुणों के आधार पर विश्लेषण होता है। गुणात्मक शोध, मात्रात्मकता के स्थान पर व्यक्तिगत अनुभवों और विश्लेषण पर जोर देता है। गुणात्मक शोध में शोध के निष्कर्ष में भाव एवं पक्ष को स्थान दिया जाता है यह कारण का विश्लेषण और सत्यापन करता है, गुणात्मक पक्ष को नापने के लिए मुख्य रीतियों, व्यवस्थित श्रृंखला संबंध प्रमापन और संकेतकों के आधार पर वर्गीकरण करते हैं। सरल शब्दों में—गुणात्मक से तात्पर्य है गैर-संख्यात्मक डेटा संग्रहण या ग्राफ या डेटा स्रोत की विशेषताओं से है।

मात्रात्मक शोध

मात्रात्मक शोध आदेशात्मक होता है। इसमें अभिकल्प प्रारूप शोध के पहले ही निर्धारित हो जाता है तथा इसमें सिद्धांत भी पहले ही निर्धारित रहते हैं मात्रात्मक शोध में परिवर्तन शील तत्वों का या चरों की संख्या या मात्रा के आधार पर विश्लेषण किया जाता है। मात्रात्मक शोध निगमन पद्धति पर आधारित होती है। यह शोध आंकड़ों पर आधारित होता है और इसका निष्कर्ष भी आंकड़ों द्वारा ही निर्धारित होता है। आंकड़ों के आधार पर एक नए आंकड़े को निकालना ही मात्रात्मक शोध का उद्देश्य होता है। मात्रात्मक शोध किसी प्रकार के पक्ष या भाव से रहित रहता है।

मात्रात्मक एवं गुणात्मक शोध का महत्व

परिमाणात्मक या मात्रात्मक शोध

- मात्रात्मक शोध के अंतर्गत मुख्यतः डिडक्टिव मेथड (प्रक्रिया) का प्रयोग किया जाता है।
- मात्रात्मक शोध के अंतर्गत शोध के परिणाम की वैधता और विश्वसनीयता प्रयुक्त तकनीक (यंत्रों और मापक) पर निर्भर करता है।
- मात्रात्मक शोध में सामान्यीकरण की संभावना अधिक होती है।
- मात्रात्मक शोध में प्रयोग के सांख्यकीय परीक्षण (स्टैटिस्टिकल टेस्ट) और सांख्यिकीय विश्लेषण की संभावना होती है।
- मात्रात्मक शोध में परियोजना के स्तर पर अधिक समय की आवश्यकता होती है परन्तु विश्लेषण में कम समय की आवश्यकता होती है।

- मात्रात्मक शोध के अंतर्गत गहन या कम गहन परन्तु अधिकाधिक विषयों से संबंधित अधिक विस्तृत जानकारी प्राप्त होती है।
- मात्रात्मक शोध मात्रात्मक या सांख्यकीय सूचनाओं पर आधारित होता है। यह सर्वेक्षण, स्ट्रक्चर्ड इंटरव्यू, ऑब्जरवेशन, रिकार्ड्स और रिपोर्ट्स के रिव्यु पर आधारित होता है।
- इसके अंतर्गत शोध से संबद्ध समस्या या स्थिति के प्रभाव या परिणाम स्पष्ट दृष्टिगत होते हैं।
- इसका उपयोग पूर्व निर्धारित या पूर्व स्थापित कांसेप्ट या कंस्ट्रक्ट या हाइपोथिसिस के परिरक्षण के लिए किया जाता है, जिससे स्पेसिफाइड थ्योरी (सिद्धांतों) का निर्माण होता है।
- मात्रात्मक शोध के अंतर्गत निश्चित प्रति उत्तर का विकल्प होता है।
- मात्रात्मक शोध संख्यात्मक (संख्या आधारित) होता है।
- मात्रात्मक शोध ज्यादातर ऑब्जेक्टिव (वस्तुनिष्ठ) होता है। यह किसी भी स्थिति या समस्या के स्पष्ट दिखने वाले प्रभाव या परिणाम का वर्णन होता है।

गुणात्मक शोध

- गुणात्मक शोध के अंतर्गत कुछ विषयों पर ज्यादा विस्तृत जानकारी प्राप्त होती है। (विशद ज्ञान)
- इसका उपयोग थ्योरी और हाइपोथिसिस (सिद्धांतों और प्राक्कथन) के निर्माण के लिए किया जाता है।
- गुणात्मक शोध में परियोजना के स्तर पर कम समय की आवश्यकता होती है परन्तु विश्लेषण में अधिक समय की आवश्यकता होती है।
- गुणात्मक शोध फोकस ग्रुप, गहन साक्षात्कार, इंटरव्यु और डाक्यूमेंट्स के रिव्यु पर आधारित होता है।
- गुणात्मक शोध गुणात्मक या वर्णनात्मक (वर्णन आधारित) होता है।
- गुणात्मक शोध के अंतर्गत मुख्यतः इंडक्टिव मेथड (प्रक्रिया) का प्रयोग किया जाता है।
- गुणात्मक शोध के अंतर्गत अन-स्ट्रक्चर्ड और सेमी-स्ट्रक्चर्ड रिस्पांस के कारण उत्तर के विविध विकल्प होते हैं।
- गुणात्मक शोध में किसी भी सांख्यकीय परीक्षण की संभावना नहीं होती है।
- गुणात्मक शोध के अंतर्गत शोध के परिणाम की वैधता और विश्वसनीयता शोधकर्ता के प्रयास और परिश्रम पर निर्भर करती है।
- इसके अंतर्गत किसी समस्या या स्थिति का वर्णन करना शोधकर्ता (जो इन समस्याओं से संबद्ध हो) के दृष्टिकोण पर निर्भर करता है।
- गुणात्मक शोध ज्यादातर सब्जेक्टिव (विषयनिष्ठ) होता है।

शोध के चरण

अनुसंधान एक प्रक्रिया है जिसमें एक क्रमानुसार कार्य किया जाता है। सामान्यतः अनुसंधान के 10 सोपान हैं:

1. **अनुसंधान समस्या का प्रतिपादन :** सामान्यतः अनुसंधान समस्याएं दो तरह की होती हैं: किसी वस्तु की प्रकृति के बारे में या दो अथवा विभिन्न चरों के आपसी सम्बन्ध के बारे में। अनुसंधानकर्ता को सबसे पहले अनुसंधान समस्या को प्रतिपादित करना होता है तभी वह उस पर कार्य करता है।
2. **मुद्रित सामग्री का सर्वेक्षण :** यह किसी भी विषय के चयन के बाद का अगला सोपान होता है। उसके बारे में विस्तृत अध्ययन करना जिसमें उस विषय पर पूर्व में हुए शोध भी शामिल होते हैं।
3. **प्राक्कल्पना का प्रतिपादन :** अगला सोपान होता है प्राक्कल्पना का प्रतिपादन, इसमें समस्या के समाधान के लिये कथन दिये जाते हैं। मूलतः शोध के द्वारा इन्हीं प्राक्कल्पनाओं को प्रमाणित किया जाता है। प्राक्कल्पनाएं दो तरह की होती हैं–अमान्य (Null) एवं एकान्तरण (Alternate)। अमान्य प्राक्कल्पना वह होती है जिसे शोध के द्वारा गलत प्रमाणित किया जाता है अन्य सभी प्राक्कल्पनाएं एकान्तरण प्राक्कल्पना होती हैं। प्राक्कल्पना किसी भी निरीक्षण सिद्धान्त या वैज्ञानिक समस्या का परीक्षणात्मक व्याख्या होता है जिसका और प्रयोगों या खोजों द्वारा परीक्षण किया जाता है। यह एक संकल्पना या विचार होता है जो प्रमाणित तो नहीं होता लेकिन यदि प्रमाणित हो जाए तो विशेष सिद्धान्तों या तथ्यों की व्याख्या कर सकता है।

   प्राक्कल्पना की प्रकृति

   - यह वैरियबल्स के बीच सम्बन्ध बताए।
   - यह ज्ञात तथ्यों पर आधारित है।
   - इसका परीक्षण किया जा सके।
   - यह विचारों में स्पष्ट हो।
   - यह वस्तुनिष्ठ एवं विशिष्ट हो।
   - यह परीक्षण के लिये नियत समय के लिए परिवर्तित किया जा सके।

   हमारा तृतीय सोपान प्राक्कल्पना का निर्माण होता है और इसके बाद यह तय करते हैं कि हमें प्रयोगशाला शोध करना है या क्षेत्र शोध।
4. **शोध की रूपरेखा :** इस सोपान में यह तय किया जाता है कि शोध का तरीका क्या होगा? शोध के लिये सबसे अच्छे तरीके का चयन इसी सोपान में होता है।
5. **सैम्पल की रूपरेखा :** शोध की रूपरेखा तय होने के बाद सैम्पल तय किये जाते हैं इसके लिये दो तरह की विधियाँ प्रयुक्त होती हैं।

6. **डेटा संकलन :** सैम्पल तय करने के बाद डेटा संकलन होता है और उन्हें एक निश्चित स्वरूप में सजाया जाता है ताकि उनका विश्लेषण हो सके।
7. **डेटा विश्लेषण :** इस सोपान में इकट्ठा किये गये डेटा का विश्लेषण किया जाता है एवं इसके लिये विभिन्न सांख्यिकीय एवं गणितीय प्राविधियों का उपयोग होता है। इसमें हमें एक निष्कर्ष मिलता है।
8. **परिकल्पना की जाँच :** डेटा विश्लेषण से हमें यह पता लगता है कि हमारी परिकल्पना सही है या नहीं। अगर परिकल्पना निष्कर्षों के साथ नहीं मिलती है तो द्विस्तरीय जाँच की जाती है। पहली जाँच परिकल्पना की होती है, दूसरी जाँच शोध विधियों की एवं सैम्पल की होती है।

   परिकल्पना की जाँच के लिये विभिन्न तरीके प्रयोग में लाये जाते हैं जिसमें महत्वपूर्ण हैं: t-जाँच, z-जाँच, χ^2-(काई स्क्वायर) जाँच, ANOVA, ANCONOVA, f-जाँच, फिशर इर्विन टेस्ट, मैक नेमर जाँच इनमें से t, z, f एवं χ^2 जाँच सामान्यता के सिद्धान्त पर आधारित हैं अर्थात इनमें यह माना जाता है कि डेटा का वितरण सामान्य है।
9. **सामान्यीकरण एवं व्याख्या :** परिकल्पना की जाँच के बाद का अगला सोपान होता है निष्कर्षों का सामान्यीकरण एवं उनकी व्याख्या।
10. **निष्कर्ष एवं रिपोर्ट :** उपरोक्त सभी सोपानों के बाद प्राप्त निष्कर्ष के आधार पर अंतिम रिपोर्ट तैयार की जाती है।

शोध प्रबंध/प्रतिवेदन लेखन (Thesis Writing)

एक प्रतिवेदन एक स्पष्ट उद्देश्य और एक विशेष दर्शकों के लिए लिखी जाती है। इसके द्वारा किसी विशेष समस्या या मुद्दे पर विशिष्ट जानकारी और सबूत प्रस्तुत, विश्लेषण और लागू किए जाते हैं। इसके द्वारा जानकारी को स्पष्ट रूप से संरचित प्रारूप में प्रस्तुत किया जाता है। इसमें अनुभागों और शीर्षकों का उपयोग किया जाता है जिससे कि जानकारी प्राप्त करना और अनुसरण करना आसान हो सके

रिपोर्ट अथवा प्रतिवेदन का उपयोग करने के दो कारण हैं:

- यह जानने के लिए कि आपने अपने पढ़कर, अनुसंधान से या अनुभव से क्या सीखा है।
- आपको एक महत्वपूर्ण कौशल का अनुभव देने के लिए जो व्यापक रूप से कार्य स्थान में उपयोग किया जाता है।

एक प्रभावी रिपोर्ट अथवा प्रतिवेदन तथ्यों और सबूतों को प्रस्तुत करती है और उनका विश्लेषण करती है जो किसी विशिष्ट समस्या से संबंधित हैं। उपयोग किए जाने वाले सभी स्रोत स्वीकृत और संदर्भित होने चाहिए। एक रिपोर्ट में लिखने की शैली आमतौर पर एक निबंध की तुलना में कम प्रत्यक्ष होती है, जिसमें भाषा का अधिक प्रत्यक्ष और आर्थिक उपयोग होता है। एक अच्छी तरह से लिखित रिपोर्ट आपकी निम्न क्षमताओं को प्रदर्शित करेंगी:

- रिपोर्ट के उद्देश्य को संक्षिप्त रूप में समझने और इसके विनिर्देशों का पालन करने की क्षमता।
- संबंधित जानकारी को इकट्ठा करना, उसका मूल्यांकन करना और विश्लेषण करना।
- एक तार्किक और सुसंगत क्रम में संरचना सामग्री।
- रिपोर्ट के निर्देशों के अनुसार अपनी रिपोर्ट को सुसंगत तरीके से प्रस्तुत करना।
- रिपोर्ट के साक्ष्य और विश्लेषण के आधार पर समर्थित उचित निष्कर्ष बनाना।
- जहां आवश्यक हो, विचारशील और व्यावहारिक संस्तुति दें।

शोध रिपोर्ट की संरचना

प्रत्येक शोधकर्ता के लिए यह आवश्यक एवं महत्वपूर्ण है कि वह अपने द्वारा किए गए शोध कार्य के परिणामों से निम्नलिखित को अवगत कराए:

- संबंधित विषय के शोधकर्ता
- संबंधित विषय के शोध विशेषज्ञ
- अकादमिक जगत से जुड़े अन्य इच्छुक व्यक्ति।
- नीति निर्माता एवं नीतियों का क्रियान्वयन करने वाले प्रशासनिक वर्ग।
- शोध कार्यों के परिणामों को प्रकाशित करने से संबंधित संस्थाएँ और व्यक्ति

उपर्युक्त कार्य को संपन्न करने हेतु शोधकर्ता द्वारा शोध से संबंधित एक विस्तृत विवरण तैयार किया जाता है। ऐसे विवरण में शोध कार्य से संबंधित समस्त सूचनाएँ सम्मिलित की जाती हैं। सामान्यतया इस विवरण को ही शोध प्रतिवेदन कहा जाता है। इस प्रतिवेदन को शोधकर्ता द्वारा अपने शोध निर्देशक की सहायता, सलाह तथा सुझावों के आधार पर निर्मित किया जाता है।

एक रिपोर्ट की मुख्य विशेषताएं निम्नलिखित हैं :

- **शीर्षक पेज :** यह संक्षेप में होना चाहिए लेकिन रिपोर्ट के उद्देश्य का स्पष्ट रूप से वर्णन करना चाहिए। अन्य विवरण जैसे आपका नाम, दिनांक और जिनके लिए रिपोर्ट लिखी गई है उनके बारे में आदि शामिल किये जा सकते हैं।
- **संदर्भ की शर्तें :** इस शीर्षक के तहत आप एक संक्षिप्त विवरण शामिल कर सकते हैं, कि रिपोर्ट कौन पढ़ेगा (दर्शक) यह क्यों लिखा गया था (उद्देश्य) और यह कैसे लिखा गया था (विधियाँ)।
- **सारांश (सार) :** सारांश में संक्षेप में रिपोर्ट की सामग्री का वर्णन करना चाहिए। इसमें रिपोर्ट के उद्देश्य, क्या पाया गया और क्या, यदि कोई हो, के उद्देश्य को शामिल किया जाना चाहिए।
- **सामग्री (सामग्री की तालिका) :** सामग्री पृष्ठ में पृष्ठ संख्याओं के साथ विभिन्न अध्यायों और/या शीर्षकों की सूची होनी चाहिए। आपके सामग्री पृष्ठ को इस तरह से प्रस्तुत किया जाना चाहिए कि पाठक जल्दी से शीर्षकों की सूची को स्कैन कर सके और रिपोर्ट के किसी विशेष हिस्से का पता लगा सके।
- **परिचय :** परिचय रिपोर्ट के मुख्य निकाय के लिए दृश्य सेट करता है। रिपोर्ट के उद्देश्य और उद्देश्यों के बारे में विस्तार से बताया जाना चाहिए।
- **तरीके :** इस शीर्षक के तहत जानकारी में शामिल हो सकते हैंः प्रयुक्त उपकरणों की एक सूची; निम्नलिखित प्रक्रियाओं की व्याख्या; प्रयुक्त सामग्री पर प्रासंगिक जानकारी, सामग्री के स्रोत और किसी भी आवश्यक तैयारी के विवरण सहित; किसी भी समस्या का संदर्भ और प्रक्रिया में बाद के बदलाव।
- **परिणाम :** इस अनुभाग में जांच के परिणामों का सारांश शामिल होना चाहिए या इकट्ठा किए गए डेटा के किसी भी आवश्यक आरेख, ग्राफ या तालिकाओं के साथ प्रयोग करना चाहिए जो आपके परिणामों का समर्थन करते हैं।
- **विचार-विमर्श :** रिपोर्ट का मुख्य भाग वह है जहाँ आप अपनी सामग्री पर चर्चा करते हैं। आपके द्वारा एकत्र किए गए तथ्यों और साक्ष्यों का विश्लेषण किया जाना चाहिए और समस्या या मुद्दे के विशिष्ट संदर्भ के साथ चर्चा की जानी चाहिए।
- **निष्कर्ष :** प्रदत्तों के सांख्यिकीय विश्लेषण से प्राप्त परिणामों के आधार पर शोध कार्य के निष्कर्ष निकाले जाते हैं। यहाँ आपको यह ध्यान में रखना होगा कि परिणाम न्यादर्श के संदर्भ में प्राप्त होते हैं तथा निष्कर्ष जनसंख्या के संदर्भ में निकाले जाते हैं। यह उपशीर्षक शोध प्रबंध का महत्वपूर्ण अंश है।
- **परिशिष्ट :** इस शीर्षक के तहत आपको उन सभी सहायक सूचनाओं को शामिल करना चाहिए जिनका आपने उपयोग किया है जो प्रकाशित नहीं है। इसमें टेबल, ग्राफ, प्रश्नावली, सर्वेक्षण या टेप शामिल हो सकते हैं।
- **ग्रन्थसूची :** आपकी ग्रंथ सूची में लेखक द्वारा वर्णमाला क्रम में सूचीबद्ध होना चाहिए, आपकी रिपोर्ट में सभी प्रकाशित स्रोत हैं। संदर्भ और ग्रंथ सूची का उपयोग करने की विभिन्न शैलियाँ हैं।
- **तकनीकी शब्दों की शब्दावली :** प्रत्येक शब्द का एक संक्षिप्त, स्पष्ट विवरण के साथ तकनीकी शब्दों की वर्णमाला सूची प्रदान करना उपयोगी है। आप अपनी रिपोर्ट में उपयोग किए गए संक्षेप, संक्षिप्त या मानक इकाइयों के इस खंड स्पष्टीकरण में भी शामिल कर सकते हैं।

अनुसंधान लेख, कार्यशाला, संगोष्ठी, सम्मेलन, परिसंवाद, पेपर प्रस्तुती एवं आलेख

अनुसंधान (शोध) लेख

अनुसंधान लेख (Research Article) अनुसंधान के सैद्धांतिक पक्ष का निर्माण करते है। मूलरूप से कहा जा सकता है कि ये लेख शोधकर्त्ता के उच्च स्तर के चिंतनीय बोध की अभिव्यक्ति है, जो आगामी व्यावहारिक प्रकृति के अनुसंधानों की नींव रखते हैं। शोधकर्त्ता अपनी विचारों की पुष्टि के लिये आगमनात्मक-निगमनात्मक तार्किक क्रिया का प्रयोग करता है साथ ही अपने सृजनात्मक क्षमतओं के द्वारा उनकी पुष्टि भी करता है।

अच्छे अनुसंधान लेख में निम्नलिखित तथ्यों को अनिवार्य रूप से होना चाहियेः

- अनुसंधान लेख में एक परिकल्पना, एक प्रस्तावित प्रश्न शामिल होना चाहिये।
- अनुसंधान लेख में निष्कर्ष शामिल होना चाहिये।
- अनुसंधान लेखक में आगामी अनुसंधान के लिये सुझाव होना चाहिये।
- संदर्भों का उल्लेख होना चाहिये।

एक अनुसंधान लेख में निम्न प्रकार की त्रुटियाँ नहीं होनी चाहियेः

- अनुसंधान लेख में समाचार पत्रों के लेख नहीं होने चाहिये।
- यह एक अनुमान आधारित दस्तावेज नहीं होना चाहिये।
- अनुसंधान लेख में संपादकीय लेख नहीं होना चाहिये।
- अनुसंधान लेख में किसी पुस्तक या परीक्षण की समीक्षा नहीं होनी चाहिये।
- अनुसंधान लेख में सलाह देने वाले कॉलम (Columns) नहीं होने चाहिये।
- अनुसंधान पत्र में शोधकर्त्ता द्वारा तथ्यों एवं विचारों को मिश्रित नहीं करना चाहिये। ऐसा करने से अनुसंधान पत्र का स्तर गिर जाता है।

कार्यशाला

कार्यशाला एक छोटे समूह हेतु संक्षिप्त गहन पाठ्यक्रम है जिसमें किसी विशेष समस्या के समाधान के लिये कौशल या तकनीकी विकास पर जोर दिया जाता है, कार्यशाला अनुसंधान के वास्तविक एवं क्रियात्मक पक्ष के विकास पर बल देती है। इससे यह बताया जाता है कि अनुसंधान के विभिन्न क्षेत्रों में, कौन-कौन सी विधियों, उपायों एवं निष्कर्षों को कब, कहाँ, कैसे और क्यों प्रयोग किया जाए तथा प्रायोगिक परिस्थितियों में किन-किन सावधानियों का ध्यान रखकर आगे बढ़ा जाए।

कार्यशाला को क्रियात्मक कौशलों के विकास के लिए प्रतिक्षण प्रक्रिया का एक सतत् क्षेत्र माना जाता है। इस प्रकार शोधकर्त्ताओं से क्रियात्मक कार्य संपन्न कराया जाता है।

कार्यशाला की विशेषताएँ

- अनुसंधानों अथवा शोधों के व्यावहारिक उपयोगों की संभावनाओं की खोज करना।
- नवीन अवधारणाओं (प्रत्ययों) एवं उपागमों के दृष्टिकोणों से परिचित होना तथा उनका मूल्यांकन करना।
- शोध संबंधी उच्च ज्ञानात्मक एवं क्रियात्मक उद्देश्यों की प्राप्ति।
- सामूहिक भावना एवं सहयोगात्मक रूप से कार्य को पूर्ण करने की क्षमताओं (दृष्टिकोण) के सैद्धांतिक एवं व्यावहारिक पक्षों का बोध होना।
- कार्यशालाएँ प्रशिक्षण अथवा अनुभव प्रदान करने हेतु आयोजित की जाती है।

कार्यशाला की सीमाएँ

- सहयोगात्मक कार्य प्रणाली का अभाव।
- विशिष्ट पेशेवर (दक्ष) व्यक्तियों का अभाव।
- रोचकता का अभाव।
- अनुसरण या जाँच करने की अवस्था का अभाव।
- अत्यधिक समय की आवश्यक/दीर्घकालीन कार्य योजना।
- ज्ञानात्मक अधिक, व्यावहारिक (क्रियात्मक) कम।
- एक ही विषय पर कार्यशाला का अलग-अलग स्थानों पर आयोजन।

संगोष्ठी/विचारगोष्ठी

संगोष्ठी (Seminar) एक ऐसी प्रक्रिया है, जो शोधकर्त्ताओं के चिंतन स्तर को सुषुप्त अवस्था से जाग्रत अवस्था की ओर लाती है। इसके द्वारा मनुष्य की उच्च क्रिया शक्तियों का पोषण किया जाता है तथा उसे चिंतन की नई दिशा की ओर उन्मुख किया जाता है। इसे चिंतन की अंतःप्रक्रिया भी कहते हैं। इसमें सामूहिक परिचर्चा करके विषय के जटिल पक्षों की सरल व्याख्या की जाती है। संगोष्ठी के प्रतिभाग करने वाले सभी सदस्यों को अपने विचारों को रखने की पूर्ण स्वतंत्रता होती है।

संगोष्ठी की प्रक्रिया

- संगोष्ठी हेतु किसी प्रकरण या विषय का चयन किया जाता है।
- संगोष्ठी का प्रकरण पूर्व नियोजित होता है।
- प्रकरण प्रपत्र तैयार करने वाला व्यक्ति वक्ता कहलाता है।
- प्रकरण की प्रमुख विषयवस्तु सभी को पहले ही बता दी जाती है, जिससे संप्रेषण और विषयवस्तु के स्वरूप को समझने में सहायता मिलती है।
- संगोष्ठी के कार्य संचालन के लिये सहभागियों में से ही अध्यक्ष का चयन किया जाता है।
- संचालन प्रक्रिया अध्यक्ष निर्धारित करता है।
- परिचर्चा में अध्यक्ष की अनुमति से सभी वक्ता अपने-अपने विचार रखते हैं।
- प्रकरण प्रस्तुत करने के पश्चात् अध्यक्ष प्रश्न पूछने के अवसर प्रदान करता है।
- इसके बाद अध्यक्ष अपने विचार प्रस्तुत करता है।
- संगोष्टी की कार्य प्रणाली तथा परिचर्चा के प्रमुख अवयवों/तत्वों का आलेख तैयार किया जाता है।
- प्रकरण तथा वाद-विवादों के निष्कर्षों को प्रकाशित किया जाता है।

संगोष्ठी एवं कार्यशाला में अंतर

संगोष्ठी	कार्यशाला
संगोष्ठी की सामान्यतः 90 मिनट से 3 घंटे तक की अवधि होती है।	कार्यशाला दीर्घ अवधि की होती है, जो 3 दिनों से लेकर 8 दिन तक चलती है।
संगोष्ठी में सैद्धांतिक निर्माण होती है।	कार्यशाला में संगोष्ठी के सभी तत्व शामिल होते हैं। कार्यशाला एक व्यावहारिक प्रयोग होता है।
संगोष्ठी में विषय पूर्व नियोजित होता है, साथ ही विषय के संबंध में प्रतिभागियों को पहले ही संक्षेप में बता देते हैं।	कार्यशाला में भी विषय पूर्व नियोजित होता है, लेकिन विषय के बारे में कार्यशाला में भाग ले रहे प्रतिभागियों को कुछ नहीं पता होता है।
संगोष्ठी को आमतौर पर 8 से 50 व्यक्तियों के समूह के लिये आयोजित किया जाता है। संगोष्ठी में यह संख्या 80 से ऊपर भी जा सकती है। यदि 80 के ऊपर प्रतिभागियों की संख्या है तो सेमिनार को सफल माना जाता है।	कार्यशाला में प्रतिभागियों की संख्या सीमित होती है। इसलिए वक्ता या व्याख्याता के साथ निजी बातचीत संभव होती है।

सम्मेलन

सम्मेलन (Conference) एक औपचारिक बैठक को संदर्भित करता है जहाँ प्रतिभागी विभिन्न विषयों पर सूचनाओं एवं विचारों का आदान-प्रदान करते हैं। इसके द्वारा सदस्य या प्रतिभागी अपनी व्यक्तिगत एवं सामूहिक समस्याओं पर विचार करते हैं।

यह एक प्रकार के बड़े समूह की सभा होती है, जहाँ सदस्य आपस में विचारों का आदान-प्रदान एवं अपने ज्ञान का संग्रहण करते हैं। प्रतिभागियों के समूह द्वारा सम्मेलन के उद्देश्य व कार्यप्रणाली को समूह के वरिष्ठ व्यक्ति या नेता द्वारा स्पष्ट किया जाता है। उच्च शिक्षा के क्षेत्र में अधिगम के लिये यह एक महत्त्वपूर्ण विधि है। शोधकर्त्ता (अनुसंधानकर्त्ता) इसके द्वारा अनुसंधान के क्षेत्र में संज्ञानात्मक (ज्ञानात्मक) एवं भावनात्मक उद्देश्यों की प्राप्ति करता है। सम्मेलन के द्वारा विचारों और मुद्दों की व्यापक रेंज को संभव बनाया जा सकता है।

सम्मेलन के लाभ

- स्वतंत्र अध्ययन अभिवृत्तियों का विकास होता है।
- विशेषज्ञों और प्रभावशाली व्यक्तियों से संवाद का अवसर प्राप्त होता है।
- कार्य करने के नए तरीकों व कौशल का विकास होता है।
- समान विचारधारा वाले लोगों से मिलने व बातचीत करने का अवसर मिलता है।
- संयम, धैर्य, कार्य कुशलता तथा सहनशीलता जैसे गुणों का विकास होता है।
- अनुसंधान संबंधी समस्याओं के प्रत्येक पक्ष का स्पष्ट निरूपण होता है।
- सहयोगात्मक भावना द्वारा समस्या की क्षमताओं का विकास होता है।

परिसंवाद

सिंपोजियम शब्द का प्रारूपिक अर्थ- ''बौद्धिक मनोरंजन''। दो या दो से अधिक व्यक्तियों में किसी बात, विषय आदि के संबंध में होने वाले तर्कसंगत या विचारपूर्ण वाद-विवाद को ''परिसंवाद'' कहा जाता है। परिसंवाद के द्वारा कोई व्यक्ति सामूहिक स्थिति में किस प्रकार दूसरों से विचारों का आदान-प्रदान कर पाता है, इसी क्षमता को आँका जाता है।

परिसंवाद (Symposium) सामूहिक निर्णय लेने की एक ऐसी सर्वोत्तम तकनीक है जिससे अधिकांश लोग निर्णय के पक्ष में मतदान करते हैं।

परिसंवाद की प्रक्रिया का मुख्य ध्येय किसी समस्या के विभिन्न पक्षों को स्पष्ट रूप से समझना होता है। इसमें वक्ताओं और श्रोताओं में संगोष्ठी की तरह प्रत्यक्ष रूप से अंतःक्रिया नहीं होती बल्कि अप्रत्यक्ष रूप से अंतःप्रक्रियाएँ होती हैं। प्रबंधन संस्थाओं तथा बहुराष्ट्रीय कम्पनियों में नौकरियों की तलाश कर रहे व्यक्तियों हेतु संप्रेषणशीलता के परीक्षण के लिए परिसंवाद एक सफल एवं सशक्त माध्यम है। परिसंवाद के अंत में भी विषय या प्रकरण संबंधी वाद-विवाद खुला रहता हैं। श्रोतागण को अपने निर्णय लेने की स्वतंत्रता होती है।

परिसंवाद की विशेषताएँ

- यह एक विषय या समस्या के विभिन्न पक्षों की व्यापक समझ रखता है।
- श्रोताओं को समस्या के बारे में फैसला लेने का अवसर प्रदान करना।
- उच्च कक्षाओं में विशिष्ट विषय और समस्याओं के लिए उपयोग किया जाता है।
- समायोजन, सहयोग एवं सहनशीलता के मूल्यों का निर्माण करना।
- संश्लेषण एवं मूल्यांकन संबंधी योग्यताओं का विकास करना।

पेपर-प्रस्तुति

पेपर-प्रस्तुति (Paper presentation) पत्र को एक निबंध या सेमिनार में शोध-निबंध और पत्रिका में प्रकाशित निबंध के रूप में परिभाषित किया गया है। यह शोध बौद्धिक प्रयास का परिणाम है। किसी शोध या अनुसंधान में शोध-पत्र के लिए साहित्य सर्वेक्षण एवं प्रदत संग्रह आदि महत्वपूर्ण होते हैं। यह आमतौर पर पत्रिका की संपादकीय नीति का अनुसरण करते हैं। यह शोध के तथ्यों को तार्किक एवं स्पष्ट शैली में प्रस्तुत करता है। यह विश्लेषणात्मक या तार्किक हो सकते हैं।

आलेख

सामान्यतः आलेख (Article) एक विषय का परिचय देते हैं। ये पत्र-पत्रिकाएँ, समाचार-पत्र इत्यादि में दिखाई देते है। शोध-आलेख शोधकर्त्ताओं द्वारा वैज्ञानिक समुदायों के लिए विशिष्ट निष्कर्ष प्राप्त करने के उद्देश्य से लिखे जाते हैं। इसमें अनुसंधान समस्या या प्रश्न, अनुसंधान की विधि, प्रदत्त और निष्कर्ष आदि को शामिल किया जाता है।

शोध में आईसीटी का अनुप्रयोग (Application of ICT in Research)

शोध में सूचना और संचार प्रौद्योगिकी के अनुप्रयोग आईसीटी में प्रौद्योगिकी का एकीकरण है जो शोधकर्ता विषय के लिए प्रासंगिक है। आईसीटी ने एक आभासी कॉर्पोरेट पुस्तकालय के विकास में क्रांतिकारी परिवर्तन लाया है जो सूचना संसाधनों और सेवाओं के लिए चौतरफा पहुँच प्रदान करता है।

शोध में आईसीटी के अनुप्रयोग को समान्यतः तीन प्रमुख क्षेत्रों में वर्गीकृत किया जा सकता है। ये तीन श्रेणियां निम्नलिखित हैं :

1. पूर्व-आंकड़े संग्रह के पूर्व और विश्लेषण में आईसीटी का अनुप्रयोग,
2. डेटा संग्रह और विश्लेषण में आईसीटी का अनुप्रयोग,
3. पोस्ट-आंकड़े संग्रह के बाद और विश्लेषण में आईसीटी का अनुप्रयोग।

पूर्व-आंकड़े संग्रह के पूर्व और विश्लेषण में आईसीटी का अनुप्रयोग

अनुसंधान में आईसीटी के अनुप्रयोग से अनुसंधान कार्यों की डिजाइन और तैयारी के अपने प्रत्येक चरण का पता लगाया जा सकता है। इस स्तर पर आईसीटी के उपयोग को समझने के लिए आंकड़े विश्लेषण के पूर्व के चरण निम्नलिखित हैं :

साहित्य समीक्षा

जैसे ही हम शोध और अनुसंधान की समस्या चुनते हैं, हम साहित्य-समीक्षा में आगे बढ़ते हैं, क्योंकि हम पाठक को उस विषय से परिचित कराना चाहते हैं जिसे हम संबोधित करना चाहते हैं। हम वास्तव में पाठकों को यह स्पष्ट करना चाहते हैं कि हमने सवाल में समस्या के बारे में पहले से ही क्या सीखा है। साहित्य की आपकी समीक्षा वर्तमान शोध निष्कर्षों के बीच पाए जाने वाली विसंगतियों और असहमति की ओर इशारा करती है। इसलिए, आपका कार्य अनुसंधान अंतराल का पता लगाना और फिर अंतराल को संबोधित करने या ऐसी असंगतियों को हल करने के तरीकों की तलाश करना होगा। इसकी सहायता के लिए, आज बहुत-सी शोध सामग्री, साहित्य और कलाकृतियों को इंटरनेट सर्च इंजन और डेटाबेस के माध्यम से एक्सेस किया जा सकता है। ये पुस्तकों, अकादमिक पत्रिकाओं, संस्थागत रिपोजिटरी, अभिलेखागारों, या वैज्ञानिक और अन्य लेखों के दूसरे संग्रहों में लेखों को खोजने और उन तक पहुंचने के लिए अकादमिक सेटिंग्स में उपयोगी हैं। हमारे पास सर्च इंजनों की एक सामान्य सूची हो सकती है जो शैक्षणिक उद्देश्यों के लिए हमारी मदद करती हैं। दूसरी ओर, ग्रंथ सूची डेटाबेस हमें पुस्तकों और जर्नल लेखों को खोजने की जानकारी दे सकते हैं।

शोधगंगा

यह इम्फालनेट सेंटर द्वारा स्थापित भारतीय इलेक्ट्रॉनिक शोध और शोध निबंधों (इंडियन इलैक्ट्रोनिक थीसिस एंड डिसर्टेशन) के अंकीय डिजिटल भंडार को निरूपित करने वाला नाम है। "शोधगंगा" शब्द की रचना इंगलिनेट सेंटर द्वारा स्थापित भारतीय इलेक्ट्रॉनिक शोध और शोध निबंध के डिजिटल भंडार की पहचान करने के लिए की गयी है। यह एक उत्कृष्ट उदाहरण है कि कैसे हम एक डेटाबेस सेट करने के लिए प्रौद्योगिकी का उपयोग कर सकते हैं और अपने विशेष क्षेत्र पर शोध करते हुए साहित्य समीक्षा के लिए इसका बड़े पैमाने पर उपयोग कर सकते हैं। इसे हेवलेट-पैकार्ड (एचपी) के सहयोग से एमआईटी (मैसाचुसेट्स इंस्टीटयूट ऑफ टेक्नोलॉजी) द्वारा विकसित डीस्पेस नामक एक ओपन सोर्स डिजिटल रिपॉजिटरी सॉफ्टवेयर का उपयोग करके स्थापित किया गया था। शोधगंगा हमें अनुसंधान विद्वानों को अपने डॉक्टरेट शोधपत्रों को जमा करने के लिए एक मंच प्रदान करती है, ताकि इसे पूरे विद्वान समुदाय को उपलब्ध कराया जा सके।

मेंडेली

मेंडेली लंदन में स्थित एक कंपनी है जो शैक्षणिक और अकादमिक अनुसंधान के लिए आवश्यक उत्पादों और सेवाओं की प्रदाता है। यह प्रबंधन हेतु अपनी सेवा के लिए एक अच्छे संदर्भ में जानी जाती है, जिसका उपयोग बड़े पैमाने पर शोध पत्रों के प्रबंधन और साझा करने के लिए किया जाता है। यह विद्वानों के लेखों के लिए ग्रंथ सूची उत्पन्न करती है। ये कार्य हमारे साहित्य की समीक्षा करने में बहुत मदद करते हैं क्योंकि मेंडेली में बहुत मजबूत और स्थायी डाटासेट है।

गूगल स्कॉलर

गूगल स्कॉलर आसान रूप से उपलब्ध एक वेब सर्च इंजन है जो प्रकाशन स्वरूपों और विषयों के संग्रह में विद्वानों के साहित्य के पूर्ण पाठ या मेटाडेटा को अनुक्रमित करता है। यह नवंबर, 2004 से अस्तित्व में आया, और तब से लेकर आज तक इसमें अधिकांश अकादमिक पत्रिकाओं और पुस्तकों, सम्मेलन पत्रों, शोधपत्रों और शोध प्रबंधों, पूर्व-प्रिंटों, सार, तकनीकी रिपोर्टों और अन्य विद्वानों के साहित्य शामिल होते रहे हैं। यह उपयोगकर्ताओं को लेखों की डिजिटल या भौतिक प्रतियों की खोज करने की अनुमति देता है, चाहे वह ऑनलाइन हों या पुस्तकालयों में हों।

माइक्रोसॉफ्ट अकादमिक

माइक्रोसॉफ्ट अकादमिक शैक्षणिक प्रकाशनों और साहित्य के लिए एक मुफ्त सार्वजनिक वेब सर्च (खोज) इंजन है। यह माइक्रोसॉफ्ट रिसर्च द्वारा विकसित किया गया था। यह 2016 में एक पूरी तरह से नए डेटा संरचना और खोज इंजन के साथ लॉन्च किया गया था। यह वर्तमान में लगभग 220 मिलियन से अधिक प्रकाशनों को आश्रय देता है, जिनमें से 88 मिलियन जर्नल लेख हैं। गूगल स्कॉलर की तुलना में, बाद वाले को अनुमानतः 99.33 मिलियन या लगभग 114 मिलियन अंग्रेजी भाषा के विद्वानों के दस्तावेजों का 87 प्रतिशत मिल सकता है। विस्तार से पूछताछ की संरचना का पता लगाने के बाद, शोधकर्ता धीरे-धीरे विभिन्न डेटा संग्रह तकनीकों और उनके बाद के विश्लेषण में आगे बढ़ता है। डेटा संग्रह काफी हद तक शोधकर्ता के लिए उपलब्ध अवलोकन तकनीकों पर निर्भर करता है।

डेटा संग्रह और विश्लेषण में आईसीटी का अनुप्रयोग

डेटा संग्रह सामाजिक अनुसंधान का एक इष्टतम चरण बना हुआ है जिसके माध्यम से शोधकर्ता उस डेटा को एकत्र करता है जिसे वह अध्ययन करना चाहता है। यह उन चरों के बारे में जानकारी इकट्ठा करने और मापने की प्रक्रिया होती है, जिन्हें हम दिए गए सेट-अप में अध्ययन करना चाहते हैं। यह शोधकर्त्ता को उन चरों के बारे में प्रासंगिक सवालों के जवाब देने में सक्षम बनाता है जो वह अध्ययन करना चाहता है और अंततः अपने निष्कर्षों को प्रस्तुत करने के बारे में प्रासंगिक सवालों का जबाव देने हेतु सक्षम बनाता है।

अवलोकन

अवलोकन (Observation) करने के प्रयोग, सर्वेक्षण अनुसंधान, गुणात्मक क्षेत्र अनुसंधान, और मूल्यांकन तकनीक जैसे विभिन्न तरीके होते हैं। प्रयोग संभवतः सबसे कठोर तरीके होते हैं जो विभिन्न शोध वैज्ञानिक उपयोग करते हैं। दूसरी ओर, सर्वेक्षण अनुसंधान शोध लोगों को प्रश्न पूछकर आंकड़े एकत्र करने में संलग्न करते हैं। जैसा कि आप जानते हैं, इसे स्व-प्रशासित प्रश्नावली के माध्यम से या साक्षात्कार के माध्यम से किया जा सकता है। किसी का साक्षात्कार टेलिफोनिक भी हो सकता है या आमने-सामने बैठकर दोनों ही तरीकों से हो सकते हैं।

डेटा संग्रह के विभिन्न तरीके निम्नलिखित हैं :

- **प्रौद्योगिकी समर्थित प्रयोग :** शोधकर्त्ता प्रयोगों के संचालन करने के लिए विश्वव्यापी (वर्ल्ड वाइड) वेब का अनुप्रयोग एक उपकरण के रूप में कर रहे हैं। चूंकि अधिकांश प्रयोगों में प्रदर्शक नमूने आवश्यक नहीं होते हैं, इसलिए शोधकर्ता अक्सर स्वयंसेवकों का उपयोग करते हैं जो ऑनलाइन निमंत्रण का लिखित या मौखिक जवाब देते हैं। हम आईसीटी की मदद से प्राकृतिक सेट-अप से दूर की स्थितियों में किए गए प्रयोगों को पाते हैं। एक माइक्रो कंप्यूटर-आधारित प्रयोगशाला (एमबीएल) में सभी प्रकार के उपकरण होते हैं, लेकिन हार्डवेयर और सॉफ्टवेयर का एक संयोजन होता है जो आमतौर पर डेटा एकत्र करने के लिए उपयोग किया जाता है। इंटरफेस के माध्यम से माइक्रो-कंप्यूटर से जुड़े सेंसर का उपयोग करके डेटा एकत्र किया जाता है। इन एकत्रित आंकड़ों का वास्तविक रूप में, विलंबित समय में ग्राफिक रूपों में विश्लेषण और प्रदर्शन किया जा सकता है।
- **कंप्यूटर सहायता प्राप्त सर्वेक्षण :** गूगल डॉक्यूमेंट और सर्वे मंकी का उपयोग करके आंकड़े को अब ऑनलाइन, वेब आधारित या इंटरनेट सर्वेक्षण के माध्यम से एकत्र किया जा सकता है। यदि हम मात्रात्मक डेटा एकत्र करने के लिए इन तरीकों का उपयोग करते हैं, तो यह समय की बचत और लागत में कटौती दोनों हो सकता है। इसके अलावा, हम बहुत अधिक व्यक्तियों और समूहों तक पहुंच सकते हैं, जो अन्यथा आसानी से ऑनलाइन उपलब्ध नहीं हो सकते हैं।
- **कंप्यूटर-सहायता प्राप्त व्यक्तिगत साक्षात्कार (सीएपीआई) :** यह एक तकनीक होती है जिसे अक्सर किसी आसान डिवाइस पर डेटा संग्रह के लिए उपयोग किया जाता है। पिछले दशक के लिए इस तकनीक के उपयुक्त उपयोग को विशेष रूप से इसकी लागत-प्रभावशीलता, प्रयोज्य और आंकड़े की शीघ्र उपलब्धता के कारण देखा जा सकता है। शोधकर्ता बड़े पैमाने पर सर्वेक्षण में सीएपीआई का उपयोग करते हैं क्योंकि यह उन्हें डेटा पर लापता होने से रोकता है, गणितीय गणनाओं पर आत्मनिर्भरता और लगातार अनुपलब्ध प्रतिक्रियाओं को तलाश (ट्रैक) करता है। सीएपीआई यद्यपि एक आमने-सामने आंकड़े संग्रह विधि है जिसमें शोधकर्ता एक साक्षात्कार के दौरान दिए गए उत्तरों को रिकॉर्ड करने के लिए एक टैबलेट, एक मोबाइल फोन, एक कंप्यूटर या एक लैपटॉप का उपयोग करता है। सीएपीआई सॉफ्टवेयर्स की एक विस्तृत श्रृंखला होती है और इसलिए इसका उपयोग किसी ऐसे व्यक्ति के लिए भी किया जा सकता है जो बिल्कुल शून्य प्रोग्रामिंग अनुभव के साथ सीएपीआई प्रश्नावली को ठीक से प्रोग्राम कर सकता है।

आंकड़े विश्लेषण में आईसीटी का अनुप्रयोग

यह अनुसंधान नीतियों में निर्णय लेने को प्रभावित करने वाले महत्वपूर्ण तथ्यों की खोज के उद्देश्य से आंकड़े का निरीक्षण, सफाई, रूपांतरण और मॉडलिंग की एक प्रक्रिया होती है। आंकड़े विश्लेषण के कई पहलू होते हैं और उन विषयों से संबंधित दृष्टिकोण होते हैं जिनमें इसका उपयोग किया जाता है।

आंकड़े विश्लेषण के लिए सॉफ्टवेयर

आंकड़े विश्लेषण के लिए प्रमुख सॉफ्टवेयर– देवइन्फ़ो (DevInfo), ईएलकेआईए (ELKI), केएनआईएमई (KNIME), ऑरेंज (Orange), पांडास (Pandas), पीएडब्ल्यू (PAW), आर (R), आरओओटी (ROOT), एससीआईपीवाई (SciPy) और डाटा एनालाइसिस (Data Analysis) निम्नलिखित हैं :

- **देवइन्फो (DevInfo) :** यह संयुक्त राष्ट्र के संरक्षण में बनाया गया एक डेटाबेस सिस्टम था और अंततः मानव विकास की निगरानी के लिए संयुक्त राष्ट्र विकास समूह द्वारा समर्थन किया गया था। देवइन्फो एक व्यवस्थित और समान तरीके से डेटा को व्यवस्थित करने, संग्रहीत करने और प्रस्तुत करने के लिए एक आवश्यक उपकरण था, ताकि सरकारी विभागों, संयुक्त राष्ट्र एजेंसियों और विकास भागीदारों के बीच डेटा साझाकरण को सुविधाजनक बनाया जा सके।
- **ईएलकेआई (ELKI) :** इंडेक्स-स्ट्रक्चर्स द्वारा समर्थित केडीडी-एप्लिकेशन को विकसित करने के लिए ईएलकेआई या एनवायरनमेंट एक डेटा माइनिंग सॉफ्टवेयर फ्रेमवर्क है जिसका उपयोग शिक्षण और अनुसंधान के लिए बड़े पैमाने पर किया जाता है।
- **पांडा (Pandas) :** यह एक कंप्यूटर प्रोग्रामिंग सॉफ्टवेयर लाइब्रेरी है जिसे डेटा हेरफेर और विश्लेषण के लिए लिखा गया है। यह डेटा संरचनाओं और समय-श्रृंखला की पेशकश करने में माहिर हैं। जेएसओएन, एसक्यूएल और माइक्रोएक्सल जैसे फाइल स्वरूपों के ढेर सारे डेटा से डेटा आयात करने के लिए पंडास काफी लोकप्रिय है।

पोस्ट-डेटा संग्रह और विश्लेषण में आईसीटी का अनुप्रयोग

डेटा संग्रह और विश्लेषण किए जाने के बाद, यह अनुसंधान का अंतिम चरण है। जिसे हम पोस्ट-विश्लेषण चरण कहते हैं। यहाँ हम अपने शोध निष्कर्षों को एकत्रित करने और उन्हें सार्वजनिक डोमेन पर प्रस्तुत करने के लिए विभिन्न रणनीतियों को चाक-चौबंद करने का प्रयास करते हैं। इस चरण के सार को समझने के लिए विशेष रूप से इस विशेष चरण में आईसीटी की प्रासंगिकता को निम्न प्रकार समझा जा सकता है।

अनुसंधान और आईसीटी के उद्धरण

हम सीमित प्रयासों के साथ प्रशंसा पत्र इकट्ठा करने के लिए आईसीटी के समर्थन के साथ विभिन्न उपकरणों का उपयोग करते हैं। ये ऐसे तंत्र हैं जिनका हम विभिन्न प्रकार की प्रणालियों के साथ उपयोग कर सकते हैं जो हमें न्यूनतम प्रयास के साथ हमारे पेपर के लिए संपूर्ण संदर्भों को प्रारूपित करने में मदद करते हैं। जैसा कि आप जानते हैं, जब हम एक पेपर लिखते हैं तो हमें पुस्तकों, जर्नल या किसी अन्य विद्वतापूर्ण सामग्री के स्रोतों की पहचान करनी होती है जो हमने अपने लेख में स्रोत लेखक को उचित क्रेडिट देने के लिए उपयोग किया है। यह न केवल अनुसंधान समुदाय की शैक्षणिक अखंडता को बरकरार रखता है, बल्कि एक ही समय में हमारे शोध लेख की पारदर्शिता को भी बनाए रखता है। कुछ उपकरण जो हम इस उद्देश्य के लिए उपयोग करते हैं वे हैं– Citation Hunt, Citer, Citoid, MakeRef, RefScripr, WebRef आदि।

साहित्यिक चोरी की जाँच

साहित्यिक चोरी दूसरे लेखक की भाषा, विचारों, विचारों या भावों का अपने मूल काम के रूप में एक-सत्तावादी उपयोग होता है। साहित्यिक चोरी को विश्वास का अकादमिक उल्लंघन और पत्रकारिता नैतिकता का उल्लंघन माना जाता है। यह दंड, निलंबन, निष्कासन, पर्याप्त जुर्माना और यहां तक कि प्रतिबंध जैसे प्रतिबंधों के अधीन है। आमतौर पर, शिक्षा में ''चरम साहित्यिक चोरी'' के मामलों की पहचान की गई है। साहित्यिक चोरी का पता लगाने में निःशुल्क ऑनलाइन तंत्र आसान हो गया है। आईसीटी इस तरह के शोध लेखों की मौलिकता को सही क्लिक विकल्प को निष्क्रिय करने और वेब पेजों पर कॉपीराइट से संबंधित चेतावनी बैनर लगाने में मदद करता है। प्रमुख सॉफ्टवेयर और टूल्स जो साहित्यिक चोरी का पता लगाने में सहायक हैं निम्न हैं :

उदाहरण के लिए क्वेटेक्स, टर्निटिन, आईथेनटिकेट, वाइपर, checkteÛt-org, plagscan-com, Grammarly, Crossref, Plagiarism Software, DupliChecker, Copyleaks, PaperRater, Plagiarisma, Plagiarism Checker, Plagium, PlagScan, Plagcan, PlagTracker, Plagiarism Hunt आदि।

राष्ट्रीय स्तर पर, ई-शोधसिंधु की उप-समिति, राष्ट्रीय संचालन समिति (एनएससी) की सिफारिशों के आधार पर, मानव संसाधन विकास मंत्रालय (एमएचआरडी), भारत सरकान ने एक कार्यक्रम ''शोध सुधी'' को शुरू किया है जो 1 सितम्बर, 2019 से भारत में हमारे सभी विश्वविद्यालयों और संस्थानों में साहित्यिक चोरी का पता लगाने वाले सॉफ्टवेयर (पीडीएस) तक पहुँच प्रदान करेगा।

शोध निष्कर्ष प्रकाशित करना

शोध को प्रकाशित करने और संबद्ध प्रक्रियाओं का पालन करने के लिए सही जगह चुनने के लिए आईसीटी की मदद ले सकते हैं। अपनी पांडुलिपियों को मैन्युअल रूप से सबमिट करने के बजाय हम आमतौर पर ऑनलाइन सबमिशन के लिए जाते हैं, क्योंकि इस प्रकार के डिजिटल प्लेटफॉर्म सुविधाजनक भी हैं और इसमें समय की बचत भी हो जाती है। विश्वविद्यालय अनुदान आयोग ने गुणवत्ता पत्रिकाओं के संदर्भ सूची के निर्माण और रखरखाव के लिए कंसोर्टियम फॉर एकेडमिक एंड रिसर्च एथिक्स (केयर) की स्थापना की है। यूजीसी ने अपने जर्नल विश्लेषण के लिए एक सूचना और संचार सेल का भी गठन किया है। यूजीसी ने एसपीपीयू में जर्नल विश्लेषण और सत्यापन के लिए अपने आईसीटी सेल की स्थापना की है। सूचना और पुस्तकालय नेटवर्क (INFLIBNET) सेंटर, अहमदाबाद भारत सरकार के इस आईसीटी दृष्टिकोण के लिए सहायक एजेंसी के रूप में कार्य करता है। इसके अलावा, चार क्षेत्रीय विश्वविद्यालयों को केयर विश्वविद्यालयों के रूप में पहचाना गया है जो केयर सशक्त समिति की देखरेख में कार्य करते हैं।

निष्कर्षतः आईसीटी शोध के प्रत्येक चरण में सहायक है। शोध के लिए एक विषय का चयन करने से लेकर प्रतिष्ठित पत्रिकाओं और अन्य प्लेटफार्मों में हमारे कार्यों को प्रकाशित करने तक, डिजिटलीकरण को अपार समर्थन मिला है।

शोध नैतिकता (Research Ethics)

नैतिक मुद्दों का संबंध नीतिशास्त्र (Ethics) से है। इसे परमशुद्ध विज्ञान माना जाता है। इसमें मनुष्य के कर्त्तव्यों एवं अकर्त्तव्यों पर विचार किया जाता है। इसे 'चरित्र का विज्ञान' भी कहा जाता है क्योंकि यह उचित और अनुचित में भेद दिखलाता है। नीतिशास्त्र नैतिक निष्कर्षों की सत्यता से संबंधित है। नैतिक निर्णयों में मनुष्य के सामने अनेक विकल्प होते हैं। इन विकल्पों में तर्क के द्वारा स्पष्टीकरण करने की आवश्यकता होती है। इसलिए यह माना जाता है कि नैतिक निर्णयों पर पहुँचने के लिए तर्कशास्त्र का ज्ञान की आवश्यक है। वास्तव में, तर्कशास्त्र एवं नीतिशास्त्र दोनों ही दर्शनशास्त्र की प्रमुख शाखाएँ हैं। सभी समूहों, पेशों (Profession) एवं व्यक्तियों को व्यवहार की एक ऐसी सामाजिक, धार्मिक तथा नागरिक संहिता को अपनाना होता है, जो सही (उचित) समझी जाती है। इसी दृष्टि से यह कहा जाता है कि सभी व्यक्तियों अथवा संगठनों को ऐसे विकल्पों का चयन करना होता है जिनका सही (नैतिक) अथवा गलत (अनैतिक) रूप में मूल्यांकन किया जा सके। शोध की सम्पूर्ण प्रक्रिया इसमें कोई अपवाद नहीं है क्योंकि इसके प्रत्येक सोपान (चरण) में नैतिकता या अनैतिक मुद्दे सामने

आते हैं। शोधकर्ता से यह आशा की जाती है कि वह केवल नैतिक मुद्दों को ही महत्त्व प्रदान करे तथा जहाँ तक संभव हो सके किसी भी अनैतिक निर्णय या कार्य से बचें।

नैतिकता के अर्थ

नैतिकता शब्द की उत्पत्ति संस्कृत भाषा की 'नी' धातु से हुई है जिसका तात्पर्य मार्गदर्शन करना होता है। समाज की मान्यताओं के अनुकूल कार्य करना नैतिक माना जाता है।

अन्य अर्थ में नैतिकता शब्द की व्युत्पत्ति लैटिन भाषा के "Moralis" शब्द से हुई है जिसका अर्थ तौर-तरीका या चाल-चलन, चरित्र अथवा उचित व्यवहार है।

नैतिकता की परिभाषा

नैतिक आदर्शों अथवा कर्त्तव्यों के रूप में नैतिकता को निम्न प्रकार से परिभाषित किया गया है :

- **मैकाइवर एवं पेज (MacIver and Page) के अनुसार,** "नैतिकता (नैतिक आदर्श) नियतों की वह व्यवस्था है, जिसके द्वारा व्यक्ति का अन्तःकरण उसे उचित और अनुचित का बोध कराता है।" इन विद्वानों के मतानुसार धर्म एवं नैतिकता घनिष्ठ रूप में एक-दूसरे में गुँथे हुए हैं तथा इन दोनों में केवल निर्देशों की सत्ता एवं अनुमोदन के आधार पर ही भेद किया जा सकता है। धर्म नैतिक शिक्षा का उपदेश देता है तथा धर्म द्वारा अनुमोदित नियम नैतिक संहिताएँ कहे जाते हैं। इसीलिए कोई संहिता धार्मिक एवं नैतिक दोनों रूपों से स्वीकृत हो सकती है।
- **जिसबर्ट (Gisbert) के अनुसार,** "नैतिक नियम, नियमों की वह व्यवस्था है जो अच्छे और बुरे से सम्बद्ध है तथा जिसका अनुभव अन्तरात्मा द्वारा होता है।" उन्होंने जटिल मानवीय क्रियाओं में सामाजिक एवं नैतिक मुद्दो को परस्पर घनिष्ठ रूप में संबंधित माना है। जिसबर्ट ने नीतिशास्त्र एवं समाजशास्त्र में पारस्परिक सहयोग को महत्त्व प्रदान करने की वकालत की है।
- **डेविस (Davis) के अनुसार,** "नैतिकता कर्त्तव्य की वह आन्तरिक भावना है जिसमें उचित-अनुचित का विचार सन्निहित हो।"

उपर्युक्त परिभाषाओं के आधार पर नैतिकता की निम्नलिखित प्रमुख विशेषताएँ स्पष्ट होती हैं-

- नैतिक नियम सम्पूर्ण समुदाय द्वारा स्वीकृत होते हैं; अर्थात् नैतिकता की प्रकृति सामुदायिक होती है।
- सामान्य रूप से नैतिकता में तर्कों की प्रधानता पायी जाती है; अर्थात् नैतिकता का तार्किकता से गहरा संबंध होता है।
- नैतिकता का संबंध स्वयं समाज से होता है। जिसे समाज अनुचित मानता है, वही अनैतिक भी माना जाता है।
- नैतिकता एक परिवर्तनशील संकल्पना है, क्योंकि समय एवं स्थान के अनुसार इसमें परिवर्तन होता रहता है।
- नैतिकता का पालन व्यक्ति द्वारा स्वेच्छा से किया जाता है।
- नैतिकता का संबंध व्यक्तियों के चरित्र से होता है।
- नैतिकता का संबंध समाज में पाये जाने वाले मान्य सामाजिक मूल्यों से भी होता है। इसलिए यह माना जाता है कि नैतिकता के पीछे समाज की शक्ति निहित होती है।
- नैतिकता मुख्य रूप से सत्यता, ईमानदारी और पवित्रता की भावना जैसे मूल्यों पर आधारित होती है।

अनुसंधान नैतिकता

अनुसंधान या शोधकार्य कोई सरल व सीधा कार्य नहीं है और इसलिए प्रत्येक व्यक्ति इसे कर भी नहीं सकता। केवल कुछ पुस्तकीय ज्ञान ही शोधकार्य के लिए पर्याप्त नहीं है। इसके लिए अन्य अनेक बाह्य तथा आंतरिक गुणों का होना परमावश्यक है। अनुसंधानकर्ता को पूर्णतया निष्पक्ष, तटस्थ व उदासीन रहकर अध्ययन करना अत्यंत आवश्यक होता है। उसे प्रत्येक पग पर उसके अपने ही विचार, विश्वास, पूर्वधारणा, आदर्श आदि उसका रास्ता रोकते रहते हैं। इसीलिए अनुसंधान के निष्कर्षों में त्रुटियों की संभावना सदा ही बनी रहती है। इन समस्त परिस्थितियों या कारकों के प्रभाव से अपने को विमुक्त रखते हुए अनुसंधानकर्ता को शोधकार्य को यर्थाथता की स्थिति तक पहुँचने के लिए विशेष योग्यता तथा ज्ञान की आवश्यकता होती है।

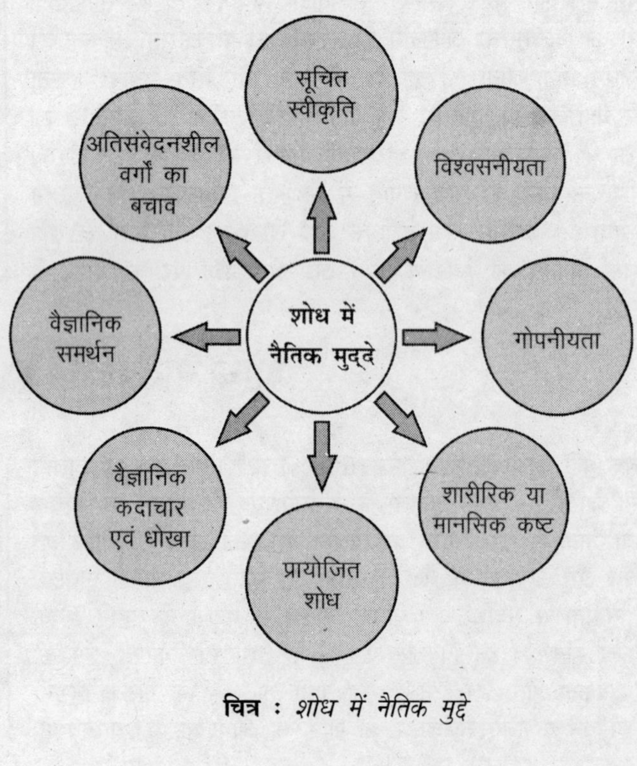

चित्र : *शोध में नैतिक मुद्दे*

शोधकर्त्ता से संबंधित नैतिक मुद्दे

- **गलत रिपोर्टिंग :** यह शोधकर्त्ता के हितों को ध्यान में रख कर किया जाता है।
- **पूर्वाग्रह से बचना :** अनुसंधान प्रक्रिया में वस्तुनिष्ठता (objectivty) का है– पूर्वाग्रह से बचना। यह अनैतिक माना जाता है। पूर्वाग्रह तथ्यों को जानबूझ कर छुपाने का प्रयत्न है।
- **जानकारी का अनुचित उपयोग :** कई बार संगठन में जानकारी का अनुचित उपयोग व्यक्तियों को नुकसान पहुँचाने के लिए किया जाता है।
- **अनुचित शोध पद्धति का प्रयोग :** अनुसंधान में अधिक पक्षपातपूर्ण नमूना, विधि या प्रक्रिया का जानबूझकर उपयोग करना अनैतिक है।
- **उपचार के प्रावधान या अभाव :** यह चिकित्सा-संबंधी शोध मामले में विशेष रूप से सत्य है।

अनुसंधान को अधिक नैतिक बनाने के लिए महत्त्वपूर्ण उपाय

- **सरकार के नियम (Government Regulations) :** सरकार के नियम जैसे राज्य और केंद्रीय कानूनों का निर्माण समाज एवं उसके व्यक्तियों की रक्षा या हितों को ध्यान में रख कर किया जाता है। इसी प्रकार शोधकर्त्ताओं को भी निश्चित पूर्वावधान (precaution) लेने की आवश्यकता है।
- **सूचित सहमति (Informed Consent) :** जिन व्यक्तियों की सूचित सहमति प्राप्त होती है वे अनुसंधान में स्वैच्छिक रूप से भागीदार होते हैं और वे किसी भी समय शोध-अध्ययन से निकल सकते हैं।
- **रक्षात्मक अनुसंधान अभिकल्प (Protective Research Design) :** इसके अंतर्गत हानिकारक प्रभावों के घटने, उनकी गम्भीरता आदि को शामिल किया जाता है।
- **पायलट अध्ययन (Pilot Study) :** पायलट अध्ययन से अनुसंधान के दौरान प्रदत्तों को एकत्रित करते समय होने वाली संभावित हानियों के बारे में अधिक स्पष्टता सामने आती है, उनका आंकलन किया जा सकता है और उनसे बचने के बारे में प्रभावी उपाय किए जा सकते हैं।
- **स्क्रीनिंग (Screening) :** इसमें शोध-अध्ययन के लिए उन व्यक्तियों का चयन करने का प्रयास किया जाता है जो संभावित जोखिम के लिए उच्च सहिष्णुता (tolerance) दिखाते हैं।
- **बाह्य प्रस्ताव की समीक्षा (Outside Proposal Review) :** दूसरों के द्वारा अनुसंधान प्रस्तावों की समीक्षा करना जोखिम को कम करने में सहायक पूर्वावधान है।
- **संव्यावसायिक कूट (Professional Codes) :** संव्यावसायिक कूट की दो विशेषताएँ विचार-विमर्श के लिए महत्त्वपूर्ण हैं:
  - ❑ संव्यावसायिक कूटों को पेशेवरों के विस्तृत शोध अनुभवों द्वारा आगमन रीति से विकसित किया गया है।
  - ❑ यह कूट शोधकर्त्ताओं को उनके शोध के उत्तरदायित्व पर अधिक जोर देते हैं।

शोध में नैतिक मुद्दों की दृष्टि से रखी जाने वाली सावधानियाँ : शोध में नैतिकता को बनाए रखना अत्यंत आवश्यक है। इसलिए प्रत्येक शोध में निम्नलिखित सावधानियाँ रखीी जानी चाहिए–

- वैज्ञानिक शोध में ईमानदारी बनाये रखने का प्रयास करना चाहिए।
- शोध से संबंधित किए गए अपने वादों पर अनुबंधों का पालन करना चाहिए।
- शोधकर्त्ता को पेटेन्ट एवं कॉपीराइट का आदर करना चाहिए एवं सामग्री को दूसरे के ग्रंथों से चोरी नहीं करना चाहिए।
- शोध में की जाने वाली लापरवाह त्रुटियों एवं असावधानियों से बचना चाहिए।
- शोध को प्रभावित करने वाले व्यक्तिगत एवं वित्तीय हितों की स्पष्ट रूप से घोषणा करना चाहिए। इससे शोध में वस्तुनिष्ठता आती हैं।
- शोध का प्रकशन केवल शोधकर्ता अपने स्वयं के कैरियर को आगे बढ़ाने के साथ-साथ ज्ञान के प्रचार-प्रसार के लिए भी किया जाना चाहिए।
- शोध संबंधित सामग्री, परिणामों, विचारों, प्रविधियों और संसाधनों को अन्य लोगों के साथ साझेदारी करके शोध में खुलापन बनाये रखना चाहिए।

ग्रेट ब्रिटेन में आर्थिक एवं सामाजिक शोध परिषद (Economic and Social Research Council) ने 2015 में शोध नैतिकता के लिए फ्रैमवर्क प्रकाशित किया है। यह परिषद शोध के लिए एक अग्रणी एवं महत्वपूर्ण संस्थान है। इस फ्रैमवर्क में निम्नलिखित 6 दिशा-निर्देश को शामिल किया गया है।

1. शोध की स्वायत्ता स्पष्ट होनी चाहिए तथा यदि हितों में किसी प्रकार टकराव है तो वह स्पष्ट होनी चाहिए।
2. शोध का आयोजन, मूल्यांकन, प्रारंभ अखण्डता, गुणवत्ता तथा पारदर्शिता सुनिश्चित करने के लिए होना चाहिए।
3. शोध में सम्मिलित कर्मचारियों एवं प्रतिभागियों को सामान्यतः शोध के उद्देश्यों, पद्धतियों एवं इससे संभावित प्रयोग के बारे में पूर्ण जानकारी होनी चाहिए। साथ ही प्रतिभागिता के खतरे के बारे में भी उन्हें पता होना चाहिए।
4. शोध प्रतिभागियों द्वारा दी गई सूचनाओं की गोपनियता तथा प्रतिभागियों की गुमनामी को सुनिश्चित रखा जाना चाहिए।
5. शोध सूचना दाताओं को शोध में बिना किसी दबाव एवं लालच के स्वेच्छा से भाग लेना चाहिए।
6. सदैव शोध सूचनादाताओं के हितों की रक्षा की जानी चाहिए तथा उन्हें किसी भी चीज का नुकसान न हो।

अभ्यास प्रश्न

1. प्रतिचयन प्रक्रिया को चिह्नित कीजिए जिसमें इकाइयों का चयन समान और स्वतंत्र अवसर प्रदान करते हुए किया जाता है:
   (*a*) आनुपातिक प्रतिचयन प्रक्रिया
   (*b*) स्तरित प्रतिचयन प्रक्रिया
   (*c*) विमात्मक प्रतिचयन प्रक्रिया
   (*d*) यादृच्छिक प्रतिचयन प्रक्रिया
   (*e*) व्यवस्थित प्रतिचयन प्रक्रिया

   नीचे दिए गए विकल्पों में से सही उत्तर चुनिए:
   A. केवल (*a*), (*b*) और (*c*)
   B. केवल (*b*), (*c*) और (*d*)
   C. केवल (*c*), (*d*) और (*e*)
   D. केवल (*b*), (*d*) और (*e*)

2. नीचे दो कथन दिए गए हैं:

   कथन I : गुणात्मक शोध प्रतिमान प्रतिभागियों के दृष्टिकोण पर बल देता है और इन्द्रियानुभविक आगमनात्मक उपागम का प्रयोग करता है।

   कथन II : एक ही शोध परियोजना में गुणात्मक और मात्रात्मक शोध प्रतिमान दोनों का प्रयोग न तो संभव है और न ही वांछनीय।

   उपर्युक्त कथनों के आलोक में निम्नांकित विकल्पों में से सर्वाधिक उपयुक्त उत्तर चुनें:
   A. कथन I और II दोनों सही हैं।
   B. कथन I और II दोनों सही नहीं हैं।
   C. कथन I सही है, किन्तु कथन II सही नहीं है।
   D. कथन I सही नहीं है, किन्तु कथन II सही है।

3. स्वतंत्र, परिमार्जक और आश्रित चरों के मध्य नियंत्रण द्वारा कारणात्मक संबंध स्थापित करने पर केंद्रित शोध पद्धति कहलाती है:
   A. कार्योत्तर पद्धति
   B. सर्वेक्षण पद्धति
   C. व्यष्टि अध्ययन पद्धति
   D. प्रयोगात्मक पद्धति

4. मात्रात्मक शोध प्रतिमान की अभिलाक्षणिक विशेषताएँ क्या हैं?
   (*a*) यह प्राक्कल्पना-निगमनात्मक है
   (*b*) यह प्राकृतिक परिवेश पर केंद्रित है
   (*c*) यह जनसंख्या अभिलक्षण के सामान्यीकरण को बल प्रदान करता है
   (*d*) यह लोगों की बड़ी संख्या से प्राप्त संख्यात्मक आँकड़ें पर बल देता है
   (*e*) साहित्य समीक्षा रखना गौण भूमिका निभाता है किंतु समस्या को न्यायसंगत बनाता है

   नीचे दिए गए विकल्पों में से सही उत्तर चुनिए:
   A. केवल (*a*), (*c*) और (*d*)
   B. केवल (*a*), (*b*) और (*c*)
   C. केवल (*b*), (*c*) और (*d*)
   D. केवल (*c*), (*d*) और (*e*)

5. वैज्ञानिक पद्धति के प्रयोग में सामान्य क्रम क्या है?
   (*a*) चरों की पहचान द्वारा संकल्पना बनाना
   (*b*) अनुभूत आवश्यकता जो समस्या उत्पन्न कर रही है
   (*c*) कठिनाई और समस्या प्रतिपादन को चिह्नित करना
   (*d*) प्रदत्त विश्लेषण और भाष्य
   (*e*) समुचित शोध उपकरणों के प्रयोग द्वारा प्रदत्त संग्रहण

   नीचे दिए गए विकल्पों में से सही उत्तर चुनिए:
   A. (*a*), (*c*), (*b*), (*d*), (*e*)
   B. (*b*), (*c*), (*a*), (*e*), (*d*)
   C. (*c*), (*d*), (*e*), (*b*), (*a*)
   D. (*b*), (*a*), (*c*), (*e*), (*d*)

6. नृजातीय शोध में शोधकर्ता द्वारा निम्नलिखित में से कौन-से कार्यकलाप किए जाते हैं?
   (*a*) शोधकर्ता समुदाय के सदस्यों के साथ संरचनाबद्ध साक्षात्कार करता है।
   (*b*) शोधकर्ता काफी लंबी समयावधि तक सामाजिक व्यवस्था को अंगीकार कर लेता है।
   (*c*) शोधकर्ता वार्तालाप का श्रवण करता है और वार्तालाप करता है।
   (*d*) शोधकर्ता लोगों को कुछ कुप्रथाओं के बारे में जानकारी देता है।

   सही विकल्प चुनिए:
   A. केवल (*a*) और (*b*)
   B. केवल (*a*) और (*c*)
   C. केवल (*b*) और (*d*)
   D. केवल (*b*) और (*c*)

7. निम्नलिखित में से क्या निगमनात्मक अनुमान का भाग नहीं है?
   A. परिवर्तन B. प्रतिवर्तन
   C. न्यायवाक्य D. प्रतिपरिवर्तन

8. निम्नलिखित संचार चैनलों को इनकी विशेषता के आधार पर सुमेलित कीजिए:

(*a*)	ब्लॉगिंग	(*i*)	इलेक्ट्रॉनिक मीडिया
(*b*)	टेलीविजन	(*ii*)	प्रिंट मीडिया
(*c*)	पत्रिकाएँ	(*iii*)	सोशल मीडिया
(*d*)	कलेक्शन साइट्स	(*iv*)	वर्ल्ड वाइड वेब

नीचे दिए गए विकल्पों में से किसी एक का चयन करें:

	(*a*)	(*b*)	(*c*)	(*d*)
A.	(*iv*)	(*ii*)	(*i*)	(*iii*)
B.	(*ii*)	(*iv*)	(*iii*)	(*i*)
C.	(*i*)	(*iii*)	(*iv*)	(*ii*)
D.	(*iii*)	(*i*)	(*ii*)	(*iv*)

9. मात्रात्मक शोध को _____ भी कहा जाता है।

A. नृजातीय उपागम
B. असंरचित उपागम
C. वर्णनात्मक उपागम
D. संरचित उपागम

10. सर्वाधिक आसान अभिवृत्तिक स्केल जो एक समाकलित कोटि निर्धारण स्केल होता है, कहलाता है:

A. गटमैन स्केल B. लिकर्ट स्केल
C. थर्स्टोन स्केल D. एम.एल.ए. स्केल

11. जिस शोध विधि में सामान्यीकरण किया जाता है जो उसी प्रकार की अन्य परिस्थितियों पर लागू होता है, उसे क्या कहा जाता है?

A. कोहोर्ट स्टडी B. केस स्टडी
C. पैनल स्टडी D. ब्लाइंड स्टडी

12. वह शोध जिसमें पुरुष और महिला के बीच सामाजिक असमानता पर जोर दिया जाता है, कहलाता है:

A. तुलनात्मक शोध B. अनुदैर्ध्य शोध
C. क्रियात्मक शोध D. नारीवादी शोध

13. ऐसे अध्ययन को, जिसमें शोधकर्ता को प्रायोगिक और प्लेसिबो समूहों की पहचान की जानकारी नहीं होती, कहा जाता है:

A. ब्लाइंड B. डबल ब्लाइंड
C. पैनल D. कोहोर्ट

14. निम्नलिखित में से किस शोध पद्धति में स्वतंत्र चर का चयन किया जाना चाहिए, न कि नियंत्रित चर का चयन?

A. वर्णनात्मक सर्वेक्षण पद्धति
B. प्रयोगात्मक पद्धति
C. कार्योत्तर पद्धति
D. व्याख्यात्मक शोध

15. निम्नलिखित सूची में से कौन-सा कथन शोध की उपयुक्त परिभाषा देता है? उत्तर देने के लिए सही कूट का चयन कीजिए।

(*a*) शोध का अभिप्राय बार-बार खोजना है।
(*b*) शोध मूलतः किसी प्रश्न का उत्तर है।
(*c*) शोध किसी समस्या का प्रामाणिक समाधान प्रदान करता है।
(*d*) शोध किसी व्यक्ति की परिकल्पना को सिद्ध करने का प्रयास है।
(*e*) शोध अर्थ-निरूपण करने वाली एक प्रक्रिया है।
(*f*) शोध का अर्थ किसी निश्चित समग्र से प्रतिदर्श का चयन करना है।

A. (*a*), (*b*) और (*c*) B. (*b*), (*c*) और (*f*)
C. (*a*), (*d*) और (*f*) D. (*b*), (*c*) और (*e*)

16. किसी स्थिति को सृजनात्मक ढंग से देखने तथा समझने की क्षमता शोध के किस चरण पर सर्वाधिक प्रासंगिक है?

A. किसी शोध समस्या की पहचान करने तथा इसे परिभाषित करने का चरण।
B. शोध अभिकल्प के निर्धारण तथा इसके कार्यान्वयन में।
C. शोध परिकल्पना एवं उसके परीक्षण की पद्धतियों के प्रतिपादन में।
D. प्रतिदर्श चयन के बारे में निर्णय लेने तथा तत्संबंधी प्रक्रियाओं की प्रतिनिधिक विशेषताओं को सुनिश्चित करने में।

17. निम्नलिखित में से किन क्षेत्रों में 'शोध नीति' का बड़ा महत्व है? नीचे दिए गए कूट से अपना उत्तर दीजिए।

(*a*) प्रदत्त संकलन में
(*b*) किसी संगोष्ठी (सेमिनार) पत्रक की तैयारी में
(*c*) आधार सामग्री विश्लेषण में
(*d*) किसी सम्मेलन में भाग लेने में
(*e*) शोध प्रबंध/शोध लघु प्रबंध के लेखन में
(*f*) किसी शोध समस्या के चयन में

A. (*a*), (*b*) और (*c*) B. (*a*), (*c*) और (*e*)
C. (*d*), (*e*) और (*f*) D. (*a*), (*b*) और (*f*)

18. शोध परिणाम प्रस्तुत करने एवं इसे अन्य के साथ साझा किए जाते समय शोध के निम्नलिखित में से किस प्रकार की शोध प्रकारता में प्रस्तुति की शैली वस्तुनिष्ठ होनी चाहिए?

A. नृजाति वृत्तिक अध्ययन में
B. क्रियात्मक अनुसंधान आधारित अध्ययन में
C. कारणान्वेषी तुलना आधारित कार्योत्तर अध्ययन में
D. विवरणात्मक अध्ययन में

19. निम्नलिखित में से कौन-सी शिक्षण पद्धति अप्रत्यक्ष अधिगम को बढ़ावा देगी?

A. उदाहरण के साथ व्याख्यान देना
B. टीम शिक्षण
C. किसी विषय का निदर्शन
D. प्रतिभाग आधारित परियोजनाएँ

20. नीचे दो समुच्चय दिए गए हैं। समुच्चय-I में शोध के प्रकार दिए गए हैं, जबकि समुच्चय-II में उनकी विशेषताएँ इंगित की गई हैं। इन दोनों को सुमेलित कीजिए और उपयुक्त कूट का चयन कर अपने उत्तर को दीजिए:

समुच्चय-I (शोध के प्रकार)		**समुच्चय-II (विशेषताएँ)**
(*a*) मौलिक शोध	(*i*)	हस्तक्षेप के अनुभूत प्रभाव का पता लगाना
(*b*) व्यवहृत शोध	(*ii*)	सिद्धांत निर्माण के माध्यम से प्रभावोत्पादक व्याख्या का विकास करना
(*c*) क्रियात्मक शोध	(*iii*)	हस्तक्षेप के उपयोग के माध्यम से प्रचलित स्थिति में सुधार लाना
(*d*) मूल्यांकन-परक शोध	(*iv*)	विभिन्न स्थितियों में उपयोग के लिए सिद्धांत की प्रयोज्यता की खोजबीन करना
	(*v*)	प्राविधिक संसाधनों को समृद्ध करना

कूटः

	(*a*)	(*b*)	(*c*)	(*d*)
A.	(*ii*)	(*iv*)	(*iii*)	(*i*)
B.	(*v*)	(*iv*)	(*iii*)	(*ii*)
C.	(*i*)	(*ii*)	(*iii*)	(*iv*)
D.	(*ii*)	(*iii*)	(*iv*)	(*v*)

21. क्रियाकलापों के निम्नलिखित समुच्चयों में कौन-सा समुच्चय क्रियात्मक शोध रणनीति की चक्रीय प्रकृति को इंगित करता है?

A. गहन चिंतन करना, प्रेक्षण करना, नियोजन, क्रियान्विति
B. प्रेक्षण करना, क्रियान्विति, गहन चिंतन करना, नियोजन
C. क्रियान्विति, नियोजन, प्रेक्षण करना, गहन चिंतन करना
D. नियोजन, क्रियान्विति, प्रेक्षण करना, गहन चिंतन करना

22. शोध पदों का निम्नलिखित में से कौन-सा क्रम वैज्ञानिक विधि के निकटस्थ है?

A. समस्या का प्रस्तावित समाधान, समाधान के परिणामों को निगमित करना, समस्या की स्थिति को अनुभूत करना, कठिनाई की पहचान और समाधान का परीक्षण।
B. समस्या की स्थिति को अनुभूत करना, वास्तविक समस्या की पहचान और उसकी परिभाषा, परिकल्पना करना, प्रस्तावित समाधान के परिणामों को निगमित करना और परिकल्पना का कार्य रूप में परीक्षण।
C. समस्या को परिभाषित करना, समस्या के कारणों की पहचान करना, समग्र को परिभाषित करना, प्रतिदर्श का चयन, आंकड़ों का संग्रहण और परिणामों का विश्लेषण करना।
D. कारण-मूलक कारकों की पहचान करना, समस्या को परिभाषित करना, परिकल्पना बनाना, प्रतिदर्श का चयन, आंकड़ों का संग्रहण और सामान्यीकरण तथा निष्कर्षों पर पहुँचना।

23. 'शोध नैतिकता' की समस्या शोध क्रियाकलापों के किस पहलू से संबंधित है?

A. शोध प्रबंध के निर्धारित प्रारूप के अनुसरण से
B. गुणात्मक या मात्रात्मक तकनीकों के माध्यम से आंकड़ों के विश्लेषण से
C. शोध के समग्र को परिभाषित करने से
D. साक्ष्य-आधारित शोध रिपोर्टिंग से

24. निम्नलिखित में से किस क्रियाकलाप में सृजनशील और समीक्षात्मक चिंतन के संपोषण की अधिक क्षमता है?

A. शोध सारांश को तैयार करना
B. संगोष्ठी में शोध लेख को प्रस्तुत करना
C. शोध सम्मेलन में भागीदारी
D. कार्यशाला में भागीदारी

25. निम्नलिखित में से शोध के किस प्रकार में मौजूदा स्थितियों में सुधार पर ध्यान केन्द्रित किया जाता है?

A. मौलिक शोध
B. व्यवहृत शोध
C. क्रियात्मक शोध
D. प्रायोगिक शोध

26. एक शोधकर्ता बच्चों की चिन्ता-उन्मुखता पर पोषण विधि के प्रभाव का आंकलन करने का प्रयास करता है। कौन-सी शोध-विधि इसके लिए उपयुक्त होगी?

A. व्यष्टि अध्ययन पद्धति
B. प्रायोगिक पद्धति
C. कार्योत्तर पद्धति
D. सर्वेक्षण पद्धति

27. निम्नलिखित में से किस व्यवस्था में विचारों और मुद्दों की व्यापक रेंज (स्पेक्ट्रम) को संभव बनाया जा सकता है?

A. शोध लेख
B. कार्यशाला पद्धति
C. सम्मेलन
D. संगोष्ठी

28. एक शोध प्रबंध लेखन फार्मेट को अंतिम रूप देने में निम्नलिखित में से कौन-सा पूरक-पृष्ठों का भाग बनेगा?

A. सारणियों और आँकड़ों की सूची
B. विषय-सारणी
C. अध्ययन के निष्कर्ष
D. ग्रंथ-सूची और परिशिष्ट

29. निम्नलिखित में से कौन-सा शोध नैतिकता का मुद्दा हो सकता है?

A. सांख्यिकीय तकनीकों का अयथार्थ अनुप्रयोग
B. शोध की रूपरेखा का दोषपूर्ण होना
C. निदर्शन तकनीकों का विकल्प
D. शोध निष्कर्षों को रिपोर्ट करना

30. किसी विद्यालय का प्राचार्य विद्यालय के कार्यक्रमों में शिक्षकों तथा छात्रों के प्रतिभाग को अभिवृद्ध करने की सम्भावना का पता लगाने के लिए उनके साथ साक्षात्कार सत्र आयोजित करता है। यह प्रयास अनुसंधान के किस प्रकारता से संबंधित है?

A. मूल्यांकन अनुसंधान B. मौलिक अनुसंधान
C. क्रियात्मक अनुसंधान D. व्यवहृत अनुसंधान

31. क्रियात्मक अनुसंधान करने में सोपानों का सामान्य अनुक्रम क्या होता है?

A. विमर्श, प्रेक्षण, योजना निर्माण, क्रियान्वयन
B. योजना निर्माण, क्रियान्वयन, प्रेक्षण, विमर्श
C. योजना निर्माण, विमर्श, प्रेक्षण, क्रियान्वयन
D. क्रियान्वयन, प्रेक्षण, योजना निर्माण, विमर्श

32. निम्नांकित में अनुसंधान चरणों का कौन-सा क्रम तार्किक है?

A. समस्या स्थापन, विश्लेषण, शोध अभिकल्प का विकास, परिकल्पना निर्माण, प्रदत्त एकत्रीकरण, सामान्यीकरण और निष्कर्ष निरूपण
B. शोध अभिकल्प का विकास, परिकल्पना निर्माण, समस्या स्थापना, प्रदत्त विश्लेषण, निष्कर्ष निरूपण, प्रदत्त एकत्रीकरण
C. समस्या स्थापन, परिकल्पना निर्माण, शोध अभिकल्प का विकास, प्रदत्त एकत्रीकरण, प्रदत्त विश्लेषण, सामान्यीकरण तथा निष्कर्ष निरूपण
D. समस्या स्थापन, प्रतिदर्श तथा प्रदत्त एकत्रीकरण उपकरणों के बारे में निर्णय करना, परिकल्पना निर्माण, शोध साक्ष्य का संकलन एवं निर्वचन

33. "शोध नैतिकता" का विषय शोध के किस चरण में संगत माना जाता है?

A. समस्या स्थापन तथा इसकी परिभाषा के चरण में
B. शोध के समग्र के निर्धारण के चरण में
C. प्रदत्त-संकलन तथा विवेचन के चरण में
D. निष्कर्षों को प्रस्तुत किए जाने के चरण में

34. निम्नांकित में किस प्रारूप में प्रतिवेदन प्रारूप औपचारिक रूप से निर्दिष्ट होता है?

A. डॉक्टरेट स्तरी शोधपत्र
B. शोधकर्ताओं का सम्मेलन
C. कार्यशालाएँ एवं संगोष्ठियाँ
D. संवादपरक प्रस्तुतियाँ

35. यदि कोई शोधार्थी प्रभावी मिड-डे मील हस्तक्षेप के आयोजन के लिए संभावित कारकों के प्रभाव का पता लगाना चाहता है, तो अनुसंधान की कौन-सी पद्धति इस अध्ययन के लिए सर्वोत्तम होगी?

A. ऐतिहासिक पद्धति B. वर्णनात्मक सर्वेक्षण पद्धति
C. प्रयोगात्मक पद्धति D. कार्योत्तर पद्धति

36. शोध करने के लिए निम्नलिखित में से कौन-सी आरंभिक अनिवार्यता की अपेक्षा है?

A. अनुसंधान अभिकल्प विकसित करना।
B. अनुसंधान-प्रश्न तैयार करना।
C. प्रदत्त विश्लेषण प्रक्रिया के संबंध में निर्णय लेना।
D. अनुसंधान-परिकल्पना निर्मित करना।

37. शोध-प्रबंध लिखने का प्रारूप वही होता है जो निम्नलिखित में होता है:

A. शोध-पत्र/लेख तैयार करना
B. संगोष्ठी प्रस्तुतीकरण का लेखन
C. शोध के लघुशोध-प्रबंध में
D. कार्यशाला/सम्मेलन में लेख प्रस्तुत करना

38. गुणात्मक शोध के प्रतिमान में, निम्नलिखित में से कौन-सी विशेषता को महत्वपूर्ण माना जा सकता है?

A. मानकीकृत शोध उपकरणों की सहायता से प्रदत्त का संकलन।
B. संभाव्य प्रतिदर्श तकनीक सहित प्रतिदर्श चयन का अभिकल्प।
C. प्रदत्तों के संग्रहण में इंद्रियानुभविक साक्ष्यों का निम्न से उच्च स्तरीयता की ओर उन्मुखता।
D. उच्च से निम्न व्यवस्थित साक्ष्यों सहित प्रदत्त संग्रहण।

39. निम्नलिखित कथनों की सूची से उस सेट को चिह्नित कीजिए, जिसका 'शोध की नैतिकता' पर नकारात्मक प्रभाव पड़ता है:

(*i*) शोधार्थी, दूसरे शोध के निष्कर्षों पर आलोचनात्मक दृष्टि डालता है।
(*ii*) उचित संदर्भों के बिना संबंधित अध्ययनों को उद्धृत किया जाता है।

(*iii*) शोध के निष्कर्ष नीति निर्माण का आधार होते हैं।
(*iv*) प्रकाशित शोध साक्ष्यों के आधार पर व्यवहारकर्ताओं के आचरण का परीक्षण किया जाता है।
(*v*) अन्य शोधों के साक्ष्यों का सत्यापन करने की दृष्टि से शोध अध्ययन को आवृत्यात्मक रूप में निष्पन्न किया जाता है।
(*vi*) नीति निर्माण और नीति क्रियान्वयन दोनों प्रक्रियाओं को प्रारंभिक अध्ययनों के आधार पर प्रतिपादित किया जाता है।

कूट:
A. (*i*), (*ii*) और (*iii*) B. (*ii*), (*iii*) और (*iv*)
C. (*ii*), (*iv*) और (*vi*) D. (*i*), (*iii*) और (*v*)

40. निम्नलिखित में से कौन-सा कथन सहभागी अनुसंधान के संदर्भ में सही **नहीं** है?
A. यह ज्ञान को शक्ति के रूप में पहचानता है
B. यह लोगों को विशेषज्ञ मानने पर जोर देता है
C. यह जांच की एक सामूहिक प्रक्रिया है
D. इसका एकमात्र उद्देश्य ज्ञान का उत्पादन है

41. निम्नलिखित में से कौन-सा कथन किसी परिकल्पना के परीक्षण के संदर्भ में **सही** है?
A. यह केवल वैकल्पिक परिकल्पना है, जिसका परीक्षण किया जा सकता है
B. यह केवल नल परिकल्पना है, जिसका परीक्षण किया जा सकता है
C. वैकल्पिक एवं नल दोनों परिकल्पनाओं का परीक्षण किया जा सकता है
D. वैकल्पिक एवं नल दोनों परिकल्पनाओं का परीक्षण नहीं किया जा सकता है

42. निम्नलिखित में से कौन-कौन ए.पी.ए. शैली के संदर्भ प्रारूप के मूलभूत नियम हैं?
(*a*) छोटी कृतियों जैसे जर्नल आलेख अथवा निबंध, के शीर्षक तिरछा करके लिखें
(*b*) लेखकों के नाम उल्टा करके लिखें (अंतिम नाम पहले)
(*c*) लम्बी कृतियों जैसे पुस्तक एवं जर्नल, के शीर्षक तिरछा करके लिखें
(*d*) संदर्भ सूची प्रविष्टियों का वर्णानुक्रम में सूचीयन करें।

नीचे दिए गए कूट से **सही** उत्तर का चयन कीजिए:
A. (*a*) और (*b*) B. (*b*), (*c*) और (*d*)
C. (*c*) और (*d*) D. (*a*), (*b*), (*c*) और (*d*)

43. निम्नलिखित में से कौन-कौन किसी सेमिनार की विशेषताएँ हैं?
(*a*) यह एक अकादमिक अनुदेशन का प्रकार है।
(*b*) इसमें प्रश्न करना, चर्चा एवं वाद-विवाद शामिल हैं।
(*c*) इसमें व्यक्तियों के बड़े समूह शामिल होते हैं।
(*d*) इसमें कौशलयुक्त व्यक्तियों की संलिप्तता की आवश्यकता है।

नीचे दिए गए कूट से **सही** उत्तर का चयन कीजिए:
A. (*b*) और (*c*) B. (*b*) और (*d*)
C. (*b*), (*c*) और (*d*) D. (*a*), (*b*) और (*d*)

44. एक अनुसंधानकर्ता किसी शहरी क्षेत्र में एक राजनीतिक दल विशेष की संभावनाओं के अध्ययन हेतु इच्छुक है। इस अध्ययन हेतु किस उपकरण को वरीयता देनी चाहिए।
A. निर्धारण मापनी B. साक्षात्कार
C. प्रश्नावली D. अनुसूची

45. निम्न में से किसके लिए शोध के आचार संबंधी मानकों के दिशानिर्देश शामिल **नहीं** होते?
A. शोध प्रारूप B. स्वत्वाधिकार (कॉपीराइट)
C. पेटेंट नीति D. डाटा शेयरिंग नीति

46. 'अनुसंधान' शब्द का अर्थ के संबंध में निम्नलिखित में से कौन-से कथन सत्य हैं?
(*a*) अनुसंधान का तात्पर्य किसी समस्या के समाधान का पता लगाने के लिए शुरू की गई व्यवस्थित कार्यकलाप अथवा कार्यकलापों की शृंखला से है।
(*b*) यह एक व्यवस्थित, तार्किक और निष्पक्ष प्रक्रिया है जिसमें परिकल्पना का परीक्षण, आंकड़ों का विश्लेषण, सिद्धांतों की व्याख्या और रचना की जा सकती है।
(*c*) यह सत्य के प्रति बौद्धक जाँच अथवा खोज है।
(*d*) इससे ज्ञान में वृद्धि होती है।

निम्नलिखित कूटों से सही उत्तर का चयन कीजिए:
A. (*a*), (*b*) और (*c*) B. (*b*), (*c*) और (*d*)
C. (*a*), (*c*) और (*d*) D. (*a*), (*b*), (*c*) और (*d*)

47. एक अच्छे शोध प्रबंध लेखन में शामिल हैं:
(*a*) विराम चिह्न में कमी और न्यूनतम व्याकरणिक अशुद्धियाँ।
(*b*) संदर्भों की सावधानीपूर्वक जाँच।
(*c*) शोध प्रबंध लेखन में निरंतरता।
(*d*) स्पष्ट और अच्छी तरह से लिखा हुआ सारांश।

नीचे दिए कूटों से सही उत्तर का चयन कीजिए:
A. (*a*), (*b*), (*c*) और (*d*) B. (*a*), (*b*) और (*c*)
C. (*a*), (*b*) और (*d*) D. (*b*), (*c*) और (*d*)

48. निम्नलिखित में से किस आधार पर ज्यां प्याजे ने मानव विकास का संज्ञानात्मक सिद्धान्त दिया?

A. मौलिक अनुसंधान B. प्रायोगिक अनुसंधान
C. क्रियात्मक अनुसंधान D. मूल्यांकन अनुसंधान

49. ''एक संख्यात्मक अभिक्षमता परीक्षण में पुरुष तथा महिला विद्यार्थी एक समान प्रदर्शन करते हैं!'' यह कथन निम्न में से किसको इंगित करता है?

A. अनुसंधान परिकल्पना B. शून्य परिकल्पना
C. दिशात्मक परिकल्पना D. सांख्यकीय परिकल्पना

50. निम्नलिखित में से किस प्रकार के अनुसंधान के सारांशों/निष्कर्षों को अन्य स्थितियों से सामान्यकृत नहीं किया जा सकता है?

A. ऐतिहासिक अनुसंधान
B. वर्णनात्मक अनुसंधान
C. प्रायोगिक अनुसंधान
D. कारणात्मक तुलनापरक अनुसंधान

51. एक-प्रश्नावली तैयार करते समय निम्नलिखित में से कौन-से कदम उठाए जाने की आवश्यकता है?

(*a*) अध्ययन के प्राथमिक और द्वितीयक उद्देश्य लेखन।
(*b*) वर्तमान साहित्य की समीक्षा।
(*c*) प्रश्नावली का प्रारूप तैयार करना।
(*d*) प्रारूप का पुनरीक्षण।

नीचे दिए गए कूटों से सही उत्तर का चयन कीजिए।

A. (*a*), (*b*) और (*c*) B. (*a*), (*c*) और (*d*)
C. (*b*), (*c*) और (*d*) D. (*a*), (*b*), (*c*) और (*d*)

52. जब सामाजिक शोध की योजना बनाई जाए तो बेहतर होगा

A. खुले दिमाग से विषय के बारे में सोचना।
B. उसमें पूरी तरह डूबने से पहले मार्गदर्शी अध्ययन करना।
C. विषय से जुड़े साहित्य से परिचित होना।
D. सैद्धांतिकता को भूलना चाहिये क्योंकि यह एक व्यावहारिक व्याख्या है।

53. शोध निबंध के अनिवार्य तत्त्व हैं

A. प्रस्तावना; आँकड़ा-संग्रह; आँकड़ा-विश्लेषण; निष्कर्ष और अनुशंसा
B. कार्यकारी सारांश; साहित्य पुनर्वीक्षण; आँकड़ा संग्रहण; निष्कर्ष; ग्रंथसूची
C. शोध-योजना; शोध-आँकड़ा; विश्लेषण; संदर्भ
D. प्रस्तावना; साहित्य पुनर्वीक्षण; शोध-प्रणालियाँ; परिणाम; चर्चा और निष्कर्ष

54. शोध डिजाइन क्या है?

A. शोध संचालन का एक तरीका जो सिद्धान्त पर आधारित न हो।
B. गुणात्मक या परिमाणात्मक पद्धतियों के उपयोग के मध्य विकल्प।
C. वह शैली जिसमें आप अपनी शोध खोजों को प्रस्तुत करना चाहें जैसे ग्राफ।
D. आँकड़ों के संकलन और विश्लेषण के प्रत्येक स्तर के लिए एक ढाँचा बनाना।

55. 'सैम्पलिंग केसेस' का आशय है

A. सैम्पलिंग में सैम्पलिंग ढाँचे का प्रयोग।
B. शोध के लिए उपयुक्त लोगों की पहचान।
C. शब्दशः शोधार्थी का ब्रीफकेस।
D. लोग, समाचार-पत्र, टेलीविजन कार्यक्रम इत्यादि की सैम्पलिंग।

56. शोध-आँकड़ों का आवृत्ति वितरण जो आकार में सममित है और सामान्य वितरण के समान है परन्तु उसका केन्द्रीय शिखर ज्यादा ऊँचा हो, कहलाता है

A. विषम B. मध्यककुदी
C. तुंगककुदी D. चिपिटककुदी

57. एक थीसिस (शोध-प्रबन्ध) में चित्र एवं तालिकाएँ रहती हैं :

A. परिशिष्ट में B. एक अलग अध्याय में
C. अन्तिम अध्याय में D. मूल पाठ में ही

58. शोध-प्रबन्ध कथन है

A. एक प्रेक्षण B. एक तथ्य
C. दृढ़ कथन D. विचार-विमर्श

59. मैक्स वेबर के अनुसंधान उपागम में यह समझने के लिए कि लोग प्राकृतिक विन्यास में अर्थो का बोध कैसे करते हैं, की पहचान निम्नलिखित में से किस रूप में की जाती है?

A. सकारात्मक चिन्तनफलक
B. आलोचनात्मक चिन्तनफलक
C. प्राकृतिक चिन्तनफलक
D. विवेचनात्मक चिन्तनफलक

60. निम्नलिखित में से कौन-सा गैर-संभाव्यता प्रतिदर्श है?

A. सामान्य यादृच्छिक B. सौद्देश्य
C. व्यवस्थित D. स्तरबद्ध

61. तात्कालिक उपयोग में आने वाली अनुसंधान धारा है

A. संकल्पनात्मक B. क्रियात्मक
C. मौलिक D. आनुभविक

62. शोध का मुख्य ध्येय क्या है?
A. साहित्य की समीक्षा करना।
B. पहले से ज्ञात का सारांश करना।
C. अकादमिक उपाधि (डिग्री) प्राप्त करना।
D. नये तथ्यों की खोज करना अथवा ज्ञात तथ्यों की ताजा व्याख्या करना।

63. नमूना लेने में गलती निम्नलिखित में से किसके साथ घटती जाती है?
A. नमूने के आकार में कमी
B. नमूने के आकार में वृद्धि
C. यादृच्छीकरण की प्रक्रिया
D. विश्लेषण की प्रक्रिया

64. मौलिक शोध के सिद्धांतों का निम्नलिखित में से किसमें उपयोग किया जाता है?
A. क्रियापरक शोध B. अनुप्रयुक्त शोध
C. दार्शनिक शोध D. ऐतिहासिक शोध

65. वैज्ञानिक शोध में क्रमिक संक्रियाएँ कौन-सी हैं?
A. सहविचरण, भ्रामक संबंधों का बहिष्करण, सामान्यीकरण, सिद्धांतीकरण
B. सामान्यीकरण, सहविचरण, सिद्धांतीकरण, भ्रामक संबंधों का बहिष्करण
C. सिद्धांतीकरण, सामान्यीकरण, भ्रामक संबंधों का बहिष्करण, सहविचरण
D. भ्रामक संबंधों का बहिष्करण, सिद्धांतीकरण, सामान्यीकरण, सहविचरण

66. नमूना लेने की लॉटरी पद्धति का उपयोग निम्नलिखित में से किसके लिए किया जाता है?
A. निर्वचन (व्याख्या)
B. सिद्धांतीकरण
C. संकल्पना
D. बेतरतीब ग्रहण (यादृच्छीकरण)

67. एक शोध-पत्र:
A. किसी विषय पर सूचनाओं का संकलन होता है।
B. लेखक द्वारा माना गया मूल शोध निहित होता है।
C. समकक्षी पुनरीक्षित मूल शोध या अन्य द्वारा किए गए शोध का मूल्यांकन निहित होता है।
D. एक से अधिक पत्रिकाओं में प्रकाशित किया जा सकता है।

68. निम्नलिखित में से कौन-सा अच्छी 'शोध नैतिकता' की श्रेणी से संबंधित है?
A. सम्पादकों को बताए बगैर एक ही शोध-पत्र को दो शोध पत्रिकाओं में प्रकाशित कराना।
B. साहित्य की समीक्षा करना जिसमें संगत क्षेत्र के अन्य व्यक्तियों या प्रासंगिक पूर्व कार्यों का योगदान हो।
C. किसी शोधपत्र में अपने तर्कों पर चर्चा किए बिना ही आँकड़ों से रूपरेखा को व्यवस्थित करना।
D. शोधपत्र में किसी भी सहयोगी को उससे कृपा दृष्टि पाने हेतु लेखक के रूप में शामिल करना भले ही उस सहयोगी ने शोध-पत्र में कोई बड़ा योगदान न दिया हो।

69. निम्नलिखित प्रतिदर्श प्रणालियों में से कौन-सी संभाव्यता पर आधारित नहीं है?
A. सरल यादृच्छिक प्रतिदर्श
B. स्तरबद्ध प्रतिदर्श
C. कोटा प्रतिदर्श
D. समूह प्रतिदर्श

70. कार्यकारी प्राक्कल्पना होती है:
A. किसी तर्क के लिए प्रमाणित प्राक्कल्पना
B. परीक्षण अपेक्षित न हो।
C. आगे और अधिक शोध के लिए अनन्तिम रूप से स्वीकार्य प्राक्कल्पना।
D. एक वैज्ञानिक सिद्धान्त।

71. बेहतर 'शोध नैतिकता' से अभिप्राय है :
A. अपनी शोध प्रायोजित कम्पनी में धारित शेयरों/स्टॉकों को प्रकट न करना।
B. केवल किसी पीएच.डी./शोध छात्र को ही विशेष शोध समस्या सौंपना।
C. किसी शैक्षिक पत्रिका की समीक्षा करने के लिए शोध पत्र से गोपनीय आंकड़ों पर अपने सहयोगियों से चर्चा करना।
D. एक ही शोध पांडुलिपि को एक से अधिक पत्रिकाओं में प्रकाशित होने के लिए प्रस्तुत करना।

72. निम्नलिखित में से कौन-सी प्रतिदर्श प्रणाली संभाव्यता पर आधारित है?
A. सुविधानुसार प्रतिदर्श B. कोटा प्रतिदर्श
C. निर्णय प्रतिदर्श D. स्तरबद्ध प्रतिदर्श

73. शोध की निम्नलिखित अवस्थाओं को सही क्रम में व्यवस्थित करें :
1. शोध समस्या का निर्धारण
2. शोध उद्देश्य को सूचीबद्ध करना
3. डाटा संग्रहण
4. कार्यप्रणाली
5. डाटा विश्लेषण
6. परिणाम और चर्चा

A. 1 – 2 – 3 – 4 – 5 – 6
B. 1 – 2 – 4 – 3 – 5 – 6
C. 2 – 1 – 3 – 4 – 5 – 6
D. 2 – 1 – 4 – 3 – 5 – 6

74. **असत्य** कथन की पहचान कीजिए :
A. आगे और अन्वेषण किए जाने के लिए प्रारम्भिक रूप से सीमित साक्ष्य के आधार पर परिकल्पना की जाती है।
B. परिकल्पना सत्य की किसी मान्यता के बिना तर्क का आधार होती है।
C. परिकल्पना किसी घटना का प्रस्तावित स्पष्टीकरण है।
D. वैज्ञानिक परिकल्पना एक वैज्ञानिक सिद्धान्त है।

75. जो शोध तात्कालिक अनुप्रयुक्ति का लक्ष्य करता है वह कहलाता है :
A. क्रियात्मक शोध B. आनुभविक शोध
C. प्रत्ययात्मक शोध D. मौलिक शोध

76. सम्मेलन किसके लिये होते हैं?
A. बहु लक्ष्यांक समूह
B. समूह चर्चाएँ
C. नवीन शोध प्रदर्शित करना
D. उपर्युक्त सभी

77. कार्योत्तर शोध का अर्थ है:
A. घटना के बाद शोध किया जाता है।
B. घटना के पूर्व शोध किया जाता है।
C. घटना के घटने के साथ-साथ शोध किया जाता है।
D. घटना की सम्भावनाओं को ध्यान में रखते हुए शोध किया जाता है।

78. शोध नैतिकता किसे शामिल नहीं करती है?
A. ईमानदारी B. व्यक्तिपरकता
C. न्यायनिष्ठा D. वस्तुनिष्ठता

79. एक प्राक्कल्पना है
A. कानून B. अभिनियम
C. अभ्युपगम D. अन्वितार्थ

80. नियन्त्रित समूह शर्त निम्नलिखित में से किसमें प्रयुक्त होती है?
A. सर्वेक्षण शोध B. ऐतिहासिक शोध
C. प्रयोगात्मक शोध D. विवरणात्मक शोध

81. कार्यशालाएँ किसके लिये आयोजित की जाती हैं?
A. व्याख्यान देने
B. बहु-लक्ष्यांक समूह
C. नये सिद्धान्त प्रदर्शित करने
D. प्रशिक्षण / अनुभव प्रदान करने

82. शोध का उपकरण निम्नांकित में से क्या है?
A. रेखाचित्र (ग्राफ) B. दृष्टान्त
C. प्रश्नावली D. आरेख

83. शोध को नैतिक नहीं समझा जाता है यदि वह
A. एक विशेष बात को सिद्ध (प्रमाणित) करने की चेष्टा करता है।
B. उत्तरदाता की गोपनीयता तथा अज्ञातता सुनिश्चित नहीं करता है।
C. आँकड़े की वैज्ञानिक तौर पर छानबीन नहीं करता है।
D. बहुत उच्च मानक का नहीं है।

84. एक शोधपत्र शोधकार्य की रिपोर्ट होता है, जिसका आधार होता है
A. केवल प्राथमिक आँकड़ा
B. केवल द्वितीयक आँकड़ा
C. प्राथमिक और द्वितीयक आँकड़ा दोनों
D. उपर्युक्त में से कोई नहीं

85. न्यूटन ने गति के नियम के तीन मूल सिद्धांत प्रस्तुत किये। उनके इस शोध को वर्गीकृत किया गया है
A. वर्णनात्मक शोध के रूप में
B. प्रतिदर्श (नमूना) सर्वेक्षण के रूप में
C. मूलभूत शोध के रूप में
D. व्यावहारिक शोध के रूप में

86. विशेषज्ञों का ज्ञान के एक विशिष्ट क्षेत्र से संबंधित वर्ग एक स्थान पर एक नए पाठ्यक्रम के पाठ्य विवरण तैयार करने के लिए एकत्रित हुआ। इस प्रक्रिया को कहा जा सकता है
A. संगोष्ठी (सेमिनार)
B. कार्यशाला
C. सम्मेलन (कॉन्फरेंस)
D. गोष्ठी (सिम्पोजियम)

87. शोधकार्य करने की प्रक्रिया में परिकल्पना को सूत्रबद्ध करने के पश्चात् आता है
A. उद्देश्यों का कथन
B. आँकड़ों की व्याख्या
C. शोध उपकरण का चयन
D. आँकड़ों का एकत्रीकरण

88. एक शोधार्थी के आवश्यक गुण होते हैं
A. स्वतंत्र परिप्रश्न की प्रवृत्ति
B. अवलोकन एवं प्रमाण पर निर्भरता
C. ज्ञान का व्यवस्थितीकरण अथवा सिद्धांतीकरण
D. उपर्युक्त सभी

89. शोध किया जाता है:

I. नये ज्ञान के सृजन के लिए
II. सिद्धान्त विकसित न करने के लिए
III. शोध उपाधि प्राप्ति के लिए
IV. विद्यमान ज्ञान की पुनर्व्याख्या के लिए

उपर्युक्त में से कौन सही हैं?

A. I, III एवं II B. III, II एवं IV
C. II, I एवं III D. I, III एवं IV

90. दृश्यप्रपंचशास्त्र (फिनॉमिनॉलॉजी) शब्द निम्नलिखित की प्रक्रिया से सम्बन्धित है

A. गुणात्मक शोध की
B. प्रसरण के विश्लेषण की
C. सहसम्बन्ध के अध्ययन की
D. संभाविता के प्रतिचयन की

91. 'सोसियोग्राम' तकनीक का प्रयोग किया जाता है

A. व्यावसायिक रुचि के अध्ययन के लिए।
B. पेशेवर क्षमता के अध्ययन के लिए।
C. मानवीय संबंध के अध्ययन के लिए।
D. उपलब्धि प्रेरणा के अध्ययन के लिए।

92. एक प्रक्रिया के रूप में शोध का अर्थ स्पष्ट करने के लिए निम्नलिखित सूक्तियों में से कौन-सी प्रासंगिक नहीं है?

A. क्रमबद्ध क्रिया
B. वस्तुनिष्ठ अवलोकन
C. प्रयोग एवं त्रुटि
D. समस्या समाधान

93. निम्नलिखित में से कौन एक सतत चर का उदाहरण नहीं है?

A. परिवार का आकार B. प्रज्ञा (बुद्धि)
C. ऊँचाई D. भाव

94. क्रियानिष्ठ शोध का भाव है

A. देशान्तरीय शोध
B. व्यावहारिक शोध
C. एक शोध जिसे किसी जरूरी समस्या के समाधान के लिए प्रारम्भ किया गया हो
D. सामाजिक-आर्थिक ध्येय से की गई शोध

95. शोध है

A. बार-बार खोज करना
B. किसी समस्या का समाधान ढूँढ़ना
C. किसी समस्या के सम्बन्ध में वैज्ञानिक ढंग से सत्य को ढूँढ़ने के लिए कार्य करना
D. उपरोक्त में से कोई नहीं

96. अनुसंधान (अन्वेषण) में एक सामान्य परीक्षण में प्राथमिकता दी जाती है

A. विश्वसनीयता को B. प्रयोग को
C. वस्तुनिष्ठता को D. उपर्युक्त सभी

97. निम्नलिखित में से शोध-प्रक्रिया प्रारम्भ करने का प्रथम चरण कौन सा है?

A. समस्या का निर्धारण करने के लिए सूचना के स्रोतों की खोज
B. सम्बन्धित साहित्य का सर्वेक्षण
C. समस्या की पहचान
D. समस्या का समाधान ढूँढ़ना

98. यदि कोई शोधकर्ता इस आशय से शोध करता है कि कौन सा प्रबन्धकीय ढंग ज्यादा संगठनात्मक प्रभावशाली होगा, तब यह किस शोध का उदाहरण होगा?

A. आधारभूत शोध B. क्रियानिष्ठ शोध
C. व्यावहारिक शोध D. उपरोक्त में से कोई नहीं

99. एक रद्द परिकल्पना (Null Hypothesis) है

A. जब चरों के बीच कोई भिन्नता न हो।
B. शोध-परिकल्पना के समान
C. प्रकृति में व्यक्ति निष्ठ
D. जब चरों के बीच भिन्नता हो।

100. उस शोध को, जो अतीत के अध्ययन द्वारा नए तथ्यों की खोज करती है, क्या कहेंगे?

A. दार्शनिक शोध B. ऐतिहासिक शोध
C. मिथिहासिक शोध D. विषय विश्लेषण

101. क्रिया-निष्ठ शोध है

A. एक व्यावहारिक शोध
B. शोध जिसे तात्कालिक समस्याओं को हल करने के लिए किया जाए
C. अनुदैर्घ्यात्मक शोध
D. अनुरूप-शोध

102. प्रयोगात्मक शोधों में किस प्रक्रिया की आवश्यकता नहीं है?

A. अवलोकन B. जोड़-तोड़
C. नियन्त्रण D. विषय विश्लेषण

103. जोड़-तोड़ सदैव किसका भाग होता है?

A. ऐतिहासिक शोध
B. मूलभूत शोध
C. विवरणात्मक शोध
D. प्रयोगात्मक शोध

104. शोध सदैव है–

A. पूर्व ज्ञान का सत्यापन

B. नूतन ज्ञान की गवेषणा

C. ज्ञान के अन्तराल की पूर्ति

D. उपर्युक्त सभी

105. एक शोध जिसमें क्षेत्रीय अध्ययन के समय समस्या के प्रति अधिक से अधिक स्पष्ट विचार के लिए नियमों को लागू करते हैं उसे कहा जाता हैः

A. व्यावहारिक शोध　　B. क्रियात्मक शोध

C. प्रयोगात्मक शोध　　D. उपर्युक्त में से कोई नहीं

106. जब कोई शोध समस्या विषय जनसंख्या से सम्बन्धित हो तब सर्वाधिक उपयुक्त प्रतिदर्श पद्धति होगीः

A. समूह प्रतिदर्श

B. यादृच्छिक (स्ट्रेटिफाइड प्रतिदर्श)

C. सुविधाजनक प्रतिदर्श

D. लाटरी पद्धति

107. प्रयोगात्मक शोध में जो प्रक्रिया आवश्यक नहीं है, उसे कहा जाता हैः

A. अवलोकन　　B. परिचालन एवं प्रतिकृति

C. नियंत्रित　　D. संदर्भ एकत्रण

108. एक शोध समस्या तब व्यवहार्य नहीं है जब–

A. यह शोध करने योग्य है।

B. वह नई हो और ज्ञान में कुछ वृद्धि करती है।

C. वह स्वतंत्र और गैर स्वतंत्र चरों से युक्त हो।

D. इसकी उपयोगिता व प्रासंगिकता हो।

109. विचयन (Sample) के आधार पर निकाले गए निष्कर्ष जाने जाते हैंः

A. आधार सामग्री विश्लेषण तथा निर्वचन (interpretation)

B. प्राचल (Parameter) अनुमान

C. सांख्यिकी अनुमान

D. उपरोक्त सभी

110. प्रयोगात्मक अध्ययन .... के नियम पर आधारित होते हैं।

A. परिवर्तों (variables) में संयोजन

B. सैद्धांतिक पैरामीटर

C. शोध का प्रतिकृति (Replication)

D. साहित्य का सर्वेक्षण

111. वैज्ञानिक अनुसंधान के मुख्य अभिलक्षण हैंः

A. अनुभवाश्रित　　B. सैद्धांतिक

C. प्रायोगिक　　D. उपरोक्त सभी

112. अनुसंधान की खोज की प्रामाणिकता निर्भर करती हैः

A. मौलिकता पर　　B. वैधता पर

C. वस्तुनिष्ठता पर　　D. उपरोक्त सभी

113. जब जनसंख्या सीमित (finite) हो तो कौन सी तकनीक अपनाई जाती है?

A. क्षेत्र प्रतिचयन तकनीक

B. सोद्देश्य प्रतिचयन तकनीक

C. क्रमबद्ध प्रतिचयन तकनीक

D. इनमें से कोई नहीं

114. एक अनुसंधानकर्ता रिक्त-प्राक्कल्पना (null hypothesis) के परीक्षण के लिए क्या करता है?

A. t टेस्ट　　B. एनोवा (ANOVA)

C. χ^2　　D. फैक्टोरियल विश्लेषण

115. अनुसंधान समस्या तभी साध्य होती है, जब :

A. वह उपयोगी और प्रासंगिक होती है

B. वह अनुसंधनीय होती है

C. वह नयी है तथा वह ज्ञान में वृद्धि करती है

D. उपर्युक्त सभी

116. अनुसंधान की रिपोर्ट में ग्रंथसूचीः

A. शोधार्थी के व्यापक ज्ञान को दर्शाती है

B. जो भावी अनुसंधान में दिलचस्पी रखते हैं, उनकी सहायता करती है

C. अनुसंधान के लिये उसकी कोई प्रासंगिकता नहीं है

D. उपरोक्त सभी

117. मौलिक अनुसंधान किसकी योग्यता को दर्शाता है?

A. नये आदर्शों का संश्लेषण

B. नये सिद्धान्तों की स्थापना

C. अनुसंधान की विद्यमान सामग्री का मूल्यांकन

D. विद्यमान विभिन्न शीर्षकों पर उपलब्ध साहित्य पर अध्ययन

118. जिस अध्ययन में अनुसंधानकर्ता प्रभाव को खोजने का प्रयास करता है, उसे कहते हैंः

A. सर्वेक्षण अनुसंधान

B. 'एक्स-पोस्ट फैक्टो' अनुसंधान

C. ऐतिहासिक अनुसंधान

D. समेकित अनुसंधान

119. निम्न में से कौन सा कथन सही है?

A. विश्वसनीयता, वैधता को सुनिश्चित करती है।

B. वैधता, विश्वसनीयता को सुनिश्चित करती है।

C. विश्वसनीयता और वैधता एक दूसरे से स्वतंत्र हैं।

D. विश्वसनीयता, वस्तुनिष्ठता पर निर्भर नहीं करती।

120. शोध वह व्यक्ति कर सकता है :

A. जिसने शोध विधि पढ़ी हो।

B. जिसके पास स्नातकोत्तर उपाधि है।

C. जिसमें सोचने की और तर्क की क्षमता है।

D. जो परिश्रमी हो।

121. निम्नलिखित में से कौन सा कथन सही है?

A. शोध के उद्देश्यों को शोध ग्रंथ के प्रथम अध्याय में लिखते हैं।

B. शोधकर्ता में विश्लेषणात्मक योग्यता होनी चाहिये।

C. विचलन समस्या का स्रोत है।

D. उपरोक्त सभी

122. निम्नलिखित में से कौनसी शोध विधि नहीं है?

A. अवलोकन　　B. ऐतिहासिक

C. सर्वेक्षण　　D. दार्शनिक

123. शोध को वर्गीकृत कर सकते हैं:

A. मूल, प्रायोगिक और क्रिया शोध

B. संख्यात्मक और गुणात्मक शोध

C. दार्शनिक, ऐतिहासिक, सर्वेक्षण और प्रायोगिक शोध

D. उपरोक्त सभी

124. शोध का प्रथम सोपान है:

A. समस्या का चयन

B. समस्या को ढूँढना

C. समस्या का पता लगाना

D. समस्या की पहचान

125. **सूची-I** (साक्षात्कार) का मिलान **सूची-II** (अर्थ) से करें तथा नीचे दिए गए कूट से सही उत्तर चुनें:

सूची-I (साक्षात्कार)	**सूची-II (अर्थ)**
(*a*) ढाँचाबद्ध साक्षात्कार	(*i*) अधिक नमनीय उपागम
(*b*) ढाँचाविहीन साक्षात्कार	(*ii*) जिन प्रश्नों का उत्तर देना है उन पर ध्यान
(*c*) केंद्रित साक्षात्कार	(*iii*) निजी जीवन का अनुभव
(*d*) नैदानिक साक्षात्कार	(*iv*) पूर्व-निर्धारित प्रश्न
	(*v*) अन-निदेशात्मक

कूट:

	(*a*)	(*b*)	(*c*)	(*d*)
A.	(*iv*)	(*i*)	(*ii*)	(*iii*)
B.	(*ii*)	(*iv*)	(*i*)	(*iii*)
C.	(*v*)	(*ii*)	(*iv*)	(*i*)
D.	(*i*)	(*iii*)	(*v*)	(*iv*)

126. अन्तर्शास्त्रीय शोध के सन्दर्भ में आपकी क्या धारणा है?

A. शोध का समग्रात्मक विश्लेषण

B. शोध क्षेत्र में विषय विशेष की निर्भरता को कम करना

C. शोध विषय को आवश्यकता से अधिक सरल बनाना

D. शोध प्रविधि में नई प्रवृत्ति का सृजन

127. अनुसंधान में वैज्ञानिक पद्धति का एक मुख्य उद्देश्य है:

A. आकड़ों के विश्लेषण में सुधार

B. अवैध एवं त्रुटिपूर्ण संबंधों का निवारण

C. बहुआयामी आलोचना और परीक्षा को सुनिश्चित करना

D. नये मापदण्डों का प्रयोग

128. शोध की गहराई निम्नलिखित किस एक में निहित है?

A. शोध का शीर्षक

B. शोध द्वारा अर्जित तथ्य

C. शोध पर खर्च की गई राशि

D. शोध में व्यतीत समय

129. पुस्तकें और दस्तावेज प्रमुख स्रोत हैं:

A. ऐतिहासिक अनुसन्धान के आंकड़ों के लिये

B. प्रतिभागात्मक अनुसन्धान के आंकड़ों के लिये

C. चिकित्सीय अनुसन्धान के आंकड़ों के लिये

D. प्रयोगशाला में होने वाले अनुसन्धान के आंकड़ों के लिये

130. विज्ञानों, सामाजिक विज्ञानों तथा मानविकी के शोध छात्र की पूर्वापेक्षायें हैं:

A. प्रयोगशाला की कुशलता, अभिलेख, पर्यवेक्षक, विषय

B. पर्यवेक्षक, विषय, आलोचनात्मक विश्लेषण, धैर्य

C. पुरातत्व, पर्यवेक्षक, विषय तथा चिन्तन में लचीलापन

D. विषय, पर्यवेक्षक, अच्छा स्वभाव, प्राक्कथित अवधारणा

131. एक महाविद्यालय अपने शोधार्थियों को सामाजिक विज्ञानों के लिए सांख्यकीय पैकेज की प्रयोग-विधि में प्रशिक्षित करना चाहता है। इसके लिए उसे आयोजित करना चाहिए:

A. सम्मेलन　　B. संगोष्ठी

C. कार्यशाला　　D. लेक्चर

132. निम्नलिखित में से कौन-सा शोध का गुण नहीं है?

A. शोध व्यवस्थित होती है।

B. शोध प्रक्रिया नहीं है।

C. शोध समस्या परक होती है।

D. शोध निष्क्रिय होती है।

133. निम्नलिखित में से कौन-सा कथन सही है?

A. आविष्कार अनुसंधान होते हैं।

B. अनुसंधान आविष्कार मुखी होते हैं।

C. आविष्कार और अनुसंधान संबंधित होते हैं।

D. उपरोक्त में से कोई नहीं।

134. निम्नलिखित में से कौन-सा कथन सही है?

A. शोध में उद्देश्यों को प्रश्नाकार में कहा जाता है।
B. शोध में उद्देश्यों को कथनाकार में कहा जाता है।
C. उद्देश्यों को शोधग्रन्थ के प्रथम अध्याय में कहा जाता है।
D. उपरोक्त सभी।

135. सूची-I को सूची-II से सुमेलित कीजिए और नीचे दिए गए कूट से सही उत्तर चुनिए:

सूची-A	सूची-B
(*a*) ऐतिहासिक विधि	(*i*) पूर्व घटित घटनाएँ
(*b*) सर्वेक्षण विधि	(*ii*) दूरदृष्टि
(*c*) दार्शनिक विधि	(*iii*) वर्तमान घटनाएँ
(*d*) प्रयोग विधि	(*iv*) असाधारण स्थितियाँ
	(*v*) भविष्य की कार्यवाही

कूट:

	(*a*)	(*b*)	(*c*)	(*d*)
A.	(*i*)	(*iii*)	(*ii*)	(*v*)
B.	(*i*)	(*ii*)	(*iv*)	(*v*)
C.	(*i*)	(*iv*)	(*ii*)	(*v*)
D.	(*i*)	(*ii*)	(*iii*)	(*iv*)

136. अनुसंधान से क्या तात्पर्य है?

A. यह एक उद्देश्यपूर्ण, व्यवस्थित गतिविधि है
B. यह केवल शैक्षिक प्रयोजनों के लिए आयोजित किया जाता है
C. यह व्यावहारिक विषयों से संबंधित प्रश्नों का उत्तर देने के लिए आयोजित किया जाता है
D. यह आविष्कार की एक यादृच्छिक एवं अनियोजित प्रक्रिया है

137. निम्नलिखित में से एक अच्छे अनुसंधान का लक्ष्य क्या होता है?

A. समाज की भलाई करना
B. सिद्धांतों और सामान्यीकरण का विकास करना
C. दिनचर्या से संबंधित समस्याओं को सुलझाना
D. उपरोक्त में से कोई नहीं

138. एक श्रेष्ठ सिद्धांत (A Grand Theory):

A. अवधारणाओं के बीच परस्पर-संबंधों को स्पष्ट करता है
B. अत्यधिक अमूर्त होता है
C. अध्ययन-विषय (Discipline) में घटनाओं का व्यापक स्पष्टीकरण होता है
D. उपरोक्त सभी

139. एक सिद्धांत को किस रूप में परिभाषित किया गया है?

A. व्यवस्थित संबंधित कथनों का संग्रह
B. सामान्यीकरण
C. दोनों (A) और (B)
D. उपरोक्त में से कोई नहीं

140. प्रत्येक क्षेत्र में अनुसंधान ज्ञान के व्यवस्थित और क्रमिक प्रगति को बढ़ावा देते हैं लेकिन आविष्कार दुर्लभ हैं क्योंकि :

A. परिणाम एक निरंतर आलोचनात्मक जांच है
B. एक अंडाकार चैनल से परे सोचने के लिए सक्षम होना सामान्य नहीं है
C. एक निश्चित सीमा से परे सोचने के लिए सक्षम होना सामान्य बात नहीं है
D. अधिकांश लोगों में इससे संबंधित वांछित ज्ञान की कमी होती है

141. निम्नलिखित में से कौन-सी एक शोधकर्ता की गुणवत्ता नहीं है?

A. वह दूसरे शोधकर्ता के साथ सामंजस्य स्थापित करता है
B. वह सचेत मन वाला होना चाहिए
C. वह जांच में उत्सुक होना चाहिए
D. उसको अपने निर्णय को प्रमाणित करना अनिवार्य है

142. निम्नलिखित में से कौन-सा कथन सत्य नहीं है?

A. यह अपेक्षा की जाती है कि शोधकर्ता एक विस्तृत अध्ययन वाला व्यक्ति होगा
B. एक अनुसंधान दूसरे अनुसंधान को जन्म देती है
C. सभी शोधकर्ता वर्तमान ज्ञान की वृद्धि में योगदान देते हैं
D. अच्छा शोधकर्ता एक अच्छा व्यक्ति ही होता है

143. निम्नलिखित पत्र-साहित्य में से कौन-सा अनुसंधान कार्य के प्रकाशन का विशेष रूप है?

A. पत्रिका (Magazine)
B. विशेष निबंध (Monographs)
C. जर्नल (Journals)
D. पुस्तकें (Books)

144. निम्नलिखित में से आधुनिक समाज में अनुसंधान के मुख्य कार्य कौन-से हैं?

I. ज्ञान के क्षेत्र में प्रगति के साथ गति बनाए रखना
II. नई चीजों की खोज करना
III. पूर्व लेखन पर आलोचना करना
IV. स्रोतों की गंभीर रूप से व्यवस्थित जांच एवं विश्लेषण करना

कूट :

A. IV, II और I B. I, II और III
C. I और III D. II, III और IV

145. अनुसंधान एक ऐसे व्यक्ति द्वारा आयोजित किया जा सकता है, जिसने :

A. अनुसंधान कार्यविधि का अध्ययन किया है
B. एक स्नातकोत्तर उपाधि प्राप्त की है
C. सोच और तर्क क्षमता रखता है
D. एक परिश्रमी कार्यकर्ता है

146. निम्नलिखित में से एक शोधकर्ता का विशिष्ट गुण है :

A. जिज्ञासा B. सक्रिय कल्पना
C. क्षमता D. उपरोक्त सभी

147. एक शोधकर्ता से सामान्यतः क्या अपेक्षित किया जाता है?

A. वर्तमान साहित्य क्षेत्र में अध्ययन करना
B. नए सिद्धांतों और नियमों का सृजन करना
C. विभिन्न विचारों का संश्लेषण करना
D. उपरोक्त में से कोई नहीं

148. किसी भी अनुसंधान की गहनता को किसके द्वारा आंका जा सकता है?

A. अनुसंधान के शीर्षक द्वारा
B. अनुसंधान के उद्देश्यों द्वारा
C. अनुसंधान पर किये जाने वाले कुल व्यय द्वारा
D. अनुसंधान की अवधि द्वारा

149. निम्नलिखित कथनों में से कौन-सा कथन सिद्धांत के बारे में सत्य है?

A. यह घटना को सरल ढंग से समझाता है
B. यह 'कैसे' और 'क्यों' जैसे प्रश्नों की व्याख्या करते हैं
C. यह एक सुविकसित व्याख्यात्मक प्रणाली हो सकती है
D. उपरोक्त सभी

150. निम्नलिखित में से कौन-सा अनुसंधान कारण और प्रभाव के संबंधों के अस्तित्व के बारे में सबसे मजबूत सबूत प्रदान करने के लिए उपयुक्त है?

A. गैर-प्रायोगिक अनुसंधान
B. प्रायोगिक अनुसंधान
C. ऐतिहासिक अनुसंधान
D. उपरोक्त में से कोई नहीं

151. निम्नलिखित में से कौन-सा अनुसंधान अतीत के रूप में किसी घटना को समझने के लिए किया जाता है?

A. प्रायोगिक अनुसंधान (Experimental Research)
B. ऐतिहासिक अनुसंधान (Historical Research)
C. पुनरावृत्ति अनुसंधान (Replication Research)
D. अभिलेखीय अनुसंधान (Archival Research)

152. निम्नलिखित में से कौन-सा अनुसंधान विभिन्न लोगों के लिए एक ही चर का उपयोग करके निष्कर्षों की जांच करता है?

A. अन्वेषण B. परिकल्पना
C. पुनरावृत्ति D. अनुभववाद

153. अनुसंधान का वह प्रकार है जो कि उपकल्पना और सिद्धांतों का इसलिए परीक्षण करती है ताकि यह समझाया जा सके कि घटना क्यों और कैसे घटती है?

A. वर्णनात्मक अनुसंधान B. भविष्यसूचक अनुसंधान
C. व्याख्यात्मक अनुसंधान D. उपरोक्त में से कोई नहीं

154. निम्नलिखित अनुसंधान विधियों में से कारणता के संबंध में सबसे महत्वपूर्ण प्रमाण कौन-सा है?

A. प्रायोगिक B. कारण-तुलनात्मक
C. सह-संबंधात्मक D. उपरोक्त में से कोई नहीं

155. निम्नलिखित में से कौन-सा एक अनुदैर्ध्य अभिकल्प नहीं है?

A. पैनल B. क्रॉस-सेक्शनल
C. प्रवृत्ति D. दोनों (A) और (C)

156. जांचकर्ताओं के द्वारा प्रभाव का पता लगाने के प्रयास को क्या कहा जाता है?

A. सर्वेक्षण अनुसंधान
B. 'पूर्वव्यापी कार्योत्तर' अनुसंधान
C. ऐतिहासिक अनुसंधान
D. योगात्मक अनुसंधान

157. प्रयोगात्मक विधि का सार है :

A. सहसंबंध गुणांक के संबंध में कार्ल पियर्सन का सही गणन करना
B. विषयों से उनके व्यक्तिपरक अनुभव के बारे में प्रत्यक्ष रिपोर्ट प्राप्त करना
C. सावधानीपूर्वक परिमाण लेना और रिकॉर्ड रखना
D. कारण और प्रभाव संबंध की पहचान करने के लिए नियंत्रण का उपयोग करना

158. निम्नलिखित में से कौन-से अनुसंधान प्रतिमान अपने निष्कर्षों के सामान्यीकरण के बारे में ज्यादा चिंताशील नहीं है?

A. मात्रात्मक अनुसंधान
B. गुणात्मक अनुसंधान
C. मिश्रित अनुसंधान
D. उपरोक्त में से कोई नहीं

159. एक परिचालन परिभाषा का अर्थ है :

A. इसका मूल अवधारणा से कोई संबंध नहीं होता
B. यह अवधारणा की अमूर्त एवं सैद्धांतिक परिभाषा है
C. यह विशिष्ट, अनुभवसिद्ध उपायों के संदर्भ में होती है
D. उपरोक्त में से कोई नहीं

160. निम्नलिखित में से किस शब्द का किसी व्यवहार को नियंत्रित करने के शिष्ट अनुमान को प्रकट करने के लिए उपयोग करते हैं?

A. प्रयोगात्मक नियंत्रण B. उपकल्पना
C. प्रयोगात्मक चर D. सिद्धांत

161. विभिन्न उपकल्पनाओं की कार्यविधि का उपयोग किस स्थिति में किया जाना चाहिए?

A. शोध के अंतिम चरण के दौरान
B. शोध अध्ययन की योजना
C. परिणामों के प्रकाशन के समय
D. उपरोक्त में से कोई नहीं

162. निम्नलिखित में से किस प्रकार के शब्दों में उपकल्पनाओं को वर्णित नहीं किया जा सकता?

A. घोषणात्मक
B. रिक्त उपकल्पना और प्रश्न प्रपत्र
C. सामान्य
D. दिशात्मक

163. अनुसंधान परिकल्पना का तात्पर्य है :

A. वर्तमान शोध की समीक्षा करना
B. चरों के बीच में सम्भावी संबंधों का विवरण देना
C. जब यह कहा जाए कि उनको पुष्ट करना या नकारना
D. दोनों (B) और (C)

164. अनुसंधानकर्ता न्यादर्श का आकार कम रख सकते हैं यदि जनसंख्या :

A. विजातीय हो B. अप्राप्य हो
C. सजातीय हो D. उपरोक्त सभी

165. यदि जनसंख्या सीमित हो तो निम्नलिखित में से कौन-सी तकनीक का उपयोग किया जाता है?

A. क्षेत्र न्यादर्श तकनीक
B. सोद्देश्य न्यादर्श तकनीक
C. व्यवस्थित न्यादर्श तकनीक
D. उपरोक्त में से कोई नहीं

166. एक शोधकर्ता अपनी समष्टि को कुछ समूहों में विभाजित कर देता है और प्रत्येक समूह से न्यादर्श की संख्या निश्चित कर देता है। इस प्रकार के न्यादर्श को क्या कहा जाता है?

A. स्तरीकृत न्यादर्श B. कोटा न्यादर्श
C. क्लस्टर न्यादर्श D. उपरोक्त सभी

167. निम्नलिखित में से कौन-सा असम्भाव्य न्यादर्श है?

A. कोटा न्यादर्श B. सरल यादृच्छिक न्यादर्श
C. सोद्देश्य न्यादर्श D. दोनों (A) और (C)

168. यदि शोधकर्ता किन्हीं पांच स्कूलों का चयन करता है और फिर उन पांच स्कूलों में प्रत्येक शिक्षक का साक्षात्कार लेता है, तो वह इसके लिए कौन-से न्यादर्श का उपयोग करता है?

A. सरल यादृच्छिक न्यादर्श
B. स्तरीकृत यादृच्छिक न्यादर्श
C. क्लस्टर यादृच्छिक न्यादर्श
D. उपरोक्त में से कोई नहीं

169. निम्नलिखित में से कौन-सा सरल यादृच्छिक न्यादर्श विधि का उदाहरण नहीं है?

A. व्यवस्थित न्यादर्श
B. स्तरीकृत यादृच्छिक न्यादर्श
C. सरल यादृच्छिक न्यादर्श
D. उपरोक्त सभी

170. स्तरीकृत यादृच्छिक न्यादर्श का मुख्य उद्देश्य यह निश्चित करना है कि :

A. जनसंख्या की हर इकाई की न्यादर्श में चयन की समान सम्भावना है
B. भिन्न-भिन्न श्रेणियों से आनुपातिक प्रतिनिधित्व सुनिश्चित करने के लिए
C. प्रतिवादियों से त्वरित अनुक्रिया
D. उपरोक्त में से कोई नहीं

171. निम्नलिखित में से कौन-सा कथन या विचार स्थिति नैतिकता की मूल भावना से जुड़ा हुआ नहीं है?

A. कुछ भी चलता है
B. उद्देश्य पूर्ति साधन से अधिक महत्वपूर्ण है
C. कोई विकल्प नहीं
D. उपरोक्त सभी

172. निम्नलिखित में से ऐसी कौन-सी अपहानि है जिसका अनुसंधान प्रतिभागियों को सामना करना पड़ सकता है?

A. शारीरिक चोट B. तनाव और चिंता
C. खराब विकास D. उपरोक्त सभी

173. निम्नलिखित में कौन-सी अनुसंधान विधि सूचित सहमति की कमी के साथ प्रत्यक्ष रूप से जुड़ी हुई है?

A. गहन साक्षात्कार B. सामग्री विश्लेषण
C. गुप्त अवलोकन D. व्यक्ति अध्ययन

174. निम्नलिखित में से कौन-सी विधि प्रत्यक्ष रूप से सूचित सहमति की कमी के साथ जुड़ी हुई है?

A. गहन साक्षात्कार B. सामग्री विश्लेषण
C. प्रच्छन्न अवलोकन D. व्यक्तिगत अध्ययन

175. अनुसंधान के दौरान अपने मूल्यों को स्वीकार करना आवश्यक है, क्योंकि :
A. यह हमें उन्हें समाप्त करने के लिए अनुमति देता है
B. यह हमें स्वयं के बारे में निष्कपट बनने की अनुमति देता है
C. कम से कम हम जानते हैं कि हम क्या अनदेखा कर सकते हैं
D. यह दूसरों को हमारे मूल्यों के स्वीकार करने के लिए मना सकता है

176. निम्नलिखित में से तर्क की यह कौन-सी प्रक्रिया है जो हमें कथनों के समूह से एक विशिष्ट निष्कर्ष तक पहुँचाती है?
A. बुद्धिवाद B. निगमनात्मक तर्क
C. आगमनात्मक तर्क D. संभाव्य

177. निम्नलिखित में से कौन-सा SPSS का प्रशिक्षण देने के लिए सबसे उपयुक्त है?
A. संगोष्ठी B. सम्मेलन
C. कार्यशाला D. पेपर

178. निम्नलिखित में से कौन पत्रिका में प्रकाशित होता है?
A. आलेख B. पेपर
C. दोनों (A) और (B) D. उपरोक्त में से कोई नहीं

179. एक सहसंबंधी (Correlational) अध्ययन क्या निर्धारित करता है?
A. स्वतंत्र और आश्रित चरों के बीच संबंध
B. प्रतिभागी (Participant) पर पर्यवेक्षक (Observer) का प्रभाव
C. कारण और प्रभाव का संबंध
D. दो घटनाओं के बीच का संबंध

180. निम्न में से किस को गुणात्मक अनुसंधान का विशेष गुण माना गया है?
A. निगमनात्मक होना
B. आगमनात्मक होना
C. निगमनात्मक या प्रेरक होना
D. उपरोक्त में से कोई नहीं

181. निम्नलिखित में से कौन-सा अनुसंधान सिद्धांत के परीक्षण से संबंधित है?
A. आगमनात्मक अनुसंधान
B. निगमनात्मक अनुसंधान
C. दोनों आगमनात्मक और निगमनात्मक
D. उपरोक्त में से कोई नहीं

182. एक गैर-सरकारी संस्था ग्राम पंचायत में बच्चों के अभियान के प्रभावों को देखने के लिए अध्ययन का आयोजन करती है। यह एक उदाहरण है :
A. वर्णनात्मक (Descriptive) अध्ययन का
B. क्षेत्र प्रयोग (Field experiment) का
C. घटनोत्तर अनुसंधान (Expost facto research) का
D. ऐतिहासिक अनुसंधान का

183. अध्ययन का वर्गीकरण किस खोजपूर्ण, वर्णनात्मक, विश्लेषणात्मक या भावी सूचक अनुसंधान पर आधारित है?
A. अनुसंधान के तर्क पर
B. अनुसंधान के परिणाम पर
C. अनुसंधान की प्रक्रिया पर
D. अनुसंधान के विषय पर

184. अनुसंधान, परिकल्पना (Hypotheses) को परिभाषित करने का एक उपयोगी तरीका है क्योंकि :
A. यह पाठक को प्रभावित करता है
B. यह परीक्षण योग्य प्रस्ताव के विकास की अनुमति देता है
C. यह शोध के निष्कर्ष के लिए निर्विवाद (Indisputable) प्रमाणों को कायम रखने की अनुमति देता है
D. यह उपयुक्त रूप से वैज्ञानिक है

185. निम्नलिखित में से कौन-सी अनुसंधान विधि भारत सरकार द्वारा हर 10 वर्ष के बाद जनगणना के आयोजन में उपयोग होती है?
A. प्रकरण अध्ययन B. विकासात्मक
C. सर्वेक्षण D. प्रायोगिक

186. मूलभूत अनुसंधान और अनुप्रयुक्त अनुसंधान के बीच मुख्य अन्तर क्या है?
A. मूलभूत प्रक्रिया B. न्यादर्श का आकार
C. उपयोगिता D. उपरोक्त सभी

187. एक वास्तविक विश्व प्रयोगशाला बनाने के लिए किस प्रकार की विधि का उपयोग किया जा सकता है?
A. सहसंबंधी गुणांक B. क्षेत्र प्रयोग
C. प्रकरण अध्ययन D. यादृच्छिक नियत कार्य

188. सर्वेक्षण अनुसंधान के संदर्भ में, निम्नलिखित कदमों को किस निश्चित क्रम में लिया जाता है?
I. नमूने का चयन II. निष्कर्ष
III. तथ्यों का विश्लेषण IV. तथ्यों का संग्रह
A. II, III, I, IV B. I, IV, III, II
C. III, II, IV, I D. IV, I, II, III

189. एक अच्छी परिकल्पना (Hypotheses) से क्या तात्पर्य है?
A. अधिकांश ज्ञात तथ्यों के साथ विधिपूर्वक, विशिष्ट और सुसंगत होनी चाहिए
B. ऐसे ढंग से निरूपित कथन जिसका तथ्यों के द्वारा परीक्षण किया जा सके
C. सीमित दायरा और वैश्विक महत्व नहीं होना चाहिए
D. उपरोक्त सभी

190. अनुसंधान प्रक्रिया की परिशुद्धता निम्न में से किस पर निर्भर करती है?

A. शोधकर्ताओं की निष्पक्ष अभिवृत्ति (Unbiased attitude)
B. न्यादर्श का आकार
C. प्रयुक्त अनुसंधान विधि
D. उपरोक्त सभी

191. किसी सर्वेक्षण के लिए जनसंख्या के उप-समुच्चय के चयन की प्रक्रिया को क्या कहा जाता है?

A. सर्वेक्षण अनुसंधान B. प्रतिनिधित्व
C. त्रिभुजीकरण D. न्यादर्श

192. किसी न्यादर्श के आधार पर सामान्यीकृत निष्कर्ष को तकनीकी रूप से क्या कहा जाता है?

A. प्रदत्त का विश्लेषण और व्याख्या
B. प्राचल अनुमान
C. सांख्यिकीय अनुमान
D. उपरोक्त सभी

193. एक अन्वेषक विस्तृत भौगोलिक क्षेत्र में नेत्रहीन बच्चों की आकांक्षाओं का व्यावसायिक अध्ययन करना चाहता है। उसको निम्नलिखित प्रकार के न्यादर्श का चयन करना चाहिए?

A. साधारण यादृच्छिक न्यादर्श
B. स्तरीकृत न्यादर्श
C. सोद्देश्य न्यादर्श
D. सुविधाजनक न्यादर्श

194. निम्नलिखित में से किस चर के अलावा नियंत्रण समूह और प्रयोगात्मक समूह पूर्ण रूप से समान है?

A. आश्रित चर B. स्वतंत्र चर
C. बाह्य चर D. पुनरावृत्ति चर

195. निम्नलिखित प्रकार का अनुदैर्ध्य अनुसंधान कुछ व्यक्तियों का अध्ययन एक विस्तारित अवधि के लिए करता है :

A. प्रवृत्ति अध्ययन B. पैनल अध्ययन
C. दोनों (A) और (B) D. न तो (A) और न ही (B)

196. यह वे चर हैं जिनका एक शोधकर्ता यह आकलन करने के लिए चयन करता है ताकि उनका दूसरे चर या चरों पर क्या प्रभाव रहता है?

A. आश्रित B. स्वतंत्र
C. बाहरी D. उपरोक्त में से कोई नहीं

197. .... एक स्थिति या विशेषता है जिसके विभिन्न मूल्य या श्रेणियाँ हो सकती हैं।

A. स्थिर B. चर
C. कारण और प्रभाव संबंध D. वर्णनात्मक संबंध

198. निम्नलिखित में से मात्रात्मक चर का उदाहरण कौन-सा है?

A. आंयु, तापमान, आय और ऊँचाई
B. श्रेणी बिंदु औसत, व्यग्रता का स्तर और पठन प्रदर्शन
C. लिंग, धर्म और संजातीय समूह
D. दोनों (A) और (B)

199. निम्नलिखित में से ऐसा कौन-सा स्वतंत्र चर है जिस के साथ शोध अध्ययन में हेरफेर नहीं किया जा सकता है?

A. लिंग
B. जातीयता
C. बुद्धिमत्ता और अन्य लक्षण
D. उपरोक्त में से कोई नहीं

200. किसी प्रयोगात्मक अभिकल्प में, आश्रित चर किसे कहते हैं?

A. जिसमें कोई भी परिवर्तन किया जा सकता है
B. जिसमें कोई भी परिवर्तन नहीं किया जा सकता है
C. दोनों (A) और (B)
D. उपरोक्त में से कोई नहीं

201. समूह-केंद्रित, गहन साक्षात्कार, घटनांजन्य, कथात्मक अनुसंधान, आदि अनुसंधान के वर्गीकरण किस आधार के अंतर्गत आते हैं?

A. तर्क B. परिणाम
C. उद्देश्य D. गुणात्मक

202. निम्नलिखित में से कौन-सी उपकल्पना होने के लिए मूलभूत आवश्यकता नहीं है?

A. तथ्यों पर आधारित होना
B. बोधगम्य होना
C. प्रकृति के ज्ञान का खंडन
D. परिकल्पना में से निष्कर्ष निकालने की अनुमति

203. अनुसंधान के उद्देश्यों को किस रूप में लिखा जा सकता है?

A. केवल प्रश्न के रूप में
B. केवल विवरण के रूप में
C. प्रश्न और विवरण दोनों के रूप में
D. काल्पनिक रूप में

204. विवरण में चरों के बीच कारण और प्रभाव की भविष्यवाणी के संबंध को क्या कहा जाता है?

A. रिक्त उपकल्पना B. प्रायोगिक उपकल्पना
C. स्वतंत्र चर D. आश्रित चर

205. कारण और प्रभाव के संबंधों को विश्वसनीय बनाने के लिए क्या आवश्यक है?

A. प्राकृतिक अवलोकन में संलग्न होना
B. सकारात्मक संबंध विकसित करना
C. नियंत्रित प्रयोग का निष्पादन
D. नकारात्मक सहसंबंध का परीक्षण

206. निम्नलिखित में से कौन-सी वैधता ऐसी विशेषता को मापने से संबंधित है जिसका प्रत्यक्ष अवलोकन नहीं किया जा सकता, पर यह कल्पना की जा सकती है कि उसका अस्तित्व है?

A. अंकित वैधता	B. निर्माण वैधता
C. मानदंड वैधता	D. सामग्री वैधता

207. निम्नलिखित में से कौन-सा सहसंबंधी मूल्य सबसे सुदृढ़ है?

A. +0.10	B. –0.95
C. +0.90	D. –1.0

208. बुद्धिमत्ता परीक्षण स्कोर और ग्रेड के बीच में कौन-सा संबंध होता है?

A. सकारात्मक	B. नकारात्मक
C. बिल्कुल सही	D. कोई संबंध नहीं

209. निम्नलिखित में से किस गुण को मापने के लिए लिकर्ट द्वारा विकसित प्रारूप जिसका व्यापक उपयोग प्रश्न पूछने के लिए किया जाता है?

A. मनोवृत्ति	B. व्यक्तित्व
C. मनोबल	D. उपरोक्त में से कोई नहीं

210. निम्नलिखित में से कौन-सी वैधता शोध अध्ययन के परिणामों के अध्ययन से परे स्थितियों के लिए भी लागू होते हैं अर्थात् जिस सीमा तक निष्कर्षों को सामान्यीकृत किया जा सकता है?

A. बाहरी वैधता	B. आंतरिक वैधता
C. स्थिति वैधता	D. उपरोक्त में से कोई नहीं

211. जिस सीमा तक रिसर्च डिजाइन और डेटा शोधकर्ता को कारण और प्रभाव एवं डेटा के भीतर अन्य संबंधों के बारे में सटीक निष्कर्ष आकर्षित करने के लिए अनुमति देता है, उसको कहा जाता है :

A. बाहरी वैधता	B. आंतरिक वैधता
C. स्थिति वैधता	D. उपरोक्त में से कोई नहीं

212. निम्नलिखित में से किस अनुसंधान को विकासात्मक अनुसंधान की श्रेणी में वर्गीकृत किया गया है?

A. दार्शनिक अनुसंधान
B. क्रियात्मक अनुसंधान
C. वर्णनात्मक अनुसंधान
D. उपरोक्त सभी

213. निम्नलिखित में से कौन-सी शोध की विधि नहीं है?

A. अवलोकन	B. ऐतिहासिक
C. सर्वेक्षण	D. दार्शनिक

214. मौलिक अनुसंधान को आमतौर पर कौन-सी परिस्थिति में किया जाता है?

A. कक्षा में
B. क्षेत्र में
C. प्रयोगशाला की परिस्थितियों में
D. सामाजिक परिस्थितियों में

215. निम्नलिखित में से किस अनुसंधान में अतीत के अध्ययन के माध्यम से नए तथ्यों की खोज की जाती है?

A. दार्शनिक अनुसंधान	B. ऐतिहासिक अनुसंधान
C. पौराणिक अनुसंधान	D. सामग्री विश्लेषण

216. अधोलिखित में से कौन-सी विशेषता शोध छात्र की नहीं है?

A. अन्वेषणीय विषय के प्रति एकबद्धता
B. उसका चित्त सजग होना चाहिए
C. जिज्ञासा की लालसा
D. प्रमाण से आगे बढ़ने की दृढ़ता

217. प्राकृतिक अवलोकन विधि के संदर्भ में निम्नलिखित में से कौन-सा कथन सही है?

A. व्यवस्था जैसा कि प्रकृति में होता है
B. नियंत्रित प्रयोग जिससे कि व्यवहार संबंधित कारक तत्वों को उजागर किया जा सके
C. विषयों का उनके प्राकृतिक वातावरण में निरीक्षण करने के लिए
D. विषयों का जीवन के विभिन्न चरणों में साक्षात्कार करने के लिए

218. निम्न में से कौन-सा व्याख्यात्मक अनुसंधान का एक रूप है जिसमें अनुसंधानकर्ता का कार्य एक सैद्धांतिक प्रतिरूप को विकसित करना है और फिर यह तय करना है कि व्यावहारिक रूप से आंकड़ें इस प्रतिरूप में कैसे उपयुक्त रहते हैं?

A. कारण प्रतिरूपण
B. भावीसूचक अनुसंधान
C. वर्णनात्मक अनुसंधान
D. खोजी अनुसंधान

219. अनुसंधान में वैज्ञानिक पद्धति का एक मुख्य उद्देश्य कौन-सा है?

A. तथ्यों की व्याख्या में सुधार करना
B. अप्रामाणिक संबंधों को समाप्त करना
C. त्रिभुजीकरण प्रमाणित करना
D. नए चर का सूत्रपात करना

220. कौन-सा अनुसंधान दृष्टिकोण कारकों के मध्य में संबंध स्थापित करने के लिए सबसे उपयुक्त है?

A. कारण-तुलनात्मक	B. प्रायोगिक
C. सह-संबंधात्मक	D. वर्णनात्मक

उत्तरमाला

1	2	3	4	5	6	7	8	9	10
D	C	D	A	B	D	C	D	D	B
11	12	13	14	15	16	17	18	19	20
B	D	B	C	D	C	B	C	D	A
21	22	23	24	25	26	27	28	29	30
D	B	D	C	C	C	C	D	D	C
31	32	33	34	35	36	37	38	39	40
B	C	C	A	D	B	C	C	C	D
41	42	43	44	45	46	47	48	49	50
B	B	D	C	A	D	A	A	B	A
51	52	53	54	55	56	57	58	59	60
D	C	D	D	D	C	D	C	D	B
61	62	63	64	65	66	67	68	69	70
B	D	B	B	A	D	C	B	C	C
71	72	73	74	75	76	77	78	79	80
A	D	B	D	A	D	A	B	D	C
81	82	83	84	85	86	87	88	89	90
D	C	B	C	C	B	C	D	D	A
91	92	93	94	95	96	97	98	99	100
C	C	C	C	C	D	C	C	A	B
101	102	103	104	105	106	107	108	109	110
B	B	C	D	A	B	D	B	C	C
111	112	113	114	115	116	117	118	119	120
C	D	C	C	D	B	B	B	B	C
121	122	123	124	125	126	127	128	129	130
D	B	D	D	A	A	B	B	A	B
131	132	133	134	135	136	137	138	139	140
C	B	B	D	A	A	B	C	C	D
141	142	143	144	145	146	147	148	149	150
A	D	C	A	C	D	B	B	D	B
151	152	153	154	155	156	157	158	159	160
B	C	C	A	B	B	D	B	C	B
161	162	163	164	165	166	167	168	169	170
B	C	D	C	C	B	D	C	A	B
171	172	173	174	175	176	177	178	179	180
D	D	B	C	B	D	A	C	D	B
181	182	183	184	185	186	187	188	189	190
B	B	D	B	C	C	B	B	D	D
191	192	193	194	195	196	197	198	199	200
D	C	B	B	C	B	B	D	D	C
201	202	203	204	205	206	207	208	209	210
D	C	B	B	C	B	D	A	A	A
211	212	213	214	215	216	217	218	219	220
B	D	A	C	B	D	C	A	B	B

UNIT–3

अध्ययन बोध
(Comprehension)

अध्ययन बोध या बोधगम्यता के अंतर्गत एक दिये गये अवतरण/अनुच्छेद/परिच्छेद पर आधारित प्रश्नों के उत्तर देने होते हैं। सामान्यतः अवतरण 500 से 2000 शब्दों का हो सकता है। यह किसी भी प्रकाशित कार्य से लिया हुआ हो सकता है। इस अवतरण के आधार पर कुछ प्रश्न दिये गये होते हैं। जिनका उत्तर आपको अवतरण के आधार पर देना होता है। इन प्रश्नों की विशेषता एवं विस्तार अलग-अलग होता है। कुछ प्रश्न आपकी क्षमता एवं मानसिक विस्तार की परीक्षा लेते हैं, कुछ आपकी निहितार्थ खोजने की क्षमता का, कुछ निष्कर्ष निकालने की क्षमता और कुछ आपके द्वारा लेखक के भावों को समझने या उसके उद्देश्य या अभिप्राय समझने की क्षमता की परीक्षा लेते हैं। कुछ प्रश्न अवतरण लिखने के ढंग पर होते हैं तो कुछ इस बात की परीक्षा लेते हैं कि क्या आप उस अवतरण की समालोचना कर सकते हैं कि नहीं, कुछ आपके तर्क की परीक्षा लेते हैं कुछ आपके मुख्य विचार समझने की परीक्षा लेते हैं। सारांश स्वरूप हम कह सकते हैं कि अध्ययन बोध, आपकी अध्ययन क्षमता, आपकी समालोचना की क्षमता, अर्थ समझने की क्षमता एवं सही उत्तर या निष्कर्ष प्राप्त करने की क्षमता की परीक्षा लेता है।

अवतरण पढ़ने के तरीके

पढ़ना किसी भी परीक्षा प्रबंधन में विशेष बढ़त दिलाता है, किंतु अवतरण को पढ़ना अन्य विषय को पढ़ने की तुलना में विशेष आयामों के अनुपालन की विशेष मांग करता है। अवतरण को पढ़ते समय परीक्षार्थियों को निम्नलिखित आयामों का अनुपालन करना चाहिये।

अवतरण को पढ़ने से पहले : किसी भी अवतरण को पढ़ने से पहले परीक्षार्थी को उस पर आधारित प्रश्नों को सावधानीपूर्वक पढ़ लेना प्रश्नों के उत्तर देने में विशेष सहायता प्रदान करता है, क्योंकि प्रश्न को पहले पढ़ने से कभी-कभी बिना समय खर्च किये प्रश्न का उत्तर आसानी से ज्ञात किया जा सकता है। परीक्षार्थियों को उपयुक्त तकनीकियों का अभ्यास करना चाहिये, जिसका प्रयोग परीक्षार्थी अवतरण पढ़ने के दौरान करना चाहते हैं।

अवतरण पढ़ने के दौरान : सबसे मुख्य प्रक्रिया अवतरण के पढ़ने के दौरान अनुपालन की है, क्योंकि इस समय परीक्षार्थी की एकाग्रता उत्तर चुनने में सहायक सिद्ध होती है। अतः परीक्षर्थियों को निम्न बातों का विशेष ध्यान रखना चाहिय।

- अवतरण को समझते हुए एकाग्रचित्त होकर शीघ्रता से पढ़ें, न कि पढ़ने की गति पर विशेष ध्यान दें।
- अवतरण को पढ़ते समय किसी भी प्रकार का दबाव या तनाव महसूस न करें।
- अवतरण की संरचना का उपयोग करते हुए समझे कि लेखक द्वारा अवतरण का विचार कैसे और क्यों विकसित किया गया है।
- अवतरण को पढ़ते हुए शुरू करने के साथ इस बात का अनुमान लगाएँ कि इस अवतरण की विषय वस्तु क्या है तथा लेखक अवतरण के माध्यम से क्या कहना चाहता है।
- अवतरण पर आधारित प्रश्नों के सही विकल्प चुनते समय अध्ययन बोध को बार-बार पढ़ने के बजाय लेखक की मुख्य बातों को ध्यान में रखते हुये चिह्नित करें।
- अवतरण की सूचनाओं को व्यवस्थित करें।
- संकेतक का प्रयोग करते हुए जैसे कि पेंसिल इत्यादि से अवतरण के महत्त्वपूर्ण शब्द तथा सूचनाओं को चिह्नित करें।
- संकेतक का प्रयोग अनावश्यक रूप से, जैसे कि सभी पंक्तियों को रेखांकित करना या सामान्य शब्दों को रेखांकित करना लाभदायक सिद्ध नहीं होता है।
- प्रश्नों में दिये गए विकल्पों में से गलत विकल्पों को पहले हटा दें, उनमें वे विकल्प पहले हटाएँ, जिन विकल्पों में अवतरण से इतर तथ्य तथा सूचनाएँ दी गई हैं। इससे सही विकल्प चुनने में आसानी होगी।
- लेखक की अवतरण के बारे में क्या राय एवं विचार है, को व्यक्त करें।
- कभी-कभी भाषानुवाद भावानुवाद को बदल देता है। इसके लिये अंग्रेजी भाषा में अनुवाद से संबंधित शब्द को अवश्य देखना चाहिए।

- अवतरण को पढ़ने के बाद समझने के लिये स्वयं के ज्ञान का समावेश न करें। इससे गलत विकल्प चुने जाने की संभावना बढ़ जाती है।
- संपूर्ण अवतरण को पढ़ते समय मुख्य शब्दों जैसे कि सभी, केवल, सिर्फ कुछ, अत्यधिक, कभी-कभी आदि शब्दों का विशेष ध्यान रखें। सामान्यतः ऐसे शब्द विकल्पों को प्रभावित करते हैं।

अवतरण से संबंधित प्रश्नों के प्रकार

सामान्यतः अवतरण में निम्नलिखित प्रकार के प्रश्न पूछे जाते हैं—

- **मुख्य विचार से सम्बन्धित प्रश्न :** सभी अवतरणों में एक मूल या केन्द्रीय विचार होता है जिसकी व्याख्या, समीक्षा या समालोचना पूरे अवतरण में की गयी होती है। मुख्य विचार सम्बन्धी प्रश्न आपको उसी मूल बिन्दु को खोजने के लिये कहते हैं। हम इसे शीर्षक भी कह सकते हैं। इस तरह के प्रश्नों को अग्रलिखित तरीकों से पूछा जा सकता है—

  लेखक का मुख्य उद्देश्य क्या है?

  इस अवतरण का शीर्षक क्या हो सकता है?

  लेखक का मूल विषय क्या है?

  निम्नलिखित में से कौन अवतरण के मुख्य विचार को रखता है?

  निम्नलिखित में से कौन अवतरण की सबसे अच्छी तरह व्याख्या करता है? इत्यादि
- **निहितार्थ सम्बन्धी प्रश्न :** इस प्रकार के प्रश्नों में यह पूछा जाता है कि कौन-सी चीज या सिद्धान्त या विचार इस अवतरण में दृढ़ता के साथ प्रतिपादित है। सामान्यतः इस तरह के प्रश्नों की बनावट निम्नलिखित होती है—

  लेखक कहना चाहता है कि—

  इनमें से कौन-सी चीज इस अवतरण में दर्शाया गया है?

  इनमें से कौन-सा विचार इस अवतरण में प्रतिपादित है?
- **सहायक विचार सम्बन्धी प्रश्न :** इसमें दिए गए प्रश्न लेखक द्वारा अपने विचारों को स्थापित करने के लिये दिये गये सहायक सिद्धान्तों, उदाहरणों इत्यादि से सम्बन्धित होते हैं या इसमें मूल विचार से सम्बन्धित तथ्य एवं तर्क दिये गये होते हैं।
- **एटीट्यूड सम्बन्धी प्रश्न :** इस तरह के प्रश्नों में आपसे लेखक के एटीट्यूड एवं पूरे अवतरण की प्रकृति के विषय में पूछा जाता है।
- **अन्वेषण सम्बन्धी प्रश्न :** इस तरह के प्रश्नों में छात्रों को एक स्थिति या समस्या या विचार देकर उस पर अवतरण के अनुसार अपनी प्रतिक्रिया देने के लिये कहा जाता है।
- **शब्दकोष सम्बन्धी प्रश्न :** इसमें अवतरण में दिये गये किसी शब्द का अर्थ, उसके समानार्थी शब्द या विपरीतार्थक शब्दों के विषय में पूछा जाता है। इसके अतिरिक्त कोई अन्य शब्द देकर उसके समानार्थक या विपरीतार्थक शब्द अवतरण में खोजने के लिये कहा जाता है।
- **अवतरण के प्रकार से सम्बन्धित प्रश्न :** इनमें यह पूछा जाता है कि अवतरण किस प्रकार का है, अर्थात् क्या यह व्याख्यात्मक है, परिचयात्मक है, विश्लेषणात्मक है, वर्णनात्मक है, समीक्षा है, यात्रा वृतान्त है या किसी और प्रकार का है।

  अवतरण आधारित प्रश्नों का उत्तर देने के लिये हमें हमेशा स्टेप बाई स्टेप प्रणाली अपनानी चाहिये। सबसे पहले प्रश्नों को ठीक से पढ़ें फिर पूरे अवतरण को। पहली बार में ही दो से तीन प्रश्नों के उत्तर मिल जाते हैं। इससे समय की बचत होती है। जिन प्रश्नों के उत्तर न मिले हों उनके लिये पुनः अवतरण को पढ़ें। सामान्यतः दूसरी बार या तीसरी बार तक पहुँचते-पहुँचते सभी प्रश्नों के उत्तर मिल जाते हैं।

शीर्षक या मूल वाक्य खोजना : अधिकतर अवतरणों में मूल या शीर्षक वाक्य सबसे पहले दिया हुआ होता है। यह वाक्य पूरे अवतरण का मूल होता है। आगे के अनुच्छेदों में इसी वाक्य की व्याख्या, समीक्षा या समालोचना होती है। कुछ अवतरणों में, यह शीर्षक या मूल वाक्य अनुच्छेद या अवतरण के बीच में होता है जिसमें पहले उसकी भूमिका तैयार की जाती है बाद में उसकी विवेचना की जाती है या उसके पक्ष-विपक्ष में तर्क दिये जाते हैं। बहुत कम अवतरणों में मूल वाक्य या शीर्षक अवतरण के अन्त में दिया होता है। शीर्षक या मूल वाक्य सामान्यतः हमें अपनी पहली पढ़ाई में ही मिल जाती है।

मूल विचार खोजना : मूल विचार किसी एक जगह पर उद्धृत नहीं रहता है बल्कि इसे हर अनुच्छेद के मूल बिन्दुओं को मिलाकर तैयार किया जाता है।

निष्कर्ष निकालना : छात्र या परीक्षार्थी पूरे अवतरण को पढ़कर, समझकर, लेखक के भावों विचारों को समझ कर निष्कर्ष निकालते हैं।

अभ्यास प्रश्न

अनुच्छेद–1

स्किनर प्रणाली में प्रबलन को 'स्वचालित' परिभाषित किया गया है। इस संबंध में संभवतः प्रबलक के स्वचालित प्रभाव के विश्वसनीय प्रदर्शन को स्किनर (1948) द्वारा अंधविश्वासी व्यवहार की संज्ञा दी गई है। इस परिस्थिति में कोई ऐसी घटना जो प्रबलक का स्वरूप रखती है, प्रयोज्य को सविराम प्रस्तुत की जाती है, इस बात पर ध्यान दिए बगैर कि वह क्या कर रहा है। किन्तु वह कुछ भी कर रहा हो (तथा उसे वंचन द्वारा संभाव्य बनाया जा सकता है) तो प्रबलन प्रदान करने के ठीक पहले जो व्यवहार हो रहा है वह दृढ़ हो जाएगा जिसे उत्सर्जन दर में अभिवृद्धि के माध्यम से देखा जा सकता है। प्रयोज्य 'ऐसा करने लग जाता है' कि वह अनुक्रिया जो संयोगवश प्रबलित हुई है वही किसी तरह प्रबलन उत्पन्न कर रही है। यह उस परिस्थिति में भी

घटित होता है जब प्रबलक को यांत्रिक युक्ति द्वारा उपलब्ध कराया जाता है जो प्रयोज्य के व्यवहार से किसी भी प्रकार से अनुक्रियात्मक रूप में संबद्ध नहीं है।

प्रबलन के स्वतः प्रवृत्त परिणाम को स्किनर ने अपनी व्यवहार रचना की प्रभावी प्रविधियों के माध्यम से प्रदर्शित किया है। ये पद्धतियाँ शायद ही जिस दृष्टिकोण से निःसृत हुई हों जिससे समस्त व्यवहार को उद्दीप्त कोटि में रखा जाता था। किंतु जीव को अपने व्यवहार कोश में विविध अनुक्रियाओं के उत्सर्जन से जुड़े होने के कारण, व्यवहार रचना की संकल्पना एक सरल सोपान रही है। यदि प्रयोगकर्ता केवल प्रबलकों की द्रुत प्रस्तुति को ही नियंत्रित रखता तो वह जीव के किसी भी व्यवहार को प्रबलित कर सकने का सामर्थ्य रखता। उस दशा में प्रयोज्य के व्यवहार प्रदर्शनों की सूची में जो अनुक्रियाएँ नहीं भी विद्यमान हों तो उन्हें वस्तुगत परिस्थितियों में समुचित बदलाव लाकर तथा पौर्वापर्य सन्निकरण की विधि द्वारा संभाव्य बनाया जा सकता है।

1. स्किनर के अनुसार, व्यक्तियों का अंधविश्वासी व्यवहार किसका परिणाम है?

A. घटना का नियत उद्भासन
B. नियमितता रहित घटना का उद्भासन
C. घटना का यदा-कदा उद्भासन
D. घटना का प्राकृतिक उद्भासन

2. प्रबलक की प्रदायगी किसके कारण सुदृढ़ होती है?

A. घटना में प्रयोज्यों के सम्मिलन से
B. प्रबलन दर में वृद्धि करके
C. वंचन (डेप्रिवेशन) जैसे कारकों से
D. यांत्रिक मशीनों के प्रयोग से

3. यांत्रिक मशीन का उदाहरण प्रयोज्य के इस व्यवहार के प्रबलन को प्रदर्शित करता है:

A. प्रबलन का स्वचालित प्रभाव
B. प्रबलन का भ्रम
C. प्रयोज्य के व्यवहार में असंगति
D. यह विश्वास कि प्रत्येक प्रतिक्रिया प्रबलन का कृत्य है

4. प्रयोज्य के व्यवहार के बनने की प्रक्रिया इनसे संबंधित है:

(*a*) उसकी सुग्राहिता
(*b*) प्रबलन की उसकी इच्छा
(*c*) उसके व्यवहारकोष में पहले से ही विद्यमान अनुक्रियाएँ
(*d*) उपगमन तकनीकों द्वारा प्रबलित अनुक्रियाएँ

नीचे दिए गए विकल्पों में से सही उत्तर चुनिए:

A. केवल (*a*) और (*b*) B. केवल (*b*) और (*c*)
C. केवल (*c*) और (*d*) D. केवल (*a*) और (*d*)

5. प्रयोज्य की उत्सर्जन सूची में जो अनुक्रियाएँ नहीं हैं उन्हें इससे प्रेक्षित किया जा सकता है:

A. अवपीड़क उपायों द्वारा
B. उपयुक्त पर्यावरणीय परिस्थितियाँ बनाकर
C. उसके प्राकृतिक उत्सर्जन व्यवहार में बाधा पहुँचाकर
D. प्रबलन के लिए यांत्रिक मशीनों के प्रयोग द्वारा

अनुच्छेद–2

मैं यह नहीं कहना चाहता कि शिक्षण में मानवतावादी तत्व उपयोगितावादी तत्वों से कम महत्वपूर्ण हैं। कल्पनाशक्ति के संपूर्ण विकास के लिए थोड़ा-बहुत महान् साहित्य, थोड़ा-बहुत वैश्विक इतिहास और थोड़ा-बहुत संगीत, चित्रकला और वास्तुकला का ज्ञान अनिवार्य है। और सिर्फ कल्पना-शक्ति के माध्यम से ही मनुष्यों को संसार की विविध संभावनाओं के बारे में पता चला; इसके बगैर 'प्रगति' यांत्रिक और खोखली बन जाएगी। लेकिन विज्ञान भी कल्पना को प्रेरित कर सकता है।

मनोविज्ञान, बहुत हाल के वर्षों तक, महज अकादमिक अध्ययन का एक विषय हुआ करता था और व्यावहारिक कार्यों में इसकी उपयोगिता पर्याप्त कम थी। अब यह सब बदल चुका है। उदाहरणस्वरूप अब हमारे पास औद्योगिक मनोविज्ञान है, नैदानिक मनोविज्ञान है, शैक्षणिक मनोविज्ञान है; और इन सबका पर्याप्त व्यावहारिक महत्व है। हम यह आशा और अपेक्षा कर सकते हैं कि निकट भविष्य में हमारे संस्थानों में मनोविज्ञान का प्रभाव तेजी से बढ़ेगा। शिक्षा के क्षेत्र में तो इसका पहले ही से हितकारी और अच्छा प्रभाव रहा है।

6 परिच्छेद के अनुसार यदि कल्पना शक्ति का संपूर्ण विकास करना है तो निम्नलिखित में से किसका थोड़ा-बहुत ज्ञान होना चाहिए?

(*a*) साहित्य (*b*) विश्व इतिहास
(*c*) संगीत (*d*) राजनीति

निम्नलिखित में से सही विकल्प चुनें:

A. केवल (*a*) और (*b*) सही हैं
B. केवल (*a*) और (*c*) सही हैं
C. केवल (*a*), (*b*) और (*d*) सही हैं
D. केवल (*a*), (*b*) और (*c*) सही हैं

7. परिच्छेद में लेखक किस बात को लेकर आशान्वित हैं?

A. शिक्षण में उपयोगितावादी तत्व
B. शिक्षण में कल्पनाशक्ति की भूमिका में ह्रास
C. प्रयोगशालाओं में मनोविज्ञान की भूमिका
D. संस्थानों में मनोविज्ञान के प्रभाव में अभिवृद्धि

8. परिच्छेद के अनुसार कल्पना-शक्ति के अभाव में 'प्रगति' क्या हो जाएगी?

A. मानवतावादी B. यांत्रिक
C. सर्जनात्मक D. यथार्थपरक

9. परिच्छेद के अनुसार बहुत हाल के वर्षों तक मनोविज्ञान का/की बहुत ही कम ______

A. अकादमिक उन्मुखीकरण था।
B. अकादमिक अनुप्रयोग था।
C. व्यावहारिक उपयोगिता थी।
D. कल्पना शक्ति के लिए उपयोगिता थी।

10. परिच्छेद के अनुसार लोगों को 'संसार की संभावनाओं' के बारे में सिर्फ किसके माध्यम से जानकारी मिल सकती है?

A. साहित्य B. इतिहास
C. कल्पना-शक्ति D. संगीत

अनुच्छेद–3

अधिकांश लोग बुद्धि को शैक्षणिक उपलब्धि से सम्बन्धित करते हैं। मनोवैज्ञानिकों द्वारा दिए गए बुद्धि के विभिन्न सिद्धांतों में माना गया है कि अकादमिक बुद्धि के दो प्रकार होते हैं—शाब्दिक और गणितीय अथवा तार्किक। अधिकांश विशेषज्ञों के अनुसार बुद्धि वंशानुगत विशेष गुण होती है जो व्यक्तिगत व्यवहार और कार्य निष्पादन को प्रभावित करती है। परन्तु अनेक शोध अध्ययनों से यह पता चला है कि वातावरण बुद्धि के विकास को अत्यधिक रूप से प्रभावित करता है। चूंकि बुद्धि की एक विशेषता विश्लेषणात्मक और तर्कपरक कौशल है, उच्च बुद्धि-लब्धि (आई क्यू) वाले लोग अल्प बुद्धि-लब्धि वाले लोगों की तुलना में समस्या को बेहतर ढंग से समझेंगे।

बहुत से संगठन कर्मचारियों की भर्ती करते समय बुद्धि को एक महत्वपूर्ण मानदंड मानते हैं। उदाहरणार्थ, अनेक मैनेजमेंट स्कूलों में विद्यार्थियों के प्रवेश और शिक्षकों की भर्ती में बुद्धि लब्धि (आई क्यू) पर काफी बल दिया जाता है। बुद्धिमान व्यक्तियों की विशेषता अति ऊर्जा आवेग, उपलब्धि और प्रतिस्पर्धात्मकता होती है। काफी बुद्धिमान कर्मचारी कार्य में संबंधित कौशल और अन्य संगठनात्मक पद्धतियों को शीघ्रता से सीखते हैं तथा संगठन को उन्हें प्रशिक्षित करने में अपेक्षाकृत कम समय लगता है। उच्च बुद्धिमत्ता वाले लोगों में अच्छी विश्लेषणात्मक और तार्किक कौशल होने के कारण उनमें निर्णय लेने की अच्छी क्षमता होती है। उच्च उपलब्धि की ललक के साथ, ये लोग अधिकांशतः काफी सृजक होते हैं। जैसा कि कहावत है कि किसी मूर्ख मित्र की तुलना में बुद्धिमान शत्रु बेहतर है।

ऐसी उच्च बुद्धि-लब्धि (आई क्यू) के बावजूद बहुत बुद्धिमान लोग हमेशा अति प्रसन्न नहीं हो सकते हैं। उच्च बुद्धि-लब्धि उन्हें निष्क्रिय बना देती है जिसकी परिणति उनकी चिन्ता और नैराश्य के रूप में होती है। आम तौर पर कहा जाता है कि उच्च बुद्धि-लब्धि वाले लोग प्रायः असंतुष्ट लोग होते हैं।

11. 'भारांक' के लिए दूसरा शब्द है:

A. क्रेडिट B. द्रव्यमान
C. भार D. स्वतंत्रता

12. निम्नलिखित में से किसके दौरान उच्च ऊर्जा, अन्तर्नेद, उपलब्धि और प्रतिस्पर्धात्मकता को महत्व दिया जाता है?

A. प्रवेश B. भर्ती
C. पदोन्नति D. प्रवेश और भर्ती

13. जब विद्यार्थी कक्षा में प्रथम आता है तो इसका श्रेय किसे दिया जाता है?

A. संपर्क में रहने वाले व्यक्ति को
B. बुद्धि को
C. कठिन परिश्रम को
D. शारीरिक सौष्ठव को

14. जो लोग कम समय में समस्या को समझ जाते हैं वे _____ वाले होते हैं।

A. उच्च बुद्धि-लब्धि B. निम्न बुद्धि-लब्धि
C. औसत बुद्धि-लब्धि D. उत्तम बुद्धि-लब्धि

15. असंतोष प्रायः _____ वाले लोगों में देखा जाता है।

A. सृजनात्मक कौशल B. उच्च उम्मीद
C. उत्तम निर्णय क्षमता D. उच्च शैक्षणिक योग्यता

अनुच्छेद–4

मानव जीवन की प्रकृति को रेखांकित करने में हमें केवल उन्हीं चीजों पर ध्यान नहीं देना चाहिए जिन्हें हम सफलतापूर्वक कर लेते हैं, बल्कि हमें उन स्वतंत्रताओं पर भी विचार करना चाहिए जो विभिन्न जीवन शैलियों को चुनने में वस्तुतः प्राप्त हैं। जीवन शैली के चयन में प्राप्त आजादी हमारे हित में महत्वपूर्ण अवदान कर सकती है किंतु हित के परिप्रेक्ष्य से परे जाने पर स्वतंत्रता अपने आप में महत्वपूर्ण बन जाती है। चयन करना तथा तर्क कर सकने की गुंजाइश मानव जीवन का महत्वपूर्ण पक्ष है। वस्तुतः हमें अपने हितों पर ही ध्यान रखने की बाध्यता नहीं है। हमें क्या अनुसरण करना चाहिए, यह हमारे स्वविवेक पर निर्भर है, इस बात पर बल देना महत्वपूर्ण है। यह दिखाने के लिए कि हमारे लक्ष्य एकनिष्ठ रूप से केवल अपने हित साधन से भिन्न है, हमें कोई महान नेता बनने की आवश्यकता नहीं है। हमारी स्वतंत्रता तथा क्षमता भी हमारे लिए मूल्यवान हैं। अंततः यह हमें ही तय करना है कि अपनी स्वतंत्रता का हम किस प्रकार उपयोग करें। यहाँ ध्यातव्य विषय यह होगा कि लोगों को अपनी क्षमताओं के अनुरूप न कि उनकी उपयोगिता या सुख देने की क्षमता पर सामाजिक उपलब्धियाँ मिली हुई हैं। प्रथमतया इस परिप्रेक्ष्य में मानव जीवन को एक व्यापकता प्राप्त हो जाती है जिसमें लोगों को पूरी आजादी उपलब्ध है। सापेक्ष उस स्थिति के जिसमें उपयोगिता के अतिरिक्त अन्य पक्षों की उपेक्षा होती है। आजादी का एक दूसरा महत्वपूर्ण आयाम भी है और वह यह कि जो हम करते हैं, उसके लिए हम स्वयं जवाबदेह हैं। चयन की आजादी द्वारा हमें यह निर्णय करने का अवसर मिलता है कि हमें क्या करना चाहिए, परंतु इस अवसर की सुलभता के साथ-साथ यह जवाबदेही भी बनती है कि हमें किस सीमा तक चयन के विकल्प को ढूँढने की आजादी है। अतः सामर्थ्य, कुछ करने की शक्ति है, अस्तु इस सामर्थ्य से प्रसूत जवाबदेही की शक्ति उस सामर्थ्य के परिप्रेक्ष्य का अंग है, और यह कर्तव्य की उस मांग का मार्ग प्रशस्त करती है जिसे सामान्य रूप से इसे परिणाम निरपेक्ष मांग कहा जा सकता है। यहाँ अभिकर्ता-केन्द्रित सरोकार तथा सामर्थ्य आधारित उपागम के निहितार्थ के मध्य व्याप्ति है। सामाजिक उपलब्धि का यह परिप्रेक्ष्य हमें उन मुद्दों की ओर ले जाएगा जो विश्व में न्यायिक औचित्य के मुख्य मुद्दे हैं।

16. स्वतंत्रता को महत्वपूर्ण क्यों माना जाता है?

A. इससे हम सफलतापूर्वक कार्य कर पाते हैं।
B. विभिन्न जीवन शैली अपनाने के लिए।

C. अपने हित के परिप्रेक्ष्य को समझने के लिए।
D. अपने हित के परिप्रेक्ष्य से परे जाने के लिए।

17. हमें हमारे अपने हित पर ध्यान देने के परे क्यों सोचना चाहिए?
A. महान नेताओं के पदचिह्नों पर चलने के लिए।
B. अन्य की स्वतंत्रता के बारे में विचार करने के लिए।
C. इस बात का महत्व समझना कि हमारे लक्ष्य स्व-हित से भिन्न हो सकते हैं।
D. अपनी स्वतंत्रता का उपयोग करने में समर्थ होने के लिए।

18. सामाजिक उपलब्धि का मूल्यांकन करने के लिए निम्न में से किसका महत्व नहीं है?
A. लोगों की क्षमता
B. उपयोगिता
C. प्रदत्त स्वतंत्रता का उपयोग करने में असमर्थता
D. स्वतंत्रता के मूल्यों की उपेक्षा करना

19. स्वतंत्रता का अन्तर्निहित पहलू क्या है?
A. स्वतंत्र होने का सुख
B. कार्य का न होना
C. जवाबदेही
D. स्वयं का हित

20. गद्यांश का केन्द्रीय भाव है:
A. व्यक्तिगत मुद्दों की विविधता पर जोर
B. स्वतंत्रता की शक्ति का उपयोग
C. वैयक्तिक सुख की जवाबदेही
D. सभी को न्याय दिलाने की आवश्यकता

अनुच्छेद–5

यदि भारत को अपनी आंतरिक शक्तियाँ विकसित करनी है, तो उसको तीन गतिशील आयामों - जनता, सर्वांगीण अर्थव्यवस्था और सामरिक हितों को ध्यान में रखते हुए प्रौद्योगिकीय अवश्यकरणीयताओं पर ध्यान केन्द्रित करना होगा। ये प्रौद्योगिकी अवश्यकरणीयताएँ एक "चौथे आयाम", समय, पर भी ध्यान रखती है जो व्यवसाय, व्यापार एवं प्रौद्योगिकी की आधुनिक गतिशीलता से निःसृत है, और जो निरंतर बदलते लक्ष्यों की ओर अग्रसर करता है। हमारा यह मानना है कि इस चौथे आयाम के संदर्भ में जनता की आकांक्षाओं में निरंतर हो रहे परिवर्तन, वैश्विक संदर्भ में अर्थव्यवस्था तथा सामरिक महत्व वाले हित के परिप्रेक्ष्य में प्रौद्योगिकीय शक्तियाँ विशेष रूप से महत्वपूर्ण हैं। मानव इतिहास के मूल में प्रौद्योगिक विकास समाया रहता है और इसका उपयोग बढ़ती प्रतिस्पर्धा वाले बाजार में प्रौद्योगिकी शक्तियाँ अधिक उत्पाद रोजगार पैदा करने तथा मानव-कौशलों को अद्यतन बनाए रखने की दृष्टि से महत्वपूर्ण हैं। प्रौद्योगिकियों के व्यापक अनुप्रयोग के बिना हम आने वाले समय में अपने लोगों का सर्वांगीण विकास नहीं कर सकते। देश की सामरिक शक्तियों के साथ प्रत्यक्ष संलग्नताएँ विशेष रूप से 1990 के दशक के बाद से अधिकाधिक स्पष्ट होती जा रही है। कई मूल अनुक्षेत्रों में स्वयं भारत की शक्ति उसको भू-राजनीतिक संदर्भ में यथोचित शक्ति-सम्पन्न होना और स्वयं की सृजनात्मक शक्तियों के माध्यम से उन्हें निरंतर अद्यतन करते रहने की सामर्थ्य भी आवश्यक है। जन-अभिमुखी कार्यों के लिये भी चाहे विशाल स्तर पर उत्पादनशील रोजगार का सृजन हो या जनता की पोषण एवं स्वास्थ्य संबंधी सुरक्षा सुनिश्चित करनी हो या फिर जीवन यापन की बेहतर स्थितियाँ हों—दोनों दृष्टियों से प्रौद्योगिकी एक महत्वपूर्ण आगत है। प्रौद्योगिकी पर अपेक्षाकृत अधिक बल की अनुपस्थिति से निम्न स्तरीय उत्पादकता और मूल्यवान प्राकृतिक संसाधनों की बर्बादी का मार्ग प्रशस्त हो सकता है। निम्न स्तरीय उत्पादकता या निम्न स्तरीय मूल्य-संवर्धन से जुड़े क्रियाकलाप अंततः अत्यंत गरीब लोगों को सबसे अधिक हानि पहुँचाते हैं। हमारी जनता को एक नए जीवन तक पहुँचाना और वह जीवन प्रदान करना, जिसके लिए वह हकदार है, इस बारे में प्रौद्योगिकीय अवश्यकरणीयता महत्वपूर्ण है। व्यापार और जी.डी.पी. में वृद्धि की दृष्टि से एक बड़ी आर्थिक शक्ति होने का आकांक्षी भारत विदेश में डिजाइन की गयी और निर्मित 'टर्नकी' परियोजनाओं की शक्ति या केवल संयंत्र मशीनरी, उपकरण और तकनीकी ज्ञान के बल पर सफल नहीं हो सकता। अल्पकालिक यथार्थों पर ध्यान देते हुए हमारे उद्योगों में मध्यम एवं दीर्घकालिक रणनीतियों द्वारा प्रौद्योगिकीय शक्तियों को विकसित करना भारत की कल्पना को साकार करने के लिये महत्वपूर्ण है।

21. उपरोक्त गद्यांश के अनुसार निम्नलिखित में से कौन चौथे आयाम को इंगित करता है?
(*a*) जन-आकांक्षाएँ
(*b*) आधुनिक गतिशीलता
(*c*) वैश्विक परिप्रेक्ष्य में अर्थव्यवस्था
(*d*) सामरिक हित

कूटः
A. केवल (*a*), (*b*) और (*c*)
B. केवल (*b*), (*c*) और (*d*)
C. केवल (*a*), (*c*) और (*d*)
D. केवल (*a*), (*b*) और (*d*)

22. अधिक उत्पादक रोजगार पैदा करने के लिए आवश्यक है:
A. प्रौद्योगिकी का व्यापक अनुप्रयोग
B. प्रतिस्पर्धात्मक बाजार का दायरा सीमित करना
C. भू-राजनीतिक सोच-विचार
D. विशाल उद्योग

23. प्रौद्योगिकी की अनुपस्थिति से किसका मार्ग प्रशस्त होगा?
(*a*) कम प्रदूषण
(*b*) मूल्यवान प्राकृतिक संसाधनों की बर्बादी
(*c*) निम्न स्तरीय मूल्य-संवर्धन
(*d*) अत्यंत गरीब लोगों को सबसे अधिक नुकसान

कूटः
A. केवल (*a*), (*b*) और (*c*)
B. केवल (*b*), (*c*) और (*d*)
C. केवल (*a*), (*b*) और (*d*)
D. केवल (*a*), (*c*) और (*d*)

24. प्रौद्योगिकीय आगतों के लाभ का परिणाम होगाः
A. अनियंत्रित प्रौद्योगिकीय संवृद्धि
B. संयंत्र मशीनरी का आयात
C. पर्यावरण संबंधी मुद्दों को गौण मानना
D. हमारे लोगों को गरिमामयी जीवन तक पहुँचाना

25. विकसित भारत की कल्पना को साकार करने के लिए आवश्यक है:
A. प्रमुख आर्थिक शक्ति बनने की आकांक्षा
B. विदेश में तैयार की गई परियोजना पर निर्भरता
C. लघुकालिक परियोजनाओं पर ध्यान केन्द्रित करना
D. संकेन्द्रिक प्रौद्योगिकीय शक्ति का विकास

अनुच्छेद–6

जलवायु परिवर्तन को समर्थनीय विकास का सर्वाधिक गंभीर खतरा माना जाता है। इसका पर्यावरण, मानव स्वास्थ्य, खाद्य सुरक्षा, आर्थिक गतिविधि, प्राकृतिक संसाधनों और भौतिक अवसंरचना पर प्रतिकूल प्रभाव पड़ता है। वैश्विक जलवायु स्वाभाविक रूप से परिवर्तित होती रहती है। जलवायु परिवर्तन संबंधी अंतर को ज्ञापित करने वाले सरकारी पैनल (आई.पी.सी.सी.) के अनुसार जलवायु परिवर्तन के प्रभावों को पहले ही प्रेक्षित किया जा चुका है और वैज्ञानिक निष्कर्ष यह दर्शाते हैं कि सतर्कता और शीघ्रतापूर्वक कार्रवाई किया जाना आवश्यक है।

जलवायु परिवर्तन के प्रति भेद्यता सिर्फ भूगोल से नहीं जुड़ी है अथवा सिर्फ प्राकृतिक संसाधनों पर ही निर्भर नहीं है बल्कि जलवायु परिवर्तन के सामाजिक, आर्थिक और राजनीतिक आयाम भी हैं जो इस बात को प्रभावित करते हैं कि किस प्रकार से जलवायु परिवर्तन विभिन्न समूहों को प्रभावित करते हैं। निर्धन व्यक्तियों के पास प्राकृतिक आपदाओं, जैसे–सूखा, बाढ़, महाचक्रवात आदि के कारण सम्पत्ति को होने वाली क्षति की पूर्ति करने के लिए शायद ही बीमा होता है। निर्धन समुदाय तो गरीबी और जलवायु बदलाव की विद्यमान चुनौतियों से पहले ही जूझ रहा है और जलवायु परिवर्तन के कारण अनेक के लिए उससे जूझने और यहाँ तक कि अपना अस्तित्व बचाना मुश्किल हो जाएगा। यह महत्वपूर्ण है कि प्रकृति के बदलते आयामों के साथ सामंजस्य बैठाने में इन समुदायों की सहायता की जानी चाहिए।

अनुकूलन वह प्रक्रिया है जिसके माध्यम से समाज अनिश्चित भविष्य के साथ सामंजस्य बिठाने में अपने को बेहतर ढंग से सक्षम बनाता है। जलवायु परिवर्तन के साथ अनुकूलन के तहत समुचित सामंजस्य और परिवर्तन करने के माध्यम से जलवायु परिवर्तन के नकारात्मक प्रभावों को कम करने (सकारात्मक प्रभावों का फायदा उठाने) के लिए सही उपाय किए जाते हैं। इन उपायों में प्रौद्योगिकीय विकल्प यथा बढ़ी हुई समुद्री सुरक्षा अथवा टिलुओं पर बाढ़-रक्षित घर से लेकर व्यक्तिगत स्तर पर व्यवहारगत परिवर्तन जैसे सूखे के समय में पानी का कम प्रयोग शामिल है। अन्य रणनीतियों में चरम घटनाओं के लिए पूर्व चेतावनी प्रणाली, बेहतर जल प्रबंधन, उन्नत जोखिम प्रबंधन, विभिन्न बीमा विकल्प और जैव-विविधता संरक्षण सम्मिलित है। वैश्विक तापन वृद्धि के कारण जिस गति से जलवायु में परिवर्तन हो रहा है यह अत्यावश्यक हो जाता है कि जलवायु परिवर्तन के प्रति विकासशील देशों की भेद्यता को कम किया जाए और उनकी अनुकूलन क्षमता को बढ़ाया जाए तथा राष्ट्रीय अनुकूलन नीतियाँ कार्यान्वित की जाएँ। जलवायु परिवर्तन के प्रति अनुकूलन समुदाय से राष्ट्रीय और अंतर्राष्ट्रीय सभी स्तरों पर सामंजस्य और परिवर्तनों की माँग करता है। वर्तमान और भविष्य के जलवायु के साथ सामंजस्य बिठाने हेतु समुदायों को अपने सर्वाधिक पारम्परिक ज्ञान का उपयोग करने और अपनी आजीविका के विविधीकरण के साथ-साथ समुचित प्रौद्योगिकियों को अपनाने सहित अपनी नम्यता बनानी चाहिए। सरकारी और स्थानीय हस्तक्षेपों के साथ तालमेल बिठाते हुए सामंजस्य बिठाने वाली स्थानीय रणनीतियों और ज्ञान का प्रयोग किया जाना चाहिए।

अनुकूलन संबंधी हस्तक्षेप राष्ट्रीय परिस्थितियों पर निर्भर करते हैं। जलवायु संबंधी बदलावों और चरम मौसमी घटनाओं के साथ सामंजस्य बिठाने के संबंध में स्थानीय समुदायों के पास वृहत ज्ञान और अनुभव है। स्थानीय समुदायों का हमेशा से उद्देश्य अपने जलवायु परिवर्तनों के साथ तालमेल बिठाना रहा है। ऐसा करने के लिए उन्होंने विगत के मौसमी पैटर्नों के अपने अनुभव के आधार पर अपने संसाधनों और संचित ज्ञान के अनुरूप तैयारियाँ की हैं। इसमें वे समय भी शामिल रहे हैं जब उन्हें बाढ़, सूखा और तूफान जैसी चरम मौसमी घटनाओं से प्रतिक्रिया करना और उनसे उबरना पड़ा है। सामंजस्य बिठाने की स्थानीय रणनीतियाँ अनुकूलन के नियोजन में महत्वपूर्ण तत्व रही हैं। जलवायु परिवर्तन की वजह से समुदायों को बार-बार चरम जलवायु स्थितियों तथा नई जलवायु स्थितियों और चरम स्थितियों का सामना करना पड़ रहा है। पारम्परिक ज्ञान से उन समुदायों को जो वैश्विक तापन की वजह से जलवायु परिवर्तन के प्रभाव को महसूस कर रहे हैं, जलवायु परिवर्तन के साथ सामंजस्य बिठाने तथा कुशल, समुचित और समयसिद्ध उपाय ढूँढने में सहायता मिलेगी।

26. नीचे जलवायु परिवर्तन के प्रति निर्धन व्यक्तियों की भेद्यता के कारक दिए गए हैं। सही उत्तर वाले कूट का चयन करें।
(*a*) प्राकृतिक संसाधनों पर उनकी निर्भरता
(*b*) भौगोलिक कारण
(*c*) वित्तीय संसाधनों की कमी
(*d*) पारंपरिक ज्ञान का अभाव

कूट:
A. (*a*), (*b*) और (*c*) B. (*b*), (*c*) और (*d*)
C. (*a*), (*b*), (*c*) और (*d*) D. सिर्फ (*c*)

27. अनुकूलन एक प्रक्रिया के रूप में समाजों को निम्नलिखित में से किसके साथ सामंजस्य बिठाने में समर्थ बनाता है?
(*a*) अनिश्चित भविष्य
(*b*) सामंजस्य और परिवर्तन
(*c*) जलवायु परिवर्तन का नकारात्मक प्रभाव
(*d*) जलवायु परिवर्तन का सकारात्मक प्रभाव

निम्नलिखित कूट में से सर्वाधिक उपयुक्त उत्तर का चयन करें:
A. (*a*), (*b*), (*c*) और (*d*) B. (*a*) और (*c*)
C. (*b*), (*c*) और (*d*) D. किंवल (*c*)

28. जलवायु परिवर्तन की चुनौती से निपटने के लिए विकासशील देशों को अत्यावश्यक रूप से निम्नलिखित में से क्या करने की जरूरत है?
A. जलवायु परिवर्तन कर लगाना
B. अपने स्तर पर राष्ट्रीय अनुकूलन नीति का कार्यान्वयन
C. अल्पावधि योजनाएँ अपनाना
D. प्रौद्योगिकीय समाधान अपनाना

29. पारम्परिक ज्ञान का उपयोग निम्नलिखित में से किसके माध्यम से किया जाना चाहिए?
A. इसके प्रचार-प्रसार द्वारा
B. राष्ट्रीय परिस्थितियों में सुधार द्वारा
C. सरकार और स्थानीय हस्तक्षेपों के बीच तालमेल से
D. आधुनिक प्रौद्योगिकी द्वारा

30. इस गद्यांश का संकेन्द्रिक बिन्दु है:
A. पारंपरिक ज्ञान को समुचित प्रौद्योगिकी के साथ जोड़ना
B. क्षेत्रीय और राष्ट्रीय प्रयासों के बीच समन्वय
C. जलवायु परिवर्तन के प्रति अनुकूलन
D. जलवायु परिवर्तन के सामाजिक आयाम

अनुच्छेद–7

अंतिम महायुद्ध जिसने आधुनिक विश्व की आधारशिला को लगभग विकंपित कर दिया, भारतीय साहित्य पर स्वल्प प्रभाव ही डाल सका है। यह हिंसा के विरुद्ध आम रूप से बढ़ावा देने की प्रवृत्ति तथा पश्चिमी दुनिया की 'मानवीय विज्ञप्तियों' के बारे में मोहभंग की स्थिति को प्रखरता से अभिव्यक्ति देने में ही सिमटा रहा। इसकी मुखर अभिव्यक्ति टैगोर की अंतिम कविताओं एवं उनके अंतिम महाग्रंथ 'क्राइसिस इन सिविलाइजेशन' के माध्यम से हुई। इस समय भारत का बुद्धिजीवी वर्ग एक नैतिक अंतर्द्वन्द्व की दशा से गुजर रहा था। एक ओर जहाँ वह संकट की घड़ी में इंग्लैंड के अदम्य साहस के प्रति सहानुभूति व्यक्त किए बगैर नहीं रह सका, जिसमें रूसी लोग निष्ठुर नाजी सैन्य शक्ति से लोहा ले रहे थे, चीन, जापान की सेनाओं को बूटों तले रौंदा जा रहा था; वहीं दूसरी ओर उनका अपना ही देश अपनी धरती की सैन्य शक्ति के नियंत्रण में था, भारतीय सेना, सुभाष बोस के नेतृत्व में दूसरी ओर से उनके देश की मुक्ति का प्रयास कर रही थी। निष्ठाओं के ऐसे द्वन्द्व में किसी भी प्रकार की सृजनात्मक प्रवृत्ति के प्रस्फुटन की कल्पना नहीं की जा सकती। यह सहज ही अनुमानित किया जा सकता है कि 1947 में भारत की स्वतंत्रता प्राप्ति जो 'मित्र राष्ट्रों' के आविर्भाव क्रम में महत्वपूर्ण है तथा जो पड़ोसी देशों, जैसे दक्षिण-पूर्व एशिया में उपनिवेशवाद के अंत के रूप में फलित हुआ, सृजनात्मक ऊर्जा के विस्फोट को गतिमान कर सकता था। निःसंदेह ऐसा हुआ किंतु शीघ्र ही देश के विभाजन की यंत्रणा, नरसंहार तथा लाखों लोगों का अपने ही देश से विस्थापित होने और महात्मा गांधी की शहादत की घटना के साथ कश्मीर पर पाकिस्तानी आक्रमण तथा बाद में बांग्लादेश में उसके अत्याचारों ने मर्मस्पर्शी लेखन को प्रेरित किया था। इस कारण बंगला, हिंदी, कश्मीरी, पंजाबी, सिंधी तथा उर्दू में महत्वपूर्ण लेखन सामने आया किंतु केवल मर्मस्पर्शी अथवा भावपूर्ण लेखन अपने आपमें साहित्य को महानता प्रदान नहीं करता। इन आपदाओं के उपरान्त भी जो उत्साह एवं आत्मबल का कोश बना रहा वो राष्ट्रीय पुनर्निर्माण तथा आर्थिक विकास में आत्मसात हुआ। महान् साहित्य का अभ्युदय सर्वदा ही खलबलियों की शृंखलाओं से प्रस्फुटित हुआ है। आज का भारतीय साहित्य पहले के सापेक्ष अपने परिमाण, विस्तार एवं विविधता में कहीं अधिक समृद्ध है।

31. पिछले महायुद्ध का भारतीय साहित्य पर क्या प्रभाव पड़ा था?
A. इसका कोई प्रभाव नहीं पड़ा था।
B. इसने हिंसा के विरुद्ध जनाक्रोश बढ़ दिया था।
C. इसने साहित्य के नींव को हिला दिया था।
D. इसने पश्चिमी दुनिया को प्रबल समर्थन दिया।

32. अपने अंतिम महाग्रंथ (टेस्टामेंट) में टैगोर ने किसकी अभिव्यक्ति की?
A. सुभाष बोस को समर्थन दिया था।
B. पश्चिमी दुनिया की 'मानवीय-विज्ञप्तियों' की पोल खोली।
C. इंग्लैंड के प्रति अपनी निष्ठा व्यक्त की।
D. देशों की मुक्ति को प्रोत्साहन प्रदान किया।

33. महायुद्ध के समय भारतीय बुद्धिजीवियों की क्या सोच थी?
A. वे रूसी लोगों के कष्टों के प्रति उदासीन थे।
B. वे जापानी सैन्य शक्तिवाद के पक्ष में थे।
C. उनकी अनिश्चित निष्ठावानूता ने सृजनात्मकता को बढ़ावा दिया।
D. उन्होंने इंग्लैंड के दृढ़-साहस के प्रति सहानुभूति जताई।

34. भारतीय साहित्य में सृजनात्मक ऊर्जा को सन्निहित करने वाले कारक की पहचान कीजिये।
A. अपनी ही धरती का सैन्य आधिपत्य।
B. औपनिवेशिक आधिपत्य का प्रतिरोध।
C. विभाजन फलस्वरूप अनुभूत तीव्र यंत्रणा।
D. मित्र राष्ट्रों की विजय।

35. कश्मीर तथा बांग्लादेश की त्रासदी से जनित प्रभाव क्या थे?
A. दूसरे देशों का शंका-भाव
B. प्रतिद्वन्द्विता की निरन्तरता
C. युद्ध का खतरा
D. राष्ट्रीय पुनर्निर्माण

अनुच्छेद–8

श्रम के परिप्रेक्ष्य में, जापानी कार्यकर्ता दशकों तक अपेक्षाकृत कम लागत तथा उच्च गुणवत्ता के आधार पर प्रतिस्पर्धी अभिलाभ प्रदान करते रहे हैं, विशेषकर टिकाऊ वस्तुओं एवं उपभोक्ता संबंधी इलेक्ट्रॉनिक्स उद्योगों यथा : मशीनरी, ऑटोमोबाइल, टेलीविजन, रेडियो आदि के संदर्भ

में। तदुपरान्त श्रम आधारित लाभ दक्षिण कोरिया, पश्चात् मलेशिया, मैक्सिको तथा अन्य देशों में अंतरित हुए। सम्प्रति, श्रम के आधार पर चीन को विशेष लाभ उपलब्ध होता प्रतीत हो रहा है। फिर भी, ऐसी टिकाऊ वस्तुओं, इलेक्ट्रॉनिक्स तथा अन्य उत्पादों के लिए जापानी फर्म बाजार में अपेक्षाकृत अधिक प्रतिस्पर्धी योग्यता रखती हैं। किंतु अन्य औद्योगिक देशों के विनिर्माताओं के ऊपर प्रतिस्पर्धात्मक अभिलाभ हेतु श्रमबल अब पर्याप्त नहीं है। श्रम आधारित लाभ में इस प्रकार का बदलाव उत्पादन से जुड़े उद्योगों तक स्पष्टतः अनुसीमित नहीं है। आज सूचना प्रौद्योगिकी एवं सेवा क्षेत्र से जुड़े अधिसंख्य रोजगार की संभावनाएँ यूरोप तथा उत्तरी अमेरिका से भारत, सिंगापुर तथा ऐसे ही अन्य देशों की ओर बढ़ रही हैं जहाँ सापेक्षतः अधिक शिक्षित, कम लागत वाले कार्यबल तकनीकी कौशल रखते हैं। तथापि, जैसे-जैसे अन्य देशों में शैक्षिक स्तर एवं तकनीकी दक्षताएँ अभिवृद्ध हो रही हैं; भारत, सिंगापुर तथा इसी प्रकार के अन्य देश जिनमें श्रम आधारित अभिलाभ प्रतिस्पर्धात्मक स्तर पर विशेष रूप में उपलब्ध रहे हैं, उनके समक्ष नए प्रतिस्पर्धियों के आविर्भाव से ऐसे लाभों की संभावनाओं को बनाए रखना कठिन प्रतीत होता है।

पूँजी की दृष्टि से, सदियों तक स्वर्ण-सिक्कों के काल एवं बाद में कागजी मुद्रा ने भी वित्तीय प्रवाहों को प्रतिबंधित किया। इस क्रम में क्षेत्रीय केन्द्रीकरण का अभ्युदय हुआ जिसमें बड़े बैंक, उद्योग और बाजार सम्मिश्रित हुए। किंतु आज पूँजी का प्रवाह अन्तर्राष्ट्रीय स्तर पर क्षिप्रगति से हो रहा है। वैश्विक वाणिज्य अब अपने व्यापारिक प्रतिभागियों से क्षेत्रीय अन्तर्क्रियाओं (विनिमय) की आवश्यकता नहीं रखता। निःसंदेह, क्षेत्रीय स्तर पर पूँजी-केन्द्रीकरण के पुंज न्यूयॉर्क, लंदन तथा टोक्यो जैसे स्थानों में अभी भी विद्यमान हैं किंतु वे स्पर्धात्मक लाभों के लिए विश्व में फैले हुए अन्य पूँजी विनिवेशकों को दृष्टिगत रखते हुए पर्याप्त नहीं है। परिवर्तित परिदृश्य में कोई भी संगठन अपने संसाधनों (यथा : भूमि, श्रम, पूँजी, एवं सूचना प्रौद्योगिकी) को जोड़ने, समन्वित करने तथा अनुप्रयोग में प्रभावी रूप से सक्षम हैं तथा जिसे अन्य प्रतिस्पर्धियों द्वारा सुविधाजनक रूप में अपनाया न जा सके, तभी उन्हें लम्बे अरसे तक ऐसे अभिलाभों के संपोषण का अवसर प्राप्त हो सकेगा।

फर्म के ज्ञान-आधारित सिद्धान्त के परिप्रेक्ष्य में इस धारणा से संगठनात्मक ज्ञान को परम्परागत आर्थिक आगतों की सामर्थ्य एवं महत्व के समतुल्य संसाधन के रूप में देखा जा सकता है। वह संगठन जिसमें उत्कृष्ट ज्ञान का संबल विद्यमान है, विशेषतः उन बाजारों में स्पर्धात्मक लाभ मिल सकते हैं जहाँ ज्ञान के अनुप्रयोग के प्रति आकर्षण है। इसके उदाहरण हैं : सेमीकन्डक्टर, जेनेटिक इंजीनियरिंग, फार्मास्युटिकल्स, सॉफ्टवेयर, सैन्य युद्ध कर्म तथा अन्य ज्ञान गहन प्रतिद्वंद्विता के वे क्षेत्र जो कालक्रमानुसार सिद्ध एवं वर्तमान में भी प्रभावी हैं। सेमीकन्डक्टर जैसे कम्प्यूटर चिप्स को ही ले लीजिए जो प्रमुख रूप से रेत एवं सामान्य धातुओं से बनते हैं। ये सार्वदेशिक एवं शक्तिशाली इलेक्ट्रॉनिक प्रविधियाँ सामान्य कार्यालय भवनों में तैयार की जाती हैं तथा इनमें वाणिज्यिक दृष्टि से उपलब्ध उपकरणों का उपयोग होता है तथा कई औद्योगिक देशों में कारखानों में ही निर्मित होते हैं। फलस्वरूप, सेमीकन्डक्टर उद्योगों में भूमि को महत्वपूर्ण प्रतिस्पर्धात्मक संसाधन के रूप में नहीं लिया जाता है।

36. किस देश ने ऑटोमोबाइल उद्योग में दशकों तक प्रतिस्पर्धी लाभ उठाया है?

A. दक्षिण कोरिया B. जापान
C. मैक्सिको D. मलेशिया

37. भारत और सिंगापुर के श्रम-आधारित प्रतिस्पर्धी लाभ आई.टी. और सेवा क्षेत्रों में क्यों संपोषित नहीं किए जा सकते?

A. दक्षता के ह्रासमान स्तरों के कारण
B. पूँजी-गहन प्रौद्योगिकी के आने के कारण
C. नये प्रतिस्पर्धियों के कारण
D. विनिर्माण उद्योगों में श्रम आधारित लाभ के अन्तरण के कारण

38. एक संगठन किस तरह संपोषणीय प्रतिस्पर्धी लाभ उठा सकता है?

A. क्षेत्रीय पूँजी प्रवाहों के माध्यम से।
B. व्यापार कर्ताओं के बीच क्षेत्रीय अन्तर्क्रिया के माध्यम से।
C. बड़े बैंकों, उद्योगों और बाजारों को सम्मिश्रित कर।
D. विभिन्न साधकत्वों के प्रभावी प्रयोग द्वारा।

39. विशिष्ट बाजारों में प्रतिस्पर्धी लाभों को सुनिश्चित करने के लिए क्या आवश्यक है?

A. पूँजी की सुलभता B. सामान्य कार्यालय भवन
C. उत्कृष्ट ज्ञान D. सामान्य धातुएँ

40. यह उद्धरण किस प्रवृत्ति का उल्लेख करता है?

A. वैश्विक वित्तीय प्रवाह का
B. विनिर्माण उद्योग में प्रतिस्पर्धा के अभाव का
C. पूँजीवादियों के क्षेत्रीयकरण का
D. संगठनात्मक असंगति का

अनुच्छेद–9

हाल ही में मैंने वही काम किया जहां आपको एक बड़े कार्ड पर हस्ताक्षर करने होते हैं और यह काम अपने आप में एक संत्रास है, विशेषकर जबकि उस बड़े कार्ड का धारक मेरे ऊपर झुका हुआ था। मैं अचानक ऐसी स्थिति में था, जैसे अग्रदीप में एक खरगोश या विनोदपूर्ण संवाद भेजने अथवा इन-जोक अथवा आरेखन के बीच उधेड़बुन की स्थिति। इसके बजाय उपलब्ध अनेक विकल्पों से अभिभूत होकर मैंने यही लिखने का निर्णय कियाः "गुड लक, ठीक है, जोएल"।

भयभीत होकर तभी मैंने महसूस किया कि मैं तो लिखना ही भूल गया हूँ। मेरा तो इतना-सा वजूद है "कम्प्यूटर पर अक्षरों को दबाओ"। खरीदारी हेतु मेरी सूची तो मेरे फोन के नोट प्रकार्य में छिपी है। यदि मुझे कोई याद करने की आवश्यकता पड़ती है, तो मैं अपने आप को ई-मेल भेज देता हूँ। जब मैं कुछ सोच-विचार में संघर्ष कर रहा होता हूँ तो मैं अपनी कलम चबाने लगता हूँ। कागज कुछ इस तरह से है जिसे मैं लैपटॉप के नीचे एकत्रित करता हूँ ताकि टँकण हेतु इसकी ऊँचाई मेरे लिए अधिक सुविधाजनक हो जाए।

लेखनसामग्री विक्रेताओं द्वारा 1,000 किशोर बालकों के सर्वेक्षण में, बिक ने पाया कि उनके 10 में से एक किशोर के पास अपनी कलम नहीं है, उनमें से हर तीसरे ने तो कभी पत्र नहीं लिखा है एवं 13 से 19 वर्ष के आयु वर्ग के आधे किशोरों को कभी भी बाध्य नहीं किया गया कि वे बैठें और धन्यवाद का पत्र लिखें। 80% से अधिक किशोरों ने तो कभी भी कोई प्रेम पत्र नहीं लिखा, 56% के घर पर पत्र का कागज नहीं है। साथ ही एक-चौथाई को तो जन्मदिन के कार्ड लिखने की अनोखी जहमत की कोई जानकारी ही नहीं हुई। अधिक से अधिक यदि किसी किशोर को कलम के प्रयोग की आवश्यकता हुई तो वह सिर्फ परीक्षा प्रश्न पत्र का उत्तर लिखने में।

बिक, क्या तुमने कभी मोबाइल फोन के बारे में सुना है? क्या तुमने ई-मेल, फेसबुक और स्नैप चैटिंग के बारे में सुना है? यही भविष्य है। कलम का जमाना गया। कागज का जमाना गया। हस्तलेखन अब स्मृतिशेष रह गया है।

''हमारे पास हस्तलेखन सर्वाधिक सर्जनात्मक अभिव्यक्ति है तथा इसे रेखाचित्र (स्केचिंग), चित्रकारी अथवा फोटोग्राफी जैसी कला के अन्य रूपों की तरह समान महत्व दिया जाना चाहिए।''

41. एक बड़े कार्ड पर हस्ताक्षर करने की बात आई, तो लेखक को ''अग्रदीप में किसी खरगोश'' जैसा अनुभव हुआ। इस पद का क्या अर्थ है?

A. उलझन की स्थिति B. प्रसन्नता की स्थिति
C. दुश्चिंता की स्थिति D. वेदना की स्थिति

42. लेखक के अनुसार, निम्नलिखित में से कौन कामकाज की सर्वाधिक सर्जनात्मक अभिव्यक्ति **नहीं** है?

A. हस्तलेखन
B. फोटोग्राफी
C. रेखाचित्र बनाना (स्केचिंग)
D. पढ़ना

43. लेखक की संपूर्ण सत्ता .... के इर्द-गिर्द घूमती है।

(*a*) कम्प्यूटर
(*b*) मोबाइल फोन
(*c*) टाइपराइटर

नीचे दिये गये कूट से **सही** उत्तर का चयन कीजिये:

A. केवल (*b*) B. केवल (*a*) और (*b*)
C. (*a*), (*b*) और (*c*) D. केवल (*b*) और (*c*)

44. बिक के सर्वेक्षण के अनुसार, कितने किशोरों के पास कोई कलम **नहीं** है?

A. 800 B. 560
C. 500 D. 100

45. लेखक की मुख्य चिंता क्या है?

A. कि किशोर संचार हेतु सामाजिक नेटवर्क का उपयोग करते हैं
B. कि किशोर मोबाइल फोन का उपयोग करते हैं
C. कि किशोर कम्प्यूटर का उपयोग करते हैं
D. कि किशोर हस्तलेखन की कला भूल गये हैं

अनुच्छेद-10

कथा-वाचन हमारे जीन में नहीं है। यह विकासमूलक इतिहास भी नहीं है। यह वह तत्व है जो हमें मानव बनाता है।

मानव कथा-वाचन के माध्यम से प्रगति करता है। किसी विशेष घटना का परिणाम कथा के कई विविध रूपों में सामने आता है, जिसके बारे में लोग कहते हैं। कभी-कभी उन कहानियों में भारी अंतर होता है। किस कहानी का वाचन हो रहा है और उसे दाहराया जा रहा है तथा किस कथा को छोड़ दिया गया और भुला दिया जाता है जिससे बहुधा यह निर्धारित होता है कि हमने कैसे प्रगति की। हमारा इतिहास, ज्ञान और समझ—ये सभी कुछ कहानियों के संग्रह हैं जो जीवित रहते हैं। इसमें वे कहानियाँ भी शामिल हैं जो हम भविष्य के बारे में एक-दूसरे को कहते हैं और भविष्य कैसा होगा यह आंशिक अथवा संभवतः व्यापक रूप से उन कहानियों के चयन पर निर्भर करता है जिन पर हमारा सामूहिक रूप से विश्वास होता है।

कुछ कहानियाँ तो डर और चिंता फैलाने के लिए गढ़ी जाती हैं। ऐसा इसलिए कि कुछ कथावाचक ऐसा महसूस करते हैं कि कुछ तनाव पैदा करने की जरूरत है। कुछ डरावनी कहानियाँ होती हैं, वे टोटमी चेतावनी जैसी होती हैं: ''अभी कुछ नहीं किए तो हम सबका सर्वनाश हो जाएगा।'' इसके बाद कुछ ऐसी कहानियाँ होती हैं जो इस बात की ओर संकेत करती हैं कि सबकुछ अच्छा होगा यदि हम सबकुछ विशेष रूप से चन्द सक्षम वयस्कों के भरोसे छोड़ देंगे। इस समय यह प्रवृत्ति उन लोगों द्वारा आगे बढ़ाई जा रही है जो अपने आपको ''विवेकी आशावादी'' कहते हैं। वे यह दावा करते हैं कि प्रतिस्पर्धा करना, सफल होना और दूसरों की कीमत पर लाभ लेना ही मानव स्वभाव है। हालांकि विवेकी आशावादी यह अनुभव नहीं करते कि भद्र सामाजिक ताने-बाने के माध्यम से मानवता ने समय के साथ कैसे प्रगति की है और कैसे बड़े समाज का समूह न्यूनतम स्वार्थ से कार्य करता है तथा प्रक्रिया में धनी और निर्धन एवं ऊँच-नीच को समान रूप से कैसे समायोजित करता है। कथा-वाचन के इस पहलू पर ''व्यावहारिक सम्भाव्यों'' द्वारा विचार किया जाता है, जो उन लोगों के मध्य का मार्ग अपनाते हैं जो यह कहते हैं कि सब ठीक-ठाक है, खुश रहो और सुखद भविष्य के लिए अपने व्यवहार में व्यक्तिवादी बनो ओर वे लोग जो निराशावाद और भय का दामन थामते हैं, वे यह मानते हैं कि हम सबका सर्वनाश हो जाएगा।

हमारा भविष्य यह है कि हम किस कहानी को आगे बढ़ाते हैं और हम उस पर किस तरह से कार्य करते हैं।

46. हमारा ज्ञान निम्न में से किसका समूह है?

A. वे सभी कहानियाँ जिन्हें हमने अपने जीवन-काल में सुना है
B. कुछ ऐसी कहानियाँ जिन्हें हम याद करते हैं
C. कुछ कहानियाँ जो जीवित रहती हैं
D. कुछ महत्वपूर्ण कहानियाँ

47. कथा-वाचन निम्न में से क्या है?

A. एक कला
B. एक विज्ञान
C. हमारे जीन में है
D. एक तत्व जो हमें मानव बनाता है

48. कहानियों के आधार पर हमारा भविष्य कैसा होगा?
A. हम सामूहिक रूप से विश्वास का चयन करते हैं
B. जो बार-बार कही जाती हैं
C. भय और तनाव फैलाने के लिए विरूपित की जाती हैं
D. भविष्य बताने के लिए विरूपित की जाती हैं

49. विवेकी आशावादी
(*a*) अवसरों की ताक में रहते हैं।
(*b*) संवेदनशील और प्रसन्न रहते हैं।
(*c*) स्वार्थी होते हैं।
नीचे दिए कूटों से सही उत्तर दीजिए:
A. (*a*), (*b*) और (*c*) B. केवल (*a*)
C. केवल (*a*) और (*b*) D. केवल (*b*) और (*c*)

50. मानव कम स्वार्थी होते हैं जब:
A. वे बड़े समूह में कार्य करते हैं
B. वे डरावनी कहानियाँ सुनते हैं
C. वे आनंददायी कहानियाँ सुनते हैं
D. वे अकेले काम करते हैं

अनुच्छेद–11

राजनीति में साहित्यिक अरुचि के संबंध में ऐसा प्रतीत होता है कि वह साहित्यिक प्रस्तुति के विषय के रूप में काफी हद तक राजनीति के अस्पष्ट व्यवहार पर अधिक ध्यान केन्द्रित नहीं करता है लेकिन इस बात पर ध्यान केंद्रित करता है कि इसे साहित्य में प्रायः कैसे चित्रित किया जाता है अर्थात् ऐसी प्रस्तुति की राजनीति क्या है। राजनीतिक उपन्यास अधिकांशतः केवल राजनीति के बारे में एक उपन्यास नहीं होता है अपितु उसकी अपनी राजनीति होती है। इसलिए वह हमें केवल यह नहीं बताता है कि चीजें कैसी हैं अपितु इनसे संबंधित विचारों को स्पष्ट रूप से निश्चित सोच प्रदान करता है कि चीजें कैसी होनी चाहिए और यह बताता है कि किसी को सही-सही ऐसा सोचना और करना चाहिए कि चीजें वांछित दिशा में अग्रसर हों, संक्षेप में वह पाठकों को कारण या विचारधारा विशेष में बदलना या सूचीबद्ध करना चाहता है। यह प्रायः साहित्य नहीं होता है (यह केवल अत्यधिक परिचित पदबंध है) लेकिन एक प्रचार होता है। इससे साहित्यिक भावना का अतिक्रमण ही होता है, जिससे हम विश्व को भली-भाँति समझते हैं और हमारी सहानुभूतियों का प्रभाव-क्षेत्र व्यापक होता है एवं हमारी सोच और सहानुभूति को कट्टर प्रतिबद्धता से संकीर्ण न करे जैसा कि जॉन कीट्स ने कहा है– ''हमें ऐसे काव्य से घृणा होती है, जो हम पर लाद दिया जाता है।''

दूसरा कारण कि क्यों राजनीति उच्च प्रकार की साहित्यिक प्रस्तुति के प्रति अनुकूल आचरण नहीं करती है, यह है कि राजनीति अपने स्वभाव से ही विचार और विचारधारा से निर्मित होती है। यदि राजनीतिक स्थिति अपने को उपयुक्त साहित्यिक सम्मान नहीं दे पाती है तो इस संबंध में राजनीतिक विचार और भी गंभीर समस्या पैदा करते हैं। साहित्य के संबंध में यह तर्क दिया जाता है कि यह बौद्धिक अमूर्त विचारों की बजाय मानव अनुभवों के बारे में होता है। यह मानव जाति की ''महसूस की गई वास्तविकता'' पर विचार करता है और नीरस तथा निर्जीव विचारों की बजाय ओजपूर्ण और स्वादपूर्ण (रस) से संबंधित होता है। अमरीका की उपन्यासकार मेरी मकर्थी ने अपनी पुस्तक ''आइडिया और नॉवल'' में इस विषय पर की गई व्यापक चर्चा में कहा है कि ''उपन्यास में व्यक्त विचारों के बारे में आज भी यह महसूस किया जाता है कि वे अनाकर्षक होते हैं।'' हालाँकि ऐसा ''पहले'' अर्थात् 18वीं और 19वीं सदी में नहीं था। एक ओर विचार और दूसरी ओर उपन्यास के बीच असंगति के स्पष्ट स्वरूप का उनका निरूपण संभवतः इस मामले में विभाजित सोच का संकेत है और एक ऐसी दुविधा है जो कई लेखकों और पाठकों के बीच है: ''विचार सशक्त होते हैं लेकिन मैं प्रायः सोचती हूँ कि उपन्यास में उसकी आवश्यकता होती है। इसके बावजूद उपन्यासकारों के लिए यह महसूस करना काफी सामान्य है....'' विचारों विरुद्ध शस्त्र उठाते समय विचारों के प्रति आकर्षण अनुभव करना वह भी उपहास के हथियारों के साथ।

51. इस गद्यांश के अनुसार एक राजनीतिक उपन्यास प्रायः निम्नलिखित में से क्या बन जाता है?
A. राजनीति के लिए साहित्यिक अरुचि
B. राजनीति की साहित्यिक प्रस्तुति
C. अपनी ही राजनीति वाला उपन्यास
D. राजनीति की अस्पष्ट परिपाटी का चित्रण

52. एक राजनीतिक उपन्यास में निम्नलिखित में से किसका पता चलता है?
A. चीजों की वास्तविकता
B. लेखक का बोध
C. पाठकों की विचारधारा विशेष
D. साहित्य की भावना

53. अपने स्वभाव से राजनीति का ढाँचा होता है
A. प्रचलित राजनीति का ढाँचा होता है
B. विचार और विचारधाराएँ
C. राजनीतिक प्रचार
D. मानव स्वभाव की समझ

54. साहित्य में निम्नलिखित में से किस पर चर्चा की जाती है?
A. राजनीति में मानव अनुभव
B. बौद्धिक अमूर्त विचार
C. शुष्क और रिक्त विचार
D. मानव जीवन की महसूस की गई वास्तविकता

55. उपन्यासकार मेरी मकर्थी की टिप्पणियों से निम्नलिखित में से किसका पता चलता है?
A. उपन्यास में आज के अनदेखे महसूस किए गए विचार
B. राजनीतिक विचारों और उपन्यासों पर अंतश्चेता का द्विविभाजन
C. विचारों और उपन्यास के बीच असंगति
D. अनंत विचार और उपन्यास

अनुच्छेद–12

पारम्परिक भारतीय मूल्यों का अवलोकन वैयक्तिक एवं परिसीमित भौगोलिक क्षेत्र में बसे लोगों अथवा समूहों, जो समान नेतृत्व प्रणाली

का लाभ उठाते हैं, जिसे हम 'राज्य' कहते हैं, दोनों के दृष्टिकोण से किया जाना चाहिए। विभिन्न ऐतिहासिक उद्गम स्थलों के सामाजिक समूह, जो एक-दूसरे से भौगोलिक, आर्थिक एवं राजनीतिक भाव से जुड़े हुए हैं, परन्तु सामाजिक रूप से, विचारात्मक अथवा भाषात्मक आधार पर आत्मीकृत नहीं हैं फिर भी वे शान्तिपूर्वक अथवा अत्यन्त शान्तिपूर्वक सहअस्तित्व की भावना से रहते हैं जो भारत राज्य की मुख्य विशिष्टता है। आधुनिक भारतीय विधि कुछ ऐसे नियमों को निर्धारित करेगी जिनका सम्बन्ध मुख्यतया पारिवारिक व्यवस्था से है जैसे कि लंगोट किस प्रकार पहनी जाती है अथवा पगड़ी किस तरह बाँधी जाती है। क्योंकि इस आधार पर एक क्षेत्रीय समूह के सदस्य के रूप में वादियों की पहचान की जा सके एवं उन्हें अपनी पारम्परिक विधि को अपनाने का अवसर प्राप्त हो सके। हालांकि उनके पूर्वजों ने वह क्षेत्र तीन-चार शताब्दियों पूर्व ही छोड़ दिया था। उपरोक्त प्रयुक्त शब्द 'राज्य' से हमें भ्रमित नहीं होना चाहिए। व्यक्ति और राज्य के बीच संघर्ष हो, ऐसा कुछ नहीं था। यह स्थिति कम-से-कम विदेशी राज्य की स्थापना से पूर्व न थी। जिस प्रकार राज्य की प्रभुसत्ता की अवधारणा या चर्च-राज्य द्वि-भाजन भी नहीं था।

आधुनिक भारत की धर्मनिरपेक्षता का एक विशिष्ट लक्षण यह है कि राज्य से यह अपेक्षा है कि प्रत्येक धर्म को न्यायजनक आदर व समर्थन प्राप्त होगा। भारत की सुविख्यात सहनशीलता के इन अभिमंत्रित पहलुओं ने (भारतीय शासकों ने धार्मिक समूहों पर कदाचित ही अत्याचार किया—यह अपवाद न होकर नियम था) 16वीं शताब्दी में भारत के पश्चिमी तट का भ्रमण करने वाले पुर्तगाली व अन्य यूरोपीय आगुन्तकों को एकदम प्रभावित किया। इस प्रकार से व अन्य प्रकार से उन पर पड़ने वाले प्रभावों के फलस्वरूप ही थामस मोर की रचना यूटोपिया के मूल ढाँचे की रचना की गई। आधुनिक भारत में ऐसा कुछ अधिक नहीं है जो यूटोपियन (आदर्श) प्रतीत हो परन्तु मानदण्डों की आत्मनिविष्टता पर बल देना, धर्मान्धता एवं संस्थागत मानव व प्राकृतिक संसाधनों के शोषण की अनुपस्थिति, यह ऐसे दो प्रमुख तथ्य हैं जो भारत की वास्तविकता और परम्पराओं को यूटोपिया (आदर्श राज्य) से जोड़ते हैं।

56. लेखक ने 'राज्य' शब्द का प्रयोग किस अर्थ पर बल देने के लिए किया है ?

A. इतिहास के सम्पूर्ण काल के दौरान राज्य और व्यक्ति के बीच प्रतिरोधी सम्बन्धों का होना।

B. किसी निश्चित समय काल तक राज्य और व्यक्ति के बीच किसी संघर्ष का न होना

C. राज्य की प्रभुसत्ता की अवधारणा

D. धर्म पर आश्रय

57. निम्नलिखित में से आधुनिक भारत की 'धर्मनिरपेक्षता' का मुख्य लक्षण कौन-सा है ?

A. धार्मिक आधार पर भेदभाव न करना

B. धर्म के प्रति पूर्ण उदासीनता

C. सामाजिक पहचान के लिए कोई स्थान नहीं

D. पारम्परिक विधि को न मानना

58. निम्न में से थामस मूर का यूटोपिया का मूल ढाँचा किस से प्रेरित था ?

A. धार्मिक सहनशीलता की भारतीय परम्परा से।

B. भारतीय शासकों द्वारा धार्मिक समूहों पर जुल्म।

C. भारत में व्याप्त सामाजिक असमता।

D. भारतीय राज्य के प्रति यूरोपीय बोध।

59. आधुनिक भारत का मुख्य लक्षण कौन-सा है?

A. यूटोपियन राज्य को प्रतिकृति

B. विधि की एकरूपता

C. पारम्परिक मूल्य प्रणाली का पालन

D. धर्मान्धता की अनुपस्थिति

60. निम्नलिखित में से भारतीय राज्य का विशिष्ट लक्षण कौन-सा है?

A. लोगों का एक साझे नेतृत्व में शान्तिपूर्ण सह-अस्तित्व।

B. विभिन्न ऐतिहासिक उद्गम स्थलों के सामाजिक समूहों, जो एक-दूसरे से भोगौलिक, आर्थिक एवं राजनीतिक भाव से जुड़े हुए हैं, का शान्तिपूर्ण सह-अस्तित्व।

C. सभी समूहों का सामाजिक एकीकरण

D. सभी सामाजिक समूहों का सांस्कृतिक समीकरण

अनुच्छेद–13

यूनेस्को की सहायता से सन् 1959 में अंतर्राष्ट्रीय सांस्कृतिक सम्पदा परिरक्षण एवं जीर्णोद्धार अभ्यास केंद्र (ICCROM) की स्थापना के बाद पूरी दुनिया में विरासत संरक्षण में परिष्कार हुआ। 126 देशों की सदस्यता वाले इस अंतर-सरकारी संगठन ने विभिन्न व्यवसायों के 4,000 से अधिक व्यावसायिकों को प्रशिक्षण देकर, कार्यव्यापार के मानक बनाकर तथा तकनीकी विशेषज्ञता की साझीदारी कराकर सराहनीय कार्य किया है। इस स्वर्ण जयन्ती वर्ष में, इस संगठन की वैश्विक संरक्षण में प्रमुख भूमिका को स्वीकार करते समय हमें भारतीय संरक्षण आंदोलन में अंतर्राष्ट्रीय कार्य का मूल्यांकन करना समीचीन होगा। अविच्छिन्न निवेश, दृढ़ मनोयोग तथा समर्पित शोध तथा प्रचार-प्रसार कुछ सकारात्मक सबक हैं जो याद रखे जाने योग्य हैं। कुछ देशों, जैसे इटली में किए गए कार्यों से यह प्रदर्शित होता है कि प्रचुर आर्थिक प्रावधान द्वारा विरासत को प्राथमिकता प्रदान करना लाभकारी होता है। दूसरी ओर, भारत, जो सांस्कृतिक सम्पदा में कम सम्पन्न नहीं है, को इस दिशा में एक लम्बी दूरी तय करनी है। सर्वेक्षणों से यह पता चलता है कि यहाँ 6,600 संरक्षित स्मारकों के अतिरिक्त 60,000 उतने ही मूल्यवान ढाँचे हैं जिन पर ध्यान देने की आवश्यकता है। भारतीय पुरातत्त्व सर्वेक्षण की सेवा में नियुक्त व्यक्तियों के एक छोटे से समूह के अलावा लगभग 150 प्रशिक्षित व्यावसायिक व्यक्ति उपलब्ध हैं। इस गंभीर अपर्याप्तता पर काबू पाने के लिए समर्पित प्रयोगशालाओं और प्रशिक्षण संस्थानों की स्थापना पर बल दिया जा रहा है। जैसाकि यूरोप में किया गया है, संरक्षण को शोध तथा इन्जीनियरिंग संस्थानों की मुख्य धारा में शामिल करने से अधिक अच्छे परिणाम मिलेंगे।

वित्त-पोषण को बढ़ाना तथा संस्थानों की स्थापना करना अपेक्षाकृत सरल है। वास्तविक चुनौती स्थानीय संदर्भों को संबोधित करने के लिए अंतर्राष्ट्रीय उपागमों को पुनर्परिभाषित करने में निहित है। संरक्षण कार्य को विरासती ढाँचों के कलात्मक-ऐतिहासिक मूल्य के संवर्धन तक सीमित नहीं रखा जा सकता, जिस पर संभवतः अंतर्राष्ट्रीय घोषणा-पत्र अधिक जोर देते हैं। इस प्रयास को एक व्यापक आधार प्रदान करना होगाः इसे विरासती ढाँचे के स्थान पर रहने वाले लोगों के जीवन की गुणवत्ता को संवर्धित करने का साधन बनाना होगा। संरक्षणपरक प्रयासों को, विरासती ढाँचे के आस-पास रहने वाले लोगों के रहन-सहन के स्तर की देखभाल करने वाली ठोस योजनाओं के साथ जोड़ना होगा। पाश्चात्य देशों के असदृश, भारत में अभी भी अनेक पारम्परिक भवन-निर्माण कारीगरी के कौशल जीवित हैं तथा संरक्षणपरक कार्य इन्हें आलंबन प्रदान करते हैं। भारतीय राष्ट्रीय कला एवं सांस्कृतिक धरोहर न्यास की संरक्षण से संबंधित घोषणा में इसे स्वीकार किया गया है। परन्तु इसे सरकारी समर्थन मिलना अभी बाकी है। हरित भवन आंदोलन के साथ जोड़कर विरासत संरक्षण को अधिक सशक्त बनाया जा सकता है। विरासती ढाँचे अनिवार्यतः पर्यावरण हितैषी होते हैं तथा भविष्य में संरक्षण, धारणीय भवन निर्माण अभियान का अत्यावश्यक हिस्सा बन सकता है।

61. विरासत संरक्षण के प्रति दृष्टिकोण में बदलाव कब आया?
A. अंतर्राष्ट्रीय सांस्कृतिक सम्पदा परिरक्षण एवं जीर्णोद्धार केंद्र की स्थापना के बाद
B. इस क्षेत्र में विशेषज्ञों को प्रशिक्षित किए जाने के बाद
C. शैक्षिक संस्थानों को यूनेस्को द्वारा सहायता प्रदान किए जाने के बाद
D. स्मारकों की सुरक्षा के लिए भारतीय पुरातत्त्व सर्वेक्षण द्वारा किए गए उपायों के बाद

62. इस अंतर-सरकारी संगठन की सराहना किसलिए की गई?
A. सदस्यों की संख्या 126 तक बढ़ाने के लिए
B. व्यावसायिकों को प्रशिक्षण प्रदान करने तथा तकनीकी विशेषज्ञता में साझेदारी कराने के लिए
C. संरक्षण में अविच्छिन्न निवेश करने के लिए
D. पुनरुद्धार तथा जीर्णोद्धार में इसकी समर्थनकारी भूमिका के लिए

63. भारतीय संरक्षण आंदोलन तब सफल होगा जब
A. भारत सरकार से वित्तीय सहायता मिलेगी।
B. संरक्षण आंदोलन में गैर-सरकारी संगठनों की भूमिका और सहभागिता होगी।
C. अविच्छिन्न निवेश, दृढ़ मनोयोग तथा संरक्षण के लिए जागरूकता का प्रचार-प्रसार होगा।
D. भारतीय पुरातत्त्व सर्वेक्षण की सार्थक सहायता प्राप्त होगी।

64. भारत के ऐतिहासिक स्मारकों के सर्वेक्षण के अनुसार, यहाँ बहुत कम संरक्षित स्मारक हैं। स्मारकों की कुल संख्या में संरक्षित स्मारकों की संख्या का प्रतिशत कितना आता है?
A. 10 प्रतिशत B. 11 प्रतिशत
C. 12 प्रतिशत D. 13 प्रतिशत

65. अपनी सांस्कृतिक विरासत के संरक्षण के लिए भारत को यूरोप से क्या सीखना चाहिए?
(*i*) सांस्कृतिक विरासत के संरक्षण के लिए पर्याप्त बजट का प्रावधान होना चाहिए।
(*ii*) समर्पित प्रयोगशालाओं और प्रशिक्षण संस्थानों की स्थापना।
(*iii*) पर्याप्त धनराशि उपलब्ध कराने के लिए सरकार को बाध्य करना।
(*iv*) शोध तथा इंजीनियरिंग संस्थानों की मुख्य धारा में संरक्षण को शामिल करना।
नीचे दिए गए कोड से सही उत्तर चुनिएः
कोडः
A. (*i*), (*ii*), (*iii*), (*iv*) B. (*i*), (*ii*), (*iv*)
C. (*i*), (*ii*) D. (*i*), (*iii*), (*iv*)

अनुच्छेद–14

ताजमहल विश्व के ज्ञात सर्वोत्तम स्मारकों में से एक है। सफेद संगमरमर के गुम्बद का यह ढाँचा चार चौकोर बागों के दक्षिणी छोर पर एक चबूतरे पर स्थित है। 305 × 549 मीटर नाप की दीवारों के अंदर बने ये बाग जन्नत लगते हैं। मुमताज़ाबाद नामक क्षेत्र में दीवारों के बाहर नौकर-चाकरों के रहने के क्वार्टर, बाजार, सराय और स्थानीय व्यापारियों और अभिजात लोगों द्वारा बनाई गई अन्य दुकानें आदि हैं। मुमताज़ाबाद के गुम्बद-परिसर और अन्य शाही भवनों की देखभाल, गुम्बद की सहायता के लिए विशेष रूप से दिए गए तीस गाँवों की आय से की जाती थी। मुगल इतिहास में ताजमहल नाम का उल्लेख नहीं है, लेकिन इसका प्रयोग भारत के तत्कालीन यूरोपीय लोगों ने किया था। उनका कहना था कि यह इस गुम्बद का प्रचलित नाम था। तत्कालीन पुस्तकों आदि में सामान्यतः इसे केवल प्रकाशित गुम्बद (रौज़ा-ए-मुनव्वरा) कहा गया था।

वर्ष 1631 में अपने चौदहवें बच्चे को जन्म देने के बाद ही मुमताज़ महल की मृत्यु हो गई थी। मुगल दरबार तब बुरहानपुर में था। शोक-संतप्त बादशाह ने उनके शव को ताप्ति नदी के किनारे स्थित ज़ईनाबाद नामक विशाल बाग में दफ़नाया था। छह माह बाद उनके शव को आगरा लाया गया, जहाँ मकबरे के लिए तय की गई जमीन में इसे दफनाया गया। यह जमीन जमुना नदी के किनारे पर मुगल शहर के दक्षिण में स्थित थी। यह जमीन राजा मानसिंह के समय से कछवाह राजाओं की थी और तत्कालीन राजा जयसिंह से खरीदी गई थी। हालांकि तत्कालीन इतिहासकारों ने इस बात का उल्लेख किया है कि जयसिंह ने स्वेच्छा से यह लेन-देन किया था, लेकिन उपलब्ध फरमानों (शाही आदेश) से पता चलता है कि मकबरा बनाने का कार्य शुरू किए जाने के लगभग दो वर्ष तक भी अंतिम कीमत तय नहीं हो पाई थी, जयसिंह का और सहयोग वर्ष 1632 और 1637 के बीच जारी किए गए उन शाही आदेशों के जरिए सुनिश्चित किया गया था, जिनमें मांग की गई थी कि वह अपने "पूर्वजों की रियासत" के अंदर पड़ने

वाले मकराना की खानों से आगरा तक राजमिस्त्री और संगमरमर ले जाने वाली बैलगाड़ियाँ मुहैया करवाएगा, जहाँ ताजमहल और आगरे के किले का शाहजहां द्वारा किया जाने वाला परिवर्धन संबंधी निर्माण-कार्य साथ-साथ किया जा रहा था।

इस मकबरे का कार्य वर्ष 1632 के आरंभ में शुरू किया गया था। लिखित सबूतों से पता चलता है कि अधिकांश गुम्बद वर्ष 1636 तक पूरा हो गया था। वर्ष 1643 में जब शाहजहां ने मुमताज महल का उर्स समारोह बहुत धूम-धाम से मनाया था, यह संपूर्ण परिसर वास्तव में पूरा हो गया था।

66. ताजमहल के निर्माण के लिए प्रयोग किया जाने वाला मार्बल पत्थर राजा जयसिंह की पैतृक रियासत से लाया गया था। उस स्थान का नाम जहाँ मार्बल की खान पाई जाती है, क्या है?

A. बुरहानपुर B. मकराना
C. आम्बेर D. जयपुर

67. प्रचलित नाम ताजमहल किसके द्वारा दिया गया था?

A. शाहजहां B. पर्यटकों
C. जनता D. यूरोपियन यात्रियों

68. निम्नलिखित में से सही कथन कौन-सा है?

A. संगमरमर का प्रयोग ताजमहल के निर्माण के लिए नहीं किया गया था।
B. ताजमहल परिसर में रेडसेन्ड पत्थर दिखाई नहीं देता है।
C. ताजमहल के चारों ओर 'चार बाग' नामक चार-चौकोर बाग हैं।
D. ताजमहल का निर्माण मुमताज़ महल के लिए 'उर्स समारोह' मनाने के लिए किया गया था।

69. समकालीन ग्रन्थों में ताजमहल किस नाम से जाना जाता है?

A. मुमताज़ाबाद
B. मुमताज़ महल
C. ज़ैनाबाद
D. रोज़ा-ए-मुनव्वरा

70. ताजमहल का निर्माण कार्य किस अवधि में पूरा किया गया था?

A. 1632-1636 ए.डी.
B. 1630-1643 ए.डी.
C. 1632-1643 ए.डी.
D. 1636-1643 ए.डी.

अनुच्छेद–15

विकासशील देशों में और नगरीकरण प्रक्रिया से शहरों का प्रचलित दृष्टिकोण कुछ इस प्रकार का होता है कि तमाम सुख और सुविधाएँ प्राप्त होने के बावजूद इन शहरों के आविर्भाव से पर्यावरणीय अपकर्ष, गन्दी बस्तियों और आबादियों का बसना, नगरीय गरीबी, बेरोजगारी, अपराध, अराजकता और यातायात अव्यवस्था के संकेत मिलते हैं। लेकिन वास्तविकता क्या है? वास्तव में यह आश्चर्यजनक है कि विकासशील देशों में पिछले 50 वर्षों में शहरी जनसंख्या में वर्ष 1950 से 300 मिलियन से वर्ष 2000 तक 2 बिलियन तक की अभूतपूर्व रूप से वृद्धि होने के बाद भी विश्व ने बुरी तरह नहीं बल्कि कितनी अच्छी तरह से इसका सामना किया है।

सामान्य रूप से शहरी जीवन की गुणवत्ता में जल की उपलब्धता और सफाई के प्रबन्ध, बिजली, स्वास्थ्य और शिक्षा, संचार और परिवहन व्यवस्था की दृष्टि से सुधार हुआ है। उदाहरणतः एशियाई विशाल देशों जैसे कि चीन, भारत, इंडोनेशिया और फिलीपीन्स के शहरी क्षेत्रों में अधिकांश निवासियों को उन्नत जल सुविधाएँ उपलब्ध करा दी गई हैं। इसके बावजूद 20वीं शताब्दी के पिछले दशक के दौरान कुल शहरी जनसंख्या की प्रतिशतता के अनुसार उन्नत जल व्यवस्था की उपलब्धता में कमी आई है। हालांकि इस असीम संख्या में से लाखों अतिरिक्त शहरी निवासियों को उन्नत जल सुविधाएँ उपलब्ध करा दी गई हैं। इन देशों ने स्वच्छता सेवाओं में महत्त्वपूर्ण रूप से प्रगति की है, साथ ही एक दशक में (1990-2000) 293 मिलियन से अधिक नागरिकों के अतिरिक्त जनसमूह के लिए भी सेवाएँ उपलब्ध कराई हैं। इन सुधारों के विषय में तेजी से बढ़ती हुई शहरी जनसंख्या के पृष्ठ-पट, राजकोषीय चरमराहट और क्लिष्ट मानव संसाधनों तथा गुणवत्ता-उन्मुख लोक-प्रबन्धन के मद्देनजर विचार किया जाना चाहिए।

71. विकासशील देशों में शहरीकरण प्रक्रिया का प्रचलित दृष्टिकोण है :

A. सकारात्मक B. नकारात्मक
C. तटस्थ D. अनिर्दिष्ट

72. विकासशील देशों में 1950 से 2000 ए.डी. तक शहरी नागरिकों की औसत आगमन वृद्धि किसके करीब थी?

A. 30 मिलियन
B. 40 मिलियन
C. 50 मिलियन
D. 60 मिलियन

73. शहरीकरण की वास्तविकता प्रतिबिम्बित होती है :

A. स्थिति को कितनी अच्छी तरह से व्यवस्थित किया गया है।
B. स्थिति कितनी बुरी तरह से नियन्त्रण से बाहर हो गई है।
C. शहरीकरण की रफ्तार कितनी तेज रही है।
D. पर्यावरण में कितनी तेज़ी से गिरावट आई है।

74. निम्नलिखित में से किसको शहरी जीवन की गुणवत्ता का सूचक नहीं माना जाता है?

A. शहरीकरण की गति
B. मूल सेवाओं का प्रावधान
C. सामाजिक सुख-सुविधाओं तक पहुँच
D. उपर्युक्त सभी

75. लेखक ने इस अनुच्छेद में किस विषय पर ध्यान केन्द्रित करने का प्रयास किया है?

A. ज्ञान का विस्तार
B. पर्यावरणीय चेतना
C. विश्लेषणात्मक तार्किकता
D. वर्णनात्मक अभिकथन

उत्तरमाला

1	2	3	4	5	6	7	8	9	10
B	C	A	C	B	D	D	B	C	C
11	**12**	**13**	**14**	**15**	**16**	**17**	**18**	**19**	**20**
A	D	B	A	C	D	C	B	C	D
21	**22**	**23**	**24**	**25**	**26**	**27**	**28**	**29**	**30**
C	A	B	D	D	A	A	B	C	C
31	**32**	**33**	**34**	**35**	**36**	**37**	**38**	**39**	**40**
B	B	D	C	D	B	C	D	C	A
41	**42**	**43**	**44**	**45**	**46**	**47**	**48**	**49**	**50**
A	D	B	D	D	C	D	A	A	A
51	**52**	**53**	**54**	**55**	**56**	**57**	**58**	**59**	**60**
C	B	B	D	A	D	A	A	D	B
61	**62**	**63**	**64**	**65**	**66**	**67**	**68**	**69**	**70**
A	B	C	B	B	B	D	D	D	C
71	**72**	**73**	**74**	**75**					
B	A	A	A	D					

❖—❖—❖

UNIT–4

संप्रेषण
(Communication)

संप्रेषण या संचार एक प्रक्रिया है जिसके माध्यम से जानकारी, विचारों, भावों तथा भावनाओं की अभिव्यक्ति की जाती है। इस प्रक्रिया में कम-से-कम एक संदेशदाता होता है तथा कम-से-कम एक संदेशग्रहण कर्ता। संदेशदाता विभिन्न संकेतों के माध्यम से एक संदेश 'एनकोड' करता है जो किसी चैनल की मदद से संदेश प्राप्तकर्ता तक पहुँचता है। संदेश प्राप्तकर्ता उस संदेश को 'डीकोड' करता है और उसमें छिपी बात की तह तक पहुँचता है। अगली बार में संदेश प्राप्तकर्ता अपना संदेश 'एनकोड' करता है और किसी चैनल के माध्यम से अपना जवाब देता है। इस जवाब को 'फीडबैक' कहते हैं। इस तरह संदेशदाता तथा संदेश प्राप्तकर्ता की भूमिकाएं आपस में बदलती रहती हैं।

संचार के अर्थ, प्रकार एवं अभिलक्षण
(Communication : Meaning, Types and Characteristics)

संचार शब्द की उत्पत्ति लैटिन भाषा के शब्द "Communis" से हुई है जिसका शाब्दिक अर्थ है 'Common'–किसी विचार या तथ्य को कुछ व्यक्तियों में सामान्य (Common) बना देना है। इस प्रकार संचार शब्द का अर्थ है विचारों तथा सूचनाओं को एक व्यक्ति से दूसरे व्यक्ति तक इस तरह पहुँचाना कि वह उन्हें जान सके तथा समझ सके। इस तरह संचार एक द्वि-मार्गी (Two way) प्रक्रिया है। इसके लिए यह आवश्यक है कि यह संबंधित व्यक्तियों तक उसी अर्थ में पहुँच सके जिस अर्थ में संचारकर्त्ता ने उन विचारों का हस्तान्तरण किया है। इस रूप में यदि हमने कुछ बोला या लिखा तथा पढ़ने या सुनने वाला उसे प्राप्त नहीं करता या प्राप्त करने पर उससे वह अर्थ नहीं लेता जो उसका वास्तविक अर्थ है, तब इसे संचार नहीं कहा जा सकता।

संचार की परिभाषाएँ

संचार की विभिन्न विद्वानों के द्वारा अलग-अलग परिभाषाएँ दी गई हैं। इनमें से कुछ प्रमुख परिभाषाएँ इस प्रकार हैं–

कीथ डेविस के अनुसार, ''संचार वह प्रक्रिया है जिसमें संदेश व जानकारी को एक व्यक्ति से दूसरे व्यक्ति को पहुँचाया जाता है।''

न्यूमैन व समर के शब्दों में, ''संचार दो या दो से अधिक व्यक्तियों के बीच तथ्यों, विचारों, राय एवं भावनाओं का आदान-प्रदान है।''

फ्रेड जी. मायर के शब्दों में, ''संचार शब्दों में, पत्रों, सूचनाओं, विचारों एवं सम्पत्तियों के आदान-प्रदान करने का साधन है।''

लुईस ए. एलन के शब्दों में, ''संचार उन सब बातों का योग है जो एक व्यक्ति किसी दूसरे व्यक्ति को अपनी बात समझाने के लिए करता है। इसमें कहने, सुनने और समझने की विधिवत् क्रिया निरंतर चलती रहती है।''

एडविन ब्राउन फिल्प्पो के अनुसार, ''संचार अन्य व्यक्तियों को इस तरह प्रोत्साहित करने का कार्य है, जिससे वह किसी विचार का उसी रूप में अनुवाद करे जैसा कि लिखने या बोलने द्वारा चाहा गया है।''

सी.जी. ब्रॉउन के शब्दों में, ''संचार एक व्यक्ति से दूसरे व्यक्ति के बीच सूचनाओं का सम्प्रेषण है, चाहे उससे विश्वास उत्पन्न हो अथवा नहीं और पारस्परिक विनिमय हो या नहीं, लेकिन इस प्रकार दी गई सूचना प्राप्तकर्ता को समझ आ जानी चाहिए।''

संचार के अभिलक्षण

संचार के निम्नलिखित अभिलक्षण होते हैं–

- संचार विचारों का आदान-प्रदान है अतः दो तरफा है। संदेश देने वाला अर्थात् प्रेषक तथा संदेश प्राप्त करने वाला दोनों के लिए आवश्यक है।

- संचार का लक्ष्य आदेशों एवं निर्देशों को उन सभी व्यक्तियों तक पहुँचाना है जिनसे वे संबंधित है।
- संचार के द्वारा कर्मचारियों का विकास किया जाता है चूँकि उन्हें उपक्रम से संबंधित विभिन्न जानकारियाँ दी जाती है जिससे उनके ज्ञान में वृद्धि होती है।
- संचार व्यक्तिगत समझ और मनोदशा पर निर्भर करता है। इसका मुख्य उद्देश्य पूर्व निर्धारित नीतियों एवं निर्देशों को क्रियान्वित करना होता है। यह विचारों को कार्यों में परिवर्तित करता है।
- संचार उपक्रम के विभिन्न विभागों में समन्वय स्थापित करता है। कर्मचारियों के साथ सीधे सम्पर्क स्थापित करना इसका ध्येय होता है। इससे उनके मनोबल में वृद्धि होती है।
- संचार शब्दों में भी किया जा सकता है और संकेतों में भी। इसका उद्देश्य आपसी समझ को बढ़ाना है।
- संचार प्रत्यक्ष व अप्रत्यक्ष हो सकता है। इसमें प्रयुक्त शब्द अलग-अलग अर्थ रखते हैं।
- बिना संदेश के संचार नहीं हो सकता यह केवल एक बार का संवाद नहीं होता वरन् निरंतर चलता रहता है।
- संचार सूचना से कुछ अधिक है क्योंकि सूचना के अलावा व्यावहारिक विनिमय को भी इसमें सम्मिलित किया जाता है। यह निर्देशन का एक महत्वपूर्ण अंग है।
- संचार लिखित, मौखिक एवं सांकेतिक हो सकता है।
- संचार हमेशा लाभप्रद होना चाहिए क्योंकि मनुष्य का स्वभाव है कि किसी भी बात में लाभप्रद संभावनाओं को देखता है।
- संचार में प्रयोग की जाने वाली विधियाँ या कार्य कम खर्चीले होने चाहिए अर्थात् मितव्यियता के सिद्धांत का पालन करना चाहिए।
- संचार करने से पूर्व परस्पर विश्वास स्थापित करना आवश्यक है।

संचार के कार्य

संचार किसी भी व्यक्ति एवं समाज के विकास के लिए सर्वाधिक महत्त्वपूर्ण है। संचार एक गतिशील प्रक्रिया है जो एक-दूसरे के साथ संबंध जोड़ने में अत्यंत सहायक होती है। ''एक व्यक्ति को दूसरे व्यक्ति से, एक समूह को दूसरे समूह से और एक देश को दूसरे देश से जोड़ना संचार का कार्य है।'' संचार सामाजिक पारस्परिक क्रिया की प्रक्रिया होती है। निःसन्देह संचार का महत्त्व मौलिक है। समाज में संचार की क्रिया और उसका कार्य किस प्रकार होता है, इसका विवेचन निम्न प्रकार से है—

- **सूचना एवं जानकारी देना :** सामाजिक चेतना एवं जनजागृति के लिए समाज में विभिन्न माध्यमों का उपयोग किया जाता है। जैसे किसी विषय पर विचार, संदेश, तथ्य एवं चित्रों के माध्यम से लोगों का ध्यानाकर्षित कर उन्हें जागृत किया जाता है।
- **सामाजीकरण :** संचार के कारण ही व्यक्ति, समूह तथा समाज का विकास होता है। व्यक्ति अपने आंतरिक भाव-भावनाओं को एक-दूसरे तक संप्रेषित करके ही अन्य लोगों को अपने सुख-दुखों का भागीदार बनाता है। इस प्रक्रिया में वह समाज का अभिन्न अंग बनकर सुखी जीवन जी पाता है। इस प्रकार संचार से व्यक्ति को सार्वजनिक जीवन में सक्रियता से सम्मिलित होने का अवसर मिलता है।
- **संचार प्रेरक का कार्य करता है :** संचार के द्वारा व्यक्ति हमेशा प्रेरित होते रहता है। प्रत्येक व्यक्ति स्वभावतः जिज्ञासु होता है, और जब संचार के द्वारा विविध प्रकार की जानकारी उसके पास पहुँचती है, तो उसकी जानने की इच्छा और भी तीव्र हो जाती है। परिणामतः उसकी सुप्त इच्छाएँ, आकांक्षाएँ जिसे प्राप्त करने के लिए वह प्रेरित हो जाता है।
- **शिक्षा :** संचार के माध्यम से बौद्धिक कार्यक्रमों का प्रसारण किया जाता है जिससे व्यक्ति का बौद्धिक विकास तथा चरित्र निर्माण संभव होता है। शिक्षा के माध्यम से जीवन कलामय होता है और जीवन के सभी चरणों में उपयुक्त योग्यता का विकास होता है।
- **सांस्कृतिक विकास :** संचार के माध्यम से सांस्कृतिक तथा कलात्मक रचनाओं के प्रसार द्वारा अतीत की गौरवशाली परंपरा को बनाए रखने में सहायता मिलती है। संस्कृति का विकास यानी व्यक्ति का अपना विकास होता है। संचार के द्वारा व्यक्ति के भीतर की सृजनात्मक शक्ति को प्रोत्साहन मिलता है, जिससे व्यक्ति अपनी शक्ति रचनात्मक कार्यों में लगाता है।
- **मनोरंजन :** व्यक्ति की मानसिक शारीरिक थकान को दूर कर उसे पुनः तरोताजा करने का कार्य संचार करता है। नाटक, नृत्य, कला, साहित्य, संगीत, चुटकुले आदि के द्वारा संचार व्यक्ति अथवा समाज का मन बहलाता है, उसे आनंदित करता है।
- **सेल्स तथा विज्ञापन :** आज के युग में व्यावसायी अपनी उत्पादित वस्तु की अधिक से अधिक बिक्री हो तथा वह अधिकाधिक लोगों तक पहुँचे इसलिए विभिन्न संचार माध्यमों का उपयोग करते हैं। विज्ञापन के माध्यम से बाजार में आयी हुई नई-नई वस्तुओं की जानकारी मिलती है, उसके मूल्य और स्तर के बारे में भी जानकारी उपभोक्ता को मिलती रहती है।

उपरोक्त विवेचन के आधार पर कहा जा सकता है कि व्यक्ति, समाज और राष्ट्र की उन्नति के लिए 'संचार' महत्त्वपूर्ण कार्य करता है। ''जिस समाज को देश-विदेश की विभिन्न गतिविधियाँ, स्थानिक घटनाएँ एवं अपने परिवेश की जानकारी नहीं होती वह कभी अपने राष्ट्र के विकास में योगदान नहीं दे सकता। सरकार को भी अपना प्रशासन सफलतापूर्वक चलाने के लिए देश के कोने-कोने से यथार्थ जानकारी एवं समस्याओं का ज्ञान होना आवश्यक है, जिसकी पूर्ति संचार की प्रक्रिया अथवा संचार माध्यमों से ही संभव है।''

संचार के मुख्य तत्व

संचार की प्रक्रिया हेतु उसके सभी तत्वों का होना अनिवार्य है अन्यथा सम्प्रेषण या संचार असंभव है। संचार एक ऐसी पद्धति है जिसमें दो या दो से अधिक व्यक्ति आपस में इस प्रकार विचारों, तथ्यों का आदान-प्रदान करते हैं कि उनमें से प्रत्येक, विषय के अर्थ तथा इसके प्रयोग को भली-भाँति समझता है।

किसी भी सम्प्रेषण एवं संचार में निम्न तीन तत्वों का होना अनिवार्य है अन्यथा सम्प्रेषण या संचार करना संभव नहीं होगा। एस. पार्थसार्थी के द्वारा संचार के मुख्य पाँच तत्व बताये गये हैं जिसके माध्यम से प्रभावी संचार संभव है, जो निम्नलिखित हैं :

- प्रेषक अथवा संचारक : संदेश भेजने वाला।
- संदेश : शब्द, अक्षर, ध्वनि, भाषा, बोली द्वारा सूचना की अभिव्यक्ति।
- भाषा : शब्द, अक्षर, बोली, का संकलित रूप भाषा के द्वारा संचार।
- माध्यम : जिसके स्वरूप में संदेश का संचार किया जाता है। जैसे–प्रिन्ट, रेडियो प्रसारण।
- प्राप्तकर्ता या ग्रहणकर्ता या ग्राही जो प्रेषक द्वारा भेजे गये संदेश को ग्रहण कर उपयोग करता है।

चार्ल्स रेडफिल्ड के अनुसार संचार के निम्न प्रमुख पाँच तत्व हैं:

- संचारकर्ता
- संदेश भेजने की प्रक्रिया
- प्रेरक
- संचार देखकर व्यवहार पर प्रभाव पड़ना
- उत्तर देना

इस प्रकार संचार प्रक्रिया मुख्य रूप से चार तत्वों सूचना वाहक, विषय सामग्री (संदेश), उचित माध्यम (संचार माध्यम) व श्रोताओं (सूचना ग्राहक) से मिलकर बनी है। जिसे निम्न रूप से दर्शा सकते हैं। अतः संचार में एक से अधिक व्यक्ति सम्मिलित होते हैं। संचार तथ्यों के ज्ञान, तथा अनुभवों के स्थानान्तरण से संबंधित है। संचार में विभिन्न प्रकार के माध्यमों का प्रयोग हो सकता है। संचार एक गतिशील सतत प्रक्रिया है।

संचार के प्रकार

संचार माध्यमों का विकास मानवीय सभ्यता के विकास क्रम से संबंधित है। जैसे-जैसे सभ्यता एवं तकनीकी ज्ञान का विकास होता गया, संचार के नवीन माध्यम प्रयोग में आए। यदि हम संचार माध्यम के विकास क्रम का अध्ययन करें तो ज्ञात होता है कि मानव सभ्यता के प्रारंभिक काल में विचारों का आदान-प्रदान विभिन्न संकेतों, ध्वनि, मुद्राओं (भाव भंगिमाओं) के द्वारा किया जाता था। इसके पश्चात् चित्रलिपि (Hieroglyphics) का प्रयोग किया गया, जिसमें सूक्ष्म भाव और गतिविधियों का प्रदर्शन किया जा सकता था। कालांतर में शब्द भाषा का विकास हुआ एवं संदेशों के लिए मौखिक एवं लिखित शाब्दिक भाषा का प्रयोग किया जाने लगा एवं वर्तमान युग में तकनीकी विकास के क्रम में इलेक्ट्रॉनिक एवं डिजिटल सम्प्रेषण माध्यम प्रयोग में आये। मनोवैज्ञानिकों, भाषाविदों, मानव स्वभाव के विद्वानों एवं प्रबंध विज्ञान के अनुसंधानकर्ताओं के द्वारा संचार के अनेक नवीन माध्यम प्रयोग में लाए गए।

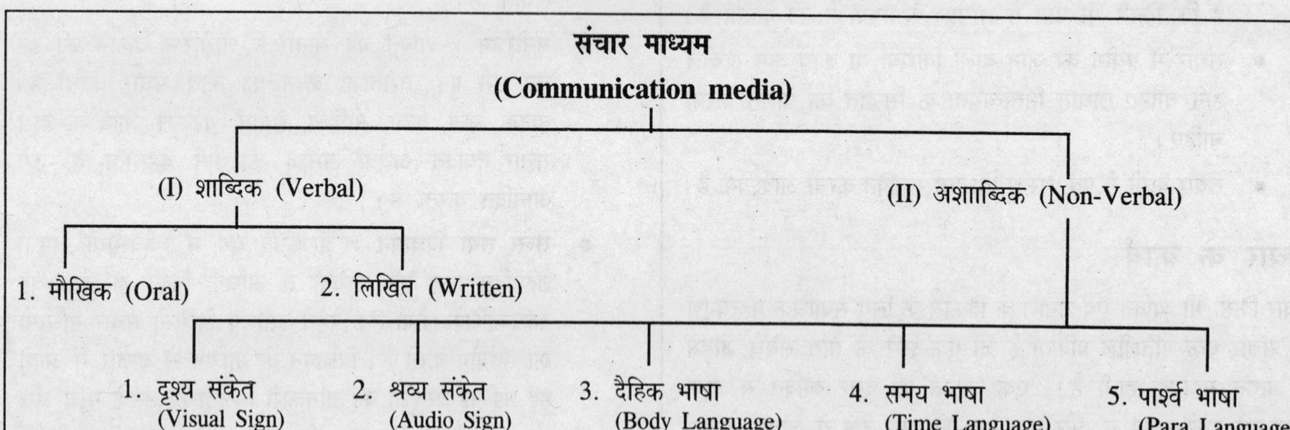

शाब्दिक माध्यम

मानव की सबसे बड़ी विशेषता यह है कि उसकी शाब्दिक भाषा (Verbal Language) है। इसीलिए प्राणियों में मानव को सर्वश्रेष्ठ स्थान प्राप्त है, क्योंकि अन्य प्राणी केवल इशारे एवं ध्वनि की भाषा ही समझते हैं। शाब्दिक संचार को दो वर्गों में विभक्त किया गया है।

- **मौखिक संचार (Oral Communication) :** जब कोई सूचना मौखिक उच्चारण द्वारा प्रेषित की जाए तो इसे मौखिक संचार कहते हैं।

इसके दो पक्ष होते हैं–(*a*) प्रेषक एवं (*b*) संदेश प्राप्तकर्ता।

मौखिक संचार के माध्यम (Mediums of Oral Communication) : मौखिक संचार में निम्नलिखित माध्यम उपयोग में लाये जाते हैं:

- ❑ आमने-सामने बातचीत
- ❑ टेलीफोन पर बातचीत
- ❑ रेडियो प्रसारण
- ❑ टेपरिकॉर्डर
- ❑ साक्षात्कार
- ❑ घोषणाएँ

मौखिक सम्प्रेषण के लाभ या गुण : मौखिक सम्प्रेषण के लाभों या गुणों की व्याख्या इस प्रकार है:

- **प्रभावपूर्ण (Effective) :** मौखिक संचार प्रभावपूर्ण होता है। उच्चारण के ढंग, अभिव्यक्ति की भाव-भंगिमा एवं हाव-भाव द्वारा संदेशों को प्रभावशाली ढंग से रखा जा सकता है।
- **शीघ्रता (Quickness) :** संचार का शीघ्रतम माध्यम मौखिक माध्यम है। मौखिक संचार से धन एवं समय दोनों की बचत होती है।
- **गोपनीय (Confidential) :** मौखिक संदेश गोपनीय होते हैं। विश्वासपात्र लोगों से महत्वपूर्ण संचार अधिकतर मौखिक ही होता है।
- **आपातकाल में उपयोगी (Useful During Emergency) :** आकस्मिक परिस्थितियों में संदेश की शुद्धता एवं समय महत्त्वपूर्ण कारक होते हैं। मौखिक संचार के द्वारा ही सबसे शीघ्र एवं शुद्ध संचार संभव होता है।
- **नियंत्रण एवं प्रेरणा में प्रभावी (More Effective in Motivation and Control) :** मौखिक संचार सामूहिक विचार-विनिमय के द्वारा किया जाता है, जिससे कर्मचारियों को प्रेरणा (Motivation) प्राप्त होती है। मौखिक संचार कार्य निष्पादन की गति एवं नियंत्रण (Control) से अधिक प्रभावी होता है।
- **अविलम्ब प्रतिपुष्टि (Immediate Feedback) :** मौखिक संचार में प्रेषक संदेश की तत्काल पुष्टि कर सकता है कि प्राप्तकर्ता ने संदेश का वास्तविक अर्थ समझ लिया है एवं प्राप्तकर्ता की क्या प्रतिक्रिया है।

मौखिक संचार के दोष : मौखिक संचार के प्रमुख दोष निम्न हैं:

- **सीमितता :** मौखिक संचार क्षेत्र काफी सीमित होता है। यदि संचार पाने वाले के बीच प्रत्यक्ष सम्पर्क नहीं हो तो मौखिक संचार अनुपयुक्त होता है।
- **वैधानिक मान्यता का अभाव :** मौखिक संचार को भविष्य में विवाद की दशा या उत्तरदायित्व निर्धारण के समय प्रमाणस्वरूप प्रस्तुत नहीं किया जा सकता है। इस तरह मौखिक संचार का कोई स्थायी महत्व नहीं होता अर्थात् इसकी कोई वैधानिक मान्यता नहीं है।
- **विस्तृत संदेशों की स्थिति में अनुपयोगी/अनुपयुक्त :** जब मौखिक संदेश विस्तृत एवं लम्बा हो तो संदेश प्राप्तकर्ता को संदेश का अर्थ समझाने में कठिनाई होती है एवं वह बार-बार स्पष्टीकरण चाहता है। विस्तृत मौखिक संचार में महत्वपूर्ण अंशों के भूल जाने की संभावना बनी रहती है।

प्रभावी मौखिक संचार के आवश्यक तत्व (Essentials of Effective Oral Communications) : प्रभावी मौखिक संचार के आवश्यक तत्त्व निम्नलिखित हैं :

- **स्पष्ट उच्चारण व उचित शब्द चयन :** मौखिक संचार के अन्तर्गत वक्ता का उच्चारण स्पष्ट होना चाहिए एवं संदेश के लिए उचित शब्द एवं शुद्ध वाक्यों का प्रयोग किया जाना चाहिए।
- **स्वाभाविक आवाज एवं तार्किक क्रम :** मौखिक संचार को प्रभावी ढंग से व्यक्त करने के लिए वक्ता को सदैव अपनी स्वाभाविक आवाज का प्रयोग करना चाहिए।
- **संक्षिप्तता :** मौखिक संचार के प्रभावशाली अभिव्यक्ति के लिए आवश्यक है कि संदेश को संक्षिप्त रूप में व्यक्त किया जाए।
- **यथार्थ :** मौखिक संचार को अधिक प्रभावशाली बनाने के लिए आवश्यक है कि यथार्थ अभिव्यक्त किया जाए।
- **विश्वासपूर्ण :** मौखिक संदेश को पूर्व में सोच-समझकर नियोजित रूप में उद्देश्यों को ध्यान में रखकर व्यक्त करना चाहिए। मौखिक संदेश जितना विश्वासपूर्ण व निश्चयात्मक होगा वह उतना ही अधिक प्रभावशाली होगा।
- **अन्य आवश्यक तत्त्व :** मौखिक संचार को प्रभावशाली बनाने के लिए आवश्यक है कि संचार जल्दबाजी में नहीं किया जाना चाहिए। वक्ता को पूर्णतया प्राप्तकर्ता की प्रतिक्रियाओं को भी ध्यान में रखकर संचार करना चाहिए। यदि प्राप्तकर्ता को संदेश के संदर्भ में किसी प्रकार का कोई भ्रम है तो उस भ्रम को दूर करने के प्रयास संदेशकर्त्ता द्वारा किए जाने चाहिए।

- **लिखित संचार (Written Communication) :** जब संदेश का आदान-प्रदान लिखित रूप से होता है, तो उसको लिखित संचार कहते हैं। लिखित संचार में पत्र, टेलीग्राम, परिपत्र, प्रतिवेदन, ज्ञापन, फार्म, सूक्ष्म-प्रश्नावली, सूचना नियमावली, चित्र, रेखाचित्र, चार्ट, फैक्स, ई-मेल, कॉम्पेक्ट डिस्क, फ्लॉपी एवं लिखित शब्द शामिल होते हैं। लिखित संचार स्पष्ट, पूर्ण, शुद्ध व बोधगम्य होना चाहिए।

लिखित संचार के गुण : लिखित संचार के लाभ या गुण निम्नलिखित हैं :

- लिखित संचार का क्षेत्र काफी व्यापक है। लिखित संचार हेतु पक्षकारों के मध्य सीधा व प्रत्यक्ष सम्बन्ध/सम्पर्क होना आवश्यक नहीं है।
- लिखित संचार में संदेश पूर्णतया स्पष्ट, निश्चित तथा सही होता है। प्रत्येक व्यक्ति उसे सरलता से समझ सकता है और उसी के अनुरूप कार्य करता है, जो संदेश विस्तृत एवं जटिल होते हैं तथा जिन्हें याद रखना कठिन होता है, ऐसे संदेशों को क्रमबद्ध ढंग से लिखित रूप में निश्चित एवं सही अर्थों में आसानी से प्रस्तुत किया जा सकता है।

- लिखित संचार का साक्ष्य वैधानिक रूप से स्वीकृत किया जाता है। लिखित संचार को स्थायी रिकॉर्ड के रूप में रखा जाता है, जिसको भविष्य के संदर्भ के लिए प्रयोग किया जाता है।
- संचार में संदेश प्रापक को संदेश पर विचार करने तथा विश्लेषण करने का पर्याप्त समय एवं अवसर रहता है जिससे क्रियान्वयन की सही प्रक्रिया का निर्धारण किया जा सके।
- लिखित संचार में संस्था की नीतियों एवं प्रक्रियाओं में एकरूपता आती है। लिखित संचार के द्वारा ही संगठन के क्रियाकलापों के संचालन के लिए एकरूप मार्गदर्शन सिद्धान्तों का प्रसार किया जा सकता है।
- लिखित संचार उत्तरदायित्व निर्धारण में सहायता करता है। लिखित संचार से अधिकारी एवं अधीनस्थ कर्मचारी अपने उत्तरदायित्व को दूसरों के कंधों पर नहीं डाल सकते।

लिखित संचार के दोष : लिखित सम्प्रेषण की सीमाओं को निम्न प्रकार से निरूपित किया जा सकता है–

- लिखित संचार एक खर्चीली पद्धति है। विचारों एवं संदेशों को व्यवस्थित रूप से सोचने, डिक्टेशन देने, टाइप करने, पत्र-प्रेषण रजिस्टर अंकित करने एवं प्रेषण करने में अनेक लोगों का श्रम एवं समय लगता है।
- लिखित संचार अनावश्यक समय लगाने वाली प्रक्रिया है क्योंकि संदेश प्रेषण में अनेक औपचारिकताओं की पूर्ति करने में काफी समय खर्च होता है। इसके अलावा संदेश प्राप्तकर्त्ता को अपनी प्रतिक्रिया भेजने में भी काफी समय खर्च करना पड़ता है।
- लिखित संचार प्रणाली में अनेक व्यक्तियों का योगदान होता है। अतः संदेश की गोपनीयता बनाए रखना अत्यधिक कठिन ही नहीं बल्कि जटिल कार्य हो जाता है।
- लिखित संचार में प्रयुक्त शब्दों की अलग-अलग व्यक्तियों द्वारा भिन्न-भिन्न विवेचना की जा सकती है जिससे संचार का अर्थ परिवर्तित हो सकता है। इससे अधीनस्थों में कार्यों को टालमटोल एवं स्थगित रखने की प्रवृत्ति बढ़ती है।

प्रभावी लिखित संचार के आवश्यक तत्त्व : प्रभावी लिखित संचार के आवश्यक तत्त्व निम्नलिखित हैं:

- **सामान्य एवं सकारात्मक भाषा का प्रयोग :** लिखित संचार की भाषा सरल एवं सकारात्मक होनी चाहिए। जटिल एवं कठिन भाषा के प्रयोग से बचना चाहिए।
- **स्पष्ट एवं संक्षिप्त :** लिखित संचार स्पष्ट एवं संक्षिप्त होने चाहिए। संदर्भ, विषय-वस्तु तथा उद्देश्यों में प्रत्यक्ष सम्बन्ध होना चाहिए। लिखित संचार में विचार एवं उनकी व्याख्या पूर्ण रूप से स्पष्ट होने चाहिए।
- **बोधगम्यता :** लिखित संचार का सार उसका बोधगम्य होना होता है। भाषा, तथ्य, विचार अथवा संदेश इस ढंग से लिखित होने चाहिए कि संदेश प्राप्तकर्ता प्रथम दृष्टि में ही उसके अर्थ को सरलता से समझ सके।
- **मुख्य बिन्दुओं पर उचित ध्यान :** लिखित संचार के सभी संबंधित तथ्य एवं अंक ढंग से प्रस्तुत करना चाहिए एवं सभी मुख्य बिन्दुओं को सुव्यवस्थित क्रम में इस तरह लिखना चाहिए कि उनका भली प्रकार से प्रदर्शन हो सके।
- **शिष्टता :** लिखित संचार व्यावसायिक संरचना के निर्माण के मूल भाग होते हैं। व्यावसायिक संगठन में परस्पर मैत्रीपूर्ण सौहार्द एवं समन्वय स्थापित करने में लिखित संचार की भूमिका सर्वाधिक प्रभावी होती है।

अशाब्दिक माध्यम

संचार प्रक्रिया के द्वारा संदेशों का आदान-प्रदान होता है। प्रेषक तथा प्राप्तकर्त्ता संदेश एवं विचार को एक समान अर्थ में समझते हैं। जब इस प्रक्रिया में संदेश शब्दों में व्यक्त किया जाए, तो उसको शाब्दिक संचार (Verbal Communication) कहते हैं। इनके विपरीत, जब संदेश शब्दों के अलावा चिन्हों, लक्षणों अथवा संकेतों तथा सूचना चिन्हों के द्वारा संचालित हो तो उसे अशाब्दिक संचार (Non-verbal communication) कहा जाता है।

रेमण्ड एवं जॉन्स के अनुसार, "संचार के वे सभी माध्यम अशाब्दिक संचार में शामिल होते हैं जो न तो लिखित और न ही मौखिक शब्दों में व्यक्त हैं।"

अशाब्दिक संचार का वर्गीकरण निम्नलिखित प्रकार से किया जा सकता है–

- **दृश्य संकेत भाषा :** दृश्य-संकेत भाषा संचार की काफी प्राचीन, सरल एवं बोधगम्य पद्धति है। ऐतिहासिक महत्त्व के मंदिरों, गुफाओं एवं अन्य इमारतों पर आज भी चित्रलिपि एवं भित्ति चित्र पाए जाते हैं जो प्राचीन शासकों की शौर्यगाथा, तात्कालिक सामाजिक परिवेश, धार्मिक परम्पराओं एवं व्यावसायिक मान्यताओं के संदर्भ में काफी जानकारियाँ प्रदान करते हैं। दृश्य संकेत भाषा में चित्र, पेन्टिंग, चार्ट, ड्राइंग, रेखाचित्र, खुदाई, नक्काशी, प्रतिमा, भित्तिचित्र, पोस्टर, कार्टून, फोटोग्राफ्स, साइनबोर्ड, डायग्राम, नक्शा, चलचित्र आदि को शामिल करते हैं। रेलवे स्टेशन, हवाई अड्डों, सड़क परिवहन केन्द्रों पर लाल, हरी अथवा पीली रोशनी, शल्य कक्ष के ऊपर जलता हुआ लाल बल्ब, एम्बुलेन्स, अधिकारी अथवा राजनेता की गाड़ी पर घूमती नीली या लालबत्ती बिना कोई ध्वनि किए अपना अर्थ सभी को संचारित करती है।

दृश्य संकेत भाषा के गुण : दृश्य-संकेत भाषा के लाभ या गुण निम्नलिखित हैं–

- **शैक्षिक मूल्य :** दृश्य संचार कर्मचारियों, श्रमिकों को प्रशिक्षित करने में काफी सहायक होते हैं। चित्रों तथा

पोस्टरों द्वारा नवीन तकनीकी कार्यपद्धति, परिचालन ढंग एवं अन्य जानकारी संबंधित सुविधाएँ दी जा सकती हैं, इसीलिए कहा जाता है कि दृश्य संकेत भाषा का शैक्षिक मूल्य अधिक होता है।

- **संचार के स्थायी साधन** : दृश्य-संकेत साधारण मौलिक और सामान्य संदेशों के संचार का माध्यम है। पथ-प्रदर्शन, स्थान निर्देशन तथा वर्जित कार्यों के दृश्य-संकेत स्थायी प्रकृति के होते हैं।
- **संदेश प्रेषक का प्रतिबिम्ब** : दृश्य-संकेत, संदेश भेजने वाले की बौद्धिक क्षमता व सांस्कृतिक पृष्ठभूमि को प्रतिबिम्बित करते हैं। पोस्टर, फोटोग्राफ तथा पेन्टिंग में सूक्ष्म भाव एवं विचार बड़े आकर्षक ढंग से प्रस्तुत किए जा सकते हैं।
- **विज्ञान व विपणन के प्रभावी साधन** : रंगीन पेन्टिंग, पोस्टर, फोटोग्राफ, संचार को आकर्षक बना देते हैं जिसके द्वारा प्राप्तकर्त्ता में रुचि एवं उत्सुकता उत्पन्न होती है।
- **सार्वभौमिक भाषा** : साधारणतया संकेत भाषा सार्वभौमिक होती है। कुशल-अकुशल, स्त्री-पुरुष, शिक्षित-अशिक्षित बच्चे एवं बुजुर्ग आदि को दृश्य-संकेत एक समान अर्थ में संदेश संचारित करते हैं।

दृश्य-संकेत भाषा के दोष : दृश्य-संकेत भाषा के दोष या सीमाएँ निम्नलिखित हैं—

- **विशेष ज्ञान एवं दक्षता की आवश्यकता** : फोटोग्राफ, चित्र, पोस्टर आदि के द्वारा संदेश संचारित करना एक कठिन कार्य है।
- **साधारण संदेशों की दशा में उपयुक्त** : दृश्य-संकेत भाषा केवल सामान्य संकेतों, संदेशों तथा विचारों को ही संचारित करने का माध्यम है। जटिल, विशिष्ट, विषम संदेशों का दृश्य-संकेत भाषा में संचारित करना लगभग असंभव कार्य है।
- **सीमित क्षेत्र** : दृश्य संकेत भाषा का क्षेत्र सीमित है, क्योंकि दृश्य-संकेत भाषा तभी प्रभावी होती है जब साथ-साथ इसमें मौखिक भी हो। इसके अलावा दृश्य-संकेत भाषा प्रेषक तथा प्राप्तकर्ता के मध्य गलतफहमी उत्पन्न कर सकती है।

• **श्रव्य-संकेत भाषा (Audio Sign Language) :** ध्वनि-संकेत-भाषा मानव सभ्यता के प्राचीनकाल से ही ध्वनि संकेतों द्वारा संचार किया जाता है। खुशी, गम, विजय, हर्ष, युद्ध एवं भय के लिए अति प्राचीनकाल से ध्वनि संकेतों का प्रयोग किया जाता है जो परम्परागत ढंग से आज भी किया जाता है।

ध्वनि की गति, आवृति, तरंग, मात्रा के अनुसार, ध्वनि, संकेत भाषा के अर्थ अलग-अलग होते हैं। इसी प्रकार ध्वनि, संकेत भाषा, सीमित अर्थों में सर्वव्यापी होती है। जैसे—अतिमहत्त्वपूर्ण (विशिष्ट) व्यक्तियों के काफिले से सायरन की आवाज, एम्बुलेन्स का सायरन, युद्ध में ब्लैक आउट के हूटर की ध्वनि आदि।

श्रव्य-संकेत भाषा के गुण : श्रव्य-संकेत भाषा के गुण निम्नलिखित हैं—

- **शीघ्र संचार** : ध्वनि विस्तारण बड़ी तीव्रगति के साथ होता है, जिससे यह अपने संदेश का संचार पर्याप्त स्थान में बड़ी सुविधा से संचारित कर देता है।
- **समय प्रबंध में उपयोग** : ध्वनि-संकेत भाषा व्यवसाय एवं प्रबंधन में अत्यन्त लाभकारी है।
- **आपातकाल में उपयोगी** : आपातकाल अथवा आकस्मिक काल में ध्वनि-संकेत भाषा अत्यधिक प्रभावी है।

श्रव्य-संकेत भाषा के दोष : श्रव्य संकेत भाषा के दोष या सीमाएँ निम्नलिखित हैं—

- **सीमित प्रयोग** : श्रव्य-संकेत भाषा का प्रयोग काफी सीमित है।
- **दुरुपयोग** : यह भाषा केवल ध्वनि पर आधारित है जो किसी यंत्र के माध्यम से विस्तारित की जाती है। हड़ताल एवं निहित कार्यों में इन यंत्रों का दुरुपयोग हो सकता है।

• **दैहिक भाषा संचार (Body Language Communication) :** अशाब्दिक संचार का एक विशिष्ट एवं महत्त्वपूर्ण माध्यम दैहिक भाषा है। दैहिक भाषा में आन्तरिक भाव स्पष्ट दृष्टिगोचर होते हैं। भावनाओं, विचारों, चिन्तन, दृष्टिकोण तथा अनुभूतियों का प्रभाव मानव व्यवहार पर प्रदर्शित होता है।

दैहिक भाषा संचार के गुण : दैहिक भाषा संचार के लाभ या गुण निम्नलिखित हैं—

- **सम्बन्ध सृजन** : मुखाभिव्यक्ति, दृष्टिसम्बन्ध, भंगिमा आदि, नवीन संबंधों के सृजन एवं पूर्व सम्बन्धों में स्थायित्व प्रदान करते हैं।
- **परिपूरक** : मूलतः शारीरिक संचालन मौखिक संचार को परिपूर्ण एवं प्रभावी बनाता है। मुखाभिव्यक्ति एवं भंगिमा के अभाव में मौखिक संचार नीरस, बेजान एवं अप्रभावी रहता है।
- **भावनायुक्त** : मुखाभिव्यक्ति, दृष्टिसम्बन्ध, भंगिमा, मुद्रा आदि आन्तरिक भावनाओं की अभिव्यक्ति करते हैं।
- **स्वस्थ वातावरण का निर्माण** : आत्मविश्वास से परिपूर्ण मुख, उल्लासपूर्ण भंगिमा, उत्साहित मुखाभिव्यक्ति, गहन दृष्टि रखती आंखें, साफ एवं स्वस्थ प्रकटन के कार्य स्वस्थ वातावरण को तीव्र गति प्रदान करते हैं एवं सौहार्दपूर्ण स्वस्थ वातावरण का निर्माण करते हैं।

- **मनोवैज्ञानिक प्रभाव :** शारीरिक संचालन के द्वारा संचार, देखने व सुनने वाले पर मानसिक प्रभाव डालता है। भंगिमा, दृष्टि-सम्बन्ध, मुद्रा एवं मुखाभिव्यक्ति द्वारा किए गए संचार का श्रोता के मन एवं मस्तिष्क पर गहरी छाप पड़ती है।
- **अन्तर्निहित भाषा का अर्थ समझने में सुविधा :** संदेश में अन्तर्निहित अर्थ का मुखाभिव्यक्ति, भंगिमा एवं दृष्टिसम्बन्ध द्वारा स्पष्ट बोध एवं ज्ञान कराया जा सकता है क्योंकि मुखाभिव्यक्ति भंगिमा आदि दूसरों को स्पष्ट दिखाई देती है।

दैहिक भाषा संचार के दोष : दैहिक भाषा संचार के दोष निम्नलिखित हैं–

- साक्ष्य रहित दैहिक भाषा एक अल्प अवधि की प्रतीकात्मक प्रक्रिया है जिसका सामान्यतः कोई साक्ष्य नहीं होता।
- दैहिक भाषा द्वारा संचार भ्रामक हो सकता है। लिखित एवं मौखिक शब्दों को गंभीरतापूर्वक लेना चाहिए।
- विभिन्न सामाजिक एवं भौगोलिक पृष्ठभूमि में मुखाभिव्यक्ति, भंगिमा एवं दृष्टिसम्बन्ध के अलग-अलग अर्थ रखते हैं। अतः दैहिक भाषा का प्रयोग एवं अर्थ समझने में अतिरिक्त सावधानी बरतनी चाहिए अन्यथा अर्थ का अनर्थ हो जाता है।
- आमने-सामने या छोटी संख्या की उपस्थिति में शारीरिक संचालन प्रभावी होता है। बड़ी संख्या में उपस्थित भीड़ में मुखाभिव्यक्ति दृष्टि सम्बन्ध, भंगिमा महत्त्वहीन होते हैं।

- **समय भाषा (Time Language) :** समय भाषा (Proxemics) अशाब्दिक संचार का महत्त्वपूर्ण भाग है। विस्तृत अर्थों में इसका आशय स्थान, समय एवं भौतिक वातावरण की अशाब्दिक भाषा से है।

दैहिक भाषा (Body Language) की तरह यह भाषा भी अपने अन्तर्निहित संदेशों की अभिव्यक्ति करती है। आमने-सामने (Face-to-Face) संचार में वक्ता (संदेश प्रेषणकर्ता) एवं श्रोता (संदेश प्रापक) के मध्य की दूरी, स्थान अन्तराल (Space Gap) का विशिष्ट अर्थ एवं संदेश होता है।

- **पार्श्व भाषा (Para Language) :** पार्श्व भाषा भी अशाब्दिक संचार का एक सशक्त माध्यम है। पार्श्व भाषा मौखिक संचार की अभिव्यक्ति को प्रभावशाली बनाता है। मौखिक संचार में शब्द होते हैं जबकि पार्श्व भाषा अशाब्दिक है।

पार्श्व भाषा में पार्श्व शब्द का आशय समान (Like) तथा भाषा का अर्थ (Language) से है। दोनों के संयुक्त अर्थ को हिन्दी भाषा में 'पार्श्व भाषा' कहते हैं। मौखिक संचार में वक्ता का यदि गहन अवलोकन करें तो पता चलता है कि वह अपने संचार में अनेक संकेतों, स्वर का उतार-चढ़ाव, धारा प्रवाह अथवा अप्रवाह, जगह-जगह भाषा को अल्प-विराम, ऊँची अथवा धीमी आवाज का जाने-अनजाने में प्रयोग करता है।

इस तरह की अभिव्यक्ति को ही मिश्रित रूप में पार्श्व भाषा (Para Language) कहा जाता है।

कक्षा संप्रेषण (Classroom Communication)

कक्षा संचार प्रकृति में उद्देश्यपूर्ण, सकारात्मक और व्यवहारिक है। यह शिक्षक एवं छात्र और छात्र-छात्र के बीच औपचारिक और साथ ही अनौपचारिक स्थितियों में होता है। इसमें बोलना, व्याख्या करना, वर्णन करना, शिक्षक की ओर से चित्रण और विद्यार्थियों के वाद-विवाद, संवाद और चर्चा शामिल है। शिक्षार्थी अपनी कठिनाइयों या समस्याओं का निदान या स्पष्ट करने के लिए संदेह या प्रश्न उठाते हैं, जिन्हें शिक्षक द्वारा प्रभावी उत्तर दिया जाता है। शिक्षक को भी संप्रेषण के माध्यम से अपने शिक्षंण के प्रति छात्रों से प्रतिपुष्टि प्राप्त होती है, जिससे वह अपने शिक्षण को प्रभावशाली बनाने का प्रयास करता है।

कक्षा संप्रेषण में अधिकतर द्विध्रुवीय संप्रेषण का प्रयोग किया जाता है। इस प्रकार संप्रेषण छात्रों को शिक्षण अधिगम प्रक्रिया में अधिक सक्रिय बनाता है। वे अपनी शंकाएं शिक्षक के समक्ष प्रस्तुत कर उनका समाधान प्राप्त करते हैं। शिक्षक को भी संप्रेषण के माध्यम से अपने शिक्षण के प्रति छात्रों से प्रतिपुष्टि प्राप्त होती है, जिससे वह अपने शिक्षण को प्रभावशाली बनाने का प्रयास करता है।

कक्षा में संचार की प्रक्रिया

कक्षा संप्रेषण की प्रक्रिया को एक मॉडल के द्वारा नीचे प्रस्तुत किया जा रहा हैः

उपर्युक्त मॉडल में सर्वप्रथम संदेश देने वाला व्यक्ति (शिक्षक) संदेश का निर्माण करता है। फिर उसे आवश्यकतानुसार प्रसारित करता है। इस मॉडल के संप्रेषण प्रक्रिया में संदेश और संदेश का प्रत्युत्तर दोनों समावेशित होते हैं।

- उन्मुखीकरण
- तद्नुभूति का विकास
- प्रतिपुष्टि
- भौतिक निर्भरता
- विश्वसनीयता
- अंतःक्रिया

कक्षा में शिक्षक तथा छात्र, छात्र एवं छात्र के मध्य शाब्दिक एवं अशाब्दिक संप्रेषण होता है। शिक्षक द्वारा कक्षा में स्वापोक्रम तथा अनुक्रिया के प्रवाह का निरीक्षण किया जाता है, तथा इसमें शाब्दिक अंतःक्रिया पर विशेष ध्यान दिया जाता है।

जब शिक्षक स्वापोक्रम करता है, तब छात्र अनुक्रिया करता है। जब छात्र स्वापोक्रम करता है, तब शिक्षक अनुक्रिया करता है। इस प्रकार शाब्दिक संप्रेषण से छात्र तथा शिक्षक के मध्य अंतःक्रिया होती है।

कक्षा संचार के सोपान

शिक्षार्थियों में अभिरुचि पैदा करना : कक्षा के प्रारम्भ में ही विषय-वस्तु का छात्रों की जिज्ञासा, अनुभव और पूर्व ज्ञान की जानकारी प्रदान करना सहायक होता है। छात्रों को यह बताना आवश्यक होता है कि उनके लिए विषय-वस्तु कैसे महत्वपूर्ण है। इससे छात्रों में जानने की जिज्ञासा उत्पन्न होती है।

विषय-वस्तु को संगठित करना : पाठ्य-वस्तु को तर्कसंगत ढंग से सुसंगठित करना, उसको एक कहानी के रूप में क्रमबद्ध करना तत्पश्चात समस्या को सामने रखना और उसका कालक्रम के अनुसार घटनाओं और प्रक्रियाओं का वर्णन/उल्लेख करते हुए उसका समाधान/हल विकसित करना, विभिन्न विचारों का परस्पर संबंध स्थापित करते हुए एक थीम विकसित हो जाती है। इससे छात्रों में सीखने को आत्मसात करने में सहायता मिलती है।

उद्देश्यों के अनुरूप पुनरावलोकन : प्रमुख विचारों और अवधारणाओं को दोहराना, छात्रों को उनके महत्व पर बल देना, मुख्य बिंदुओं और विपरीत विचारों की संक्षेप में एक-दूसरे के साथ तुलना करना, इत्यादि कक्षा शिक्षण में सहायता करते हैं। छात्रों को अन्य गतिविधियों में लिप्त करके अधिक जानकारी प्राप्त करने के लिए प्रोत्साहित करना चाहिए।

प्रतिपुष्टि/फीडबैक : एक अध्यापक के लिए फीडबैक बहुत ही आवश्यक होता है। अध्यापक के लिए आवश्यक है कि वे इस बात की जानकारी रखें कि छात्र सूक्ष्म और प्रत्यक्ष ढंग से कैसे फीडबैक देते हैं। कुशल शिक्षक इस जानकारी का संचार प्रक्रिया पर अपेक्षाकृत अधिक नियंत्रण कर सकते हैं। अध्यापक के लिए यह भी आवश्यक है कि वे संचार प्रक्रिया में अनावश्यक हस्तक्षेप से बचें।

कक्षा में प्रभावी संचार

एक सफल शिक्षक की क्षमताओं का मूल्यांकन केवल उसके बौद्धिक स्तर से नहीं किया जा सकता, बल्कि यह उसकी शिक्षण पद्धति की विशिष्टताओं पर भी निर्भर करता है।

शिक्षक को अपने छात्रों को समझने तथा उनके बौद्धिक स्तर के अनुसार उनसे वार्तालाप करने की योग्यता होनी चाहिए। एक सफल शिक्षक को अपने विषय का पूर्ण ज्ञान होना चाहिए। साथ ही उसे अपने विषय में रुचि भी होनी चाहिए, तभी वह छात्रों की रुचि भी अपने विषय के प्रति जाग्रत कर सकता है।

एक सफल शिक्षक को अनुशासित तथा अपने विद्यार्थियों के लिए आदर्श होना चाहिए। एक सफल शिक्षक को अपने शिक्षण में नई तथा उत्तम पाठ योजनाओं का समावेश करना चाहिए। अपने छात्रों को विषय का पूर्ण ज्ञान देने के लिए उसे प्रोजेक्टर, टीवी तथा शिक्षा के क्षेत्र में उपयोग होने वाले नवीनतम उपकरण उपयोग करने चाहिए।

उत्तम शिक्षक की शैली लोकतांत्रिक मूल्यों के अनुरूप होनी चाहिए जो छात्रों के लिए प्रेरणाप्रद व प्रगतिशील हो। जीवन के प्रति एक उत्तम शिक्षक का दृष्टिकोण सकारात्मक होना चाहिए जिससे वह छात्रों में आत्मविश्वास पैदा कर सकें।

एक अच्छा शिक्षक ऐसी विषय सामग्री, समस्या और विधि चुनेगा जो छात्रों के विकास स्तर के उपयुक्त हो। शिक्षक को छात्रों के व्यक्तिगत अंतरों की भी जानकारी होनी चाहिए और उसे ऐसी विधियों और सामग्री का उपयोग करना चाहिए जो छात्रों के योग्यता स्तर के अनुकूल हों।

कक्षा का वातावरण अनुकूल तथा प्रजातांत्रिक होना चाहिए जिसमें छात्रों को प्रश्न पूछने में और अपनी राय व्यक्त करने में पूरी स्वतंत्रता हो। छात्रों के विचारों को ध्यान से सुनना और उपयुक्त विचारों की सराहना करना तथा गलत धारणाओं को विचार विनिमय और व्याख्या द्वारा सही करना चाहिए।

शिक्षक को सभी छात्रों, उनके अभिभावकों और सामान्य जनता के साथ सम्पर्क रखना चाहिए। प्रत्येक शिक्षक को यह समझना चाहिए कि इन संबंधों पर उसकी सफलता बहुत कुछ निर्भर करती है।

वर्तमान समय में इलैक्ट्रॉनिक जनसंचार माध्यमों जैसे आकाशवाणी तथ दूररदर्शन प्रसारण कार्यक्रमों में अनेक ज्ञानवर्द्धक, उपयोगी और रोचक कार्यक्रम प्रसारित हो रहे हैं। शिक्षक को अपने ज्ञान संवर्द्धन करने के लिए इनका उपयोग करना चाहिए।

प्रभावी संचार की बाधाएँ (Barriers to Effective Communication)

संचार प्रक्रिया जितनी सर्वव्यापी तथा अपरिहार्य है उससे कहीं अधिक इसकी बाधाएँ है। यही कारण है कि किसी संगठन के आंतरिक एवं बाह्य दोनों स्तरों पर संचार अपने वास्तविक उद्देश्यों की पूर्ति नहीं कर पाता है, क्योंकि जिस अर्थ में सूचना का प्रेषण होता है, उसी अर्थ में न हो तो वह 'प्राप्तकर्ता' तक पहुँचती है और न ही यह संभव है कि संप्रेषण तथा प्राप्तकर्ता की सोच एवं पृष्ठभूमि एक समान हो। सामान्यतः संचार की राह में निम्नलिखित बाधाएँ आती है, जो निम्नलिखित हैं।

1. **भाषा संबंधी अवरोध :** अंग्रेजी के शब्द Semantic से हमारा अर्थ शब्दों के अध्ययन व उनके अर्थ से है। शब्दार्थ अवरोध से हमारा तात्पर्य संचार संबंधी भाषा में अवरोध की उत्पत्ति से है। संचार में सहायक साधनों में भाषा सबसे शक्तिशाली साधन है। अतः इसका लापरवाही से प्रयोग संचार को अवरुद्ध कर सकता है। भाषा के प्रयोग के कारण ही संचार में भाषा संबंधी अवरोध आते हैं। प्रमुख भाषा संबंधी अवरोध निम्न हैं–

- त्रुटिपूर्ण शब्द में अभिव्यक्त
- त्रुटिपूर्ण अनुवाद
- अस्पष्ट पूर्व धारणाएँ
- अस्पष्ट मान्यताएँ
- तकनीकी एवं जटिल भाषा का प्रयोग

2. **संगठनात्मक अवरोध :** संचार के मार्ग में संगठनात्मक अवरोध वे अवरोध होते हैं जो दोषपूर्ण संगठन ढाँचे के कारण, दोषपूर्ण नियमों एवं नीतियों को लागू करने से तथा संगठन स्तर पर उपलब्ध संचार सुविधाओं की कमी के कारण उत्पन्न होते हैं।
   - जटिल संगठनात्मक संरचना
   - प्रतिष्ठात्मक संबंध
   - संचार सामग्री का घटिया रखरखाव
   - संगठनात्मक नियमन नीतियाँ
   - संगठनात्मक सुविधाएँ
3. **भावनात्मक अवरोध :** भावनात्मक अवरोध से अभिप्राय एक व्यक्ति के दृष्टिकोण, नजरिया इत्यादि में कमी के पाये जाने से है क्योंकि संचार मूलतः दोनों पक्षों, यथा, सम्प्रेषक व संदेशग्राही की मानसिक दशा एवं स्थिति पर निर्भर करता है। यदि सम्प्रेषक या संदेश प्राप्तकर्त्ता किसी में भी घबराहट, चिंता, उत्तेजना, भय उपस्थित है तो न तो सम्प्रेषक संदेश को अच्छी तरह से संचारित कर सकेगा और न ही संदेश प्राप्तकर्त्ता संदेश के वास्तविक स्वरूप व अर्थ से भली-भाँति परिचित हो पायेगा अर्थात् संचार प्रक्रियाओं में भावनाओं का संचार प्रक्रिया पर आधिपत्य होता है जिससे संदेश अपनी मौलिकता को खो देगा और सही ढंग से प्रेषित नहीं हो पायेगा।
4. **भौतिक अवरोध :** भौतिक अवरोध वे अवरोध होते हैं जो दोषपूर्ण भौतिक अवस्थाओं के कारण पैदा होते हैं। यह अवरोध कई प्रकार के शोर के कारण बनते हैं, जैसे– बाहर चलने वाले ट्रैफिक की आवाज का आना, कर्मचारियों का बार-बार अन्दर-बाहर जाना, संचार प्रक्रिया के चलते मध्य में चाय या कॉफी का दिया जाना इत्यादि।
5. **व्यक्तिगत अवरोध :** संचार एक अन्तर्वैयक्तिक संबंधों की प्रक्रिया है। यह संचार प्रक्रिया में सम्प्रेषक प्राप्तकर्त्ता के बीच विभिन्न मात्राओं व स्तरों में अन्तर्वैयक्तिक संबंध निहित होता है, उनके शारीरिक हाव-भाव, अंग-विच्छेद एक संदेश के वास्तविक स्वरूप में बदलने की क्षमता रखते हैं, साथ-ही-साथ एक संगठन में स्थिति, पद, अधिकार संबंधी कटाव व विरोध भी एक सामान्य घटना है जोकि संचार प्रक्रिया को प्रभावित करती है। ये सब बातें व्यक्ति के व्यक्तिगत हित व व्यक्तित्व से संबंधित हैं।
6. **तकनीकी एवं स्थानीय शब्दावली :** सफल संचार के लिए यह आवश्यक है कि जटिल तथा तकनीकी शब्दों (Jargon) का कम से कम प्रयोग किया जाए। प्रायः प्रत्येक व्यवसाय की अपनी एक विशिष्ट भाषा या शब्दावली होती है जिसे उस तकनीकी भाषा के जानकार या उस व्यवसाय में कार्य करने वालों के अतिरिक्त अन्य कोई नहीं समझता है। सफल संचार के लिए यह आवश्यक है कि शब्द का वास्तविक एवं विशिष्ट अर्थ भी समझा जाए, जैसे– घर में 'दादा' तथा गली में 'दादा' अलग-अलग हैं। टेरी के अनुसार भाषा के क्रम में कुछ बाधाएँ शब्दों की प्रकृति के कारण आती हैं। उनके अनुसार, शब्द दो वर्गों के हैं। विस्तारमूलक (Extentional) शब्द वे हैं जो उन बातों को प्रकट करते हैं, जो निश्चित होती हैं, जैसे–व्यक्ति, स्थान, सामग्री इत्यादि। इन्हें सरलता से समझा जा सकता है। भाषा में समस्या उत्पन्न करने वाले शब्द अभिप्राय मूलक (Intentional) कहलाते हैं जिनका अर्थ सभी व्यक्तियों के लिए एक जैसा नहीं होता है।
7. **आकार एवं दूरी :** संगठन का आकार तथा दूरी, संचार की राह में स्वाभाविक बाधाएँ हैं। बड़े संगठनों में प्रायः बहुत से विभाग, उपविभाग तथा असंख्य कार्मिक कार्य करते हैं अतः संचार प्रक्रिया भी जटिल हो जाती है। विकेन्द्रीकृत या भौगोलिक आधार पर छितराये हुए संगठनों में भी संचार कार्य तुलनात्मक रूप से अधिक बाधित होता है। पदसोपान के अनेक स्तर, कार्यों का विशिष्टीकरण, संगठन की कार्य संस्कृति तथा नेतृत्व की क्षमताएँ इत्यादि संचार को प्रत्यक्षतः प्रभावित करती हैं। **फेयोल** की दृष्टि में "लिखित संचार का अधिक प्रयोग संगठन की एकता को नष्ट करता है।"

बाधा दूर करने के सुझाव

संचार के महत्त्व को ध्यान में रखते हुए यह आवश्यक है कि संचार के मार्ग में आने वाले अवरोधों को दूर किया जाये। संचार प्रक्रिया को सुधार कर उसे अधिक प्रभावशाली बनाने हेतु, संचार में आने वाली बाधाओं के निराकरण हेतु, कुछ सुझाव निम्नलिखित हैं–

1. स्पष्ट उद्देश्य
2. श्रोताओं की सामान्य जानकारी
3. सरल व स्पष्ट भाव का प्रयोग
4. प्रभावपूर्ण श्रवणता
5. भावनाओं पर सम्पूर्ण नियंत्रण
6. शोर को कम करना
7. संदेश की पूर्णता
8. अनुकूल वातावरण
9. शारीरिक भाषा का प्रभावी प्रयोग
10. प्रतिपुष्टि का उचित प्रयोग

जनसंचार (Mass Communication)

जनसंचार दो शब्दों के मेल से बना है– जन अर्थात् जनता और संचार मतलब किसी बात को आगे बढ़ाना, चलाना या फैलाना। जनसंचार के विशेषज्ञ विद्वान ए. मिलर ने 'Language and Communication' में कहा है कि जनसंचार का अर्थ सूचना को एक स्थान से दूसरे स्थान तक पहुँचाना है। यदि हम किसी विचार या जानकारी को किसी भाषा के माध्यम से जनसमूह तक पहुँचाते हैं तो इस प्रक्रिया को जनसंचार कहते हैं। जनसंचार का उद्देश्य खबरों को समाज के सभी तबकों तक पहुँचाना है।

जनसंचार की विशेषता

- जनसंचार माध्यमों के जरिए प्रकाशित या प्रसारित संदेशों की प्रकृति सार्वजनिक होती है।
- जनसंचार के लिए औपचारिक संगठन होता है।
- इस माध्यम के लिए अनेक द्वारपाल वह व्यक्ति या व्यक्तियों का समूह है जो जनसंचार माध्यमों से प्रकाशित या प्रसारित होने वाली सामग्री को नियंत्रित और निर्धारित करता है।

जनसंचार के कार्य

- सूचना देना
- शिक्षित करना
- मनोरंजन करना
- एजेंडा तय करना
- निगरानी करना
- विचार-विमर्श के मंच आदि।

जनसंचार के माध्यम

जनसंचार माध्यमों के वर्तमान प्रचलित रूपों में प्रमुख हैं–समाचार पत्र, पत्रिकाएँ, रेडियो, टेलीविजन, सिनेमा और इंटरनेट इत्यादि। इन माध्यमों के द्वारा जो सामग्री आज जनता तक पहुँच रही है, राष्ट्र के मानस का निर्माण करने में उसकी महत्वपूर्ण भूमिका है। जनसंचार के प्रमुख माध्यम निम्नलिखित हैं–

- **पुस्तक :** मुद्रित माध्यम का यह सबसे स्थायी और उपयोगी रूप है। मुद्रण प्रौद्योगिकी के विकास की मूल आवश्यकता ही हस्तलिखित पाण्डुलिपियों के प्रचार-प्रसार के उद्देश्य से हुई। पुस्तक का अस्तित्व मोटे तौर पर 15वीं शताब्दी में गुटनबर्ग की यांत्रिक मुद्रण व्यवस्था के समय से ही माना जा सकता है। इसके पूर्व इसका पाण्डुलिपि रूप ही था। भारत में मुद्रण का प्रारम्भ गोवा में 1556 ई. मुहा और उसके बाद यह प्रौद्योगिकी तटीय शहरों से होती हुई कलकत्ता तक पहुँची। किसी भारतीय भाषा में छपने वाली पहली पुस्तक बंगला भाषा की व्याकरण की पुस्तक थी। 19वीं शताब्दी में पुस्तक प्रकाशन में अनेक सुधार हुए। फोटोग्राफी के आविष्कार के कारण पुस्तकों की रूप सज्जा (Designing) में भी क्रांतिकारी परिवर्तन हुए। आज हम सुन्दर आकर्षक आवरणों की पुस्तक छाप रहे हैं। फोटो, टाइप, सेटिंग और कालान्तर में डेस्क टाइप पब्लिशिंग के कारण पुस्तकों को आकर्षक ले आऊट और फोंट प्रजातियाँ मिलीं– जिनसे उनको और भी आकर्षक ढंग से प्रकाशित करना संभव हो गया।
- **समाचार-पत्र :** समाचार-पत्र मुद्रित माध्यम का एक सशक्त रूप है। इसकी संख्या पुस्तकों से बहुत अधिक होती है। मुद्रण प्रौद्योगिकी का सबसे ज्यादा उपयोग समाचार छापने के लिए ही होता है। इसमें प्रयुक्त होने वाला कागज एक विशेष प्रकार का होता है–जिसको न्यूज पेपर कहा जाता है। 31 मार्च, 2022 तक देशभर में 1,46,046 समाचार-पत्र/पत्रिका पंजीकृत थे। इसमें उत्तर-प्रदेश में समाचार पत्रों/पत्रिकाओं की कुल संख्या 21,336 तथा महाराष्ट्र में 20,098 थी। सबसे अधिक समाचार-पत्र हिन्दी में उसके बाद दूसरे स्थान पर मराठी में थे।
- **पत्रिकाएँ :** पत्रिकाएँ मुद्रित माध्यम का वह प्रकार है– जो समाज में पुस्तकों और समाचार-पत्रों के बीच की संचार-आवश्यकताओं की पूर्ति करती है। पत्रिकाएँ जहाँ समाचार पत्रों की तरह सामयिकता से जुड़ी होती हैं– वहीं अपने आकार और स्वरूप के अतिरिक्त पाठ्य-सामग्री के धरातल पर पुस्तकों के समान संग्रहणीय भी होती हैं। पत्रिकाएँ गम्भीर चिंतन, सामाजिक-राजनीतिक घटनाओं के विस्तृत विश्लेषण के लिए सशक्त माध्यम है। आधुनिक भारत के निर्माण में पत्रिकाओं का बहुत बड़ा योगदान है। राजनीतिक, सामाजिक, साहित्यिक, भाषिक, सांस्कृतिक, कला आदि के क्षेत्र में इनके योगदान को नहीं नकारा जा सकता है। आजादी के पूर्व और पश्चात इनकी अहम भूमिका रही है। इन्होंने सभी वर्गों का प्रतिनिधित्व किया है। भारत दुनिया के उन दस देशों में से है– जहाँ सबसे अधिक समाचार-पत्र छपते हैं औरं सबसे अधिक पुस्तकों का प्रकाशन होता है। 31 मार्च, 2022 तक देश में 20278 दैनिक समाचार-पत्र, 45395 साप्ताहिक, 16415 पाक्षिक और 47102 मासिक पत्र निकलते हैं।
- **परचे, पोस्टर और विज्ञापन :** मुद्रण प्रौद्योगिकी ने संदेशों के प्रचार-प्रसार के लिए पुस्तक, समाचार-पत्र, पत्रिकाओं आदि

के साथ अन्य मुद्रित माध्यमों को भी जन्म दिया। परचों का प्रयोग राजनीतिक, कार्यक्रमों की सूचना, व्यापारिक सूचना, चलचित्र सूचना आदि के लिए किया जाता है। विज्ञापन का प्रारम्भ मुद्रित माध्यमों से ही हुआ। पत्रिकाओं, समाचार-पत्रों में ये छपते हैं। आज भी विज्ञापन से सबसे अधिक आमदनी पत्र-पत्रिकाओं की होती है। दूरदर्शन और रेडियो पर भी इनका उपयोग होता है।

- **कम्प्यूटर :** मुद्रण तकनीक में सबसे अधिक और क्रांतिकारी परिवर्तन कम्प्यूटर के विकास के कारण हुआ, 1984 का वर्ष इसमें एक स्मरणीय वर्ष है। जब स्टीव जाब और स्टीव बोस्नियॉक ने बाजार में ऐसा कम्प्यूटर उतारा जो न केवल सीखने में आसान था, बल्कि जिसे मेज पर रखी हुई छपाई की मशीन कहा जा सकता था। यहाँ से मुद्रण के संसार में डेस्क टॉप पब्लिशिंग (DTP) की कल्पना ने जन्म लिया। इससे सूचना प्रौद्योगिकी के मेल से दुनिया को बड़ी तेजी से संरचना और आँकड़ों के प्रसारण की सुविधा मिली। इसके साथ ही कम्प्यूटर ने पाठ, दृश्य और श्रव्य को भी स्वीकृति करने के प्रयास में सफलता प्राप्त की है। इससे मल्टीमीडिया युग का प्रारम्भ हुआ। चित्रों और चलचित्रों के साथ-साथ ध्वनि को अंकों में बदलने की तकनीक से सूचना के अन्तरराष्ट्रीय संजाल अर्थात् इंटरनेट को एक नया रूप मिला। इसे हम ग्राफिक वेब कह सकते हैं। इन नयी खोजों ने प्रेस के स्वरूप को बदला और आज हम मुद्रित शब्द के जिस आधुनिक स्वरूप की ओर बढ़ रहे हैं उसे वेब प्रकाशन कहते हैं। इस प्रकार के प्रकाशन में कागज का उपयोग ही नहीं होता। सम्पूर्ण समाचार-पत्र या पत्रिका पाठकों को अपने कम्प्यूटर स्क्रीन पर पढ़ने को मिल जाती है।
- **माइक्रोफोन :** रेडियो में माइक्रोफोन के आने से यह लाभ हुआ है कि उससे बिना बल लगाये अपनी बात दूर-दूर पहुँचाने में सहायता मिली।
- **टेलीग्राफ-टेलीप्रिंटर, टेलेक्स, फैक्स :** ये दूरसंचार के अत्यंत प्रचलित साधन हैं। इन साधनों को उपयोगी बनाने के लिए संदेशों को तार अथवा रेडियो की तरंगों द्वारा भेजा जाता था। टेलीग्राफ का ही विकसित रूप टेलीप्रिंटर है। टेलेक्स टेलीप्रिंटरों को नियंत्रित करने के लिए बनाये गये केंद्र हैं। फैक्स टेलीग्राफी के क्षेत्र में अति आधुनिक उपलब्धि है। टेलीप्रिंटर दूर संचार के क्षेत्र में वरदान सिद्ध हुआ है। इसे तारघरों, समाचार-पत्र कार्यालयों और सरकारी संस्थानों में लगाया जाता है। यह बिजली से चलने वाला ऐसा यंत्र है जो टाइप द्वारा टेलीग्राफ परिपथ पर अथवा रेडियो तरंगों द्वारा संदेश भेजने और प्राप्त करने का कार्य करता हैं। इस यंत्र पर एक ही बार में कई संदेश एक साथ भेजे जा सकते हैं। इसमें एक 'की-बोर्ड' (Key Board) या कुंजीपटल होता है– जिसमें अंग्रेजी के 26 अक्षर हिन्दी के मात्रा सहित लगभग 66 अक्षर, 09 तक संख्याएँ तथा विराम, कॉमा आदि चिन्ह होते हैं। जैसे ही ऑपरेटर उचित कुंजी (Key) को दबाता है, वैसे ही विद्युत स्पंद उत्पन्न होती है जो तार या रेडियो तरंगों की सहायता से संदेश पहुँचाने वाले स्थान पर लगे टेलीप्रिंटर तक पहुँच जाती है। इस प्रकार इसमें संदेश लिखित रूप में प्राप्त होता है। समाचार-पत्र के लिए यह सबसे बड़ा संसाधन है।
- **फैक्स :** एक ऐसी प्रणाली है, जिसमें चित्र, आकृतियों की हूबहू नकल या फोटो कॉपी एक स्थान से दूसरे स्थान पर आसानी से भेजी जाती है। इस तकनीकी को टेलीफोटो, ट्रांसमिशन, टेलीकापियर आदि नामों से भी जाना जाता है। इण्टरनेट विश्वभर में फैले कम्प्यूटरों का एक व्यवस्थित जाल है। इसके माध्यम से सूचनाओं का आदान-प्रदान कराया जाता है, इनका ज्ञान भण्डार विशाल है। यह सभी कम्प्यूटर संचार तकनीकों से आपस में जुड़े होते हैं। इसके उपभोक्ता अपनी मनचाही पुस्तक, इच्छित बाजार सूचनाएँ, मनमाफिक फिल्म, संगीत कुछ ही क्षणों में सुन, पढ़ और देख सकते हैं।
- **टेलीफोन :** यह ग्रीक भाषा का शब्द है। 'टेली' का अर्थ है दूर और 'फोन' का अर्थ है ध्वनि। अतः टेलीफोन = ध्वनि का दूर तक भेजना। इसका अविष्कार अमरीका के अलेक्जेण्डर ग्राहम बेल द्वारा सन् 1876 ई. में किया गया। 1877 में अमरीका का ही प्रसिद्ध वैज्ञानिक थॉमस अल्वा एडिसन ने इसमें अनेक सुधार किये। कालान्तर में अलग-अलग तारों से जुड़े टेलीफोन से सन् 1923 ई. से डायलिंग सिस्टम, 1941 ई. में पुशबटन सिस्टम विकसित हुआ। 1960 ई. में इलैक्ट्रानिक एक्सचेंज की स्थापना हुई। भारत में सबसे पहले 1881-82 ई. में कलकत्ता शहर में 50 लाइनों वाले टेलीफोन एक्स्चेंज की स्थापना की गई। 1913-14 ई. में शिमला में पहला स्वचालित टेलीफोन एक्सचेंज प्रारंभ हुआ। 1960 ई. में लखनऊ और कानपुर के बीच सर्वप्रथम एस.टी.डी. सेवा प्रारम्भ की गई।
- **इंटरकॉम :** इण्टरकॉम टेलीफोन के अंतर्गत मुख्य टेलीफोन से अन्य टेलीफोन जुड़े होते हैं– जिससे व्यक्ति को मुख्य टेलीफोन के पास उठकर नहीं आना पड़ता है।
- **एस.टी.डी. :** एस.टी.डी. सबस्क्राइबर ट्रंक डायलिंग का संक्षेप है। यह एक ऐसी प्रणाली है जो बिना किसी ऑपरेटर की सहायता के ही ट्रंक डायलिंग संभव बनती है।
- **आई.एस.डी. :** इसकी सीमा विदेशों तक है। अतः यह अंतर्राष्ट्रीय व्यवस्था है। इससे तात्पर्य है–इंटरनेशनल सबस्क्राइबर ट्रंक डायलिंग अर्थात् अंतर्राष्ट्रीय काल डायलिंग द्वारा सम्पर्क। इसके लिए दो '00' का कोड है। जैसे यू.के. का कोड है 44 उसके बाद शहर को कोड जैसे लंदन का 1 कोड है, इसके बाद वांछित व्यक्ति का नंबर। इस प्रकार स्थिति आती है– 00441.....

- **वीडियोफोन :** वीडियोफोन, दूरसंचार के क्षेत्र में महत्त्वपूर्ण उपलब्धि है। इसके माध्यम से ध्वनि के साथ चित्र भी जाता है। अर्थात् फोन के साथ कैमरा लगा रहता है।
- **सेल्युलर टेलीफोन :** सेल्यूलर टेलीफोन वॉकी टॉकी के आकार का यंत्र है। इसको सेल्युलर मोबाइल रेडियो भी कहते हैं। सेल्युलर टेलीफोन पद्धति में एक बड़े क्षेत्र को सैल्स या छोटे-छोटे क्षेत्रों में विभाजित कर दिया जाता है। हर क्षेत्र का अपना ट्रांसमीटर होता है। इस व्यवस्था से एक ही समय में एक ही आवृत्ति (फ्रीक्वैंसी) पर अनेक लोग वार्तालाप कर सकते हैं। आपदा काल में इसका विशेष उपयोग होता है।
- **रेडियो :** यह संचार का सशक्त माध्यम है। विश्व में लाखों आकाशवाणी केन्द्र स्थापित हो गये हैं। रेडियो तरंगों से ध्वनियाँ जाती हैं।
- **वीडियो टेक्स्ट :** यह प्रणाली कम्प्यूटर से संचालित होती है। कम्प्यूटर के माध्यम से पाठ्य सामग्री टी.वी. स्क्रीन पर मूल रूप से उपस्थित होती है। यह प्रणाली अखबारों, पुस्तकालयों एवं अन्य व्यावसायिक क्षेत्रों में अत्यंत लोकप्रिय हो रही हैं।
- **टेलीटेक्स्ट :** यह प्रणाली वीडियो टेक्स्ट के समान है। इसमें अंतर है कि सूचना प्राप्त करने वाला व्यक्ति टेलीफोन द्वारा सम्पर्क स्थापित करता है। टेलीटेक्स्ट केन्द्र के कम्प्यूटर से सम्पर्क स्थापित हो जाने पर सूचना प्राप्त हो जाती है और कनेक्शन पुनः कट जाता है।
- **इलेक्ट्रानिक मेल :** यह पत्र-प्रेषण की आधुनिकतम तीव्र प्रणाली है। इस प्रणाली में कम्प्यूटर द्वारा पत्र प्रेषित किये जाते हैं। पत्र की सारी सामग्री प्राप्तकर्ता के टी.वी. स्क्रीन पर प्रदर्शित हो जाती है। इसको प्रिंट भी किया जा सकता है।
- **रेडियो डाटा पेजिंग सर्विस :** यह सेवा आकाशवाणी के एफ.एम. ट्रांसमीटरों के द्वारा चुने हुए शहरों में उपलब्ध है। इसके माध्यम से संदेश भेजने के लिए सबसे पहले पेजिंग ऑपरेटर को फोन करना पड़ता है। ऑपरेटर आपसे आपका कोड नंबर पूछकर उसको पी.सी.टी. (पेजिंग कंट्रोल टर्मिनल) में फीड कर देगा। पी.सी.टी. से आपका संदेश उपग्रह अथवा केबल की सहायता से ऑल डी.एस.एन. काडर में पहुँचेगा। यह एन कोड इस संदेश को इंकोड करके एफ.एम. ट्रांसमीटर में डाल देता है और पेजर 'बीथ' ध्वनि बजाकर अपने अधिकारी को सतर्क कर देता है– जिससे संबंधित अधिकारी बटन दबाकर तुरंत संदेश पढ़ लेता है। यदि पढ़ने में बाधा हो, तो उसे मेमोरी में डाला जा सकता है।
- **टेलीकान्फ्रेंस :** इससे तात्पर्य है–दूरसंचार साधनों द्वारा दो या दो से अधिक व्यक्तियों का एक साथ विचार विमर्श करना। यह क्रिया टेलीफोन, टेलीविजन, कम्प्यूटर के द्वारा सुलभ हो पाई है। इसके तीन प्रकार प्राप्त होते हैं– *(i)* ऑडियो कान्फ्रेंस, *(ii)* वीडियो कॉन्फ्रेंस और *(iii)* कम्प्यूटर कॉन्फ्रेंस।

जनसंचार से संबंधित संस्थाएँ

- **प्रसार भारती :** प्रसार भारती देश में सार्वजनिक प्रसारण सेवा है और आकाशवाणी तथा दूरदर्शन इसके दो घटक हैं। लोगों को सूचना, शिक्षा तथा मनोरंजन प्रदान करने और रेडियो तथा टेलीविजन पर प्रसारण का संतुलित विकास सुनिश्चित करने के लिए 23 नवंबर, 1997 को प्रसार भारती का गठन किया गया।

  प्रसार भारती अधिनियम 1990 में वर्णित प्रसार भारती निगम के प्रमुख लक्ष्य इस प्रकर हैं: *(i)* देश की एकता और अखंडता तथा संविधान में वर्णित मूल्यों को बनाए रखने में सहयोग करना; *(ii)* राष्ट्रीय एकता को बढ़ावा देना; *(iii)* जनहित के सभी मामलों के बारे में जानकारी प्रदान करके और सूचना के निष्पक्ष तथा संतुलित प्रवाह के माध्यम से नागरिकों के अधिकारों की रक्षा करना; *(iv)* शिक्षा तथा साक्षरता के प्रसार; कृषि; ग्रामीण विकास; स्वास्थ्य एवं परिवार कल्याण और विज्ञान तथा प्रौद्योगिकी के क्षेत्रों पर विशेष ध्यान देना; *(v)* महिलाओं से सम्बन्धित मुद्दों के बारे में जागरूकता पैदा करना और बच्चों, वृद्धों तथा समाज के अन्य कमजोर वर्गों के हितों की रक्षा के लिए विशेष उपाय करना; *(vi)* विविध संस्कृतियों, खेलों और युवा मामलों को समुचित कवरेज प्रदान करना; *(vii)* सामाजिक न्याय को प्रोत्साहित करना और श्रमिक वर्ग, अल्पसंख्यकों तथा जनजातीय समुदायों के अधिकारों की रक्षा करना और *(viii)* प्रसारण सुविधाओं का विस्तार तथा प्रसारण प्रौद्योगिकी में अनुसंधान एवं विकास को बढ़ावा देना।

  निगम का कार्य संचालन प्रसार भारती बोर्ड द्वारा किया जाता है, जिसमें एक अध्यक्ष, एक कार्यकारी सदस्य (जिसे मुख्य कार्यकारी अधिकारी भी कहा जाता है), एक सदस्य सूचना एवं प्रसारण मंत्रालय का एक प्रतिनिधि तथा पदेन सदस्यों के रूप में आकाशवाणी महानिदेशक और दूरदर्शन महानिदेशक शामिल होते हैं। इसका अध्यक्ष अंशकालिक सदस्य होता है, जिसका कार्यकाल 6 वर्ष का होता है। कार्यकारी सदस्य, सदस्य (वित्त) और सदस्य (कार्मिक) इसके पूर्णकालिक सदस्य हैं, जिनका कार्यकाल भी 6 वर्ष के लिए होता है लेकिन इनके लिए अधिकतम आयु सीमा 62 वर्ष है।
- **आकाशवाणी :** भारत में रेडियो प्रसारण की शुरुआत 1920 के दशक में हुई। पहला कार्यक्रम 1923 में मुंबई के रेडियो क्लब द्वारा प्रसारित किया गया। इसके बाद 1927 में मुंबई और कोलकाता में निजी स्वामित्व वाले दो ट्रांसमीटरों के प्रसारण सेवा की स्थापना हुई। सन् 1930 में सरकार ने

इन ट्रांसमीटरों को अपने नियंत्रण में ले लिया और भारतीय प्रसारण सेवा के नाम से उन्हें परिचालित करना आरंभ कर दिया। 1936 में इसका नाम बदलकर ऑल इंडिया रेडियो कर दिया गया और यह 1957 में आकाशवाणी के नाम से पुकारा जाने लगा।

आजादी के बाद से आकशवाणी दुनिया के सबसे बड़े प्रसारण नेटवर्कों में से एक बन गया है। आजादी के समय कुल छह आकाशवाणी केंद्र और 18 ट्रांसमीटर थे जो देश के 2.5% क्षेत्र में 11% जनसंख्या तक पहुँच पाते थे।

- **वेब साइट :** समाचारों में दिलचस्पी लेने वाले श्रोता ताजा समाचार और बुलेटिन समाचार सेवा प्रभाग की अधिकारिक वेबसाइट www.newsonair.com और www.newsonair.nic. पद पर देख और सुन सकते हैं। सभी नेशनल बुलेटिन, 14 क्षेत्रीय भाषाओं में 22 क्षेत्रीय समाचार इकाइयां, 40 क्षेत्रीय बुलेटिनें, एमएसडी मुख्यालय से 13 भाषाओं में 32 क्षेत्रीय बुलेटिनें, एफ.एम. गोल्ड पर नये शुरू किए गए चार समाचार आधारित कार्यक्रम तथा मुख्य चैनलों के अन्य समाचार आधारित कार्यक्रम इस वेबसाइट पर उपलब्ध हैं।
- **एसएमएस :** राष्ट्रीय समाचार की हेडलाइन्स देश के किसी भी हिस्से से एसएमएस के जरिए भी प्राप्त की जा सकती है। यह सेवा मई, 2008 में दिल्ली से शुरू की गई थी। कोई भी समाचार ब्रेक होने के साथ एसएमएस की विषयवस्तु अपडेट कर दी जाती है। श्रोता अपने प्रश्न एवं प्रतिक्रिया एसएमएस के जरिए मार्केट मंत्र कार्यक्रम को भेज सकते हैं। समाचार सेवा प्रभाग ने धीरे-धीरे क्षेत्रीय समाचार के लिए भी देशभर में यह सेवा शुरू करने की योजना बनाई है।
- **दूरदर्शन :** सार्वजनिक सेवा प्रसारक दूरदर्शन विश्व के सबसे बड़े टेलीविजन नेटवर्क में से एक है। दूरदर्शन का पहला प्रसारण 15 सितंबर, 1959 को प्रयोगात्मक आधार पर आधे घंटे के लिए शैक्षिक और विकास कार्यक्रमों के रूप में शुरू किया गया। इसका नाम SITE था।

  आकाशवाणी के भाग के रूप में टेलीविजन सेवा की नियमित शुरुआत दिल्ली (1965), मुंबई (1972), कोलकाता (1975), चेन्नई (1975) में हुई।

  दूरदर्शन की स्थापना 15 सितंबर, 1976 को हुई। उसके बाद रंगीन प्रसारण की शुरुआत नई दिल्ली में 1982 के एशियाई खेलों के दौरान हुई, जिसके साथ देश में प्रसारण क्षेत्र में बड़ी क्रांति आ गई। उसके बाद दूरदर्शन का तेजी से विकास हुआ और 1984 में लगभग हर दिन एक ट्रांसमीटर लगाया गया।
- **प्रेस और प्रिंट मीडिया (भारत के समाचार-पत्र पंजीयक) :** 1953 में प्रथम प्रेस आयोग की सिफारिश पर तथा प्रेस और पुस्तक पंजीकरण अधिनियम, 1867 में संशोधन से पहली जुलाई, 1956 को भारत के समाचार-पत्र पंजीयक का कार्यालय अस्तित्व में आया। समाचार-पत्र पंजीयक को प्रेस पंजीयक भी कहा जाता है। पंजीयक द्वारा दी गई रिपोर्ट के अनुसार 31 मार्च, 2022 तक पंजीकृत समाचार पत्रों/पत्रिकाओं की कुल संख्या 1,46,046 थी।
- **पत्र सूचना कार्यालय :** पत्र सूचना कार्यालय (पी.आई.बी.) सरकार की नीतियों, कार्यक्रम पहल और उपलब्धियों के बारे में समाचार-पत्रों तथा इलेक्ट्रानिक मीडिया को सूचना देने वाली प्रमुख एजेंसी है। यह प्रेस विज्ञप्तियों, प्रेस नोट, विशेष लेखों, संदर्भ सामग्री, प्रेस ब्रीफिंग, फोटोग्राफ, संवाददाता सम्मेलन, साक्षात्कार, प्रेस दौरे और कार्यालय की वेबसाइट के माध्यम से सूचना को सर्वत्र पहुँचाता है। अंग्रेजी, हिंदी, उर्दू और अन्य क्षेत्रीय भाषाओं में जारी सूचना सामग्री समाचार-पत्रों और मीडिया संगठनों तक पहुँचाई जाती है।

  8 क्षेत्रीय कार्यालय, 34 शाखा कार्यालय और सूचना केंद्र सूचना सामग्री के जरिए सीधे लोगों को सेवाएं उपलब्ध कराते हैं। दिल्ली और अन्य कार्यालयों से लगभग एक साथ इंटरनेट तथा इंट्रानेट से सूचना सामग्री जारी की जाती है।
- **प्रेस ट्रस्ट ऑफ इंडिया :** भारत की सबसे बड़ी समाचार एजेंसी, प्रेस ट्रस्ट ऑफ इंडिया (पी.टी.आइ) भारतीय समाचार-पत्रों की बिना मुनाफे के चलाई जाने वाली सहकारी संस्था है, जिसका दायित्व अपने ग्राहकों को कुशल एवं निष्पक्ष समाचार उपलब्ध कराना है। इसकी स्थापना 27 अगस्त, 1947 को हुई और इसने 1 फरवरी, 1949 से अपनी सेवाएं आरंभ कर दीं।

  पी.टी.आई. अंग्रेजी और हिंदी में अपनी समाचार सेवाएं दे रही है। भाषा एजेंसी की हिंदी समाचार सेवा है।

  पी.टी.आई. गुटनिरपेक्ष देशों के समाचार मूल और एशिया-प्रशांत समाचार एजेंसी संगठन का प्रमुख भागीदार है। यह एजेंसी द्विपक्षीय समाचार विनिमय व्यवस्था के तहत एशिया, अफ्रीका, यूरोप और लैटिन अमेरिकी देशों की कई समाचार एजेंसियों से समाचारों का आदान-प्रदान करती है।
- **यूनाइटेड न्यूज ऑफ इंडिया (UNI) :** यूनाइटेड न्यूज ऑफ इंडिया की स्थापना 1956 के कंपनी कानून के तहत 19 दिसम्बर, 1959 को हुई। इसने 21 मार्च, 1961 से कुशलतापूर्वक कार्य करना शुरू कर दिया।

  यूनाइटेड न्यूज ऑफ इंडिया ने 1982 में पूर्ण रूप से हिंदी तार सेवा 'यूनीवार्ता' का शुभारंभ किया जो भारत की पहली

हिंदी समाचार एजेंसी बन गई। इसी दशक में इसने फोटो सेवा तथा ग्राफिक्स सेवा का भी आरंभ किया। इसने 90 के आरंभ में सबसे पहली उर्दू सेवा की शुरुआत की।

- **गुटनिरपेक्ष समाचार नेटवर्क :** गुटनिरपेक्ष समाचार नेटवर्क (एनएनएन) इंटरनेट आधारित समाचार और फोटो आदान-प्रदान की व्यवस्था गुटनिरपेक्ष आंदोलन के सदस्य देशों की समाचार एजेंसियों की व्यवस्था है। प्रेस ट्रस्ट ऑफ इंडिया सहित गुटनिरपेक्ष समाचार एजेंसियों के समाचार और फोटो एनएनएन वेबसाइट पर http//www.namnewsnetwork.org पर अपलोड किए जाते हैं ताकि सभी को ऑनलाइन उपलब्ध हो सकें।
- **भारतीय प्रेस परिषद :** भारतीय प्रेस परिषद की स्थापना समाचार-पत्रों की स्वतंत्रता की रक्षा करने और भारत में समाचार-पत्रों और समाचार एजेंसियों के स्तर को बनाए रखने और उसमें सुधार लाने के उद्देश्य से संसद के अधिनियम के तहत की गई है। यह शासन तंत्र तथा प्रेस जगत पर नियंत्रण रखने वाला समान अर्ध-न्यायिक नियंत्रक स्वायत्तशासी संगठन है। परंपरा के अनुसार परिषद के अध्यक्ष भारत के उच्चतम न्यायालय से सेवानिवृत्त न्यायाधीश होते हैं। परिषद में 28 सदस्य होते हैं—20 समाचार जगत से तथा पाठकों के हितों का ध्यान रखने के लिए 8 सदस्य संसद के दोनों सदनों के सदस्य, साहित्य अकादमी, भारत की बार काउंसिल और विश्वविद्यालय अनुदान आयोग जैसे देश के प्रतिष्ठित साहित्यिक एवं विधायी (न्यायिक) संगठनों का प्रतिनिधित्व करते हैं।

  प्रेस परिषद प्रेस द्वारा पत्रकारिता की आचारसंहिता का उल्लंघन करने या प्रेस की स्वतंत्रता में हस्तक्षेप करने की शिकायतों के संबंध में अपने दायित्वों का निर्वाह मुख्यतः न्याय-निर्णय के जरिए करती है। प्रेस परिषद के निर्णय अंतिम होते हैं और उन्हें किसी न्यायालय में चुनौती नहीं दी जा सकती।
- **प्रकाशन विभाग :** प्रकाशन विभाग, राष्ट्रीय महत्व तथा भारत की समृद्ध सांस्कृतिक परंपरा को दर्शाने वाली पुस्तकों तथा पत्रिकाओं का प्रकाशन भंडार है। यह अंग्रेजी, हिंदी तथा सभी प्रमुख भारतीय भाषाओं में सस्ती कीमत पर पुस्तकों का प्रकाशन करता है। यह कला, इतिहास, संस्कृति, महत्वपूर्ण व्यक्तियों की जीवनियां, भूमि तथा निवासी, बाल साहित्य, जीव-जंतु तथा वनस्पति, विज्ञान तथा प्रौद्योगिकी जैसे विषयों पर पुस्तकें और गांधी वांङ्मय तथा वार्षिक संदर्भ ग्रंथ-भारत और इंडिया का प्रकाशन करता है। विभाग राष्ट्रपति तथा प्रधानमंत्री के चुनिंदा भाषण भी प्रकाशित करता है।

  विभाग का मुख्यालय दिल्ली में है और इसकी विभिन्न क्षेत्रीय इकाइयां—विक्रय केंद्र, नई दिल्ली, मुंबई, चैन्नई, कोलकाता, पटना, लखनऊ, हैदराबाद, तिरुवनंतपुरम में और योजना कार्यालय, नई दिल्ली, मुंबई, कोलकाता, चैन्नई, अहमदाबाद, गुवाहाटी, हैदराबाद तथा बंगलुरु में हैं। रोजगार समाचार और पत्रिका एकक के कार्यालय नई दिल्ली में हैं।
- **केंद्रीय चलचित्र प्रमाणन बोर्ड :** सिनेमाटोग्राफ अधिनियम 1952 के तहत स्थापित केंद्रीय चलचित्र प्रमाणन बोर्ड, भारत में सार्वजनिक प्रदर्शन के लिए फिल्मों का प्रमाणन करता है। बोर्ड में एक अध्यक्ष और 25 अन्य गैर सरकारी अधिकारी होते हैं। बोर्ड का मुख्यालय मुंबई में है और इसके नौ क्षेत्रीय कार्यालय—बंगलुरु, मुंबई, नई दिल्ली, कोलकाता, हैदराबाद, चैन्नई, तिरुवनंतपुरम, कटक तथा गुवाहाटी में हैं।
- **राष्ट्रीय फिल्म विकास निगम लिमिटेड :** राष्ट्रीय फिल्म विकास निगम लिमिटेड की स्थापना 1975 में हुई थी। वर्ष 1980 में भारतीय चलचित्र निर्यात निगम और फिल्म वित्त निगम के विलय के बाद इसका पुनर्गठन किया गया। इस निगम का मुख्य उद्देश्य भारत में सिनेमा की गुणवत्ता में सुधार लाना और श्रव्य-दृश्य तथा सम्बन्धित क्षेत्रों में अति आधुनिक प्रौद्योगिकी विकसित करना है।
- **फिल्म समारोह निदेशालय :** फिल्म समारोह निदेशालय की स्थापना 1973 में की गई। सूचना एवं प्रसारण मंत्रालय के अधीन इस निदेशालय का उद्देश्य, अच्छे सिनेमा को प्रोत्साहन देना है।
- **भारत का राष्ट्रीय फिल्म अभिलेखागार :** भारत के राष्ट्रीय फिल्म अभिलेखागार की स्थापना फरवरी 1964 में सूचना एवं प्रसारण मंत्रालय के अधीन एक स्वतंत्र मीडिया इकाई के रूप में की गई। इसके उद्देश्य तथा लक्ष्य इस प्रकार हैं—राष्ट्रीय सिनेमा की विरासत को भावी पीढ़ियों के लिए संजोकर रखने के लिए सम्बन्धित सामग्री की खोज, अधिग्रहण और संरक्षण करना और विश्व सिनेमा का प्रदर्शक संचयन करना। फिल्मों से संबद्ध अभिलेखा आंकड़ों का वर्गीकरण और सिनेमा पर अनुसंधान करना तथा इसे बढ़ावा देना और वितरण करना। देश में फिल्म संस्कृति के प्रसार केंद्र के रूप में कार्य करना और विदेशी दर्शकों को भारतीय सिनेमा से परिचित कराना।
- **भारतीय बाल फिल्म समिति :** भारतीय बाल फिल्म समिति की स्थापना 1955 में बच्चों को फिल्मों के माध्यम से उच्च आदर्शों की प्रेरणा देने वाला मनोरंजन प्रदान करने के उद्देश्य से की गई थी। समिति बच्चों की फिल्मों का निर्माण, संग्रहण, वितरण, प्रदर्शन और संवर्द्धन करती है। बाल फिल्म समिति का मुख्यालय मुंबई में है और नई दिल्ली तथा चेन्नई में इसके क्षेत्रीय/शाखा कार्यालय हैं।

अभ्यास प्रश्न

1. संचार में, संदेश की व्याख्या किस पर निर्भर करती है?

A. संदर्भ
B. संचारण गति
C. संबद्ध शोर
D. चैनल क्षमता

2. निम्नलिखित कारकों में से कौन-से संचार के लिए महत्वपूर्ण हैं?

(*a*) अपभाषा
(*b*) द्वेषी अभिवृत्ति
(*c*) संरचना
(*d*) प्राथमिक लेपन
(*e*) तात्कालिकता

नीचे दिए गए विकल्पों में से सही उत्तर चुनिए:

A. केवल (*a*), (*b*) और (*c*)
B. केवल (*b*), (*c*) और (*d*)
C. केवल (*a*), (*d*) और (*e*)
D. केवल (*c*), (*d*) और (*e*)

3. संचार में सांस्कृतिक संस्थानों का क्रम है:

(*a*) परिवार
(*b*) विद्यालय
(*c*) धर्म
(*d*) जनसंचार माध्यम

नीचे दिए गए विकल्पों में से सही उत्तर चुनिए:

A. (*a*), (*b*), (*c*), (*d*)
B. (*b*), (*c*), (*d*), (*a*)
C. (*c*), (*d*), (*a*), (*b*)
D. (*d*), (*a*), (*b*), (*c*)

4. नीचे दो कथन दिए गए हैं: पहला अभिकथन (A) और दूसरा तर्क (R) है:

अभिकथन (A): कक्षा में छात्रों को आदेश देना संचार का विशिष्ट प्रकार है।

तर्क (R): आदेश का तरीका सम्मिलित छात्रों की सांस्कृतिक पृष्ठभूमि पर निर्भर करता है।

उपर्युक्त कथनों के आलोक में निम्नांकित विकल्पों में से सही उत्तर चुनें:

A. (A) और (R) दोनों सही हैं और (R), (A) की सही व्याख्या है।
B. (A) और (R) दोनों सही हैं और (R), (A) की सही व्याख्या नहीं है।
C. (A) सही है, परन्तु (R) सही नहीं है।
D. (A) सही नहीं है, परन्तु (R) सही है।

5. सूची-I को सूची-II के साथ सुमेलित कीजिए:

सूची-I (उदाहरण)	सूची-II (संचार के प्रकार)
(*a*) अर्थहीन ध्वनि एवं शब्द	I. बहु-अर्थकता
(*b*) ट्रैफिक लाइट संकेतक	II. द्विकीय संप्रेषण
(*c*) अलग अर्थ देने वाले शब्द	III. पराभाषिक
(*d*) शुभकामनाओं का आदान-प्रदान करते दो व्यक्ति	IV. अवाचिक संप्रेषण

नीचे दिए गए विकल्पों में से सही उत्तर चुनिए:

	(*a*)	(*b*)	(*c*)	(*d*)
A.	I	II	IV	III
B.	II	III	I	IV
C.	III	IV	I	II
D.	IV	I	II	III

6. निम्नलिखित प्रकार के संचार को उनके विशेष उदाहरण के अनुसार सुमेलित कीजिए:

(संप्रेषण के प्रकार)	(विशिष्ट उदाहरण)
(*a*) औपचारिक संचार	(*i*) सरकारी एजेंसियाँ
(*b*) अनौपचारिक संचार	(*ii*) परिपत्र
(*c*) बाह्य संचार	(*iii*) ज्ञापन
(*d*) आंतरिक संचार	(*iv*) समूह शृंखला

निम्नलिखित में से सही विकल्प का चयन करें:

	(*a*)	(*b*)	(*c*)	(*d*)
A.	(*iii*)	(*iv*)	(*i*)	(*ii*)
B.	(*ii*)	(*iii*)	(*iv*)	(*i*)
C.	(*i*)	(*ii*)	(*iii*)	(*iv*)
D.	(*iv*)	(*i*)	(*ii*)	(*iii*)

7. आम सम्प्रेषण और कक्षा में होने वाले सम्प्रेषण में सूचना एवं विषय वस्तु के प्रक्रमण प्रक्रिया को _____ कहा जाता है।

A. औचित्य स्थापन
B. गेटकीपिंग
C. विषयसामग्री सुधार
D. वन-वे फ्लो

8. संप्रेषण के संज्ञानात्मक क्षेत्र में निम्नलिखित में से किससे संबंधित मामले शामिल हैं?

A. संवेग
B. ज्ञान
C. भ्रांति
D. पलायनवाद

9. यदि विद्यार्थी स्वयं को किसी सम्प्रेषण स्रोत के निकट रखें तो इसके परिणामस्वरूप क्या होगा?

A. स्रोत प्रभुत्व B. चयनात्मक अभिमुखीकरण
C. नकारात्मक चयन D. निर्वैयक्तिक व्यवहार

10. **अभिकथन (A):** कक्षागत संप्रेषण को विद्यार्थी द्वारा संदेशों का स्पष्ट विसंकेतन कहा जाता है।

तर्क (R): अतिशयता में वृद्धि कर हम संप्रेक्षण की विश्वसनीयता बढ़ा सकते हैं।

A. (A) और (R) दोनों सही हैं।
B. (A) और (R) दोनों सही हैं, लेकिन (R), (A) की सही व्याख्या नहीं है।
C. (A) सही है, लेकिन (R) गलत है।
D. (A) गलत है, लेकिन (R) सही है।

11. कक्षागत संप्रेषण की प्रक्रिया के सही विसंकेतन अनुक्रम की पहचान कीजिए।

A. मूल्यांकन, निर्वचन, इन्द्रिय-सन्निकर्ष, प्रतिपुष्टि
B. प्रतिपुष्टि, इन्द्रिय-सन्निकर्ष, निर्वचन, मूल्यांकन
C. इन्द्रिय-सन्निकर्ष, निर्वचन, मूल्यांकन, प्रतिपुष्टि
D. निर्वचन, मूल्यांकन, प्रतिपुष्टि, इन्द्रिय-सन्निकर्ष

12. नीचे दो समुच्चय दिए गए हैं। **समुच्चय-I** में सम्प्रेषण के प्रकार दिए गए हैं, जबकि **समुच्चय-II** में उनके दृष्टान्तीकरण प्रस्तुत किए गए हैं। नीचे दिए गए कूट का चयन कर अपना उत्तर दीजिए:

समुच्चय-I (संप्रेषण के प्रकार)	**समुच्चय-II (दृष्टांतीकरण)**
(*a*) रेखीय संप्रेषण	(*i*) सदस्यों को दिए गए विषयों पर चर्चा करने के लिए कहा जाता है।
(*b*) अन्तरक्रियात्मक संप्रेषण	(*ii*) कक्षा में शिक्षक एक संरचित विषय प्रस्तुत करता है।
(*c*) क्रियान्वितिकारी संप्रेषण	(*iii*) एक महाविद्यालय प्राचार्य अपने अभिकर्मियों की समस्या समझने हेतु उनकी बैठक बुलाता है।
	(*iv*) महाविद्यालय में शिक्षक एवं विद्यार्थी ऊधम मचाते हैं।

कूटः

	(*a*)	(*b*)	(*c*)
A.	(*iii*)	(*i*)	(*ii*)
B.	(*iv*)	(*ii*)	(*iii*)
C.	(*ii*)	(*iii*)	(*i*)
D.	(*i*)	(*iv*)	(*iii*)

13. कक्षागत सम्प्रेषण में कुछ उद्दीपकों की स्वीकार्यता और अस्वीकार्यता के बीच विभेदन किसका आधार है?

A. निष्पादन की चयनात्मक अपेक्षा
B. साथी समूहों के साथ चयनात्मक सम्बद्धता
C. चयनात्मक ध्यान
D. चयनात्मक नैतिकता

14. **अभिकथन (A):** कक्षा में कुशल ढंग से सम्प्रेषण करना एक स्वाभाविक क्षमता है।

तर्क (R): कक्षा में प्रभावी शिक्षण के लिए सम्प्रेषण प्रक्रिया का ज्ञान आवश्यक है।

कूटः

A. (A) एवं (R) दोनों सही हैं, और (R), (A) की सही व्याया है।
B. (A) एवं (R) दोनों सही हैं, लेकिन (R), (A) की सही व्याख्या नहीं है।
C. (A) सही है, लेकिन (R) गलत है।
D. (A) गलत है, लेकिन (R) सही है।

15. **अभिकथन (A):** कक्षागत सम्प्रेषण एक क्रियान्वितिकारी प्रक्रिया है।

तर्क (R): कोई भी शिक्षक इस मान्यता के अंतर्गत कार्य नहीं करता कि छात्रों की अनुक्रियाएं सोद्देश्य होती हैं।

अपने उत्तर के लिए **सही** कूट चुनिए :

कूटः

A. (A) एवं (R) दोनों सही हैं, और (R), (A) की सही व्याया है।
B. (A) एवं (R) दोनों सही हैं, लेकिन (R), (A) की सही व्याख्या नहीं है।
C. (A) सही है, लेकिन (R) गलत है।
D. (A) गलत है, लेकिन (R) सही है।

16. मानव सम्प्रेषण प्रक्रिया के विवरण के लिये निम्नलिखित में से कौन-सा कथन समुच्चय **सही** है?

(*a*) अशाब्दिक सम्प्रेषण विचारों को उद्दीप्त कर सकते हैं।
(*b*) सम्प्रेषण एक अर्जित क्षमता है।
(*c*) सम्प्रेक्षण एक सार्वभौम समाधान नहीं है।
(*d*) सम्प्रेषण खंडित नहीं हो सकता।
(*e*) अधिक सम्प्रेषण का अर्थ छात्रों द्वारा अधिक प्रभावी अधिगम है।
(*f*) कक्षागत सम्प्रेषण के माध्यम से सीखे हुए का मूल्य छात्रों के लिए महत्वपूर्ण नहीं है।

कूटः
A. (*a*), (*c*), (*e*) और (*f*)
B. (*b*), (*d*), (*e*) और (*f*)
C. (*a*), (*b*), (*c*) और (*d*)
D. (*a*), (*d*), (*e*) और (*f*)

17. शिक्षक और विद्यार्थियों के बीच परस्पर संवाद समीपस्थ ______ जोन का निर्माण करता है।

A. अंतर B. भ्रम
C. विकास D. विकृति

18. किसी कक्षा में स्थानिक श्रव्य पुनःप्रस्तुति की वजह से विद्यार्थियों का निम्नलिखित में से क्या घट सकता है/सकती है?

A. बोध में संज्ञानात्मक भार
B. शिक्षकों के प्रति आदर
C. उत्कृष्टता के प्रति प्रेरणा
D. प्रौद्योगिकी-अभिविन्यास में रुचि

19. कक्षा में संवाद अनिवार्य रूप से होना चाहिएः

A. काल्पनिक B. तदनुभूतिक
C. अमूर्त D. गैर-विवरणात्मक

20. एक उत्तम सम्प्रेषक अपना प्रस्तुतीकरण निम्नलिखित में से किससे शुरू करता है?

A. जटिल प्रश्न
B. नानुमिति
C. पुनरावर्ती पदबंध
D. सुगमपूर्वाभ्यास

21. किसी कक्षा में संवाद ग्रहण की संभाव्यता को निम्नलिखित में से किससे बढ़ाया जा सकता है?

A. दृष्टिकोण स्थापित करके
B. विद्यार्थियों की अनभिज्ञता उजागर करके
C. सूचना भार में वृद्धि करके
D. उच्च डेसिबेल के श्रव्य उपकरणों का प्रयोग करके

22. प्रभावी संप्रेषण में पहले से यह माना जाता है

A. तटस्थता B. प्रभुत्व
C. उदासीनता D. बोध

23. जब मौखिक तथा अमौखिक संदेश परस्पर-विरोधी हैं, तो यह कहा जाता है कि अधिकांश लोग विश्वास करते हैं

A. अनियत संदेशों में
B. मौखिक संदेशों में
C. अमौखिक संदेशों में
D. उग्र संदेशों में

24. किसी सूचना समृद्ध कक्षा व्याख्यान की सामान्य विशेषता इसके किस प्रकृति के होने में होती है?

A. गतिरहित B. सांतरित
C. तथ्यात्मक D. खंडात्मक

25. भावबोधक संप्रेषण किसके द्वारा प्रेरित होता है?

A. उदासीन उग्रता
B. कूट लेखक (एनकोडर) के व्यक्तित्व की विशेषताएँ
C. बाह्य संकेत
D. कूट लेखक-कूटानुवादक (डिकोडर) अनुबंध

26. सकारात्मक कक्षा संप्रेषण का परिणाम निम्नांकित में से क्या होता है?

A. दबाव/अवपीड़न B. समर्पण
C. आमना-सामना D. अनुनय

27. कक्षा संप्रेषण किसका आधार है?

A. सामाजिक पहचान का
B. बाह्य निरर्थकताओं का
C. पूर्वाग्रही-उदासीनता
D. सामूहिक उग्रता

28. कल्पना कीजिए कि आप एक ऐसी शिक्षा संस्था में हैं, जहाँ लोग समान प्रस्थिति के हैं। ऐसी स्थिति में संप्रेषण की कौन-सी पद्धति सबसे अधिक उपयुक्त है और प्रायः इस प्रसंग में काम में लाई जाती है?

A. क्षैतिज संप्रेषण
B. ऊर्ध्व संप्रेषण
C. कॉर्पोरेट संप्रेषण
D. प्रति संप्रेषण

29. कक्षा में विद्यार्थियों को संबोधित करते समय अध्यापक द्वारा ध्यान में रखे जाने वाले महत्वपूर्ण तत्व को चिह्नित कीजिए।

A. सानिध्य से बचना
B. वाक् स्वराघात परिवर्तन (वाक माडुलन)
C. पुनरावर्ती विराम
D. स्थिर भंगिमा

30. प्रभावी संप्रेषण में अवरोधक क्या हैं?

A. नीति-प्रवचन, निर्णयपरक होना और सांत्वना प्रदायी टिप्पणियाँ
B. संवाद, सारांश और आत्म-समीक्षा
C. सरल शब्दों का प्रयोग, शांत प्रतिक्रिया और रक्षात्मक अभिवृत्ति
D. वैयक्तिक कथन, नजर मिलाना और सरल वर्णन

31. संप्रेषण प्रतिभागियों का चयन किस कारक द्वारा प्रभावित होता है?

A. सानिध्य, उपयोगिता, अकेलापन
B. उपयोगिता, गुप्तता, असंवादिता
C. गुप्तता, असंवादिता, छल
D. विषमता, असंवादिता, विपथन

32. विचारों के गतिशील पैटर्न की शुरुआत के लिए कक्षा संप्रेषण का केन्द्रीय बिन्दु के रूप में प्रयोग कहलाता है:

A. व्यवस्थापन
B. समस्या-उन्मुखीकरण
C. विचार प्रोटोकॉल
D. मस्तिष्क चित्रण

33. वाणी के बजाय आवाज के पहलुओं को जाना जाता है:

A. शारीरिक भाषा के रूप में
B. वैयक्तिक भाषा के रूप में
C. परा भाषा के रूप में
D. वितरण भाषा के रूप में

34. प्रत्येक प्रकार का संप्रेषण प्रभावित होता है:

A. अभिग्रहण से　　B. संचरण से
C. गैर-विनियमन से　　D. संदर्भ से

35. कक्षा संप्रेषण के संदर्भ में मनोवृत्तियों, कार्यों एवं प्रकटन को किस रूप में समझा जाता है?

A. शाब्दिक　　B. अशाब्दिक
C. अवैयक्तिक　　D. असंगत

36. शिक्षक-छात्र संप्रेषण प्रायः होता है:

A. अप्रामाणिक　　B. विवेचनात्मक
C. उपयोगितावादी　　D. प्रतिरोधात्मक

37. कक्षा में एक संप्रेषक का विश्वास स्तर निर्धारित होता है:

A. अतिशयोक्ति के प्रयोग से
B. आवाज स्तर के परिवर्तन से
C. अमूर्त अवधारणाओं के प्रयोग से
D. नजर मिलाने से

38. निम्नलिखित में से किससे सम्प्रेषण की प्रभावशीलता का पता लगाया जा सकता है?

(*a*) अभिवृत्ति सर्वेक्षण
(*b*) कार्य निष्पादन रिकॉर्ड
(*c*) विद्यार्थियों की उपस्थिति
(*d*) सम्प्रेषण माध्यम का चयन

नीचे दिए कूटों से सही उत्तर का चयन कीजिए:

A. (*a*), (*b*), (*c*) और (*d*)
B. (*a*), (*b*) और (*c*)
C. (*b*), (*c*) और (*d*)
D. (*a*), (*b*) और (*d*)

39. **अभिकथन (A):** औपचारिक सम्प्रेषण त्वरित और लचीला होना चाहिए।

तर्क (R): सूचना का औपचारिक सम्प्रेषण एक योजनाबद्ध और व्यवस्थित प्रवाह है।

A. दोनों (A) और (R) सत्य हैं और (R), (A) का सही स्पष्टीकरण है।
B. दोनों (A) और (R) सत्य हैं, परंतु (R), (A) का सही स्पष्टीकरण नहीं है।
C. (A) सत्य है, परन्तु (R) असत्य है।
D. (A) असत्य है, परन्तु (R) सत्य है।

40. निम्नलिखित में से कौन सम्प्रेषण की विशेषताएँ हैं?

(*a*) सम्प्रेषण में विचारों, तथ्यों और मतों का आदान-प्रदान शामिल है।
(*b*) सम्प्रेषण में सूचना और समझ दोनों शामिल हैं।
(*c*) सम्प्रेषण एक सतत प्रक्रिया है।
(*d*) सम्प्रेषण एक वृत्तीय प्रक्रिया है।

नीचे दिए गए कूटों से सही उत्तर का चयन कीजिए:

A. (*a*), (*b*) और (*c*)　　B. (*a*), (*b*) और (*d*)
C. (*b*), (*c*) और (*d*)　　D. (*a*), (*b*), (*c*) और (*d*)

41. 'ग्रेपवाइन' (दाखलता) शब्द निम्नांकित में से किस रूप में भी जाना जाता है?

A. नीचे की ओर संचार
B. अनौपचारिक संचार
C. ऊपर की ओर संचार
D. क्षैतिज संचार

42. निम्नलिखित में से कौन प्रभावी सम्प्रेषण का सिद्धान्त **नहीं** है?

A. प्रत्ययकारी और विश्वासोत्पादक वार्ता
B. श्रोताओं की भागीदारी
C. सूचना का एकतरफा अन्तरण
D. ग्रेपवाइन का रणनीतिक उपयोग

43. सम्प्रेषण में भाषा होती है:

A. वाचिक कूट　　B. अन्तर्वैयक्तिक
C. प्रतीकात्मक कूट　　D. गैर वाचिक कूट

44. 'पीत-पत्रकारिता' पद का संबंध है

A. आतंकवाद और हिंसा के विषय में सनसनीखेज समाचार।

B. पाठकों/दर्शकों को आकर्षित करने के लिए सनसनीपरकता और अतिशयोक्ति।

C. कला और संस्कृति के सनसनीखेज समाचार।

D. पीले कागजों पर छपे सनसनीखेज समाचार।

45. शिक्षक कक्षा में एक संदेश शब्दों या चित्रों में भेजता है। विद्यार्थी वास्तव में हैं

A. एनकोडर्स B. डिकोडर्स

C. एजिटेटर्स D. प्रोपेगेटर्स

46. मीडिया जाना जाता है

A. प्रथम सत्ता वर्ग

B. द्वितीय सत्ता वर्ग

C. तृतीय सत्ता वर्ग

D. चतुर्थ सत्ता वर्ग

47. संचार का वह साधन जो बहुत सारे आदाताओं को एक स्रोत से एक साथ सूचना प्रसारित करता है, कहलाता है

A. समूह सम्प्रेषण

B. जन संचार

C. अन्तःवैयक्तिक संचार

D. अन्तर्वैयक्तिक संचार

48. निम्नलिखित में से किस क्षेत्र में संचार के टेलिफ़ान मॉडल का सर्वप्रथम विकास हुआ?

A. प्रौद्योगिकी सिद्धान्त

B. परिक्षेपण सिद्धान्त

C. न्यूनतम प्रभाव सिद्धान्त

D. सूचना सिद्धान्त

49. टेलीविजन को चालू करने पर जो कण-कण से दिखाई पड़ते हैं, उन्हें निम्नलिखित में से क्या कहा जाता है?

A. स्पार्क्स B. ग्रीन डाट्स

C. स्नो D. रेन ड्राप्स

50. एक वृत्तिक संचार में एनकोडर डीकोडर हो जाता है जब वहाँ हो

A. शोर B. श्रोता

C. आलोचनात्मकता D. फीडबैक

51. मौखिक संचार में व्यवधान आने को कहते हैं

A. लघु परिपथ B. अन्तर्विरोध

C. असमतलता D. एंट्रोपी

52. संचार माध्यम का अपनी कार्यसिद्धि के लिए उपयोग करने वाले वाले प्रयोक्ता को क्या कहते हैं?

A. निष्क्रिय श्रोता B. सक्रिय श्रोता

C. सकारात्मक श्रोता D. नकारात्मक श्रोता

53. कक्षा संचार का वर्णन निम्नलिखित में से किसके द्वारा किया जा सकता है?

A. गवेषणा B. संस्थानीकरण

C. असंकेतित आख्यान D. व्याख्यान

54. सैद्धांतिक कोड हमारे सामूहिक .... को आकार प्रदान करते हैं।

A. निर्माण B. अवबोधन

C. खपत D. सृजन

55. सम्प्रेषण में, मिथकों में शक्ति होती है, परन्तु वे/उन्हें

A. संस्कृतिहीन होते हैं

B. महत्त्वहीन होते हैं

C. यथातथ्य नहीं होते

D. वरीयता नहीं दी जाती

56. भारत की प्रथम बहु-भाषायी समाचार एजेंसी निम्नलिखित में से कौन है?

A. समाचार B. ए.पी.आई.

C. हिन्दुस्तान समाचार D. समाचार भारती

57. संस्थागत संचार को इनमें से किसके समतुल्य भी माना जा सकता है?

A. अंतःवैयक्तिक संचार B. अंतर्वैयक्तिक संचार

C. समूह संचार D. जन-संचार

58. संप्रेषण प्रक्रिया में निम्नलिखित में से कौन-सा कालक्रमानुसार है:

A. संप्रेषक, माध्यम, रिसीवर, प्रभाव, सन्देश

B. माध्यम, संप्रेषक, सन्देश, रिसीवर, प्रभाव

C. संप्रेषक, सन्देश, माध्यम, रिसीवर, प्रभाव

D. सन्देश, संप्रेषक, माध्यम, रिसीवर, प्रभाव

59. भारत का प्रथम अखबार बंगाल गज़ट 1780 में किसके द्वारा आरम्भ किया गया?

A. डॉ. एनी. बेसेन्ट B. जेम्स ऑगस्ट्स हिकी

C. लार्ड क्रिप्सन D. ए.ओ. ह्यूम

60. भारत में प्रेस सेन्सरशीप किस प्रधानमंत्री के समय अधिरोपित की गई?

A. राजीव गांधी B. नरसिंहा राव

C. इन्दिरा गांधी D. देवगौड़ा

61. नए माध्यम जैसे कि कम्प्यूटर, टेलीशॉपिंग, इन्टरनेट और मोबाइल टेलीफोनों के माध्यम से संप्रेषण को कहते हैं:

A. मनोरंजन

B. अन्योन्य क्रिया संप्रेषण

C. विकासात्मक संप्रेषण

D. कम्यूनिटेरियन

62. किसी शिक्षक का कक्षा में संप्रेषण किस सिद्धान्त पर आश्रित होता है?

A. इन्फोटेनमेन्ट B. एजूटेनमेन्ट

C. मनोरंजन D. ज्ञानोदय

63. शिक्षक जब अपने विद्यार्थी के साथ संप्रेषण करता है तो ... . महत्वपूर्ण होता है।

A. सहानुभूति B. तदनुभूति

C. उदासीनता D. विद्वेष

64. अंग्रेजी शब्द 'कम्यूनिकेशन' की किन शब्दों से व्युत्पत्ति हुई है?

A. कम्यूनिस और कम्यूनिकेयर

B. कम्यूनिस्ट और कम्यून

C. कम्यूनिज्म और कम्यूनेलिज्म

D. कम्यूनियन और कॉमन सेंस

65. चीनी सांस्कृतिक क्रान्ति नेता माओ जेदांग द्वारा जन-समूह से बातचीत किए जाने वाले संप्रेषण (कम्यूनिकेशन) के प्रकार को कहते हैं :

A. मास-लाइन कम्यूनिकेशन

B. ग्रुप कम्यूनिकेशन

C. पार्टिसिपेटरी कम्यूनिकेशन

D. डायलॉग कम्यूनिकेशन

66. आत्माओं और पूर्वजों से बातचीत करने को कहते हैं:

A. ट्रांसपर्सनल कम्यूनिकेशन

B. इन्ट्रापर्सनल कम्यूनिकेशन

C. इन्टरपर्सनल कम्यूनिकेशन

D. फेस-टू-फेस कम्यूनिकेशन

67. निम्नलिखित में से कौन-सा अधिकतम प्रसारित दैनिक अखबार है?

A. द टाइम्स ऑफ इंडिया

B. द इंडियन एक्सप्रेस

C. द हिन्दू

D. द डेकन हेराल्ड

68. भारत में मूक फीचर फिल्म के प्रथम पथ-प्रदर्शक थे:

A. के.ए. अब्बास B. सत्यजीत रे

C. बी.आर. चोपड़ा D. दादा साहेब फाल्के

69. निम्नलिखित में से संकेतीकरण (encoding) किसके लिए महत्वपूर्ण है?

A. प्रतिपुष्टि को प्रोत्साहित करने हेतु

B. संदेश उत्पत्ति करने हेतु

C. शोर समाप्त करने हेतु

D. संदेश की व्याख्या सुनिश्चित करने हेतु

70. वीडियो कॉन्फ्रेसिंग को निम्न प्रकार के संचार में वर्गीकृत किया जा सकता है :

A. दृश्य एक तरफा B. दृश्य-श्रव्य एक तरफा

C. दृश्य-श्रव्य दो तरफा D. दृश्य दो तरफा

71. एम.सी. राष्ट्रीय पत्रकारिता एवं संचार विश्वविद्यालय कहाँ पर स्थित है?

A. लखनऊ B. भोपाल

C. चेन्नई D. मुम्बई

72. आकाशवाणी किस वर्ष में प्रसारण को नाम दिया गया?

A. 1926 B. 1936

C. 1946 D. 1956

73. भारत में टेलीविजन कार्यक्रमों के प्रसारण के लिए किस पद्धति को अपनाया जाता है?

A. NTCS B. PAL

C. NTSE D. SECAM

74. डी.ए.वी.पी. का पूर्ण रूप है:

A. डायरेक्टोरेट ऑफ एडवर्टाइजिंग एण्ड वॉकेल पब्लिसिटी

B. डिवीजन ऑफ ऑडियो-विजुअल पब्लिसिटी

C. डिपार्टमेन्ट ऑफ ऑडियो-विजुअल पब्लिसिटी

D. डायरेक्टोरेट ऑफ एडवर्टाइजिंग एण्ड विजुअल पब्लिसिटी

75. 'TRP' पद जो टी.वी. शोज से सम्बन्धित है, उसका अर्थ है:

A. टोटल रेटिंग पॉईंट्स

B. टाईम रेटिंग पॉईंट्स

C. थीमेटिक रेटिंग पॉईंट्स

D. टेलीविजन रेटिंग पॉईंट्स

76. फोटो ब्लीडिंग का अर्थ है

A. फोटो क्रोपिंग B. फोटो स्थापन

C. फोटो कटिंग D. फोटो रंगों का समायोजन

77. संचार रणनीति बनाते समय पुनर्निवेशन अध्ययन किसके द्वारा किया जाता है?

A. श्रोता B. संचारक
C. सैटेलाइट D. संचार माध्यम

78. किस भाषाई समाचार पत्रों का सबसे अधिक वितरण है?

A. अंग्रेजी B. हिन्दी
C. बंगाली D. तमिल

79. टी.बी. के पर्दे का पक्ष अनुपात है

A. 4 : 3 B. 3 : 4
C. 2 : 3 D. 2 : 4

80. आत्म-संप्रेषण को कहते हैं

A. संगठनात्मक संप्रेषण B. अफवाह संप्रेषण
C. अंतर्वैयक्तिक संप्रेषण D. अंतःवैयक्तिक संप्रेषण

81. 'SITE' पद का पूर्ण रूप है

A. सैटलाइट इंडियन टेलीविजन एक्सपेरीमेन्ट
B. सैटलाइट इन्टरनेशनल टेलीविजन एक्सपेरीमेन्ट
C. सैटलाइट इन्सट्रक्शनल टेलीविजन एक्सपेरीमेन्ट
D. सैटलाइट इन्सट्रक्शनल टीचर्स एजुकेशन

82. लोक संचार सहज हो जाता है

A. ज्यादा जटिल संरचना के अन्दर
B. ज्यादा राजनीतिक संरचना के अन्दर
C. ज्यादा सुविधाजनक संरचना के अन्दर
D. ज्यादा औपचारिक संरचना के अन्दर

83. सोच, विचारों तथा संदेशों को वाचिक तथा अवाचिक चिह्नों (प्रतीकों) में रूपान्तरित करना क्या कहलाता है?

A. चैनलीकरण (प्रणालीकरण)
B. मध्यस्थता
C. कूटलेखन
D. कूटवचन

84. प्रभावपूर्ण संचार को कैसा सहायक वातावरण चाहिये?

A. आर्थिक वातावरण
B. राजनीतिक वातावरण
C. सामाजिक वातावरण
D. बहु-सांस्कृतिक वातावरण

85. संचार की प्रक्रिया में संज्ञानात्मक आँकड़े के प्रेषण में मुख्य रुकावट होती है

A. व्यक्तित्व
B. अपेक्षा
C. सामाजिक दर्जा
D. कूटबद्ध करने की योग्यता

86. प्रेषित होने पर, सांस्थानिक रूढ़िबद्ध धारणाएँ बन जाती हैं

A. मिथक B. कारण
C. अनुभव D. विश्वास या दृढ़ धारणा

87. जन संचार में, चयनात्मक अवबोधन प्रापक की ......: पर निर्भर करता है।

A. निपुणता B. प्रवणता
C. ग्रहणशीलता D. नृजातीयता

88. संचार की अंतर्सम्बन्धित शृंखला में विद्यमान मीडिया में बिन्दुओं का किस रूप में जिक्र किया जाता है?

A. नेटवर्क्ड मीडिया B. संयोजी मीडिया
C. ग्रन्थिल मीडिया D. बहु मीडिया

89. जन संचार के सूचना कार्य का वर्णन किस रूप में किया जाता है?

A. विसरण B. प्रचार
C. निगरानी D. विचलन

90. अतुल्यकालिक (एसिन्क्रोनस) माध्यम का उदाहरण कौन-सा है?

A. रेडियो B. टेलीविजन
C. फिल्म D. समाचार-पत्र

91. संचार में, गुणार्थक शब्द कौन-से हैं?

A. सुस्पष्ट B. अमूर्त
C. सरल D. सांस्कृतिक

92. संदेश के नीचे संदेश को क्या नाम दिया जाता है?

A. अंतःस्थापित ग्रन्थ B. आन्तरिक ग्रन्थ
C. अंतःग्रन्थ D. उप-ग्रन्थ

93. अनुरूप जन संचार में कहानियाँ

A. स्थैतिक होती हैं।
B. गत्यात्मक होती हैं।
C. अन्योन्यक्रियात्मक होती हैं।
D. अन्वेषणात्मक होती हैं।

94. निम्नलिखित में से संचार के अन्तर्गत कौन सा संदेश ग्रहण करने में प्रमुख अवरोधक है?

A. श्रोताओं का दृष्टिकोण
B. श्रोताओं का ज्ञान
C. श्रोताओं की शिक्षा
D. श्रोताओं की आय

95. उत्तर-आधुनिकतावाद सम्बन्धित है

A. समाचार-पत्र से B. पत्रिकाओं (मैगजीन) से
C. रेडियो से D. टेलीविजन से

96. उपदेशात्मक संचार है

A. अन्तःवैयक्तिक B. अन्तर-वैयक्तिक

C. संगठनात्मक D. सम्बन्धसूचक

97. संचार में भाषा है

A. अमौखिक कूट B. मौखिक कूट

C. प्रतीकात्मक कूट D. चित्रात्मक कूट

98. निम्नलिखित में से सही क्रम की पहचान कीजिए:

A. स्रोत, माध्यम, संदेश, संदेशग्राही

B. स्रोत, संदेशग्राही, माध्यम, संदेश

C. स्रोत, संदेश, संदेशग्राही, माध्यम

D. स्रोत, संदेश, माध्यम, संदेशग्राही

99. **अभिकथन (A):** संचार-माध्यम समाज में हिंसा की संस्कृति को प्रोत्साहित करते हैं।

तर्क (R): क्योंकि बाजार में हिंसा की बिक्री है, क्योंकि लोग स्वयं हिंसावृत्ति के हैं।

A. (A) और (R) दोनों सही हैं और (A) का (R) सही स्पष्टीकरण है।

B. (A) और (R) दोनों सही हैं, परन्तु (A) का (R) सही स्पष्टीकरण नहीं है।

C. (A) सही है, परन्तु (R) गलत है।

D. (A) और (R) दोनों गलत हैं।

100. अमौखिक संचार का कालानुक्रम होता है

A. संकेत, प्रतीक, कूट, रंग

B. प्रतीक, कूट, संकेत, रंग

C. रंग, संकेत, कूट, प्रतीक

D. कूट, रंग, प्रतीक, संकेत

101. संचार के साथ निम्नलिखित में से कौन सा कथन संबंधित *नहीं* है?

A. संदेश माध्यम है।

B. विश्व एक इलेक्ट्रोनिक कॅकून है।

C. सूचना शक्ति है।

D. टेलीपैथी प्रौद्योगिकी है।

102. संचार वृत्ताकार हो जाता है जब

A. डिकोडर एनकोडर बन जाता है।

B. प्रतिपुष्टि का अभाव होता है।

C. स्रोत विश्वसनीय होता है।

D. चैनल निर्बाध होता है।

103. **अभिकथन (A) :** कक्षा में प्रभावशील संचार के लिए कई बार प्रोजेक्शन प्रौद्योगिकी का उपयोग करना वांछनीय होता है।

कारण (R) : प्रोजेक्शन प्रौद्योगिकी के उपयोग से पाठ्यक्रम की विषय-वस्तु का व्यापक समावेश होता है।

A. (A) तथा (R) दोनों सही हैं तथा (R) सही व्याख्या है।

B. (A) तथा (R) दोनों सही हैं, परंतु (R) सही व्याख्या नहीं है।

C. (A) सही है, परंतु (R) गलत है।

D. (A) गलत है, परंतु (R) सही है।

104. सामुदायिक रेडियो एक प्रकार की वह सेवा है जो रूचि पैदा करती है; (के लिए):

A. स्थानीय श्रोतागण B. शिक्षा

C. मनोरंजन D. समाचार

105. अरकूट (Orcut) एक भाग है:

A. अन्तरंग व्यक्तिगत संचारण

B. जन संचार

C. सामूहिक संचार

D. अन्तर्वैयक्तिक संचार

106. नवीनतम प्रचालित संचार पुरस्कार में कौन सा सही नहीं है:

A. सलमान रूश्दी–बुकर पुरस्कार–जुलाई 20, 2008

B. दिलीप संघवी–बिजनिस स्टैण्डर्ड सी.ई.ओ. अवार्ड जुलाई 22, 2008

C. तपन सिन्हा–दादा साहब फाल्के अवार्ड जुलाई 21, 2008

D. गौतम घोष–ओसियन्स लाइफटाइम एचीवमेन्ट अवार्ड, जुलाई 11, 2008

107. आत्म-संप्रेषण को कहते हैं:

A. वर्ग संप्रेषण

B. अफवाह संप्रेषण

C. अंतर्वैयक्तिक संप्रेषण

D. अंतः वैयक्तिक संप्रेषण

108. भारत में कौन सी प्रसारण प्रणाली का अनुसरण होता है?

A. एन.टी.एस.ई. (NTSE)

B. पी.ए.एल. (PAL)

C. एस.ई.सी.ए.एम. (SECAM)

D. एन.टी.सी.एस. (NTCS)

109. 1936 से पहले ऑल इंडिया रेडियो को .... कहते थे।

A. इंडियन रेडियो ब्राडकास्टिंग

B. ब्राडकास्टिंग सर्विस आफ इंडिया

C. इंडियन ब्राडकास्टिंग सर्विस

D. आल इंडिया ब्राडकास्टिंग सर्विस

110. भारत का सबसे बड़ा समाचार अभिकरण (एजेन्सी) है:

A. पी.टी.आइ.
B. यू.एन.आइ.
C. एन.ए.एन.ए.पी.
D. समाचार भारती

111. प्रसार भारती का गठन निम्नलिखित वर्ष में किया गया था।

A. 1995 B. 1997
C. 1999 D. 2001

112. डी.टी.एच. सेवा का आरंभ निम्न वर्ष में हुआ।

A. 2000 B. 2002
C. 2004 D. 2006

113. राष्ट्रीय प्रेस दिवस मनाया जाता है:

A. 16 नवंबर को B. 19 नवंबर को
C. 21 नवंबर को D. 30 नवंबर को

114. प्रेस कॉउन्सिल ऑफ इंडिया में कुल सदस्य होते हैं:

A. 28 B. 14
C. 17 D. 20

115. सूचना देने और प्राप्त करने का अधिकार की गारंटी भारत के संविधान के धारा में दी गई है:

A. 19 (2) (a) B. 19 (16)
C. 19 (2) D. 19 (1) (a)

116. भारत की प्रेस परिषद कहाँ है?

A. चेन्नई B. मुंबई
C. कोलकाता D. दिल्ली

117. फोटो को टेक्निकल समायोजन के लिए काटना क्या कहलाता है?

A. फोटो कटिंग B. फोटो ब्लीडिंग
C. फोटो क्रॉपिंग D. फोटो एडजस्टमेंट

118. किसी संदेश का फीड-बैक किससे आता है?

A. सैटेलाइट B. मीडिया
C. श्रोतावर्ग D. सम्प्रेषण

119. संप्रेषण की युक्ति प्रचार करने से पहले सूचना एकत्र करना क्या कहलाता है?

A. फीड-बैक
B. फीड-फारवर्ड
C. अनुसंधान अध्ययन
D. अभिमत

120. निम्नलिखित में से किसको मौखिक संचार कहा जा सकता है?

A. प्रोफेसर शर्मा ने कक्षा में लेक्चर दिया।
B. चौराहे पर बत्ती हरे से नारंगी रंग की हो गई।
C. शिशु अपनी माता का ध्यान अपनी ओर आकर्षित करने के लिए चिल्ला रहा था।
D. दीपक ने अवकाश प्राप्ति हेतु एक पत्र लिखा।

121. संचार में संबंधित निम्नलिखित कथनों पर विचार कीजिए:

(*i*) हेमा मालिनी चिल्ड्रेन फिल्म सोसायटी, इण्डिया की अध्यक्षा हैं।
(*ii*) यश चोपड़ा भारत के सेंट्रल बोर्ड ऑफ फिल्म सर्टिफिकेशन के अध्यक्ष हैं।
(*iii*) शर्मिला टैगोर नेशनल फिल्म डेवलपमेंट कार्पोरेशन की अध्यक्षा हैं।
(*iv*) दिलीप कुमार, राज कपूर और प्रीती जिंटा को दादा साहेब फाल्के पुरस्कार मिला है।

उपरोक्त में से कौन सा/से कथन सही है/हैं?

A. (*i*) और (*iii*) B. (*ii*) और (*iii*)
C. केवल (*iv*) D. केवल (*iii*)

122. "क्योंकि जानकारी आपका अधिकार है" इस सूक्ति का प्रयोग किया जाता है:

A. द टाइम्स ऑफ इण्डिया द्वारा
B. द हिन्दू द्वारा
C. इण्डियन एक्सप्रेस द्वारा
D. हिन्दुस्तान टाइम्स द्वारा

123. सार्वजनिक प्रसार का ध्येय सूचना की उपलब्धि, विधि, घटना क्रम, और समस्याओं के सामाजिक विकास के संदर्भ में करना है। इस प्रक्रिया को कहा जाता है:

A. समग्र भौतिक प्रसार
B. प्रक्रिया की चौकसी
C. व्यक्तिगत उपलब्धि
D. पारस्परिक संदर्भ की सृष्टि

124. मनुष्यों, पशुओं और मशीनों में सूचना उपलब्धि की प्रक्रिया के अध्ययन के विज्ञान को जाना जाता है:

A. साइबरनेटिक्स (cybernetics)
B. सूचना का उलट क्रम
C. नियोजित एवं संकलित अध्ययन
D. पारस्परिक उद्घोष का विश्लेषण

125. नेटवर्क प्रसार प्रक्रिया संरचना निम्नलिखित संदर्भ में संभव है:
A. सामाजिक परिवेश
B. आर्थिक परिस्थिति
C. राजनैतिक गलियारों
D. तकनीकी पर्यावरण

126. डिजिटल वातावरण में कम्प्यूटिंग, दूर-भाषीय प्रसार एवं मीडिया के सन्दर्भ में होते हैं:
A. ऑनलाइन पद्धति से सम्प्रेषण
B. एकीकृत प्रसार माध्यम
C. डिजीटल संकलन
D. केन्द्रीयकरण

127. 'सी'-स्तर संचार की प्रभावशीलता की परिभाषा है–
A. चैनल शोर B. अर्थगत शोर
C. मनोवैज्ञानिक शोर D. स्रोत शोर

128. 'वी.सी.आर' पर टेलीविजन प्रोग्राम 'रिकार्ड' करना उदाहरण होता था :
A. समयान्तरण का
B. विषय सन्दर्भ का
C. मशीनी स्पष्टता का
D. संचार समकालीनता का

129. अच्छा संप्रेषक वह है, जो अपने श्रोता को–
A. पर्याप्त सूचना देता है
B. जो पर्याप्त सांख्यिकी प्रदान करता है
C. संक्षिप्त प्रमाण देता है
D. तथ्यों की पुनरावृत्ति करता है

130. मध्यस्थ संचार के प्रति नकारात्मक प्रतिक्रिया है:
A. फ्लैक
B. विखण्डित प्रतिसूचना
C. निष्क्रिय अनुक्रिया
D. अननुरूपता

131. भारत में टेलीविजन का सबसे पुराना सोप ओपेरा कौन-सा है?
A. कहानी घर-घर की
B. बुनियाद
C. हम लोग
D. सास भी कभी बहू थी

132. कौन-सा सेटलाइट चैनेल इस प्रचार-वाक्य का प्रयोग करता है, "जानना ही सब कुछ है"?
A. बी.बी.सी. वर्ल्ड B. स्टार
C. सोनी D. जी

133. टेलीविजन पर "सर्वप्रथम भारत में बनाया गया" बच्चों का चैनल कौन-सा है?
A. कार्टून नेटवर्क
B. वाल्ट डिजनी
C. युनाइटेड होम एण्टरटेनमेंट का हंगामा टीवी
D. निक जूनियर

134. निम्नलिखित में से सम्प्रेषण किस के हस्तांतरण और समझने के संदर्भ में होता है?
A. विचार B. अवधारणाएँ
C. अर्थ D. शब्द

135. निम्नलिखित में से कौन-सा बरलो (Berlo) के सम्प्रेषण का रैखिक मॉडल है?
A. एम.एम.आर.सी.
B. एस.एम.सी.आर.
C. एम.आर.एम.सी.
D. एस.आर.सी.एम.

136. निम्नलिखित में से किस विद्वान ने कहा है कि लोग केवल सम्प्रेषण के माध्यम से 'एक-दूसरे और स्वयं को' जानते हैं?
A. जॉर्ज हर्बर्ट मीड
B. महात्मा गांधी
C. मार्टिन लूथर किंग
D. उपरोक्त में से कोई नहीं

137. निम्नलिखित में से किस पर प्रभावपूर्ण संवाद करने की क्षमता निर्भर करती है?
A. शिक्षा के स्तर पर
B. यह एक स्वभाविक प्रतिभा होती है, जिसे सीखा नहीं जा सकता
C. प्रौद्योगिकी के उपयोग पर
D. अधिगम-क्षमता पर

138. यदि यह मान लिया जाए कि सम्प्रेषण का कोई आरंभ या अंत नहीं है, तो इसे क्या कहा जाएगा?
A. मध्यस्थता
B. प्रक्रिया
C. बातचीत
D. लेन-देन संव्यवहार (विधि)

139. निम्नलिखित में से कौन-सा लक्षण मुख्यतः पारस्परिक-सम्प्रेषण के संदर्भ में लागू होता है?
A. क्षमा योग्य B. विस्मरणीय
C. प्रतिवर्ती D. अपरिवर्तनीय

140. निम्न में से कौन-सा कथन दूसरों के साथ संवाद स्थापित करने की कला को सीखने के लिए सबसे महत्वपूर्ण कहा जा सकता है?

A. सम्प्रेषण में शरीर-क्रियात्मक (Physiological) शोर (Noise) को खत्म करना

B. जहाँ गलत समझे जाने की सम्भावना बिल्कुल नहीं रहती

C. जहाँ पर संबंधों को प्रतिफल देने वाला या लाभप्रद बनाया जा सके

D. उपरोक्त सभी

141. निम्न में से किस शब्द का प्रयोग सम्प्रेषण प्रक्रिया के दौरान संदेश को प्रतीकात्मक (Symbolic) रूप में परिवर्तित किए जाने के लिए किया जाना चाहिए?

A. व्याख्या करना
B. कूट लेखन
C. गूढ़लिपि पठन
D. विस्तार करना

142. एक व्यक्ति जब स्वयं को वर्णित करता है, तो उसे कहा जाता है :

A. स्व-अवधारणा
B. स्व-अनुभूति
C. स्व-जागरूकता
D. आत्म-सम्मान

143. निम्नलिखित में से कौन-सा प्रभावी सम्प्रेषण का मूल तत्व है?

A. संदेश
B. प्रतिपुष्टि
C. कूट लेखन
D. संकेत-वाचन

144. निम्नलिखित में से कौन-से मूलभूत तत्व को एक अच्छा संदेश वाहक अपने दर्शकों या श्रोतागण तक पहुँचाता है?

A. प्रचुर मात्रा में जानकारी

B. बहुत ज्यादा आंकड़ा

C. संक्षिप्त प्रमाण

D. तथ्यों का दोहराव

145. निम्नलिखित चरणों में से प्रभावी सम्प्रेषण के लिए आप पहले किस पर विचार करते हैं?

A. सम्प्रेषण चैनल/माध्यम का चयन करने पर

B. मूल्यांकन प्रक्रिया का नियोजन

C. सम्प्रेषण के उद्देश्यों को निर्दिष्ट करना

D. सम्प्रेषण के लिए मीडिया का चयन करना

146. व्यक्तियों द्वारा अन्य लोगों के साथ संवाद करने के लिए कौन-से प्राथमिक चैनलों का प्रयोग किया जाता है?

A. रेडियो और टेलीविजन

B. ई-मेल

C. स्वर का लहजा

D. दृष्टि और ध्वनि

147. सम्प्रेषण प्रक्रिया में 'सांकेतिक शब्दों में परिवर्तित करने का' अर्थ होता है :

A. विचारों को कूटों में अनुवादित करना

B. कूट की व्याख्या करना

C. संदेश के प्रेषक और प्राप्तकर्ता के बीच में मार्ग को अवरोधित करना

D. लोगों के बड़े समूह को सम्बोधित करना

148. व्यक्ति अधिकतर चक्षु-संपर्क (Eye-contact) करते हैं, जब वे :

A. ध्यानपूर्वक सुन रहे होते हैं

B. सम्प्रेषण में रुचि नहीं रखते

C. बोल रहे होते हैं

D. व्याख्या कर रहे होते हैं

149. पैराफ्रेजिंग एक कौशल है और यह किसको प्रभावी बनाने के लिए आवश्यक है?

A. श्रवण
B. शोर
C. वादन
D. उपरोक्त में से कोई नहीं

150. सजीव टेलीविजन व रेडियो प्रसारण जिसमें श्रोता/दर्शकों की उपस्थिति आवश्यक होती है, इस रूप में जानी जाती है :

A. सम्प्रेषण माध्यम
B. संकेत माध्यम
C. असमायोजित माध्यम
D. समायोजित माध्यम

151. निम्नलिखित में से कौन-सा कथन रिसाव संकेत (Leakage cues) शब्द से संबंधित है?

A. चेहरे का भाव जिसको पढ़ने में लोग अक्सर चूक जाते हैं

B. चेहरे के भाव की विशेष शैलियों में से एक

C. यह एक अनपेक्षित संकेत है कि कोई व्यक्ति कैसा अनुभव करता है

D. उपरोक्त में से कोई नहीं

152. व्यक्ति में एक बहुत ही उन्नत भावना होती है कि सामाजिक दृष्टि से क्या उचित है और सदैव यह जानता है कि प्रत्येक सामाजिक संदर्भ में क्या कहना है। व्यक्ति में किस तरह की भाषा संबंधी क्षमता होनी चाहिए?

A. व्याख्यात्मक
B. संज्ञानात्मक
C. वाक्यात्मक
D. व्यावहारिक

153. सम्प्रेषण प्रक्रिया में संदेश प्रेषक का बहुत अच्छा व्याकरण होता है। यह सक्षमता मूल रूप से किस पर आधारित होती है?

A. व्याख्यात्मक
B. अर्थ-संबंधी
C. वाक्यात्मक
D. व्यावहारिक

154. ऐसा स्थान जहाँ इंटरनेट उपयोगकर्ता इंटरनेट के लिए वायरलेस अभिगम प्राप्त कर सकते हैं :

A. एक्स्ट्रानेट B. इंट्रानेट
C. वेब सम्मेलन D. वाई-फाई हॉट स्पॉट

155. सम्प्रेषण में गुणार्थक शब्द कौन-से हैं?

A. सुस्पष्ट B. अमूर्त
C. सरल D. सांस्कृतिक

156. सम्प्रेषण में भाषा है :

A. अमौखिक कूट B. मौखिक कूट
C. प्रतीकात्मक कूट D. चित्रात्मक कूट

157. निष्यंतक या फिल्टर संदेश में निहित अर्थ को प्रभावित करते हैं। यह सम्प्रेषण किस भाग में पाए जाते हैं?

A. सम्प्रेषण माध्यम
B. वक्ता और श्रोता दोनों के मन में
C. श्रोता के मन में
D. वक्ता के मन में

158. एक निजी डायरी या रिकॉर्डिंग में लेखन किसी के विचारों और भावनाओं का कौन-सा उदाहरण है?

A. मध्यस्थता (Intrapersonal) सम्प्रेषण
B. मध्यस्थता पारस्परिक सम्प्रेषण
C. मध्यस्थता जनसम्प्रेषण
D. उपरोक्त में से कोई नहीं

159. पारस्परिक सम्प्रेषण केवल तब होता है, जब :

A. एक व्यक्ति अद्वितीय व्यक्ति की भांति दूसरे व्यक्ति के साथ विचार का आदान-प्रदान करता है
B. एक ही समय पर बड़ी संख्या में लोग एक-दूसरे के साथ संवाद कर रहे हों
C. केवल मित्र एक-दूसरे के साथ बात कर रहे हों
D. उपरोक्त में से कोई नहीं

160. निम्नलिखित में से कौन-सा कथन गैर-मौखिक संदेशों के संदर्भ में सही है?

A. इनके महत्व को वास्तविकता से अधिक आँका जाता है
B. यह जोड़-तोड़ का प्रयास करता है, इसलिए इसकी अवहेलना करनी चाहिए
C. यह प्रायः संदेश अर्थ के लिए अप्रासंगिक होते हैं
D. एक श्रोता के लिए इनको समझना आवश्यक होता है

161. अंतरावैयक्तिक सम्प्रेषण (Intrapersonal communication) सहायता करता है :

A. स्वयं के बारे में जानने में
B. दूसरों की सोच के बारे में पता लगाने में
C. सामान्य जनता के साथ संवाद करने में
D. एक प्रतिभाशाली सार्वजनिक वक्ता बनने में

162. दो या दो से अधिक लोगों के बीच सम्प्रेषण को क्या कहा जाता है?

A. संगठनात्मक सम्प्रेषण
B. पारस्परिक सम्प्रेषण
C. अतिरिक्त-व्यक्तिगत सम्प्रेषण
D. अंतः वैयक्तिक सम्प्रेषण

163. पारस्परिक सम्प्रेषण में, आचारसंहिता :

A. महत्वपूर्ण होती है
B. सम्प्रेषण में बाधा होती है
C. अप्रभावी होती है
D. उपरोक्त में से कोई नहीं

164. निम्नलिखित में से कौन-से सम्प्रेषण को 'सम्प्रेषण मध्यस्थता' कहा जाता है?

A. अंतरावैयक्तिक सम्प्रेषण
B. पारस्परिक सम्प्रेषण
C. समूह सम्प्रेषण
D. सामूहिक सम्प्रेषण

165. गैर-मौखिक सम्प्रेषण में शामिल होता है :

A. भाषण देना
B. टेलीफोन पर बातचीत करना
C. गीत गाना
D. हाथ मिलाना

166. यदि एक छात्र कक्षा में बात करने के लिए एक हाथ उठाता है, तो वह उपयोग करता है :

A. संशोधक B. प्रतीक
C. नियामक D. प्रदर्शन

167. पुस्तकें सम्प्रेषण का मुख्य स्रोत हो सकती हैं :

A. सामग्री का सारांश प्रदान करवाकर
B. उदाहरणात्मक सामग्री प्रदान करवाकर
C. हिन्दी माध्यम द्वारा
D. सामग्री को अच्छे प्रिंट के माध्यम से प्रस्तुत करवाकर

168. निम्नलिखित में से कौन-से Paralanguage के मुख्य घटक हैं?

I. स्वर (Tone)
II. स्वरमान (Pitch)
III. स्वर की गुणवत्ता (Quality of voice)
IV. बोलने की गति (Rate of delivering words)

A. I, II, III B. II, III, IV
C. I, II, IV D. उपरोक्त सभी

169. निम्नलिखित में से किसे छोड़कर प्रभावी सम्प्रेषण में आने वाले अवरोध हैं?

A. शोर का अभाव
B. सूचना का विरूपण
C. सूचना का अधिभार
D. उपरोक्त में से कोई नहीं

170. सूचना के अनौपचारिक हस्तांतरण या फिल्टर सूचना को क्या कहा जाता है?

A. गपशप B. ग्रेपवाइन
C. प्रत्यक्ष सम्प्रेषण D. क्षैतिज सम्प्रेषण

171. निम्नलिखित में से किस को हम क्रियात्मक या शारीरिक शोर का एक उदाहरण मान सकते हैं?

A. भूख लगना
B. वातानुकूलक की आवाज
C. एक लॉन की घास काटने की मशीन
D. जटिल शब्दों का उपयोग

172. जटिल शब्दों का उपयोग करते हुए वक्ता को निम्नलिखित में से किस का उदाहरण माना जा सकता है?

A. शरीर-क्रियात्मक शोर B. मनोवैज्ञानिक शोर
C. अर्थ-संबंधी शोर D. शारीरिक शोर

173. सम्प्रेषण प्रक्रिया में शोर :

A. लक्षित श्रोताओं को संदेश अधिक सावधानीपूर्वक सुनने का कारण बनता है
B. संदेश के साथ हस्तक्षेप का कारण बनता है
C. भटकने वाले विचारों पर ध्यान केन्द्रित करता है
D. संदेश को बढ़ाता है

174. लोगों के समूह की निश्चित और वर्गीकृत छाप पूर्व निर्धारित गुणों के संग्रह पर आधारित होती है, उसे कहा जाता है :

A. सामान्यीकरण B. संगति
C. रूढ़ प्रारूप D. अधिक स्पष्टीकरण

175. निम्नलिखित में से पक्षपात की एक विशेषता कौन-सी है?

A. बाहरी-समूह के सदस्यों का सामान्यीकृत मूल्यांकन
B. नकारात्मकता
C. पक्षपातपूर्ण धारणा
D. उपरोक्त सभी

176. निम्न में से जनसम्प्रेषण में सम्बोधित किए जा सकने की सामर्थ्यता किस के द्वारा बदलती है?

A. डिजिटल माध्यम B. लोक माध्यम
C. व्यक्तिपरक माध्यम D. अयथार्थ समय माध्यम

177. सम्प्रेषण के लिए व्यक्तिगत स्वतंत्रता और भौतिक पर्यावरण का उपयोग किया जाना, कहलाता है :

A. क्रोनेमिक्स B. प्रोक्सेमिक्स
C. काईनेसिक्स D. पैरालैंगुएज

178. निम्नलिखित में से कौन-सा पारस्परिक सम्प्रेषण के लिए उपयोग होता है?

A. समूह सम्प्रेषण
B. लक्षित दर्शकों के आमने-सामने सम्प्रेषण
C. डायडिक सम्प्रेषण
D. पारंपरिक सम्प्रेषण

179. गैर-मौखिक संदेश व्याख्या व्यापक रूप से किस पर निर्भर करती है?

A. सांस्कृतिक संदर्भ पर
B. शारीरिक संदर्भ पर
C. शोर के स्तर पर
D. एक व्यक्ति से दूसरे व्यक्ति में बदलने पर

180. एक कूट लेखन संदेश की चार शर्तें प्रभावशीलता को प्रभावित करती हैं : कौशल, दृष्टिकोण, प्रेषक का ज्ञान, और ....।

A. सामाजिक-सांस्कृतिक प्रणाली
B. संदेश प्राप्तकर्ता का ज्ञान
C. संदेश प्रेषक की आयु
D. पर्यावरण मुद्दे

181. संदेश के हस्तांतरण, प्राप्ति, या प्रतिपुष्टि में जो बाधा हस्तक्षेप करती है, उसे कहा जाता है :

A. प्रतिपुष्टि B. फीड फॉरवर्ड
C. चैनल D. शोर

182. जन सम्प्रेषण के सूचना कार्य के रूप में किस का वर्णन किया गया है?

A. प्रसार B. प्रचार
C. निगरानी D. परिवर्तन

183. निम्नलिखित में कौन-सा शब्द शारीरिक भाषा को दर्शाने के लिए प्रयोग किया जा सकता है?

A. भौतिक सम्प्रेषण B. रिसन
C. शोर D. उपरोक्त सभी

184. समाचार-पत्र के संदर्भ में सम्प्रेषण में 'प्रतिपुष्टि' का अर्थ कहा जा सकता है :

A. लेख B. संपादकीय
C. संपादक को पत्र D. समाचार

185. संप्रेषण के संकेत-वाचन का अर्थ है :

A. संदेश का मूल्यांकन
B. विचारों का कूटों में अनुवाद
C. संदेश की अस्वीकृति
D. संदेश की व्याख्या

186. संदेश जो कि एक संकेत है, निम्नलिखित में से कौन-सा कार्य करता है?

A. एक प्रेषक के लिए उद्दीपन के रूप में
B. एक प्राप्तकर्ता के लिए उद्दीपन के रूप में
C. सामूहिक दर्शकों के लिए उद्दीपन के रूप में
D. शोर को कम करने का कार्य

187. एक शब्द की वस्तुनिष्ठ परिभाषा क्या होती है?

A. अप्रत्यक्ष अर्थ B. गुणबोध अर्थ
C. सूचक अर्थ D. प्रत्यक्ष अर्थ

188. एक प्रभावी सम्प्रेषण में किस की आवश्यकता नहीं होती है?

A. भाषण पैटर्न को बदलने की
B. उचित संकेतों की
C. सामग्री में दक्षता की
D. आकर्षक व्यक्तित्व की

189. सम्प्रेषण प्रक्रिया में, प्राप्तकर्ता :

A. एक चैनल है
B. संदेश का कूटवचन करता है
C. वह व्यक्ति है, जो एक विचार का कूट-लेखन करता है
D. संदेश-हस्तक्षेप के लिए उत्तरदायी होता है

190. निम्नलिखित में से कौन-सा सम्प्रेषण चैनल का उदाहरण है?

A. शोर B. संदर्भ
C. प्रत्यक्ष वार्तालाप D. प्रतिपुष्टि

191. श्रवण :

A. एक जटिल प्रक्रिया हो सकती है
B. यह एक बाध्य कार्य है
C. एक स्वाभाविक प्रक्रिया होती है
D. एक सहज ढंग से घटने वाली शारीरिक प्रक्रिया है

192. निम्न में से किसको हम श्रवण के प्रत्युत्तर देने वाला कथन कह सकते हैं?

A. यह गैर-मौखिक है
B. यह मानव स्मृति पर निर्भर करता है
C. यह मौखिक या गैर-मौखिक हो सकता है
D. यह सदैव मौखिक होता है

193. निम्नलिखित में से किस को सबसे महत्वपूर्ण सम्प्रेषण कौशल माना जाना चाहिए?

A. सक्रिय श्रवण B. वस्तुपरक श्रवण
C. अप्रतिरोधी श्रवण D. निष्क्रिय श्रवण

194. निम्नलिखित में से ऐसी कौन-सी तकनीक है, जो एक सक्रिय श्रोता द्वारा प्रयोग की जा सकती है?

A. वक्ता के अर्थ की संक्षिप्त व्याख्या करना
B. चिंता अभिव्यक्त करना
C. वक्ता के अर्थ की व्याख्या करना
D. वार्तालाप के माध्यम से अपनी राय प्रकट करना

195. निम्नलिखित में से किस को हम प्रभावी श्रवण में शामिल कर सकते हैं?

A. असहमति की स्थितियों का निस्पंदन
B. विस्तृत विश्लेषण
C. संदेश का व्यक्ति-निष्ठ अर्थ निकालना
D. संदेश की प्रतिपुष्टि

196. सम्प्रेषण के संदर्भ में शारीरिक गतिविधियों के वर्गीकरण को क्या कहा जाता है?

A. प्रतीक B. गैर-मौखिक
C. प्रदर्शन D. काइनेसिक्स

197. निम्नलिखित में से कौन-सा शब्द चेहरे की गतिविधियाँ जो भावनात्मक अर्थ को सम्प्रेषित करती है, के संदर्भ में प्रयुक्त किया जाता है?

A. प्रदर्शन B. प्रतीक
C. चक्षु-संपर्क D. उपरोक्त में से कोई नहीं

198. निम्नलिखित में से सम्प्रेषण के किस वर्गीकरण में स्पर्श को एक महत्वपूर्ण तत्व माना जाता है?

A. व्यापार सम्प्रेषण B. पारस्परिक सम्प्रेषण
C. व्यक्तिगत सम्प्रेषण D. उपरोक्त में से कोई नहीं

199. निम्नलिखित में से कौन-सा सक्रिय श्रवण का भाग है?

A. चक्षु संपर्क B. सिर हिलाना
C. स्पष्टीकरण माँगना D. उपरोक्त सभी

200. मूल्यांकन श्रवण सफल होता है, जब हम :

A. संदेश में निहित उद्दीपनों के बीच के भेदों को समझते हैं
B. निष्कर्ष निकालते हैं
C. संदेश में कहे गए तथ्यों का गंभीर रूप से सटीकता से आकलन करते हैं
D. उपरोक्त में से कोई नहीं

उत्तरमाला

1	2	3	4	5	6	7	8	9	10
A	D	A	A	C	A	B	B	B	A
11	12	13	14	15	16	17	18	19	20
C	C	C	D	C	C	C	A	B	D
21	22	23	24	25	26	27	28	29	30
A	D	C	C	B	D	A	A	B	A
31	32	33	34	35	36	37	38	39	40
A	D	C	D	B	C	D	B	D	D
41	42	43	44	45	46	47	48	49	50
B	C	A	B	B	D	B	D	C	D
51	52	53	54	55	56	57	58	59	60
D	B	D	B	C	C	C	C	B	C
61	62	63	64	65	66	67	68	69	70
B	B	B	A	D	A	A	D	B	C
71	72	73	74	75	76	77	78	79	80
B	B	B	D	A	A	B	B	A	D
81	82	83	84	85	86	87	88	89	90
C	D	C	D	C	D	B	A	C	D
91	92	93	94	95	96	97	98	99	100
D	D	A	C	D	B	B	D	D	A
101	102	103	104	105	106	107	108	109	110
D	A	A	A	D	B	D	B	C	A
111	112	113	114	115	116	117	118	119	120
B	D	A	A	D	D	C	C	D	C
121	122	123	124	125	126	127	128	129	130
D	D	A	A	D	D	A	D	A	C
131	132	133	134	135	136	137	138	139	140
C	A	C	A	B	A	D	B	D	C
141	142	143	144	145	146	147	148	149	150
B	A	B	A	C	D	A	A	A	B
151	152	153	154	155	156	157	158	159	160
C	D	C	D	D	B	B	A	A	D
161	162	163	164	165	166	167	168	169	170
A	B	A	D	D	B	B	D	A	B
171	172	173	174	175	176	177	178	179	180
A	C	B	C	D	A	B	C	A	A
181	182	183	184	185	186	187	188	189	190
D	C	B	C	D	B	C	D	B	C
191	192	193	194	195	196	197	198	199	200
A	C	A	A	D	D	A	B	D	D

UNIT–5

गणितीय तर्क और अभिवृत्ति

(Mathematical Reasoning and Aptitude)

गणितीय तर्क (Mathematical Reasoning)

किसी समस्या को हल करने के लिए सही गणितीय विधियों या सूत्रों को चुनने की क्षमता गणितीय तर्क कहलाती है। गणितीय तर्क में हम दिए गए कथन के मूल्य की सत्यता निर्धारित करते हैं और सभी मापदण्डों को सिद्ध करते हैं। गणितीय तर्क गणितीय प्रक्रिया को सिद्ध करने की क्षमता है। इसमें तार्किक एवं व्यवस्थित रूप से सोचने की क्षमता भी सम्मिलित है।

श्रृंखला

अक्षर-श्रृंखला

अक्षर-श्रृंखला में निहित अक्षरों का एक निश्चित क्रम होता है। दी गई अक्षर श्रृंखला में अक्षर वर्णमाला के सीधे क्रम में भी हो सकते हैं और वर्णमाला के विपरीत क्रम में भी। यही नहीं, एक ही श्रृंखला में अक्षर वर्णमाला के सीधे क्रम में और वर्णमाला के विपरीत या उल्टे क्रम में अर्थात् दोनों ही अनुक्रमों में भी हो सकते हैं। श्रृंखला में दिए गए क्रम में कुछ अक्षर छोड़े भी गए हो सकते हैं या ऐसा भी हो सकता है कि श्रृंखला में कुछ अक्षरों को एकाधिक बार प्रयुक्त किया गया हो या फिर वे क्रमागत हों। श्रृंखला एकल भी हो सकती है और एक ही श्रृंखला में एकांतर क्रम में दो अलग-अलग श्रृंखलाएं भी निहित हो सकती हैं। अक्षर श्रृंखला पर आधारित प्रश्नों को हल करते समय श्रृंखला के पैटर्न पर ध्यान दिया जाना आवश्यक होता है।

वर्णमाला के सीधे क्रम में अक्षरों की श्रृंखला है :

A B C D E F G H I J K L M N O P Q R S T U V W X Y Z

A ↓ पहला; E ↓ 5वाँ; J ↓ 10वाँ; O ↓ 15वाँ; T ↓ 20वाँ; Y ↓ 25वाँ

वर्णमाला के विपरीत या उल्टे क्रम में अक्षरों की श्रृंखला है :

Z Y X W V U T S R Q P O N M L K J I H G F E D C B A

Z ↓ पहला; V ↓ 5वाँ; Q ↓ 10वाँ; L ↓ 15वाँ; G ↓ 20वाँ; B ↓ 25वाँ

टिप्पणी : Z पर पहुंचकर श्रृंखला A से पुन: शुरू होती है और A पर पहुंचकर श्रृंखला Z से पुन: शुरू होती है।

अभ्यास प्रश्न

निर्देश (प्र.सं. 1–9): *नीचे दी गई प्रत्येक श्रृंखला में अक्षरों का क्रम निर्धारित करें। तत्पश्चात् दिए गए विकल्पों में से उस विकल्प का चयन करें जिससे दी गई श्रृंखला में प्रश्न चिह्न प्रतिस्थापित होता हो।*

1. B Y C X D W E ?
A. S B. T
C. U D. V

2. A D C G E ?
A. G B. J
C. I D. L

3. L N P R T ?
A. U B. V
C. W D. Y

4. X O I F ?
A. D B. F
C. B D. E

5. B A F E J I P O ? U
A. V B. T
C. S D. Q

6. Z A A Y B B X C ?
A. W B. C
C. V D. D

7. A Z Y B X W C V U D T S E ?
A. R S B. S T
C. R Q D. Q R

8. C A B F D E I G H ?
A. J L K B. J K L
C. L K J D. L J K

9. B F K Q ?
A. U B. T
C. X D. Y

उत्तरमाला

1. (D) : दी गई शृंखला में बारी-बारी से दो अक्षर शृंखलाएं अंतर्निहित हैं।

+1 +1 +1
B Y C X D W E V
−1 −1 −1

शृंखला I : BCDE (वर्णमाला के सीधे क्रम में)

शृंखला II : YXWV (वर्णमाला के विपरीत क्रम में)

2. (B) : दी गई शृंखला में बारी-बारी से दो अक्षर शृंखलाएं अंतर्निहित हैं।

+2 +2
A D C G E J
+3 +3

शृंखला I : ACE (शृंखला +2 पैटर्न का अनुपालन करती है)

शृंखला II : DGJ (शृंखला +3 पैटर्न का अनुपालन करती है)

3. (B) : शृंखला +2 पैटर्न का अनुपालन करती है, अर्थात्

L N P R T V
+2 +2 +2 +2 +2

4. (B) : शृंखला में दो सन्निकट अक्षरों के बीच वर्णमाला के विपरीत क्रम में क्रमश: 3 की कमी होती जाती है, अर्थात्

X O I F F
−9 −6 −3 −0

5. (A) : शृंखला में अंग्रेजी वर्णमाला के पांच स्वर (vowel) हैं अर्थात् (AEIOU) जिनमें से प्रत्येक के पहले वर्णमाला के सीधे क्रम में उसके ठीक बाद का क्रमागत अक्षर लिखा गया है।

B A F E J I P O V U

6. (B) : शृंखला में बारी-बारी से तीन शृंखलाएं अंतर्निहित हैं जिनमें से दूसरी और तीसरी शृंखलाएं एक जैसी हैं, अर्थात्

−1 −1
Z AA Y BB X CC
+1 +1

शृंखला I : ZYX (वर्णमाला के विपरीत क्रम में)

शृंखला II और III : ABC (वर्णमाला के सीधे क्रम में)

अक्षर 'C' शृंखला II और III में उभयनिष्ठ है।

7. (C) : शृंखला में बारी-बारी से दो शृंखलाएं अंतर्निहित हैं।

+1 +1 +1 +1
A Z Y B X W C V U D T S E R Q
−1 −1 −1 −1 −1 −1 −1 −1 −1

शृंखला I : ABCDE (वर्णमाला के सीधे क्रम में)

शृंखला II : ZY XW VU TS RQ (वर्णमाला के विपरीत क्रम में एक साथ दो अक्षर)

8. (D) : वर्णमाला के सीधे क्रम में 3 अक्षरों के समूह से एक खंड निर्मित होता है। प्रत्येक खंड में 3 अक्षरों के समूह में पहला अक्षर बीच में है जिसकी दाहिनी ओर उसका क्रमागत अक्षर है तथा तीसरा क्रमागत अक्षर बीच के अक्षर की बायीं ओर अवस्थित है।

CAB FDE IGH LJK

9. (C) : शृंखला में दो सन्निकट अक्षरों के बीच अंतर में प्रत्येक चरण में एक की वृद्धि होती जाती है।

B F K Q X
+4 +5 +6 +7

गलत या बेमेल अक्षर-शृंखला

इस प्रकार के प्रश्नों में दी गई शृंखला में अभ्यर्थियों को ऐसे अक्षर या अक्षर-समूह ज्ञात करने की आवश्यकता नहीं होती जिनसे दी गई शृंखला पूर्ण होती है बल्कि उन्हें ऐसे अक्षर का पता लगाना होता है जो शृंखला में गलत या बेमेल हो।

अभ्यास प्रश्न

निर्देश (प्र.सं. 1–5): *नीचे के प्रत्येक प्रश्न में दी गई अक्षर-शृंखला में कौन-सा अक्षर या अक्षर-समूह गलत या बेमेल है?*

1. A E H O U
A. U B. O
C. H D. E

2. C H M S W B
A. C B. S
C. B D. W

3. X S N I C Y
A. Y B. C
C. S D. I

4. Z A W B X C
A. D B. C
C. X D. W

5. M L O N Q P R
A. R B. O
C. Q D. L

उत्तरमाला

1. (C) : शृंखला अंग्रेजी वर्णमाला के केवल स्वरों AEIOU से निर्मित है। अत: H के स्थान पर I होना चाहिए।

2. (B) : शृंखला में दो सन्निकट अक्षरों के बीच वर्णमाला के सीधे क्रम में +5 का अंतर है।

C H M R W B
+5 +5 +5 +5 +5

अत: शृंखला में S के स्थान पर R होना चाहिए।
(शृंखला Z पर पहुंचने के बाद A से पुन: शुरू होती है।)

3. (B) : शृंखला में दो सन्निकट अक्षरों के बीच वर्णमाला के उल्टे क्रम में –5 का अंतर है।

X S N I D Y
–5 –5 –5 –5 –5

अत: C के स्थान पर D होना चाहिए।

4. (D) : दी गई शृंखला में दो शृंखलाएं अंतर्निहित हैं :

+1 +1
Z A Y B X C
–1 –1

शृंखला I : ZYX (वर्णमाला के विपरीत क्रम में)

शृंखला II : ABC (वर्णमाला के सीधे क्रम में)

अत: शृंखला में W के स्थान पर Y होना चाहिए।

5. (A) : शृंखला में दो क्रमागत अक्षर विपरीत क्रम में लिखे गए हैं।

ML ON QP SR

अत: शृंखला में R के स्थान पर S होना चाहिए।

संख्या-शृंखला

इस प्रकार की शृंखला में दी गई संख्याओं के समुच्चय एक दूसरे से एक विशेष पैटर्न या रूप में संबंधित होते हैं। संख्याओं के बीच संबंध *(i)* क्रमागत विषम/सम संख्याओं; *(ii)* क्रमागत अविभाज्य संख्याओं; *(iii)* किसी संख्या (या संख्याओं) का वर्गफल/घनफल जिसमें किसी संख्या को जोड़ने या घटाने पर परिवर्तन होता है/नहीं होता; *(iv)* पूर्ववर्ती संख्याओं का योग/गुणनफल/अंतर; *(v)* किसी संख्या से योग/घटाव/गुणा/भाग; और *(vi)* उपर्युक्त संबंधों के अनेक और भी संयोजनों पर आधारित होता है।

अभ्यास प्रश्न

निर्देश (प्र.सं. 1–9): *शृंखलाओं को पूरा करने के लिए दिए गए विकल्पों में से लुप्त पद/संख्या ज्ञात करें।*

1. 3, 9, 27, 81, 243, ?
A. 486
B. 729
C. 972
D. 359

2. 1, 6, 12, 19, 27, ?
A. 38 B. 35
C. 36 D. 54

3. 8, 48, 16, 96, 32, ?
A. 192 B. 150
C. 64 D. 288

4. 2, 3, 6, 18, 108, ?
A. 1944 B. 1658
C. 648 D. 1008

5. 1, 2, 3, 2, 3, 5, 4, 5, ?
A. 9 B. 6
C. 10 D. 7

6. 3, 8, 13, 24, 41, ?
A. 65 B. 75
C. 70 D. 80

7. 0, 8, 24, 48, 80, ?
A. 110 B. 96
C. 120 D. 140

8. 0, 5, 22, 57, ?, 205
A. 198 B. 116
C. 172 D. 92

9. 6, 9, 18, 45, 126, 369, ?
A. 1059 B. 1095
C. 1098 D. 1089

उत्तरमाला

1. (B) : शृंखला में निहित संख्याओं को अगली संख्या प्राप्त करने के लिए 3 से गुणा किया गया है।

2. (C) : शृंखला के आरंभिक पदों अर्थात् 1 और 6 के बीच 5 का अंतर है और तत्पश्चात् शृंखला की आनुक्रमिक संख्याओं के बीच अंतर में क्रमशः 1 की वृद्धि होती जाती है।

1 6 12 19 27 36
+5 +6 +7 +8 +9

3. (A) : *व्याख्या I* : शृंखला में पहले 6 से गुणा करने और तत्पश्चात् 3 से भाग करने का पैटर्न अपनाया गया है जिसकी पुनरावृत्ति होती है।

8 48 16 96 32 192
× 6 ÷ 3 × 6 ÷ 3 × 6

व्याख्या II : शृंखला में बारी-बारी से दो शृंखलाएं अंतर्निहित हैं और प्रत्येक शृंखला में पहले की संख्या को 2 से गुणा करने पर आनुक्रमिक संख्या प्राप्त होती है।

× 2 × 2
8 48 16 96 32 192
× 2 × 2

शृंखला I : 8, 16, 32
शृंखला II : 48, 96, 192

4. (A) : शृंखला में हर तीसरी संख्या पूर्ववर्ती दो संख्याओं का गुणनफल है।

2 3 6 18 108 1944
2 × 3
3 × 6
6 × 18
18 × 108

5. (A) : इस शृंखला में तीन संख्याओं से एक समुच्चय निर्मित होता है जिनमें से प्रत्येक समुच्चय में पहली दो संख्याएं सीधे क्रम में हैं तथा तीसरी संख्या पहली और दूसरी संख्याओं का योग है। अगले समुच्चय की पहली संख्या पूर्ववर्ती समुच्चय की पहली संख्या की दोगुनी है।

× 2 × 2
1 2 3 2 3 5 4 5 9
1 + 2 2 + 3 4 + 5

6. (C) : शृंखला में निम्नलिखित पैटर्न का अनुपालन किया जाता है :

(दी गई संख्या + अगली संख्या) +2 से आरंभ करके प्रत्येक चरण में 1 की वृद्धि करते हुए क्रमागत प्राकृतिक संख्या का योगः

3 8 13 24 41 70
(3+8) + 2
(8 + 13) + 3
(13 + 24) + 4
(24 + 41) + 5

7. (C) : शृंखला की संख्याएं प्राकृतिक क्रम में दो सम संख्याओं का गुणनफल हैं, अर्थात्

0	8	24	48	80	120
↓	↓	↓	↓	↓	↓
(0 × 2)	(2 × 4)	(4 × 6)	(6 × 8)	(8 × 10)	(10 × 12)

8. (B) : शृंखला निम्नलिखित पैटर्न का अनुपालन करती है :

1 से आरंभ करके प्राकृतिक संख्याओं का घनफल घटा 1 से आरंभ करके एकांतर विषम संख्याएं

0	5	22	57	116	205
↓	↓	↓	↓	↓	↓
1^3-1	2^3-3	3^3-5	4^3-7	5^3-9	6^3-11

9. (C) : शृंखला की आनुक्रमिक संख्याओं के बीच अंतर 3 की घात में वृद्धि के साथ बढ़ता है।

6 9 18 45 126 369 1098
$+3$ $+9 = 3^2$ $+27 = 3^3$ $+81 = 3^4$ $+243 = 3^5$ $+729 = 3^6$

मिश्रित-शृंखला

मिश्रित-शृंखला में अक्षरों और संख्याओं का संयोजन होता है। इस प्रकार की शृंखला में अक्षरों और संख्याओं का एक सर्वनिष्ठ पैटर्न या अलग-अलग अनुक्रम पैटर्न हो सकता है।

अभ्यास प्रश्न

निर्देश (प्र.सं. 1 और 2): *नीचे की प्रत्येक शृंखला में प्रश्न चिह्न के स्थान पर क्या आएगा?*

1. 2B, 4C, 8E, 14H, ?
A. 20L　B. 22L
C. 21I　D. 16K

2. W(1)A, X(4)Z, Y(9)Y, ?, A(25)W
A. X(11)Z　B. Z(21)A
C. Z(16)X　D. Z(14)X

निर्देश (प्र.सं. 3 और 4): *नीचे की प्रत्येक अक्षर-संख्या शृंखला में कौन-सा पद बेमेल/शृंखला में उपयुक्त नहीं है?*

3. G4T, J10R, M20P, P43N, S90L
A. J10R　B. S90L
C. M20P　D. G4T

4. B0R, G3U, E3P, J7S, H9N
A. E3P　B. J7S
C. H9N　D. G3U

उत्तरमाला

1. (B) : शृंखला में संख्याओं का अनुक्रम +2, +4, +6 +8 का तथा अक्षरों का अनुक्रम +1, +2, +3, +4 का है।

2. (C) : शृंखला में दिए गए समूहों में बायीं ओर के अक्षर वर्णमाला के विपरीत क्रम में हैं और दाहिनी ओर के अक्षर वर्णमाला के सीधे क्रम में हैं तथा संख्याएं 1 से आरंभ करके प्राकृतिक क्रम में क्रमागत संख्याओं के वर्ग हैं।

3. (A) : शृंखला में दिए गए समूहों में बायीं ओर के अक्षर +3 पैटर्न का, दायीं ओर के अक्षर –2 पैटर्न का अनुपालन करते हैं तथा संख्याओं द्वारा $(4 \times 2) +1$, $(9 \times 2)+2$, $(20 \times 2) +3$, $(43 \times 2) + 4$ पैटर्न का अनुपालन किया जाता है। अत: J10R के स्थान पर शृंखला में J9R होना चाहिए।

4. (B) : शृंखला के दिए गए समूहों में बायीं ओर के अक्षर +5, –2 (5 चरण आगे, 2 चरण पीछे) पैटर्न का अनुपालन करते हैं जिसकी आगे भी पुनरावृत्ति होती है। समूहों में दायीं ओर +3, –5 (3 चरण आगे, 5 चरण पीछे) पैटर्न का अनुपालन किया जाता है जिसकी पुनरावृत्ति होती है। शृंखला की संख्याएं शृंखला में अपने पूर्ववर्ती दो संख्याओं के योग के बराबर हैं। अत: J7S के स्थान पर J6S होना चाहिए।

सादृश्य या संबंध

शब्द सादृश्य

संबंध या सादृश्य परीक्षा में दिए गए दो शब्दों के बीच संबंध स्थापित किया जाता है और उसी संबंध को दिए गए अन्य शब्दों पर अनुप्रयुक्त किया जाता है। दिए गए दो शब्दों के बीच विभिन्न प्रकार के संबंध हो सकते हैं, अत: इस प्रकार के प्रश्नों को हल करते समय सर्वप्रथम यह ज्ञात करना होता है कि दिए गए दो शब्दों के बीच किस प्रकार का संबंध है। शब्दों के बीच विभिन्न संबंधों पर नीचे चर्चा की गई है :

अभ्यास प्रश्न

निर्देश (प्र.सं. 1–5): *पूछे गए प्रत्येक प्रश्न में पहले दिए गए दो शब्दों के बीच संबंध स्थापित करें। तत्पश्चात् दिए गए विकल्पों में से उस विकल्प का चयन करें जिसके शब्द और प्रश्न में दिए गए तीसरे शब्द के बीच ठीक वैसा ही संबंध या सादृश्य हो जैसा कि पहले के दो शब्दों के बीच है।*

1. जो संबंध 'उन्माद' और 'सनक' में है वही संबंध 'भय' और निम्नलिखित में से किसमें है?
A. इच्छा　B. शौक
C. आवश्यकता　D. डर

2. 'हकलाना' जिस प्रकार 'वाणी' से संबंधित है उसी प्रकार 'बहरापन' का संबंध निम्नलिखित में से किससे है?
A. कान　B. सुनना
C. शोर　D. चुप्पी

3. जिस प्रकार 'नेता', 'अनुयायी' से संबंधित है, उसी प्रकार .... संबंधित है सिपाही से।
A. कैप्टन　B. यूनिट
C. सेना　D. बैरक

4. जिस प्रकार 'चिल्लाहट', 'फुसफुसाहट' से संबंधित है, उसी प्रकार 'मारना' निम्नलिखित में से किससे संबंधित है?
A. थप्पड़ मारने B. छूना
C. क्रोध D. शोरगुल

5. जिस प्रकार 'पंजा', 'बिल्ली' से संबंधित है उसी प्रकार 'खुर' निम्नलिखित में से किससे संबंधित है?
A. घोड़ा B. मेमना
C. हाथी D. शेर

निर्देश (प्र.सं. 6–10): *नीचे दिए गए प्रत्येक प्रश्न में :: चिह्न की बाईं ओर दो शब्द दिए गए हैं। इन दोनों शब्दों में कुछ संबंध है। वैसा ही संबंध :: चिह्न की दाईं ओर के दो शब्दों में है जिनमें से एक शब्द के स्थान पर प्रश्नवाचक चिह्न (?) है। प्रश्नवाचक चिह्न (?) के स्थान पर दिए गए विकल्पों में से एक उपयुक्त विकल्प का चयन करें।*

6. शिकारी : बंदूक :: लेखक : ?
A. पुस्तक B. कलम
C. कविता D. पृष्ठ

7. भोजन : आमाशय :: ईंधन : ?
A. इंजन B. ऑटोमोबाइल
C. रेल D. वायुयान

8. जल : रेत :: महासागर : ?
A. द्वीप B. नदी
C. मरुभूमि D. तरंगें

9. वयस्क : बच्चा :: फूल : ?
A. बीज B. कली
C. फल D. तितली

10. मोती : कंठहार :: फूल : ?
A. पौधा B. बगीचा
C. पँखुड़ी D. गुलदस्ता

निर्देश (प्र.सं. 11–15): *दिए गए विकल्पों में से उस शब्द-युग्म का चयन कीजिए जिसमें युग्म के शब्दों के बीच ठीक उसी प्रकार का संबंध हो जिस प्रकार का संबंध प्रश्न में दिए गए मूल शब्द-युग्म के बीच है।*

11. राज्य : निर्वासन
A. पुलिस : गिरफ्तार B. न्यायाधीश : अभियुक्त
C. संविधान : संशोधन D. चर्च : धर्म-बहिष्करण

12. चंचलता : विश्वसनीयता
A. तात्कालिक : भविष्य सूचक
B. अविश्वसनीय : अमानवीय
C. दृढ़निश्चयी : व्यवहार्यता
D. स्वेच्छाचारी : सनकी

13. अनिच्छुक : बल-प्रयोग
A. घृणित : दुलारा
B. चिढ़ना : प्यार करना
C. क्रुद्ध : प्रतिरोध
D. विमुख : मान-मनोव्वल

14. शल्क : मछली
A. महिला : ड्रेस B. पेड़ : पत्तियां
C. पक्षी : पंख D. त्वचा : मनुष्य

15. वृक्ष : बालवृक्ष
A. झोंपड़ी : महल B. लंबा-तगड़ा : बौना
C. घोड़ा : बछेड़ा D. चींटी : हाथी

उत्तरमाला

1. **(D) :** संबंधित शब्द पर्यायवाची हैं।
2. **(B) :** 'वाणी' के दोष से 'हकलाने' की समस्या उत्पन्न होती है जबकि 'सुनने' में कठिनाई से 'बहरापन' उत्पन्न होता है।
3. **(A) :** जिस प्रकार 'अनुयायी' अपने 'नेता' से मार्गदर्शन प्राप्त करते हैं उसी प्रकार 'सिपाही' को अपने 'कैप्टन' से मार्गदर्शन प्राप्त होता है।
4. **(B) :** 'चिल्लाहट' की तीव्रता में अत्यधिक कमी कर दी जाए तो वह 'फुसफुसाहट' का रूप ले लेती है और यदि 'मारने' की तीव्रता कम कर दी जाए तो वैसी क्रिया 'छूना' मात्र रह जाएगी।
5. **(A) :** 'बिल्ली' के 'पैर में' 'पंजा' होता है जबकि 'घोड़ा' के पैर में 'खुर' होता है।
6. **(B) :** 'शिकारी' का हथियार 'बंदूक' है और 'लेखक' का हथियार 'कलम' है।
7. **(A) :** 'भोजन', 'आमाशय' में पचता है और 'ईंधन' की खपत 'इंजन' में होती है।
8. **(C) :** संबंधित शब्द एक दूसरे के लगभग विपरीतार्थक शब्द हैं।
9. **(B) :** 'बच्चा' विकसित होकर 'वयस्क' बनता है और 'कली' खिलकर 'फूल' बनती है।
10. **(D) :** बहुत से मोतियों को मिला कर 'कंठहार' और बहुत से फूलों को मिलाकर 'गुलदस्ता' बनाया जाता है।
11. **(D) :** राज्य से बाहर कर देना 'निर्वासन' और चर्च से बाहर कर देना 'धर्म-बहिष्करण' कहलाता है।
12. **(C) :** संबंधित शब्द विपरीतार्थक हैं।
13. **(D) :** 'अनिच्छुक' व्यक्ति के साथ 'बल प्रयोग' और 'विमुख' व्यक्ति का 'मान-मनौव्वल' करके काम करवाया जाता है।
14. **(D) :** मछली का शरीर 'शल्कों' से ढका होता है और मनुष्य का शरीर उसकी 'त्वचा' से ढका होता है।
15. **(C) :** नवजात वृक्ष को 'बालवृक्ष' कहते हैं और नवजात घोड़े को 'बछेड़ा' कहते हैं।

अक्षर सादृश्य

इस प्रकार के सादृश्य में अक्षरों के दो दिए गए समुच्चयों के बीच संबंध स्थापित किया जाता है और तत्पश्चात् अक्षरों के दिए गए तीसरे समुच्चय पर पहले दो अक्षर समुच्चयों के बीच के संबंध को अनुप्रयुक्त करके अक्षरों के चौथे अपेक्षित समुच्चय को ज्ञात किया जाता है। दिए गए दो अक्षर समुच्चयों में से पहले समुच्चय के अक्षरों को कुछ चरण आगे या पीछे करके, संपूर्ण समुच्चय के अक्षरों को या समुच्चय के कुछ अक्षरों को उलटे क्रम में लिखकर दूसरे समुच्चय के अक्षरों को प्राप्त किया जा सकता है।

अभ्यास प्रश्न

निर्देश (प्र.सं. 1–10): *नीचे के प्रत्येक प्रश्न में एक लुप्त पद है। प्रश्न में :: चिह्न की बायीं ओर के दो अक्षर-समूहों में जो समानता या सादृश्य है वैसी ही समानता या सादृश्य :: चिह्न की दायीं ओर के दो अक्षर समूहों में है जिनमें से एक अक्षर समूह के स्थान पर प्रश्नवाचक चिह्न (?) लगा है। प्रश्नवाचक चिह्न (?) के स्थान पर लुप्त पद ज्ञात करें।*

1. GFC : CFG : : RPJ : ?
A. JRP B. JPR
C. PJR D. RJP

2. BCF : DEG : : MNQ : ?
A. OPR B. PQS
C. OPP D. QRT

3. NATION : ANITNO : : HUNGRY : ?
A. HNUGRY B. UNHGYR
C. YRNGUH D. UHGNYR

4. ACE : FGH : : LNP : ?
A. QRS B. PQR
C. QST D. MOQ

5. BOQD : ERTG : : ANPC : ?
A. DQSF B. FSHU
C. SHFU D. DSQF

6. BCDA : STUR : : KLMJ : ?
A. VWXU B. EFHG
C. SRTU D. QSRP

7. RUX : TRP : : BEH : ?
A. SQN B. QON
C. QOM D. QNL

8. BCDE : WVUT : : QRST : ?
A. EFHG B. JIHG
C. POML D. GEDC

9. AKU : AJS : : CRD : ?
A. BQE B. CQB
C. DSB D. APC

10. ODL : LOD : : PWN : ?
A. WNP B. NWP
C. NPW D. NMP

उत्तरमाला

1. (B) : पहले समूह के अक्षरों को उलटे क्रम में लिखने पर दूसरा अक्षर-समूह प्राप्त होता है।

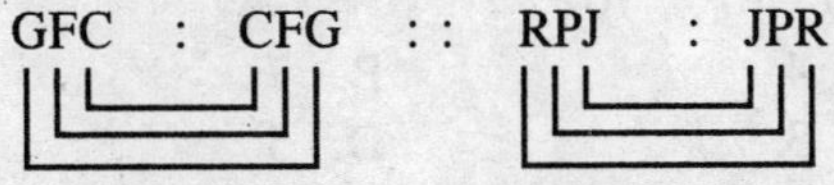

2. (A) : पहले और दूसरे समूह के तीनों अक्षरों के बीच वर्णमाला के सीधे क्रम में क्रमशः +2, +2 और +1 चरणों का अंतर है।

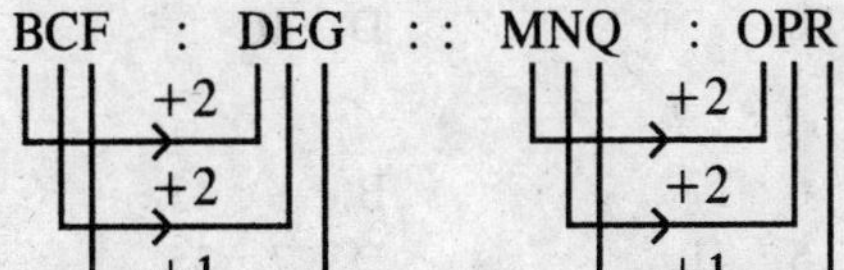

3. (D) : पहले समूह के अक्षरों को दो-दो अक्षरों के खंडों में विभाजित करके प्रत्येक खंड के अक्षरों को उल्टे क्रम में लिखने पर दूसरा अक्षर-समूह प्राप्त होता है।

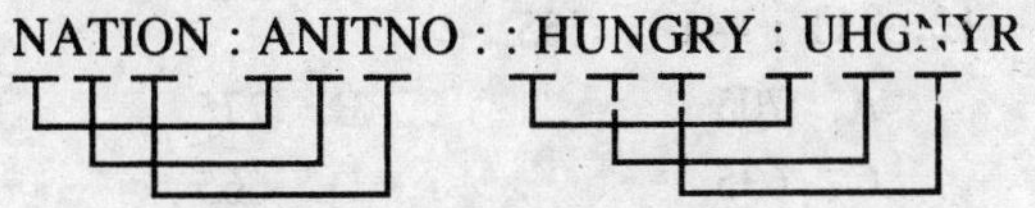

4. (A) : पहले और दूसरे समूह के तीनों अक्षरों के बीच वर्णमाला के सीधे क्रम में क्रमशः +5, +4, +3 चरणों का अंतर है।

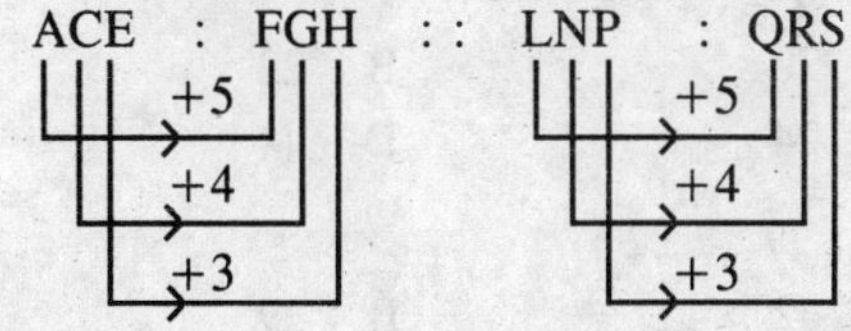

5. (A) : प्रत्येक अक्षर समूह में पहले और चौथे अक्षरों के बीच एक अक्षर छूटा हुआ है तथा दूसरे और तीसरे अक्षरों के बीच भी एक अक्षर छूटा हुआ है।

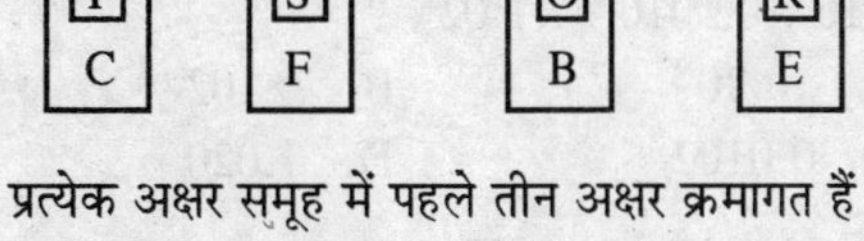

6. (A) : प्रत्येक अक्षर समूह में पहले तीन अक्षर क्रमागत हैं और उनके बाद अनुक्रम का आरंभिक चौथा अक्षर लिखा गया है।

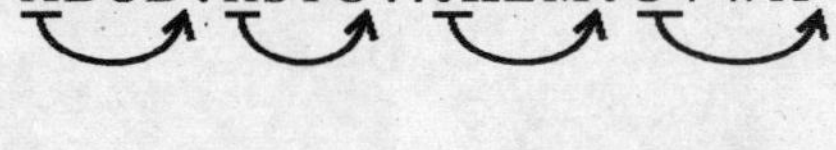

7. (C) : पहले समूह के अक्षरों में +3 का और दूसरे समूह के अक्षरों में –2 का अंतर है।

R U X : T R P : : B E H : Q O M

+3 +3   –2 –2   +3+3   –2 –2

8. (B) : पहले अक्षर-समूह के आनुक्रमिक अक्षर वर्णमाला के सीधे क्रम में हैं और दूसरे अक्षर समूह के आनुक्रमिक अक्षर वर्णमाला के उलटे क्रम में हैं।

BCDE : WVUT : : QRST : JIHG

9. (B) : पहले अक्षर समूह के तीन अक्षरों में से पहले अक्षर के स्थान को परिवर्तित किए बिना अन्य दो अक्षरों को वर्णमाला के विपरीत क्रम में क्रमशः –1 और –2 चरण पीछे खिसकाने पर दूसरा अक्षर-समूह प्राप्त होता है।

AKU : AJS : : CRD : CQB

–1   –2   –1   –2

10. (C) : पहले अक्षर-समूह के पहले और दूसरे अक्षरों को तीसरे अक्षर के बाद रखने पर दूसरा अक्षर समूह प्राप्त होता है।

ODL : LOD : : PWN : NPW

संख्या सादृश्य

संख्या सादृश्य में भी पहले दो दी गई संख्याओं के बीच संबंध स्थापित किया जाता है और तत्पश्चात् इस ज्ञात संबंध को संख्याओं के दूसरे जोड़े पर प्रयुक्त करके उसके लुप्त पद को ज्ञात किया जाता है। संख्याओं के बीच संबंध किसी भी एक पैटर्न पर आधारित हो सकता है, जैसे कि : *(i)* संख्याएं विषम/सम/अभाज्य संख्याएं हो सकती हैं; *(ii)* संख्याएं किसी एक संख्या का गुणज हो सकती हैं; *(iii)* संख्याएं भिन्न-भिन्न संख्याओं का वर्गफल/घनफल हो सकती हैं; *(iv)* दूसरी संख्या प्राप्त करने के लिए पहली संख्या में किसी संख्या को जोड़ा/घटाया/गुणा/ भाग किया जा सकता है; *(v)* दूसरी संख्या पहली संख्या के अंकों का योगफल/गुणनफल/अंतरफल हो सकती है, और *(vi)* दो दी गई संख्याओं के बीच संबंध उपर्युक्त किसी भी गणितीय परिकलनों के संयोजन द्वारा भी ज्ञात किया जा सकता है।

अभ्यास प्रश्न

निर्देश (प्र.सं. 1–12): *नीचे के प्रत्येक प्रश्न में चिह्न ': :' के पहले दो संख्याएं दी गई हैं जिनमें आपस में एक संबंध है तथा ': :' चिह्न के बाद में एक तीसरी संख्या दी गई है। दिए गए विकल्पों में से उस संख्या का चयन करें जिसका तीसरी संख्या के साथ वैसा ही संबंध हो जैसा संबंध संख्याओं के पहले जोड़े के बीच है।*

1. 1 : 11 : : 2 : ?

A. 20   B. 22
C. 24   D. 44

2. 18 : 27 : : 22 : ?

A. 42   B. 39
C. 33   D. 54

3. 14 : 20 : : 16 : ?

A. 23   B. 10
C. 48   D. 32

4. 0.16 : 0.0016 : : 1.02 : ?

A. 10.20   B. 0.102
C. 0.0102   D. 1.020

5. 5 : 24 : : 8 : ?

A. 65   B. 63
C. 62   D. 64

6. 65 : 30 : : 44 : ?

A. 79   B. 62
C. 28   D. 16

7. 30 : 42 : : 56 : ?

A. 92   B. 21
C. 38   D. 72

8. 190 : 10 : : 102 : ?

A. 4   B. 7
C. 3   D. 5

9. 6 : 18 : : 4 : ?

A. 2   B. 6
C. 8   D. 16

10. 2 : 11 : : ?

A. 6 : 17   B. 8 : 43
C. 5 : 41   D. 7 : 35

11. 162 : 9 : : 310 : ?

A. 33   B. 27
C. 16   D. 4

12. 411 : 441 : : 755 : ?

A. 705   B. 775
C. 635   D. 665

उत्तरमाला

1. (B) : पहली संख्या के अंक को दो बार लिखने पर दूसरी संख्या प्राप्त होती है।

2. (C) : पहले जोड़े की संख्याएं 9 का गुणज हैं और दूसरे जोड़े की संख्याएं 11 का गुणज हैं :

18 : 27 : : 22 : 33

↓ ↓ ↓ ↓

9×2 9×3 11×2 11×3

3. (A) : संख्याओं के बीच संबंध निम्नवत् है :

14 : 20 : : 16 : 23

↓ ↓ ↓ ↓

7×2 $(7 \times 3) - 1$ 8×2 $(8 \times 3) - 1$

4. (C) : पहली दशमलव संख्या को 100 से भाग करने पर दूसरी दशमलव संख्या प्राप्त होती है :

0.16 : 0.0016 : : 1.02 : 0.0102

$\div 100$ $\div 100$

5. (B) : पहली संख्या के वर्ग से 1 घटाने पर दूसरी संख्या प्राप्त होती है:

5 : 24 : : 8 : 63

$(5^2) - 1$ $(8^2) - 1$

6. (D) : दूसरी संख्या पहली संख्या के अंकों का गुणनफल है :

$\frac{65:30}{(6 \times 5)}$: : $\frac{44:16}{(4 \times 4)}$

7. (D) : संख्याएं विभिन्न संख्याओं के वर्ग में उन्हीं संख्याओं को जोड़ने पर प्राप्त होती हैं :

30 : 42 : : 56 : 72

↓ ↓ ↓ ↓

$5^2 + 5$ $6^2 + 6$ $7^2 + 7$ $8^2 + 8$

8. (C) : दूसरी संख्या पहली संख्या के अंकों का योगफल है :

$\frac{190 : 10}{(1 + 9 + 0)}$: : $\frac{102 : 3}{(1 + 0 + 2)}$

9. (C) : पहली संख्या के वर्ग को 2 से भाग करने पर दूसरी संख्या प्राप्त होती है :

6 : 18 : : 4 : 8

$6^2 \div 2$ $4^2 \div 2$

10. (C) : पहली संख्या दूसरी संख्या के अंकों का योगफल है :

2 : 11 : : 5 : 41

(1 + 1) (4 + 1)

11. (D) : पहली संख्या के अंकों का योगफल दूसरी संख्या के बराबर है :

162 : 9 : : 310 : 4

1 + 6 + 2 3 + 1 + 0

12. (B) : जोड़े की पहली संख्या में दूसरे अंक की और दूसरी संख्या में पहले अंक की पुनरावृत्ति होती है :

4<u>11</u> : <u>44</u>1 : : 7<u>55</u> : <u>77</u>5

वर्गीकरण या विजातीय छांटना

विजातीय छांटना–शब्दों पर आधारित समस्याएं

इस प्रकार के वर्गीकरण में चार शब्द दिए जाते हैं जिनमें से तीन शब्द तथ्य या अर्थ की दृष्टि से या अन्य किसी न किसी रूप में आपस में संबंधित होते हुए एक समूह बनाते हैं जबकि शेष केवल एक शब्द अन्य तीनों से भिन्न होता है। परीक्षार्थी को यह पता लगाना होता है कि वह एक कौन–सा शब्द है जो समूह से संबंधित नहीं है और इस कारण विजातीय है।

अभ्यास प्रश्न

निर्देश (प्र.सं. 1–10): *यहां दिए गए प्रत्येक प्रश्न में तीन शब्द किसी न किसी प्रकार से समान हैं और इस कारण वे एक समूह बनाते हैं जबकि एक शब्द अन्य तीनों से भिन्न है। इस भिन्न या विजातीय शब्द को ज्ञात करें।*

1. A. हरा B. लाल
C. रंग D. नारंगी

2. A. अस्तबल B. बिल
C. डोंगी D. सुअर-बाड़ा

3. A. बुध B. चंद्रमा
C. बृहस्पति D. मंगल

4. A. खुश B. उदास
C. प्रसन्नचित्त D. प्रसन्न

5. A. शंकु B. वृत्त
C. त्रिभुज D. आयत

6. A. सीसा B. पारद
C. तांबा D. लोहा

7. A. पतंग B. चिड़िया
C. रेडार D. जेट

8. A. अतिवृष्टि B. अनावृष्टि
C. भूस्खलन D. युद्ध

9. A. सिंहशावक B. चूजा
C. सूअर D. पिल्ला

10. A. खरगोश B. मगरमच्छ
C. केंचुआ D. घोंघा

उत्तरमाला

1. (C) : अन्य सभी विभिन्न प्रकार के रंग हैं।

2. (C) : डोंगी एक छोटी नाव होती है। अन्य सभी पशु-पक्षियों के निवासस्थलों के नाम हैं।

3. (B) : अन्य सभी ग्रहों के नाम हैं।

4. (B) : अन्य सभी आनन्द की अनुभूति को अभिव्यक्त करते हैं।

5. (A) : अन्य सभी आकृतियाँ द्विविमीय आकृतियाँ हैं।

6. (B) : अन्य सभी ठोस धातुएं हैं।

7. (C) : अन्य सभी हवा में उड़ने वाली वस्तुएं हैं। रेडार हवा में गमन करने वाली वस्तुओं की पहचान करता है।

8. (D) : अन्य सभी प्राकृतिक आपदाएं हैं। केवल युद्ध ही मानव द्वारा मानव समाज के समक्ष प्रस्तुत की जाने वाली एक कृत्रिम आपदा है।

9. (C) : अन्य सभी शब्द विभिन्न जंतुओं के शिशुओं के नाम हैं।

10. (A) : अन्य सभी रेंगने वाले जंतु हैं।

विजातीय छांटना-अक्षरों पर आधारित समस्याएं

इस कोटि के अंतर्गत विकल्प के रूप में चार अक्षर-समूह या अक्षरों की एक शृंखला दी जाती है। परीक्षार्थी को इनमें से ऐसे विकल्प का चयन करना होता है जो अन्यों से भिन्न अर्थात् विजातीय हो।

अभ्यास प्रश्न

निर्देश (प्र.सं. 1-10): *नीचे के प्रत्येक प्रश्न में अक्षर समूहों के रूप में चार विकल्प दिए गए हैं जिनमें से तीन में किसी न किसी प्रकार की समानता है और इस कारण वे एक समूह बनाते हैं। उस अक्षर समूह का चयन करें जो समूह से संबंधित नहीं है।*

1. A. ACE B. LOR
C. GIK D. VXZ

2. A. TSR B. LKJ
C. PQO D. HGF

3. A. EF LM B. KJ SR
C. XW HG D. ED YX

4. A. JOPK B. BOPC
C. QOPR D. TOPS

5. A. JKkL B. OPpQ
C. DEEf D. VWwX

6. A. BdfH B. FHJL
C. RTvX D. uVwX

7. A. DFHEG B. TWXUV
C. OQSPR D. JLNKM

8. A. MKGA B. PNID
C. RPLF D. VTPJ

9. A. ABJNM B. QRTUZ
C. IXYOQ D. WGFPO

10. A. EFGH B. IRST
C. ULMN D. JKLO

उत्तरमाला

1. (B) : शेष सभी अक्षर समूहों में अगला अक्षर अपने पूर्ववर्ती अक्षर से वर्णमाला के सीधे क्रम में 2 अक्षर आगे का है जबकि विकल्प (B) के अक्षर समूह में +3 अनुक्रम का पालन होता है।

A B C D E → +2 +2   L M N O P Q R → +3 +3

G H I J K → +2 +2   V W X Y Z → +2 +2

2. (C) : प्रत्येक समूह में अक्षर वर्णमाला के उलटे क्रम में हैं। केवल विकल्प (C) में अक्षरों का अनुक्रम बाधित हो रहा है।

3. (A) : शेष सभी समूहों में क्रमागत अक्षर वर्णमाला के उलटे क्रम में हैं।

K J S R ; X W H G ; E D Y X → −1 −1 −1 −1 −1 −1

केवल विकल्प (a) में ही क्रमागत अक्षर वर्णमाला के सीधे क्रम में है।

E F → +1   L M → +1

4. (D) : यहां दिए गए सभी अक्षर समूहों में बीच में 'OP' अक्षर हैं। विकल्प (*d*) में दोनों किनारों पर स्थित अक्षर वर्णमाला के उलटे क्रम में हैं, अर्थात्

TOPS (−1)

जबकि शेष सभी अक्षर समूहों में दोनों किनारों पर स्थित अक्षर वर्णमाला के सीधे क्रम में हैं।

JOPK (+1) ; BOPC (+1) ; QOPR (+1)

5. (C) : शेष समूहों में तीसरे अक्षर के रूप में दूसरे अक्षर की पुनरावृत्ति की गई है और उसे अंग्रेजी वर्णमाला के छोटे अक्षर के रूप में लिखा गया है जबकि विकल्प (*c*) के तीसरे अक्षर के रूप में दूसरे अक्षर की पुनरावृत्ति तो की जाती है किंतु उसे अंग्रेजी वर्णमाला के बड़े अक्षर के रूप में लिखा जाता है।

6. (D) : शेष समूहों में अंग्रेजी वर्णमाला के अक्षर चाहे छोटे हों या बड़े, किंतु दूसरे, तीसरे और चौथे स्थान पर स्थित अक्षर अपने पूर्ववर्ती अक्षरों से वर्णमाला के सीधे क्रम में 2 अक्षर आगे के हैं, अर्थात्

B D f H (+2 +2 +2) ; F H J L (+2 +2 +2) ; R T v X (+2 +2 +2)

केवल विकल्प (D) में अक्षर वर्णमाला के सहज क्रम (+1) में हैं, अर्थात्

u V w X (+1 +1 +1)

7. (B) : शेष समूहों में पहले, चौथे, दूसरे, पांचवें और तीसरे स्थानों पर स्थित अक्षरों से वर्णमाला का सीधा अनुक्रम बनता है। विकल्प (B), में पहले, चौथे, पांचवें, दूसरे और तीसरे स्थानों पर स्थित अक्षरों के मेल से वर्णमाला का सीधा अनुक्रम बनता है।

8. (B) : शेष समूहों में अक्षरों का अनुक्रम −2, −4, −6 के पैटर्न का पालन करता है, अर्थात्

M K G A (−2 −4 −6) ; R P L F (−2 −4 −6)

V T P J (−2 −4 −6)

विकल्प (B) में अनुक्रम का निम्नलिखित पैटर्न है :

P N I D (−2 −5 −5)

अत: सही पैटर्न होना चाहिए → P N J D (−2 −4 −6)

9. (C) : शेष समूहों में कम से कम दो जोड़े अक्षर वर्णमाला के क्रम में हैं, अर्थात्

A B J N M ; Q R T U Z ; W G F P O

विकल्प (C) में केवल एक जोड़ा अक्षर-ही वर्णमाला के क्रम में है।

I X Y O Q

10. (D) : शेष समूहों में पहला अक्षर 'स्वर' है जिसके बाद तीन क्रमागत अक्षर लिखे गए हैं।

विजातीय छांटना-संख्याओं पर आधारित समस्याएं

इस प्रकार के वर्गीकरण में विकल्पों के रूप में विभिन्न संख्याएं दी जाती हैं। इन संख्याओं में से एक को छोड़कर जो अन्य से भिन्न होती है, शेष किसी न किसी रूप में आपस में संबंधित होती हैं और इस प्रकार एक समूह बनाती हैं। परीक्षार्थी को दी गई संख्याओं में यह समानता ज्ञात करनी होती है और तत्पश्चात् समूह से भिन्न संख्या का चयन करना होता है। विकल्पों के रूप में दी गई संख्याएं विषम/सम/क्रमागत संख्याएं, अभाज्य संख्याएं, किसी संख्या का गुणज, एक अंकीय, विभिन्न संख्याओं का वर्ग या घन, किसी अन्य संख्या का जोड़/घटा या किसी भी गणितीय परिकलन का संयोजन हो सकती है।

अभ्यास प्रश्न

निर्देश (प्र.सं. 1–10): *यहां प्रत्येक प्रश्न में चार विकल्प दिए गए हैं जिनमें से तीन किसी न किसी रूप में आपस में संबंधित होते हुए एक समूह बनाते हैं, जबकि शेष एक संख्या अन्य से भिन्न है। उस भिन्न संख्या का चयन करें जो समूह से संबंधित नहीं है।*

1. A. 1948 B. 2401 C. 966 D. 1449

2. A. 182 B. 169 C. 130 D. 158

3. A. 3215 B. 9309 C. 4721 D. 2850

4. A. 1776 B. 2364 C. 1976 D. 3776

5. A. 7658 B. 1234 C. 9876 D. 6543

6. A. 18 B. 12 C. 30 D. 20

7. A. 9875432 B. 98765
C. 98756 D. 9876543

8. A. 5243 B. 9251
C. 4256 D. 3257

9. A. 2553 B. 1224
C. 7992 D. 3885

10. A. 3223 B. 4554
C. 6116 D. 9887

उत्तरमाला

1. (A) : शेष संख्याएं 7 से विभाज्य हैं।
2. (D) : शेष संख्याएं 13 का गुणज हैं।
3. (B) : शेष संख्याओं में किसी भी अंक का दो बार प्रयोग नहीं किया गया है।
4. (B) : शेष संख्याओं में आखिरी दो अंक एक से हैं।
5. (A) : शेष संख्याओं में उनके अंक गिनती के सीधे या उलटे क्रम में क्रमागत (निरंतर) हैं।
6. (A) : शेष सभी संख्याएं $3^2 + 3 = 12$, $5^2 + 5 = 30$, $4^2 + 4 = 20$ हैं।
7. (C) : शेष सभी संख्याओं में 987 के बाद अंक अवरोही या घटते हुए क्रम (decreasing order) में हैं।
8. (A) : शेष सभी संख्याओं में 25 बीच में है और सिरे के दो अंकों का योग 10 के बराबर है।
9. (B) : शेष सभी संख्याओं में दो सिरों पर स्थित अंकों का योग बीच में स्थित अंक के बराबर है जिसे दो बार लिखा गया है।
10. (D) : शेष सभी संख्याओं में अंतिम दो अंक पहले दो अंकों को उलटे क्रम में लिखने पर प्राप्त होते हैं।

विजातीय छांटना–शब्द समूहों से संबंधित समस्याएं

शब्दों, अक्षरों या संख्याओं के समूह का वर्गीकरण एकल शब्द, अक्षर या संख्या के वर्गीकरण से अधिक भिन्न नहीं होता। इसमें परीक्षार्थी को दो परस्पर संबंधित शब्दों के बीच संबंध की विशिष्टता या प्रकृति ज्ञात करनी होती है और तत्पश्चात् दिए गए विकल्पों में से उस शब्द युग्म का पता लगाना होता है, जो अन्य शब्द-युग्मों के संबंध पैटर्न का अनुपालन नहीं करता हो। संबंधित शब्द विपरीत या सदृश अर्थ या स्वरूप के हो सकते हैं अथवा उनकी अर्थ छटा और अर्थ निरुपण में भिन्नता हो सकती है या फिर उनमें एक विशेष तुकबंदी हो सकती है।

अभ्यास प्रश्न

निर्देश (प्र.सं. 1–6): *नीचे के प्रत्येक प्रश्न में शब्दों के उस जोड़े का चयन करें जो शेष तीन जोड़ों से भिन्न हो।*

1. A. कुर्सी-फर्नीचर B. शर्ट-वस्त्र
C. कंठहार-आभूषण D. बोगी-इंजन

2. A. चित्रांकनी-कागज B. पेंसिल-लेड
C. कलम-स्याही D. बुरुश-रंग

3. A. युद्ध-शांति B. वास्तविक-सहज
C. अग्रगण्य-प्रथम D. क्रोध-गुस्सा

4. A. अंगूली-अंगूठी B. सिर-टोपी
C. कमर-मुकुट D. पांव-जूता

5. A. दिन-रात B. चालाक-मूर्ख
C. स्पष्ट-धुंधला D. पहुंचना-आना

6. A. क्विंटल-गैलन
B. गुलदस्ता-फूल
C. पुस्तक-पृष्ठ
D. संसद-सांसद

उत्तरमाला

1. (D) : बोगी रेलगाड़ी का एक हिस्सा होता है जो परिवहन का एक साधन है। कुर्सी, शर्ट और कंठहार क्रमशः फर्नीचर, वस्त्र और आभूषण हैं।
2. (A) : पेंसिल, कलम और ब्रुश से लिखने का माध्यम क्रमशः लेड, स्याही और रंग है। चित्रांकनी (क्रेयॉन) से लिखने या चित्र बनाने का माध्यम मोम होता है।
3. (A) : शेष सभी शब्द-युग्म समानार्थक शब्दों के युग्म हैं जबकि विकल्प (*a*) में दिया गया शब्द-युग्म विपरीतार्थक शब्दों का युग्म है।
4. (C) : मुकुट सिर पर पहना जाता है।
5. (D) : शेष शब्द-युग्म एक दूसरे के विपरीतार्थक हैं।
6. (A) : शेष सभी शब्द युग्मों में पहला दूसरे का समेकित रूप हैं।

सांकेतिक भाषा परीक्षण

कूटलेखन या 'कोडिंग' संवाद-संप्रेषण की एक प्रक्रिया है जिसमें एक गुप्त भाषा का प्रयोग वास्तविक तथ्यों शब्दों/मूल्यों की अभिव्यक्ति या प्रस्तुतिकरण को एक ऐसी भाषा में परिवर्तित करने के लिए किया जाता है जिसे संवाद के प्रेषक और प्राप्तकर्ता के अतिरिक्त कोई तीसरा व्यक्ति समझ न सके। कूटभाषा में लिखने के लिए *(i)* शब्दों के अक्षरों के स्थान पर वर्णमाला के सीधे उलटे क्रम में एक या एकाधिक स्थान आगे या पीछे के अक्षरों को लिखा जाता है; *(ii)* अक्षरों के स्थान पर संख्याओं को या संख्याओं के स्थान पर अक्षरों को लिखा जाता है; *(iii)* दिए गए शब्द के कुछ या सभी अक्षरों को उलटे क्रम में लिखा जाता है; और *(iv)* शब्द के अक्षरों के स्थान पर वर्णमाला के उलटे क्रम में समस्थानिक अक्षरों को लिखा जाता है।

वर्णमाला को सीधे क्रम में लिखने पर प्राप्त शृंखला :

A B C D E F G H I J K L M N O P Q R S T U V W X Y Z

A ↓ प्रथम अक्षर; E ↓ पांचवां अक्षर; J ↓ दसवां अक्षर; O ↓ पंद्रहवां अक्षर; T ↓ बीसवां अक्षर; Y ↓ पच्चीसवां अक्षर

वर्णमाला को उलटे क्रम में लिखने पर प्राप्त शृंखला :

Z Y X W V U T S R Q P O N M L K J I H G F E D C B A

Z ↓ प्रथम अक्षर; V ↓ पांचवां अक्षर; Q ↓ दसवां अक्षर; L ↓ पंद्रहवां अक्षर; G ↓ बीसवां अक्षर; B ↓ पच्चीसवां अक्षर

टिप्पणी: Z पर पहुंचने के पश्चात् शृंखला A से पुनः शुरू होती है और A पर पहुंचने के पश्चात् शृंखला Z से पुनः शुरू होती है।

अभ्यास प्रश्न

निर्देश (प्र.सं. 1–10): *निम्नलिखित प्रश्नों में दिए गए शब्दों या अक्षरों के लिए इंगित कूटभाषा के शब्द या अक्षर ज्ञात करें।*

1. यदि किसी कूट भाषा में CHAIR को FKDLU के रूप में लिखा जाए तो उसी कूटभाषा में RAID शब्द को किस प्रकार लिखा जाएगा?

A. ULGD B. ULKG
C. ULDG D. UDLG

2. यदि किसी कूटभाषा में CONDEMN को CNODMEN लिखा जाता है तो उसी कूटभाषा में TEACHER को कैसे लिखा जाएगा?

A. TEACHER B. TAEECHR
C. TCAEEHR D. TAECEHR

3. किसी कूटभाषा में COME को XLNV और ABLE को ZYOV लिखा जाता है। इसी कूटभाषा में MOLLY किस प्रकार लिखा जाएगा?

A. NLOBO B. NLBOO
C. LNOOB D. NLOOB

4. यदि किसी कूटभाषा में ACTION को ZXGRLM लिखा जाता हो तो उसी कूटभाषा में HEALTH को कैसे लिखा जाएगा?

A. SVZOGS B. TVZOGT
C. RUZPGR D. QVGOZQ

5. यदि किसी विशेष कूटभाषा में EARTHQUAKE को MOGPENJOSM के रूप में लिखा जाता हो तो उसी कूटभाषा में EQUATE निम्नलिखित में से किस प्रकार लिखा जाएगा?

A. MENOPM B. MENOMP
C. MJOGPM D. MNJOPM

6. किसी विशेष सांकेतिक भाषा में COUNTRY शब्द को EMWLVPA के रूप में कूटबद्ध किया जाता है। इसी विशेष भाषा में ELECTORATE किस रूप में लिखा जाएगा?

A. CJCEVQPYWC B. GJGERQTYVG
C. CNCERQPCRG D. GJGAVMTYVC

7. यदि PHILOSOPHY को HPLISOPOYH लिखा जाता हो तो ORNAMENTAL कैसे लिखा जाएगा?

A. ROANEMNTLA B. ONRAMNEALT
C. ROANEMTNLA D. ROANEMNATL

8. यदि किसी कूटभाषा में लिखे गए शब्द OPFGBCST का अर्थवाचन NEAR के रूप में किया जाता हो तो उसी कूटभाषा में कूटबद्ध IJVWHI का अर्थ निम्नलिखित में से क्या होगा?

A. HAG B. HUG
C. HUT D. KEG

9. किसी विशेष कूटलिपि में PUNCTUAL को 16598623 के रूप में कूटबद्ध किया जाता है। इसी कूटलिपि में ACTUPULN निम्नलिखित में से किस प्रकार लिखा जाएगा?

A. 29861653 B. 29861635
C. 28916135 D. 29851536

10. यदि OUT को 152120 के रूप में कूटबद्ध किया जाता हो तो इसी नियम का प्रयोग करके IN को निम्नलिखित में से कैसे लिखा जाएगा?

A. 1015 B. 819
C. 1813 D. 914

उत्तरमाला

1. (D) : शब्द को कूटबद्ध करने के लिए उसके अक्षरों से वर्ण–माला के क्रम में +3 चरण आगे के अक्षर लिए गए हैं।

CHAIR → FKDLU
+3
+3
+3
+3
+3

इसी प्रकार,

RAID → UDLG
+3
+3
+3
+3

2. (D) : इस शब्द में दूसरे और तीसरे अक्षर एक दूसरे के स्थान पर आ जाते हैं और पांचवे और छठे अक्षरों द्वारा भी इसी नियम का पालन किया जाता है। शेष अक्षरों का स्थान अपरिवर्तित रहता है।

CONDEMN → CNODMEN

इसी प्रकार,

TEACHER → TAECEHR

3. (D) : शब्द के अक्षरों को कूटबद्ध करने के लिए वर्णमाला के उलटे क्रम में समान स्थान वाले अक्षरों को लिया गया है।

C O M E → वर्णमाला के सीधे क्रम में अक्षर
X L N V → वर्णमाला के उलटे क्रम में समान स्थान वाले अक्षर
↓ ↓ ↓ ↓
3रा 15वां 13वां 5वां → वर्णमाला में अक्षरों का स्थान

A B L E → वर्णमाला के सीधे क्रम में अक्षर
Z Y O V → वर्णमाला के उलटे क्रम में समान स्थान वाले अक्षर
↓ ↓ ↓ ↓
1ला 2रा 12वां 5वां → वर्णमाला के अक्षरों का स्थान

इसी प्रकार,

M O L L Y → वर्णमाला के सीधे क्रम में अक्षर
N L O O B → वर्णमाला के उलटे क्रम में समान स्थान वाले अक्षर
↓ ↓ ↓ ↓ ↓
13वां 15वां 12वां 12वां 25वां → वर्णमाला में अक्षरों का स्थान

4. (A) : शब्द के अक्षरों को कूटबद्ध करने के लिए वर्णमाला के उलटे क्रम में समान स्थान वाले अक्षरों को लिया गया है।

A C T I O N → वर्णमाला के सीधे क्रम में अक्षर
Z X G R L M → वर्णमाला के उलटे क्रम में समान स्थान वाले अक्षर
1ला 3रा 20वां 9वां 15वां 14वां → वर्णमाला में अक्षरों का स्थान

इसी प्रकार,

H E A L T H → वर्णमाला के क्रम में अक्षर
S V Z O G S → वर्णमाला के उलटे क्रम में समान स्थान वाले अक्षर
8वां 5वां 1ला 12वां 20वां 8वां → वर्णमाला में अक्षरों का स्थान

5. (D) : EQUATE शब्द के अक्षर EARTHQUAKE शब्द से लिए गए हैं।

उत्तर कूट प्राप्त करने के लिए कूटबद्ध शब्द से अक्षरों का मिलान करें।

E A R T H Q U A K E → अक्षर
M O G P E N J O S M → कूट
E QUA T E → कूटबद्ध किए जाने वाले अक्षर
M N J O PM → उत्तर कूट

6. (D) : शब्द को कूटबद्ध करने के लिए शब्द के अक्षरों से वर्णमाला के क्रम में क्रमश: 2 चरण आगे और दो चरण पीछे के अक्षर लिए गए हैं।

COUNTRY → EMWLVPA
+2
–2
+2
–2
+2
–2
+2

इसी प्रकार,

ELECTORATE → GJGAVMTYVC
+2
–2
+2
–2
+2
–2
+2
–2
+2
–2

7. (C) : शब्द को कूटबद्ध करने के लिए उसके दो क्रमागत अक्षरों को एक दूसरे के स्थान पर लिखा जाता है।

PH IL OS OP HY   HP LI SO PO YH

इसी प्रकार,

OR NA ME NT AL   RO AN EM TN LA

8. (B) : कूटबद्ध शब्द का अर्थ-निर्वचन निम्नलिखित रूप में किया गया है :

↓OP ↓ FG ↓ BC ↓ ST → कूट

N   E   A   R   →दिया गया शब्द

अत: कूटबद्ध शब्द का अर्थ-निर्वचन करने के लिए वर्णमाला के अनुक्रम में दो क्रमागत अक्षरों से पहले के अक्षर लिए जाते हैं।

इसी प्रकार,

↓ IJ ↓ VW ↓ HI → दिया गया शब्द

H   U   G   → उत्तर शब्द

9. (B) : शब्द PUNCTUAL के अक्षरों को यादृच्छिक क्रम में लेकर ACTUPULN शब्द लिखा गया है।

इसी प्रकार संख्या कूट भी लिखा जाएगा

P U N C T U A L → दिया गया शब्द

1 6 5 9 8 6 2 3 → कूट

इसी प्रकार,

A C T U P U L N → कूटबद्ध किया जाने वाला शब्द

2 9 8 6 1 6 3 5 → उत्तर कोड

10. (D) : कूट लेखन के लिए प्रयोग में लाई गई संख्याएं वर्णमाला के सीधे क्रम (ABCD…) में अक्षरों के स्थान को सूचित करती है।

O   U   T → OUT

↓   ↓   ↓

15वां 21वां 20वां → 152120

इसी प्रकार,

I   N → IN

↓   ↓

9वां 14वां → 914

स्थान व्यवस्थीकरण

स्थान व्यवस्थीकरण का सामान्य अर्थ है दी गई सूचनाओं के आधार पर व्यक्तियों या वस्तुओं का स्थान-क्रम निर्धारित करना। इसके लिए आवश्यक है कि स्थान-क्रम को अच्छी तरह समझा जाए और तत्पश्चात् दिए गए प्रश्नों को उपलब्ध कराई गई सूचना के आधार पर हल करने का प्रयास किया जाए।

अभ्यास प्रश्न

निर्देश (प्र.सं. 1-8): *निम्नलिखित प्रश्नों में व्यवस्थीकरण के पैटर्न को समझें और तत्पश्चात् दिए गए विकल्पों में से सही उत्तर का चयन करें:*

1. पांच लड़के एक पंक्ति में बैठे हैं। रघु, श्याम या अमित की बगल में नहीं बैठा है। अजय, श्याम की बगल में नहीं बैठा है। रघु, मयंक की बगल में बैठा है। यदि मयंक पंक्ति में बीच में बैठा हो तो अजय निम्नलिखित में से किसकी बगल में बैठा है?

A. अमित   B. रघु

C. मयंक   D. श्याम

2. मिनी, रजनी के दाएं और अनंता के बाएं बैठी है। सत्या, मिनी के दाएं बैठी है किंतु वह जया के बाएं है। यदि सभी लड़कियां उत्तर दिशा की ओर मुंह किए बैठी हों तो इनमें से सबसे बाएं छोर पर कौन बैठी है?

A. जया   B. मिनी

C. रजनी   D. सत्या

3. किट्टू, मोहन और सोहन के बीच बैठा है। राजू, सोहन की बायीं ओर और श्याम, मोहन की दाहिनी ओर बैठा है। यदि ये सभी मित्र दक्षिण दिशा की ओर मुंह करके बैठे हों, तो सबसे दाहिने छोर पर कौन बैठा है?

A. मोहन   B. सोहन

C. किट्टू   D. श्याम

4. A, B, C, D और E एक दूसरे के पीछे दौड़ रहे हैं। C, E के निकट नहीं है और A, D के निकट नहीं है। B, A के पीछे है और E, D के निकट नहीं है। इनके बीच में कौन व्यक्ति है?

A. B   B. E

C. A   D. कहा नहीं जा सकता

5. O, P, Q, R, S और T एक बेंच पर अपनी लंबाई के घटते क्रम में खड़े हैं। P, O से अधिक लंबा है किंतु S से उसकी लंबाई कम है। केवल S ही T से अधिक लंबा है। R, P से कम लंबा है किंतु वह Q से अधिक लंबा है। इनमें किसकी लंबाई सबसे कम है?

A. O   B. Q

C. P   D. कहा नहीं जा सकता

6. छह मित्र एक गोल घेरे में बैठ कर ताश खेल रहे हैं। केनी, डैनी की बायीं ओर बैठा है। माइकल, बॉब और जॉन के बीच बैठा है। रॉजर, केनी और बॉब के बीच बैठा है। माइकल की दाहिनी ओर कौन बैठा है?

A. डैनी B. जॉन
C. केनी D. बॉब

7. चार लड़कियां A, B, C और D एक गोल घेरे में बैठी हैं। B और C का मुंह एक दूसरे की ओर है। निम्नलिखित कथनों में से कौन-सा निश्चित रूप से सत्य है?

A. A, C की बायीं ओर बैठी है
B. D, C की बायीं ओर बैठी है
C. A और D एक दूसरे के आमने-सामने बैठी हैं
D. A, B और C के बीच नहीं बैठी है

8. 10 पुस्तकों के एक ढेर में 3 पुस्तकें इतिहास की, 3 हिंदी की, 2 गणित की और 2 अंग्रेजी की पुस्तकें हैं। यदि ऊपर से देखा जाए तो इतिहास और गणित की एक-एक पुस्तकों के बीच अंग्रेजी की एक पुस्तक है, गणित और अंग्रेजी की एक-एक पुस्तकों के बीच इतिहास की एक पुस्तक है, अंग्रेजी और गणित की एक-एक पुस्तकों के बीच एक हिंदी की पुस्तक है, हिंदी की दो पुस्तकों के बीच गणित की एक पुस्तक है तथा गणित और इतिहास की एक-एक पुस्तकों के बीच हिंदी की दो पुस्तकें हैं। इस ढेर में किस विषय की पुस्तक ऊपर से छठे स्थान पर है?

A. अंग्रेजी B. हिंदी
C. इतिहास D. गणित

उत्तरमाला

1. (B) : पांचों लड़कों के पंक्ति में बैठने का निम्नलिखित क्रम है:
अमित, श्याम, मयंक, अजय, रघु
या
अजय, रघु, मयंक, अमित, श्याम

2. (C) : इन सभी लड़कियों के बैठने का निम्नलिखित क्रम है:
रजनी, मिनी, अनंता, सत्या, जया
या
सत्या, जया, अनंता या सत्या, अनंता, जया

3. (D) : दक्षिण दिशा की ओर मुंह करके बैठने पर इन मित्रों के बैठने का निम्नलिखित क्रम होगा :
श्याम, मोहन, किट्टू, सोहन, राजू

4. (A) : दौड़ते समय ये व्यक्ति निम्नलिखित क्रम में एक दूसरे के पीछे होंगे :

E		E
A		A
B	या	B
C		D
D		C

5. (D) : लंबाई के घटते क्रम में ये व्यक्ति बेंच पर निम्नलिखित विन्यास में खड़े होंगे :

S		S
T		T
P	या	P
R		R
O		Q
Q		O

इनमें या तो O या फिर Q सबसे छोटा है। दी गई सूचना उत्तर ज्ञात करने के लिए पर्याप्त नहीं है।

6. (D) : इन छह मित्रों के बैठने का निम्नलिखित क्रम है :

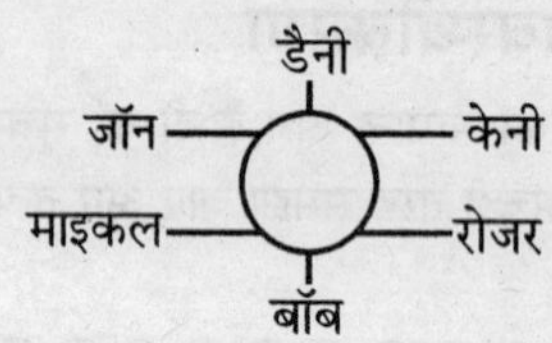

7. (C) : इन लड़कियों के बैठने का निम्नलिखित क्रम होगा :

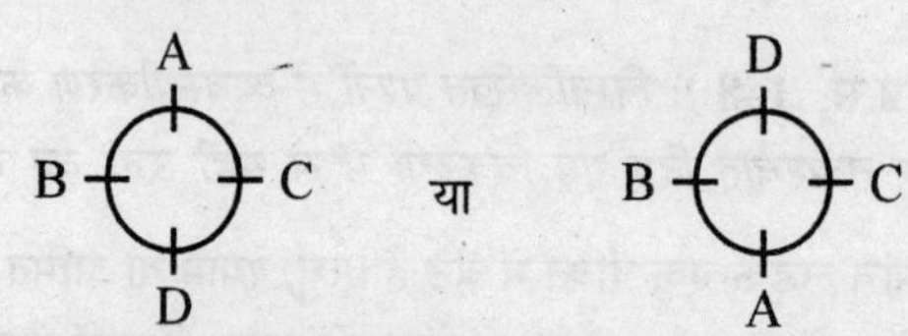

8. (B) : पुस्तकें निम्नलिखित विषय-क्रम में एक दूसरे के ऊपर रखी गई हैं :

पहला — इतिहास
अंग्रेजी
गणित
इतिहास
अंग्रेजी
छठा — हिंदी
गणित
हिंदी
हिंदी
दसवां — इतिहास

दिशा ज्ञान परीक्षण

इस प्रकार के प्रश्न अभ्यर्थियों की सही दिशा-निर्देशों को समझने की योग्यता की जांच करने हेतु पूछे जाते हैं। ऐसे प्रश्न दिशा-चार्ट पर आधारित होते हैं :

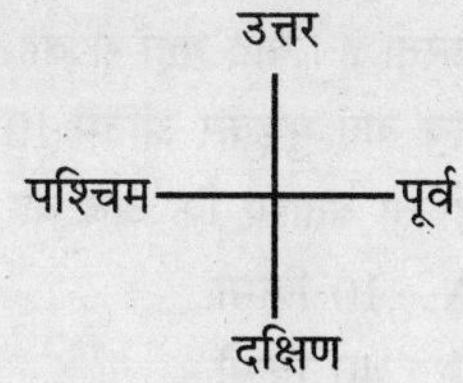

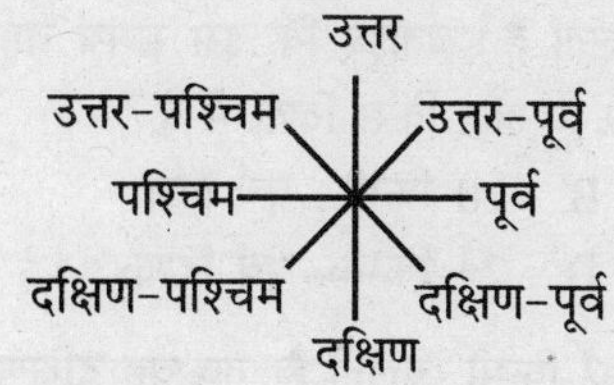

विभिन्न दिशाओं का बोध बाएं या दाएं मोड़ या कोणीय मोड़ों द्वारा निर्देशित होता है।

अभ्यास प्रश्न

निर्देश (प्र.सं. 1-15): *नीचे के प्रत्येक प्रश्न में सही दिशा/ दूरी दर्शाने के लिए दिए गए विकल्पों से सही उत्तर का चयन करें।*

1. किट्टू पहले पूर्व दिशा में चलता है और तब दक्षिण दिशा में चलता है। दक्षिण दिशा में कुछ दूरी तय करने के बाद वह पश्चिम दिशा में मुड़ जाता है और तब अपने बाएं मुड़ जाता है। अब वह किस दिशा में चल रहा है?

A. उत्तर B. दक्षिण
C. पूर्व D. पश्चिम

2. एक व्यक्ति पश्चिम दिशा में अपनी गाड़ी चला रहा है। वह दक्षिण दिशा में चले इसके लिए उसे निम्नलिखित में से कौन से मोड़ मुड़ने चाहिए?

A. बायीं ओर, दायीं ओर, दायीं ओर
B. दायीं ओर, दायीं ओर, बायीं ओर
C. बायीं ओर, बायीं ओर, बायीं ओर
D. दायीं ओर, दायीं ओर, दायीं ओर

3. ऋचा अपनी गाड़ी से दक्षिण दिशा में 8 किमी आगे चलकर बायीं ओर मुड़ जाती है और 5 किमी. आगे चलती है। वहां वह एक बार फिर से बायीं ओर मुड़कर 8 किमी. आगे चलती है। अब वह अपने शुरु के स्थान से कितनी दूरी पर है?

A. 3 किमी. B. 5 किमी.
C. 8 किमी. D. 13 किमी.

4. डिंगी अपनी गाड़ी से उत्तर की ओर 40 किमी. की दूरी तय करती है, वहां वह दायीं ओर मुड़कर 50 किमी आगे जाती है जहां वह एक बार फिर से दायीं ओर मुड़कर 30 किमी. आगे जाती है, और तब फिर से दायीं ओर मुड़कर 50 किमी. और आगे जाती है। यहां वह अपने आरंभिक बिंदु से कितनी दूरी पर है?

A. 90 किमी. B. 50 किमी.
C. 10 किमी. D. 5 किमी.

5. देबू पहले पूर्व की ओर और तब उत्तर की ओर चलता है तथा वहां वह 45° दायें मुड़कर कुछ देर आगे चलता है और अंततः बायीं ओर मुड़ जाता है। अब वह किस दिशा में चल रहा है?

A. उत्तर B. पूर्व
C. दक्षिण-पूर्व D. उत्तर-पश्चिम

6. यदि उत्तर का उत्तर-पश्चिम, उत्तर-पश्चिम का पश्चिम, पश्चिम का दक्षिण-पश्चिम और इसी प्रकार अन्य दिशाओं का भी नामकरण किया जाए तो दक्षिण पूर्व को क्या कहा जाएगा?

A. पूर्व B. पश्चिम
C. उत्तर-पूर्व D. दक्षिण-पूर्व

7. मैं अपने घर से उत्तर दिशा में 15 मीटर चला, तब पश्चिम दिशा में मुड़कर 10 मीटर और आगे चला, यहां दक्षिण दिशा में मुड़कर मैंने 5 मीटर की एक अन्य दूरी तय की और तब पूर्व की ओर मुड़कर 10 मीटर की दूरी तय की। बताइए कि मैं अपने आरंभिक स्थान से किस दिशा में हूँ?

A. पूर्व B. पश्चिम
C. उत्तर D. दक्षिण

8. मैं अपने घर से उत्तर दिशा में चला और तब बायीं ओर मुड़ गया। अब कुछ देर तक आगे चलने के बाद मैं फिर से बायीं ओर मुड़ा और तब दायीं ओर मुड़ गया। बाद में आगे चलते हुए मैं बायीं ओर और एक बार फिर से बायीं ओर मुड़ा। बताइए कि अब मैं किस दिशा में चल रहा हूँ?

A. उत्तर B. दक्षिण
C. पूर्व D. पश्चिम

9. राज पश्चिम दिशा में चल रहा है। वह आगे चलते हुए अपने दाएं, फिर दाएं और तब बाएं, हर बार 45° के कोण पर मुड़ा। बताइए कि अब वह किस दिशा में चल रहा है?

A. उत्तर-पूर्व B. दक्षिण-पूर्व
C. पूर्व D. पश्चिम

10. जतिन अपने घर से उत्तर दिशा में 12 किमी. चलता है। तब वह अपनी दायीं ओर मुड़कर 12 किमी. की एक अन्य दूरी तय करता है। वह एक बार फिर से दायीं ओर मुड़ता है और 12 किमी. की एक अन्य दूरी तय करके बायीं ओर मुड़ता है ओर तब 5 किमी. आगे चलता है। बताइए कि इस समय वह अपने घर से कितनी दूरी पर है और किस दिशा में है?

A. 7 किमी., पूर्व दिशा B. 10 किमी., पूर्व दिशा
C. 17 किमी., पूर्व दिशा D. 24 किमी., पूर्व दिशा

11. एक महिला उत्तर दिशा में 12 किमी. चलती है, तब वह दक्षिण दिशा में 6 किमी. चलती है और तत्पश्चात् पूर्व दिशा में 8 किमी चलती है। इस समय वह अपने आरंभिक बिंदु से कितनी दूरी पर है और किस दिशा में चल रही है?

A. 5 किमी., उत्तर-पूर्व
B. 5 किमी., पूर्व
C. 10 किमी., उत्तर-पूर्व
D. 10 किमी., पश्चिम

12. दिव्या पूर्व दिशा में 10 किमी. की यात्रा करती है, और तब दक्षिण-पश्चिम दिशा में 10 किमी. की यात्रा करती है। वह एक बार फिर से मुड़कर उत्तर-पश्चिम दिशा में 10 किमी. चलती है। बताइए कि अब वह अपने आरंभिक बिंदु से किस दिशा में चल रही है?

A. दक्षिण B. उत्तर
C. पश्चिम D. पूर्व

13. मनु अपने घर से उत्तर दिशा में 40 किमी. चलती है, फिर दाएं मुड़कर 80 किमी. आगे जाती है जहां वह एक बार फिर से दाएं मुड़कर 30 किमी. आगे चलती है अंत में वह एक बार फिर से दाएं मुड़ती है और इस मार्ग पर वह 80 किमी. आगे की यात्रा करती है। यदि यहां से वह सीधे 50 किमी. आगे बढ़ती है और तब बाएं मुड़कर अंतिम 10 किमी. की एक और दूरी तय करती हो तो बताइए कि अब वह अपने घर से कितनी दूरी पर है?

A. 10 किमी. B. 30 किमी.
C. 40 किमी. D. 50 किमी.

14. मैं अपने घर से 18 किमी. उत्तर की ओर चलता हूं और तब बाईं ओर मुड़कर 4 किमी. की एक अन्य दूरी तय करता हूं जहां से दायीं ओर मुड़कर मैं 12 किमी. की एक अन्य दूरी तय करता हूं। बताइए कि इस समय मैं अपने घर से कितनी दूरी पर और किस दिशा में हूं?

A. 8 किमी. उत्तर B. 10 किमी. पश्चिम
C. 16 किमी. दक्षिण D. 34 किमी. उत्तर

15. रवि अपनी गाड़ी से पश्चिम दिशा में 12 किमी. जाता है। वहां वह दक्षिण दिशा में मुड़कर 3 किमी. आगे की यात्रा करता है, जहां वह पूर्व दिशा में मुड़कर 8 किमी. की यात्रा करता है। बताइए कि इस समय वह अपने आरंभिक बिंदु से कितनी दूरी पर है?

A. 3 किमी. B. 5 किमी.
C. 7 किमी. D. 11 किमी.

उत्तरमाला

1. (B)

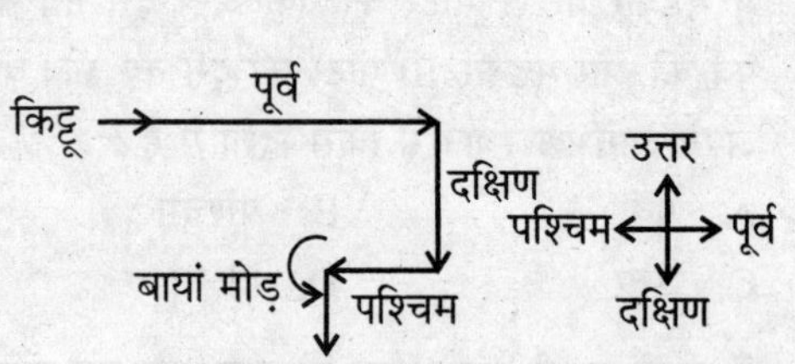

2. (D) :

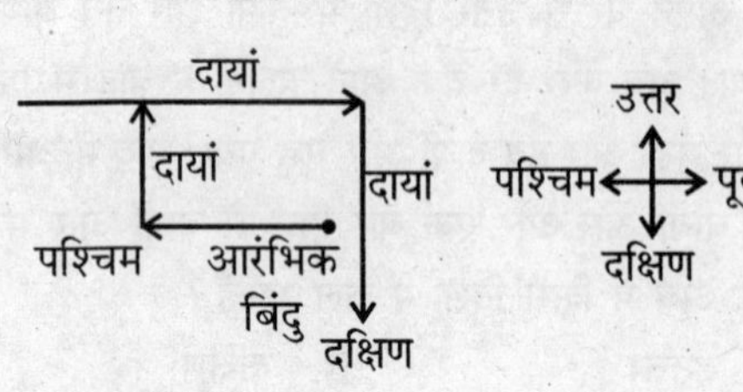

3. (B) :

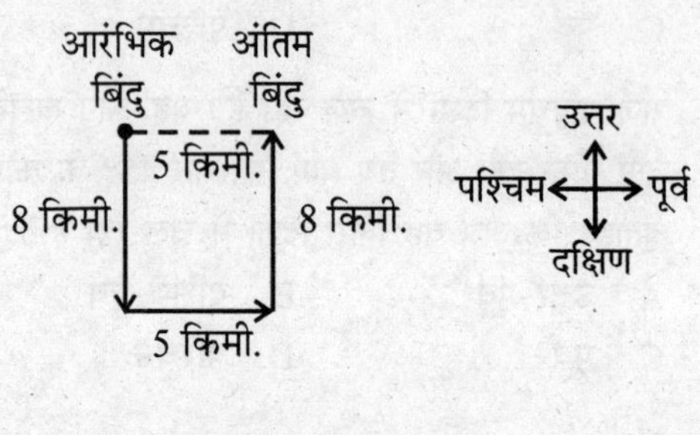

4. (C) :

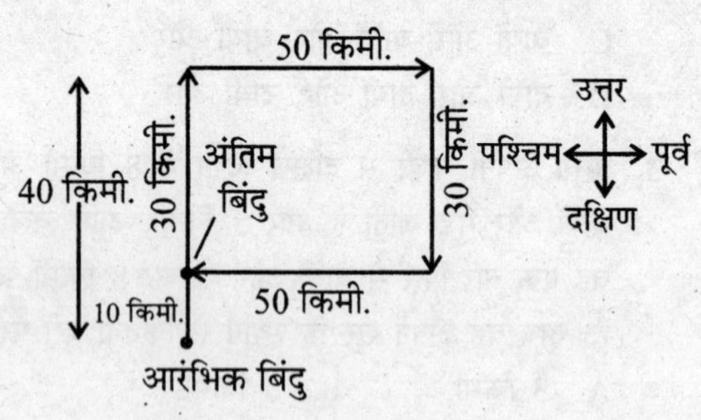

5. (D) :

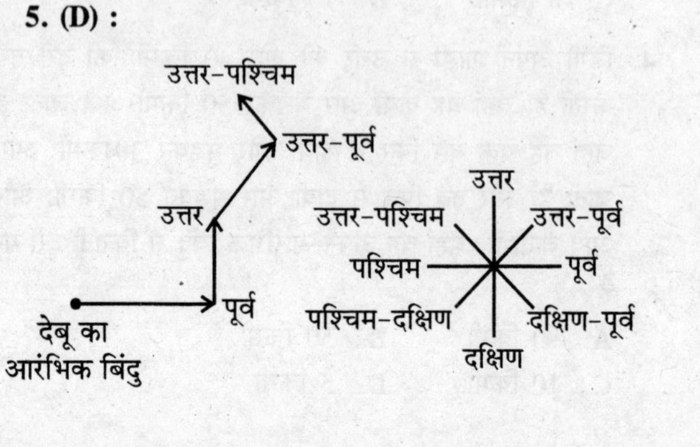

6. (A) : मूल दिशाएं

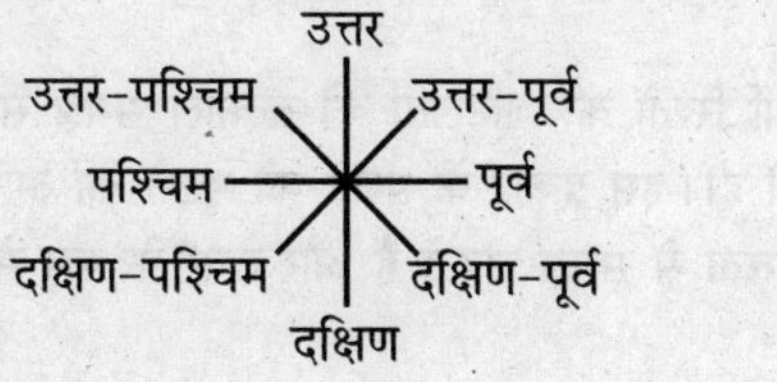

बदली हुई दिशाएं

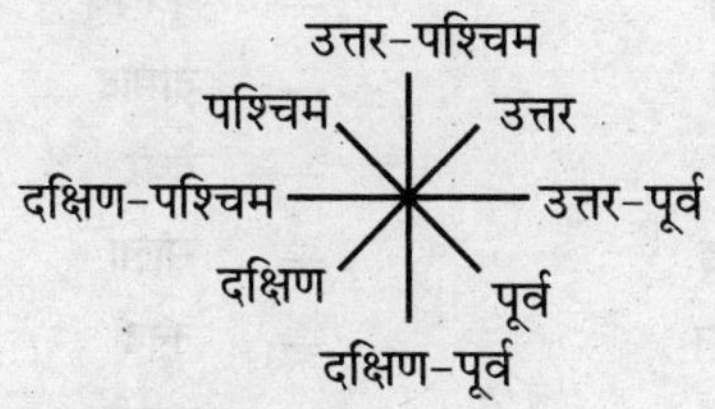

7. (C) :

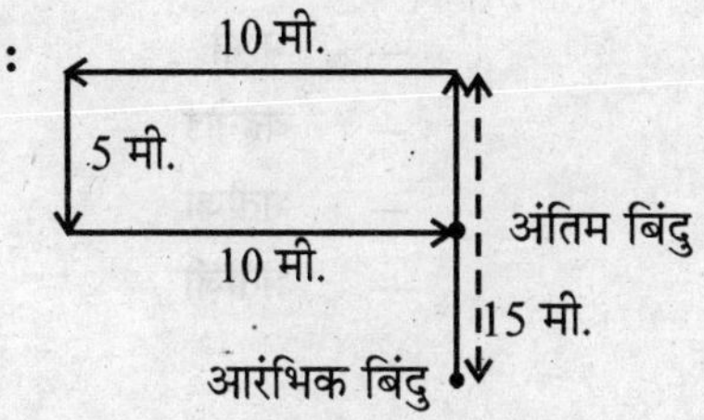

अंतिम बिंदु आरंभिक बिंदु से 10 मीटर उत्तर की ओर है।

8. (C) :

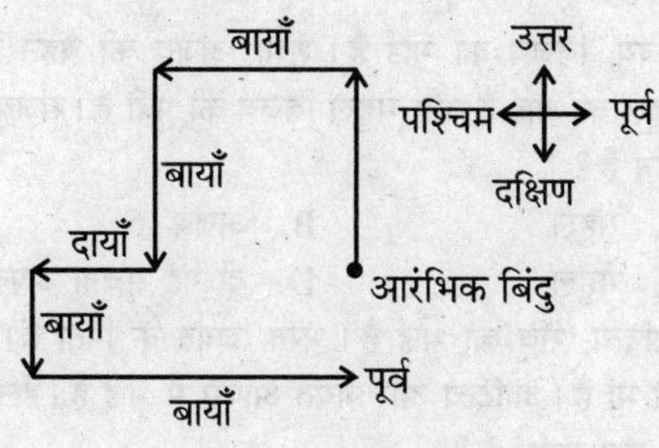

9. (A) :

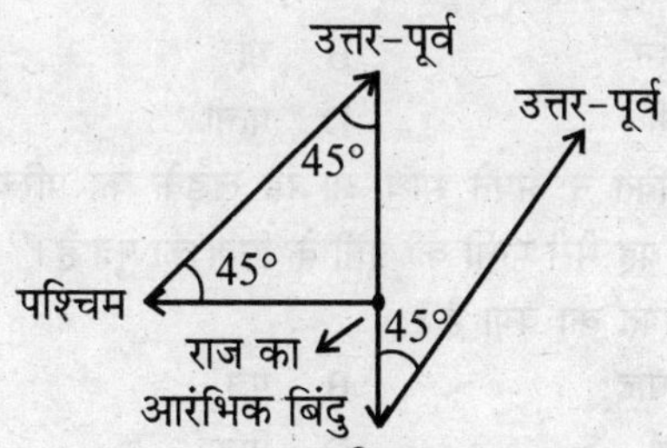

10. (C) : (12 किमी. + 5 किमी. = 17 किमी.)

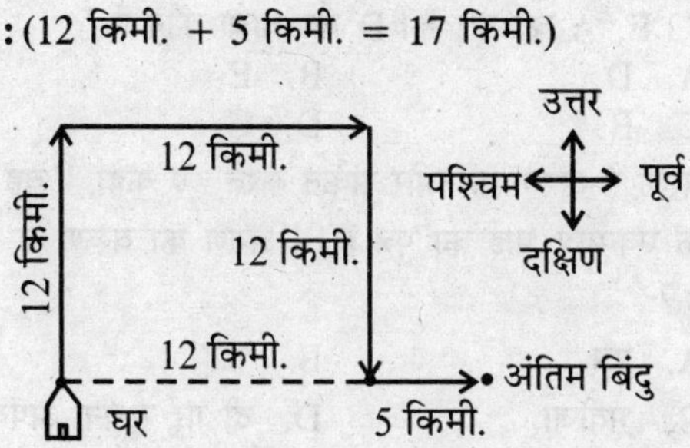

11. (C) : $ab = \sqrt{ac^2 + bc^2}$

$$ab = \sqrt{8^2 + 6^2} = \sqrt{64 + 36} = \sqrt{100}$$

$= 10$

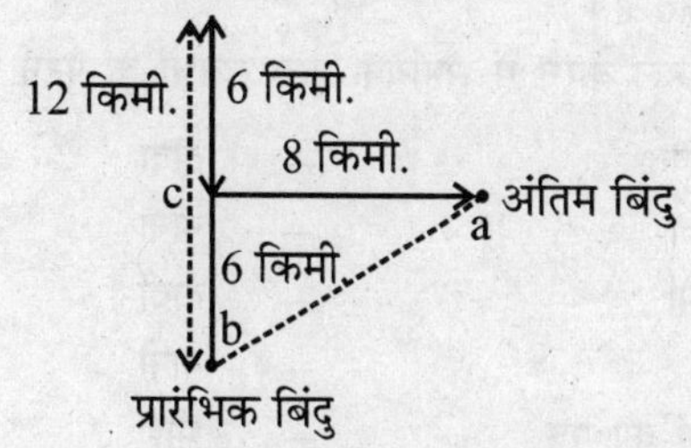

12. (C) :

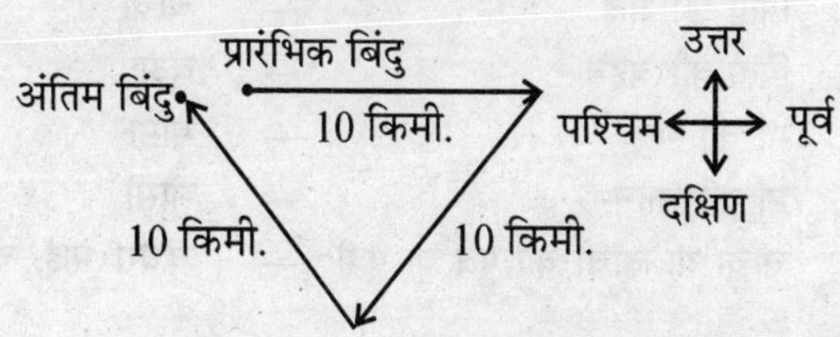

13. (D) :

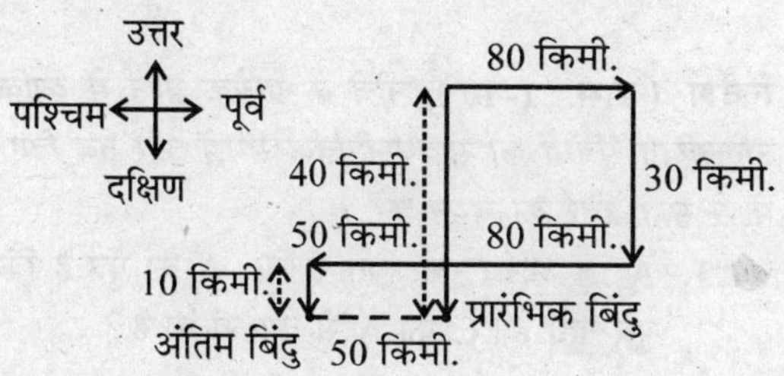

14. (D) :

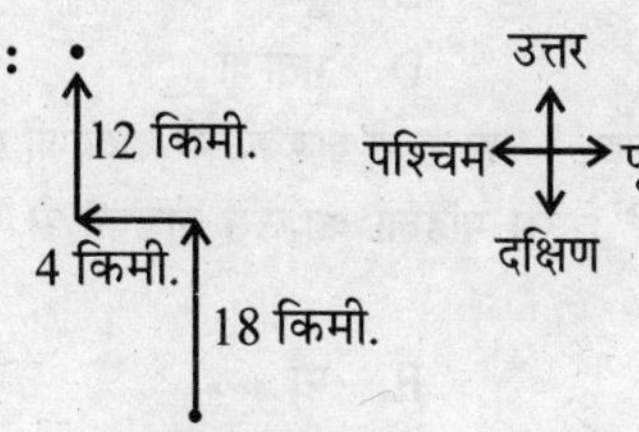

कुल दूरी = 18 + 4 + 12 = 34 किमी.

15. (B) : $ab = \sqrt{bc^2 + ca^2}$

$$ab = \sqrt{3^2 + 4^2} = \sqrt{9 + 16} = \sqrt{25} = 5$$

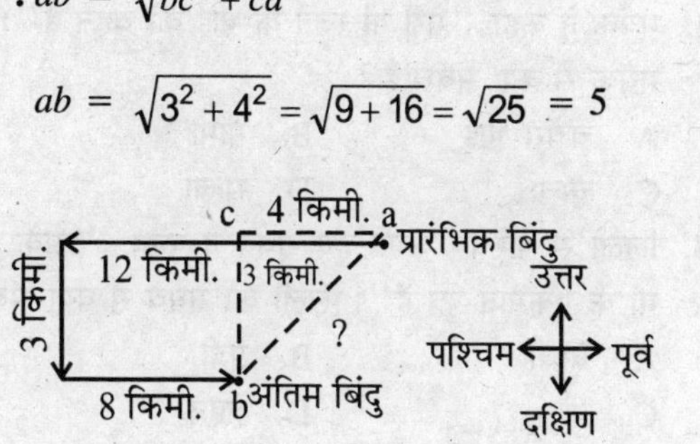

रक्त संबंधी परीक्षण

रक्त संबंधों पर आधारित प्रश्नों को हल करने के लिए यह आवश्यक है कि परीक्षार्थी रिश्तों की जटिलता को तत्काल समझ सकें और किन्हीं दो व्यक्तियों के बीच किस प्रकार के संबंध हो सकते हैं, इस बारे में उन्हें स्पष्ट जानकारी हो। इस प्रकार के प्रश्नों को पूछने का अभिप्राय मुख्यत: यह सुनिश्चित करना है कि परीक्षार्थी कतिपय जटिल भाषा में व्यक्त रिश्तों को कितनी तत्परता से समझ सकते हैं और उत्तर के रूप में सही विकल्प का चयन कर सकते हैं।

इन प्रश्नों को हल करने में सहायक कुछ संबंधों के पैटर्न नीचे दर्शाए गए हैं :

पिता का पिता — दादा			पुत्र की पत्नी	— पुत्रवधु

पिता का पिता — दादा
मां का पिता — नाना
पिता की मां — दादी
मां की मां — नानी
पिता या मां का पुत्र — भाई
पिता या मां की पुत्री — बहन
पिता का भाई — चाचा
पिता की बहन — बुआ
मां का भाई — मामा
मां की बहन — मौसी
चाचा या चाची का पुत्र या पुत्री — चचेरा भाई, चचेरी बहन

पुत्र की पत्नी — पुत्रवधु
पुत्री का पति — दामाद
पति का भाई — देवर
पत्नी का भाई — साला
पति की बहन — ननद
पत्नी की बहन — साली
भाई की पत्नी — भाभी
बहन का पति — बहनोई
भाई का पुत्र — भतीजा
भाई की पुत्री — भतीजी

अभ्यास प्रश्न

निर्देश (प्र.सं. 1–10): *नीचे के प्रत्येक प्रश्न में व्यक्तियों के बीच उल्लिखित संबंधों को सावधानीपूर्वक समझें और तब दिए गए विकल्पों में से सही उत्तर का चयन करें :*

1. A, B और C का पिता है। B, A का पुत्र है किंतु C, A का पुत्र नहीं है। C का A से क्या संबंध है?
A. पुत्री B. पुत्र
C. भतीजी D. भतीजा

2. एक महिला ने कहा, "वहां खड़ी लड़की मेरे दादा जी के एकमात्र पुत्र की पुत्री है"। उस महिला का उस लड़की से क्या संबंध है?
A. बहन B. मां
C. चाची D. भतीजा

3. रवि अमित के पुत्र के पुत्र का भाई है। अमित, रवि का क्या है?
A. चचेरा भाई B. पिता
C. दादा D. पुत्र

4. मयंक ने कहा, "मेरी मां रजत के भाई की बहन है"। रजत का मयंक से क्या संबंध है?
A. चचेरा भाई B. मामा
C. चाचा D. साला

5. लिली से परिचय कराते हुए राघव ने कहा, "इसके पिता मेरी मां के एकमात्र पुत्र हैं"। लिली का राघव से क्या संबंध है?
A. चाची B. पुत्री
C. मां D. बहन

6. अजय, विजय का भाई है। शुभा, अजय की बहन है। संजय, राहुल का भाई है और मेहुल विजय की पुत्री है। संजय का चाचा कौन है?
A. राहुल B. अजय
C. मेहुल D. दी गई सूचना अपर्याप्त है

7. आदित्य, रवि का भाई है। भरत, जयंत के पिता हैं। ईला, रवि की मां है। आदित्य और जयंत आपस में भाई हैं। ईला का भरत से क्या संबंध है?
A. बहन B. मां
C. पुत्री D. पत्नी

8. एक व्यक्ति ने अपने साथ आ रहे लड़के का परिचय देते हुए कहा, "यह मेरी पत्नी की पुत्री के पिता का पुत्र है।" वह लड़का उस व्यक्ति का क्या है?
A. दामाद B. पुत्र
C. भाई D. पिता

9. A और B दो भाई हैं। C, B की बहन है। D, E की बहन है। E, A का पुत्र है। D का चाचा कौन है?
A. D B. E
C. B D. C

10. वरुण ने अरुण की ओर संकेत करते हुए कहा, "वह मेरी बहन के एकमात्र भाई का पुत्र है।" अरुण का वरूण से क्या संबंध है?
A. पुत्र B. भाई
C. भतीजा D. दी गई सूचना अपर्याप्त है

उत्तरमाला

1. (A) :

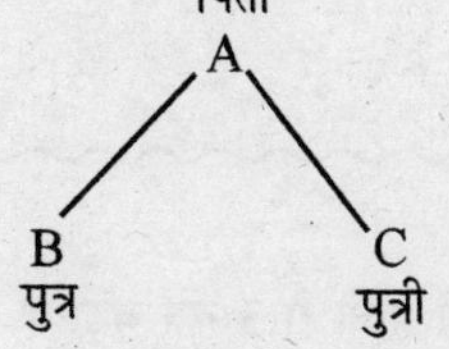

C, A का पुत्र नहीं है किंतु A, C का पिता है। अत: C, A की पुत्री है।

2. (A) :

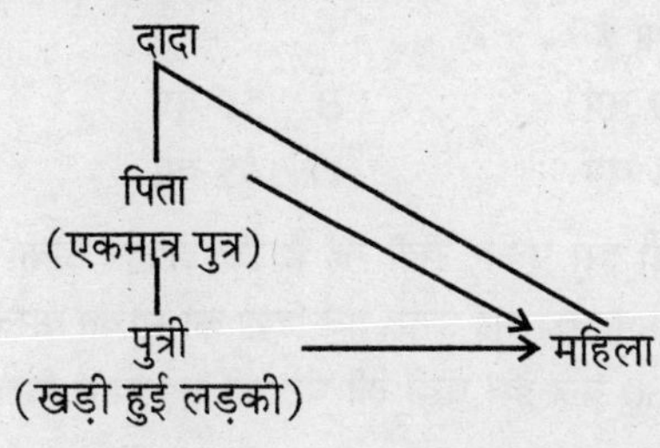

उस महिला के दादा का पुत्र उसके पिता हैं तथा पिता की पुत्री निश्चित ही उस महिला की बहन होगी।

3. (C) :

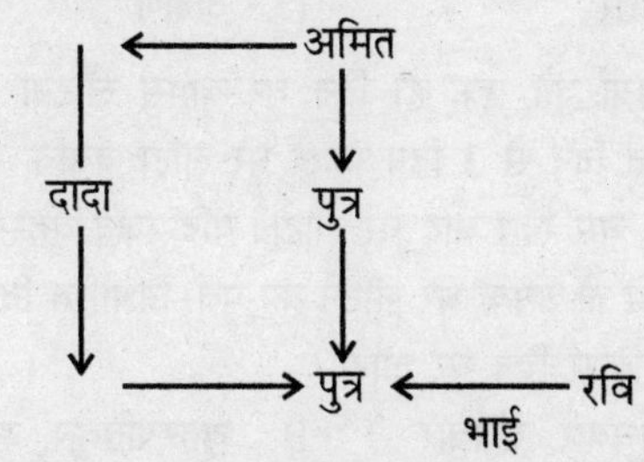

अमित के पुत्र का पुत्र अमित का पोता होगा। रवि अमित के पुत्र के पुत्र का भाई है, अत: अमित रवि के भी दादाजी हैं।

4. (B) :

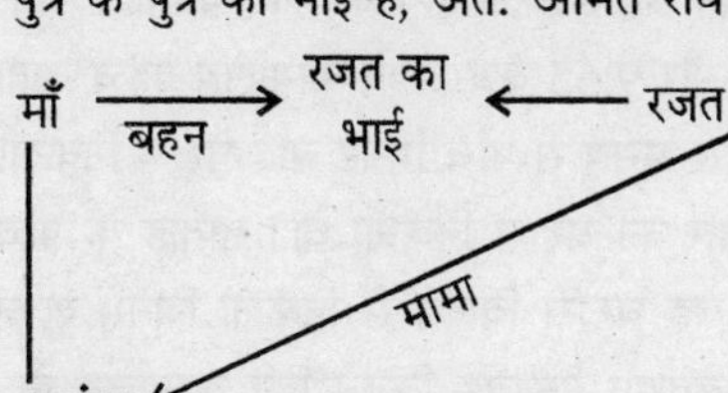

मयंक की मां रजत के भाई की बहन है। अत: रजत भी मयंक की मां का भाई है। इस प्रकार रजत, मयंक का मामा हुआ।

5. (B) : संबंध चार्ट निम्नवत् है : माँ

↑ पुत्र

राघव

↓ पिता

लिली (पुत्री)

राघव जब कहता है, ''मेरी मां का एकमात्र पुत्र'' तो वह स्वयं अपने बारे में ही कह रहा होता है। इसके पिता का आशय है, 'लिली के पिता' अर्थात् स्वयं राघव। अत: लिली, राघव की पुत्री है।

6. (D)

7. (D) : प्रश्न पर आधारित संबंध चार्ट है :

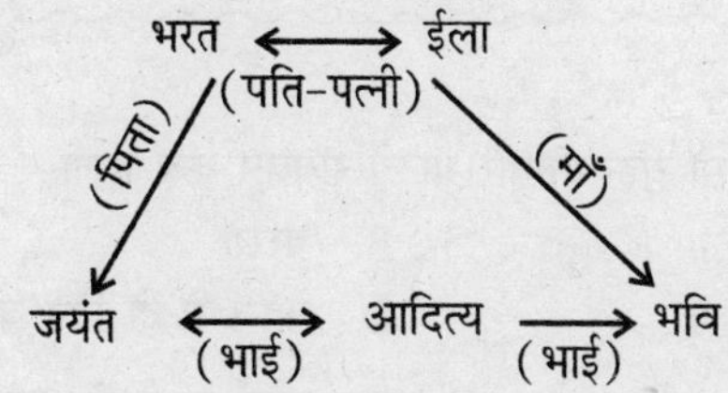

जयंत और आदित्य भाई हैं। यदि आदित्य, रवि का भाई है तो जयंत भी रवि का भाई है। यदि भरत, जयंत का पिता है तो वह आदित्य और रवि का भी पिता है। यदि ईला, रवि की मां है तो वह आदित्य और जयंत की भी मां है। इसका अर्थ है कि भरत और ईला पति-पत्नी हैं और तीनों बच्चों के माता-पिता हैं।

8. (B) : प्रश्न पर आधारित संबंध-चार्ट है :

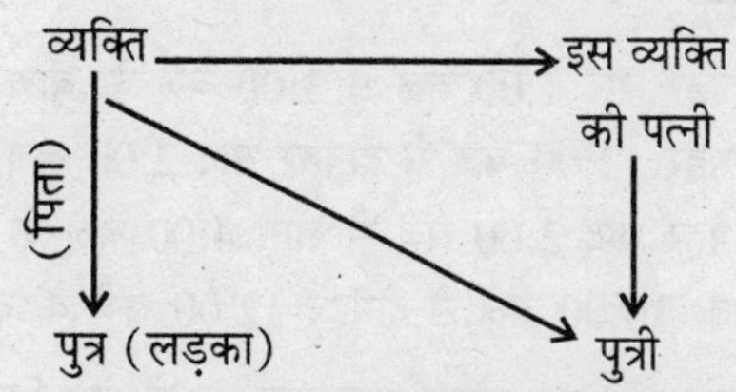

'उस व्यक्ति की पत्नी की पुत्री के पिता' का आशय है कि वह व्यक्ति स्वयं अपने बारे में बात कर रहा है, अत: वह लड़का उस व्यक्ति का पुत्र है।

9. (C) : प्रश्न पर आधारित संबंध-चार्ट है :

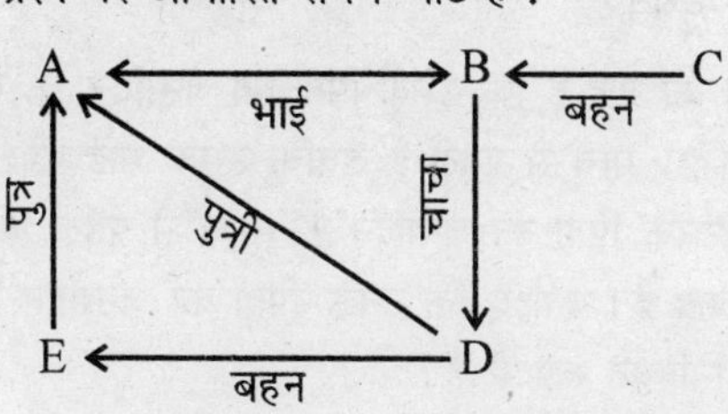

D, E की बहन है और E, A का पुत्र है। अत: D, A की पुत्री है। चूंकि A का भाई B है, अत: B, D का चाचाहै।

10. (A) :

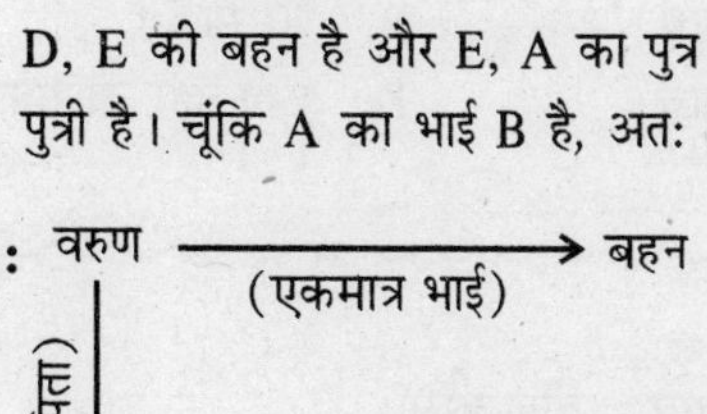

वरुण की बहन का एकमात्र भाई स्वयं वरुण है और उसका पुत्र अरुण है।

कैलेंडर एवं घड़ी

इस प्रकार की गणितीय तर्क बुद्धि परीक्षा घड़ी या कैलेंडर द्वारा समय के परिकलन तथा गतिमान वस्तु की चाल या उसके द्वारा तय की गई दूरी के परिकलन के संबंध में अभ्यर्थियों की योग्यता की जांच करने के लिए आयोजित की जाती है।

अभ्यास प्रश्न

1. यदि परसों बृहस्पतिवार था तो रविवार कब होगा?

A. कल B. परसों
C. आज D. आज से दो दिन बाद

2. किसी कार्यालय में बीस व्यक्ति कार्य करते हैं। इनमें से पांच व्यक्तियों का पहला समूह प्रातः 8:00 बजे से दोपहर बाद 2:00 बजे तक काम करता है। दस व्यक्तियों का दूसरा समूह प्रातः 10:00 बजे से शाम 4:00 बजे तक काम करता है तथा पांच व्यक्तियों का तीसरा समूह दोपहर 12:00 बजे से संध्या 6:00 बजे तक काम करता है। इस कार्यालय में तीन कंप्यूटर हैं जिन्हें सभी कर्मचारी बार-बार प्रयोग में लाते हैं। बताइए कि निम्नलिखित में से किस समय के दौरान कंप्यूटर पर सर्वाधिक काम होगा?

A. दोपहर बाद 1:00 बजे से 3:00 बजे के बीच
B. दोपहर 12:00 बजे से दोपहर बाद 2:00 बजे के बीच
C. दोपहर बाद 2:00 बजे से शाम 4:00 बजे के बीच
D. प्रातः 10:00 बजे से दोपहर 12:00 बजे के बीच

3. यदि किसी माह का सातवां दिन शुक्रवार से तीन दिन पहले का दिन हो तो उस माह का उन्नीसवां दिन सप्ताह का कौन-सा दिन होगा?

A. रविवार B. सोमवार
C. बुधवार D. शुक्रवार

4. राधा को याद है कि उसके पिता का जन्मदिन 16 मार्च के बाद किंतु 21 मार्च से पहले है जबकि उसके भाई मंगेश को याद है कि उनके पिता का जन्मदिन 22 मार्च से पहले किंतु 19 मार्च के बाद है। बताइए कि उनके पिता का जन्मदिन किस तारीख को निश्चित रूप से है?

A. 19 मार्च B. 20 मार्च
C. 21 मार्च D. कहा नहीं जा सकता

5. एक व्यक्ति आयु में अपनी पत्नी से 3 वर्ष बड़ा है और उसकी आयु उसके पुत्र की आयु के 4 गुने के बराबर है। यदि आज से 3 वर्ष बाद पुत्र की आयु 15 वर्ष हो तो उसकी मां की वर्तमान आयु क्या है?

A. 60 वर्ष B. 51 वर्ष
C. 48 वर्ष D. 45 वर्ष

6. एक घड़ी इस प्रकार रखी गई है कि दोपहर ठीक 12.00 बजे इसकी मिनट की सूई उत्तर-पूर्व दिशा को सूचित करती है। दोपहर बाद 1.30 बजे इस घड़ी की घंटे की सूई किस दिशा को सूचित करेगी?

A. पूर्व B. पश्चिम
C. उत्तर D. दक्षिण

7. दो भाइयों को एक ही दिन घर वापस लौटना था। रजत पूर्व निर्धारित दिन से 3 दिन पहले घर लौटा जबकि रोहित निर्धारित दिन से चार दिन बाद घर लौटा। यदि रजत वृहस्पतिवार को घर लौटा हो तो उनके घर लौटने का पूर्व-निर्धारित दिन क्या था तथा रोहित किस दिन घर लौटा?

A. बुधवार, रविवार B. बृहस्पतिवार, सोमवार
C. रविवार, बृहस्पतिवार D. सोमवार, शुक्रवार

8. प्रबीर अपने घर से कार्यालय के लिए प्रतिदिन प्रातः 9:15 बजे चलता है और 9:55 बजे अपने कार्यालय पहुंच जाता है। बुधवार को वह उस समय से पांच मिनट बाद घर से निकला जिस समय वह शुक्रवार को घर से निकला था। सप्ताह के पांच दिनों में से तीन दिन वह घर से विलंब से निकला जिनमें शुक्रवार भी एक दिन था। बताइए कि वह कितने दिन कार्यालय के लिए घर से समय से निकला?

A. दो B. तीन
C. चार D. एक

उत्तरमाला

1. (A) : बृहस्पतिवार —बीता परसों
शुक्रवार —बीता कल
शनिवार —आज
रविवार — आने वाला कल

2. (B) : 1. पांच व्यक्तियों का समूह–प्रातः 8:00 बजे से दोपहर बाद 2:00 बजे तक काम करता है।
2. दस व्यक्तियों का दूसरा समूह–प्रातः 10:00 बजे से शाम 4:00 बजे तक काम करता है
3. पांच व्यक्तियों का तीसरा समूह–दोपहर 12:00 बजे से संध्या 6:00 बजे तक काम करता है

अतः कंप्यूटर पर दोपहर 12:00 बजे से दोपहर बाद 2:00 बजे तक सर्वाधिक काम होगा।

3. (A) : सातवां दिन शुक्रवार से तीन दिन पहले का दिन है अत: दसवां दिन शुक्रवार है, इसलिए 17 वां दिन भी शुक्रवार है।

अत: 19 वां दिन शुक्रवार के बाद का दूसरा दिन अर्थात् रविवार है।

4. (B) : पिता का जन्मदिन

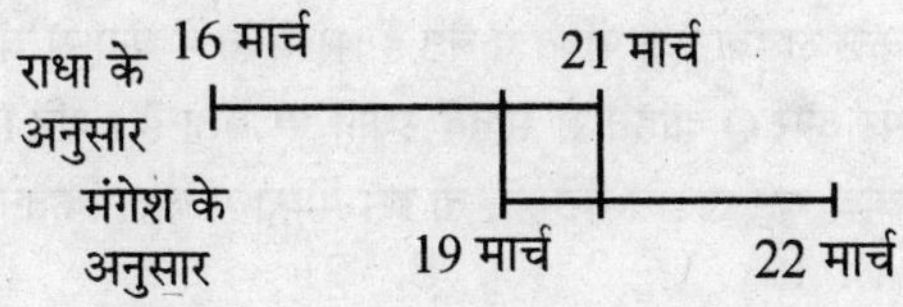

∴ अत: उनके पिता का जन्मदिन 20 मार्च को है।

5. (D) : पुत्र की वर्तमान आयु = 15 – 3 = 12 वर्ष।

उस व्यक्ति की आयु अपने पुत्र की आयु की चार गुनी है।

अर्थात् 12 × 4 = 48 वर्ष

वह व्यक्ति अपनी पत्नी/अपने पुत्र की मां से 3 वर्ष बड़ा है, अत: मां की आयु = 48 – 3 = 45 वर्ष

6. (A) :

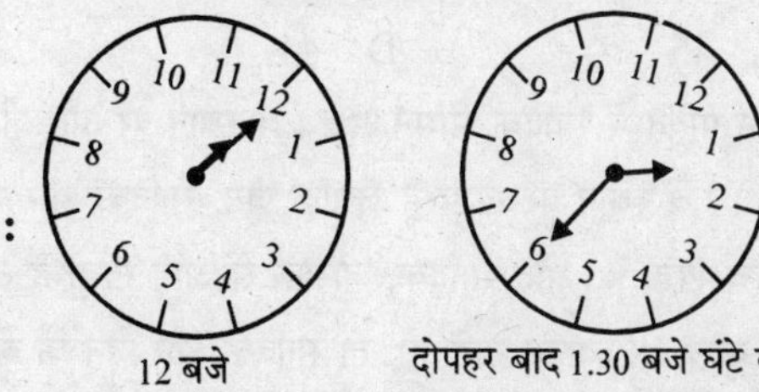

12 बजे

दोपहर बाद 1.30 बजे घंटे की सूई पूर्व दिशा की ओर सूचित करेगी

7. (C) : रजत बृहस्पतिवार को घर लौटा। रजत पूर्व निर्धारित दिन से 3 दिन पहले घर लौटा, अत: घर लौटने का पूर्व निर्धारित दिन रविवार था। रोहित रविवार के 4 दिन बाद अर्थात् अगले बृहस्पतिवार को घर लौटा।

8. (A) : पांच दिनों में से प्रबीर तीन दिन घर से विलंब से निकलता है और 2 दिन समय से निकलता है।

क्रम व्यवस्था और काल परीक्षण

इस प्रकार के प्रश्न किसी पंक्ति या लाइन में व्यवस्थित वस्तुओं की संख्या या कुछ छात्रों की एक कक्षा में किसी छात्र के क्रम-स्थान (कोटि) या कक्षा में छात्रों की कुल संख्या ज्ञात करने के लिए कतिपय सरल गणितीय परिकलनों पर आधारित होते हैं।

अभ्यास प्रश्न

1. पेड़ों की एक पंक्ति में कोई एक पेड़ पंक्ति के दोनों छोरों से पांचवें स्थान पर है। इस पंक्ति में कुल कितने पेड़ हैं?

A. 11 B. 8
C. 10 D. 9

2. 53 छात्रों की एक कक्षा में जया का योग्यता-क्रम में 5 वां स्थान है। कक्षा में योग्यता-क्रम में नीचे से उसका क्रम-स्थान क्या है?

A. 49 वां B. 48 वां
C. 47 वां D. 50 वां

3. पैंसठ छात्रों की एक कक्षा में योग्यता-क्रम में मोहन का क्रम स्थान इक्कीसवां है। यदि योग्यता-क्रम में सबसे नीचे के छात्र का क्रम-स्थान 1 माना जाए तो योग्यता-क्रम में नीचे से मोहन का क्रम-स्थान क्या होगा?

A. 44 वां
B. 45 वां
C. 46 वां
D. दी गई सूचना अपर्याप्त है

4. लड़कों की एक पंक्ति में राहुल दाहिने से 12 वें स्थान पर और बाएं से चौथे स्थान पर खड़ा है। इस पंक्ति में और कितने लड़कों को शामिल करने पर पंक्ति में लड़कों की कुल संख्या 28 हो जाएगी?

A. 12 B. 14
C. 20 D. 13

5. लड़कों की एक पंक्ति में राजन दाहिने से दसवें स्थान पर है और सूरज बाएं से दसवें स्थान पर है। यदि राजन और सूरज आपस में अपना स्थान बदल लें तो सूरज बाएं से सताइसवें स्थान पर आ जाएगा। राजन अब पंक्ति में दाहिने से कितने स्थान पर खड़ा है?

A. दसवें B. छब्बीसवें
C. उन्तीसवें D. सताइसवें

6. 41 छात्रों की एक कक्षा में महेश और सुरेश योग्यता-क्रम में ऊपर से क्रमश: 11 वें और 12 वें स्थान पर हैं। योग्यता-क्रम में नीचे से इनका क्रम-स्थान क्या है?

A. 32 वां और 33 वां
B. 29 वां और 30 वां
C. 30 वां और 31 वां
D. 31 वां और 30 वां

7. किसी कक्षा में उमा योग्यता-क्रम में ऊपर से 8 वें और नीचे से 37 वें स्थान पर है। इस कक्षा में कुल कितने छात्र हैं?

A. 47 B. 46
C. 45 D. 44

8. एक पंक्ति में सादिक सामने से 14 वें स्थान पर और जोसफ अंत से 17 वें स्थान पर खड़ा है जबकि जेन, सादिक और जोसफ के बीच खड़ा है। यदि सादिक, जोसफ से आगे खड़ा है और पंक्ति में कुल 48 व्यक्ति खड़ें हो, तो सादिक और जेन के बीच पंक्ति में कितने व्यक्ति खड़े हैं?

A. 5 B. 6
C. 7 D. 8

9. किसी कक्षा में वार्षिक परीक्षा में उत्तीर्ण हुए छात्रों में योग्यता-क्रम में रोहन नीचे से सताइसवें स्थान पर और ऊपर से ग्यारहवें स्थान पर आया। यदि वार्षिक परीक्षा में इस कक्षा के 12 छात्र अनुत्तीर्ण घोषित किए गए हों तो परीक्षा में इस कक्षा के कितने छात्र शामिल हुए थे?

A. 48 B. 49
C. 50 D. कहा नहीं जा सकता

10. कुछ लड़के एक पंक्ति में बैठे हैं। P पंक्ति में बाएं से चौदहवें स्थान पर और Q दाहिने से सातवें स्थान पर बैठा है। यदि P और Q के बीच चार लड़के बैठे हों, तो इस पंक्ति में कुल कितने लड़के हैं?

A. 19 B. 21
C. 25 D. 23

उत्तरमाला

1. (D):

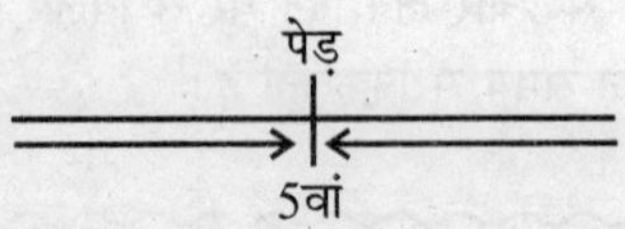

पंक्ति में पेड़ों की कुल संख्या = (5 + 5) –1 = 9

2. (A) :

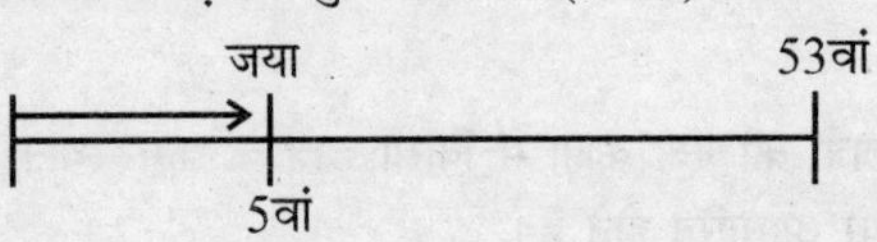

योग्यता-क्रम में नीचे से जया का स्थान
= (53 – 5) +1 = 49 वां

3. (B) :

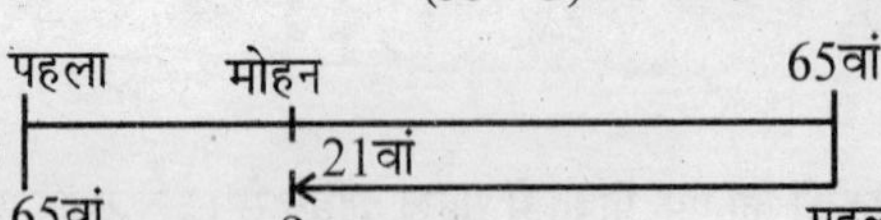

टिप्पणी : प्रश्न पूछने का अभिप्राय है कक्षा में योग्यता-क्रम में नीचे से मोहन का स्थान जानना।

मोहन का स्थान है = (65 – 21) +1 = 45 वां

4. (D) :

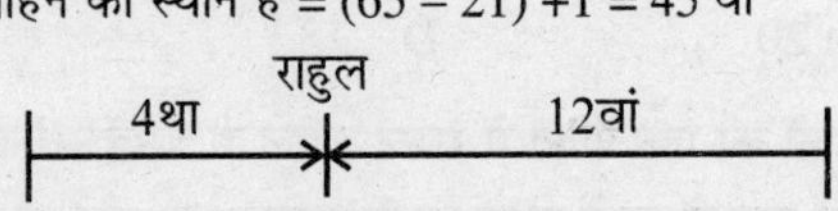

पंक्ति में लड़कों की कुल संख्या :
(4 + 12) – 1 = 15

पंक्ति में लड़कों की कुल संख्या 28 करने के लिए इसमें (28–15) अर्थात् 13 लड़कों को शामिल करने की आवश्यकता है।

5. (D) :

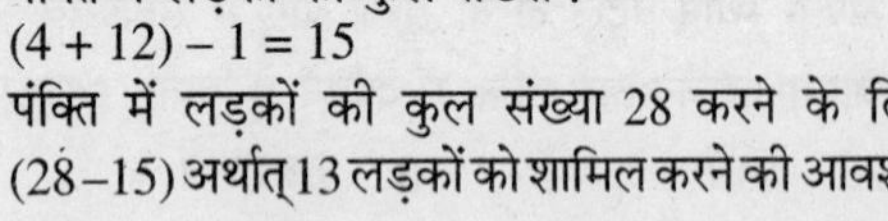

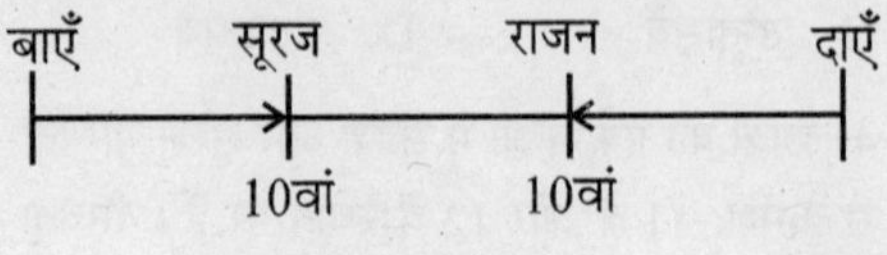

चूंकि लड़कों का क्रम-स्थान दोनों छोरों से समान है, अत: स्थान बदलने के बाद राजन का क्रम स्थान दाहिने से 27 वां होगा।

6. (D) :

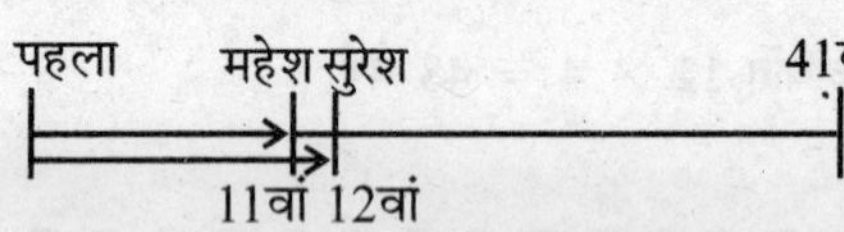

योग्यता-क्रम में नीचे से महेश का स्थान
= (41 – 11) + 1 = 31 वां

योग्यता-क्रम में नीचे से सुरेश का स्थान
= (41 – 12) +1 = 30 वां

7. (D) :

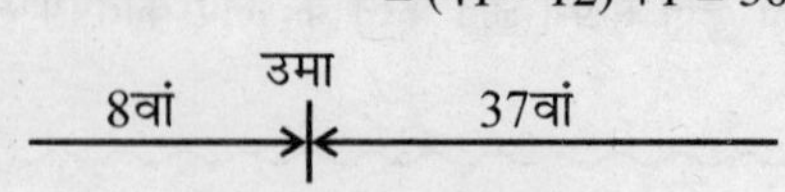

कक्षा में छात्रों की कुल संख्या
= (8 + 37) – 1 = 44

8. (D) :

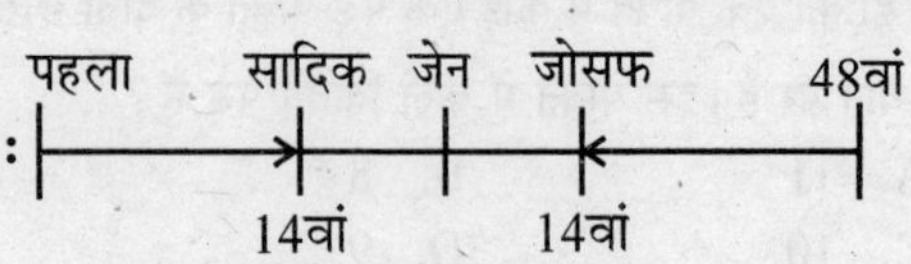

अंत से सादिक का क्रम स्थान :
(48 – 14) + 1 = 35 वां

सादिक और जोसफ के बीच व्यक्तियों की संख्या
= (35 – 17) – 1 = 17

जेन, सादिक और जोसफ के बीच में है, अर्थात् वह दोनों लड़कों से नौवें स्थान पर है।

∴ सादिक और जेन के बीच 8 व्यक्ति हैं।

टिप्पणी : (8 + 8) – 1 = 17

9. (B)

10. (C) :

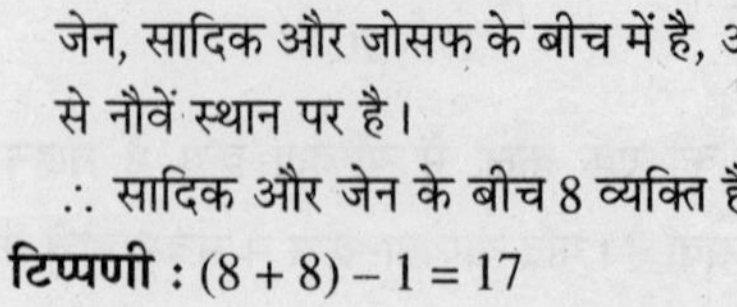

पंक्ति में लड़कों की संख्या
= (14 + 4 + 7) = 25

गणितीय अभिवृत्ति (Mathematical Aptitude)

अंश/भिन्न

भिन्न एक संख्या है जो दो पूर्ण संख्याओं के अनुपात या भाग को निरूपित करता है। यह $\frac{p}{q}$ के रूप में व्यक्त किया जाता है जहाँ $q \neq 0$ तथा p एवं q पूर्णांक हैं। जैसे– $\frac{3}{5}, \frac{4}{15}, \frac{7}{10}$ आदि। भिन्न के ऊपर वाली संख्या को 'अंश' (Numerator) एवं नीचे वाली संख्या को 'हर' (Denominator) कहते हैं। भिन्न का हर यह बताता है कि कुल का कितना बराबर हिस्सा किया गया है जबकि अंश यह बताता है कि इन बराबर हिस्सों की कितनी संख्या ली गई है।

भिन्नों का संख्या रेखा पर निरूपण

पूर्ण संख्याओं अर्थात् 0, 1, 2, 3.... का संख्या रेखा पर निरूपण हम पहले जान चुके हैं उसी प्रकार भिन्नों को भी हम संख्या रेखा पर निरूपित कर सकते हैं। माना कि $\frac{3}{4}$ को संख्या रेखा पर दिखाना है तो सबसे पहले हमें संख्या रेखा पर 0 से 1 के मध्य लम्बाई को चार बराबर भागों में बाँटना होगा और निम्न से प्रदर्शित करना होगा–

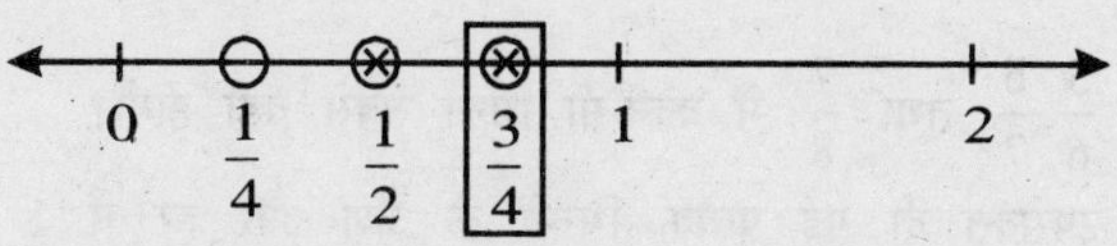

भिन्नों के प्रकार

- **समान भिन्न**–वे भिन्न जिनके हर समान होते हैं समान भिन्न कहलाते हैं। जैसे–(*i*) $\frac{1}{4}, \frac{3}{4}, \frac{2}{4}$ (*ii*) $\frac{5}{6}, \frac{1}{6}, \frac{4}{6}$ आदि
- **असमान भिन्न**–वे भिन्न जिनके हर समान नहीं हों असमान भिन्न कहलाते हैं। जैसे–$\frac{2}{7}, \frac{3}{4}, \frac{5}{6}$ आदि।
- **उचित या सम भिन्न**–वैसा भिन्न जिसका अंश हर से छोटा होता है उचित या सम भिन्न कहलता है। जैसे–$\frac{1}{5}, \frac{2}{3}, \frac{3}{4}$ आदि।
- **अनुचित या विषम भिन्न**–वैसा भिन्न जिसका अंश, हर से बड़ा या हर के बराबर हो अनुचित या विषम भिन्न कहलाता है। जैसे–$\frac{8}{5}, \frac{7}{4}, \frac{15}{4}, \frac{13}{9}$ आदि।
- **इकाई भिन्न**–जिस भिन्न का अंश 1 हो उसे इकाई भिन्न कहते हैं। जैसे–$\frac{1}{3}, \frac{1}{4}, \frac{1}{5}, \frac{1}{7}$ आदि।
- **मिश्रित भिन्न**–वह विषम भिन्न जिस पूर्ण संख्या व सम भिन्न के संयोग से लिखा जाए उसे मिश्रित भिन्न कहते हैं।
  जैसे– $5\frac{2}{3} = 5 + \frac{2}{3} = \frac{15+2}{3} = \frac{17}{3}$ (विषम भिन्न)
- **प्रतिलोम भिन्न**–दो भिन्नों में यदि एक का अंश दूसरे का हर एवं एक का हर दूसरे का अंश हो तो दोनों भिन्न परस्पर प्रतिलोम कहलाता है। जैसे–$\frac{4}{5}$ एवं $\frac{5}{4}$ **परस्पर प्रतिलोम भिन्न** है। प्रतिलोम भिन्न को ही गुण्य प्रतिलोम भी कहा जाता है।

तुल्य भिन्न

जब किसी भिन्न के अंश एवं हर में एक ही संख्या से गुणा किया जाता है या भाग दिया जाता है तो प्राप्त नया भिन्न तुल्य भिन्न कहलाता है। जैसे–$\frac{5}{6} = \frac{5 \times 3}{6 \times 3} = \frac{15}{18}$ यहाँ $\frac{15}{18}, \frac{5}{6}$ के तुल्य भिन्न है। इस प्रकार किसी खास भिन्न के कई तुल्य भिन्न प्राप्त लिए जा सकते हैं।

भिन्नों का सरलतम रूप

यदि किसी भिन्न के अंश एवं हर में 1 को छोड़कर कोई समान अपवर्तक (गुणनखण्ड) नहीं हो तो इसे सरलतम या न्यूनतम रूप में माना जाता है। भिन्न को उसे सरलतम रूप में पाने के लिए उसके अंश तथा हर का म.म. निकाला जाता है फिर म.स. से दोनों में भाग दिया जाता है। जैसेः

$\frac{48}{84}$ में 48 एवं 84 का म.स. = 12 है।

अतः $\frac{48}{84} = \frac{48 \div 12}{84 \div 12} = \frac{4}{7}$; इस प्रकार $\frac{4}{7}, \frac{48}{84}$ का सरलतम रूप है।

भिन्नों की तुलना

यदि भिन्नों के अंश समान हों तो छोटा हर वाला भिन्न बड़ा होता है। जैसेः $\frac{5}{8}$ एवं $\frac{5}{6}$ में $\frac{5}{6}$ बड़ा होगा।

यदि भिन्नों के हर समान हों तो बड़ा अंश वाला भिन्न बड़ा होता है। जैसेः $\frac{5}{8}, \frac{3}{8}$ में $\frac{5}{8}$ बड़ा होगा।

यदि भिन्नों के अंश एवं हर दोनों असमान हों तो पहले हम उसे समान हर वाले तुल्य भिन्न में बदल लेते हैं। उसके बाद उसकी तुलना करते हैं। जैसेः

$\frac{4}{5}$ एवं $\frac{7}{8}$ में $\frac{4}{5} = \frac{4 \times 8}{5 \times 8} = \frac{32}{40}$

तथा $\frac{7}{8}=\frac{7\times5}{8\times5}=\frac{35}{40}$

चूँकि तुल्य भिन्नों में $\frac{35}{40}$ बड़ा है अतः इसका संगत भिन्न $\frac{7}{8}$ बड़ा होगा।

भिन्नों का जोड़

यदि भिन्नों के हर समान हों तो अंशों के योगफल को अंश के रूप में लिखकर हर के रूप में समान हर को लिखा जाता है इस प्रकार प्राप्त नया भिन्न दिए गए भिन्नों का योगफल होता है। जैसेः

यदि $\frac{5}{12}$ एवं $\frac{1}{12}$ को जोड़ना हो तोः

$$\frac{5}{12}+\frac{1}{12}=\frac{5+1}{12}=\frac{6}{12}$$

यदि भिन्नों के हर समान नहीं हों तोः

$\frac{4}{5}+\frac{5}{6}+\frac{7}{10}$ में, 5, 6, 10 का ल.स. = 30

$$\frac{4}{5}=\frac{4\times6}{5\times6}=\frac{24}{30},\frac{5}{6}=\frac{5\times5}{6\times5}=\frac{25}{30},\ \frac{7}{10}=\frac{7\times3}{10\times3}=\frac{21}{30}$$

अतः $\frac{4}{5}+\frac{5}{6}+\frac{7}{10}=\frac{24}{30}+\frac{25}{30}+\frac{21}{30}=\frac{70}{30}$

दूसरा तरीका,

$$\frac{4}{5}+\frac{5}{6}+\frac{7}{10}=\frac{24+25+21}{30}=\frac{70}{30}$$

भिन्नों का घटाव

यदि भिन्नों के हर समान हों तो अंशों के अन्तर को अंश के रूप में एवं समान हर को हर के रूप में लिखा जाता है। इस प्रकार प्राप्त भिन्न दिए गए भिन्नों का अन्तर होता है। जैसेः

$$\frac{8}{15}-\frac{4}{15}=\frac{8-4}{15}=\frac{4}{15}$$

किन्तु यदि भिन्नों के हर असमान हो तोः

$\frac{5}{12}-\frac{3}{10}$ में, 12, 10 का ल.स. = 60

$$\frac{5}{12}=\frac{5\times5}{12\times5}=\frac{25}{60},\ \frac{3}{10}=\frac{3\times6}{10\times6}=\frac{18}{60}$$

अतः $\frac{5}{12}-\frac{3}{10}=\frac{25}{60}-\frac{18}{60}=\frac{25-18}{60}=\frac{7}{60}$

दूसरा तरीका,

$$\frac{5}{12}-\frac{3}{10}=\frac{25-18}{60}=\frac{7}{60}$$

भिन्नों का गुणा

भिन्नों के गुणा के लिए इनके अंशों के गुणनफल को अंश के रूप में एवं हरों के गुणनफल को हर के रूप में लिखा जाता है। इस प्रकार प्राप्त नया भिन्न दिए गए भिन्नों का गुणनफल होता है। जैसेः

$$\frac{5}{11}\times\frac{9}{10}=\frac{45}{110}=\frac{9}{22}$$

भिन्नों का भाग

भिन्नों के भाग के लिए हम भाग के चिह्न के बायीं ओर के भिन्नों को यथावत् रखते हुए उसमें भाग के चिह्न के दायीं ओर के भिन्न के प्रतिलोम से गुणा कर देते हैं।

जैसेः $\frac{15}{28}\div\frac{10}{14}=\frac{15}{28}\times\frac{14}{10}=\frac{3}{4}$

उदाहरण

1. भाग के एक प्रश्न में भाजक 9, भागफल 114 तथा शेष 5 है, तो बताइये भाज्य कितना होगा?

हलः भाज्य = भाजक × भागफल + शेष

भाज्य = 9 × 114 + 5 = 1026 + 5 = 1031

अतः भाज्य = 1031 होगा।

2. $\frac{5}{6},\frac{6}{7}$ तथा $\frac{7}{8}$ में कौन-सी भिन्न सबसे बड़ी होगी?

हलः उपरोक्त दी गई प्रत्येक भिन्नों के अंश और हर में 1 का अन्तर है तथा सबसे बड़ा अंश 7 है।

∴ सबसे बड़ी भिन्न = $\frac{7}{8}$ होगी।

3. $\frac{3}{7}$ का योज्य प्रतिलोम क्या होगा?

हलः $\frac{3}{7}$ का योज्य प्रतिलोम $\left(-\frac{3}{7}\right)$ होगा क्योंकि $\frac{3}{7}+\left(-\frac{3}{7}\right)=0,$

अर्थात् दोनों संख्याओं को जोड़ने पर योगफल शून्य है।

4. चार घण्टियाँ 6, 8, 12 तथा 18 सेकेण्ड के अन्तर पर बजती हैं। वे 12 बजे एक साथ बजना प्रारम्भ करती हैं तो बताइये फिर वे एक साथ कब बजेंगी। यह भी बताइये कि 6 मिनट में वे एक साथ कितनी बार बजेंगी?

हलः

2	6, 8, 12, 18
2	3, 4, 6, 9
3	1, 2, 1, 3
	1, 2, 1, 3

∴ ल.स. = 2 × 2 × 3 × 2 × 2 × 3 = 72 से.

= 1 मि. 12 से.

अतः वे पहली बार 12 बजकर 1 मि. 12 से. बाद एक साथ बजेंगी।

$\because$ 6 मिनट = 6 × 60 = 360 से.

$\because$ 6 मिनट में एक साथ घण्टियाँ बजने की संख्या

$$= \frac{360}{72} = 5 \text{ बार।}$$

समय और दूरी

आवश्यक नियम

- जब समान दूरी को x, y तथा z चालों से तय किया गया हो तो।
- जब दो चाल हों तो औसत चाल $= \frac{2xy}{x+y}$
- जब तीन चाल हों तो औसत चाल $= \frac{3xyz}{xy+yz+xz}$
- विपरीत दिशा में जाने पर सापेक्ष चाल के लिए चालों का योग करते हैं।
- एक ही दिशा में जाने पर सापेक्ष चाल के लिए चालों का अन्तर करते हैं।

रेल सम्बन्धी

1. जब कोई ट्रेन पटरी के पास खड़े किसी व्यक्ति या खम्भे को पार करती है तो दूरी के लिए ट्रेन की लम्बाई को लेते हैं।
2. जब कोई ट्रेन किसी प्लेटफॉर्म, पुल, सुरंग या किसी दूसरी ट्रेन को पार करती है तो कुल दूरी के लिए इस ट्रेन की लम्बाई में उन लम्बाईयों को जोड़ देते हैं।
3. जब कोई दो ट्रेन एक ही दिशा में जा रही है तो सापेक्ष चाल निकालने के लिए उनकी चालों का अन्तर करते हैं।
4. जब कोई दो ट्रेन विपरीत दिशा में जा रही हैं तो सापेक्ष चाल निकालने के लिए उनकी चालों का योग करते हैं।
5. जब कोई ट्रेन किसी दूसरी ट्रेन में बैठे व्यक्ति या ड्राईवर को पार करती है तो दूरी के लिए पार करने वाली ट्रेन की लम्बाई को लेते हैं। जबकि जिस ट्रेन में व्यक्ति बैठा हुआ है उसे स्थिर मानते हैं।
6. जब किमी. प्रति घंटा की चाल को मीटर/सेकण्ड में बदलते हैं तो $\frac{5}{18}$ से गुणा करते हैं।
7. जब मीटर/सेकण्ड की चाल को किमी./घंटा में बदलते हैं तो $\frac{18}{5}$ से गुणा करते हैं।

- जब km/h को अर्थात् बड़ी इकाई को छोटी इकाई (m/sec.) में बदले तो छोटी संख्या $\left(\frac{5}{18}\right)$ से गुणा करेंगे।
- जब m/sec. को अर्थात् छोटी इकाई को बड़ी इकाई (km/h) में बदले तो बड़ी संख्या $\left(\frac{18}{5}\right)$ से गुणा करेंगे।

नाव-धारा सम्बन्धी

- धारा की दिशा में चाल : जब नाव, नाविक (तैराक) नदी या धारा की दिशा में जा रहे हों तो वह दिशा, धारा की दिशा या अनुप्रवाह कहलाता है।
- जब नाव, नाविक (तैराक) नदी, धारा की दिशा में जा रहे हैं तो उसके वेग में वृद्धि होगी।
- अतः धारा की दिशा में चाल (x) = नाव + धारा
- धारा की विपरीत दिशा में चाल : जब कोई नाव, नाविक (तैराक) धारा के विपरीत दिशा में जा रहा है तो उसे धारा की विपरीत दिशा में चाल या ऊर्ध्वप्रवाह कहते हैं।
- जब कोई नाव, नाविक (तैराक) नदी/धारा की विपरीत दिशा में जा रहे हैं तो उसके वेग में कमी होगी।
- अतः धारा की विपरीत दिशा में चाल (y) = नाव − धारा
- यदि धारा की दिशा में चाल x km/h तथा धारा की विपरीत दिशा में चाल y km/h हो तो—

  नाव, नाविक (तैराक) या शान्त जल में चाल $= \frac{x+y}{2}$

  नदी/धारा की चाल $= \frac{x-y}{2}$
- जब हम नाव/धारा संबंधी प्रश्नों को हल करते हैं तो सबसे पहले हमारा ध्यान-धारा की दिशा में चाल, धारा की विपरीत दिशा में चाल पर ही मुख्यतः केन्द्रित होना चाहिए।

उदाहरण

1. मोहन जब 4 किमी./घंटा की चाल से विद्यालय जाता है तो 6 मिनट देरी से पहुँचता है, जब 5 किमी./घंटा की चाल से विद्यालय जाता है तो 9 मिनट पहले पहुँच जाता है, तो घर से विद्यालय की दूरी क्या है?

हलः माना घर से विद्यालय की दूरी = x किमी.

पहली शर्त से पहुँचने में लगा

वास्तविक समय $= \left(\frac{x}{4} - \frac{6}{60}\right)$ घंटा

दूसरी शर्त से पहुँचने में लगा वास्तविक समय $= \left(\frac{x}{5} + \frac{9}{60}\right)$ घंटा

$$\frac{x}{4} - \frac{6}{60} = \frac{x}{5} + \frac{9}{60}$$

$$3x = 15$$

$$x = 5 \text{ किमी.}$$

2. दो बन्दूकें एक ही स्थान से 12 मिनट के अन्तराल पर छोड़ी गईं। लेकिन उसी स्थान की ओर आती हुई एक ट्रेन, जिसकी चाल 54 किमी./घंटा है, में बैठे हुए व्यक्ति को 20 मिनट के अन्तराल पर सुनाई पड़ती है। तो ध्वनि की चाल क्या है?

हलः ध्वनि 1 मिनट में जितनी दूरी तय करती है उतनी ही दूरी ट्रेन 20 मिनट में तय करती है

तो ट्रेन की चाल = 54 किमी./घंटा

या $54 \times \frac{5}{18} = 15$ मी./से.

समय = 20 मिनट या $20 \times 60 = 1200$ से.

तो ट्रेन ने 20 मिनट में दूरी तय की = चाल × समय

$= 15 \times 1200 = 18000$ मीटर

∵ ध्वनि की 1 मीटर की दूरी

= ट्रेन की 20 मिनट की दूरी

तो ध्वनि 1 मिनट में दूरी तय करेगी = 18000 मी.

तो ध्वनि की चाल = $\frac{18000}{60} = 300$ मी./से.

3. एक 300 मीटर लम्बी रेलगाड़ी 72 किमी./घंटा की चाल से जा रही है तो बताओ वह 200 मीटर लम्बे प्लेटफॉर्म को कितने समय में पार कर जाएगी?

हलः रेलगाड़ी की लम्बाई = 300 मीटर

प्लेटफॉर्म की लम्बाई = 200 मीटर

कुल दूरी = 300 + 200 = 500 मीटर

रेलगाड़ी की चाल = 72 किमी./घंटा

$= 72 \times \frac{5}{18} = 20$ मी./से.

समय = $\frac{\text{दूरी}}{\text{चाल}}$

$= \frac{500}{20} = 25$ सेकेण्ड

4. किसी व्यक्ति की धारा की दिशा में चाल 10 किमी./घंटा है तथा धारा की विपरीत दिशा में चाल 6 किमी./घंटा है तो शान्त जल में व्यक्ति की चाल क्या है?

हलः माना व्यक्ति की शान्त जल में चाल = x किमी./घंटा

धारा की चाल = y किमी./घंटा

दिशा में चाल $x + y = 10$ ...(i)

विपरीत दिशा में चाल $x - y = 6$ ...(ii)

समीकरण (i) व (ii) को जोड़ने पर

$2x = 16$

$x = 8$ किमी./घंटा

5. एक नाव की शान्त जल में चाल 6 किमी./घंटा है तथा धारा की चाल 4 किमी./घंटा है। नाव किसी स्थान A से B तक जाने व आने में 7 घंटे 12 मिनट लेती है तो बताओ उन स्थानों (A व B) के बीच की दूरी क्या है।

हलः माना उन दोनों स्थानों के बीच की दूरी = x किमी.

धारा की दिशा में चाल = 6 + 4 = 10 किमी./घंटा

धारा की विपरीत दिशा में चाल = 6 – 4 = 2 किमी./घंटा

समय = 7 घंटे 12 मिनट

या $7 \times \frac{12}{60} = 7\frac{1}{5} = \frac{36}{5}$ घंटे

जाने व आने में लगा कुल समय

$$\frac{x}{10} + \frac{x}{2} = \frac{36}{5}$$

$$\frac{x + 5x}{10} = \frac{36}{5}$$

$$6x = 72$$

$$x = 12 \text{ किमी.}$$

अनुपात एवं समानुपात

अनुपात

अनुपात सदैव दो सजातीय राशियों में होता है। एक राशि का, दूसरी सजातीय राशि में भाग देने पर अनुपात ज्ञात होता है या जब हम एक ही प्रकार की दो वस्तुओं की तुलना करते हैं और यह देखते हैं कि एक वस्तु, दूसरी वस्तु का कौन-सा भाग है तो उन दोनों के बीच पारस्परिक संबंध को अनुपात कहते हैं। इसका कोई भाजक नहीं है। जैसे 8 और 4 की तुलना करने पर हम देखते हैं कि 8, 4 से दुगना है। इसे अनुपात के रूप में निम्न प्रकार से प्रदर्शित करते हैं:

$8 \div 4$ या $\frac{8}{4}$ अतः 8 : 4 अनुपात दो संख्याओं का वह अनुपात है जो भिन्न के द्वारा भी प्रकट किया जाता है। इसे भिन्न के रूप में प्रकट करते समय पहली संख्या को अंश तथा दूसरी संख्या को हर बनाया जाता है। इस प्रकार 8 : 4 को $\frac{8}{4}$ भी लिखते हैं। जब किसी अनुपात के दोनों पद अभाज्य संख्याएँ हों तो इसे साधारण अनुपात भी कहा जाता है।

यदि किसी अनुपात के दोनों पदों को किसी अन्य एक संख्या से गुणा और भाग किया जाए तो उस अनुपात में कोई परिवर्तन नहीं होता।

समानुपात

जब दो अनुपात बराबर होते हैं तो उनकी बराबरी को समानुपात कहते हैं। जैसे– $a : b = c : d$ हो तो इसका अर्थ यह है कि $\frac{a}{b}$ समानुपात में है $\frac{c}{d}$ के और इसे हम निम्न प्रकार से लिखते हैं।

$$\boxed{a : b :: c : d}$$

अतः $a : b : : c : d$ में a, b, c तथा d को क्रमशः प्रथम अनुपाती, द्वितीय अनुपाती, तृतीय अनुपाती तथा चतुर्थ अनुपाती कहते हैं। इस प्रकार समानुपात में चार पद होते हैं। जैसे 3 : 4 : : 6 : 8 में चार पद क्रमशः 3, 4, 6 और 8 हैं। इनमें पहले और अन्तिम पद को अर्थात् 3 और 8 को छोर या सिरे वाले पद या बाहरी पद या पदांत कहते हैं। तथा दूसरे और तीसरे पद को अर्थात् 4 और 6 को मध्य पद या बीच वाले पद कहते हैं।

कुछ महत्त्वपूर्ण तथ्य एवं सूत्र

1. यदि a एवं b दो अलग-अलग राशियाँ हों तब,
   - a एवं b का मध्यानुपाती $= \sqrt{ab}$
   - a एवं b का तृतीयानुपाती $= \frac{b^2}{a}$
   - $a : b$ का द्विगुणानुपाती $= a^2 : b^2$
   - $a : b$ का उप-द्विगुणानुपाती $= \sqrt{a} : \sqrt{b}$
   - $a : b$ का त्रिगुणानुपाती $= a^3 : b^3$
   - $a : b$ का उप-त्रिगुणानुपाती $= \sqrt[3]{a} : \sqrt[3]{b}$
   - $a : b$ का प्रतिलोमानुपाती $= \frac{1}{a} : \frac{1}{b}$
2. यदि a, b एवं c तीन विभिन्न राशियाँ हो तब,
   - a, b एवं c का चतुर्थानुपाती $= \frac{bc}{a}$
3. यदि किसी राशि x को $a : b$ में बाँटना हो तो,

   पहला भाग $= \left(\frac{a}{a+b}\right) \times x$, दूसरा भाग $= \left(\frac{b}{a+b}\right) \times x$
4. यदि किसी राशि x को $a : b : c$ में बाँटना हो तो,

   पहला भाग $= \left(\frac{a}{a+b+c}\right) \times x$ दूसरा भाग $= \left(\frac{b}{a+b+c}\right) \times x$

   तीसरा भाग $= \left(\frac{c}{a+b+c}\right) \times x$
5. यदि A : B = $x : y$ और B : C = $p : q$ तब,
   - $A : C = \frac{x \times p}{y \times q}$
   - $A : B : C = px : py : qy$
6. दो प्रकार की वस्तुओं जिसमें एक ₹ x प्रति किलो और दूसरा ₹ y प्रति किलो है, को किस अनुपात में मिलाया जाए कि मिश्रण का मूल्य ₹ z प्रति किलो हो जाय?

   अभीष्ट अनुपात $= \frac{z-y}{x-z}$
7. एक शिकारी कुत्ता जितने समय में X_1 छलांग लगाता है एक खरगोश उतने समय में X_2 छलांग लगा लेता है किन्तु यदि शिकारी कुत्ते का Y_1 छलांग तथा खरगोश के Y_2 छलांग के बराबर हो तो दोनों के चालों का अनुपात क्या होगा?

   अभीष्ट अनुपात $= \frac{X_2 \times Y_1}{X_1 \times Y_2}$
8. यदि दो व्यक्तियों के आय का अनुपात $a : b$ और व्यय का अनुपात $x : y$ हो तथा दोनों का समान बचत p रु. हो तो

   दोनों की क्रमशः आय $= \frac{ap(y-x)}{ay-bx}$ तथा $\frac{bp(y-x)}{ay-bx}$
9. दूध और पानी के z लीटर के एक मिश्रण में दूध और पानी का अनुपात $x : y$ है। यदि p लीटर पानी और मिलाया जाये

   तो दूध और पानी का अनुपात $= \frac{xz}{yz + p(x+y)}$
10. दूध और पानी के एक मिश्रण में दूध और पानी का अनुपात $a : b$ है। मिश्रण में यदि k लीटर पानी मिलाया जाये तो दूध और पानी का नया अनुपात $a : m$ हो जाता है तो मूल मिश्रण में दूध की मात्रा $= \frac{ak}{m-b}$ एवं पानी की मात्रा $= \frac{bk}{m-b}$
11. यदि चार संख्याएँ a, b, c एवं d हो तो,
    - प्रत्येक संख्या में कौन-सी संख्या जोड़ी जाये कि नयी संख्याएँ समानुपाती हो जाये?

      अभीष्ट संख्या $= \frac{ad-bc}{(b+c)-(a+d)}$
    - प्रत्येक संख्या में से कौन सी संख्या घटायी जाये ताकि नयी संख्याएँ समानुपाती हो जाये?

      अभीष्ट संख्या $= \frac{ad-bc}{(a+d)-(b+c)}$

उदाहरण

1. 18 : 12 : 21 : x में x का मान बताओ।

हलः समानुपात से –

बाह्य पदों का गुणनफल = मध्य पदों का गुणनफल

$$18 \times x = 12 \times 21$$

$$x = \frac{12 \times 21}{18} = 14.$$

2. दो संख्याओं के मध्य 2 : 3 का अनुपात है। दोनों का गुणनफल 54 हो तो वे संख्याएँ क्या हैं?

हलः पहली   दूसरी

2 : 3

$2x \times 3x = 54$

$6x^2 = 54$

$x = 3$

पहली संख्या = 6, दूसरी संख्या = 9

नोट : इस प्रकार के प्रश्नों में ध्यान रखना है कि वह योग, अन्तर, गुणन के लिए कहता है तो हम भी वही प्रक्रिया करते हैं।

3. तीन संख्याओं के मध्य 2 : 3 : 4 का अनुपात है और इनके वर्गों का योग 1044 हो तो पहली संख्या क्या है?

हलः पहली : दूसरी : तीसरी

2 : 3 : 4

$$(2x)^2 + (3x)^2 + (4x)^2 = 1044$$

$$4x^2 + 9x^2 + 16x^2 = 1044$$

$$29x^2 = 1044$$

$$x^2 = \frac{1044}{29}$$

$$x^2 = 36$$

$$x = 6$$

पहली संख्या = 2 × 6 = 12.

4. एक मिश्रण में दूध व पानी का अनुपात 3 : 5 है यदि इसमें 5 लीटर दूध और डाल दिया जाए तो दूध व पानी के मध्य 2 : 3 का अनुपात हो जाता है, तो बताओ प्रारम्भ में दूध की मात्रा क्या थी?

हलः दूध : पानी

3 : 5

$$\frac{3x+5}{5x} = \frac{2}{3}$$

$$10x = 9x + 15$$

$$10x - 9x = 15$$

$$x = 15$$

प्रारम्भ में दूध = 3 × 15 = 45 लीटर

5. एक कार्यालय में कर्मचारियों की संख्या में 11 : 8 में कमी कर दी जाती है और प्रत्येक कर्मचारी के वेतन में 12 : 17 में वृद्धि कर दी जाती है तो उसके खर्च में ₹ 2400 की वृद्धि हो जाती है तो बताओ प्रारम्भ में कर्मचारियों का कुल वेतन कितना था?

हलः

	पहले	अब
कर्मचारी	$11x$	$8x$
वेतन	$12y$	$17y$
कुल वेतन =	$132xy$	$136xy$

खर्च में वृद्धि = $136xy - 132xy = 2400$

$4xy = 2400$

$xy = 600$

पहले वेतन = 132 × 600 = ₹ 79,200.

प्रतिशतता

वह भिन्न जिसका हर 100 होता है, प्रतिशत कहलाता है तथा उस भिन्न के अंश को प्रतिशत दर कहते हैं। इसे प्रायः % चिह्न द्वारा लिखा जाता है। जैसे– $\frac{20}{100} = 20\%$ और इसे 20 प्रतिशत पढ़ा जाता है अर्थात् प्रत्येक 100 पर 20।

कुछ आवश्यक नियम

(*i*) साधारण भिन्न या दशमलव भिन्न को प्रतिशत भिन्न में बदलने के लिए उस भिन्न में 100 से गुणा करते हैं।

(*ii*) किसी वस्तु के भाव में $x\%$ वृद्धि हो जाने पर, इस मद पर खर्च न बढ़े इसके लिए वस्तु की खपत में कमी

$$= \frac{x}{(100+x)} \times 100\%.$$

(*iii*) किसी वस्तु के भाव में $x\%$ कमी हो जाने पर, इस मद पर खर्च कम न हो, इसके लिए वस्तु की खपत में वृद्धि

$$= \frac{x}{(100-x)} \times 100\%.$$

उदाहरण

1. वह राशि कौन-सी है जो ₹ 540 से 30% कम है?

हलः यहाँ ₹ 540 से 30% कम का अर्थः

$$= 540 \times \frac{70}{100} = 378.$$

2. राम के पास ₹ 8000 थे। उसने कुल धन का 30% खर्च कर दिया, तो बताओ उसके पास अब कितना धन शेष बचा?

हलः माना कुल धन = ₹ 100

खर्च = 30%

तो शेष = 100 – 30 = ₹ 70

तो शेष = $\frac{70}{100} \times 8000$ = ₹ 5600.

3. किसी संख्या के 25% में से 25 घटाने पर 25 शेष बचते हैं, तो वह संख्या क्या है?

हलः इस प्रकार के प्रश्नों में जब तीनों संख्याएं समान हों, तो उसका उत्तर हमेशा = 200 होगा।

दूसरी विधि–

माना वह संख्या = x है

तो $\frac{25}{100}x - 25 = 25$

$$25x - 2500 = 2500$$
$$25x = 2500 + 2500$$
$$25x = 5000$$
$$x = \frac{5000}{25} = 200.$$

4. किसी कक्षा में 30% छात्र संस्कृत में तथा 25% छात्र अंग्रेजी में अनुत्तीर्ण हुए। यदि दोनों विषयों में 10% छात्र अनुत्तीर्ण हुए हों, तो बताओ दोनों विषयों में कुल कितने प्रतिशत छात्र अनुत्तीर्ण हुए?

हलः संस्कृत में अनुत्तीर्ण = 30%

अंग्रेजी में अनुत्तीर्ण = 25%

दोनों विषयों में अनुत्तीर्ण = 10%

नोटः इसके लिए शर्त है कि तीनों समान होनी चाहिए।

तो अनुत्तीर्ण = (A + B – C)

= 30 + 25 – 10

= 45%

यदि वह इसी प्रश्न में पूछता है कि दोनों विषयों में कुल कितने % छात्र उत्तीर्ण हुए, तो उस अवस्था में हम इसे 100 में से घटाते

100 – 45 = 55% उत्तीर्ण

5. किसी चुनाव में दो प्रत्याशी थे जिनमें एक प्रत्याशी को 65% मत प्राप्त हुए और वह 2100 मतों से विजयी हो गया, तो बताओ चुनाव में कुल कितने मत पड़े?

हलः विजयी उम्मीदवार को मत = 65%

हारने वाले उम्मीदवार को मत = 100 – 65 = 35%

तो विजयी उम्मीदवार को अधिक मत मिले

= 65 – 35 = 30%

अर्थात् 30% या 2100 मत

रामबाण विधि से कुल मत $= \frac{100}{30} \times 2100$

= 7000 मत

6. 400 ग्राम वाले नमक के घोल में 30% नमक है। इसमें कितना नमक और मिलाया जाए ताकि घोल में नमक की मात्रा 44% हो जाए?

हलः शेष/कुल में % मात्रा

$$= \frac{\text{दी गई मात्रा} \times \%}{\text{दी गई मात्रा} \pm \text{डाली/निकाली गई मात्रा}}$$

नोट : जब घोल में किसी मात्रा को डालते हैं तो % के स्थान पर उसका उल्टा % लिखते हैं जैसे इसमें नमक मिला रहे हैं तो % के स्थान पर पानी का % लिखते हैं।

$$\frac{56}{1} = \frac{400 \times 70}{400 + x}$$
$$400 + x = 500$$
$$x = 100 \text{ ग्राम}$$

लाभ, हानि और छूट

- **क्रय मूल्य (Cost Price):** जिस मूल्य पर कोई वस्तु खरीदी जाती है वह मूल्य उस वस्तु का क्रय मूल्य कहलाता है।

  जैसेः राम ने एक पंखा ₹500 में खरीदा तथा ₹600 में बेच दिया। यहाँ क्रय मूल्य ₹500 है।

- **विक्रय मूल्य (Selling Price):** जिस मूल्य पर कोई वस्तु बेची जाती है, उसे उस वस्तु का विक्रय मूल्य कहते हैं।

  जैसेः राम ने एक पुस्तक ₹50 में खरीदी तथा ₹80 में बेच दी। यहाँ विक्रय मूल्य ₹80 है।

- **लाभ (Profit):** यदि किसी वस्तु का विक्रय-मूल्य उसके क्रय मूल्य से अधिक हो, तो वहाँ लाभ होता है।

- **हानि (Loss):** यदि किसी वस्तु का क्रय-मूल्य उसके विक्रय मूल्य से अधिक हो, तो वहाँ हानि होती है।

- **उपरिव्यय (Overhead Expenditure):** यह वह व्यय है जो किसी व्यापारी को किसी वस्तु के क्रय मूल्य के अतिरिक्त वहन करना जरूरी हो जाता है।

  जैसेः श्याम ने 8 टी.वी. ₹25000 में खरीदे तथा ₹1200 भाड़े और ₹600 ढुलाई पर खर्च किया।

  अतः उपरिव्यय = 1200 + 600 = ₹1800

  इसे लागत या क्रय-मूल्य में जोड़ दिया जाता है।

- **अंकित मूल्य (Marked Price):** यह वह मूल्य है जो किसी वस्तु पर या उसके पैकेट पर अंकित रहता है।

  जैसेः किसी साबुन के पैकेट पर लिखा है "Price ₹10 (inclusive of all taxes)" अर्थात् अंकित मूल्य ₹10 है। इसे सूची मूल्य भी कहा जाता है।

- **बट्टा (Discount):** किसी वस्तु के अंकित मूल्य पर जो छूट दी जाती है उसे बट्टा कहते हैं।

  जैसेः एक साड़ी की कीमत ₹200 है तथा यह 20% छूट पर बेची जाती है। अतः बट्टा = 20%.

- **क्रमिक बट्टा (Successive Discount):** जब किसी वस्तु के अंकित मूल्य पर r_1% की छूट देने के बाद शेष धनराशि पर r_2% की छूट दी जाए, फिर r_2% की छूट देने के बाद शेष धनराशि पर r_3% की छूट दी जाए, तो r_1%, r_2% तथा r_3% को क्रमिक बट्टा कहा जाता है।

महत्वपूर्ण सूत्र
(Important Formulae)

1. क्रय मूल्य (CP) = विक्रय मूल्य (SP) – लाभ (Profit)
2. क्रय मूल्य (CP) = विक्रय मूल्य (SP) + हानि (Loss)
3. लाभ (Profit) = विक्रय मूल्य (SP) – क्रय मूल्य (CP)
4. हानि (Loss) = क्रय मूल्य (CP) – विक्रय मूल्य (SP)
5. प्रतिशत लाभ = $\frac{\text{लाभ}}{\text{क्रय मूल्य}} \times 100$
6. प्रतिशत हानि = $\frac{\text{हानि}}{\text{क्रय मूल्य}} \times 100$
7. **क्रय मूल्य**

$$= \text{विक्रय मूल्य} \times \left(\frac{100}{100+P}\right) = \text{विक्रय मूल्य} \times \left(\frac{100}{100-L}\right)$$

8. **विक्रय मूल्य**

$$= \text{क्रय मूल्य} \times \left(\frac{100+P}{100}\right) = \text{क्रय मूल्य} \times \left(\frac{100-L}{100}\right)$$

(जहाँ P = प्रतिशत लाभ तथा L = प्रतिशत हानि)

उदाहरण

1. यदि 12 वस्तुओं का क्रय मूल्य 9 वस्तुओं के विक्रय मूल्य के बराबर हो, तो लाभ प्रतिशत ज्ञात कीजिए।

हलः माना प्रत्येक वस्तु का क्रय मूल्य = ₹1, तब

9 वस्तुओं का क्रय मूल्य = ₹9

9 वस्तुओं का विक्रय मूल्य = 12 वस्तुओं का क्रय मूल्य = ₹12

∴ ₹9 पर लाभ = ₹3

$\Rightarrow$ लाभ % = $\left(\frac{3}{9} \times 100\right)\% = 33\frac{1}{3}\%$.

2. एक फल विक्रेता ने ₹5 के 6 की दर से केले खरीदकर ₹3 के 4 की दर से बेच दिये। उसका लाभ अथवा हानि प्रतिशत ज्ञात कीजिए।

हलः माना उसने केले खरीदे = 5, 6, 3, 4 का लघु. समा. = 60

60 केलों का क्रय मूल्य = ₹$\left(\frac{5}{6} \times 60\right)$ = ₹50

तथा विक्रय मूल्य = ₹$\left(\frac{3}{4} \times 60\right)$ = ₹45

हानि = ₹(50 – 45) = ₹5

$\Rightarrow$ हानि % = $\left(\frac{5}{50} \times 100\right)\% = 10\%$.

3. एक सब्जी विक्रेता ने ₹1 के 6 की दर से नींबू खरीदे। इन पर 20% लाभ कमाने के लिए उसे ₹1 के कितने नींबू की दर से बेचना होगा?

हलः माना उसने 6 नींबू खरीदे, तब क्रय मूल्य = ₹1, लाभ = ₹20%

$\Rightarrow$ विक्रय मूल्य = ₹$\left(1 \times \frac{120}{100}\right)$ = ₹$\frac{6}{5}$

₹$\frac{6}{5}$ में नींबू बेचेगा = 6

₹1 में नींबू बेचेगा = $\left(6 \times \frac{5}{6}\right) = 5$.

4. यदि ₹1 में 10 की दर से टॉफी बेचने पर विक्रेता को 20% लाभ हो, तो ₹1 की कितनी टॉफी खरीदी गईं?

हलः माना 10 टॉफी बेची गईं, तो विक्रय मूल्य = ₹1

अब, विक्रय मूल्य = ₹1 तथा लाभ % = 20%

$\Rightarrow$ क्रय मूल्य = ₹$\left(\frac{100}{120} \times 1\right)$ = ₹$\frac{5}{6}$

₹$\frac{5}{6}$ में टॉफी खरीदी गईं = 10

₹1 में खरीदी गईं = $\left(10 \times \frac{6}{5}\right) = 12$.

अतः उसने ₹1 की 12 की दर से टॉफी खरीदी।

5. एक व्यक्ति किसी वस्तु को 20% लाभ पर बेचता है। यदि वह इसे 20% कम में खरीदता तथा ₹5 कम में बेचता है, तो उसे 25% लाभ होता। वस्तु का क्रय मूल्य ज्ञात कीजिए।

हलः माना क्रय मूल्य = ₹x, तो पहला विक्रय मूल्य = ₹$\left(x \times \frac{120}{100}\right)$

= ₹$\frac{6x}{5}$

नया क्रय मूल्य = (₹x का 80%)

= ₹$\left(x \times \frac{80}{100}\right)$ = ₹$\frac{4x}{5}$

नया विक्रय मूल्य = (₹$\frac{4x}{5}$ का 125%)

= ₹$\left(\frac{4x}{5} \times \frac{125}{100}\right)$

= ₹x

∴ $\frac{6x}{5} - x = 5$

$\Rightarrow$ $\frac{x}{5} = 5$

$\Rightarrow$ $x = 25$

अतः वस्तु का क्रय मूल्य = ₹25.

ब्याज

मूलधन (Principal)

उधार दी गई या ली गई राशि मूलधन कहलाती है।

साधारण ब्याज (Simple Interest)

जब कोई व्यक्ति, किसी व्यक्ति से कोई राशि उधार लेता है, तो उस राशि के अतिरिक्त वह जो धन (राशि) लौटाता है,वही साधारण ब्याज कहलाता है।

मिश्रधन (Amount)

ब्याज सहित लौटाई गई राशि या मूलधन ही सम्मिलित रूप से मिश्रधन कहलाता है।

- जब दो तिथियों के बीच समय निकालना हो, तो उधार देने वाली तिथि को न जोड़कर केवल चुकाने वाली तिथि को ही जोड़ते हैं। जैसे–15 मार्च, 2005 को राशि उधार दी गई तथा 20 नवम्बर, 2005 को राशि लौटाई तो समय = मार्च + अप्रैल + मई + जून + जुलाई + अगस्त + सितम्बर + अक्टूबर + नवम्बर
  16 + 30 + 31 + 30 + 31 + 31 + 30 + 31 + 20 = 250 दिन

  वर्ष बनाने के लिए 365 का भाग देते हैं।

  अर्थात् = $\frac{250}{365} = \frac{50}{73}$ वर्ष

  कभी-कभी कुछ परीक्षाओं में ब्याज का सूत्र पूछते हैं, तो साधारण ब्याज = मूलधन × समय × दर

  नोट : सूत्र में कभी-भी नीचे 100 नहीं लगा होता है क्योंकि दर के अनुसार ही नीचे 100 लगाते हैं। परन्तु जब ब्याज की शर्त वार्षिक है और दर प्रति सैकड़ा पर हो, तो–

$$\text{साधारण ब्याज} = \frac{\text{मूलधन} \times \text{समय} \times \text{दर}}{100}$$

$$\text{मूलधन} = \frac{\text{ब्याज} \times 100}{\text{समय} \times \text{दर}}$$

$$\text{समय} = \frac{\text{ब्याज} \times 100}{\text{मूलधन} \times \text{दर}}$$

$$\text{दर} = \frac{\text{ब्याज} \times 100}{\text{मूलधन} \times \text{समय}}$$

चक्रवृद्धि ब्याज (Compound Interest)

जब कोई राशि किसी निश्चित समय के लिए उधार दी जाती है तो प्राप्त ब्याज तथा मूलधन के योग (मिश्रधन) को अगली अवधि के लिए मूलधन मानकर पुनः वही प्रक्रिया दोहराते हैं। इस प्रकार प्राप्त ब्याज को चक्रवृद्धि ब्याज कहते हैं। अर्थात् प्राप्त ब्याज को मूल राशि में जोड़कर पुनः ब्याज पर ब्याज ही चक्रवृद्धि ब्याज कहलाता है।

$$\text{मिश्रधन} = \text{मूलधन} \times \left(1 + \frac{\text{दर}}{100}\right)^{\text{समय}}$$

$$\text{चक्रवृद्धि ब्याज} = \text{मूलधन} \times \left(1 + \frac{\text{दर}}{100}\right)^{\text{समय}} - \text{मूलधन}$$

चक्रवृद्धि ब्याज = मिश्रधन – मूलधन

राशि कई प्रकार की शर्तों पर उधार देते हैं–

(i) **वार्षिक दर :** वार्षिक दर का अर्थ होता है कि उधार दी गई राशि का एक वर्ष में हिसाब करके प्राप्त ब्याज को मूलधन में जोड़ते हैं।

(ii) **अर्द्धवार्षिक दर :** इसका अर्थ है कि वर्ष में दो बार हिसाब करके प्राप्त ब्याज को मूलधन में जोड़ते हैं।

- जब ब्याज की शर्त अर्द्धवार्षिक हो, तो दर को आधा तथा समय को दुगुना कर देते हैं।

(iii) **त्रैमासिक दर :** इसका अर्थ है कि राशि का एक वर्ष में 4 बार (3-3 माह के बाद) हिसाब करके प्राप्त ब्याज को मूलधन में जोड़ते हैं।

- जब ब्याज की शर्त त्रैमासिक हो तो दर को चौथाई व समय को चौगुना कर देते हैं।
- किसी भी राशि पर 1 वर्ष का चक्रवृद्धि ब्याज व साधारण ब्याज का अन्तर शून्य होता है।

उदाहरण

1. ₹ 6500 की राशि पर कितने समय में $6\frac{1}{2}\%$ वार्षिक साधारण ब्याज की दर से ₹ 845 साधारण ब्याज प्राप्त होगा?

हलः मूलधन = ₹ 6500

दर = $6\frac{1}{2}\%$ या $\frac{13}{2}\%$

ब्याज = ₹ 845

$$\text{समय} = \frac{\text{ब्याज} \times 100}{\text{मूलधन} \times \text{दर}} = \frac{845 \times 100 \times 2}{6500 \times 13} = 2 \text{ वर्ष}$$

2. कोई राशि साधारण ब्याज की दर से 3 वर्ष में ₹ 4800 हो जाती है तथा 5 वर्ष में ₹ 5600 हो जाती है, तो वह राशि बताओ।

हलः 3 वर्ष का मिश्रधन = ₹ 4800

5 वर्ष का मिश्रधन = ₹ 5600

2 वर्ष का ब्याज = ₹ 800

तो 3 वर्ष का ब्याज = $\frac{800}{2} \times 3 = ₹1200$

अतः मूलधन = मिश्रधन – ब्याज

= 4800 – 1200

= ₹ 3600

नोट : यहाँ 3 वर्ष के बजाय 5 वर्ष का ब्याज निकालकर भी हल कर सकते हैं।

3. ₹ 5680 की राशि 10% चक्रवृद्धि ब्याज की दर से $1\frac{1}{2}$ वर्ष के लिए उधार दी जाती है। यदि ब्याज की शर्त अर्द्धवार्षिक हो, तो चक्रवृद्धि ब्याज बताओ।

हलः मूलधन = ₹ 5680

समय = $1\frac{1}{2}$ वर्ष = 3 वर्ष [ऐसा समझते हैं]

दर = 10% = 5%

[जब ब्याज की शर्त अर्द्धवार्षिक हो, तो दर को आधा, समय को दोगुना करते हैं।]

ब्याज की शर्त = अर्द्धवार्षिक

चक्रवृद्धि ब्याज

$$= \text{मूलधन} \times \left(1+\frac{\text{दर}}{100}\right)^{\text{समय}} - \text{मूलधन}$$

$$= 5680\times\frac{105}{100}\times\frac{105}{100}\times\frac{105}{100}-5680$$

= 6575.31 – 5680 = ₹ 895.31.

4. कोई राशि 10% की दर से उधार दी जाती है और 3 वर्ष के अंत में ₹ 1331 प्राप्त होते हैं, तो बताओ उधार दी गई राशि क्या है?

हलः मूलधन = x दर = 10%

समय = 3 वर्ष मिश्रधन = ₹ 1331

$$\text{मिश्रधन} = \text{मूलधन} \times \left(1+\frac{\text{दर}}{100}\right)^{\text{समय}}$$

$$x\times\left(1+\frac{10}{100}\right)^3 = ₹\ 1331$$

$$x\times\frac{110}{100}\times\frac{110}{100}\times\frac{110}{100} = ₹\ 1331 \Rightarrow x = ₹\ 1000.$$

5. कोई राशि 4 वर्ष में 2 गुनी हो जाती है, तो बताओ वह कितने वर्ष में 16 गुनी हो जाएगी।

हलः 4 वर्ष में 2 गुनी या 2^1

? वर्ष में 16 गुनी या 2^4

Trick: $\text{समय} = \frac{\text{बाद वाली घात}}{\text{पहली घात}}\times t_1 = \frac{4}{1}\times 4 = 16$ वर्ष

औसत

- **औसत (Average):** दो या दो से अधिक संख्याओं का औसत वह संख्या है, जो उन सभी संख्याओं के योगफल को उनकी संख्या से भाग देने पर प्राप्त होता है।

  अतः $x_1, x_2, x_3 \ldots\ldots x_n$

  $$\text{संख्याओं का औसत} = \frac{x_1+x_2+\ldots+x_n}{n}$$

  $$\text{अर्थात् औसत} = \frac{\text{सभी संख्याओं का योग}}{\text{संख्याओं की संख्या}}$$

  या सभी संख्याओं का योग = औसत × संख्याओं की संख्या

- **प्राकृत संख्याओं का औसत ज्ञात करने की विधिः** जब दी गयी संख्याओं में लगातार दो पदों का अन्तर समान हो तो

  $$\text{मध्यमान (Mean value)} = \frac{\text{उच्च सीमा + निम्न सीमा}}{2}$$

- लगातार 'n' तक पूर्ण संख्याओं का औसत $\frac{n}{2}$ होता है।
- **विषय संख्याओं का औसत ज्ञात करने की विधिः** सम संख्याओं का औसत ज्ञात करने की विधि जैसी है।

  $$\text{औसत} = \frac{\text{उच्च सीमा + निम्न सीमा}}{2}$$

- **सम संख्याओं का औसत ज्ञात करने की विधिः** सम संख्याओं का औसत ज्ञात करते समय सर्वप्रथम यह देखते हैं कि दोनों सीमाएं सम संख्या हैं या विषम संख्याएं जो सीमा समसंख्या में नहीं होती है, उसे सर्वप्रथम सम संख्या में बदल देते हैं। इसके बाद की विधि नीचे जैसी होगीः

  $$\text{औसत} = \frac{\text{उच्च सीमा + निम्न सीमा}}{2}$$

- लगातार 'n' पूर्ण संख्याओं का औसत $\frac{(n-1)}{2}$ होता है।
- प्रथम 'n' प्राकृत संख्याओं का औसत $\frac{n+1}{2}$ होता है।
- प्रथम 'n' सम संख्याओं के वर्गों का औसत $\frac{2(n+1)(2n+1)}{3}$ होता है।
- लगातार 'n' तक विषम संख्याओं का औसत $\frac{n+1}{2}$ होता है।
- प्रथम 'n' सम संख्याओं का औसत $(n + 1)$ होता है।
- प्रथम 'n' प्राकृत संख्याओं के वर्गों का औसत $\frac{(n+1)(2n+1)}{6}$ होता है।
- प्रथम 'n' विषम संख्याओं के वर्गों का औसत $\left(\frac{4n^2-1}{3}\right)$ होता है।

उदाहरण

1. किसी कक्षा के 15 छात्रों का औसत वजन 18 किग्रा है तथा 10 छात्राओं का औसत वजन 12 किग्रा है, तो बताओ कक्षा के सभी छात्र-छात्राओं का औसत वजन क्या है?

हलः
$$\text{औसत वजन} = \frac{(15\times18)+(10\times12)}{15+10} = \frac{270+120}{25}$$

$$= \frac{390}{25} = 15.6 \text{ किग्रा.}$$

2. 10 छात्रों की औसत आयु 20 वर्ष है। 5 नये छात्र और आ जाने से उनकी औसत आयु में 1 वर्ष की वृद्धि हो जाती है तो बताओ 5 नये विद्यार्थियों की औसत आयु क्या है?

हलः नया औसत = पहला औसत $\pm \dfrac{(\text{कुल व्यक्ति} \times \text{औसत वृद्धि})}{\text{नये व्यक्ति}}$

$$20 + \frac{(15\times1)}{5} = 20 + 3 = 23 \text{ वर्ष}$$

3. 15 सेबों में से एक सेब जिसका वजन 250 ग्राम है के स्थान पर दूसरा सेब रख देने से उसके औसत भार में 10 ग्राम की कमी हो जाती है, तो बताओ दूसरे सेब का भार क्या है?

हलः नया भार = पुराना भार – (कुल संख्या × औसत में कमी)

$$= 250 - (15 \times 10)$$

$$= 100 \text{ ग्राम}$$

4. 40 संख्याओं का औसत 28 निकाला गया। परन्तु बाद में पता चला कि एक संख्या 39 के स्थान पर 79 पढ़ ली गई तो बताओ सही औसत क्या है?

हलः सही औसत = पुराना औसत $\pm \dfrac{\text{सही संख्या} - \text{गलत संख्या}}{\text{कुल संख्या}}$

$$= 28 + \frac{39-79}{40}$$

$$= 28 + \frac{-40}{40} = 28 - 1 = 27$$

5. एक नाव के 10 नाविकों में से 58 किग्रा. भार वाले एक नाविक के स्थान पर नया व्यक्ति आ जाने से इनके औसत भार में 1.2 किग्रा. की वृद्धि हो जाती है। नये नाविक का भार कितना है?

हलः भार में कुल वृद्धि = (10 × 1.2) किग्रा.

अतः नये नाविक का भार = (58 + 12) किग्रा. = 70 किग्रा.

अभ्यास प्रश्न

1. भिन्न जो $\frac{4}{5}$ के बराबर नही हैः

A. $\frac{40}{50}$ B. $\frac{12}{15}$

C. $\frac{16}{20}$ D. $\frac{9}{15}$

2. वे दो क्रमागत पूर्णांक, जिनके बीच में भिन्न $\frac{5}{7}$ स्थित हैः

A. 5 और 6 B. 0 और 1

C. 5 और 7 D. 6 और 7

3. $\frac{1}{4}$ को हर 12 के रूप में लिखने पर उसका अंश होगाः

A. 3 B. 8

C. 24 D. 48

4. निम्नलिखित में कौन न्यूनतम रूप में नहीं है?

A. $\frac{7}{5}$ B. $\frac{15}{20}$

C. $\frac{13}{33}$ D. $\frac{27}{28}$

5. यदि $\frac{5}{8} = \frac{20}{p}$ है, तो p का मान हैः

A. 23 B. 2

C. 32 D. 16

6. निम्नलिखित में से कौन अन्य के बराबर नहीं है?

A. $\frac{6}{8}$ B. $\frac{12}{16}$

C. $\frac{15}{25}$ D. $\frac{18}{24}$

7. निम्नलिखित में कौन-सी भिन्न सबसे बड़ी है?

A. $\frac{5}{7}$ B. $\frac{5}{6}$

C. $\frac{5}{9}$ D. $\frac{5}{8}$

8. निम्नलिखित में कौन-सी भिन्न सबसे छोटी है?

A. $\frac{7}{8}$ B. $\frac{9}{8}$

C. $\frac{3}{8}$ D. $\frac{5}{8}$

9. $\frac{4}{17}$ और $\frac{15}{17}$ का योग हैः

A. $\frac{19}{17}$ B. $\frac{19}{34}$

C. $\frac{11}{17}$ D. $\frac{2}{17}$

10. $\frac{19}{9}$ में से $\frac{5}{9}$ को घटाने पर परिणाम हैः

A. $\frac{24}{9}$ B. $\frac{14}{9}$

C. $\frac{14}{18}$ D. $\frac{14}{0}$

11. 0.7499 निम्नलिखित के बीच में स्थित हैः

A. 0.7 और 0.74 B. 0.75 और 0.79

C. 0.749 और 0.75 D. 0.74492 और 0.75

12. 0.023 निम्नलिखित के बीच में स्थित है:

A. 0.2 और 0.3 B. 0.02 और 0.03

C. 0.03 और 0.029 D. 0.026 और 0.024

13. $\frac{11}{7}$ को इस रूप में व्यक्त किया जा सकता है:

A. $7\frac{1}{4}$ B. $4\frac{1}{7}$

C. $1\frac{4}{7}$ D. $2\frac{2}{7}$

14. मिश्रित भिन्न $5\frac{4}{7}$ को इस रूप में व्यक्त किया जा सकता है:

A. $\frac{33}{7}$ B. $\frac{39}{7}$

C. $\frac{33}{4}$ D. $\frac{39}{4}$

15. 0.07 + 0.008 निम्नलिखित के बराबर है:

A. 0.15 B. 0.015

C. 0.078 D. 0.78

16. निम्नलिखित में कौन-सा दशमलव सबसे बड़ा है?

A. 0.182 B. 0.0925

C. 0.29 D. 0.038

17. निम्नलिखित में कौन-सा दशमलव सबसे छोटा है?

A. 0.27 B. 1.5

C. 0.082 D. 0.103

18. दशांश स्थान तक 13.572 का सही मान है:

A. 10 B. 13.57

C. 14.5 D. 13.6

19. 15.8 – 6.73 निम्नलिखित के बराबर है:

A. 8.07 B. 9.07

C. 9.13 D. 9.25

20. दशमलव 0.238 निम्नलिखित भिन्न के बराबर है:

A. $\frac{119}{500}$ B. $\frac{238}{25}$

C. $\frac{119}{25}$ D. $\frac{119}{50}$

21. मोहन 1 घंटे में 108 किमी. की दूरी तय करता है तो बताओ वह 1 सेकण्ड में कितनी दूरी तय करेगा?

A. 6 मीटर B. 8 मीटर

C. 30 मीटर D. 12 मीटर

22. एक हवाई जहाज किसी दूरी को 40 मिनट में तय करता है। उसकी औसत चाल 240 किमी./घंटा है। यदि उस दूरी को 30 मिनट में तय करना हो तो हवाई जहाज की चाल क्या होगी?

A. 260 किमी./घंटा B. 320 किमी./घंटा

C. 380 किमी./घंटा D. इनमें से कोई नहीं

23. हरि अपनी यात्रा की 60 किमी. की दूरी 30 किमी.प्रति घंटा की चाल से और 40 किमी. की दूरी 20 किमी. प्रति घंटा की चाल से तय करता है तो पूरी यात्रा में उसकी औसत चाल क्या है?

A. 20 किमी./घंटा B. 25 किमी./घंटा

C. 30 किमी./घंटा D. 35 किमी./घंटा

24. A 3 किमी./घंटा की चाल से चलने पर अपने घर से अपने स्कूल 5 मिनट की देरी से पहुँचता है। यदि वह 4 किमी./घंटा की चाल से चले तो स्कूल समय से 5 मिनट पहले पहुँच जाता है। उसके घर से उसके स्कूल की दूरी है:

A. 1 किमी. B. 2 किमी.

C. 3 किमी. D. 4 किमी.

25. अरुण जब 4 किमी. प्रति घंटा की चाल से विद्यालय जाता है तो 12 मिनट देरी से पहुँचता है। जब वह 5 किमी. प्रति घंटा की चाल से जाता है तो 6 मिनट देरी से पहुँचता है तो बताओ उसके घर से विद्यालय की दूरी क्या है?

A. 8 किमी. B. 5 किमी.

C. 4 किमी. D. 2 किमी.

26. दो रेलगाड़ियों की चाल 6 : 7 के अनुपात में है। यदि दूसरी रेलगाड़ी 4 घंटे में 364 किमी. चले, तो पहली रेलगाड़ी की चाल है:

A. 60 किमी./घंटा B. 72 किमी./घंटा

C. 78 किमी./घंटा D. 84 किमी./घंटा

27. मैं एक नियत दूरी तक पैदल चलता हूँ। लेकिन वापसी में वाहन से यात्रा करता हूँ। इस प्रकार कुल 37 मिनट लगते हैं। यदि मैं दोनों ओर से पैदल ही जाता हूँ तो मुझे 55 मिनट लगते हैं। तदनुसार दोनों ओर से वाहन से यात्रा करने में मुझे कितना समय लगेगा?

A. 9.5 मिनट B. 19 मिनट

C. 18 मिनट D. 20 मिनट

28. एक चोर ने रात्रि 9.00 बजे चोरी की और वह 8 किमी. प्रति घंटा की चाल से भागा। उसके 2 घंटे बाद सिपाही ने 10 किमी. प्रति घंटा की चाल से उसका पीछा किया तो बताओ वह सिपाही उस चोर को कितनी दूरी पर पकड़ लेगा?

A. 40 किमी. B. 50 किमी.

C. 80 किमी. D. इनमें से कोई नहीं

29. एक कार को 40 मीटर की दूरी तय करने में जितना समय लगता है उतना ही समय मिलिन्द को 15 मीटर दौड़ने में लगता है। जितने समय में कार 2 किमी. की दूरी तय करेगी उतने ही समय में मिलिन्द कितनी दूरी तय करेगा?

A. 100 मी. B. 600 मी.

C. 650 मी. D. 750 मी.

30. A, B तथा C एक ही स्थान से 12 किमी. लम्बाई वाले एक वृत्ताकार पथ पर एक साथ रवाना होते हैं। A, 4 किमी./घंटा, B 3 किमी./घंटा तथा C $\frac{3}{2}$ किमी./घंटा की चाल से चलता है। वे प्रस्थान बिन्दु पर एक साथ कितने समय बाद मिलेंगे।

A. 10 घंटे　　B. 12 घंटे
C. 15 घंटे　　D. 24 घंटे

31. रामू, श्यामू को 30 मीटर या 10 सेकण्ड से हारता है तो रामू द्वारा 1200 मीटर की दूरी की दौड़ को पूरा करने में कितना समय लगेगा?

A. 6 मिनट 30 सेकण्ड　　B. 6 मिनट 40 सेकण्ड
C. 5 मिनट 10 सेकण्ड　　D. इनमें से कोई नहीं

32. एक नाव की चाल 4 किमी./घंटा है तथा नदी की चाल 2 किमी./घंटा है। नाव किसी स्थान A से स्थान B तक जाने व आने में कुल कितना समय लेगी, यदि दोनों स्थानों के बीच की दूरी 8 किमी. हो?

A. 4 घंटे 10 मिनट　　B. 6 घंटे 15 मिनट
C. 6 घंटे 15 मिनट　　D. इनमें से कोई नहीं

33. एक नाव 8 घंटे में धारा की विपरीत दिशा में 40 किमी. चलती है तथा 6 घंटे में धारा के अनुकूल 36 किमी. चलती है। तो शान्त जल में नाव की चाल क्या है?

A. 6.5 किमी./घंटा　　B. 5.5 किमी./घंटा
C. 6 किमी./घंटा　　D. इनमें से कोई नहीं

34. शांत जल में एक नाव की चाल 10 किमी./घंटा है। यह धारा प्रतिकूल 6 घंटे में 45 किमी. की दूरी तय करती है। धारा की चाल (किमी./घंटा में) है:

A. 2.5　　B. 3
C. 3.5　　D. 4

35. एक नाविक धारा प्रवाह की दिशा में 18 किमी. जाने तथा धारा प्रवाह के विरुद्ध 12 किमी. जाने में समान समय लेता है। यदि धारा चाल 3 किमी./घंटा हो तो बताओ नाविक की चाल क्या है?

A. 10 किमी./घंटा　　B. 15 किमी./घंटा
C. 20 किमी./घंटा　　D. इनमें से कोई नहीं

36. एक आदमी धारा के विपरीत 15 मिनट में तीन-चौथाई किलोमीटर नाव खे सकता है, तथा उसी दूरी को वापस तय करने में उसे 10 मिनट लगते हैं। उसकी चाल का धारा की चाल से अनुपात है:

A. 3 : 5　　B. 5 : 3
C. 1 : 5　　D. 5 : 1

37. किसी व्यक्ति को नाव द्वारा किसी गन्तव्य पर धारा के अनुकूल जाने तथा धारा के प्रतिकूल प्रस्थान बिन्दु पर लौटने में 5 घंटे लगते हैं। यदि शान्त जल में नाव की चाल तथा धारा की चाल क्रमशः 10 किमी./घंटा तथा 4 किमी./घंटा हो तो प्रस्थान बिन्दु से गन्तव्य की दूरी होगी:

A. 16 किमी.　　B. 18 किमी.
C. 21 किमी.　　D. 25 किमी.

38. एक नौका B से A तक ऊर्ध्वप्रवाह और A से B तक अनुप्रवाह 3 घंटे में चलती है। यदि स्थिर पानी में नौका की चाल 9 किमी./घंटा है और धारा की चाल 3 किमी./घंटा है, तो A और B के बीच दूरी है:

A. 12 किमी.　　B. 8 किमी.
C. 6 किमी.　　D. 4 किमी.

39. एक नाव धारा के प्रतिकूल 24 किलोमीटर तथा धारा के अनुदिश 36 किलोमीटर तथा धारा के अनुदिश 24 किलोमीटर की दूरी तय करने में $6\frac{1}{2}$ घंटे लेती है। धारा की चाल है:

A. 1 किमी./घंटा　　B. 2 किमी./घंटा
C. 1.5 किमी./घंटा　　D. 2.5 किमी./घंटा

40. 300 मीटर लम्बी रेलगाड़ी 50 किमी./घंटा की चाल से जा रही है। उसके सामने से दूसरी ट्रेन 40 किमी./घंटे की चाल से आ रही है। दोनों ट्रेनें एक-दूसरे को 20 सेकण्ड में पार कर जाती हैं, तो दूसरे ट्रेन की लम्बाई क्या है?

A. 200 मीटर　　B. 300 मीटर
C. 400 मीटर　　D. 500 मीटर

41. 100 मीटर लम्बी रेलगाड़ी 40 किमी./घंटा की चाल से जा रही है। उसके सामने से 180 मीटर लम्बी रेलगाड़ी 32 किमी./घंटा की चाल से आ रही है, तो बताओ पहली ट्रेन के ड्राइवर को दूसरी ट्रेन कितने समय में पार करजाएगी?

A. 8 सेकेण्ड　　B. 9 सेकेण्ड
C. 12 सेकेण्ड　　D. 14 सेकेण्ड

42. 80 मीटर तथा 120 मीटर लम्बी दो रेलगाड़ियाँ समान्तर रेल पटरियों पर एक ही दिशा में क्रमशः 25 किमी./घंटा तथा 35 किमी./घंटा की चाल से चल रही हैं। वे एक-दूसरे को पार करने में कितने सेकेण्ड लेंगी?

A. 48　　B. 64
C. 70　　D. 72

43. दो रेलगाड़ी क्रमशः 70 किमी./घंटा तथा 52 किमी./घंटा की चाल से एक ही दिशा में जा रही है तो धीमी गति वाली ट्रेन में बैठा एक व्यक्ति अनुभव करता है कि तेज गति वाली ट्रेन उसे 22 सेकण्ड में पार कर जाती है, तो बताओ तेज गति वाली रेलगाड़ी की लम्बाई क्या है?

A. 100 मीटर　　B. 110 मीटर
C. 150 मीटर　　D. 200 मीटर

44. दो ट्रेन क्रमशः 90 किमी./घंटा तथा 54 किमी./घंटा की चाल से जा रही है तो तेज गति से चलने वाली ट्रेन कम गति से चलने वाली ट्रेन में बैठे एक व्यक्ति को 9 सेकण्ड में पार कर जाती है तो तेज गति से चलने वाली रेलगाड़ी की लम्बाई क्या है?

A. 80 मीटर B. 90 मीटर
C. 150 मीटर D. 200 मीटर

45. दो स्टेशनों P व Q के बीच की दूरी 497 किमी. है। एक ट्रेन स्टेशन P से प्रातः 9.00 बजे 65 किमी./घंटा की चाल से रवाना होती है। दूसरी ट्रेन स्टेशन Q से 10.00 बजे 43 किमी. प्रति घंटा की चाल से रवाना होती है तो बताओ दोनों ट्रेनें एक-दूसरे से कितने बजे मिलेंगी?

A. 1.00 बजे B. 12.00 बजे
C. 2.00 बजे D. 3.00 बजे

46. यदि $a : b = 2 : 3$ तथा $b : c = 4 : 5$ हो तो $a^2 : b^2 : bc$ ज्ञात कीजिए।

A. 4 : 9 : 45 B. 16 : 36 : 20
C. 16 : 36 : 45 D. 45 : 36 : 20

47. दो संख्याओं में 2 : 3 का अनुपात है। यदि प्रत्येक संख्या में 5 जोड़ दिया जाए तो उनमें 5 : 7 का अनुपात हो जाता है, तो बड़ी संख्या बताओ।

A. 20 B. 40
C. 30 D. 60

48. 340 को A, B तथा C में इस प्रकार बाँटे कि A तथा B के हिस्सों का अनुपात 1 : 2 और B तथा C के हिस्सों का अनुपात 3 : 4 हो।

A. 60, 120, 160 B. 50, 100, 190
C. 65, 130, 145 D. 55, 110, 225

49. दो संख्याएं 2 : 3 के अनुपात में हैं और उनका गुणनफल 96 है। उन संख्याओं का योगफल है:

A. 5 B. 20
C. 101 D. 102

50. A, B तथा C के मासिक वेतन 2 : 3 : 5 के अनुपात में हैं। यदि C का मासिक वेतन A के मासिक वेतन से ₹ 12000 अधिक हो, तो B का वार्षिक वेतन होगा:

A. ₹ 1,20,000 B. ₹ 1,44,000
C. ₹ 1,80,000 D. ₹ 2,40,000

51. एक महिला के पर्स में 25 पैसे और 50 पैसे के सिक्के हैं। उसके पास कुल 120 सिक्के हैं और कुल राशि ₹ 50 है तो उसके पर्स में प्रत्येक प्रकार के सिक्कों की संख्या क्रमशः है:

A. 40, 80 B. 70, 50
C. 90, 30 D. 60, 60

52. राम और श्याम की आय का अनुपात 3 : 4 है तथा उनके व्ययों का अनुपात 2 : 3 है। यदि इनमें से प्रत्येक ₹ 1500 की बचत करता हो तो राम की आय क्या है?

A. ₹ 3000 B. ₹ 4500
C. ₹ 6000 D. इनमें से कोई नहीं

53. शशांक तथा समीर के वेतन का अनुपात 3 : 2 है तथा उनके खर्च का अनुपात 5 : 3 है। यदि दोनों में से प्रत्येक ने ₹ 1000 बचाया हो, तो उनकी क्रमशः आय क्या है?

A. ₹ 2000, ₹ 3000 B. ₹ 1500, ₹ 1000
C. ₹ 1000, ₹ 2000 D. ₹ 6000, ₹ 4000

54. किसी मिश्रण में स्पिरिट और पानी 3 : 2 के अनुपात में है। यदि इसमें पानी से स्पिरिट 3 लीटर अधिक हो, तो इस मिश्रण में स्पिरिट की कितनी मात्रा है?

A. 10 लीटर B. 12 लीटर
C. 8 लीटर D. 9 लीटर

55. किसी मिश्रण में दूध व पानी का अनुपात 7 : 6 है। इसमें 10 लीटर दूध और डाल दिया जाए तो अब दूध व पानी का अनुपात 5 : 4 हो जाता है, तो बताओ प्रारम्भ में मिश्रण की कुल मात्रा कितनी थी?

A. 260 लीटर B. 82 लीटर
C. 149 लीटर D. इनमें से कोई नहीं

56. एक विद्यालय में लड़कों का $\frac{1}{6}$ भाग तथा लड़कियों का $\frac{1}{4}$ भाग भ्रमण के लिए गया। विद्यालय में कुल 540 विद्यार्थी हैं। यदि लड़के तथा लड़कियों का अनुपात 5 : 4 हो तो कुल कितने विद्यार्थी भ्रमण के लिए गए?

A. 110 B. 140
C. 240 D. 125

57. एक स्कूल में लड़कों और लड़कियों का अनुपात क्रमशः 4 : 5 है। जब 100 लड़कियां स्कूल छोड़ देती हैं तो अनुपात क्रमशः 6 : 7 हो जाता है, तो स्कूल में लड़कों की संख्या बताओ:

A. 1300 B. 1200
C. 2700 D. 1600

58. दूध तथा पानी के 40 लीटर मिश्रण में दूध का पानी से अनुपात 7 : 1 है। दूध तथा पानी का अनुपात 3 : 1 करने के लिए मिश्रण में पानी की कितनी मात्रा मिलानी होगी?

A. 6 B. $6\frac{1}{2}$
C. $6\frac{2}{3}$ D. $6\frac{3}{4}$

59. किसी एक संख्या के 5% और दूसरी संख्या के 4% का योग, पहली संख्या के 6% और दूसरी संख्या के 8% के योग का $\frac{2}{3}$ है, तो पहली संख्या का दूसरी संख्या से अनुपात क्या है?

A. 2 : 3 B. 3 : 2
C. 3 : 4 D. 4 : 3

60. 15 : 19 के अनुपात की दोनों संख्याओं में से कौन-सी संख्या घटाई जाए ताकि यह अनुपात 3 : 4 हो जाए?
A. 9 B. 6
C. 5 D. 3

61. एक बॉक्स में ₹ 1, 50 पैसे तथा 25 पैसे वाले सिक्के 8 : 5 : 3 के अनुपात में हैं। यदि बॉक्स में कुल धनराशि ₹ 112.50 हो, तो 50 पैसे के सिक्कों की संख्या क्या है?
A. 80 B. 50
C. 30 D. 42

62. ₹ 33630 की राशि को A, B तथा C में इस प्रकार विभाजित किया जाता है कि A द्वारा प्राप्त धनराशि का B की धनराशि से अनुपात 3 : 7 है तथा B की धनराशि का C की धनराशि से अनुपात 6 : 5 है। B द्वारा प्राप्त की गई धनराशि है।
A. ₹ 14868 B. ₹ 16257
C. ₹ 13290 D. ₹ 12390

63. बराबर धारिताओं के तीन बर्तन हैं। पहले बर्तन में गंधक के अम्ल और पानी का अनुपात 3 : 2 है। दूसरे बर्तन में यह अनुपात 7 : 3 है तथा तीसरे बर्तन में यह 11 : 4 है। यदि इन सभी को मिला दिया जाए, तो इस मिश्रण में गंधक के अम्ल तथा पानी का अनुपात क्या होगा?
A. 61 : 29 B. 61 : 28
C. 60 : 29 D. 59 : 29

64. A, B और C की आय 7 : 9 : 12 के अनुपात में है तथा उसके व्यय 8 : 9 : 15 के अनुपात में है। यदि A अपनी आय का $\frac{1}{4}$ बचाता है तो A, B, C की बचतों का अनुपात है।
A. 56 : 99 : 69 B. 69 : 56 : 99
C. 99 : 56 : 69 D. 99 : 69 : 56

65. दो क्रमागत वर्षों की मेरी आय में 2 : 3 का अनुपात है और व्यय में 5 : 9 का अनुपात है। यदि मेरी आय दूसरे वर्ष में ₹ 45000 हो और पहले वर्ष में मेरा व्यय ₹ 25000 हो, तो दो वर्षों में कुल बचत कितनी है?
A. ₹ 5000 B. ₹ 10000
C. ₹ 15000 D. इनमें से कोई नहीं

66. 1200 का कितने प्रतिशत 900 है?
A. 65% B. $33\frac{1}{3}$%
C. 75% D. 80%

67. 1 प्रतिशत का आधा क्या होगा?
A. 0.5 B. 0.05
C. 0.005 D. 0.0005

68. राम का वेतन ₹ 800 से बढ़कर ₹ 1000 हो गया, तो बताओ उसके वेतन में कितने प्रतिशत की वृद्धि हुई?
A. 20% B. 25%
C. 30% D. 40%

69. किसी संख्या में से 15 घटाने पर उस संख्या में 20% की कमी हो जाती है, तो उस संख्या का 60% क्या है?
A. 80 B. 60
C. 45 D. 75

70. एक व्यक्ति सुबह 6 से सायं 8 बजे तक कार्य करता है, तो बताओ वह कुल कितने प्रतिशत (दिन में) आराम करता है?
A. $\frac{7}{24}$% B. $\frac{1}{3}$%
C. 25% D. $41\frac{2}{3}$%

71. चीनी के भाव में 25% वृद्धि हो जाने से कोई गृहणी अपनी खपत में कितने % कमी करे ताकि खर्च पर कोई प्रभाव न पड़े?
A. 20% B. 25%
C. 30% D. 40%

72. एक वस्तु की कीमत 10% घटा दी जाती है। इसे मूल कीमत पर लाने के लिए नई कीमत में कितने प्रतिशत की वृद्धि की जाएगी?
A. 10% B. $9\frac{1}{11}$%
C. $11\frac{1}{9}$% D. 11%

73. राम का वेतन श्याम के वेतन से 60% अधिक है, तो बताओ श्याम का वेतन राम के वेतन से कितना % कम है?
A. 60% B. 38%
C. 37.5% D. 40%

74. किसी सिनेमा हॉल की टिकट दर में 20% कमी करने के बाद दर्शकों की संख्या में 30% की वृद्धि हो जाती है, तो बताओ अब सिनेमा हॉल की आय पर क्या प्रभाव पड़ेगा?
A. 2% कमी B. 4% वृद्धि
C. 4% कमी D. 10% वृद्धि

75. किसी नगर की 4 वर्ष की उत्तरोत्तर जनगणना में क्रमशः 20% की वृद्धि, 20% की वृद्धि, 20% की कमी, 20% की कमी हो जाती है, तो 4 वर्षों में जनसंख्या में निवल परिवर्तन का प्रतिशत लगभग है:
A. –7.84% B. +7.84%
C. 0% D. –16%

76. एक कार चालक को अपनी गति कितने प्रतिशत बढ़ानी चाहिए ताकि वह निश्चित दूरी को तय करने में 20% समय बचा सके?
A. 20% B. 25%
C. 30% D. इनमें से कोई नहीं

77. राम ने किसी परीक्षा में 25% अंक प्राप्त किए जो उत्तीर्णांक से 20 अंक कम थे। उसी परीक्षा में श्याम ने 35% अंक प्राप्त किए जो उत्तीर्णांक से 18 अधिक थे। तो बताओ परीक्षा का पूर्णांक क्या है?
A. 480 B. 380
C. 200 D. 600

78. किसी परीक्षा में 65% छात्र नागरिक शास्त्र में, 60% छात्र इतिहास में और 40% दोनों विषयों में पास हुए। यदि 90 छात्र इतिहास व नागरिक शास्त्र दोनों विषयों में फेल हुए, तो परीक्षार्थियों की कुल संख्या क्या है?

A. 600 B. 650
C. 700 D. 750

79. दूध तथा जल के 40 लीटर मिश्रण में 10% जल है। इसमें कितना जल और मिलाना चाहिए कि नए मिश्रण में जल 20% हो जाए?

A. 10 ली. B. 7 ली.
C. 5 ली. D. 4 ली.

80. एक तरबूज का वजन 10 किग्रा. है जिसमें 90% पानी है। चार दिन के बाद कुछ पानी का वाष्पीकरण हो गया तथा अब उसमें 70% पानी शेष बचा, तो बताओ कितने किग्रा. पानी का वाष्पीकरण हुआ?

A. $3\frac{1}{7}$ किग्रा. B. $4\frac{2}{3}$ किग्रा.
C. $8\frac{1}{3}$ किग्रा. D. $6\frac{2}{3}$ किग्रा.

81. किसी वस्तु का वर्तमान मूल्य ₹ 73920 है। यदि इसके मूल्य में पहले वर्ष 10% की वृद्धि, दूसरे वर्ष 20% की कमी तथा तीसरे वर्ष 20% की वृद्धि हुई हो, तो 3 वर्ष पूर्व का मूल्य क्या था?

A. ₹ 40000 B. ₹ 70000
C. ₹ 76000 D. इनमें से कोई नहीं

82. राम ने अपनी आय का 4% किसी चैरिटी को दानस्वरूप दिया तथा शेष का 10% एक बैंक में जमा करा दिया। अब यदि उसके पास ₹ 8640 बचे हों, तो उसकी आय है:

A. ₹ 12,500 B. ₹ 12,000
C. ₹ 10,500 D. ₹ 10,000

83. कृष्णामूर्ति प्रतिमास ₹ 15000 कमाता है और इसका 80% व्यय करता है। वेतन में संशोधन के कारण उसकी मासिक आय में 20% की वृद्धि हुई, किन्तु वस्तुओं के मूल्य बढ़ जाने से उसे अब 20% अधिक व्यय करना पड़ता है। उसकी नयी बचत है:

A. ₹ 3400 B. ₹ 3000
C. ₹ 3600 D. ₹ 4000

84. गेहूँ के मूल्य में 20% की कमी होने से ललिता ₹ 320 में 5 किलोग्राम अधिक गेहूँ खरीद सकती है। गेहूँ का आरंभिक मूल्य (₹ प्रति किलोग्राम में) था:

A. ₹ 16 B. ₹ 18
C. ₹ 20 D. ₹ 21

85. चावल के मूल्य में 25% की कमी होने पर कोई व्यक्ति ₹ 600 में 10 किलोग्राम अधिक चावल खरीद सकता है। चावल का प्रति किलोग्राम घटा हुआ मूल्य है:

A. ₹ 30 B. ₹ 25
C. ₹ 20 D. ₹ 15

86. किसी वस्तु के मूल्य में 50% की वृद्धि हो जाए, तो इसकी खपत में कितने भाग की कमी की जाए ताकि इसकी खपत पर होने वाला व्यय पहले जितना ही रहे?

A. $\frac{1}{4}$ B. $\frac{1}{3}$
C. $\frac{1}{2}$ D. $\frac{2}{3}$

87. रमा के व्यय तथा बचत में 5 : 3 का अनुपात है। यदि उसकी आय में 12% तथा व्यय में 15% की वृद्धि हो जाए, तो उसकी बचत में कितने प्रतिशत की वृद्धि होगी?

A. 12% B. 7%
C. 8% D. 13%

88. चीनी के भाव में 40% की वृद्धि हो जाती है। तो बताओ कोई गृहणी अपनी खपत में कितने प्रतिशत की कमी करे कि उसके खर्च पर केवल 12% की वृद्धि हो?

A. 30% B. 20%
C. 40% D. 12%

89. ग्लिसरिन के 50 लीटर के एक नमूने में 20% मिलावट पाई गई। इसमें कितनी शुद्ध ग्लिसरिन मिलाई जाए ताकि अशुद्धता 5% रह जाए?

A. 100 लीटर B. 150 लीटर
C. 140 लीटर D. 200 लीटर

90. एक संख्या में पहले 20% तथा पुनः 20% की वृद्धि की गई, तो बढ़ी हुई संख्या में कितने प्रतिशत की कमी की जाए ताकि पुनः वही संख्या आ जाए?

A. $30\frac{5}{9}$% B. $19\frac{11}{31}$%
C. 40% D. 44%

91. यदि 16 वस्तुओं का विक्रय मूल्य 20 वस्तुओं के क्रय मूल्य के बराबर हो, तो विक्रेता को:

A. 10% हानि होगी B. 15% लाभ होगा
C. 25% हानि होगी D. 25% लाभ होगा

92. यदि 8 वस्तुओं का क्रय मूल्य 9 वस्तुओं के विक्रय मूल्य के बराबर हो, तो विक्रेता को कितना प्रतिशत लाभ अथवा हानि होगी?

A. $11\frac{1}{9}$% लाभ B. $11\frac{1}{9}$% हानि
C. $12\frac{1}{2}$% लाभ D. $12\frac{1}{2}$% हानि

93. एक फल-विक्रेता ने 100 संतरे ₹ 350 में खरीद कर ₹ 48 प्रति दर्जन के भाव से बेच दिये। उसे कितने प्रतिशत लाभ अथवा हानि हुई?

A. $14\frac{2}{7}$% लाभ B. 12% लाभ
C. $14\frac{2}{7}$% हानि D. 12% हानि

94. A ने कोई वस्तु ₹400 की खरीदकर B को 20% लाभ पर बेच दी। B ने इसे C को 10% लाभ पर बेच दिया। C ने इसे कितने में खरीदा?

A. ₹482 B. ₹582
C. ₹528 D. ₹428

95. प्रीति ने एक पुस्तक 10% हानि पर बेची। यदि वह इसे ₹85 अधिक में बेचती, तो उसे 7% लाभ होता। पुस्तक का क्रय मूल्य क्या है?

A. ₹500 B. ₹600
C. ₹625 D. ₹725

96. एक व्यापारी अपनी वस्तुओं को क्रय मूल्य पर बेचने का दिखावा करता है परन्तु वह 1 किग्रा. के स्थान पर 900 ग्राम का बाट प्रयोग करता है। उसका लाभ प्रतिशत कितना है?

A. $16\frac{2}{3}\%$ B. $33\frac{1}{3}\%$
C. $8\frac{1}{3}\%$ D. $11\frac{1}{9}\%$

97. एक बेईमान दुकानदार अपनी वस्तुओं को क्रय मूल्य पर बेचता है, परन्तु कम तोल कर 25% लाभ कमाता है। 1 किग्रा. के लिए वह कितना भार प्रयोग करता है?

A. 775 ग्राम B. 900 ग्राम
C. 800 ग्राम D. 850 ग्राम

98. एक दुकानदार दो घड़ियों में से प्रत्येक को ₹616 में बेचता है। इस प्रकार वह एक घड़ी पर 12% लाभ कमाता है तथा दूसरी पर 12% हानि। कुल पर उसे कितना लाभ अथवा हानि होती है?

A. न लाभ न हानि B. $1\frac{11}{25}\%$ लाभ
C. $1\frac{11}{25}\%$ हानि D. $3\frac{2}{25}\%$ हानि

99. एक व्यक्ति को कोई वस्तु एक निश्चित मूल्य पर बेचने से 20% लाभ होता है। यदि वह इसे इससे दुगुने मूल्य पर बेचे, तो उसे कितने प्रतिशत लाभ होगा?

A. 125% B. 130%
C. 135% D. 140%

100. एक फल विक्रेता को ₹9 प्रति किग्रा. की दर से आम बेचने पर 20% हानि होती है। इस पर 5% लाभ कमाने के लिए उसे कितने ₹ प्रति किग्रा. की दर से बेचना होगा?

A. ₹11.81 B. ₹12
C. ₹12.25 D. ₹12.31

101. यदि किसी वस्तु के क्रय मूल्य तथा विक्रय मूल्य में 4 : 5 का अनुपात हो, तो लाभ प्रतिशत कितना होगा?

A. 15% B. 18%
C. 25% D. 35%

102. एक फल विक्रेता ने ₹34 के 8 की दर से सेब खरीदे तथा उन्हें ₹57 के 12 की दर से बेच दिया। ₹45 का लाभ कमाने हेतु उसे कितने सेब बेचने होंगे?

A. 90 B. 80
C. 120 D. 110

103. 17 गेंदें ₹720 में बेचने पर, 5 गेंदों के क्रय मूल्य के बराबर हानि होती है। एक गेंद का क्रय मूल्य क्या होगा?

A. ₹40 B. ₹55
C. ₹45 D. ₹60

104. 36 संतरे बेचने पर एक फल वाले को 4 संतरों के विक्रय मूल्य के बराबर हानि होती है। हानि प्रतिशत कितनी है?

A. 10% B. $12\frac{1}{2}\%$
C. $11\frac{1}{9}\%$ D. इनमें से कोई नहीं

105. यदि 110 आम बेचने पर 120 आमों का क्रय मूल्य प्राप्त होता है, तो लाभ प्रतिशत कितना है?

A. $9\frac{1}{9}\%$ B. $9\frac{1}{11}\%$
C. $10\frac{10}{11}\%$ D. $11\frac{1}{9}\%$

106. 20 वस्तुओं का क्रय मूल्य x वस्तुओं के विक्रय मूल्य के बराबर है। यदि लाभ 25% हो, तो x का मान क्या होगा?

A. 12 B. 16
C. 14 D. 22

107. यदि 50 वस्तुओं का विक्रय मूल्य 40 वस्तुओं के क्रय मूल्य के बराबर हो, तो इससे प्राप्त होगा :

A. 20% लाभ B. 20% हानि
C. 25% लाभ D. 25% हानि

108. ₹40 के 45 नींबू बेचने से एक व्यक्ति को 20% हानि होती है। वह ₹24 के कितने बेचे कि उसे 20% लाभ प्राप्त हो?

A. 12 B. 18
C. 15 D. 16

109. एक व्यक्ति ने कुछ संतरे ₹10 प्रति दर्जन तथा उतने ही सन्तरे ₹8 प्रति दर्जन खरीदे। इन सबको उसने ₹11 प्रति दर्जन बेचकर ₹120 का लाभ कमाया। उसने कुल कितने संतरे खरीदे?

A. 30 दर्जन B. 28 दर्जन
C. 24 दर्जन D. 32 दर्जन

110. 90 बॉल-पैन ₹160 में बेचकर एक व्यक्ति 20% हानि उठाता है। वह ₹96 के कितने बॉल-पैन बेचे कि उसे 20% लाभ हो?

A. 28 B. 36
C. 32 D. 35

111. 40 वस्तुओं का विक्रय मूल्य 36 वस्तुओं के क्रय मूल्य के बराबर है। प्रतिशत हानि ज्ञात कीजिए।

A. 15% B. 12%
C. 10% D. 18%

112. एक दुकानदार को 243 कलम बेचने पर 57 कलमों के विक्रय मूल्य के बराबर हानि होती है। उसका प्रतिशत हानि क्या है?

A. 16% B. 18%
C. 17% D. 19%

113. मनोज ₹20 में 24 पेन खरीदकर ₹24 में 20 पेन की दर से बेच देता है। उसका प्रतिशत लाभ या हानि क्या है?

A. 36% हानि B. 38% हानि
C. 44% लाभ D. 40% लाभ

114. किसी रेडियो को ₹2700 में बेचने से 8% का लाभ होता है। उसी रेडियो को कितने ₹ में बेचा जाए ताकि 16% का लाभ हो सके?

A. ₹2800 B. ₹2950
C. ₹2850 D. ₹2900

115. एक दुकानदार कहता है कि वह सभी वस्तुएँ 10% हानि पर बेचता है लेकिन वह एक किलो के बाट के स्थान पर 800 ग्राम के बाट का ही प्रयोग करता है। वह कितना प्रतिशत लाभ कमाता है?

A. 9.5% B. 8.5%
C. 10.5% D. 12.5%

116. अशोक अपनी सभी वस्तुओं पर 15% लाभ कमाता है लेकिन वह ऐसी तराजू का इस्तेमाल करता है जो 800 ग्राम को 900 ग्राम दिखाता है। उसका कुल लाभ प्रतिशत क्या है?

A. 20% B. 25%
C. 32% D. इनमें से कोई नहीं

117. एक रेडियो को A ने B को 10% हानि पर, B ने C को 20% लाभ पर तथा C ने D को 25% लाभ पर बेच दिया। यदि D ने उस रेडियो को ₹27000 में खरीदा, तो A ने उस रेडियो को कितने ₹ में खरीदा था?

A. ₹20000 B. ₹16000
C. ₹22000 D. ₹15000

118. एक फ्रिज की कीमत ₹7000 है तथा वह 20%, 10% के क्रमिक बट्टे पर उपलब्ध है। कोई ग्राहक कितने ₹ में खरीदेगा?

A. ₹5200 B. ₹5040
C. ₹5080 D. ₹5240

119. महेश ने एक सोफा 10% तथा 20% के क्रमिक बट्टे पर खरीदा। उसने उस सोफे को ₹16920 में बेचकर 25% का लाभ कमाया। उस सोफे का अंकित मूल्य क्या है?

A. ₹18300 B. ₹18200
C. ₹18400 D. ₹18100

120. एक वाशिंग मशीन 25% की छूट पर उपलब्ध है लेकिन नकद भुगतान करने पर 5% की अतिरिक्त छूट दी जाती है। इस अतिरिक्त छूट के कारण यदि कोई ग्राहक ₹468.75 बचा लेता है तो उस वाशिंग मशीन का अंकित मूल्य क्या है?

A. ₹8500 B. ₹11500
C. ₹12500 D. ₹9500

121. किसी व्यक्ति ने ₹ 25,000 की राशि का कुछ भाग 4% की दर से तथा कुछ भाग 9% की दर से उधार दिया। उसे 2 वर्ष के अन्त में कुल ₹ 3,000 ब्याज प्राप्त हुआ, तो बताओ 4% की दर से उसने कितनी राशि उधार दी?

A. ₹ 15000 B. ₹ 16000
C. ₹ 10000 D. ₹ 9000

122. एक आदमी ने ₹ 6000 में से कुछ 5% की दर से तथा शेष 4% की दर से, साधारण ब्याज पर उधार दिया। यदि कुल वार्षिक ब्याज ₹ 2560 हो, तो 4% की दर से उधार दी गई धनराशि कितनी थी?

A. ₹ 4000 B. ₹ 44000
C. ₹ 30000 D. ₹ 45000

123. सुभाष ने ₹ 6800 उधार के रूप में लिए जिनका ब्याज सहित दो समान वार्षिक किश्तों में भुगतान किया जाना है। यदि वार्षिक रूप से संयोजित ब्याज की दर $12\frac{1}{2}\%$ है, तो प्रत्येक किश्त की राशि होगी:

A. ₹ 3200 B. ₹ 4150
C. ₹ 4050 D. ₹ 4000

124. किसी धन पर 4% वार्षिक की दर से 8 मास का साधारण ब्याज, उसी धनराशि पर 5% वार्षिक की दर से 15 मास के साधारण ब्याज से ₹ 129 कम है, तो वह धन राशि क्या है?

A. ₹ 2580 B. ₹ 2400
C. ₹ 2529 D. ₹ 3600

125. कोई धनराशि साधारण ब्याज की दर से 2 वर्षों में ₹ 756 हो जाती है तथा $3\frac{1}{2}$ वर्षों में ₹ 873 हो जाती है, तो वार्षिक ब्याज की दर क्या है?

A. 10% B. 11%
C. 12% D. 13%

126. A, ₹ 800, 12% वार्षिक साधारण ब्याज की दर पर उधार लेता है तथा B, ₹ 910, 10% वार्षिक साधारण ब्याज की दर पर उधार लेता है। कितने वर्ष बाद उनके ऋण के मिश्रधन बराबर हो जाएंगे?

A. 22 वर्ष B. 20 वर्ष
C. 18 वर्ष D. 24 वर्ष

127. ₹ 500 की एक धनराशि 12% वार्षिक साधारण ब्याज की दर से निवेशित की जाती है तथा एक अन्य धनराशि 10% वार्षिक साधारण ब्याज की दर से निवेशित की जाती है। यदि दोनों धनराशियों पर प्राप्त कुल ब्याज ₹ 480 है, तो अन्य धन राशि क्या है?

A. ₹ 450 B. ₹ 4200
C. ₹ 6000 D. ₹ 550

128. किसी राशि पर 5% वार्षिक की दर से 3 वर्षों और 4 वर्षों में प्राप्त साधारण ब्याजों में ₹ 42 का अन्तर है, तो वह राशि क्या है?

A. ₹ 210 B. ₹ 750
C. ₹ 280 D. ₹ 840

129. ₹ 1600 का $7\frac{1}{2}\%$ वार्षिक ब्याज की दर से 2 वर्ष 4 माह का साधारण ब्याज क्या होगा?

A. ₹ 280 B. ₹ 290
C. ₹ 275 D. ₹ 285

130. साधारण ब्याज पर कोई राशि 2 वर्ष में ₹ 1062 तथा $3\frac{1}{2}$ वर्ष में ₹ 1183.50 हो जाती है, ब्याज की वार्षिक दर है:

A. 7% B. 6%
C. 9% D. 5%

131. ₹ 12000 की राशि 10% वार्षिक चक्रवृद्धि ब्याज की दर से उधार दी जाती है, तो बताओ 3 वर्ष का मिश्रधन क्या होगा?

A. ₹ 14748
B. ₹ 16000
C. ₹ 15972
D. इनमें से कोई नहीं

132. अर्द्धवार्षिक रूप में संयोजित, ₹ 6250 का 12% वार्षिक की दर से एक वर्ष का चक्रवृद्धि ब्याज क्या होगा?

A. ₹ 772.50 B. ₹ 772
C. ₹ 672.50 D. ₹ 672

133. ₹ 4500 की राशि 16% चक्रवृद्धि ब्याज की दर से 9 माह के लिए उधार दी जाती है। यदि ब्याज की शर्त त्रैमासिक हो, तो मिश्रधन की राशि बताओ।

A. ₹ 5061.88
B. ₹ 4947.60
C. ₹ 6032.40
D. इनमें से कोई नहीं

134. कोई राशि 4 वर्ष में 3 गुनी हो जाती है, तो बताओ वह कितने वर्ष में स्वयं की 9 गुनी हो जाएगी?

A. 6 वर्ष B. 8 वर्ष
C. 12 वर्ष D. 10 वर्ष

135. ₹ 6400 की राशि 5% वार्षिक की दर से 2 वर्ष के लिए उधार दी जाती है, तो चक्रवृद्धि ब्याज व सरल ब्याज का अन्तर क्या होगा?

A. ₹ 20 B. ₹ 16
C. ₹ 8 D. ₹ 64

136. कोई राशि 15% की दर से 2 वर्ष के लिए उधार दी जाती है, तो चक्रवृद्धि ब्याज व सरल ब्याज का अन्तर ₹ 540 प्राप्त होता है, तो वह राशि बताओ:

A. ₹ 24000
B. ₹ 20000
C. ₹ 26000
D. इनमें से कोई नहीं

137. कोई राशि 10% की दर से 3 वर्ष के लिए उधार दी जाती है, तो चक्रवृद्धि ब्याज व सरल ब्याज का अन्तर ₹ 279 प्राप्त होता है, तो वह राशि क्या है?

A. ₹ 8000 B. ₹ 9000
C. ₹ 10000 D. ₹ 11000

138. चक्रवृद्धि ब्याज पर उधार दी गई कोई धनराशि 2 वर्ष में ₹ 1460 तथा 3 वर्ष में ₹ 1606 होती है। ब्याज की वार्षिक दर क्या होगी?

A. 12% B. 11%
C. 10.5% D. 10%

139. किसी धन का 2 वर्ष का साधारण ब्याज ₹ 160 और उसी धन का उसी दर से चक्रवृद्धि ब्याज ₹ 164 हो, तो ब्याज की दर क्या है?

A. 5% B. 8%
C. 10% D. 12%

140. किसी धन का 10% की दर से 2 वर्ष का साधारण ब्याज ₹ 600 है, तो बताओ उसी राशि का उसी दर से 2 वर्ष का चक्रवृद्धि ब्याज क्या होगा?

A. ₹ 630 B. ₹ 650
C. ₹ 660 D. ₹ 700

141. 32 छात्रों की औसत आयु 10 वर्ष है। यदि अध्यापक की आयु भी सम्मिलित कर ली जाए, तो औसत आयु में 1 वर्ष की वृद्धि हो जाती है, बताओ अध्यापक की आयु क्या है?

A. 45 वर्ष B. 42 वर्ष
C. 43 वर्ष D. 40 वर्ष

142. 34 मजदूरों के 1 दिन का औसत वेतन ₹ 46.50 है एक मजदूर के आ जाने से औसत वेतन में 50 पैसे की वृद्धि हो जाती है तो इस नये मजदूर का वेतन क्या होगा?

A. ₹ 48 B. ₹ 80
C. ₹ 64 D. ₹ 96

143. एक कक्षा में 50 छात्र हैं। 40 किग्रा. वजन वाला एक छात्र चला जाता है तथा उसी समय एक अन्य कक्षा में आ जाता है। यदि इस प्रकार कक्षा का औसत वजन 100 ग्राम बढ़ जाए तो नये छात्र का वजन क्या है?

A. 28 किग्रा. B. 40 किग्रा.
C. 35 किग्रा. D. 45 किग्रा.

144. 20 लड़कों की औसत आयु 14 वर्ष है। 16 वर्ष का एक लड़का उन्हें छोड़कर चला जाता है और नया लड़का उसके स्थान पर आ जाता है। यदि अब उनकी औसत आयु 13.8 वर्ष हो तो नये लड़के की आयु कितनी है?

A. 15 वर्ष
B. 12 वर्ष
C. 13 वर्ष
D. इनमें से कोई नहीं

145. किसी कक्षा में 50 विद्यार्थी है। 50 किग्रा. भार वाला एक विद्यार्थी चला जाता है तथा उसके स्थान पर एक नया विद्यार्थी आ जाता है। जिससे कक्षा का औसत भार 1/2 किग्रा. बढ़ जाता है तो नये विद्यार्थी का भार है?

A. 65 किग्रा. B. 80 किग्रा.
C. 75 किग्रा. D. 62 किग्रा.

146. क्रिकेट के एक खिलाड़ी ने 24 पारियों में कुछ औसत रन बनाये। 25वीं पारी में उसने 90 रन बनाये जिससे 25वीं पारी का औसत 3 अधिक हो गया तो बताओ 24वीं पारी का औसत क्या है?

A. 15 B. 16
C. 22 D. 20

147. क्रिकेट के एक खिलाड़ी की 6 पारियों की कुछ औसत रन संख्या थी। 7वीं पारी में उसने 50 रन बनाये जिससे उसका औसत 4 बढ़ गया तो बताओ 7वीं पारी का औसत क्या था?

A. 28 B. 26
C. 24 D. 25

148. 18 संख्याओं का औसत 20 निकाला गया। परन्तु बाद में पता चला कि एक संख्या 53 के स्थान पर 35 जोड़ ली गई, तो बताओ सही औसत क्या है?

A. 16 B. 22
C. 17 D. 21

149. 20 संख्याओं का औसत 23 निकाला गया। परन्तु बाद में ज्ञात हुआ कि एक संख्या 67 के स्थान पर 87 पढ़ ली गई, तो बताओ उसका सही औसत क्या है?

A. 19 B. 22
C. 20 D. 25

150. 14 छात्रों के प्राप्तांकों का औसत 71 था। लेकिन बाद में पता चला कि एक छात्र के प्राप्तांक 56 के बजाय 42 और दूसरे के 32 के बजाय 74 लिख दिये गये थे। अतः सही औसत बताओ।

A. 65 B. 66
C. 69 D. 68

151. संख्याएँ 1, 2, 3, ….92 का औसत कितना होगा?

A. 42 B. 46.5
C. 44 D. 45.5

152. संख्याएँ 20, 21, 22 …. 120 का औसत कितना होगा?

A. 65 B. 60
C. 75 D. 70

153. संख्याएँ $1^2, 2^2, 3^2 \ldots 50^2$ का औसत कितना होगा?

A. 858.5 B. 859.5
C. 856 D. 857

154. संख्याएँ $1^3, 2^3, 3^3, \ldots 20^3$ का औसत क्या है?

A. 2215 B. 2205
C. 2202 D. 2212

155. 1 से 200 तक की सभी सम संख्याओं का औसत क्या है?

A. 108 B. 110
C. 102 D. 101

156. 1 से 299 तक की सभी विषम संख्याओं का औसत क्या है?

A. 150 B. 155
C. 147 D. 148

157. 7 के प्रथम सात गुणज का औसत क्या होगा?

A. 26 B. 28
C. 32 D. 24

158. एक बस दिल्ली से लखनऊ 80 किमी/घंटा की गति से जाती है और 40 किमी/घंटा की गति से लौट आती है। पूरी यात्रा में उसकी औसत गति (किमी/घंटा) क्या थी?

A. $49\frac{1}{3}$ B. $53\frac{1}{3}$
C. $50\frac{1}{3}$ D. $55\frac{1}{3}$

159. एक समिति के 12 सदस्यों की औसत आयु 56 वर्ष है। दो सदस्य जिनकी उम्र क्रमशः 60 वर्ष और 52 वर्ष थी, की मृत्यु हो गयी। शेष सदस्यों की औसत आयु क्या है?

A. 58 वर्ष B. 52 वर्ष
C. 56 वर्ष D. 53 वर्ष

160. सरकार ने 8 सदस्यों की एक समिति बनायी और बाद में 45 वर्ष और 50 वर्ष के दो पुरुषों के स्थान पर दो स्त्रियों को शामिल कर लिया गया और इस तरह से समिति के सदस्यों की औसत आयु 3.5 वर्ष घट गयी। उन दोनों स्त्रियों की औसत आयु क्या है?

A. 35 वर्ष B. $33\frac{1}{2}$ वर्ष
C. $34\frac{1}{2}$ वर्ष D. 34 वर्ष

उत्तरमाला

1	2	3	4	5	6	7	8	9	10
D	B	A	B	C	C	B	C	A	B
11	**12**	**13**	**14**	**15**	**16**	**17**	**18**	**19**	**20**
C	B	C	B	C	C	C	D	B	A
21	**22**	**23**	**24**	**25**	**26**	**27**	**28**	**29**	**30**
C	B	B	B	D	C	B	C	D	D
31	**32**	**33**	**34**	**35**	**36**	**37**	**38**	**39**	**40**
B	D	B	A	B	D	C	A	B	A
41	**42**	**43**	**44**	**45**	**46**	**47**	**48**	**49**	**50**
B	D	B	B	C	C	C	A	B	B
51	**52**	**53**	**54**	**55**	**56**	**57**	**58**	**59**	**60**
A	B	D	D	A	A	B	C	D	D
61	**62**	**63**	**64**	**65**	**66**	**67**	**68**	**69**	**70**
B	A	A	A	A	C	C	B	C	D
71	**72**	**73**	**74**	**75**	**76**	**77**	**78**	**79**	**80**
A	C	C	B	A	B	B	A	C	D
81	**82**	**83**	**84**	**85**	**86**	**87**	**88**	**89**	**90**
B	D	C	A	D	B	B	B	B	A
91	**92**	**93**	**94**	**95**	**96**	**97**	**98**	**99**	**100**
D	B	A	C	A	D	C	C	D	A
101	**102**	**103**	**104**	**105**	**106**	**107**	**108**	**109**	**110**
C	A	D	A	B	B	B	B	A	B
111	**112**	**113**	**114**	**115**	**116**	**117**	**118**	**119**	**120**
C	D	C	D	D	D	A	B	B	C
121	**122**	**123**	**124**	**125**	**126**	**127**	**128**	**129**	**130**
A	B	A	D	D	A	B	D	A	C
131	**132**	**133**	**134**	**135**	**136**	**137**	**138**	**139**	**140**
C	A	A	B	B	A	B	D	A	A
141	**142**	**143**	**144**	**145**	**146**	**147**	**148**	**149**	**150**
C	C	D	B	C	A	B	D	B	C
151	**152**	**153**	**154**	**155**	**156**	**157**	**158**	**159**	**160**
B	D	A	B	D	A	B	B	C	B

व्याख्यात्मक उत्तर

22. दूरी = चाल × समय = $\frac{240}{60}\times 40$ = 160 किमी.

अभीष्ट चाल = $\frac{160\times 60}{30}$ = 320 किमी./घंटा

23. 60 किमी. की दूरी को तय करने में लगा समय = $\frac{60}{30}$ = 2 घंटे

40 किमी. की दूरी को तय करने में लगा समय $\frac{40}{20}$ = 2 घंटे

कुल समय = 2 + 2 = 4 घंटे

कुल दूरी = 60 + 40 = 100 किमी.

चाल = $\frac{\text{दूरी}}{\text{समय}} = \frac{100}{4}$ = 25 किमी./घंटा

24. दूरी $= \dfrac{\text{चालों का गुणन}}{\text{चालों का अन्तर}} \times$ समय का अन्तर

$= \dfrac{3\times4}{4-3}\times\dfrac{(5+5)}{60} = \dfrac{12}{1}\times\dfrac{10}{60} = 2$ किमी.

25. दूरी $= \dfrac{\text{चालों का गुणन}}{\text{चालों का अन्तर}} \times$ समय का अन्तर

$$= \frac{4\times5}{(4-5)}\times\frac{(12-6)}{60}$$

[यहाँ 12 मिनट देरी से व 6 मिनट देरी से है जबकि पिछले प्रश्न में देरी व पहले से था।]

$$= \frac{20}{1}\times\frac{6}{60}$$

= 2 किमी.

26. दूसरी रेलगाड़ी की चाल $= \dfrac{364}{4} = 91$ किमी./घंटा

$\therefore \quad 7x = 91$

$\Rightarrow \quad x = 13$

$\therefore \quad 6x = 6 \times 13$

= 78 किमी./घंटा

28. चोर ने 2 घंटे में दूरी तय की = 8 × 2 = 16 किमी.

दोनों की सापेक्ष चाल = 10 – 8 = 2 किमी./घंटा

समय $= \dfrac{16}{2} = 8$ घंटे

सिपाही चोर को पकड़ेगा = 11.00 + 8.00

= 19.00 बजे या 7.00 बजे

दूरी = 10 × 8

= 80 किमी.

30. समय $= \dfrac{12}{4} = 3$ घंटे,

$\dfrac{12}{3} = 4$ घंटे,

$\dfrac{12}{3}\times2 = 8$ घंटे

3, 4 व 8 की ल.स. = 24 घंटे

31. रामू 30 मीटर दूरी तय करता है = 10 सेकण्ड में

तो 1200 मीटर की दूरी तय करेगा

$= \dfrac{10}{30}\times1200 = 400$ सेकण्ड

या 6 मिनट 40 सेकण्ड।

32. धारा की दिशा में चाल = 4 + 2 = 6 किमी./घंटा

विपरीत दिशा में चाल = 4 – 2 = 2 किमी./घंटा

आने व जाने में कुल समय $= \dfrac{8}{6}+\dfrac{8}{2}=\dfrac{16}{3}$ घंटे

$= \dfrac{16}{3}$ या $5\dfrac{1}{3}$ घंटे या 5 घंटे 20 मिनट।

33. धारा के विपरीत दिशा में चाल $= \dfrac{40}{8} = 5$ किमी./घंटा

धारा की दिशा में चाल $= \dfrac{36}{6} = 6$ किमी./घंटा

शांत जल में नाव की चाल = 5.5 किमी./घंटा

34. धारा के प्रतिकूल नाव की चाल

$= \dfrac{\text{दूरी}}{\text{समय}} = \dfrac{45}{6} = \dfrac{15}{2} = 7.5$ किमी./घंटा

$\therefore$ धारा की चाल = 10 – 7.5 = 2.5 किमी./घंटा

37. धारा की दिशा में चाल = 10 + 4 = 14 किमी./घंटा

धारा की विपरीत दिशा में चाल = 10 – 4 = 6 किमी./घंटा

माना दूरी = x किमी.

$$\frac{x}{14}+\frac{x}{6} = 5$$

$x = 21$ किमी.

38. नौका की दिशा में चाल = 9 + 3 = 12 किमी./घंटा

नौका की विपरीत दिशा में चाल = 9 – 3 = 6 किमी./घंटा

$$\frac{x}{12}+\frac{x}{6} = 3$$

$x = 12$ किमी.

41. दूरी = 180 मी.

चाल = 40 + 32

= 72 किमी./घंटा

या $\quad 72\times\dfrac{5}{18} = 20$ मी./सेकण्ड

समय = ?

समय $= \dfrac{180}{20}$

= 9 सेकण्ड

नोट : इस प्रकार के प्रश्नों में दूरी के लिए हमेशा पार करने वाली ट्रेन की लम्बाई को लेते हैं।

43. दोनों की सापेक्ष चाल = 70 – 52 = 18 किमी./घंटा

या $\quad 18\times\dfrac{5}{18} = 5$ मी./सेकण्ड

दूरी = 5 × 22 = 110 मीटर

44. सापेक्ष चाल = 90 – 54 = 36 किमी./घंटा

$36 \times \frac{5}{18}$ = 10 मी./सेकण्ड

समय = चाल × समय

= 10 × 9 = 90 मीटर

45.

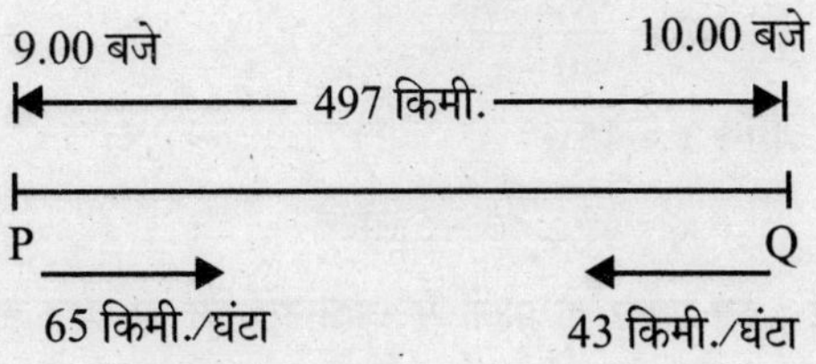

P की ओर से चलने वाली ट्रेन ने 1 घंटे में दूरी तय की

= 1 × 65 = 65 किमी.

शेष दूरी = 497 – 65 = 432 किमी.

दोनों की सापेक्ष चाल = 65 + 43 = 108 किमी./घंटा

समय = $\frac{432}{108}$ = 4 घंटे

दोनों ट्रेनें मिलेंगी = 10.00 + 4.00

= 14.00 बजे या 2.00 बजे

48.

A : B : C

1 : 2

3 : 4

3 : 6 : 8

अनुपातों का योग = 3 + 6 + 8 = 17

A का हिस्सा = $\frac{3}{17} \times 340$ = ₹ 60

B का हिस्सा = $\frac{6}{17} \times 340$ = ₹ 120

C का हिस्सा = $\frac{8}{17} \times 340$ = ₹ 160 .

49. माना संख्याएं $2x$ और $3x$ है।

∴ $2x \times 3x = 96$

⇒ $6x^2 = 96$

∴ $x = 4$

∴ संख्याओं का योगफल = 8 + 12 = 20.

50. 5 – 2 = 12000

∴ 3 = 12000

= B के अनुपात की राशि

∴ B का वार्षिक वेतन = 12 × 12000

= ₹ 144000.

52. राम और श्याम की आय का अनुपात = $3x$, $4x$

व्यय का अनुपात = $2x$, $3y$

बचत $3x - 2y$ = ₹ 1500 ...(*i*)

$4x - 3y$ = ₹ 1500 ...(*ii*)

समीकरण (*i*) को 3 व समीकरण (*ii*) को 2 से गुणा करने पर–

$9x - 6y$ = ₹ 4500

$8x - 6y$ = ₹ 3000

– + – घटाने पर

x = ₹ 1500

राम की आय = $3x$

या 3× 1500 = ₹ 4500.

54. माना, मिश्रण में स्प्रिट व पानी की मात्रा = $3x$, $2x$

$3x - 2x = 3$

$x = 3$

∴ स्प्रिट की मात्रा = 3 × 3 = 9 लीटर

55. दूध : पानी

7 : 6

$$\frac{7x+10}{6x} = \frac{5}{4}$$

$30x = 28x + 40$

$2x = 40$

$x = 20$

मिश्रण की कुल मात्रा = $13x$

या 13 × 20 = 260 लीटर

57. लड़के लड़कियां

$4x$ $5x$

$$\frac{4x}{5x-100} = \frac{6}{7}$$

$x = 300$

तो लड़के = 1200.

59. (x का 5% + y का 4%) = $\frac{2}{3}$(x का 6% + y का 8%)

$$\left(\frac{5x}{100}+\frac{4y}{100}\right) = \frac{2}{3}\left(\frac{6x}{100}+\frac{8y}{100}\right)$$

$$5x + 4y = \frac{12x+16y}{3}$$

$15x + 12y = 12x + 16y$

$15x - 12x = 16y - 12y$

$3x = 4y$

$\frac{x}{y} = \frac{4}{3}$ या 4 : 3.

61. ₹ 1 50 पैसे 25 पैसे

8 : 5 : 3

$$8x \times 1 + 5x \times \frac{1}{2} + 3x \times \frac{1}{4} = ₹\ 112.50$$

$$8x + \frac{5x}{2} + \frac{3x}{4} = ₹\ 112.50$$

$$32x + 10x + 3x = ₹\ 450.00$$

$$45x = 450$$

$$x = 10.$$

50 पैसे के सिक्कों की संख्या = 5 × 10 = 50.

62. A : B B : C

3 : 7 6 : 5

A : B : C

3 : 7

6 : 5

18 : 42 : 35

अनुपातों का योग = 18 + 42 + 35 = 95

B द्वारा प्राप्त की गई धन राशि $= \frac{42}{95} \times 33630$

= ₹ 14868.

67. 1% का $\frac{1}{2}, \frac{1}{100} \times \frac{1}{2} = \frac{1}{200} = 0.005.$

68. वेतन में वृद्धि = 1000 – 800 = ₹ 200

% वृद्धि $= \frac{200}{800} \times 100 = 25\%.$

70. कार्य करता है 6 से 8 बजे तक अर्थात् 14 घण्टे, तो आराम करेगा

$= 24 - 14 = 10$ घण्टे $= \frac{10}{24} \times 100 = 41\frac{2}{3}\%.$

71. % कमी करने के लिए $= \frac{\text{वृद्धि}}{100 + \text{वृद्धि}} \times 100$

$$= \frac{25}{125} \times 100 = 20\%.$$

74. % प्रभाव $= \frac{(100 \pm A)(100 \pm B)}{100}$

$\frac{80 \times 130}{100} = 104\%$ = वृद्धि 4%.

76. प्रतिशत गति बढ़ाने के लिए

$$= \frac{\text{कमी}}{(100 - \text{कमी})} \times 100$$

$$= \frac{20}{100 - 20} \times 100$$

$$= \frac{20}{80} \times 100 = 25\%.$$

77. कुल पूर्णांक $= \frac{\text{अंकों का अन्तर}}{\text{\% का अन्तर}} \times 100$

$= \frac{(20 + 18)}{(35 - 25)} \times 100 = \frac{38}{10} \times 100 = 380$ अंक

79. नए मिश्रण में जल की % मात्रा $= \frac{\text{दी गई मात्रा} \times \%}{\text{दी गई मात्रा + डाली मात्रा}}$

$$80 = \frac{40 \times 90}{40 + x}$$

$$40 + x = 45$$

$x = 45 - 40 = 5$ लीटर

नोट : इस प्रकार के प्रश्नों में ध्यान रखें कि जो चीज डाल रहे हैं उसके विपरीत चीज का प्रतिशत लिखते हैं जैसे इस प्रश्न में पानी डाल रहे हैं तो प्रतिशत दूध का लिखा है।

81. अन्तिम मूल्य = प्रारम्भिक मूल्य $\times \left(1 \pm \frac{R_1}{100}\right)\left(1 \pm \frac{R_2}{100}\right)\left(1 \pm \frac{R_3}{100}\right)...$

$$x \times \frac{110}{100} \times \frac{80}{100} \times \frac{120}{100} = 73920$$

$$x = 70000.$$

82. $x \times \frac{96}{100} \times \frac{90}{100} = 8640$

$$x = 10000.$$

84. गेहूँ का आरंभिक मूल्य $= \frac{\text{कमी}}{100 - \text{कमी}} \times \frac{₹}{\text{कि. ग्रा.}}$

$$= \frac{20}{80} \times \frac{320}{5} = ₹\ 16.$$

85. प्रारम्भिक मूल्य $= \frac{\text{कमी}}{100 - \text{कमी}} \times \frac{₹}{\text{कि.ग्रा.}}$

$$= \frac{25}{75} \times \frac{600}{10}$$

= ₹ 20 प्रति कि.ग्रा.

घटा हुआ मूल्य $= 20 \times \frac{75}{100} = ₹\ 15$ प्रति कि.ग्रा.

86. $\frac{50}{150} = \frac{1}{3}$ भाग

यहाँ % नहीं पूछा गया है बल्कि उसका हिस्सा पूछा गया है।

89. नई प्रतिशत मात्रा $= \frac{\text{दी गई मात्रा} \times \%}{\text{दी गई मात्रा + डाली गई मात्रा}}$

$$5 = \frac{50 \times 20}{50 + x}$$

$$50 + x = 200$$

$x = 200 - 50 = 150$ लीटर

90. कुल वृद्धि $= \frac{120 \times 120}{100} - 100 = 44\%$

कमी % के लिए $= \frac{\text{वृद्धि}}{(100 + \text{वृद्धि})} \times 100$

$= \frac{44}{144} \times 100 = 30\frac{5}{9}\%.$

91. माना प्रत्येक वस्तु का क्रय मूल्य = ₹1

तब, 16 वस्तुओं का क्रय मूल्य = ₹16

16 वस्तुओं का क्रय मूल्य = 20 वस्तुओं का क्रय मूल्य = ₹20

₹16 पर लाभ = ₹4

$\Rightarrow$ लाभ % $= \left(\frac{4}{16} \times 100\right)\% = 25\%$

92. माना प्रत्येक वस्तु का क्रय मूल्य = ₹1

तब, 9 वस्तुओं का क्रय मूल्य = ₹9

9 वस्तुओं का विक्रय मूल्य = 8 वस्तुओं का क्रय मूल्य = ₹8

₹9 पर हानि = ₹1

$\Rightarrow$ हानि % $= \left(\frac{1}{9} \times 100\right)\% = 11\frac{1}{9}\%.$

93. 100 संतरों का क्रय मूल्य = ₹350

100 संतरों का विक्रय मूल्य = ₹$\left(\frac{48}{12} \times 100\right)$ = ₹400

अतः लाभ = ₹(400 – 350) = ₹50

$\Rightarrow$ लाभ % $= \left(\frac{50}{350} \times 100\right)\% = 14\frac{2}{7}\%.$

94. A का विक्रय मूल्य = ₹400 का 120% = ₹$\left(400 \times \frac{120}{100}\right)$

= ₹480

B का विक्रय मूल्य = ₹480 का 110% = ₹$\left(480 \times \frac{110}{100}\right)$

= ₹528

अतः C ने इसे ₹528 में खरीदा।

95. माना क्रय मूल्य = ₹x

तब, (7% लाभ पर वि.मू.) – (10% हानि पर वि.मू.) = 85

$\Rightarrow \left(x \times \frac{107}{100}\right) - \left(x \times \frac{90}{100}\right) = 85$

$\Rightarrow 107x - 90x = 8500$

$\Rightarrow 17x = 8500$

$\Rightarrow x = 500$

अतः पुस्तक का क्रय मूल्य = ₹500.

96. माना 1 किग्रा. का क्रय मूल्य = ₹1000

तब, 900 ग्राम का क्रय मूल्य = 900

900 ग्राम का विक्रय मूल्य = 1000

₹900 पर लाभ = ₹100

$\Rightarrow$ लाभ % $= \left(\frac{100}{900} \times 100\right)\% = 11\frac{1}{9}\%.$

97. माना कि दुकानदार 1000 ग्राम के स्थान पर $(1000 - x)$ ग्राम बाट का प्रयोग करता है तथा 1 ग्राम का क्रय मूल्य = ₹1

तब क्रय मूल्य = ₹$(1000 - x)$ तथा विक्रय मूल्य = ₹1000

लाभ = ₹$[1000 - (1000 - x)]$ = ₹x

$\therefore$ लाभ % $= \frac{x}{(1000 - x)} \times 100$

$\Rightarrow \frac{100x}{(1000 - x)} = 25$

$\Rightarrow 100x = 25000 - 25x$

$\Rightarrow 125x = 25000$

$\Rightarrow x = 200$

अतः 1000 ग्राम के स्थान पर वह (1000 – 200) = 800 ग्राम बाट का प्रयोग करता है।

98. इसमें सदैव हानि होती है।

हानि % $= \left(\frac{\text{उभयनिष्ठ लाभ व हानि \%}}{10}\right)^2 \%$

$= \left(\frac{12}{10}\right)^2 = \left(\frac{12}{10} \times \frac{12}{10}\right)\% = \frac{36}{25}\% = 1\frac{11}{25}\%.$

99. माना क्रय मूल्य = ₹x

तब, विक्रय मूल्य = ₹x का 120% = ₹$\left(x \times \frac{120}{100}\right)$ = ₹$\frac{6x}{5}$

नया विक्रय मूल्य = ₹$\left(2 \times \frac{6x}{5}\right)$ = ₹$\frac{12x}{5}$

तब, लाभ = ₹$\left(\frac{12x}{5} - x\right)$ = ₹$\frac{7x}{5}$

$\therefore$ लाभ % $= \left(\frac{7x}{5} \times \frac{1}{x} \times 100\right)\% = 140\%.$

100. माना फल विक्रेता ने 1 किग्रा. आम बेचे।

विक्रय मूल्य = ₹9, हानि = 20%

$\Rightarrow$ क्रय मूल्य = ₹$\left(\frac{100}{80} \times 9\right)$ = ₹$\frac{45}{4}$

अब, क्रय मूल्य = ₹$\frac{45}{4}$, लाभ = 5%

विक्रय मूल्य = ₹$\left(\frac{105}{100} \times \frac{45}{4}\right)$ = ₹11.81

अतः आम बेचने की दर = ₹11.81 प्रति किग्रा.।

101. माना क्रय मूल्य = ₹$4x$

तब, विक्रय मूल्य = ₹$5x$

$\therefore$ लाभ % = $\left(\frac{x}{4x}\times 100\right)\%$ = 25%.

102. 1 सेब का क्रय मूल्य = ₹$\left(\frac{34}{8}\right)$ = ₹4.25

1 सेब का विक्रय मूल्य = ₹$\left(\frac{57}{12}\right)$ = ₹4.75

प्रत्येक सेब पर लाभ = ₹(4.75 – 4.25) = ₹.50

अभीष्ट सेबों की संख्या = $\left(\frac{45}{0.50}\right)=\left(45\times\frac{100}{50}\right)$ = 90.

103. (17 गेंदों का क्रय मूल्य) – (17 गेंदों का विक्रय मूल्य)

= (5 गेंदों का क्रय मूल्य)

$\Rightarrow$ (12 गेंदों का क्रय मूल्य) = (17 गेंदों का विक्रय मूल्य)

= ₹720

$\Rightarrow$ 1 गेंद का क्रय मूल्य = ₹$\left(\frac{720}{12}\right)$ = ₹60.

104. (36 संतरों का क्रय मूल्य) – (36 संतरों का विक्रय मूल्य)

= (4 संतरों का विक्रय मूल्य)

$\Rightarrow$ 36 संतरों का क्रय मूल्य = 40 संतरों का विक्रय मूल्य

माना 1 संतरे का क्रय मूल्य = ₹1

40 संतरों का विक्रय मूल्य = 36 संतरों का क्रय मूल्य = ₹36

$\therefore$ हानि % = $\left(\frac{4}{40}\times 100\right)\%$ = 10%.

105. 110 आमों का विक्रय मूल्य = 120 आमों का क्रय मूल्य

माना 1 आम का क्रय मूल्य = ₹1

110 आमों का क्रय मूल्य = ₹110

110 आमों का विक्रय मूल्य = 120 आमों का क्रय मूल्य = ₹120

$\therefore$ लाभ % = $\left(\frac{10}{110}\times 100\right)\% = 9\frac{1}{11}\%$.

106. माना 1 वस्तु का क्रय मूल्य = ₹1

तब, x वस्तुओं का क्रय मूल्य = ₹x

तथा x वस्तुओं का विक्रय मूल्य = ₹20

$\therefore$ लाभ % = $\left\{\frac{(20-x)}{x}\times 100\right\}\%$

अतः $\frac{(20-x)}{x}\times 100 = 25$

$\Rightarrow \frac{(20-x)}{x} = \frac{1}{4}$

$\Rightarrow 5x = 80$

$\Rightarrow x = 16.$

107. माना 1 वस्तु का क्रय मूल्य = ₹1

तब, 50 वस्तुओं का क्रय मूल्य = ₹50

50 वस्तुओं का विक्रय मूल्य = 40 वस्तुओं का क्रय मूल्य = ₹40

$\therefore$ ₹50 पर हानि = ₹10

$\Rightarrow$ हानि % = $\left(\frac{10}{50}\times 100\right)\%$ = 20%.

108. माना उस व्यक्ति ने 45 नींबू खरीदे।

तब, (विक्रय मूल्य = ₹40 तथा इस पर हानि = 20%)

$\Rightarrow$ क्रय मूल्य = ₹$\left(\frac{100}{80}\times 40\right)$ = ₹50

20% लाभ के लिए विक्रय मूल्य = ₹$\left(\frac{120}{100}\times 50\right)$ = ₹60

₹60 के नींबू बेचेगा = 45

$\Rightarrow$ ₹24 के नींबू बेचेगा = $\left(\frac{45}{60}\times 24\right)$ = 18.

109. माना उस व्यक्ति ने प्रत्येक प्रकार के x दर्जन संतरे खरीदे।

कुल क्रय मूल्य = ₹$(10x + 8x)$ = ₹$18x$

कुल विक्रय मूल्य = ₹$(11 \times 2x)$ = ₹$22x$

लाभ = $4x$

$4x = 120$

$x = 30$

अतः उसने प्रत्येक प्रकार के 30 दर्जन संतरे खरीदे।

110. विक्रय मूल्य = ₹160 तथा हानि = 20%

$\Rightarrow$ क्रय मूल्य = ₹$\left(\frac{100}{80}\times 160\right)$ = ₹200

$\therefore$ 90 बॉल-पेन का क्रय मूल्य = ₹200

$\Rightarrow$ 1 बॉल-पेन का क्रय मूल्य = ₹$\left(\frac{200}{90}\right)$ = ₹$\left(\frac{20}{9}\right)$

अब, 1 बॉल-पेन का क्रय मूल्य = ₹$\left(\frac{20}{9}\right)$, लाभ = 20%

$\therefore$ 1 बॉल-पेन का विक्रय मूल्य = ₹$\left(\frac{120}{100}\times\frac{20}{9}\right)$ = ₹$\frac{8}{3}$

$\therefore$ ₹96 के बॉल-पेन = $\left(96\times\frac{3}{8}\right)$ = 36.

111. प्रतिशत हानि = $\frac{40-36}{40}\times 100 = \frac{4}{40}\times 100 = 10\%$.

112. प्रतिशत हानि = $\frac{57}{(243+57)}\times 100 = \frac{57}{300}\times 100 = 19\%$.

113. प्रतिशत लाभ/हानि = $\frac{(24\times 24-20\times 20)}{20\times 20}\times 100$

$= \frac{(576-400)}{400}\times 100 = \frac{176}{4} = 44\%$

अतः प्रतिशत लाभ = 44%.

114. विक्रय मूल्य $= 2700 \times \frac{(100+16)}{(100+8)} = 2700 \times \frac{116}{108} =$ ₹2900.

115. गलत बाट के कारण उसका प्रतिशत लाभ $= \frac{1000-800}{800} \times 100$

$= \frac{200}{800} \times 100 = 25\%$

कुल प्रतिशत लाभ $= (25-10) - \frac{25 \times 10}{100}$

$= 15 - 2.5 = 12.5\%.$

116. कम तौलने के कारण प्रतिशत लाभ $= \frac{900-800}{800} \times 100$

$= \frac{100}{800} \times 100 = 12\frac{1}{2}\%$

उसका कुल लाभ $= 15 + 12.5 + \frac{15 \times 12.5}{100}$

$= 27.5 + 1.875$

$= 29.375\%.$

117. रेडियो का खरीद मूल्य

$= \frac{100}{(100-10)} \times \frac{100}{(100+20)} \times \frac{100}{(100+25)} \times 27000$

$= \frac{100}{90} \times \frac{100}{120} \times \frac{100}{125} \times 27000$

= ₹20000.

118. ग्राहक का क्रय मूल्य $= 7000 \times \frac{(100-20)}{100} \times \frac{(100-10)}{100}$

$= 7000 \times \frac{80}{100} \times \frac{90}{100}$

= ₹5040.

119. माना अंकित मूल्य = ₹100

महेश द्वारा सोफा का खरीद मूल्य $= 100 \times \frac{90}{100} \times \frac{80}{100} =$ ₹72

विक्रय मूल्य $= 72 \times \frac{125}{100} =$ ₹90

∵ ₹90 विक्रय मूल्य तो अंकित मूल्य = ₹100

∴ ₹16920 विक्रय मूल्य तो अंकित मूल्य $= \frac{100}{90} \times 16920$

= ₹18800.

120. माना अंकित मूल्य = ₹100

बट्टा = 100 का $\frac{25}{100} =$ ₹25

शेष राशि = 100 − 25 = ₹75

अतिरिक्त छूट = 75 का $\frac{5}{100} =$ ₹3.75

∵ ₹3.75 की बचत है ₹100 में

∴ ₹468.75 की बचत है $\frac{100}{3.75} \times 468.75 =$ ₹12500

∴ अंकित मूल्य = ₹12500.

121. कुल राशि = ₹ 25000

पूरी राशि पर 2 वर्ष में कुल ब्याज = ₹ 3000

दर $= \frac{\text{ब्याज} \times 100}{\text{मूलधन} \times \text{समय}}$

$= \frac{3000 \times 100}{25000 \times 2} = 6\%$

पहला 4%   दूसरा 9%

6%

3 : 2

अनुपातों का योग = 3 + 2 = 5

4% की दर पर उधार राशि

$= \frac{3}{5} \times 25000$

= ₹ 15000.

122. दर $= \frac{2560}{60000} \times 100$

$= \frac{64}{15}\%$

5%   4%

$\frac{64}{15}\%$

$\frac{4}{15}\%$ $\frac{11}{15}\%$

या   4 : 11

4% की दर पर उधार राशि $= \frac{11}{15} \times 60000$

= ₹ 44000.

123. दो किश्तों की राशि

100 + 12.5 × 1 = ₹ 112.5

100 + 12.5 × 0 = ₹ 100

= ₹ 212.5

212.5 = ₹ 6800

तो $100 = \frac{6800}{212.5} \times 100$

= ₹ 3200.

126. $\frac{800\times12\times x}{100}+800 = \frac{910\times10\times x}{100}+910$

$96x + 800 = 91x + 910$

$5x = 110$

$x = 22.$

127. $\frac{500\times12\times1}{100}+\frac{x\times10\times1}{100} =$ ₹ 480

$60+\frac{x}{10} =$ ₹ 480

$x =$ ₹ 4200.

129. $\frac{1600\times15\times7}{100\times2\times3}\left\{2.\frac{4}{12}=2\frac{1}{3} \text{ या } \frac{7}{3}\right\} =$ ₹ 280.

130. 2 वर्ष ╳ 1062

$3\frac{1}{2}$ वर्ष ╳ 1183.50

(3717) (2367)

दर $= \frac{\text{मिश्रधनों का अन्तर}}{\text{वज्रगुणन का अन्तर}}\times100 = \frac{121.5}{1350}\times100 = 9\%.$

131. मिश्रधन = मूलधन $\times\left(1+\frac{\text{दर}}{100}\right)^{\text{समय}}$

$= 12000\times\frac{110}{100}\times\frac{110}{100}\times\frac{110}{100} =$ ₹ 15972.

132. $6250\times\frac{106}{100}\times\frac{106}{100} =$ ₹ 7022.50

ब्याज = ₹ 772.50.

134. 4 वर्ष में 3 गुनी = 3^1

? = 9 गुनी 3^2

समय $= \frac{\text{बाद वाली घात}}{\text{पहली घात}}\times t$

$= \frac{2}{1}\times4 = 8$ वर्ष

136. यहाँ समय 2 वर्ष देकर चक्रवृद्धि ब्याज व सरल ब्याज का अन्तर है, तो–

अन्तर = मूलधन $\times\left(\frac{\text{दर}}{100}\right)^2$

$540 = x\left(\frac{15}{100}\right)^2$

$540 = x\times\frac{9}{400}$

$x =$ ₹ 24000.

138. 2 वर्ष का मिश्रधन = ₹ 1460

3 वर्ष का मिश्रधन = ₹ 1606

दर $= \left(\frac{A_2}{A_1}-1\right)\times100 = \left(\frac{1606}{1460}-1\right)\times100$

$= \frac{146}{1460}\times100 = 10\%.$

140. $\frac{200+R}{200} = \frac{\text{चक्रवृद्धि ब्याज}}{\text{सरल ब्याज}}$

$\frac{200+R}{200} = \frac{x}{600}$

$\frac{210}{200} = \frac{x}{600}$

$x =$ ₹ 630.

141. अध्यापक की आयु

= पहला औसत + (कुल व्यक्ति × औसत वृद्धि)

= 10 + (33 × 1)

= 10 + 33 = 43 वर्ष

142. नये मजदूर का वेतन

= पहला औसत + (कुल व्यक्ति × औसत वृद्धि)

= 46.50 + (35 × 0.50)

= 46.50 + 17.50 = ₹ 64

143. नये छात्र का वजन

= पहले का वजन + (कुल संख्या × औसत में वृद्धि)

= 40 + (50 × 100)

= 40 + 5 = 45 किग्रा.

144. नये लड़के की आयु

= पुराने लड़के की आयु – (कुल संख्या × औसत में कमी)

= 16 – (20 × 0.2)

= 16 – 4 = 12 वर्ष

145. नये विद्यार्थी का भार

= पुराने लड़के का भार $\pm$ (औसत × संख्या)

$= 50 + \left(50\times\frac{1}{2}\right)$

= 50 + 25 = 75 किग्रा.

146. पहली पारी का औसत

= नये कुल रन – (दूसरी पारी × औसत में वृद्धि)

= 90 – (25 × 3)

= 90 – 75

= 15 रन

147. पहली पारी का औसत

= नये कुल रन – (दूसरी पारी × औसत में वृद्धि)

= 50 – (7 × 4)

= 50 – 28 = 22

तो दूसरी पारी का औसत = 22 + 4 = 26

148. सही औसत = पुराना औसत + $\frac{\text{सही संख्या} - \text{गलत संख्या}}{\text{कुल संख्या}}$

$= 20 + \frac{53-35}{18}$

$= 20 + \frac{18}{18}$

= 20 + 1 = 21

149. सही औसत = पुराना औसत – $\frac{\text{सही संख्या} - \text{गलत संख्या}}{\text{कुल संख्या}}$

$= 23 - \frac{67-87}{20}$

$= 23 - \frac{20}{20}$

= 23 – 1 = 22

150. सही औसत = पुराना औसत + $\frac{\text{सही} - \text{गलत}}{\text{कुल संख्याएँ}}$

$= 71 + \frac{(56+32)-(42+74)}{14}$

$= 71 + \frac{-28}{14}$

= 71 – 2

= 69

151. अभीष्ट औसत $= \frac{n+1}{2} = \frac{92+1}{2} = \frac{93}{2} = 46.5$

152. अभीष्ट औसत $= \frac{a+m}{2} = \frac{20+120}{2} = \frac{140}{2} = 70$

153. अभीष्ट औसत $= \frac{(n+1)(2n+1)}{6}$

$= \frac{(50+1)(2\times 50+1)}{6} = \frac{51\times 101}{6} = 858.5$

154. अभीष्ट औसत $= \frac{n(n+1)^2}{4}$

$= \frac{20(20+1)^2}{4} = \frac{20\times 441}{4} = 2205$

155. सम संख्याओं का अभीष्ट औसत $= \left(\frac{n}{2}+1\right)$

$= \left(\frac{200}{2}+1\right) = 101$

156. विषम संख्याओं का अभीष्ट औसत = $\frac{\text{उच्च सीमा} + \text{निम्न सीमा}}{2}$

$= \frac{299+1}{2}$

$= \frac{300}{2} = 150$

157. 7 के प्रथम सात गुणज 7, 14, 21, 28, 35, 42, 49 है।

∴ औसत ठीक बीच वाली संख्या 28 होगी।

या

अभीष्ट औसत $= \frac{7+49}{2} = \frac{56}{2} = 28$

158. अभीष्ट औसत गति $= \frac{2\times 80\times 40}{(80+40)}$

$= \frac{2\times 80\times 40}{120}$

$= \frac{160}{3} = 53\frac{1}{3}$ किमी./प्रति घंटा

159. 12 सदस्यों की कुल आयु = 12 × 56 = 672 वर्ष

शेष 10 सदस्यों की कुल आयु = 672 – (60 + 52)

= 672 – 112

= 560 वर्ष

∴ अभीष्ट औसत $= \frac{560}{10} = 56$ वर्ष

160. दोनों स्त्रियों की कुल आयु = (45 + 50) – 8 × 3.5

= 95 – 28 = 67 वर्ष

∴ अभीष्ट औसत उम्र $= \frac{67}{2} = 33\frac{1}{2}$ वर्ष

UNIT–6

युक्तियुक्त तर्क
(Logical Reasoning)

तर्कयुक्ति का स्वरूप (Nature of Logic)

तर्कशास्त्र वह अध्ययन-क्षेत्र है जिसमें तर्क करने संबंधी बातों का विवेचन होता है। पर ऐसा कहने से एक धारणा बन सकती है कि तर्कशास्त्र वैसा अध्ययन-क्षेत्र है जिसमें, तर्क करने की विधियाँ बतलायी जाती है, ताकि उसके अध्ययन के द्वारा लोग तर्क करना सीख लें। पर ऐसी धारणा सही नहीं है। तर्कशास्त्र तर्क करना नहीं सिखलाता है, बल्कि सही तर्क करना सिखलाता है। दूसरे शब्दों में, यह वैध तर्क के कुछ ऐसे नियमों को हमारे सामने रखता है, जिनके आधार पर सही और गलत, वैध तथा अवैध, तर्क में हम भेद कर सकें और ऐसा करते हुए वैध रूप में तर्क करना सीखें। इसीलिए कहा जाता है कि तर्कशास्त्र का कार्य सृजनात्मक नहीं, बल्कि शुद्धात्मक है (The function of logic is correction, not creative)। तात्पर्य यह है कि तर्कशास्त्र हमें तर्क करना नहीं सिखलाता, बल्कि यह सिखलाता है कि अशुद्ध या गलत तर्क को त्याग कर हम शुद्ध या सही रूप में कैसे तर्क कर सकते हैं।

वस्तुतः तर्क करना तो मनुष्य की जन्मजात या आंतरिक क्षमता है, भले ही दो व्यक्तियों के बीच इस क्षमता की मात्रा तथा गुणवत्ता में भेद हो सकता है। तर्कशास्त्र की पुस्तक पढ़ने से किसी के अंदर तर्क करने की क्षमता उत्पन्न नहीं होती, ठीक वैसे ही जैसे साइकिल चलाने संबंधी किसी पुस्तक को पढ़कर कोई साइकिल चलाना नहीं सीख सकता। बिना तर्कशास्त्र पढ़े भी कोई व्यक्ति अपने साधारण ज्ञान तथा सामान्य अनुभव के आधार पर उस व्यक्ति की तुलना में अच्छा तर्क कर ले सकता है, जिसने तर्कशास्त्र की पुस्तक पढ़ी हो। तर्कशास्त्र पढ़ने का लाभ सिर्फ इतना है कि हम सही या गलत तर्क में भेद कर सकते हैं तथा उस भेद के आधार पर गलत तर्क का बहिष्कार कर तर्क करने का सही अथवा वैध तरीका अपना सकते हैं। संक्षेप में, तर्कशास्त्र एक ऐसा शास्त्र या अध्ययन क्षेत्र है जो हमें वैध तथा अवैध तर्क में भेद करना सिखलाता है। ऐसा वह तर्क के कुछ ऐसे नियमों तथा सिद्धांतों को हमारे समक्ष रखते हुए करता है कि यदि उचित समझदारी के साथ अपने व्यावहारिक जीवन में हम उनका सहारा लें, तो अपने या किसी दूसरे के तर्क में प्रविष्ट दोष को हम आसानी से पकड़ सकते हैं और फिर उसके आलोक में अपने तर्क में शुद्धता ला सकते हैं। यदि दो व्यक्ति समान बौद्धिक क्षमता के हों और उनमें से एक ने ईमानदारी से तर्कशास्त्र के नियमों तथा सिद्धांतों को पढ़ा तथा समझा हो, जब कि दूसरे ने ऐसा नहीं किया हो, तो निश्चित ही पहला व्यक्ति अधिक शुद्ध रूप में तर्क कर सकेगा ताकि उसके निष्कर्षों में वैधता हो, जब कि दूसरा व्यक्ति ऐसा करने में अक्षम रह जाएगा। यह दूसरा व्यक्ति आसानी से समझ भी नहीं पायेगा कि उसके या किसी अन्य के किसी तर्क में क्या दोष है और उसे कैसे सुधारा जा सकता है।

तर्कशास्त्र के स्वरूप में निहित कुछ अन्य विशिष्ट पहलुओं को समझने के लिए हमें कुछ ऐसी परिभाषाओं पर ध्यान देना होगा जो तर्कशास्त्र को परिभाषित करने के सिलसिले में दी गई है। यों तो तर्कशास्त्र की कई परिभाषाएँ दी गई हैं, पर हम यहाँ कुछ ऐसी ही परिभाषाओं को उद्धृत करेंगे जो तर्कशास्त्र के वास्तविक स्वरूप के बहुत निकट जाती है, पर कुछ कारणवश फिर भी तर्कशास्त्र की उचित परिभाषा प्रस्तुत करने में सक्षम नहीं हो पातीं। जैसे, एक परिभाषा तर्कशास्त्र "विचार का विज्ञान (Science of thought)" बतलाती है। वह परिभाषा इस अर्थ में तर्कशास्त्र के स्वरूप के निकट पहुँचती है कि तर्क ही हमारी प्रक्रिया, जिससे तर्कशास्त्र का मतलब है, हमारे विचार की ही प्रक्रिया है। पर 'विचार' (Thought) एक बहुत ही व्यापक शब्द है, जिसके अंदर तर्क (reasoning) के अलावा अन्य भी कई प्रकार की प्रक्रियाएँ (जैसे, स्मरण करना, कल्पना करना आदि) सम्मिलित हैं। तर्कशास्त्र को तो विचार के इन पहलुओं से कोई मतलब नहीं होता। उसका संबंध तो सिर्फ उस प्रक्रिया से है, जिसे तर्क (reasoning) की संज्ञा दी जाती है। इसलिए वस्तुतः कुछ लोगों ने तर्कशास्त्र की परिभाषा यह

दी है कि तर्कशास्त्र 'तर्क का विज्ञान' (Science of reasoning) है। पर यह परिभाषा भी सापेक्षतः सत्यता के अधिक निकट होते हुए भी अस्पष्ट तथा अनिश्चित है, क्योंकि तर्कशास्त्र के वास्तविक स्वरूप पर इससे शायद ही कोई प्रकाश पड़ता है। 'तर्क करने का विज्ञान' कहने का आखिर ठीक-ठीक तात्पर्य क्या है? तर्क कई प्रकार से किये जा सकते हैं, पर तर्कशास्त्र में जो तर्क का विशेष माध्यम है, उसे अनुमान (Inference) की संज्ञा दी जाती है। किसी भी अनुमान में कुछ आधार होता है जिसके बल पर कुछ निष्कर्ष निकाला जाता है। अनुमान की इसी विशेष प्रक्रिया को तर्क की संज्ञा दी जाती है। पर यहाँ भी एक बहुत ही महत्वपूर्ण बात ध्यान देने योग्य यह है कि तर्कशास्त्र को तर्क या अनुमान की पूरी प्रक्रिया से, जो मानसिक होती है, संबंध नहीं होता। इसे तो, एक प्रकार से कहा जाये तो यह कहा जायेगा कि, सिर्फ अनुमान की अंतिम उपज (product) से संबंध होता है। इसका तात्पर्य यह है कि तर्कशास्त्र को इस बात से मतलब नहीं होता कि अनुमान की प्रक्रिया कैसे सम्पन्न की जाती है। यह तो मनोविज्ञान का विषय है। तर्कशास्त्र का विषय तो अनुमान के सम्पन्न हो जाने पर सिर्फ यह देखना है कि उसके आधार तथा निष्कर्ष में कुछ इस प्रकार का संबंध है या नहीं कि यदि आधार को सत्य माना जाए तो उससे निष्कर्ष की सत्यता की भी गारंटी मिलती है। दूसरे शब्दों में, तर्कशास्त्र का कार्य अनुमान की क्रिया सम्पन्न हो जाने पर सिर्फ यह देखना होता है कि अनुमान सही या शुद्ध या वैध है कि नहीं। यदि आधार सचमुच निष्कर्ष के लिए एक यथेष्ठ या विश्वसनीय आधार प्रस्तुत करता है, तब तो अनुमान को सही, अन्यथा उसे गलत या अशुद्ध माना जाता है। अनुमान करने की जटिल मानसिक क्रिया से तर्कशास्त्र को कोई मतलब नहीं होता। उसका मतलब सिर्फ आधार तथा निष्कर्ष के उस विशिष्ट संबंध से होता है, जिसके चलते आधार निष्कर्ष के लिए सचमुच आधार का काम करता है।

फिर शायद यह भी कहना पूर्ण सत्य नहीं प्रतीत होता कि तर्कशास्त्र तर्क का विज्ञान है। ऐसा तब कहा जा सकता था जब तर्कशास्त्र एक व्यवस्थित रूप में शुद्ध अनुमान संबंधी नियमों तथा सिद्धांतों का सिर्फ एक सैद्धांतिक ज्ञान हमें देता, पर वह तो ऐसे ज्ञान के साथ-साथ हमें ऐसी तकनीक (techniques) या ऐसी पद्धतियाँ (methods) भी बतलाता है जिन्हें व्यावहारिक स्तर पर लागू कर हम शुद्ध और अशुद्ध, सही और गलत तर्क का भेद कर सकते हैं, तथा सही तर्क करने में सक्षम हो सकते हैं। इसलिए यह उपर्युक्त अर्थ में तर्क या अनुमान करने का विज्ञान तथा कला दोनों हैं।

इस प्रकार निष्कर्ष रूप में कह सकते हैं कि तर्कशास्त्र सही तथा गलत तर्क में भेद करने तथा सही ढंग से तर्क करने संबंधी नियम, सिद्धांत, तरीके एवं पद्धतियाँ बतलाने वाला शास्त्र है जिसे विज्ञान एवं कला दोनों की संज्ञा दी जा सकती है।

तर्क एवं इसके संघटक : आधार वाक्य और निष्कर्ष

तर्क कम से कम दो तर्कवाक्यों का ऐसा समूह है जिसमें एक या एक से अधिक तर्कवाक्य दूसरे तर्कवाक्य को तार्किक आधार प्रस्तुत करता है। आधार प्रस्तुत करने वाला तर्कवाक्य आधार वाक्य और इस आधार वाक्य/वाक्यों से निगमित तर्कवाक्य निष्कर्ष कहलाता है। आधार वाक्य और निष्कर्ष तर्कवाक्य हैं और ये तर्क के संघटक तत्व हैं।

तर्कवाक्य के उदाहरण निम्न हैं:

1. राजीव फर्स्ट क्लास में MA है और राहुल Ph D है।
   अतः राहुल Ph D है।
2. या तो अंशु फर्स्ट क्लास MA है या फिर सेकंड क्लास MA है।
   अंशु फर्स्ट क्लास MA नहीं है।
   अतः अंशु सेकंड क्लास MA है।
3. यदि अरुण आता है तो आरती भी आएगी। यदि आरती आती है तो इन्द्रनील भी आएगा। यदि इन्द्रनील आता है तो उत्पल भी आएगा।
   अतः यदि अरुण आता है तो उत्पल भी आएगा।

उपर्युक्त तर्कवाक्यों में 1 के दो संघटक हैं, अर्थात् इसका निष्कर्ष एक तर्कवाक्य से निगमित है। 2 के तीन संघटक हैं, अर्थात् इसका निष्कर्ष दो तर्कवाक्यों से निगमित है। 3 के चार संघटक हैं अर्थात् इसका निष्कर्ष तीन तर्कवाक्यों से निगमित है।

तर्क एवं अनुमान

अनुमान ऐसी संज्ञानात्मक प्रक्रिया है जो उन अनुक्रमों को निर्देशित करती है जिसके माध्यम से आधार वाक्यों का ज्ञान हमें निष्कर्ष की ओर ले कर जाता है। साथ ही, इस प्रक्रिया में यह देखना भी महत्वपूर्ण रहता है कि क्या आधार वाक्यों का ज्ञान निष्कर्ष तक पहुँचाने के लिए पर्याप्त है या फिर इसके लिए कुछ अन्य मध्यस्थ तत्वों की आवश्यकता होती है। दूसरी ओर, तर्क अनुमान के कालिक अनुक्रमों से स्वयं को अमूर्त रूप में निष्कर्षित करता है और स्वयं को शुद्ध अंतिम उत्पाद के रूप में प्रस्तुत करता है। तर्क के ऐसे अमूर्त निष्कर्षण में यह प्रश्न असंगत ठहरता है कि क्या आधार वाक्य निष्कर्ष के पूर्ववत है या कि क्या आधार वाक्यों और निष्कर्ष के मध्य किसी मनोवैज्ञानिक प्रक्रिया का दखल होने की आवश्यकता होती है। चूंकि निगमनात्मक तर्क की प्रक्रिया में तर्क आधार वाक्यों के संज्ञान से स्वतंत्र रहता है इसलिए तर्क की निगमनात्मक प्रक्रिया में तर्क की वैधता भी आधार वाक्यों की सत्यता/असत्यता से स्वतंत्र रहती है। अतः इस अर्थ में तर्क आधार वाक्यों और निष्कर्ष के मध्य केवल अवधारणात्मक अथवा प्राकल्पनात्मक संबंध को प्रस्तुत करता है– तर्क आधार वाक्यों के संज्ञान अथवा उनकी सत्यता/असत्यता से स्वतंत्र होता है।

तर्कवाक्य : इसकी वाक्य से भिन्नता

तर्कवाक्य निर्देशात्मक वाक्यों अथवा निर्देशात्मक वाक्यों के प्रयोग से निर्मित कथनों के अर्थ है। निर्देशित वाक्य, प्रश्नों, आदेशों, विकल्पों

आदि के विपरीत, वे वाक्य हैं जिनसे सत्य/असत्य कथनों को निर्मित किया जा सकता है।

तर्क केवल तर्कवाक्यों अथवा कथनों से ही निर्मित होते हैं न कि प्रश्नों अथवा आदेशों से।

ऊपर प्रस्तुत तर्क संख्या 2 को देखते हैं। मान लीजिये कि इस तर्क के आधार वाक्यों को पुनर्संरचित कर लिया जाये, तब–

- ओह! काश या तो अंशु फर्स्ट क्लास MA होती या फिर सेकेंड क्लास MA होती।
- क्या अंशु फर्स्ट क्लास MA नहीं है?
- अर्थात् हमने प्रति एक आधार वाक्य को अनिर्दिशित भाववाची वाक्य (एक इच्छा और एक प्रश्न) में बदल दिया है।

इन दो वाक्यों से हम कोई दूसरा वाक्य– न निर्देशित और न ही अनिर्देशित भाववाची निष्कर्षित नहीं कर सकते हैं। अतः हमें तर्कशास्त्र में तर्क निर्मित करने के लिए तर्कवाक्यों की आवश्यकता होती है।

तर्कवाक्य को और अच्छे ढंग से इस प्रकार परिभाषित कर सकते हैं कि तर्कवाक्य ऐसे कथन होते हैं जिन्हें सत्य या असत्य कहा जा सकता है अर्थात् ऐसे कथन जिनके सत्य-मूल्य होते हैं।

निर्देशित/सूचनात्मक वाक्य और तर्कवाक्य के मध्य अंतर करते समय यह ध्यान रखना चाहिए कि सूचनात्मक वाक्य तर्क के घटक तत्व नहीं हैं। वाक्य–सूचनात्मक वाक्य भी दृश्यमान चिन्हों अथवा श्रव्य ध्वनियों की योग्यता वाले भौतिक विषय हैं। निम्न उदाहरण देखें:

It is raining (अंग्रेजी)

Es Regnet (जर्मन)

Li Plent (फ्रेंच)

वर्षा भवति (संस्कृत)

इन सबका एक ही अर्थ है–अथवा ये सभी एक ही कथन कहते हैं–किन्तु वाक्य के रूप में या फिर भौतिक चिन्ह के रूप में ये सभी भिन्न हैं। अतः यह स्पष्ट है कि तर्कवाक्यों के संघटकों में प्रवेश करने वाले तत्व वाक्यों के अर्थ होते हैं, अथवा सूचनात्मक वाक्यों के द्वारा निर्मित कथन ही तर्कवाक्य होते हैं।

तर्कवाक्य में तीन पद होते हैं–उद्देश्य (subject) पद, विधेय (predicate) पद, संयोजक (copula) पद जो कि उद्देश्य और विधेय को जोड़ने का काम करता है।

तर्क की वैधता/अवैधता : तर्क के संघटकों के सत्यता–मूल्य

तर्कवाक्य सत्य या असत्य होता है तथा तर्क वैध या अवैध। कोई भी वैध वाक्य ऐसा नहीं हो सकता कि उसके आधार वाक्य तो सत्य हों किन्तु उसका निष्कर्ष सत्य न हो। हालांकि इसका यह अर्थ बिल्कुल नहीं है कि वैध तर्क के आधार वाक्य हमेशा सत्य ही होने चाहिए। तर्क की वैधता की मुख्य शर्त यह है कि कोई भी वैध तर्क ऐसा नहीं हो सकता कि उसके आधार वाक्य तो सत्य हों लेकिन निष्कर्ष असत्य हों, हालांकि एक वैध तर्क में आधार वाक्य और निष्कर्ष का विन्यास अन्य प्रकार का जैसे कि असत्य आधार वाक्य तथा सत्य निष्कर्ष अथवा असत्य आधार वाक्य तथा असत्य निष्कर्ष आदि हो सकता है।

उदाहरण के लिए;

- यदि रबीन्द्रनाथ टैगोर ने ओलम्पिक खेलों में तैराकी के खेल में स्वर्ण पदक जीत लिया तो वह उसे विश्वभारती को दान में दे देंगे।
- रबीन्द्रनाथ टैगोर ने ओलम्पिक खेलों में तैराकी के खेल में स्वर्ण पदक जीत लिया। अतः उन्होंने उसे विश्वभारती को दान में दे दिया।
- यह एक वैध तर्क है, यद्यपि इसका पहला आधार वाक्य एवं निष्कर्ष असत्य है। इसकी वैधता का मुख्य बिंदु यह है कि यदि इसके आधार वाक्य सत्य होते तो इसका निष्कर्ष असत्य नहीं हो सकता था।

दूसरी ओर, अवैध तर्क वह होता है जिसके आधार वाक्य सत्य होते हैं और निष्कर्ष असत्य। अर्थात् अवैध तर्क अपने आधार वाक्य और निष्कर्ष के सत्य मूल्यों का किसी भी प्रकार का विन्यास धारण कर सकते हैं।

उदाहरण के लिए;

- यदि रबीन्द्रनाथ टैगोर का जन्म गरिहट में हुआ था तो उनका जन्म कोलकाता में हुआ था। (यह सत्य है क्योंकि गरिहट कोलकाता में है।)
- रबीन्द्रनाथ टैगोर का जन्म कोलकाता में हुआ था (सत्य)
- अतः रबीन्द्रनाथ टैगोर का जन्म गरिहट में हुआ था (असत्य क्योंकि उनका जन्म जोरासंकों में हुआ था न कि गरिहट में)

मजबूत तर्क और कमजोर तर्क

कोई तर्क मजबूत तब कहलाता है जब वह वैध हो और उसके सभी आधार वाक्य सत्य हों। यदि हम उपयुक्त तर्क में कुछ छोटे परिवर्तन कर दें, तब;

- यदि रबीन्द्रनाथ टैगोर का जन्म जोरासंको में हुआ था तब उनका जन्म कोलकाता में हुआ था। (सत्य, क्योंकि जोरासंको कोलकाता में है)
- रबीन्द्रनाथ टैगोर का जन्म जोरासंको में हुआ था। (सत्य)
- रबीन्द्रनाथ टैगोर का जन्म कोलकाता में हुआ था। (सत्य)
- यह एक मजबूत तर्क है।

तर्कवाक्यों के प्रकार: निरुपाधिक एवं सोपाधिक

यदि हम उपर्युक्त प्रस्तुत तीन तर्कों (1, 2, 3) को देखें तो पाते हैं कि ये तर्क दो प्रकार के तर्कवाक्यों सरल और जटिल/ मिश्रित से बने हैं। 'और' (and), 'अथवा/या' (or), 'यदि...तो' संयोजक वाले कथन जटिल तर्कवाक्य तथा ऐसे तर्कवाक्य जो मिश्रित न हों सरल तर्कवाक्य कहलाते हैं। अतः हम कह सकते हैं कि ऐसे तर्कवाक्य जिनका कम से कम एक हिस्सा अपने आप में तर्कवाक्य हो मिश्रित तर्कवाक्य कहलाते हैं। उदाहरण के लिए; या तो अंशु फर्स्ट क्लास MA है या फिर सेकंड क्लास MA है। स्पष्ट रूप से यह एक मिश्रित तर्कवाक्य है क्योंकि इसका कम से कम एक हिस्सा (वास्तव में दोनों हिस्से) अपने आप में एक तर्कवाक्य है।

दूसरी ओर, ऐसा तर्कवाक्य जिसका कोई भी हिस्सा अपने आप में तर्कवाक्य न हो सरल तर्कवाक्य कहलाता है। तर्कवाक्य जैसे कि अंशु सेकण्ड क्लास MA है एक सरल वाक्य है। इस तर्कवाक्य के कई भाग है जैसे कि 'अंशु', 'सेकण्ड क्लास', 'है' आदि किन्तु इनमें से कोई भी भाग अपने आप में तर्कवाक्य नहीं है।

एक दूसरे दृष्टिकोण से तर्कवाक्यों को दो श्रेणियों में विभाजित किया जा सकता है—निरुपाधिक और सोपाधिक। निरुपाधिक तर्कवाक्य बिना किसी शर्त/उपाधि वाले कथन होते हैं, जबकि सोपाधिक तर्कवाक्य किसी शर्त/उपाधि वाले कथन होते हैं। यदि कहा जाये कि 'मैदान गीला है' तो मैं यहाँ पर बिना किसी शर्त/उपाधि के मैदान के गुण/ विधेय के बारे में बता रहा हूँ। जबकि जब मैं यह कहता हूँ कि 'यदि बारिस होगी तो मैदान गीला होगा' तो इस वाक्य में एक उपाधि वाला उपवाक्य जोड़ देता हूँ और इस प्रकार एक सोपाधिक तर्कवाक्य प्रस्तुत करता हूँ। सभी 'मानव मरणशील हैं', 'राम मानव है' ये दोनों निरुपाधिक तर्कवाक्य हैं। किन्तु इन तीनों कथनों जैसे कि 'यदि सभी मानव मरणशील हैं और राम एक मानव है, तो राम मरणशील है' वाला कथन एक मिश्रित तर्कवाक्य है।

अरस्तूवादी तर्कशास्त्र

चतुर्वर्गीय निरुपाधिक तर्कवाक्य

अरस्तूवादी तर्कशास्त्र में निरुपाधिक तर्कवाक्य को पदों के वर्ग (उद्देश्य वर्ग तथा विधेय वर्ग)— जिन्हें सामान्यतः S और P प्रतीकों के द्वारा निर्देशित किया जाता है, के परिप्रेक्ष्य में समझा गया है। इसी के अनुरूप अरस्तू के अनुसार निरुपाधिक तर्कवाक्य चार प्रकार के होते हैं। उनके इस विभाजन के दो आधार हैं—(अ) तर्कवाक्य एक वर्ग की दूसरे वर्ग में पूर्ण या आंशिक व्याप्तता निर्धारित करता है अथवा (ब) तर्कवाक्य एक वर्ग की दूसरे वर्ग में पूर्ण या आंशिक व्याप्तता का निषेध करता है।

निरुपाधिक तर्कवाक्य के चार प्रकारः

- A—सभी S, P हैं (पूर्णव्यापी सकारात्मक – S वर्ग की P वर्ग में पूर्ण व्याप्तता की स्वीकृति)। उदाहरण के लिए; सभी हृदय वाले प्राणी किडनी वाले प्राणी हैं।
- E—कोई S, P नहीं है (पूर्णव्यापी नकारात्मक – S वर्ग की P वर्ग में आंशिक व्याप्तता का निषेध) अर्थात यह तर्कवाक्य S वर्ग की P वर्ग में तथा P वर्ग की S वर्ग में पूर्ण अव्याप्तता को स्वीकृत करता है। उदाहरण; कोई लड़की XY क्रोमोसोम वाले जनेटिक कोड वाली लड़की नहीं है। कोई सरीसर्प चार पैरों वाला प्राणी नहीं है।
- I—कुछ S, P हैं (अंशव्यापी सकारात्मक – S वर्ग का एक भाग P वर्ग में व्यापित है) उदाहरण; कुछ कवि उपन्यासकार हैं। कुछ सरीसर्प दो पैरों वाले प्राणी हैं।
- O—कुछ S, P नहीं हैं (अंशव्यापी नकारात्मक – S वर्ग का एक भाग P वर्ग में अव्यापित है, अर्थात् P वर्ग से बाहर है) उदाहरण; कुछ नेता ईमानदार नहीं हैं। कुछ विश्वविद्यालय UGC से अनुदानित नहीं हैं।

सोपाधिक तर्कवाक्य

सोपाधिक तर्कवाक्य के भी दो प्रकार हैं; हेत्वाश्रित और वैकल्पिक।

- **हेत्वाश्रित तर्कवाक्य** 'यदि अ...तो' 'ब' के आकार वाला होता है—यदि COVID 19 का टीका 2021 प्रभावी निकला तो मैं विदेश जाऊँगा।
- **वैकल्पिक तर्कवाक्य** का आकार 'या तो अ या ब' वाला होता है—या तो COVID 19 का टीका 2021 में सफल नहीं होगा या मैं विदेश जाऊँगा।

साक्षात् और मध्याश्रित अनुमान

साक्षात अनुमान वह अनुमान है जिसमें निष्कर्ष केवल एक आधार वाक्य से निगमित किया जाता है।

- सभी स्तनधारी चौपाया होते हैं
- अतः कुछ स्तनधारी चौपाया होते हैं
- सभी लड़कियाँ XX जनेटिक कोड से पैदा होती हैं।
- कुछ जीव जो XX जनेटिक कोड से पैदा नहीं हैं लड़कियाँ नहीं हैं

मध्याश्रित अनुमान वह अनुमान है जिसमें निष्कर्ष एक से अधिक आधार वाक्यों से निगमित होता है।

मध्याश्रित अनुमान : न्यायायुक्ति और इसके दो प्रकार

अरस्तू दो आधार वाक्यों वाले तर्क के लिए न्याययुक्ति/न्यायवाक्य (Syllogism) पद का उपयोग करते हैं। पुनः न्याययुक्ति दो प्रकार की है—निरुपाधिक और सोपाधिक न्याययुक्ति।

निरुपाधिक न्याययुक्ति वह है जिसमें सभी संघटक तर्कवाक्य जैसे कि आधार वाक्य एवं निष्कर्ष निरुपाधिक होते हैं।

उदाहरण (1) : सभी लड़कियाँ XX क्रोमोसोम वाले जनेटिक कोड से पैदा हैं।

कोई लड़का XX क्रोमोसोम वाले जनेटिक कोड से पैदा नहीं है।

उदाहरण (2) : कोई ऑक्टोपस मानव जैसे किडनीधारी नहीं है।

कुछ हृदय वाले प्राणी मानव जैसे किडनीधारी हैं।

अतः कुछ हृदय वाले प्राणी ऑक्टोपस नहीं हैं।

ऐसी न्याययुक्ति जिसमें कम से कम एक आधार वाक्य सोपाधिक–अर्थात हेत्वाश्रित या फिर वैकल्पिक होता है सोपाधिक न्यायुक्ति कहलाती है।

उदाहरण (1) : यदि COVID 19 का टीका 2021 सफल रहा तो मैं विदेश जाऊँगा।

मैं विदेश नहीं जाऊँगा।

अतः COVID 19 का टीका 2021 सफल नहीं रहा।

पहला आधार वाक्य हेत्वाश्रित है और दूसरा सोपाधिक। इसलिए यह एक हेत्वाश्रित न्याययुक्ति है।

उदाहरण (2) : या तो COVID 19 का टीका असफल होगा या मैं विदेश जाऊँगा।

COVID 19 का टीका असफल नहीं रहा।

अतः मैं विदेश जाऊँगा

पहला आधार वाक्य वैकल्पिक है और दूसरा सोपाधिक। इसलिए यह एक वैकल्पिक न्याययुक्ति है।

अरस्तू ने अवस्था विन्यास (Moods) और आकृति (Figures) की सहायता से निरुपाधिक न्याययुक्ति का मजबूत खाका निर्मित किया है। चूँकि अरस्तू ने सोपाधिक न्याययुक्ति के पूर्ण विकसित तंत्र को प्रस्तुत नहीं किया इसलिए अरस्तूवादी न्याययुक्तियों पर चर्चा मूलतः निरुपाधिक न्याययुक्तियों तक ही सीमित है।

मानक-आकार निरपेक्ष न्याय वाक्य

न्याय वाक्य वह निगमन युक्ति है जिसमें दो आधार वाक्यों से एक निष्कर्ष का अनुमान किया जाता है। निरपेक्ष न्याय वाक्य वह निगमन युक्ति है जिसमें तीन निरपेक्ष तर्कवाक्य होते हैं जिनमें कुल मिलाकर तीन पद होते हैं, इनमें प्रत्येक पद दो तर्कवाक्यों में आता है।

न्याय वाक्य उस समय मानक-आकार में होता है जब इसके सभी आधार-वाक्य एवं निष्कर्ष मानक-आकार निरपेक्ष तर्कवाक्य (A, E, I या O) हों और वे एक विशिष्ट क्रम में व्यवस्थित हों।

मुख्य, अमुख्य और मध्य पद

मानक-आकार न्याय वाक्य का निष्कर्ष एक मानक-आकार निरपेक्ष तर्कवाक्य होता है जिसमें न्याय वाक्य के दो पद मौजूद होते हैं। न्याय वाक्य के पदों की पहचान हमेशा निष्कर्ष से की जाती है।

- वह पद जो निष्कर्ष के विरोध पद के रूप में होता है, न्याय वाक्य का मुख्य पद कहलाता है।
- वह पद जो निष्कर्ष के उद्देश्य पद के रूप में होता है, न्याय वाक्य का अमुख्य पद कहलाता है।
- न्याय वाक्य का तीसरा पद, जो निष्कर्ष में नहीं होता, किंतु इसके बजाए दोनों आधार-वाक्यों में होता है, मध्यम पद कहलाता है।
- इस प्रकार, मानक-आकार के न्याय वाक्य में,

  कोई भी नायक कायर नहीं होता है।

  कुछ सैनिक कायर होते हैं।

  अतः कुछ सैनिक नायक नहीं होते हैं।

इस उदाहरण में, पद "सैनिक" अमुख्य पद है तथा पद "नायक" मुख्य पद है। पद "कायर" जो निष्कर्ष में दिखाई नहीं देता है, मध्य पद है।

मानक-आकार वाक्यों के आधार वाक्यों को इनमें मौजूद पदों के आधार पर भी नाम दिया जाता है। मुख्य तथा अमुख्य पद विभिन्न आधार वाक्यों में आते हैं। मुख्य पद वाला आधार वाक्य मुख्य आधार वाक्य तथा अमुख्य पद वाला आधार वाक्य अमुख्य आधार वाक्य कहलाता है। ऊपर दिए गए न्याय वाक्य में, मुख्य आधार वाक्य है, "कोई भी नायक कायर नहीं होता है" तथा अमुख्य आधार वाक्य है, "कुछ सैनिक कायर होते हैं।"

जैसा कि हमने पहले बताया है कि न्याय वाक्य केवल तभी मानक रूप में होता है जब इसके आधार वाक्य विशिष्ट मानक क्रम में व्यवस्थित होते हैं। अब हम उस क्रम को स्पष्ट कर सकते हैं: मानक-आकार के न्याय वाक्य में, मुख्य आधार वाक्य का पहले, अमुख्य आधार वाक्य का उसके बाद तथा निष्कर्ष का अंत में कथन किया जाता है। इस बात पर बल दिया जाना चाहिए कि प्रमुख आधार वाक्यों को इसकी क्रम स्थिति के रूप में परिभाषित नहीं किया जाता है, बल्कि आधार वाक्यों के रूप में किया जाता है जिनमें मुख्य पद शामिल होता है, जो परिभाषा के अनुसार निष्कर्ष का विधेय पद होता है। इसी तरह, अमुख्य आधार वाक्यों को उसकी क्रम स्थिति के रूप में निरुपित नहीं किया जाता है बल्कि आधार वाक्य के रूप में किया जाता है जिसमें अमुख्य पद शामिल होता है, जो निष्कर्ष के उद्देश्य पद के रूप में परिभाषित किया जाता है।

अवस्था

मानक-आकार न्याय वाक्य की अवस्था (Mood) का निर्धारण इसमें निहित मानक-आकार निरपेक्ष तर्कवाक्यों (A, E, I या O के रूप में रेखांकित) के प्रकार से होता है। प्रत्येक न्याय वाक्य की अवस्था को तीन अक्षरों में दर्शाया जाता है जो विशिष्ट क्रम में होते हैं। प्रथम अक्षर न्याय वाक्य के मुख्य आधार वाक्य के आकार का नाम बताता है, द्वितीय अक्षर अमुख्य आधार वाक्य के प्रकार का नाम बताता है तथा तृतीय अक्षर इसके निष्कर्ष के प्रकार का नाम बताता है। उदाहरणार्थ पूर्ववर्ती न्याय वाक्य में चूँकि मुख्य आधार वाक्य E तर्कवाक्य है और अमुख आधार वाक्य I तर्कवाक्य है और निष्कर्ष O तर्कवाक्य है इसलिए न्याय वाक्य की अवस्था EIO है।

आकृति (Figure)

किन्तु मानक-आकार न्याय वाक्य की अवस्था इसके आकार को पूर्ण परिलक्षित नहीं करती। निम्नलिखित न्याय वाक्य पर विचार कीजिए:

सभी महान वैज्ञानिक कॉलेज के स्नातक हैं।
कुछ पेशेवर खिलाड़ी कॉलेज के स्नातक हैं।
अतः कुछ पेशेवर खिलाड़ी महान वैज्ञानिक हैं।
और सभी कलाकार अहंवादी होते हैं।
कुछ कलाकार फकीर होते हैं।
अतः कुछ फकीर अहंवादी होते हैं।

ये दोनों ही AII अवस्थाएं हैं, किन्तु ये भिन्न-भिन्न प्रकार में हैं। यदि हम अमुख्य पद को 'S', मुख्य पद को 'P' और मध्य पद को 'M', से प्रकट करते हुए इन न्याय वाक्यों के तार्किक ढांचे की रचना करें, तथा अतः के लिए ''......'' प्रयोग करें, तो उनके आकारों के भेद को हम अच्छी तरह स्पष्ट कर सकते हैं। इन दो न्याय वाक्यों का ढाँचा या आकार निम्नलिखित हैं:

मानक-आकार निरपेक्ष न्यायवाक्य

(क)	सभी P, M हैं।	(ख)	सभी M, P हैं।
	कुछ S, M हैं।		कुछ M, S हैं।
	.... कुछ S, P हैं।		.... कुछ S, P हैं।

प्रथम में, जिसे A कहा गया है, मध्यम पद दोनों आधार वाक्यों का विधेय पद है, जबकि दूसरे में जिसे B कहा गया है, मध्यम पद दोनों आधार वाक्यों का उद्देश्य पद है। इन उदाहरणों से स्पष्ट है कि यद्यपि न्याय वाक्य का आकार अंशतः उसकी अवस्था से निर्धारित होता है, फिर भी एक अवस्था वाले न्याय वाक्य अपने आकार में भिन्न हो सकते हैं, उनकी यह भिन्नता उनके मध्यम पदों की सापेक्ष स्थितियों पर आधारित होती है। हम न्याय वाक्य के रूप का वर्णन पूर्णरूपेण उसकी अवस्था और आकृति के कथन से कर सकते हैं, जहाँ संख्या आधार वाक्यों में मध्यम पद की स्थिति को प्रदर्शित करता है।

स्पष्ट है कि न्याय वाक्य की चार विभिन्न आकृतियां संभव है। मध्यम पद मुख्य आधार वाक्य का उद्देश्य पद और अमुख्य आधार वाक्य का विधेय पद हो सकता है, या वह दोनों ही आधार वाक्यों में विधेय पद हो सकता है या दोनों का उद्देश्य पद हो सकता है, या यह मुख्य आधार वाक्य में विधेय और अमुख्य आधार वाक्य में उद्देश्य पद हो सकता है। मध्यम पद की ये विभिन्न स्थितियाँ प्रथम, द्वितीय, तृतीय और चतुर्थ आकृतियाँ बनाती हैं। नीचे इन्हें दर्शाया गया है, जहाँ केवल पदों की सापेक्ष स्थितियाँ ही दिखाई गई हैं तथा अवस्था का वर्णन परिमाणक (Quanitifier) या संयोजक (Copula) को न दिखाने के कारण नहीं किया गया है।

M-P S-M S-P	P-M S-M S-P	M-P M-S S-P	P-M M-S S-P
प्रथम आकृति	द्वितीय आकृति	तृतीय आकृति	चतुर्थ आकृति

किसी भी मानक-आकार न्याय वाक्य की अवस्था और आकृति का नामकरण करके उसके आकार का पूर्ण वर्णन किया जा सकता है। इस प्रकार द्वितीय आकृति में A00-2 की अवस्था वाले किसी न्याय वाक्य का (जिसे हम संक्षेप में A00-2 लिख सकते हैं) निम्नलिखित रूप होगाः

सब P, M है।
कुछ S, M नहीं है।
... कुछ S, P नहीं है।

मानक-आकार न्यायवाक्यीय युक्तियों के विभिन्न रूप हो सकते हैं। यदि हम सभी संभव अवस्थाओं को देखना चाहें तो AAA, AAE, AAI, AAO: AEA, AEE, AEI से प्रारंभ करके 000 तक पहुंचने पर 64 विभिन्न अवस्थाएं प्राप्त करेंगे। चूंकि चारों आकृतियों की अवस्थाएं अलग-अलग हो सकती हैं, इसलिए मानक आकार न्याय वाक्य के 256 (64 × 4) आकार हो सकते हैं, किन्तु इनमें से कुछ ही वैध हैं।

तर्कदोष

19वीं सदी के एक महान गणितज्ञ और तर्कशास्त्री गॉटलोब फ्रेगे ने ठीक ही कहा है कि ''एक तर्कशास्त्री का प्राथमिक कार्य गलत तर्क को सही तर्क से अलग करना और विचारक के सामने आने वाली भाषाई कमियों को इंगित करना है।'' जब किसी युक्ति का आधार वाक्य उसके निष्कर्ष का समर्थन करने में असमर्थ होता है तो इस तरह की युक्ति को दोषपूर्ण माना जाता है। उदाहरण के लिए, ''यह आदमी बुद्धिमान नहीं है क्योंकि वह तेज नहीं दौड़ सकता, दोषपूर्ण तर्क प्रदर्शित करता है।'' इस प्रकार, तर्क में किसी भी प्रकार की त्रुटि या गलती को एक तर्कदोष के रूप में समझा जा सकता है।

तर्कशास्त्र में प्रत्येक युक्ति कुछ अभिग्रहीतों द्वारा निर्देशित होती है और जब इन अभिग्रहीतों का उल्लंघन होता है, तो एक तर्कदोष उत्पन्न होता है और युक्ति अवैध हो जाती है। तर्कशास्त्र के अंतर्गत,

एक तर्कदोष वास्तव में, तर्क में कुछ विशिष्ट गलतियों को दर्शाता है जिन्हें चिन्हित और परिभाषित किया जा सकता है। कई युक्तियाँ, तर्क में एक विशेष प्रकार की गलती या एक विशेष प्रकार के तर्कदोष के उदाहरण हो सकती हैं। उदाहरण के रूप में, यदि "सभी व्हेल स्तनधारी हैं और "X एक स्तनधारी है", इस तथ्य से हम यह निष्कर्ष निकालते हैं कि "X एक व्हेल है", तो युक्ति दोषपूर्ण हो जाती है। सभी व्हेल स्तनधारी हैं, लेकिन हर स्तनधारी व्हेल नहीं है। ऊपर के उदाहरण में चर्चा की गई युक्ति दोषपूर्ण है क्योंकि निष्कर्ष आधार वाक्य का उचित रूप से अनुसरण नहीं करता है। ऊपर दी गई युक्ति के अंतर्गत तर्क त्रुटिपूर्ण है जो विभिन्न संदर्भों में बार-बार आ सकता है। यहाँ जिस प्रकार की त्रुटि है वह युक्ति के प्रारूप में है और इसलिए यह एक प्रकार का आकारिक तर्कदोष है।

अनाकारिक तर्कदोष हमारी दैनिक भाषा के प्रयोग में गलतियों के कारण उत्पन्न होते हैं। अतः वे युक्ति की विषय वस्तु से संबंधित हैं। बोलने और लिखने में हम जिस भाषा का उपयोग करते हैं वह कभी-कभी अनिश्चित अस्पष्ट और भ्रमपूर्ण हो सकती है। हमें यह जानना होगा कि इन गलतियों को कैसे पहचाना जाए। इससे हमें दोषपूर्ण युक्तियों के उपयोग से बचने में मदद मिलेगी।

हमारे दैनिक जीवन में तर्कदोष के विभिन्न स्रोत हो सकते हैं जैसे–संदर्भ के बारे में पूर्ण ज्ञान की कमी, गलत धारणाएँ बनाना गलत व्याख्याएँ, ध्यान की कमी, पर्याप्त संख्या में मामलों पर विचार किए बिना सामान्यीकृत निष्कर्ष निकालने की प्रवृत्ति, मन की अधीरता, कुछ पूर्वकल्पित धारणाओं और पूर्वाग्रहों का होना, भावनाओं में बह जाना, इत्यादि। हमें तर्क में ऐसी त्रुटियों की पहचान करने के लिए तर्कशास्त्र का उपयोग करना चाहिए और इससे बचने के लिए उपयुक्त तरीकों का पालन करना चाहिए। इसके अलावा, हमारी दृष्टि भी निष्पक्ष होनी चाहिए और रोजमर्रा की जिंदगी में सामान्य भाषा के उपयोग को स्थान देना चाहिए।

उदाहरण के लिए, किसी विशेष अर्थ को व्यक्त करने के लिए लेखकों द्वारा कटाक्ष, रूपक, विडंबना आदि भाषा अलंकारों का उपयोग किया जाता है। ऐसे मामलों में हमें सतर्क रहना चाहिए क्योंकि हो सकता है कि उपयोग की गई युक्ति सतही रूप से दोषपूर्ण प्रतीत हो रही हो लेकिन वास्तव में ऐसा नहीं हो।

तर्कदोष के प्रकार

दो प्रमुख प्रकार के तर्कदोष हैं।

- आकारिक तर्कदोष
- अनाकारिक तर्कदोष

आकारिक तर्कदोष/औपचारिक तर्कदोष

किसी दी गई युक्ति के प्रारूप में कोई दोष होने पर आकारिक तर्कदोष उत्पन्न होता है। जब कोई न्यायवाक्य एक वैध निरुपाधिक न्यायवाक्य होने के लिए आवश्यक किसी भी नियम का पालन करने में विफल रहता है तो तर्कदोष आकारिक होता है। आकारिक तर्कदोष के कुछ उदाहरण इस प्रकार हैंः अव्याप्त हेतुदोष या साधारण अनेकांतिक, अवैध–वृहत पद दोष, अवैध–लघु पद दोष, अस्तित्व–मूलक दोष, आदि।

अनाकारिक/अनौपचारिक तर्कदोष

अनाकारिक तर्कदोष कई प्रकार के हैं। आई.एम. कोपी के अनुसार, इन्हें चार प्रमुख श्रेणियों के तहत बांटा जा सकता है, जैसे– द्वयर्थक तर्कदोष, अर्थांतर तर्कदोष या अप्रासंगिकता तर्कदोष, अपूर्ण आगमन तर्कदोष और प्राकल्पना तर्कदोष। चार प्रकार के अनाकारिक तर्कदोष का निम्नलिखित वर्गीकरण किया गया है।

(1) द्वयर्थक तर्कदोष :

- अनेकार्थक दोष
- वाक्य छल दोष
- पदाघात दोष
- संग्रह दोष या संहति दोष
- विग्रह दोष या विभक्तिक दोष

(2) अर्थांतर तर्कदोष या अप्रासंगिकता तर्कदोष :

- भावुकतापूर्ण आग्रह (लोकोत्तेजक युक्ति)
- द रेड हेरिंग (छलावा)
- द स्ट्रॉमैन (दुर्बल रूपक)
- व्यक्ति केंद्रित युक्ति (लांछन युक्ति)
- उपेक्षापूर्ण लांछन युक्ति
- आनुषंगिक लांछन युक्ति
- बाध्यकारी आग्रह (बल युक्ति या मुष्टि युक्ति)
- प्रतिज्ञांतर सिद्धि दोष या अर्थांतर सिद्धि दोष (असंबद्ध निष्कर्ष)

(3) अपूर्ण आगमन तर्कदोष :

- अज्ञानमूलक युक्ति
- अनुपयुक्त प्राधिकारी के प्रति आग्रह (श्रद्धामूलक युक्ति)
- मिथ्याकारण युक्ति (अकारण–कारण दोष)
- अविचारित सामान्यीकृत (उपाधि–विपर्यय दोष)

(4) प्राकल्पना तर्कदोष :

- उपाधि दोष
- आत्माश्रय दोष (सिद्ध साधन दोष)
- छल प्रश्न-दोष

भाषा का प्रयोग

तर्कशास्त्र विचारों का कार्य करता है तथा विचार सदैव भाषा द्वारा अभिव्यक्त किए जाते हैं। विभिन्न शब्दों, जो हम प्रयोग करते हैं, के माध्यम से हम उचित विचार ही अभिव्यक्त करने की आशा करते हैं। यदि कोई निश्चित विचार (शब्दों द्वारा) व्यक्त न हो तो किसी शब्द का अर्थ समझना दुष्कर हो जायेगा। ऐसी स्थिति में त्रुटि तथा भ्रम उत्पन्न होते हैं। उदाहरण के लिए, एक वकील और एक डॉक्टर 'आदमी' पद को एक ही अर्थ में परिभाषित नहीं करते हैं। उनकी परिभाषाएँ भिन्न ही होगी। हम किसी पद को अपनी रूचि के अनुसार ही परिभाषित करते हैं। किन्तु तर्कशास्त्र सही चिंतन पर ही विचार करता है। हमारे विचार तब तक सही नहीं हो सकते जब तक हम सही भाषा के माध्यम से प्रत्येक शब्द के पद को निर्धारित नहीं कर लेते। प्रत्येक पद को उसके उचित अर्थ के अंतर्गत ही समझा जाना अति आवश्यक है। इस उद्देश्य की प्राप्ति के लिए तर्कशास्त्र द्वारा प्रयुक्त उपकरणों में हैं—परिभाषा तथा विभाजन।

पद को दो रूपों में परिभाषित किया जा सकता है : (1) उसके संकेतन के संदर्भ द्वारा तथा (2) उसके सम्पृक्तार्थ/गुणार्थ के संदर्भ द्वारा।

यदि पद का वर्णन उसके संकेतन के आधार पर किया जाता है तो उसे विभाजन कहा जाता है और यदि पद का वर्णन उसके सम्पृक्तार्थ के संदर्भ में किया जाता है तो उसे परिभाषा कहते हैं।

भाषा एक जटिल उपकरण है। यह मानव संप्रेषण का प्रमुख साधन है। किन्तु जब शब्दों का प्रयोग लापरवाही या गलती से किया जाता है तो इससे आपसी समझ में बाधा उत्पन्न होती है। इस प्रकार हमारा उपकरण ही हम पर बोझ बन जाता है। ऐसा तब हो सकता है जब हम चर्चा के दौरान अनेकार्थी शब्दों, अत्यधिक अस्पष्ट शब्दों या भावुकता से भरे शब्दों का प्रयोग करते हैं। यह सही है कि अधिकतर विवादों में शब्दों से अधिक अन्य बातें भी शामिल होती हैं, किन्तु कई बार विभिन्न पक्षों द्वारा कुछ ऐसे महत्वपूर्ण पदों का प्रयोग करने से अप्रत्याशित मतभेद उत्पन्न हो जाते हैं जिनके विभिन्न अर्थ रूप से वैध होते हैं किन्तु स्पष्ट नहीं होते। अतः अनेकार्थी पद के विभिन्न अर्थों का विशेष रूप से वर्णन करना उचित होता है।

परिभाषा अस्पष्टताओं को प्रकट करके तथा उन्हें समाप्त करके मात्र मौखिक विवादों का कुशलतापूर्वक निपटान कर सकती है। परिभाषाएँ अनेकार्थता तथा तार्किक दोषों को प्रकट करने तथा उनसे बचाने के लिए अनिवार्य हैं।

परिभाषा की प्रकृति

प्राचीन तर्कशास्त्रियों ने पदों को परिभाषित करने का प्रयास किया तथा जिस पद को परिभाषित किया उसे परिभाष्य एवं परिभाष्य पद की व्याख्या में प्रयुक्त प्रतीक या प्रतीकों के समूहों को परिभाषा कहा। उनके अनुसार परिभाषा का उद्देश्य पदों के अर्थों को उद्घटित करना है। यह एक पद के संपूर्ण सम्पृक्तार्थ का सुस्पष्ट कथन है। एक पद के सम्पृक्तार्थ में पद की अनिवार्य विशेषताएँ शामिल होती हैं। एक पद को परिभाषित करने का उद्देश्य उस पद के अर्थ को समझना है। यह हम उस शब्द की अनिवार्य विशेषताओं का उल्लेख करके ही कर सकते हैं। चूंकि अनिवार्य विशेषताएँ सम्पृक्तार्थ का सृजन करती है, परिभाषा उस शब्द के संपूर्ण सम्पृक्तार्थ की अभिव्यक्ति होती है। उदाहरण के लिए आदमी को परिभाषित करते समय 'आदमी पद' द्वारा दो अनिवार्य विशेषताओं यथा विवेकशीलता तथा पशुता का अर्थ प्रस्तुत किया जाता है। इस प्रकार मनुष्य को विवेकशील पशु के रूप में परिभाषित किया जाता है। मुख्य रूप से परिभाषा को दो भागों में विभाजित किया जा सकता है— मौखिक तथा वास्तविक परिभाषा।

परिभाषा का समयसिद्ध नियम यह है कि यह जाति व्यवच्छेदक (परजीनस एट डिफ्रेन्सिया) होती है अर्थात यह किसी पद के जाति गुण और व्यवच्छेदक गुण के सम्पृक्तार्थ का कथन होती है। अन्य शब्दों में, पद को परिभाषित करते समय व्यक्ति को पद के जातिगत तथा उसके व्यवच्छेदक गुण का उल्लेख करना चाहिए।

जाति गुण का अर्थ वर्ग है और व्यवच्छेदक गुण से तात्पर्य उस भिन्न गुण से है जो परिभाष्य में अनोखा होता है। अतः व्यवच्छेदक गुण का अर्थ परिभाषक है। एक परिभाषा के कथन में पहले एक वर्ग होता है जिससे परिभाष्य संबंधित होता है और तब परिभाषक होता है। यह ध्यान देना अनिवार्य है कि यह व्यवस्था अपरिवर्तनीय है। अन्य शब्दों में, एक पद को परिभाषित करने में सर्वप्रथम हम यह निर्णय करते हैं कि वह वस्तुओं के किस वर्ग में आता है और तत्पश्चात हम उसके उन गुण या गुणों के समूह को चिह्नित करते हैं जो उसे उस वर्ग के अन्य सदस्यों से भिन्न करते हैं। ये गुण उदाहरण के लिए आदमी को विवेकशील पशु के रूप में परिभाषित करते समय यह मान लिया जाता है कि मनुष्य में पशुता के गुण विद्यमान होते हैं। ये गुण जाति गुण तथा परिभाषक विवेकशीलता के आसन्न है। यह परिभाषक है क्योंकि यह मनुष्य के अतिरिक्त किसी अन्य से संबंधित नहीं है। इसी प्रकार जब हम त्रिकोण को परिभाषित करते हैं तो वह एक ऐसा आकार है जो तीन रेखाओं से घिरा हुआ है जहाँ जाति-गुण आकार तथा व्यवच्छेदक गुण तीन रेखाओं से घिरा होना है। (परिभाषा का यह दृष्टिकोण इस पूर्वानुमान पर आधारित है कि यहाँ एक उच्चतम वर्ग (Summum genus) होता है तथा उसके नीचे निम्नतर वर्ग (infima speaes) होते हैं। अरस्तू तथा मध्यकालीन तर्कशास्त्रियों को दृढ़ विश्वास था कि छोटा वर्ग बड़े वर्ग में शामिल रहता है। अरस्तू के तर्कशास्त्र का यह दृष्टिकोण जीव विज्ञान के उसके दृष्टिकोण का पूरक है। अरस्तू मानते हैं कि एक प्राकृतिक वर्ग होता है; जातियाँ, प्रजातियाँ, तथा वनस्पति जगत सहित संपूर्ण प्राणी जगत को जाति-प्रजाति संबंध में वर्गीकृत किया जा सकता है। किन्तु इस प्रकार का पदानुक्रम भाषा में नहीं पाया जाता है।

परिभाषा में शामिल गुणों को तीन समूहों में विभाजित किया जा सकता है; यथा वे गुण जो एक पद के सम्पृक्तार्थ को बनाते हैं, वे गुण जो सम्पृक्तार्थ का अनुसरण करते हैं और पद की मूल प्रकृति को अभिव्यक्त करते हों, तथा वे गुण जो न तो संपृक्तार्थ का

निर्माण करते हैं और न ही सम्पृक्तार्थ का अनुसरण करते हैं (इन्हें आगन्तुक गुण कहा जाता है)। यदि सम्पूर्ण सम्पृक्तार्थ अर्थात् जाति गुण व व्यवच्छेदक गुण का उल्लेख कर दिया जाए तो हमें पद की परिभाषा प्राप्त की जाती है। दूसरी ओर यदि हम इसकी विशेषताओं या घटनाओं या मात्र सम्पृक्तार्थ के एक भाग का उल्लेख करते हैं तो हमे वर्णन प्राप्त होता है। वर्णन परिभाषा से भिन्न होता है। जहाँ परिभाषा सम्पूर्ण सम्पृक्तार्थ का उल्लेख करती है वहीं वर्णन उसकी विशेषताओं घटनाओं तथा कभी-कभी सम्पृक्तार्थ के एक भाग का उल्लेख करता है। परिभाषा वैज्ञानिक है जबकि वर्णन प्रचलित अवधारणा है। परिभाषा का उद्देश्य प्रस्तुत विचारों को विशिष्ट तथा सुस्पष्ट बनाना है जबकि वर्णन का उद्देश्य वस्तु की पहचान के लिए अपरिष्कृत तथा तैयार माध्यम उपलब्ध कराना है।

विभिन्न प्रकार की परिभाषायें निम्नानुसार हैं:

- **निर्देशात्मक परिभाषा (Ostensive definition) :** जब हम एक पद के अर्थ का वर्णन सादृश वस्तु को इंगित करके या दर्शाकर करते हैं तो इसे निर्देशात्मक परिभाषा कहते हैं। उदाहरण के लिए, जब एक बच्चा यह कहता है कि बॉल कैसी होती है तो उसे बॉल का अर्थ समझाने का सर्वोत्तम तरीका यह है कि उसे वास्तविक रूप से बॉल दिखाकर ही समझाया जाए। चूंकि यहाँ पद के अर्थ का वर्णन करने के लिए भाषा की आवश्यकता नहीं होती है इसलिए निर्देशात्मक परिभाषा अशाब्दिक प्रकृति की होती है। व्यक्तिगत पद निर्देशात्मक परिभाषा द्वारा ही वर्णित किए जाते हैं। इसी प्रकार सभी भौतिक वस्तुओं की व्याख्या की जा सकती है।
- **वस्त्वर्थक परिभाषा (Denotative definition) :** जब एक पद की परिभाषा उस पद के वस्त्वर्थक के संदर्भ के रूप में प्रस्तुत की जाती है तो उसे वस्त्वर्थक परिभाषा कहते हैं। उदाहरण के लिए, पद जैसे 'धार्मिक ग्रंथ' का अर्थ जानने के लिए व्यक्ति वेदों, बाइबल, गुरुग्रंथ साहिब आदि का उल्लेख कर सकता है। इस परिभाषा के शाब्दिक तथा वस्त्वर्थक परिभाषा कहते हैं। कई बार व्यक्ति पद को परिभाषित करने के लिए उस पद के विस्तार का भी प्रयोग कर सकता है। पद को इस रूप में परिभाषित करने को विस्तृत (Extensive definition) परिभाषा कहते हैं।
- **लक्ष्यार्थक/सम्पृक्त परिभाषा (Connotative definition) :** जब हम पद के सम्पृक्तार्थ का वर्णन करते हैं तो उसे सम्पृक्तार्थी या सम्पृक्त परिभाषा कहते हैं। अन्य शब्दों में, यह पद के सम्पृक्तार्थ का सुस्पष्ट वर्णन करता है। इसलिए परिभाषा को जाति व्यवच्छेदक होना चाहिए।

परंपरागत विरोध–वर्ग

निरुपाधिक तर्कवाक्यों में उद्देश्य और विधेय एक होने पर भी एक-दूसरे से गुण, परिमाण या दोनों में ही भिन्न हो सकते हैं। अतः वाक्यों का विरोध चार प्रकार का होता है, जो इस प्रकार है:

(1) व्याघातकता (Contradictory Opposition) : व्याघातकता से तात्पर्य है, वह वाक्य जिनके उद्देश्य और विधेय एक ही परन्तु उनके गुण या परिमाण दोनों में अंतर हो। जिससे एक तर्कवाक्य दूसरे का खण्डन करता है अर्थात् वह दोनों न तो एक साथ सत्य हो और न ही असत्य। यह संबंध A और E और I के मध्य पाया जाता है। उदाहरणार्थः

(क) A : सभी जज वकील हैं

O : कुछ जज वकील नहीं हैं।

(ख) E : कोई मनुष्य बुद्धिमान नहीं है

I : कुछ मनुष्य बुद्धिमान हैं।

(2) विपरीतता (Contrariety or Contrary Opposition) : विपरीतता से तात्पर्य है दो पूर्णव्यापी वाक्यों का संबंध, जिनके उद्देश्य और विधेय एक हों परंतु उनके गुण में अंतर हों अर्थात् वे दोनों एक साथ सत्य नहीं हो सकते लेकिन एक साथ असत्य हो सकते हैं। पारम्परिक या अरस्तू के विचार के अनुसार A और E में केवल गुण का अंतर है : एक भावात्मक है तो दूसरा निषेधात्मक। अतः यह संबंध A और E के बीच होता है। उदाहरणार्थः

A : सभी बालिकाएँ गृहकार्य में निपुण हैं।

E : कोई बालिका गृहकार्य में निपुण नहीं है।

ये दोनों तर्कवाक्य एक साथ सत्य नहीं हो सकते यद्यपि असत्य हो सकते हैं इसलिए ये विपरीत समझे जाते हैं।

(3) विरुद्ध या उपविपरीत (Sub-contrary Opposition) : विरुद्ध या उपविपरीत से तात्पर्य दो अंशव्यापी वाक्यों का संबंध जिनके उद्देश्य विषय एक हों परंतु उनके गुण में अन्तर हो अर्थात् वे वाक्य एक साथ सत्य तो हो सकते हैं लेकिन एक साथ असत्य नहीं हो सकते। जैसे I और O वाक्य उपविपरीत हैं। उदाहरणार्थः

I : कुछ भारतीय ईमानदार हैं।

O : कुछ भारतीय ईमानदार नहीं हैं।

ये दोनों तर्कवाक्य एक साथ सत्य तो हो सकते हैं लेकिन असत्य नहीं। अतः ये विरुद्ध या उपविपरीत हैं।

(4) उपाश्रयण (Subalternation) : उपाश्रयण से तात्पर्य है ऐसे वाक्य जिनके उद्देश्य और विधेय एक हों, गुण की दृष्टि से समान हों लेकिन परिमाण की दृष्टि से भिन्नता रखते हों। A और I तथा E और O परस्पर उपाश्रयण से जुड़े हुए हैं।

(क) A सभी राजा बुद्धिमान हैं। A तर्कवाक्य के सत्य से I कुछ राजा बुद्धिमान हैं का सत्य निकलता है।

(ख) E कोई राजा बुद्धिमान नहीं है। E तर्कवाक्य के सत्य से O कुछ राजा बुद्धिमान नहीं है का सत्य निकलता है।

इन उदाहरणों में वाक्य गुण की दृष्टि से समान है लेकिन परिमाण की दृष्टि से असमान है, एक पूर्णव्यापी है तो दूसरी अंशव्यापी। इसमें अंशव्यापी तर्कवाक्य का सत्य पूर्णव्यापी तर्कवाक्य से निकाला या उसमें अंतर्निहित समझा जाता है। पूर्णव्यापी वाक्य उपाश्रयण और उससे संबंधी अंशव्यापी वाक्य उपाश्रित कहा जाता है।

आगमन और निगमन तर्क (Inductive and Deductive Reasoning)

विचारशील प्राणी होने के नाते किसी भी समस्या या कठिनाई पर विचार करना मनुष्य का स्वभाव है और ऐसा करते हुए उसके मस्तिष्क में एक विचारवृति के बाद दूसरी विचारवृति अथवा एक बात के बाद दूसरी बात आती रहती है। इन विचारवृत्तियों की शृंखला में कभी वह एक विचार से दूसरे विचार, कभी अनेक विचारों के आधार पर एक अन्य विचार को अनुगमित करता रहता है। किन्तु विचारवृति की शृंखला से अनुगमित प्रत्येक निष्कर्ष तार्किक या युक्तिसंगत नहीं होता। जैसे, नौकरी में अपनी असफलता का कारण ढूँढ़ते हुए यदि कोई मनुष्य विचार करता है कि जब-जब भी वह अपने दोस्त 'क' को साथ लेकर साक्षात्कार के लिए गया तब-तब असफल रहा। अतः असफलता का कारण दोस्त 'क' की बदकिस्मती है। तो यह विचार तार्किक या युक्तिसंगत नहीं है। तब फिर तर्कसंगत क्या है? यह समझने के लिए तर्क का व्यवस्थित अध्ययन आवश्यक है। तर्क की दृष्टि से विचार की संपूर्ण प्रक्रिया दो प्रकार से चलती है:

1. आगमन (Induction)
2. नियमन (Deduction)

तर्क की इन दोनों प्रक्रियाओं में भी नियम होते हैं। उन नियमों के आधार पर ही आगमन और निगमन तर्क की प्रक्रियाएँ चलती हैं।

आगमन तर्क

आगमन तर्क का तात्पर्य है—विशेष से सामान्य की ओर। जब हम विचार करते हुये विशेष उदाहरणों के द्वारा एक सामान्य निष्कर्ष पर पहुंचते हैं अथवा एक घटना की बारम्बार पुनरावृति के आधार पर उसके संबंध में एक सामान्य धारणा या निष्कर्ष प्रतिपादित करते हैं, तब उसे तर्क की आगमन प्रक्रिया कहते हैं। जैसे धुएँ के साथ बार-बार अग्नि' को देखकर यह सामान्य धारणा स्थापित करना कि 'जहाँ धुआं है, वहाँ आग है' आगमन तर्क है। इसी प्रकार,

राम मरणशील है।

मोहन मरणशील है

सोहन मरणशील है

अ, ब, स .... मरणशील है।

इसलिये सभी मनुष्य मरणशील हैं।

यहाँ अनेक विशेष उदाहरणों से एक सामान्य निष्कर्ष निकाला गया है कि "सभी मनुष्य मरणशील हैं" अतः यह आगमन तर्क है।

आगमन तर्क की इस विधि का सभी विज्ञानों में व्यापक रूप से प्रयोग किया जाता है। इसमें एक ही जाति के विभिन्न जीवों या एक ही प्रकार की विभिन्न घटनाओं के विषय में अलग-अलग खोज करके एक सामान्य सिद्धांत निकाला जाता है।

आगमन तर्क का मूल आधार : दो वैज्ञानिक नियम

आगमन तर्क की इस प्रक्रिया में अर्थात् कुछ विशेष उदाहरण से सामान्य सिद्धांत की स्थापना में, दो वैज्ञानिक नियम मूल आधार हैं:

(1) **कारण कार्य नियम (Law of Causation) :** प्रत्येक कार्य का कोई न कोई कारण होता है। कोई कार्य अकारण नहीं होता तथा कारण होने पर कार्य अवश्य होता है। जैसे, आग और जलाने की शक्ति, मनुष्य और मरणशीलता में कार्य-कारण संबंध है। अर्थात् जहां आग है वहाँ जलाने की शक्ति होगी ही। जहाँ मनुष्य है वहां मरणशीलता होगी ही।

(2) **प्रकृति समरूपता का नियम (The Law of Uniformity in Nature) :** यह नियम प्रकृति की समरूपता को बताता है अर्थात् समान परिस्थितियों में प्रकृति का व्यवहार समान होता है। एक ही प्रकार की परिस्थितियों में एक खास कारण से एक खास कार्य ही उत्पन्न होता है। प्रकृति समरूपता का यह नियम कार्य-कारण नियम को एक सामान्य रूप देता है।

मनुष्य की देश काल (Space and Time) की सीमाएं हैं, वह प्रकृति में होने वाली प्रत्येक घटना को नहीं देख सकता किन्तु इसी वैज्ञानिक नियम के आधार पर कुछ मनुष्यों की मरणशीलता को देखकर इस सामान्य निष्कर्ष पर पहुँचता है कि सभी मनुष्य मरणशील हैं।

निगमन तर्क

तर्क की एक और महत्वपूर्ण प्रक्रिया है—निगमन तर्क (Deductive Reasoning)। सामान्य सिद्धांत के विशेष निष्कर्ष निकालने की प्रक्रिया को निगमन तर्क कहते हैं। उदाहरण के लिए,

सभी मनुष्य मरणशील हैं।

सुकरात मनुष्य है।

इसलिए सुकरात मरणशील है।

यहाँ भी एक सामान्य सिद्धांत "सभी मनुष्य मरणशील हैं" से विशेष निष्कर्ष "सुकरात मरणशील है" को अनुगमित किया गया है।

इसी प्रकार 'जहाँ धुआं है वहाँ आग है' यह एक सामान्य सिद्धांत है। कहीं दूर किसी बिल्डिंग से तेजी से धुआँ निकलते देखकर हम कहते हैं कि वहाँ आग लग गई है। क्योंकि निगमन तर्क के अनुसार,

जहाँ धुआं है, वहाँ आग है।

बिल्डिंग से धुआँ निकल रहा है।

अतः बिल्डिंग में आग लग गई है।

निगमन तर्क का व्यापक प्रयोग दैनिक जीवन में :

निगमन तर्क यद्यपि वैज्ञानिक अनुसंधानों या विज्ञान के ज्ञान में प्रयुक्त होता है। किन्तु दैनिक जीवन में इसका व्यापक प्रयोग देखने में आता है। जैसे आकाश में छाये बादलों को देखकर हम वर्षा का अनुमान लगा लेते हैं, क्योंकि 'जब बादल घिरते हैं, तब वर्षा होती है' यह सामान्य धारणा है, आज बादल घिरे हैं, अतः आज वर्षा होगी। यह अनुमान निगमन तर्क से प्राप्त अनुमान है। अक्सर किसी की मृत्यु पर शोक के साथ सांत्वना व्यक्त करते हुए यह कहते सुना जाता है कि एक दिन तो मृत्यु होनी थी। यह निष्कर्ष इन सामान्य धारणा से अनुगमित होता है कि 'जो जन्म लेता है वह मरता भी है', अमुक व्यक्ति ने जन्म लिया था, अतः उसे मरना तो था ही।

दैनिक जीवन में जाने अनजाने हम निगमन तर्क का व्यापक प्रयोग करते रहते हैं। जिन सामान्य धारणाओं को लेकर हम जीते हैं उन सामान्य धारणाओं से विशेष घटनाओं को देखकर अथवा विशेष घटना के संबंध में निष्कर्ष निकाल लेना अथवा अनुमान लगा लेना हमारी आदत बन गयी है। 'धुएँ को देखकर अग्नि का अनुमान', 'बादल को देखकर वर्षा का अनुमान', 'मनुष्य को देखकर मरणशीलता का अनुमान' या 'धतूरे को देखकर जहरीले होने का अनुमान' निगमन तर्क के ही उदाहरण हैं।

निगमन और आगमन तर्क में परस्पर सम्बद्धता

निगमन और आगमन तर्क की दो महत्वपूर्ण प्रक्रियायें हैं। दोनों प्रक्रियायें परस्पर संबंधित ही नहीं बल्कि एक दूसरे पर आधारित भी हैं। निगमन तर्क के सामान्य सार्वभौमिक आधार वाक्य आगमन तर्क से प्राप्त निष्कर्ष ही होते हैं। दूसरे ओर आगमन तर्क जिन सार्वभौमिक निष्कर्षों की स्थापना करता है उसका प्रयोग निगमन तर्क अपनी तर्क प्रक्रिया में आधार वाक्य के रूप में करके उसके महत्व को स्थापित करता है।

इस तथ्य को एक उदाहरण द्वारा स्पष्ट रूप से समझा जा सकता है:

सभी मनुष्य मरणशील हैं

सुकरात मनुष्य है।

इसलिए सुकरात मरणशील है।

इस तर्क में निष्कर्ष वाक्य 'सुकरात मरणशील है' का आधार सर्वव्यापी, सार्वभौमिक वाक्य 'सभी मनुष्य मरणशील हैं' यह वाक्य है। निगमन तर्क के निष्कर्ष की सत्यता इसी सार्वभौमिक वाक्य पर आधारित है और ये सार्वभौमिक, सामान्य वाक्य जो निगमन तर्क के आधार वाक्य हैं, आगमन तर्क के निष्कर्ष हैं।

आगमन तर्क के अनुसार,

राम मरणशील हैं

मोहन मरणशील हैं

सोहन मरणशील है

श्याम मरणशील हैं

अ, ब, स, ... मरणशील हैं।

... सभी मनुष्य मरणशील हैं।

आगमन तर्क विशेष उदाहरणों के आधार पर जिन सामान्य सार्वभौमिक वाक्यों या सिद्धांतों की स्थापना करता है, उन्हीं सार्वभौमिक वाक्यों के आधार पर निगमन तर्क विशेष के संबंध में कथन करता है। इस प्रकार तर्क की ये दोनों प्रक्रियाएं–आगमन और निगमन–भिन्न होते हुए भी परस्पर संबद्ध हैं।

निगमन और आगमन तर्क में भेद

निगमन और आगमन तर्क प्रक्रियाओं को समझ लेने के बाद उनकी भिन्नताओं या भेदों को भी स्पष्ट रूप से समझ लेना चाहिए।

(1) पहला, निगमन और आगमन तर्क प्रक्रियाओं में पहला और सर्वाधिक महत्वपूर्ण अंतर यह है कि निगमन तर्क सामान्य, सार्वभौमिक वाक्यों के आधार पर विशेष संबंध में कथन करता है, जबकि आगमन तर्क विशेष घटनाओं के आधार पर सार्वभौमिक वाक्य की स्थापना करता है। जैसे- विभिन्न उदाहरणों या घटनाओं में धुएँ के साथ अग्नि को देखकर आगमन तर्क यह सामान्य वाक्य स्थापित करता है कि 'जहाँ धुआँ है, वहाँ आग है।'

दूसरी ओर निगमन तर्क इस सामान्य सार्वभौमिक वाक्य 'जहाँ धुआँ है, वहाँ आग है।' के आधार पर कहीं धुआँ उठते देखकर यह स्थापित करता है कि 'वहाँ आग है।' निगमन और आगमन के इस भेद को संक्षिप्त रूप में इस प्रकार रखा जाता है :

निगमन तर्क : सामान्य से विशेष (Universal to Particular)

आगमन तर्क : विशेष से सामान्य (Particular to Universal)

(2) दूसरा, निगमन और आगमन तर्क में एक और अंतर यह भी है, कि निगमन तर्क का ज्ञान आकारिक (Formal) है जबकि आगमन तर्क का वास्तविक (Material)। निगमन तर्क आकारिक होने के कारण उसका संबंध आकारिक सत्यता जिसे वैधता (Validity) कहा जाता है, से है। निगमन तर्क में वास्तविक सत्यता हो, या न हो, इससे उसकी वैधता पर कोई प्रभाव नहीं पड़ता। जैसे, निगमन तर्क के निम्न दो उदाहरण को देखें:

1. सभी मनुष्य मरणशील है। 2. सभी मनुष्य कुर्सियाँ हैं।
सुकरात मनुष्य है। सुकरात मनुष्य है।
∴ सुकरात मरणशील है। ∴ सुकरात कुर्सी है।

इसलिए, उपरोक्त दोनों उदाहरणों में पहला उदाहरण वास्तविक सत्यता रखता है और दूसरा उदाहरण वास्तविक सत्यता नहीं रखता। फिर भी निगमन तर्क के दोनों उदाहरण वैध हैं। क्योंकि आकारिक रूप में दोनों के ही निष्कर्ष दिये हुए आधार वाक्यों से तर्कतः आपादित होते हैं।

दूसरी ओर आगमन तर्क का संबंध वास्तविक सत्यता से ही है। आगमन तर्क विशेष तथ्यों के आधार पर जिन सामान्य वाक्यों की स्थापना करता है वह निरीक्षण, प्रयोग आदि पर आधारित होते हैं। यदि अनुभव में आगमन तर्क के निष्कर्ष सत्य न पाये गये अर्थात् यदि उसमें वास्तविक सत्यता न पाई गई तो आगमन तर्क के वे अनुमान निरर्थक होते हैं। आगमन तर्क का अर्थ ही है—वास्तविक सत्य को स्थापित करना। वास्तविक सत्यता की स्थापना ही आगमन का उद्देश्य है। संक्षेप में, नियमन और आगमन तर्क का यह भेद इस प्रकार दर्शाया जा सकता है:

निगमन तर्क की प्रक्रिया आकारिक है।

आगमन तर्क वास्तविक या यथार्थ ज्ञान से संबंध रखता है।

(3) तीसरा, निगमन और आगमन तर्क में आकारिक और वास्तविक सत्यता की भिन्नता के आधार पर निगमन तर्क वैध या अवैध कहलाते हैं जबकि आगमन तर्क सत्य या असत्य कहे जाते हैं।

निगमन तर्क वैध है यदि उसका निष्कर्ष दिये हुए आधार वाक्यों से अनिवार्य रूप से तर्कतः आपादित होता है, भले ही उसके वाक्यों में वास्तविक सत्यता हो या न हो। किंतु यदि निगमन तर्क का निष्कर्ष अनिवार्य रूप से प्रतिपादित नहीं होता तो तर्क अवैध होगा। जैसे, निम्न उदाहरण हैं-

सभी गायें पशु हैं।

कुछ गायें सफेद हैं।

इसलिए कुछ गायें पशु हैं।

यह अवैध तर्क है क्योंकि इसका निष्कर्ष दिये हुये आधार वाक्यों से अनिवार्य रूप से आपादित नहीं होता।

दूसरी ओर आगमन तर्क सत्य होता है यदि उसका प्रतिपादित निष्कर्ष वास्तविक सत्यता रखता हो, अन्यथा आगमन तर्क असत्य होता है। यदि विश्व में कहीं भी यह प्रमाणित हो जाये कि कुछ मनुष्य हजारों, लाखों वर्षों से जी रहे हैं और हमेशा जीते रहेंगे जिनकी मृत्यु कभी नहीं होगी तो आगमन तर्क का यह निष्कर्ष, कि 'सभी मनुष्य मरणशील हैं असत्य होगा। आगमन तर्क सामान्य सार्वभौमिक सिद्धांत को स्थापित करता है। और कहीं एक भी अपवाद होने पर उसकी सार्वभौमिकता समाप्त हो जाती है। उनमें वास्तविक सत्यता का अभाव हो जाता है और ऐसे आगमन असत्य कहे जाते हैं। संक्षेप में, **निगमन तर्क वैध या अवैध होते हैं। जबकि आगमन तर्क सत्य या असत्य होते हैं।**

अनुरूपताएँ/सादृश्यानुमान (Analogy)

अरस्तू ने 'Analogy' शब्द का प्रयोग 'अनुपात' (Proportion) के अर्थ में किया। उनके अनुसार एक और दो का अनुपात (1 : 2), दो और चार के अनुपात (2 : 4), के **सदृश** (Analogous) है; यही सादृश्य के आधार पर अनुमान हुआ। फिर **ह्वेटली** (Whately) ने **सादृश्य** (Analogy) का प्रयोग **'संबंध के सादृश्य'** (Resemblance of Relation) के अर्थ में किया। उनके अनुसार, जैसे 'क' का 'ख' के साथ वैसा ही संबंध है जैसा 'ग' का 'घ' के साथ, इसी प्रकार की उक्ति सादृश्य के आधार पर उक्ति हुई। आधुनिक तर्कशास्त्री जिनमें **मिल** (Mill), **बेन** (Bain), **कार्बेथ रीड** (Carenth Read), **बटलर** (Butler), **केइन्स** (Keynes), इत्यादि अनेक आते हैं, सादृश्य को खास तरह के सादृश्य जैसे 'अनुपात का सादृश्य' या 'सम्बन्ध का सादृश्य' के अर्थ में न लेकर उसका व्यवहार एक सामान्य अर्थ में किसी भी प्रकार के सादृश्य के लिए करते हैं और उनके अनुसार सादृश्य के आधार पर किया गया अनुमान किसी निश्चित प्रकार के सादृश्य से ही संबंध नहीं रखता, बल्कि किसी भी प्रकार के सादृश्य से। हाँ, इतना आवश्यक है कि सादृश्य के आधार पर किया गया अनुमान वस्तुओं की कुछ मुख्य बातों में सादृश्य (Resemblance), पर आधारित हो, सिर्फ कुछ सतही बातों के सादृश्य पर नहीं।

सादृश्युनमान का स्वरूप और उसके लक्षण

सादृश्यानुमान सादृश्य (Resemblance), के आधार पर किया गया अनुमान है। दो वस्तुओं का कुछ खास बातों में सादृश्य (Resemblance), देखकर यह अनुमान किया जाता है कि उनमें से एक में यदि कोई खास गुण पाया जाता है, तो दूसरे में भी यह पाया जाएगा। मिल ने सादृश्यानुमान के विषय में कहा है, "Two things resemble each other in one or more respects; a certain proposition is true of the one, therefore it is true of the other." सादृश्यानुमान में अनुमान किसी वस्तु के एक अज्ञात गुण के विषय में किया जाता है और उसका आधार होता है उस वस्तु का दूसरी किसी वस्तु के साथ गुणों में सादृश्य का ज्ञान तथा उस दूसरी वस्तु में उस गुण के पाये

जाने का भी ज्ञान जिसके संबंध में पहली वस्तु के विषय में अनुमान किया गया है। हम यहाँ अनुमान इस बल पर करते है कि चूँकि दो वस्तुएँ अनेक बातों में मिलती-जुलती हैं, इसलिए उस बात में भी जिसके विषय में अनुमान किया गया है वे मिलेगी। संक्षेप में, हम कह सकते हैं कि सादृश्यानुमान एक प्रकार का वैसा संभावित (Probable), अनुमान है जो दो वस्तुओं के आपस में आंशिक सादृश्य (Imperfect similarity) पर आधारित रहता है। चूँकि इस अनुमान का एकमात्र आधार है कुछ बातों में समानता, इसलिए, इसका निष्कर्ष निश्चित नहीं हो सकता, यह सिर्फ संभावित ही हो सकता है।

इसमें विशेषों के आधार पर विशेष (Particular) निष्कर्ष ही निकाला जाता है। सादृश्य के कुछ विशेष-विशेष उदाहरण के निरीक्षण के आधार पर किसी वस्तु के एक अज्ञात गुण के विषय में एक विशेष वाक्य ही निष्कर्ष के रूप में निकाला जाता है। जैसे पृथ्वी और मंगल में कुछ विशेष बातों में सादृश्य देखकर मंगल के विषय में एक विशेष (Particular) निष्कर्ष ही निकाला गया कि 'मंगल पर भी जीव होगा'।

सादृश्यानुमान में हम ज्ञात से अज्ञात पर जाते हैं, ज्ञात गुणों के आधार पर अज्ञात गुणों के विषय में ज्ञान प्राप्त करते हैं।

इसी लक्षण के मौजूद रहने से सादृश्यानुमान को यथार्थ आगमन का एक भेद समझा जाता है। मिल, बेन आदि तर्कशास्त्रियों के अनुसार, 'आगमनात्मक छलांग' (Inductive leap) यानी ज्ञात उदाहरणों के निरीक्षण के आधार पर अज्ञात के विषय में अनुमान करना ही आगमनात्मक अनुमान की रीढ़ है और यह 'ज्ञात से अज्ञात पर जाना' सादृश्यानुमान में भी मौजूद रहता है, इसलिए इसे यथार्थ आगमन का ही एक भेद समझा जाता है।

सादृश्यता से हमारा तात्पर्य होता है—समानता। अतः इस अध्याय के प्रश्नों को हल करने का उद्देश्य, दिये गए वस्तुओं के बीच समानता को पहचानना अथवा प्रदत्त समूहों के बीच अंतर्निहित आंतरिक संबंधों का विश्लेषण करना होता है।

प्रश्न प्रकार (1) : इस प्रकार के प्रश्नों में किसी विशेष संबंध से संबंधित दो वस्तुएँ दी गई रहती हैं और फिर एक तीसरी वस्तु और कुछ विकल्प दिये रहते हैं। हमें यह पता करना होता है कि विकल्पों में से कौन, तीसरी वस्तु से वही संबंध रखता है जो पहली और दूसरी वस्तु में होता है।

उदाहरण (1) : मोर : भारत :: कंगारू : ?

हलः ऑस्ट्रेलिया

अतः सादृश्यता से संबंधित प्रश्नों को हल करने में हमें निम्नलिखित दो कार्य करने होते हैं:

1 प्रश्न में दिये गये दो शब्दों/अक्षर समूहों/संख्याओं के बीच के संबंध को पहचानना और फिर-

2. दिये गए तीसरे शब्द/अक्षर समूह/संख्या के साथ उपरोक्त विकल्प को लागू कर सही विकल्प को चुनना।

उदाहरण (2) : 43 : 12 : : 84 : ?

हलः यहाँ, प्रथम दो संख्याओं में संबंध इस प्रकार है कि प्रथम संख्या के दोनों अंकों का गुणनफल दूसरी संख्या है अर्थात् $4 \times 3 = 12$

$\therefore$ चौथी संख्या $= 8 \times 4 = 32$

प्रश्न प्रकार (2) : इस प्रकार के प्रश्नों में तीन शब्द दिये रहते हैं, जो कुछ उभयनिष्ठ (Common) विशेषता वाले होते हैं। प्रत्येक प्रश्न के नीचे कुछ विकल्प दिये गये होते हैं, जिनमें से किसी एक में वहीं विशेषता होती है, जो प्रश्न के शब्दों में होती है। हमें उसी विकल्प को चुनना होता है।

उदाहरण (3) : फल, फूल, तना

(*a*) खुशबू

(*b*) जंगल

(*c*) वनस्पति

(*d*) पत्ती

हलः यहाँ, सही जवाब = (*d*) पत्ती, क्योंकि प्रश्न में दिये गए तीनों शब्द एक पेड़ के अंग हैं और पत्ती भी पेड़ का एक अंग है।

प्रश्न प्रकार (3) : इस प्रकार के प्रश्नों में भी कुछ शब्द दिये रहते हैं जो एक उभयनिष्ठ (common) विशेषता वाले होते हैं। प्रश्न के नीचे दिये गए विकल्पों में से एक शब्द उस उभयनिष्ठ विशेषता या संबंध के बारे में बताता है। हमें यहाँ उसी सही विकल्प को चुनना होता है।

उदाहरण (4) : चीता, बाघ, सिंह

(*a*) विलुप्त

(*b*) सर्कस

(*c*) मांसाहारी

(*d*) चिड़ियाघर

हलः (*c*) क्योंकि यही सर्वोपयुक्त विशेषता है जो प्रश्न में दिये गये शब्दों की पहचान करता है।

प्रश्न प्रकार (4) : इस प्रकार के प्रश्नों में 4 विकल्प दिये रहते हैं, जिनमें कोई तीन एक निश्चित विशेषता धारण करते हैं जबकि चौथा अन्य सभी से भिन्न होता है। हमें उस चौथे विकल्प को ही ढूँढना होता है।

उदाहरण (5) : कौन-सा विकल्प अन्य तीन से भिन्न है?

(*a*) 52 – 6

(*b*) 48 – 8

(*c*) 64 – 4

(*d*) 84 – 7

हलः (*a*) क्योंकि, अन्य तीनों विकल्पों में प्रथम संख्या दूसरी संख्या से विभाजित हो जाती है लेकिन 52, 6 से अविभाज्य है।

वेन आरेख (Venn Diagram)

वेन आरेख पद्धति में मानक रूप में व्यवस्थित निरपेक्ष न्याय वाक्य का वेन आरेख उकेरा जाता है।

इसलिए इस तकनीक का अति महत्वपूर्ण आयाम किसी निरपेक्ष न्याय वाक्य को वेन आरेख में निरुपित करने में समर्थ होना है। यहाँ निरपेक्ष प्रतिज्ञप्तियों को वेन आरेख में निरूपित किया गया है।

A : सभी S, P हैं।

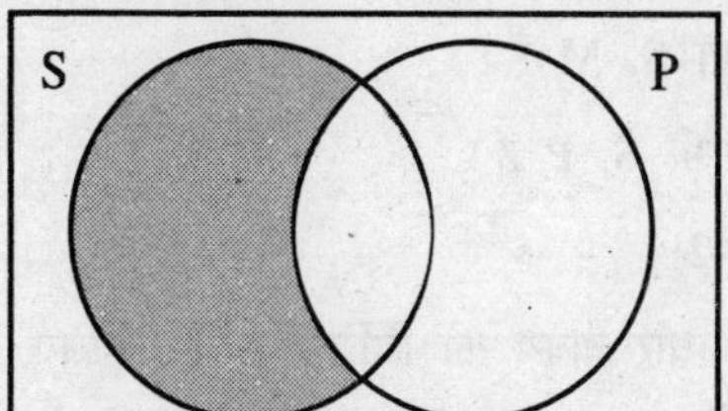

आकृति 1

S का छायांकित भाग एक रिक्त वर्ग है, जो कहता है कि S का प्रत्येक सदस्य P का भी सदस्य है और S में ऐसा कोई भी सदस्य नहीं जो P का सदस्य न हो।

E : कोई भी S, P नहीं है।

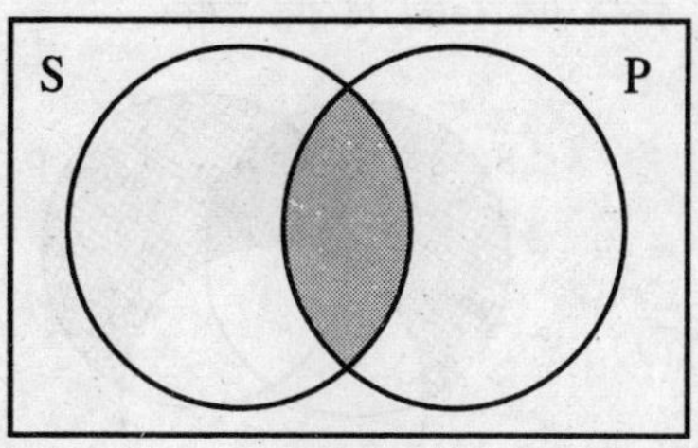

आकृति 2

S और P के बीच में छायांकित भाग दर्शाता है कि इनमें से किसी भी वर्ग का सदस्य दूसरे वर्ग का सदस्य नहीं है।

I : कुछ S, P हैं।

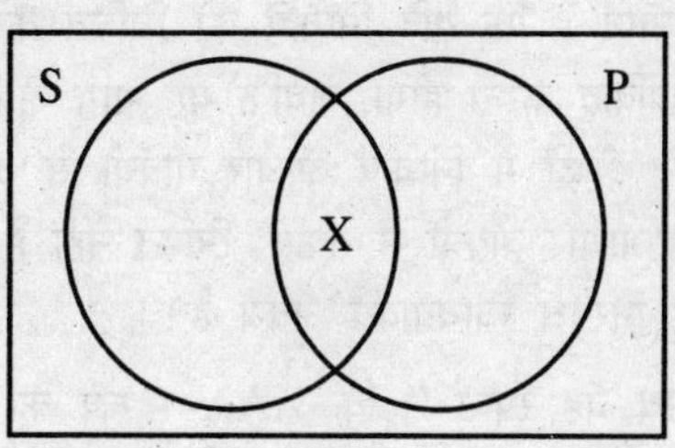

आकृति 3

'X' लिखा हुआ भाग दर्शाता है कि इनमें से किसी एक वर्ग का कम से कम एक सदस्य दूसरे वर्ग का भी सदस्य है।

O : कुछ S, P नहीं हैं।

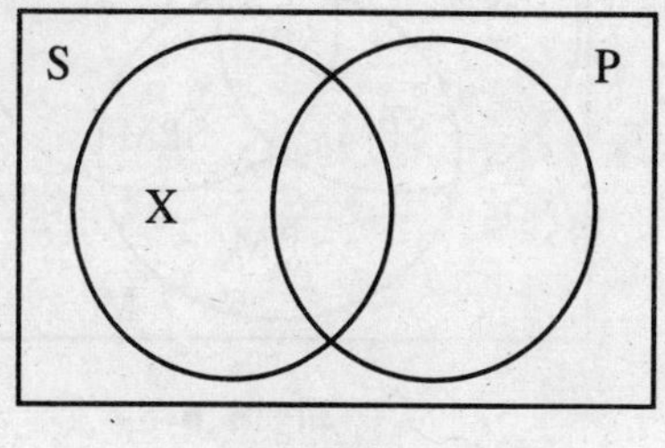

आकृति 4

'X' लिखा हुआ भाग दर्शाता है कि वर्ग X में कम से कम एक ऐसा सदस्य है जो वर्ग P का सदस्य नहीं है।

यह भी जानना चाहिए कि इनमें से कुछ प्रतिज्ञप्तियों को अन्य अलग ढंग से निरूपित किया जा सकता है और इसमें वर्ग को न तो छायांकित किया जाता है और न ही X लिखा जाता है।

यद्यपि समरूपता के लिए यह सलाह दी जाती है कि दो प्रतिच्छेदी वृत्त बनायें और प्रतिज्ञप्ति को निरूपित करने के लिए छायांकित किया जाये या X लिखा जाये।

उदाहरणार्थ, इसे निम्नलिखित ढंग से बनाया जा सकता है

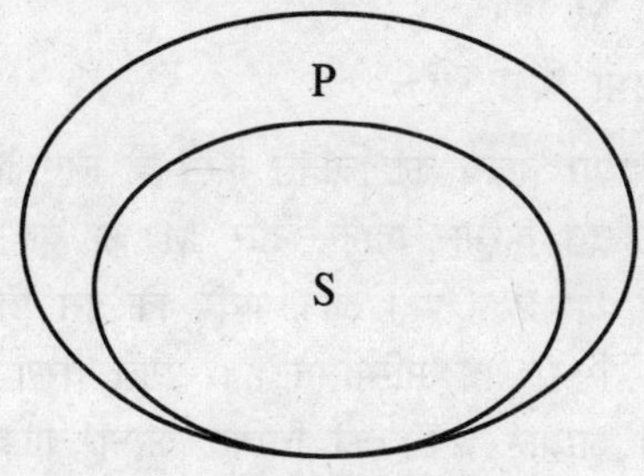

आकृति 5

आकृति 5 में किया गया निरूपण आकृति 1 में किये गये निरूपण के समरूप है। परंतु भिन्न-भिन्न निरपेक्ष न्याय वाक्यों के बीच भिन्नताओं को देखने में आसानी के लिए हम समरूप निरूपण का उपयोग करेंगे।

वेन आरेख के प्रयोग से निरपेक्ष न्याय वाक्य की वैधता के परीक्षण में निम्नलिखित चरण होते हैं:

- निरपेक्ष न्याय वाक्य को मानक रूप निरपेक्ष न्याय वाक्य में बदलने के लिए वेन आरेख तकनीक को अपनाया जाता है।
- फिर वेन आरेख में दोनों आधार वाक्यों को चित्रित किया जाता है।
- यह जानना जरूरी है कि दो आधार वाक्य कुल तीन वर्गों को रखते हैं; मुख्य पद, अमुख्य पद और मध्य पद द्वारा निरूपित तीन वर्ग।
- आकृति 6 में प्रतिच्छेदी तीन वर्गों से आठ वर्ग प्राप्त होते हैं।

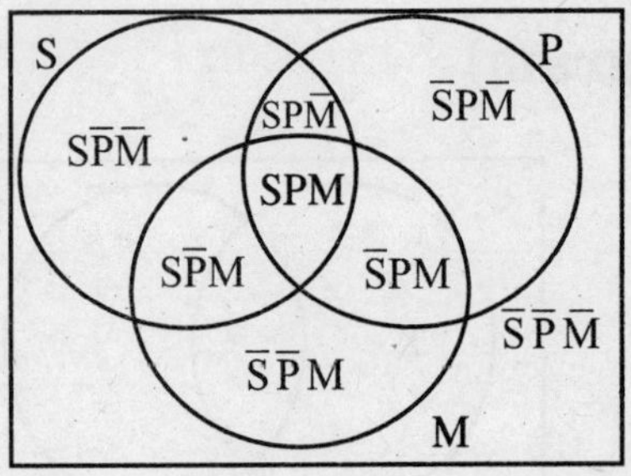

आकृति 6

$S\bar{P}\bar{M}$, $SP\bar{M}$, $\bar{S}P\bar{M}$, $\bar{S}PM$, $\bar{S}\bar{P}M$, $S\bar{P}M$, SPM, और $\bar{S}\bar{P}\bar{M}$ वर्ग।

- दोनों आधार वाक्यों से निरुपित वेन आरेख प्राप्त करने के पश्चात निष्कर्ष से निरूपित वेन आरेख चित्रित करते हैं।
- यदि दोनों आरेख (चरण 2 और चरण 3 में प्राप्त आरेख) बिल्कुल एक समान दिखते हैं या एक-दूसरे को पुष्ट करते हैं, तब दिया गया न्याय वाक्य वैध है, अन्यथा अवैध।

इसे समझने के लिए एक उदाहरण देखते हैं:

AAA–1 न्याय वाक्य का उदाहरण देखते हैं,

सभी M, P हैं।

सभी S, M हैं।

अतः, सभी S, P हैं।

प्रथम आधार वाक्य को चित्रित करने के लिए M और P वृत्तों पर ध्यान केन्द्रित करना चाहिए, और M का वह भाग छायांकित करना चाहिए, जो P न हो। आप पायेंगे कि इस छायांकित भाग में $S\bar{P}M$ और $\bar{S}\bar{P}M$ क्षेत्र सम्मिलित हैं। अगले चरण में, हमें द्वितीय यानि अमुख्य आधार वाक्य को चित्रित करना चाहिए। इसके लिए वृत्तों S और M पर ध्यान देना चाहिए, और S का वह भाग चित्रित करना चाहिए, जो M न हो। यह छायांकित भाग $SP\bar{M}$ और $S\bar{P}\bar{M}$ सम्मिलित करता है। एक बार दोनों आधार वाक्य चित्रित करने पर हमारा आरेख निम्न प्रकार का दिखाई देगा।

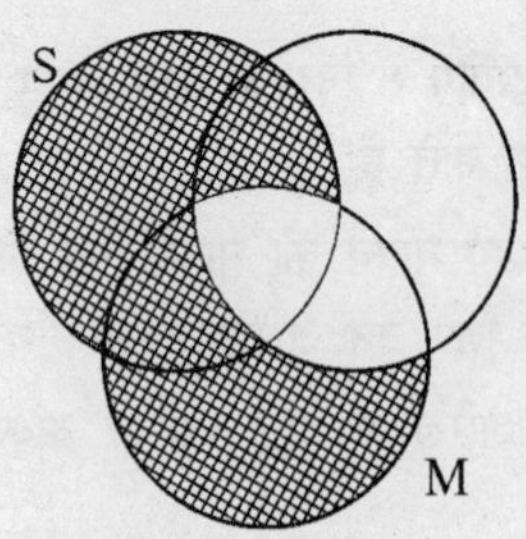

आकृति 7

न्याय वाक्य केवल और केवल तभी वैध माना जाता है जब आधार वाक्यों में निष्कर्ष निहित होता है। वेन आरेख तकनीक में इस 'निहित' को जांचने के लिए देखा जाता है कि आधार वाक्यों के चित्रण के पश्चात् क्या आरेख निष्कर्ष को निरूपित करता है या नहीं। हमारे उदाहरण में यदि कोई निष्कर्ष को चित्रित करना चाहता है, तब भाग का छायांकन या X लिखने की आवश्यकता नहीं होती है, अर्थात् आधार वाक्यों के चित्रण से ही निष्कर्ष चित्रित हो जाना चाहिए। अन्य शब्दों में, यदि "सभी S, P हैं" निष्कर्ष को चित्रित करते हैं, तब और भाग छायांकित होने चाहिए और जैसा कि स्पष्ट है कि $S\bar{P}\bar{M}$ और $S\bar{P}M$ दोनों भाग पहले से ही छायांकित हैं। अतः उदाहरण में दिया गया न्याय वाक्य वैध है।

दूसरा उदाहरण देखते हैं।

- सभी P, M हैं।
- सभी S, M हैं।

अतः, सभी S, P हैं।

(AAA-2)

प्रथम आधार वाक्य को चित्रित करने के लिए P और M वृत्तों पर ध्यान केन्द्रित करना चाहिए, और P का वह भाग छायांकित करना चाहिए, जो M न हो। आप पायेंगे कि इस छायांकित भाग में $\bar{S}P\bar{M}$ और $SP\bar{M}$ क्षेत्र सम्मिलित हैं। अगले चरण में, हमें द्वितीय यानि अमुख्य आधार वाक्य को चित्रित करना चाहिए। इसके लिए वृत्तों S और M पर ध्यान देना चाहिए, और S का वह भाग चित्रित करना चाहिए जो M न हो। यह छायांकित भाग $SP\bar{M}$ और $S\bar{P}\bar{M}$ सम्मिलित करता है। एक बार दोनों आधार वाक्य चित्रित करने पर, हमारा आरेख निम्न प्रकार का दिखाई देगा।

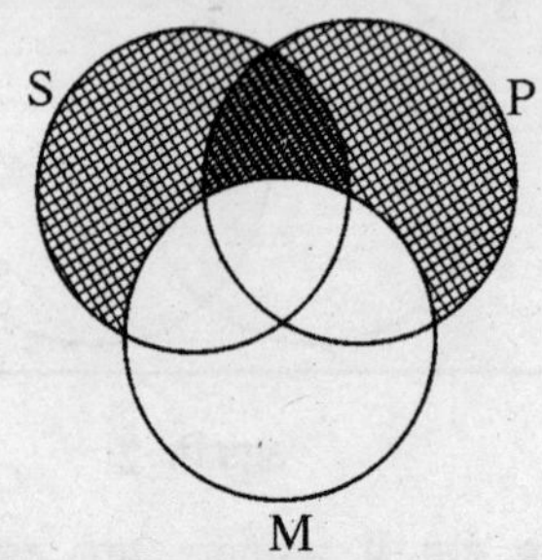

आकृति 8

अब क्या यह आरेख निष्कर्ष को निरूपित करता है। उत्तर है, नहीं, क्योंकि यह स्पष्ट है कि यदि निष्कर्ष को चित्रित करेंगे, तब हमें M भाग को छायांकित करना होगा, जबकि यह भाग आरेख में छायांकित नहीं है। अन्य शब्दों में निष्कर्ष आधार वाक्यों से अधिक कहता है, अतः निष्कर्ष आधार वाक्यों में तर्कतः निहित नहीं है। अतः उदाहरण में दिया गया निरपेक्ष न्यायवाक्य अवैध है।

अतः अब यह स्पष्ट है कि AAA–1 रूप का न्यायवाक्य वैध होगा और AAA–2 रूप का न्यायवाक्य अवैध होगा।

हमारे दोनों उदाहरणों में आधार वाक्य सर्वव्यापी हैं, अतः किसको पहले चित्रित किया जाये, यह सवाल नहीं है, परंतु यदि एक आधार वाक्य सर्वव्यापी है और दूसरा अंशव्यापी, तब पहले सर्वव्यापी आधार वाक्य को चित्रित किया जाना चाहिए, तत्पश्चात अंशव्यापी को, इस

मामले में मुख्य और अमुख्य आधार वाक्य पर विचार किये बिना। इस तरह का एक अन्य उदाहरण देखते हैं,

सभी M, P हैं।

कुछ M, S हैं।

अतः कुछ S, P हैं।

(AAA-3)

सर्वप्रथम हम सर्वव्यापी आधार वाक्य चित्रित करेंगे। इसके लिए S का वह भाग छायांकित करना चाहिए, जो P न हो। आप पायेंगे कि इस छायांकित भाग में $\bar{S}\bar{P}M$ और $S\bar{P}M$ क्षेत्र सम्मिलित हैं। अगले चरण में, अंशव्यापी आधार वाक्य चित्रित करेंगे, इसके लिए 'x' को S और M के प्रतिच्छेदी भाग पर अंकित करेंगे, लेकिन यह प्रतिच्छेद दो भागों में विभाजित है, $S\bar{P}M$ और SPM। सर्वव्यापी आधार वाक्य के चित्रण में ही $S\bar{P}M$ भाग पहले से ही छायांकित हो गया है, अतः अछायांकित भाग SPM में लिखा जाना चाहिए।

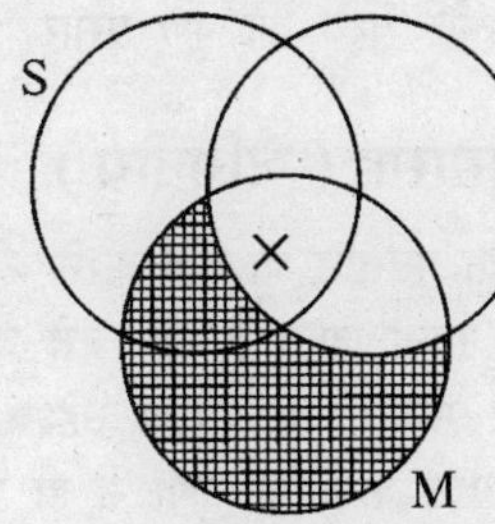

आकृति 9

अब निष्कर्ष को देखते हैं, निष्कर्ष पहले से ही छायांकित है, तब 'x' को S एवं P के प्रतिच्छेदन पर कहीं होना चाहिए, S एवं P प्रतिच्छेदन के दो भाग हैं: $SP\bar{M}$ एवं SPM और हम पाते हैं कि 'X' SPM क्षेत्र (जोकि के S एवं P प्रतिच्छेदन का ही एक भाग है) में लिखा हुआ है, अतः दिया गया न्यायवाक्य वैध है।

अब एक ऐसा उदाहरण देखें, जिसमें पूर्वोक्त उदाहरण की तरह 'X' की व्यवस्था निश्चित नहीं हो पाती है।

सभी P, M हैं।

कुछ S, M हैं।

अतः कुछ S, P हैं।

(AAA–4)

सबसे पहले सर्वव्यापी आधार वाक्य को चित्रित किया जाता है। हम P का वह भाग चित्रित करेंगे जो M न हो, इससे $SP\bar{M}$ और $\bar{S}P\bar{M}$ वर्ग छायांकित होंगे। अंशव्यापी आधार वाक्य के चित्रण लिए 'X' को कहाँ रखा जाये SPM में या $SP\bar{M}$ में, यह सवाल पैदा होता है। क्या इन दोनों की प्रतिच्छेदी भाग पर? 'X' प्रतिच्छेदी में रखना उचित है, क्योंकि न्याय वाक्य से यह स्पष्ट नहीं कि 'X' को कहाँ रखा जाये। यदि हम स्वेच्छा से 'X' किसी भी एक भाग में रख देंगे तो वेन आरेख तकनीक के असफल होने की संभावना होगी। अतः इस मामले में हमें अधिक सावधानी बरतने की आवश्यकता है।

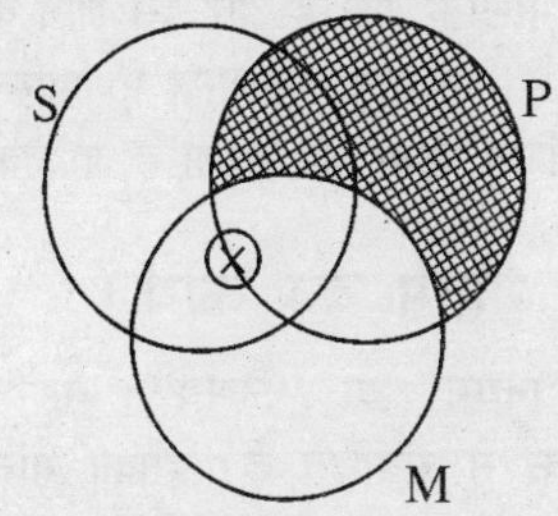

आकृति 10

दोनों आधार वाक्यों के चित्रण के पश्चात अब हम देखते हैं कि क्या निष्कर्ष इससे चित्रित हो गया या नहीं। उदाहरण में, निष्कर्ष के चित्रण के लिए आवश्यक है कि 'x' S और P के प्रतिच्छेदन पर स्थित हो, चाहे SPM या $SP\bar{M}$ में।

किन्तु $SP\bar{M}$ पहले से छायांकित है, और उसमें 'X' नहीं लिखा गया है और 'X' SPM में हो भी सकता है और नहीं भी, परंतु न्यायवाक्य से यह सूचना प्राप्त नहीं होती है कि 'X' को SPM में रखा जाये या नहीं। अतः न्यायवाक्य अवैध है। यह भी जानना आवश्यक है कि आधार वाक्य यह सूचना नहीं देते हैं कि निष्कर्ष असत्य है या सत्य। निष्कर्ष सत्य या असत्य हो सकता है। हम केवल यह जानते हैं कि निष्कर्ष आधार वाक्यों में निहित नहीं है।

भारतीय तर्कशास्त्र : ज्ञान का साधन
(Indian Logic : Means of Knowledge)

भारतीय तर्कशास्त्र जिसे न्याय के रूप में भी जाना जाता है, एक समृद्ध दार्शनिक परंपरा है जो ज्ञान और तर्क की प्रकृति का पता लगाती है। न्याय सूत्र और न्याय भाष्य जैसे प्राचीन ग्रंथों में निहित, भारतीय तर्कशास्त्र यह समझने के लिए एक व्यवस्थित रूपरेखा प्रदान करता है कि हम ज्ञान कैसे प्राप्त करते हैं और वैध निष्कर्ष कैसे निकालते हैं। अपने मूल में न्याय सत्य को समझने और ज्ञान प्राप्त करने में तर्क, साक्ष्य और आलोचनात्मक सोच के महत्व पर जोर देता है।

ज्ञानमीमांसा भारतीय तर्कशास्त्र में ज्ञान का सिद्धांत है और भारतीय दर्शन का एक महत्वपूर्ण पहलू है। यह मुक्ति का साधन है और आध्यात्मिक मुक्ति, मोक्ष का अंतिम लक्ष्य है। यहाँ ज्ञान या अनुभूति को आशंका या चेतना के रूप में वर्णित किया गया है।

भारत में, कुछ समय में दर्शन के कई दृष्टिकोण उत्पन्न हुए, इसलिए वेदों की अलग-अलग व्याख्याओं के अनुसार, विचारधाराएँ, जैसा कि हम उन्हें कहते हैं, उप-विभाजित की गई। दर्शन को व्यापक

श्रेणियों में विभाजित करने का मूल वेदों पर विश्वास और स्वीकृति थी, वेदों को स्वीकार करने वाले लोगों को आस्तिक/रुढ़िवादी कहा जाता था और जो लोग वेदों में विश्वास नहीं करते थे उन्हें नास्तिक/विधर्मी कहा जाता था।

वेद भारतीय साहित्य के प्रारंभिक साक्ष्य थे, और इसलिए भारतीय विचार और दर्शन, विशेष रूप से, वेदों से सकारात्मक या प्रतिकूल रूप से काफी प्रभावित हैं।

भारतीय ज्ञान-मीमांसा दो भागों में विभाजित हैं: न्याय दर्शन और मीमांसा दर्शन।

आस्तिक

इस शब्द का अर्थ ही है "जो विद्यमान है उसे जानना"। विचारधारा का यह खंड वेदों को मान्यता देता है और इसे ज्ञान के विश्वसनीय स्रोत के रूप में पहचानता है। भारतीय तर्कशास्त्र में आस्तिक भाग को आगे भी उप-भागों में विभाजित किया जा सकता है जो एक-दूसरे से अलग हैं।

न्याय (ऋषि गौतम का कार्य)

इसका अर्थ है "नियम" या "निर्णय"। यह दर्शन का यथार्थवादी हिस्सा है, जो तर्क से संबंधित है। इसका मानना है कि ईश्वर ही सृजन, रख-रखाव और विनाश का अंतिम कारण है। इसके अनुसार वास्तविकता में तीन गुण होते हैं: सत्व (अच्छाई/प्रकाश), रजस (जुनून/ऊर्जा), और तम (अंधकार/अज्ञान)।

न्याय सूत्र के अनुसार वैध ज्ञान प्राप्त करने के चार तरीके हैं—प्रत्यक्ष-धारणा, अनुमान-अनुमान, उपमान-तुलना और शब्द-मौखिक गवाही।

न्याय के अनुसार, ज्ञान में स्वयं की आत्मा, हमारा शरीर, हमारी इंद्रियां, विचार/ज्ञान (बुद्धि), हमारा मन (मनस), हमारा कार्य/गतिविधि (प्रवृत्ति), मानसिक असंतुलन (दोष), पुनर्जन्म, (प्रेत भाव), सुख और दुख की अनुभूति (फल), दुख (दुख), और दुख से मुक्ति (अपवर्ग) शामिल हैं।

वैशेषिक (कणाद ऋषि की रचना)

वैशेषिक व्यावहारिक विचारक थे जो इस दर्शन में विश्वास करते थे कि ब्रह्मांड में मौजूद सभी वस्तुएं एक निश्चित संख्या में परमाणुओं से निर्मित हैं। उनका मानना है कि ब्रह्मांड में हर चीज पाँच मूल तत्वों से बनी है, जो हैं—अग्नि, पृथ्वी, जल, भूमि और वायु। ईश्वर में विश्वास और किसी की आत्मा की मुक्ति के बारे में वैशेषिक न्याय के दर्शन से काफी मिलता-जुलता है।

सांख्य (ऋषि कपिल की रचना)

दर्शन की यह शाखा द्वैत यथार्थवाद में विश्वास करती है, अर्थात् पुरुष और प्रकृति, और वे स्वतंत्र है। पुरुष स्वयं आत्मा या मन या एक बुद्धिमान व्यक्ति हैं, और प्रकृति पदार्थ रचनात्मक अभिकरण या दुनिया का अंतिम कारण है। प्रकृति में आगे तीन घटक (या गुण) हैं, अर्थात् सत्व, रजस, और तम।

योग (ऋषि पतंजलि)

योग ध्यान और योग के शारीरिक प्रयोग को मिलाकर मोक्ष की प्राप्ति है। योग के लिए ईश्वर के अस्तित्व में विश्वास की आवश्यकता नहीं है, बल्कि यह ईश्वर को एक शिक्षक और मार्गदर्शक के रूप में मानता है। योग एकाग्रता और ध्यान के माध्यम से ज्ञान प्राप्त करने का व्यावहारिक मार्ग है। दर्शन की इस शाखा का मानना है कि पूरी तरह से अभ्यास करके मोक्ष प्राप्त किया जा सकता है:

यम : आत्म-नियंत्रण

नियम : नियमों और कानूनों का पालन

आसन : शरीर की मुद्राएँ

प्राणायाम : नियंत्रित श्वास

प्रत्याहार : एक उद्देश्य का चयन

धारणा : मन को एकाग्र करना

ध्यान : चुने हुए उद्देश्य पर एकाग्रता

समाधि : स्वयं मन और लक्ष्य का पूर्ण प्रसार

पूर्व-मीमांसा/मीमांसा (जैमिनीय)

इसका अर्थ है जांच या पूछताछ या तर्क करने की कला। उत्तर मीमांसा को वेदांत के रूप में माना जाता है और इसे जैमिनी द्वारा प्रतिपादित किया गया है। उत्तर मीमांसा का मुख्य उद्देश्य या लक्ष्य मोक्ष प्राप्त करना है जो केवल अच्छे कर्मों या गुणों से ही प्राप्त किया जा सकता है, जो वास्तव में किसी व्यक्ति की जन्म और मृत्यु तक की यात्रा को समाप्त कर सकता है। इस दर्शन के अनुसार, जब अच्छे गुण समाप्त हो जाते हैं, तो व्यक्ति को पृथ्वी पर भेज दिया जाएगा और जन्म एवं पुनर्जन्म का चक्र शुरू हो जाएगा।

उत्तर-मीमांसा/वेदांत (बादरायण)

इसका अर्थ है वेदों का अंत। वेदांत का अर्थ है वैदिक ग्रंथों का अंतिम भाग जिसे सामूहिक रूप से उपनिषद कहा जाता है। इसके अनुसार, ब्रह्मांड में एकमात्र वास्तविकता ब्रह्म है, और बाकी सब कुछ असत्य (माया) हैं। यहाँ आत्मा को शाश्वत माना गया है, जिसका अर्थ है ऐसा कुछ जिसे नष्ट नहीं किया जा सकता। इसने कर्म की अवधारणा को भी जन्म दिया।

नास्तिक

नास्तिक शब्द आस्तिक का नकारात्मक रूप है। यह वेदों और उसके ग्रंथों को ज्ञान के स्रोत के रूप में अस्वीकार करता है। नास्तिक शब्द संस्कृत शब्द आस्तिक का विलोम है। नास्तिक दर्शन का अनुसरण करने वाले स्कूल निम्नलिखित हैं।

बौद्ध धर्म (गौतम बुद्ध द्वारा स्थापित)

'बौद्ध धर्म', धर्म का पालन करने का एक तरीका है, और जीवन जीने का एक तरीका है। बुद्ध ने वेदों को आधिकारिक ग्रंथों के रूप में

खारिज कर दिया और समाज में भेदभावपूर्ण जाति व्यवस्था का विरोध किया। उन्होंने ब्राह्मणवादी परंपराओं की आलोचना की। हालांकि बौद्ध धर्म किसी ईश्वर या आत्मा के अस्तित्व को नहीं मानता है, लेकिन यह पुनर्जन्म और निर्वाण के चक्र में विश्वास करता है।

बुद्ध ने पवित्रता ईमानदारी, समानता और अहिंसा का जीवन जीने का उपदेश दिया। बौद्ध धर्म भारतीय उपमहाद्वीप और पड़ोसी देशों में सबसे प्रभावशाली धर्म था और आज भी दुनियाभर में कई लोगों को प्रभावित करता है। इसके अनुसार, मुक्ति पाने के लिए 4 आर्य सत्यों को समझना चाहिए।

- प्रथम, प्रत्येक मनुष्य के जीवन में दुःख है, और यह दुःख, पीड़ा और मृत्यु का रूप लेता है।
- दूसरा, दुःख का मुख्य कारण इच्छा है।
- तीसरा, मनुष्य को अपनी इच्छाओं, प्रेम और हर चीज के प्रति लगाव को पूरी तरह से नष्ट कर देना चाहिए जिसके परिणामस्वरूप पूर्ण शांति और निर्वाण प्राप्त होगा।
- चौथा, लोगों को निरंतर दुःख से विरत होकर निर्वाण प्राप्ति की ओर बढ़ना चाहिए।

मुक्ति का मार्ग 8 चरणों (आठ-स्तरीय मार्ग) से बना है, जैसा कि नीचे बताया गया है।

- सम्यक दृष्टि - अज्ञान से मुक्त दृष्टि सुनिश्चित करना।
- सम्यक संकल्प - इस मार्ग पर चलने के लिए व्यक्ति में इतना साहस होना चाहिए कि वह अपनी सभी इच्छाओं को नष्ट कर सके।
- सही आचरण - किसी भी प्रकार की ऐसी गतिविधि में शामिल नहीं होना चाहिए। जिससे किसी को नुकसान पहुंचे और साथ ही, किसी भी सांसरिक इच्छाओं से मुक्त होना चाहिए।
- सम्यक वाणी - किसी की निन्दा नहीं करनी चाहिए तथा वाणी की शुद्धता बनाए रखनी चाहिए।
- जीविकोपार्जन के सही तरीके - व्यक्ति को उन सभी अनुचित साधनों से बचना चाहिए जो किसी को नुकसान पहुंचाते हैं।
- सम्यक प्रयास - ऐसी हर चीज से बचना चाहिए जो मोक्ष प्राप्ति से ध्यान भटकाती हो।
- सही सचेतनता - मन, शरीर और स्वास्थ्य को अच्छी कार्यशील स्थिति में रखना तथा नकारात्मकता से मुक्त रखना बहुत महत्वपूर्ण है।
- सही एकाग्रता - यदि कोई उपर्युक्त सप्तांग मार्ग का अनुसरण करता है तो उसे सही ढंग से ध्यान केंद्रित करना होगा और मोक्ष प्राप्त करना होगा।

जैन धर्म (महावीर द्वारा स्थापित)

जैन धर्म का मूल आमतौर पर वर्धमान महावीर को माना जाता है, हालांकि जैन मानते हैं कि उनका धर्म शाश्वत है, हर युग में एक तीर्थकर द्वारा निर्देशित किया जाता है, जिनमें से पहले ऋषभनाथ और अंतिम महावीर थे। जैन धर्म चार स्तंभों पर बना है जैसे- अहिंसा ("अहिंसा"), अनेकांतवाद ("बहुपक्षीयता"), अपरिग्रह ("गैर-लगाव"), और तप। जैन धर्म की शिक्षा है कि आत्मज्ञान का मार्ग अहिंसा और जीवित प्राणियों को जितना संभव हो उतना नुकसान कम करने के माध्यम से है।

चार्वाक/लोकायत (बृहस्पति द्वारा स्थापित)

बृहस्पति ने चार्वाक दर्शन की नींव रखी, जिसे आम लोगों को ध्यान में रखकर विकसित किया गया था, इसलिए इसे लोकायत भी कहा जाता है। यह भारतीय भौतिकवादी का दर्शन है जो परलोक, कर्म, मुक्ति, वेदों की प्रामाणिकता और स्वयं की शाश्वतता के तथ्य पर विचार नहीं करता। चार्वाक ने ज्ञान (प्रमाण) प्राप्त करने के लिए केवल प्रत्यक्ष अनुभूति (अनुभव) को ही माना।

आजीवक

आजीवक बौद्धों और जैनों के समकालीन थे। उनका आंदोलन इन समूहों से पहले हो सकता है। आजीविक यात्रा करने वाले तपस्वियों (श्रमण या संन्यासी) का एक अधिक शिथिल रूप से संगठित समूह रहा है। आजीविक के मूल ग्रंथ सुलभ नहीं हैं और संभवतः खो गए हैं, इसलिए उनके बारे में बहुत कम जानकारी है। वे कर्म या स्वतंत्र इच्छा की अवधारणा में विश्वास नहीं करते थे। कुछ स्रोतों का मानना है कि मक्खली गोसाल आजीविक दर्शन के संस्थापक हैं, और कुछ का मानना है कि वे समुदाय के एक बड़े हिस्से के नेता थे, लेकिन खुद संस्थापक नहीं थे। पुराण कश्यप को आजीविक का एक और नेता माना जाता था।

अज्ञान

इन्हें प्राचीन भारत में संशयवाद का स्कूल माना जाता है। यह ज्ञान के विपरीत है, इसलिए इसे अज्ञान कहा जाता है। जहाँ तक आध्यात्मिक सत्यों की बात है, अज्ञानियों को नास्तिक माना जाता है जो अज्ञान को हमारे अस्तित्व की अपरिहार्य वास्तविकता मानते हैं। इनका मानना था कि सत्य और ज्ञान की खोज में अस्पष्टता और अनिश्चितता अपरिहार्य बाधाएँ हैं। अज्ञान से छुटकारा पाना ही हमारे अस्तित्व का एकमात्र अंतिम कारण है।

निष्कर्ष

भारतीय तर्कशास्त्र हमारी संस्कृति और साहित्य का एक प्राचीन हिस्सा है जो कुछ मामलों में आज के आधुनिक समय के तर्कशास्त्र और ज्ञान का आधार बनता है। आज की पीढ़ी के लिए भारतीय तर्कशास्त्र को समझना बहुत जरूरी है क्योंकि इसके इस्तेमाल से जीवन के ज्यादातर पहलुओं और समस्याओं का समाधान किया जा सकता है। भारतीय तर्कशास्त्र की कई शाखाएं है जो जीवन जीने के तरीकों और किसी के द्वारा बोले गए वाक्यों के वास्तविक अर्थ के बारे में बात करती हैं। भारतीय तर्कशास्त्र में इस्तेमाल किए गए संस्कृत शब्द हमें हमारी जड़ों से जोड़ते हैं।

प्रमाणशास्त्र (Epistemology)

भारतीय दर्शन में जिस चीज का विकास हुआ, वह प्रमाणशास्त्र है; तथाकथित तर्कशास्त्र उसका एक भाग मात्र है। गौतम के 'न्यायसूत्र' में प्रमा या यथार्थ ज्ञान के उत्पादक विशिष्ट या प्रधान कारण 'प्रमाण' कहलाते हैं, इनकी संख्या 4 है– प्रत्यक्ष, अनुमान, उपमान और शब्द। भाट्ट मीमांसकों और वेदांतियों के अनुसार प्रमाण 6 हैं, अर्थात् उपर्युक्त चार तथा अर्थापत्ति व अनुपलब्धि।

षड-दर्शनों में से एक न्याय दर्शन है जिसके प्रवर्तक महर्षि गौतम थे। दर्शन की यह शाखा तर्कशास्त्र की रीढ़ है। यह प्राचीन न्याय दर्शन है जिसके अन्तर्गत मुख्यतः शुद्ध विचारों के नियमों और तत्वज्ञान प्राप्ति के उपायों का विश्लेषण किया गया है। 'न्याय' शब्द को कई प्रकार से परिभाषित किया गया है। व्युत्पत्ति के आधार पर इसका अर्थ है 'उचित', जिसके द्वारा वस्तु का ज्ञान किया जाये उसे 'न्याय' कहते हैं। दर्शन शास्त्र में 'न्याय' शब्द का अर्थ है–जिसके द्वारा किसी प्रतिपाद्य विषय की सिद्धि की जा सके, उसे 'न्याय' कहते हैं। वात्स्यायन के अनुसार प्रमाणों के द्वारा किसी विषय की परीक्षा करना ही 'न्याय' है। न्याय दर्शन का मूल ग्रन्थ महर्षि गौतम का न्याय-सूत्र है। अन्य ग्रन्थों में वात्स्यायन का न्याय-भाष्य, उद्योतकर का न्याय वार्तिक आदि उल्लेखनीय हैं।

आधुनिक काल के न्याय को 'नव्य न्याय' कहा जाता है। इसके प्रणेता गंगेश हैं, जिन्होंने तत्व-चिन्तामणि नामक ग्रंथ की रचना की है। इस नव्य-न्याय के उत्थान तथा प्रचार प्रसार के बाद न्याय और वैशेषिक दर्शन एक साथ हो गए। इसलिए इसे न्याय-वैशेषिक दर्शन भी कहा जाता है।

प्रमा तथा अप्रमा

यथार्थ ज्ञान को प्रमा कहते हैं। प्रमा ज्ञान चार प्रकार का होता है–प्रत्यक्ष, अनुमान, उपमान और शब्द। प्रमा ज्ञान के लिए चार प्रकार की सामग्री की अपेक्षा होती है–प्रमाता, प्रमेय, प्रमिति और प्रमाण। ज्ञान प्राप्त करने वाले को प्रमाता और जिसे जाना जाए उसे प्रमेय कहते हैं। प्रमिति ज्ञान को कहा जाता है और ज्ञान प्राप्ति के साधन को प्रमाण माना गया है।

अयथार्थ ज्ञान को अप्रमा अर्थात् अविद्या भी कहा गया है। अप्रमा के चार भेद होते हैं–स्मृति, संशय, भ्रम (विपर्यय) और तर्क।

1. किसी बीती हुई घटना को याद करना 'स्मृति' कहलाती है। यह यथार्थ ज्ञान नहीं है, क्योंकि बीती हुई घटना की स्मृति पूर्णतः आलोकित अथवा स्पष्ट नहीं होती।
2. संशय किसी वस्तु के विषय में अनिश्चय की प्रवृत्ति है। अतः संशय भी यथार्थ ज्ञान नहीं हो सकता। इसमें असंदिग्ध ज्ञान नहीं हो पाता, क्योंकि हम यह निश्चय नहीं कर पाते कि अमुक वस्तु (अंधेरे में) खम्बा है या आदमी।
3. किसी वस्तु को उसके मूल रूप में न देख पाना भ्रम (विपर्यय) है। जैसे अन्धकार में रस्सी को देखकर सांप समझ लेना। यद्यपि भ्रम में कोई संशय नहीं होता और यह प्रत्यक्ष भी होता है, पर वह वस्तु का यथार्थ स्वरूप प्रकट नहीं करता।
4. तर्क एक प्रकार की युक्ति है, जो पूर्णतः निश्चित ज्ञान नहीं दे पाती है।

प्रमाण-मीमांसा

पूर्वोक्त ढंग से न्यायमत में ज्ञान दो प्रकार का होता है–स्मरण और अनुभव। संस्कारमात्र से समुत्पन्न ज्ञान को 'स्मरणज्ञान' तथा स्मृति से भिन्न ज्ञान को 'अनुभव' कहा जाता है। यह ज्ञान भी दो प्रकार का होता है–यथार्थ और अयथार्थ। इस यथार्थ ज्ञान को प्रमा कहा जाता है। जो वस्तु जिस रूप में है, उसे उसी रूप में समझना यथार्थ या प्रमा ज्ञान कहलाता है। जैसे–घट, पटादि वस्तु को देखकर 'यह घड़ा है' यह वस्त्रादि है'– ऐसा समझना 'प्रमा' या यथार्थ ज्ञान है। अयथार्थ ज्ञान को ही 'अप्रमा' कहा जाता है। अप्रमा एक भ्रमात्मक ज्ञान है। जैसे सितुई को चाँदी एवं ऐंठी रस्सी को सांप समझना 'अप्रमा' या भ्रमात्मक ज्ञान है।

ज्ञान की दो विधियाँ वैशेषिक दर्शन को मान्य हैं–विद्या और अविद्या। विद्या को ही 'प्रमा' या यथार्थ ज्ञान कहते हैं। अविद्या को 'अप्रमा' या अयथार्थ ज्ञान कहते हैं। फिर इन्होंने अप्रमा या अविद्या को चार खण्डों में विभक्त कर दिया है। वे हैं–संशय, विपर्यय, अनध्यवसाय और स्वप्न। एक ही वस्तु में परस्पर विरुद्ध धर्मों का जहाँ एक ही साथ ज्ञान हो, वही 'संशय' कहलाता है; यथा–स्थाणुर्वा पुरुषो वा! स्थणु अर्थात् मानवीय वस्त्र धारण किए खेत में गड़े पेड़ का ठूँठ है अथवा कोई मनुष्य है। यह एक संशयात्मक बुद्धि है। इसी तरह मिथ्याज्ञानं विपर्ययः–किसी वस्तु के यथार्थ ज्ञान से भिन्न मिथ्या ज्ञान को विपर्यय कहते हैं। जैसे- अंधेरे में राह में पड़ी रस्सी को देखकर सांप समझ लेना विपर्यय (भ्रम) है। अनिश्चयात्मकं ज्ञानमनध्यवसायः; अनिश्चयात्मक ज्ञान को अनध्यवसाय कहते हैं। निद्रावस्था में चित्त के अनवस्थित होने पर जो मिथ्या ज्ञान होता है, उसे स्वप्न कहते हैं। शिवादित्य-प्रभृति आचार्यों ने संशय और विपर्यय–दो प्रकार का ही अयथार्थ ज्ञान माना है। प्रमा अर्थात् विद्या चार प्रकार की होती है–प्रत्यक्ष, अनुमान, स्मृति और आर्ष। न्यायदर्शन में स्मृति को प्रमा अर्थात् यथार्थ ज्ञान नहीं माना गया है। आर्ष को भी वे प्रमा नहीं मानते हैं।

'प्रमा' या सम्यक् ज्ञान सदा 'यथा अर्थ' अर्थात् पदार्थ के अनुरूप यथार्थ होता है एवं अविरुद्ध अर्थात् सम्पादि होता है। उसमें सफल प्रवृत्तिसामर्थ्य होता है। न्याय परतः-प्रामाण्य को मानता है। ज्ञान का

प्रामाण्य और अप्रामाण्य ज्ञान की उत्पत्ति के बाद उत्पन्न होते हैं। उत्पन्न होने के बाद उसका ज्ञान होता है (उत्पतौ ज्ञप्तौ च परतः प्रामाण्यम्)। यथार्थ तथा सम्पादि होना सम्यक् ज्ञान या प्रमा का स्वभाव है। इस प्रमा (ज्ञान) के लिए चार प्रकार की सामग्रियाँ अपेक्षित मानी गई हैं–प्रमाता, प्रमेय, प्रमिति और प्रमाण। यहाँ प्रमाण से तात्पर्य है–जानने वाला और प्रमेय का अर्थ है–जिसे जाना जाय अर्थात् 'ज्ञेय'। प्रमिति को ज्ञान कहते हैं और ज्ञानप्राप्ति के साधन को 'प्रमाण' कहते हैं। वात्स्यायन के अनुसार–जिसके द्वारा प्रमाता प्रमेय पदार्थ का ज्ञान प्राप्त करता है, उसे प्रमाण कहते हैं–प्रमाता येनार्थं प्रमिणोति तत् (प्रमाणम्)। जयन्त के अनुसार जो असन्दिग्ध एवं निश्चित ज्ञान की प्राप्ति कराता है, वह प्रमाण कहलाता है। केशव मिश्र प्रमा के करण को प्रमाण कहते हैं–प्रमाकरणं प्रमाणम् (तर्कभाषा)। न्यायदर्शन के अनुसार प्रमाण चार प्रकार का होता है–प्रत्यक्ष, अनुमान, उपमान और शब्द–प्रत्युक्षानुमानोपमानशब्दाः प्रमाणानि। वैशेषिक दर्शन केवल दो प्रमाणों को स्वीकार करता है–प्रत्यक्ष और अनुमान। इनकी दृष्टि में प्रमा से तीन भेद बनते हैं–प्रत्यक्ष, अनुमिति और स्मृति। किन्तु स्मृतिज्ञान को वह प्रमा का साधन नहीं मानता। उनका कहना है कि स्मृति तो अतीतज्ञान है, वर्त्तमान में उसका अस्तित्व किसी भी स्थिति में मान्य नहीं है। अतः उसे प्रमाण नहीं माना जा सकता है।

प्रमाणः प्रत्यक्ष

न्याय दर्शन यथार्थ ज्ञान की प्राप्ति के लिए चार प्रमाण–प्रत्यक्ष, अनुमान, उपमान और शब्द मानता है। न्याय दर्शन के अनुसार प्रत्यक्ष उस असंदिग्ध अनुमान को कहते हैं जो इन्द्रिय संयोग से उत्पन्न होता है और यथार्थ भी होता है। प्रत्यक्ष को सर्वप्रथम दो प्रकारों–लौकिक एवं अलौकिक में विभक्त किया गया है। लौकिक प्रत्यक्ष के तीन भेद होते हैं– निर्विकल्पक, सविकल्पक एवं प्रत्यभिज्ञा।

- **निर्विकल्पक**–किसी वस्तु का प्रथम क्षणों में इन्द्रिय-विशेष द्वारा भान कि वह कुछ है, निर्विकल्पक प्रत्यक्ष कहलाता है। अमुक वस्तु क्या है, रंग-रूप कैसा है? इत्यादि कोई भी विकल्प मन में नहीं आता। वस्तु की मात्र प्रतीति को ही निर्विकल्पक प्रत्यक्ष कहा गया है।
- **सविकल्पक**–प्रथम क्षणों की प्रतीति के पश्चात् जब हम यह पहचान लेते हैं कि अमुक वस्तु गुलाब का फूल है, लाल तथा खुशबूयुक्त है तब यह प्रत्यक्ष का विकसित रूप होता है। वस्तु के सभी लक्षण स्पष्ट हो जाते हैं। इसी को सविकल्प प्रत्यक्ष कहते हैं, क्योंकि इस अवस्था में विकल्पों का उद्गम होता है।
- **प्रत्यभिज्ञा**–किसी व्यक्ति को हमने पहले देखा था और जैसे ही वह हमारे समक्ष आए और हमें यह साक्षात् भान हो कि "यही वह व्यक्ति है", तब ऐसे ज्ञान को 'प्रत्यभिज्ञा' कहते हैं।

न्याय दर्शन में दूसरे प्रकार का अलौकिक प्रत्यक्ष है। इसके भी तीन भेद हैं–

- **सामान्य-लक्षण**–प्रत्येक वस्तु में वे लक्षण पाए जाते हैं जो उस वर्ग की अन्य वस्तुओं में होते हैं। यह सामान्य-लक्षण हैं। जैसे एक मनुष्य के देखने पर जो 'मनुष्यत्व' उसमें है वही मनुष्यत्व अन्य मनुष्यों में भी विद्यमान होते हैं। एक वस्तु के जातिगत सामान्य धर्म के ज्ञान के द्वारा हम उस जाति (वर्ग) के समस्त वस्तुओं को जानने में समर्थ होते हैं। एक मनुष्य की मरणशीलता से हमें सभी मनुष्यों की मरणशीलता का प्रत्यक्षज्ञान हो जाता है, हालांकि सभी मनुष्यों की मरणशीलता का इन्द्रिय के द्वारा ज्ञान प्राप्त होना असम्भव है। लेकिन फिर भी हम मनुष्य-जाति के बारे में यह कह सकते हैं कि "सभी मनुष्य मरणशील हैं।" यह ज्ञान अलौकिक-प्रत्यक्ष के द्वारा 'सामान्य-लक्षण' के आधार पर प्राप्त होता है।
- **ज्ञान-लक्षण**–एक इन्द्रिय के विषय को अन्य इन्द्रिय के द्वारा ग्रहण करना 'ज्ञान-लक्षण' प्रत्यक्ष कहा जाता है। एक बार जब स्पर्श द्वारा यह ज्ञात हो जाए कि 'बर्फ ठंडी है', 'पत्थर ठोस है' और 'आग तापयुक्त है' तब हम उन्हें बिना स्पर्श किए चक्षु द्वारा देखने पर ही कह सकते हैं कि बर्फ ठंडी दीख पड़ती है, आदि
- **योगज**–यह योगज सन्निकर्ष का एक परिणाम है। योग के द्वारा किसी व्यक्ति को अलौकिक शक्ति प्राप्त हो जाती है। योगाभ्यास के द्वारा जब योगी को व्यवहत, गूढ़, सूक्ष्म, निकटस्थ, दूरस्थ, अतीत तथा अनागत वस्तुओं का जो प्रत्यक्ष होता है, उसे ही 'योगज प्रत्यक्ष' कहा जाता है।

अनुमान

अनुमान परोक्ष ज्ञान है। अनु का अर्थ है 'पश्चात्' और मान का अर्थ है 'ज्ञान'। अतः एक ज्ञान के पश्चात् होने वाला ज्ञान 'अनुमान' कहलाता है। वात्स्यायन के अनुसार – "प्रत्यक्ष से ज्ञात लिंग के द्वारा पदार्थ के पीछे से उत्पन्न होने वाले ज्ञान को 'अनुमान' कहते हैं।" उदाहरणतः राम, श्याम, घनश्याम आदि मनुष्यों को मरते हुए देखते हैं। ये सभी मनुष्य हैं। अतः सभी मनुष्य मरणशील हैं। इसी को अनुमान कहते हैं।

अन्वय-व्यतिरेक– यह वह अनुमान है जिसमें अन्वय और व्यतिरेकी दोनों के दृष्टान्त मिलते हैं अर्थात् इसमें साधन और साध्य का सम्बन्ध अन्वय तथा व्यतिरेकी दोनों विधियों द्वारा स्थापित किया जाता है। जैसे–

(क) सभी धूमवान् पदार्थ अग्नियुक्त है;
पर्वत धूमवान् है;
अतः पर्वत अग्नियुक्त है। (अन्वय-विधि)

(ख) सभी अग्निहीन पदार्थ धूमहीन है;
पर्वत धूमवान् है;
अतः पर्वत अग्नियुक्त है। (व्यतिरेक-विधि)

इन अनुमानों में 'धूमत्व' हेतु अन्वय तथा व्यतिरेक दोनों के उदाहरण मिलते हैं। ऐसा व्याप्ति ज्ञान अन्वय और व्यतिरेकी की सम्मिलित-विधि पर आश्रित होता है। अतः इसे 'अन्वय-व्यतिरेकी' अनुमान कहते हैं।

लिंग परामर्श–अनुमान वहीं होता है जहां केवल लिंग का प्रत्यक्ष होता है लिंगी का नहीं। यदि दूरस्थ पर्वत पर हम धुआँ उठता देखते हैं तो वह हमारे अनुमान का विषय बनता है। वहाँ हमें धुआं प्रत्यक्ष दिखाई देता है, आग नहीं। हम धुएं को देखकर आग का अनुमान करते हैं पर कैसे? इसकी भी एक प्रक्रिया है। धुआं को देखते ही हमें यह व्याप्ति याद आई कि जहां धुआं होता है वहां आग होती है। इस पहाड़ पर धुआं उठता दिखाई दे रहा है अतः यहाँ भी आग है। यह अनुमान है। यही लिंग परामर्श है।

व्याप्ति–बिना व्याप्ति के अनुमान कतई सम्भव नहीं है। अनुमान का आधार ही व्याप्ति है। व्याप्ति का अर्थ है 'व्यापकता' जिसमें दो वस्तुओं के पारस्परिक सम्बन्ध का बोध होता है। एक वस्तु व्याप्य और दूसरी वस्तु व्यापक होती है। यह तभी सम्भव है जब दोनों बराबर साथ-साथ रहें। इस प्रकार 'साहचर्य नियम' को व्याप्ति कहते हैं जैसे 'जहाँ-जहाँ धुआँ है वहाँ-वहाँ अग्नि है।' यहाँ धुआँ के साथ बराबर अग्नि पाई जाती है। इस साहचर्य या नित्य-सम्बन्ध को व्याप्ति कहा जाता है।

हेत्वाभास–'हेत्वाभास' उसे कहते हैं जो वस्तुतः हेतु न हो, किन्तु हेतु के समान प्रतीत होते हों अर्थात् जिस हेतु में साध्य को सिद्ध करने की शक्ति न हो वह 'हेत्वाभास' है। हेत्वाभास पाँच प्रकार के सव्यभिचार, विरूद्ध, सत्प्रतिपक्ष, असिद्ध और बाधित होते हैं जिनका विवरण यहाँ प्रस्तुत है–

सव्यभिचार – इसका दृष्टांत इस प्रकार है–

सभी द्विपद बुद्धिमान हैं;
हंस द्विपद है,
अतः हंस बुद्धिमान है।

इस अनुमान का निगमन दोषपूर्ण है, क्योंकि 'द्विपद' तथा साध्य 'बुद्धिमान' के बीच अव्यभिचारी व्याप्ति नहीं है। कुछ द्विपद ऐसे भी हैं जो बुद्धिमान नहीं हैं। ऐसे हेतु को सव्यभिचार कहते हैं। सव्यभिचार हेतु से दो विरोधी निगमन निकल सकते हैं जैसे–

सभी द्विपद बुद्धिमान हैं;
हंस द्विपद है;
अतः हंस बुद्धिमान है।

सव्यभिचार को अनैकान्तिक भी कहा गया है जो तीन प्रकार का होता है–साधारण, असाधारण तथा अनुपसंहारी। जो हेतु साध्य के अभाव में भी पाया जाता है उसे 'साधारण अनैकान्तिक' कहते हैं। जो हेतु न सपक्ष में हो और न विपक्ष में हो, केवल पक्षमात्र में विद्यमान हो, 'असाधारण अनैकान्तिक' कहते हैं। जिस हेतु में न तो अन्वय हो और न व्यतिरेक दृष्टांत हो, उसे 'अनुपसंहारी अनैकान्तिक' हेत्वाभास कहते हैं।

विरुद्ध–यह अनुमान का दूसरा दोष है। जो साध्य हेतु में न रहकर उसके विपरीत वस्तु में विद्यमान हो, उसे 'विरुद्ध' हेत्वाभास कहते हैं। जैसे–

शब्द नित्य है,
क्योंकि वह कार्य है।

यहाँ 'कार्यत्व' हेतु साध्य (नित्य) में व्याप्त नहीं है, क्योंकि जो कार्य होता है वह अनित्य है। इस दृष्टांत में 'कार्यत्व' हेतु नित्य के विपरीत साध्य 'अनित्य' को सिद्ध करता है। अतः उसे 'विरूद्ध हेत्वाभास' कहा जाता है।

सत्प्रतिपक्ष–यह अनुमान का तीसरा दोष है। इसे प्रकरणसम भी कहा जाता है। जिस हेतु में साध्य के विपरीत को सिद्ध करने वाला कोई दूसरा हेतु विद्यमान हो, उसे 'सत्प्रतिपक्ष' हेत्वाभास कहते हैं, जैसे–

शब्द नित्य है, क्योंकि वह सुनने योग्य (श्रव्य) है जैसे, शब्दत्व।

यहाँ साध्य (नित्य) के विपरीत दूसरा हेतु भी प्रस्तुत किया जा सकता है–

शब्द अनित्य, क्योंकि यह कार्य है। जैसे, घट।

यहाँ प्रथम दृष्टान्त में साध्य 'नित्यत्व' और हेतु 'श्रव्यत्व' है और द्वितीय में साध्य 'अनित्यत्व' और हेतु 'कार्यत्व' है। दोनों ही हेतु तुल्यबल वाले हैं। अतः परस्पर प्रतिपक्षी हेतु के विद्यमान होने के कारण इसे 'सत्प्रतिपक्ष' हेत्वाभास कहा जाता है।

असिद्ध–इस चौथे हेत्वाभास को 'साध्यसम' भी कहते हैं। साध्यसम हेतु वह है जो स्वयंसाध्य की भांति असिद्ध रहता है। जिस भांति साध्य का अस्तित्व अभी तक सिद्ध नहीं है उसी भांति हेतु का अस्तित्व भी सिद्ध नहीं रहता। अतः इसे 'साध्यसम' हेत्वाभास कहते हैं। उदाहरणतः "आकाश कमल सुगन्धित है, क्योंकि वह कमल है तालाब के समान।" इसमें हेतु 'कमल' का अस्तित्व ही आकाश में नहीं है। अतः यहाँ हेतु स्वयं असिद्ध है।

बाधित–यह पांचवां हेत्वाभास है। इसे 'कालात्ययादिष्ट' भी कहा जाता है। जहाँ पर पक्ष में साध्य का अभाव प्रमाणान्तरों से निश्चित हो गया हो उसे 'बाधित-विषय' कहते हैं। उदाहरणतः 'अग्नि शीतल है, क्योंकि वह द्रव्य है, जैसे जल। यहाँ 'अनुष्णत्व' (ठण्डापन) साध्य है और 'द्रव्यत्व' हेतु है। यहाँ पर साध्य (अनुष्णत्व) प्रत्यक्ष प्रमाण से बाधित है। चूंकि अग्नि का उष्ण होना प्रत्यक्ष प्रमाण से ही सिद्ध है, अतः इसका 'ठण्डा होना' सिद्ध करना 'बाधित-विषय' है। इस प्रकार किसी अनुमान का हेतु यदि अन्य किसी प्रमाण से बाधित हो जाए, तो वह अनुमान दोषयुक्त होता है। इसी दोष को 'बाधित' हेत्वाभास कहते हैं।

उपमान

न्याय दर्शन में 'उपमान' तीसरा प्रमाण है। 'उपमान' वह प्रमाण है जिसके द्वारा किसी प्रसिद्ध वस्तु के सादृश्य (साधर्म्य) से किसी नई वस्तु का ज्ञान प्राप्त किया जाता है। जैसे–किसी व्यक्ति ने नीलगाय नहीं देखी है, किन्तु कोई विश्वास योग्य पुरुष उसे बतलाए कि नीलगाय गाय के समान होती है। तत्पश्चात् वह व्यक्ति कहीं जंगल में जाता है और गाय के समान किसी पशु को देखकर उसे उस विश्वास योग्य पुरुष का कथन स्मरण हो आता है कि नीलगाय गाय के समान है। तत्काल उसे यह ज्ञान होता है कि यही पशु 'नीलगाय' है। इसे ही 'उपमान' कहा जाता है। इस प्रकार नाम और नामी के सम्बन्ध के ज्ञान को ही 'उपमान' कहते हैं।

उपमान के भेदः उपमान के तीन भेद हैं–

- **साधर्म्योपमान**–जब किसी पूर्व ज्ञात वस्तु की समानता के आधार पर किसी वस्तु के वस्तुवाचकता का ज्ञान प्राप्त होता है तो उसे साधर्म्योपमान कहते हैं, जैसे – गाय की समानता के आधार पर नीलगाय शब्द की वस्तुवाचकता का ज्ञान प्राप्त करना।
- **वैधर्म्योपमान**–जब पूर्व ज्ञात वस्तु की असमानता के आधार पर किसी वस्तु की वस्तुवाचकता का ज्ञान होता है तो उसे वैधर्म्योपमान कहा जाता है, जैसे–बंदर एवं लंगूर की असमानता के आधार पर लंगूर का ज्ञान प्राप्त करना।
- **धर्ममात्रोपमान**–जब किसी वस्तु की वस्तुवाचकता का ज्ञान केवल उस वस्तु की विशेषताओं या विचित्रताओं के आधार पर होता है तो इसे धर्ममात्रोपमान कहते हैं, जैसे–ऊंट से अपरिचित व्यक्ति को इसकी विशिष्टताओं या विचित्रताओं के बारे में बताया जाता है और तब वह ऊंट के बारे में ज्ञान प्राप्त करता है।

  न्याय मत उपमान को ज्ञान का स्वतंत्र प्रमाण मानता है, जबकि अन्य दर्शन ऐसा नहीं मानते।

शब्द

न्याय दर्शन में 'शब्द' चौथा प्रमाण है जिसे स्वतंत्र प्रमाण माना गया है। कहा गया है कि 'आप्तोपदेशः' अर्थात् आप्त-पुरुष (विश्वास योग्य) के वचन को शब्द, प्रमाण कहते हैं। दूसरे के शब्दों एवं वाक्यों से जो वस्तुओं का ज्ञान प्राप्त होता है उसे शब्द कहते हैं। इनका कहने वाला 'आप्त' होना चाहिए। यथार्थवक्ता को 'आप्त' कहा जाता है। अतः आप्त-वचनों को ही शब्द प्रमाण माना गया है।

शब्द प्रमाण के दो भेद होते हैं–दृष्टार्थ और अदृष्टार्थ। इस लोक में दृश्य वस्तुओं के सम्बन्ध में आप्त पुरुष और शास्त्रों के वचन 'दृष्टार्थ' शब्द प्रमाण में आते हैं। यह सांसारिक वस्तुओं के बारे में ज्ञान है, किन्तु अदृश्य विषयों के सम्बन्ध में, जैसे–ईश्वर, जीव, धर्म, अधर्म, स्वर्ग, नरक, आत्मा आदि ऋषियों-मुनियों, वेद-शास्त्रों के जो वचन हैं वे 'अदृष्टार्थ' शब्द प्रमाण के अन्तर्गत आते हैं।

एक अन्य प्रकार के शब्द के दो भेद और किए जाते हैं–लौकिक एवं वैदिक। लौकिक शब्द केवल वे हैं जो सर्वसाधारण द्वारा बोले जाते हैं और तभी सत्य होते हैं जब विश्वासयोग्य पुरुषों द्वारा कहे जाते हैं। लौकिक शब्द दोषपूर्ण भी हो सकते हैं, क्योंकि इन्हें मनुष्यों द्वारा बोला जाता है। लेकिन वैदिक शब्द स्वयं ईश्वर के शब्द माने जाते हैं। अतः ये शब्द सदैव सत्य होते हैं। संक्षेप में, शब्द की उत्पत्ति किसी व्यक्ति द्वारा होती है। वह व्यक्ति भले ही मानव हो अथवा स्वयं ईश्वर।

शब्द-प्रमाण वाक्यों के द्वारा अभिव्यक्त होता है। पदों के समूह को वाक्य कहते हैं और वाक्य से जो अर्थ अवतरित होता है, उसे वाक्यार्थज्ञान कहा जाता है। वाक्यार्थज्ञान के चार कारण हैं–आकांक्षा, योग्यता, सन्निधि तथा तात्पर्य। इनका विवेचन यहाँ प्रस्तुत है–

- **आकांक्षा**–वाक्य में प्रयुक्त विभिन्न पदों में एक दूसरे की अपेक्षा रहती है अर्थात् जहाँ एक पद से अर्थज्ञान न हो सके, वहाँ दूसरे पदों की अपेक्षा रहती है ताकि अर्थज्ञान पूरा हो सके। इसी को 'आकांक्षा' कहते हैं। यदि कोई व्यक्ति कहे कि 'लाओ', तो शीघ्र ही प्रश्न उठता है कि 'क्या?' 'लाओ' पद को किसी वस्तु-बोधक पद की आकांक्षा अर्थात् अपेक्षा रहती है जैसे 'घट'। 'घड़ा लाओ' कहने से आकांक्षा पूर्ण हो जाती है और इस प्रकार एक सार्थक वाक्य का निर्माण हो जाता है।
- **योग्यता**–एक पद का दूसरे पद के साथ संगति (सामंजस्य) रखना 'योग्यता' है। जैसे यदि कोई कहे कि 'आग से सींचो' तो इसमें 'आग' और 'सींचन' पदों में कोई सामंजस्य नहीं है। सींचने का कार्य आग से नहीं, अपितु 'जल' से सम्पन्न होता है। अतः आग और सींचने में योग्यता का अभाव है।
- **सन्निधि**–वाक्य के पदों का एक दूसरे के साथ सामीप्य 'सन्निधि' या 'आसत्ति' कहलाता है। कोई वाक्य तभी सार्थक होगा जब उसमें प्रयुक्त पदों का उच्चारण बिना विलम्ब के किया जाए। यह कहा जाए कि 'एक गाय....लाओ' तो पदों के बीच काफी अन्तराल होगा जो निरर्थक रहेगा। इस वाक्य में आकांक्षा और योग्यता रहते हुए भी 'सन्निधि' का अभाव है।
- **तात्पर्य**–यहाँ 'तात्पर्य' से अर्थ है 'वक्ता का अभिप्राय'। प्रसंग की दृष्टि से ही वक्ता के अभिप्राय का निश्चय किया जाता है। जैसे 'सैन्धव' पद के दो अर्थ हैं–घोड़ा और नमक। यदि कोई वक्ता 'सैन्धव' की मांग करे, तो यह जानना कठिन होगा कि वह क्या चाहता है घोड़ा या नमक? किन्तु प्रसंग या परिस्थिति के अनुसार, वक्ता के अभिप्राय को समझना आसान होगा। इस प्रकार वक्ता के अभिप्रेत अर्थबोध के लिए 'तात्पर्य ज्ञान' आवश्यक है।

अर्थापत्ति

दृष्ट या श्रुत विषय की उपपत्ति जिस अर्थ के बिना न हो, उस अर्थ के ज्ञान को 'अर्थापत्ति' कहते हैं। जैसे- 'देवदत्त दिन में कुछ भी नहीं खाता, फिर भी खूब मोटा है'। इस वाक्य में 'न खाना तथापि मोटा होना' इन दोनों कथनों में समन्वय की उपपत्ति नहीं होती। अतः उपपत्ति के लिए 'रात्रि में भोजन करता है' यह कल्पना की जाती है। इस कथन से यह स्पष्ट हो गया है कि ''यद्यपि दिन में वह नहीं खाता, परंतु रात्रि में खाता है'। अतएव देवदत्त मोटा है। यहाँ पर प्रथम वाक्य में उपपत्ति लाने के लिए, 'रात्रि में खाता है' यह कल्पना स्वयं की जाती है। इसी को ''अर्थापत्ति' कहते हैं।

अर्थापत्ति के भेद

यह दो प्रकार की है–'दृष्टार्थापत्ति', जैसे–ऊपर के उदाहरण में, तथा 'श्रुतार्थापत्ति' जैसे– सुनने में आता है कि देवदत्त जो जीवित है, घर में नहीं हैं। इस से 'देवदत' कहीं और स्थान में हैं' इसकी कल्पना करना 'अर्थापत्ति' है। अन्यथा 'जीवित होकर घर में नहीं रहना' इन दोनों बातों में समन्वय नहीं हो सकता।

प्रभाकर का मत है कि किसी भी प्रमाण से ज्ञात विषय की उपपत्ति के लिए 'अर्थापत्ति' हो सकती है, केवल दृष्ट और श्रुत ही से नहीं। यह बात साधारण रूप से प्रत्यक्ष आदि प्रमाणों से सिद्ध नहीं होता, तस्मात् 'अर्थापत्ति' के नाम का एक भिन्न 'प्रमाण' मीमांसिक मानते हैं।

अनुपलब्धि या अभाव

प्रत्यक्ष आदि प्रमाणों के द्वारा जब किसी वस्तु का ज्ञान नहीं होता, तब वह वस्तु नहीं है' इस प्रकार उस वस्तु के 'अभाव' का ज्ञान हमें होता है। इस 'अभाव' का ज्ञान इन्द्रियसन्निकर्ष आदि के द्वारा तो हो नहीं सकता, क्योंकि इन्द्रियसन्निकर्ष 'भाव' पदार्थों के साथ होता है। अतएव 'अनुपलब्धि', या 'अभाव' नाम के एक ऐसे स्वतंत्र प्रमाण को मीमांसक मानते हैं, जिसके द्वारा किसी वस्तु के 'अभाव' का ज्ञान हो। यह तो मीमांसकों का एक साधारण मत है। किन्तु प्रभाकर इसे नहीं स्वीकार करते। उनका कथन है कि जितने 'प्रमाण' हैं, सब के अपने-अपने स्वतंत्र 'प्रमेय' हैं, किन्तु 'अभाव' प्रमाण का कोई भी अपना 'विषय' नहीं है। जैसे– 'इस भूमि पर घट नहीं हैं', इस ज्ञान में यदि वहाँ घट होता, तो भूतल के समान उसका भी ज्ञान होता, किन्तु ऐसा नहीं है। फिर हम देखते हैं 'केवल भूमि', जिस का ज्ञान हमें प्रत्यक्ष से होता है। वस्तुतः 'अभाव' का अपना स्वरूप तो कुछ भी नहीं है। वह तो जहाँ रहता है, उसी आधार के साथ कहा जाता है। इसलिए यथार्थ में भूतल के ज्ञान के अतिरिक्त 'घट नहीं हैं' इस प्रकार का ज्ञान होता ही नहीं। अतएव 'अभाव' अधिकरण स्वरूप ही है। इसका पृथक अस्तित्व नहीं है।

अभ्यास प्रश्न

1. सूची-I को सूची-II से सुमेलित कीजिए:

सूची-I (तर्कवाक्य का विरोध वर्ग)	सूची-II (निष्कर्ष)
(*a*) अगर 'A' असत्य है	I. 'E' असत्य है; 'I' सत्य है
(*b*) अगर 'E' असत्य है	II. 'A' सत्य है; 'E' सत्य है
(*c*) अगर 'I' असत्य है	III. 'A' और 'O' अनिर्धारित हैं
(*d*) अगर 'O' असत्य है	IV. 'E' और 'I' अनिर्धारित हैं

नीचे दिए गए विकल्पों में से सही उत्तर चुनिए:

	(*a*)	(*b*)	(*c*)	(*d*)
A.	I	II	III	IV
B.	II	IV	I	III
C.	III	II	I	IV
D.	IV	III	II	I

2. जब एक हेतु, दो विपरीत दृष्टिकोणों के मध्य मानसिक दोलन की स्थिति के प्रस्तुतीकरण के आगे नहीं जाता है, तो यह प्रकरण जाना जाता है:

A. असिद्ध हेत्वाभास B. प्रकरणसम हेत्वाभास
C. सव्यभिचार हेत्वाभास D. विरुद्ध हेत्वाभास

3. तर्कदोष का नाम बताइए:
कुछ अच्छे अभिनेता बलशाली मनुष्य नहीं होते हैं।
सभी पेशेवर पहलवान बलशाली पुरुष होते हैं।
इसलिए, सभी पेशेवर पहलवान अच्छे अभिनेता होते हैं।

A. सकारात्मक निष्कर्ष, नकारात्मक आधार वाक्य से
B. अवैध साध्य
C. अवैध पक्ष
D. अनिर्धारित हेतु

4. निम्न में से कौन अनेकार्थता हेत्वाभास (फैलेसी ऑफ एम्बिग्युटी) से संबंधित है?

A. पर्यायकथन (इक्यूवोकेशन)
B. शीघ्र सामान्यीकरण
C. रेड हैरिंग
D. कक्भगोडा (स्ट्रॉमैन)

5. धुएं वाली सभी वस्तुओं में आग होती है;
पहाड़ी में धुआं होता है;
इसलिए, इस पहाड़ी में धुआं है;
और बिना आग वाली किसी भी वस्तु में धुआं नहीं होता है;
इस पहाड़ी में धुआं है;
इसलिए, यह पहाड़ी बिना आग वाली नहीं है।
उपरोक्त भारतीय तर्क मीमांसा में किस प्रकार की अनुमिति का उदाहरण है:

A. पूर्ववत् B. अन्वयव्यतिरेकी
C. केवलअन्वयी D. केवलव्यतिरेकी

6. असिद्ध एक हेत्वाभास है जब मध्य पद हो:

A. अप्रमाणित B. अति व्यापक
C. अति संकीर्ण D. अव्यावर्ती

7. निम्नलिखित में से क्या निगमनात्मक अनुमान का भाग नहीं है?

A. परिवर्तन B. प्रतिवर्तन
C. न्यायवाक्य D. प्रतिपरिवर्तन

8. निम्नलिखित में से कौन-सा सिद्धांत प्रत्यक्षवाद से संबंधित नहीं है?

A. परिघटनात्मकता B. निगमनात्मकता
C. आगमनात्मकता D. व्याख्यात्मकता

9. निम्नलिखित में से क्या भारतीय तर्कशास्त्र की शास्त्रीय विचारधारा के अनुसार अनुमान (निष्कर्ष) की प्रक्रिया में 'हेतु' पद को व्यक्त करता है?

A. प्रस्तुत उदाहरण
B. कारण का कथन
C. सिद्ध करने हेतु प्रस्थापना
D. सिद्ध निष्कर्ष

10. प्रत्यक्ष रूप से असंगत दो प्रत्यक्षीकृत तथ्यों के समायोजन हेतु अप्रत्यक्षीकृत तथ्यों की अन्तर्निहित मान्यता को भारतीय तर्कशास्त्र में क्या संज्ञा दी जाती है?

A. अनुमान B. उपमान
C. अर्थापत्ति D. अनुपलब्धि

11. स्तंभ-II में दिए गए योगदान/संकल्पना को स्तंभ-I में उल्लिखित चिंतकों के साथ सुमेलित कीजिए:

स्तंभ-I	स्तंभ-II
(*a*) कार्ल पॉपर	(*i*) आगमनात्मक प्रविधि
(*b*) टी.एस. कुन	(*ii*) विधि के प्रविरुद्ध
(*c*) पॉल फेयराबेंड	(*iii*) रूपावली
(*d*) फ्रांसिस बॅकन	(*iv*) मिथ्याकरण

उचित विकल्प चुनें:

	(*a*)	(*b*)	(*c*)	(*d*)
A.	(*ii*)	(*iii*)	(*i*)	(*iv*)
B.	(*iii*)	(*i*)	(*iv*)	(*ii*)
C.	(*iv*)	(*iii*)	(*ii*)	(*i*)
D.	(*iv*)	(*iii*)	(*i*)	(*ii*)

12. निरुपाधिक प्रतिज्ञप्ति के संदर्भ में निम्नलिखित कथनों पर विचार कीजिए:

(*a*) "कुछ पक्षी स्तनपायी हैं" एक विशिष्ट अस्तिवाचक प्रस्थापना है और यह केवल उद्देश्य पद को ही वितरित करता है।

(*b*) "कुछ पक्षी स्तनपायी हैं" एक विशिष्ट अस्तिवाचक प्रस्थापना है और यह केवल विधेय को ही वितरित करता है।

(*c*) "कुछ पक्षी स्तनपायी हैं" एक विशिष्ट अस्तिवाचक प्रस्थापना है और यह उद्देश्य तथा विधेय दोनों पदों को वितरित करता है।

(*d*) "कुछ पक्षी स्तनपायी हैं" एक विशिष्ट अस्तिवाचक प्रस्थापना है और यह न तो उद्देश्य और न ही विधेय दोनों पदों को वितरित करता है।

निम्नलिखित में से सही कूट का चयन कीजिए:

A. केवल (*a*) और (*d*) सही हैं
B. केवल (*c*) और (*d*) सही हैं
C. केवल (*b*) सही है
D. केवल (*d*) सही है

13. विरोध-चतुरस्र के शास्त्रीय चिंतन में निम्नलिखित में से किन प्रस्थापनाओं के संयोजन को विरोधाभासी माना जाता है?

A. सार्वभौमिक अस्तिवाचक और सार्वभौमिक निषेधक
B. सार्वभौमिक अस्तिवाचक और विशेष अस्तिवाचक
C. विशेष अस्तिवाचक और सार्वभौमिक निषेधक
D. विशेष अस्तिवाचक और विशेष निषेधक

14. निम्नलिखित तर्क पर विचार कीजिए।

'ध्वनि अस्थायी है क्योंकि यह श्रव्य है।'

नीचे दिए गए विकल्प से भारतीय तर्कशास्त्र के आधार पर उपर्युक्त तर्क में हेत्वाभास की पहचान कीजिए:

A. तुच्छ तर्क का हेत्वाभास
B. असंगत तर्क का हेत्वाभास
C. गलत अभिकथन का हेत्वाभास
D. विरोधाभासी तर्क का हेत्वाभास

15. सभी भद्र व्यक्ति विनम्र हैं।
कोई अपराधी विनम्र नहीं है।
कोई अपराधी भद्र व्यक्ति नहीं है।

उपर्युक्त न्याय वाक्य में प्रमुख पद की पहचान कीजिए:

A. आधार वाक्यों में विधेय
B. आधार वाक्यों में कर्ता
C. प्रथम आधार वाक्य का कर्ता और निष्कर्ष का विधेय
D. दूसरे आधार वाक्य का कर्ता और निष्कर्ष का कर्ता

16. वह प्रत्यक्ष जिसके द्वारा हमें किसी वस्तु का ज्ञान किसी विधेय की विशेषता द्वारा नहीं होता बल्कि कतिपय असंबंधित अवयवों के बोध से होता है, कहलाती है :

A. नियत प्रत्यक्ष B. अनियत प्रत्यक्ष
C. वाचिक प्रत्यक्ष D. निहितार्थ

17. अभिकथन (A) : प्रतिरोध के साथ कोई संस्कृतीकरण घटित नहीं होता है।

तर्क (R) : लोगों के अपने मूल्य और स्व-हित होते हैं जो संप्रेषित संवाद को परिशोषित करते हैं।

नीचे दिए गए विकल्पों में से सही उत्तर का चयन कीजिए:

A. (A) और (R) दोनों सही हैं, तथा (R), (A) की सही व्याख्या है
B. (A) और (R) दोनों सही हैं, परन्तु (R), (A) की सही व्याख्या नहीं है
C. (A) सही है, परन्तु (R) गलत है
D. (A) गलत है, परन्तु (R) सही है

18. उस तर्क की पहचान कीजिए जिसके अन्तर्गत सार्वभौमिक तर्कवाक्य से दृष्टांतपरक आधार वाक्य का अनुमान लगाया जा सकता है:

A. निगमनात्मक तर्क B. आगमनात्मक तर्क
C. लघुकारक तर्क D. सादृश्यमूलक तर्क

19. चूंकि अन्य लोगों के साथ सर्वाधिक अन्योन्यक्रिया अति सतही स्तर पर होती है, अच्छे/अच्छी _____ करना काफी कठिन हो जाता है।

A. मार्ग-सुधार B. पूर्वानुमान
C. कार्य D. घोषणाएं

20. वह प्रतिज्ञप्ति गुच्छ जिसकी संरचना कुछ अनुमान दर्शाती है, उसे कहा जाता है:

A. निहितार्थ B. तर्क वाक्य
C. व्याख्या D. विवरण

21. नीचे दो आधार वाक्य दिए गए हैं। इन आधार वाक्यों से चार निष्कर्ष निकाले गए हैं। उस कूट का चयन करें जो प्रामाणिक रूप से निकाले गए (आधार वाक्यों को अकेले अथवा संयुक्त रूप से लेते हुए) निष्कर्ष/निष्कर्षों को दर्शाता है।

आधार वाक्य : (*i*) कुछ फूल लाल होते हैं।
(*ii*) सभी गुलाब फूल होते हैं।

निष्कर्ष : (*a*) कुछ गुलाब लाल होते हैं।
(*b*) कुछ लाल वस्तुएँ फूल होती हैं।
(*c*) कुछ फूल गुलाब होते हैं।
(*d*) सभी गुलाब लाल होते हैं।

A. केवल (*a*), (*b*) और (*c*)
B. केवल (*a*) और (*b*)
C. केवल (*b*) और (*c*)
D. केवल (*c*) और (*d*)

22. निम्न चार कथनों (*a*), (*b*), (*c*) और (*d*) पर विचार कीजिए। निम्नलिखित में से किस कूट में केवल सही कथन समाविष्ट है?

(*a*) वेन आरेख संकेतन की स्पष्ट पद्धति है।
(*b*) किसी निरूपाधिक आधार वाक्य के मानक रूप में आरेखन हेतु तीन अतिव्यापन वृत्त खींचे जाते हैं।
(*c*) किसी निरपेक्ष न्यायवाक्य के परीक्षण हेतु दो अतिव्यापन वृत्त खींचे जाते हैं।
(*d*) वेन आरेख किसी निरपेक्ष न्यायवाक्य की प्रामाणिकता के परीक्षण की एक पद्धति है।

कूटः

A. केवल (*a*) और (*b*)
B. केवल (*a*), (*b*) और (*c*)
C. (*a*), (*b*), (*c*) और (*d*)
D. केवल (*a*) और (*d*)

23. यदि यह प्रतिज्ञप्ति कि *'कोई कुत्ता चौपाया नहीं है'* गलत हो तो निम्न में से किस प्रतिज्ञप्ति के निश्चित रूप से सही होने का दावा किया जा सकता है?

A. सभी कुत्ते चौपाया हैं।
B. कुछ कुत्ते चौपाया हैं।
C. कुछ कुत्ते गैर चौपाया हैं।
D. सभी कुत्ते द्विपाद हैं।

24. निगमनात्मक तर्क अप्रामाणिक है यदि:

A. इसके आधार वाक्य एवं निष्कर्ष सभी सही हों।
B. इसके आधार वाक्य एवं निष्कर्ष सभी गलत हों।
C. इसके सभी आधार वाक्य सही हों परन्तु इसका निष्कर्ष गलत हो।
D. इसके सभी आधार वाक्य गलत हों परन्तु इसका निष्कर्ष सही हो।

25. नीचे दो आधार वाक्य (A और B) दिए गए हैं। इनसे चार निष्कर्ष निकाले गए हैं। उस कूट का चयन कीजिए, जो वैध रूप में निगमित निष्कर्ष को दर्शाता है (आधार वाक्यों को व्यक्तिगत और संयुक्त रूप से लेकर)।

आधार वाक्यः

(*a*) अधिकांश नर्तक शारीरिक रूप से फिट हैं।
(*b*) अधिकांश गायक नर्तक हैं।

निष्कर्षः

(*a*) अधिकांश गायक शारीरिक रूप से फिट हैं।
(*b*) अधिकांश नर्तक गायक हैं।
(*c*) अधिकांश शारीरिक रूप से फिट व्यक्ति नर्तक हैं।
(*d*) अधिकांश शारीरिक रूप से फिट व्यक्ति गायक हैं।

कूटः

A. (*a*) और (*b*) B. (*b*) और (*c*)
C. (*c*) और (*d*) D. (*d*) और (*a*)

26. निम्नलिखित में से कौन-सा आगमनात्मक तर्क में पूर्व-कल्पित है?

A. सर्वसमिका का नियम
B. प्रकृति में अपरिवर्तनीयता
C. प्रकृति में सामंजस्य
D. प्रकृति की समरूपता

27. 'पालतू पशु कम खूंखार होते हैं', यदि इस प्रतिज्ञप्ति को असत्य मान लिया जाता है, तो निम्नलिखित में से किस आधार वाक्य/आधार वाक्यों को निश्चित रूप से सत्य मानने का दावा किया जा सकता है? **सही** कूट का चयन कीजिएः

आधार वाक्यः

(*a*) सभी पालतू पशु खूंखार होते हैं।
(*b*) अधिकांश पालतू पशु खूंखार होते हैं।
(*c*) कोई भी पालतू पशु खूंखार नहीं होता है।
(*d*) कुछ पालतू पशु खूंखार नहीं होते हैं।

कूटः

A. (*a*) और (*b*) B. केवल (*a*)
C. (*c*) और (*d*) D. केवल (*b*)

28. निम्नलिखित में से कौन-सा कथन वेन चित्र विधि के संदर्भ में सही **नहीं** है?

A. यह तर्कों की वैधता के परीक्षण की एक विधि है।
B. यह एक चित्र में न्याय वाक्य के दोनों आधार वाक्यों को प्रदर्शित करती है।
C. इसमें निरपेक्ष न्याय वाक्य के मानक रूप के दो आधार वाक्यों के लिये परस्पर व्याप्त दो वृत्तों की आवश्यकता होती है।
D. इन वर्गों के अलावा आधार वाक्यों को प्रदर्शित करने के लिए उपयोग किया जा सकता है।

29. यह कहना एक सामान्य सत्य है कि जब पृथ्वी पर सर्वप्रथम जीवन का उद्भव हुआ तब वहाँ कोई नहीं था। इस प्रकार, जीवन के उद्भव के संबंध में किसी भी अभिकथन को सिद्धांत माना जाना चाहिए।

उपर्युक्त दोनों कथन निर्मित करते हैं:

A. एक ऐतिहासिक व्याख्या
B. एक आख्यान
C. एक तर्क
D. एक अटकल

30. नीचे चार कथन दिए गए हैं। उनमें से दो आपस में इस तरह से संबंधित हैं कि वे दोनों सत्य हो सकते हैं परंतु वे दोनों असत्य नहीं हो सकते। उस कूट का चयन करें जो उन दोनों कथनों को इंगित करता है:

कथनः

(*a*) ईमानदार व्यक्ति कभी कष्ट नहीं झेलते हैं।
(*b*) लगभग सभी ईमानदार व्यक्ति कष्ट झेलते हैं।
(*c*) ईमानदार व्यक्ति शायद ही कष्ट झेलते हैं।
(*d*) प्रत्येक ईमानदार व्यक्ति कष्ट झेलता है।

कूटः

A. (*a*) और (*b*) B. (*a*) और (*c*)
C. (*a*) और (*d*) D. (*b*) और (*c*)

31. एक निगमनात्मक तर्क अप्रामाणिक है यदिः

A. इसके आधार वाक्य और निष्कर्ष सभी सही हों।
B. इसके आधार वाक्य और निष्कर्ष सभी गलत हों।
C. इसके सभी आधार वाक्य गलत हों, परन्तु इसका निष्कर्ष सही हो।
D. इसके सभी आधार वाक्य सही हों, परन्तु इसका निष्कर्ष गलत हो।

32. नीचे दो आधार वाक्य (*a* और *b*) दिए गए हैं। इन दो आधार वाक्यों से चार निष्कर्ष (*i*), (*ii*), (*iii*) और (*iv*) निकाले गए हैं। उस कूट का चयन करें जो प्रामाणिक रूप से निकाले गए (आधार वाक्यों को अकेले अथवा संयुक्त रूप से लेते हुए) निष्कर्ष/निष्कर्षों को दर्शाता है।

आधार वाक्य : (*a*) सभी चमगादड़ स्तनपायी होते हैं।
(*b*) कोई भी पक्षी चमगादड़ नहीं होता है।

निष्कर्ष : (*i*) कोई पक्षी स्तनपायी नहीं होता है।
(*ii*) कुछ पक्षी स्तनपायी नहीं होते हैं।
(*iii*) कोई चमगादड़ पक्षी नहीं होता है।
(*iv*) सभी स्तनपायी चमगादड़ होते हैं।

कूटः

A. केवल (*i*) B. केवल (*i*) और (*ii*)
C. केवल (*iii*) D. केवल (*iii*) और (*iv*)

33. जैसे गिलास में बर्फ के पिघलते गोलों से गिलास का पानी उससे बाहर नहीं बहता उसी प्रकार पिघलते हुए समुद्री हिमखंड से समुद्र का आयतन नहीं बढ़ता है।

यह निम्नलिखित में से किस प्रकार का तर्क है?

A. सादृश्यमूलक B. परिकल्पनात्मक
C. मनोवैज्ञानिक D. सांख्यिकीय

34. नीचे तर्क की कुछ विशेषताएँ दी गई हैं। निम्नांकित में से उस कूट का चयन करें जो निगमनात्मक तर्क की विशेषता नहीं बताता है:

A. निष्कर्ष प्रेक्षण तथा प्रयोग पर आधारित होना चाहिए।
B. निष्कर्ष आधार-वाक्य/वाक्यों द्वारा समर्थित होना चाहिए।
C. निष्कर्ष अनिवार्यतः आधार-वाक्य/वाक्यों से निकलना चाहिए।
D. तर्क वैध अथवा अवैध हो सकता है।

35. यदि समान उद्देश्य तथा विधेय के दो मानक निरपेक्ष तर्क-वाक्य इस प्रकार संबंधित हैं कि अगर एक अनिर्धारित रहता है, तो दूसरा भी अनिर्धारित होगा, तो उनका संबंध क्या कहलाता है?

A. असंगत B. उपअसंगत
C. अन्तर्विरोधी D. अधीन

36. महिलाओं तथा पुरुषों की प्रजननात्मक क्रियाविधि अलग-अलग हो सकती हैं, लेकिन किसी को भी दूसरे के सापेक्ष अधिक अपकृष्ट अथवा उत्कृष्ट नहीं माना जा सकता है, उसी तरह जिस प्रकार किसी पक्षी के पंखों को मीनपक्षों के सापेक्ष उत्कृष्ट अथवा अपकृष्ट नहीं माना जा सकता है। यह किस प्रकार का तर्क है?

A. जीवविज्ञानीय B. शरीर संबंधी
C. सादृश्यपरक D. काल्पनिक

37. निम्नांकित तर्कवाक्यों में दो इस प्रकार संबंधित हैं कि वे दोनों सही नहीं हो सकते हैं, किंतु वे दोनों गलत हो सकते हैं। उस कूट का चयन करें जो उन दो तर्क-वाक्यों को बताते हैं।

तर्क-वाक्यः

(*a*) प्रत्येक छात्र दत्तचित्त होता है।
(*b*) कुछ छात्र दत्तचित्त होते हैं।

(*c*) छात्र कभी भी दत्तचित्त नहीं होते हैं।
(*d*) कुछ छात्र दत्तचित्त नहीं होते हैं।

कूटः

A. (*a*) और (*b*) B. (*a*) और (*c*)
C. (*b*) और (*c*) D. (*c*) और (*d*)

38. नीचे दो तर्क-वाक्य (*a* और *b*) दिए गए हैं। उन दोनों तर्कवाक्यों से चार निष्कर्ष (*i*), (*ii*), (*iii*) और (*iv*) निकाले गए हैं। उस कूट का चयन करें जो तर्कवाक्यों से (एकल अथवा संयुक्त रूप से) मान्य निष्कर्षों को दर्शाता है।

तर्कवाक्य : (*a*) अस्पृश्यता एक अभिशाप है।
(*b*) सभी गर्म बरतन अस्पृश्य हैं।

निष्कर्ष : (*i*) सभी गर्म बरतन अभिशाप हैं।
(*ii*) कुछ अस्पृश्य चीजें गर्म बरतन हैं।
(*iii*) सभी अभिशाप अस्पृश्यता हैं।
(*iv*) कुछ अभिशाप अस्पृश्यता है।

कूटः

A. (*i*) और (*ii*) B. (*ii*) और (*iii*)
C. (*iii*) और (*iv*) D. (*ii*) और (*iv*)

39. यदि कथन 'और कोई नहीं बल्कि वीर व्यक्ति ही दौड़ में विजयी होता है' गलत है, तो निम्नांकित में से किस कथन को सही माना जा सकता है?
सही कूट का चयन करें।

A. सभी वीर व्यक्ति दौड़ में विजयी होते हैं।
B. दौड़ में विजयी होने वाले कुछ व्यक्ति वीर नहीं होते हैं।
C. कुछ व्यक्ति जो दौड़ में विजयी होते हैं, वीर होते हैं।
D. दौड़ में विजयी होने वाला कोई व्यक्ति वीर नहीं होता है।

40. यदि यह अभिकथन कि "सभी चोर गरीब होते हैं" गलत है, तो निम्नलिखित में से किस अभिकथन के संबंध में निश्चित रूप से सही होने का दावा किया जा सकता है?

अभिकथनः

A. कुछ चोर गरीब होते हैं।
B. कुछ चोर गरीब नहीं होते हैं।
C. कोई भी चोर गरीब नहीं होता है।
D. कोई गरीब आदमी चोर नहीं होता है।

41. निम्नलिखित कथन पर विचार कीजिए और इसमें दिए गए तर्क की प्रकृति का उल्लेख करते हुए सही कूट का चयन कीजिएः
यह कल्पना करना कि इस अनंत अंतरिक्ष में पृथ्वी ही एक बसी हुई दुनिया है, ऐसा असंगत कथन है जैसा यह कि बाजरे के खेत में केवल एक दाना उगेगा।

A. खगोलीय B. मानवशास्त्रीय
C. निगमनात्मक D. सादृश्यात्मक

42. उस कूट का चयन कीजिए जो वेन डायग्राम के संबंध में सही नहीं है।

A. वेन डायग्राम अभिकथनों और श्रेणियों को प्रदर्शित करता है।
B. यह संकेतन की स्पष्ट पद्धति उपलब्ध कर सकता है।
C. यह वैध या अवैध हो सकता है।
D. यह वैधता परीक्षण की प्रत्यक्ष पद्धति उपलब्ध कर सकता है।

43. उस कूट का चयन कीजिए, जो दो आधार वाक्यों वाले निगमनात्मक तर्क के प्रसंग में सही नहीं हैः

A. एक सही आधार वाक्य, एक गलत आधार-वाक्य और एक गलत निष्कर्ष वाला तर्क, वैध हो सकता है।
B. दो सही आधार वाक्यों और एक गलत निष्कर्ष वाला तर्क वैध हो सकता है।
C. एक सही आधार वाक्य, एक गलत आधार-वाक्य और एक सही निष्कर्ष वाला तर्क वैध हो सकता है।
D. दो गलत आधार वाक्यों वाला तर्क और एक गलत निष्कर्ष वैध हो सकता है।

44. नीचे दो आधार-वाक्य दिए गए हैं और उनसे चार निष्कर्ष लिए गए हैं (जो अलग-अलग या एक साथ लिए गए हैं)। उस कूट का चयन कीजिए, जो यह व्यक्त करता है कि निष्कर्ष वैध रूप में लिए गए हैं।

आधार-वाक्य : (*i*) सभी धार्मिक व्यक्ति भावुक होते हैं।
(*ii*) राम एक धार्मिक व्यक्ति है।

निष्कर्ष : (*a*) राम भावुक है।
(*b*) सभी भावुक व्यक्ति धार्मिक होते हैं।
(*c*) राम एक अधार्मिक व्यक्ति नहीं है।
(*d*) कुछ धार्मिक व्यक्ति भावुक नहीं होते हैं।

A. (*a*), (*b*), (*c*) और (*d*)
B. केवल (*a*)
C. केवल (*a*) और (*c*)
D. केवल (*b*) और (*c*)

45. निम्न दिए गए तर्क पर विचार कीजिएः
'शिक्षकों का रोजगार पूर्व परीक्षण बिल्कुल उचित है क्योंकि चिकित्सकों, वास्तुकारों एवं अभियन्ताओं, जो इस समय नियुक्त हैं, को ऐसे परीक्षण का सामना करना पड़ा।'
यह किस प्रकार का तर्क है?

A. निगमनात्मक B. सादृश्यमूलक
C. मनोवैज्ञानिक D. जैविक

46. निम्नलिखित तर्कवाक्यों में दो इस तरह से संबंधित हैं कि वे दोनों सही हो सकते हैं यद्यपि वे दोनों गलत नहीं हो सकते हैं। वे तर्कवाक्य कौन-से हैं? **सही** कूट का चयन कीजिए।

तर्कवाक्यः

(*a*) कुछ पुजारी धूर्त होते हैं।

(*b*) कोई पुजारी धूर्त नहीं होता।

(*c*) सभी पुजारी धूर्त होते हैं।

(*d*) कुछ पुजारी धूर्त नहीं होते हैं।

कूटः

A. (*a*) और (*b*) B. (*c*) और (*d*)

C. (*a*) और (*c*) D. (*a*) और (*d*)

47. संरचनावाले तर्कवाक्यों का समूह, जो कुछ निष्कर्ष प्रदर्शित करता है, कहलाता है:

A. एक निष्कर्ष B. एक तर्क

C. एक स्पष्टीकरण D. एक वैध तर्क

48. निम्नलिखित **अभिकथन (A)** और **तर्क (R)** पर विचार कीजिए और दिए गए कूट से **सही** उत्तर का चयन कीजिएः

अभिकथन (A) : कोई आदमी पूर्ण नहीं है।

तर्क (R) : कुछ आदमी पूर्ण नहीं हैं।

A. (A) और (R) दोनों सही हैं परन्तु (R), (A) के लिए पर्याप्त तर्क प्रस्तुत नहीं करता है

B. (A) और (R) दोनों सही हैं और (R), (A) के लिए पर्याप्त तर्क प्रस्तुत करता है

C. (A) सत्य है, परन्तु (R) असत्य है

D. (A) असत्य है, परन्तु (R) सत्य है

49. अर्थपूर्ण परिभाषा जिसे सोच-समझकर कुछ प्रतीकों के लिए निर्दिष्ट किया जाता है, कहलाता हैः

A. कोश-विषयक B. परिशुद्धता

C. स्वनिर्मित परिभाषा D. प्रत्ययकारी

50. निम्नलिखित में से कौन-सा विकल्प दो सर्वव्यापी तर्कवाक्यों जिनका कर्ता एवं विधेय समान ही हो, परन्तु जिनकी मात्रा भिन्न हो, के संबंधों को दर्शाता है?

A. विरोधी (Contrary)

B. अधीनस्थ (Saubaltern)

C. उपविरोधी (Sub-contrary)

D. अन्तर्विरोधात्मक (Contradictory)

51. यदि हम विश्व के बारे में तथ्यों की नई जानकारी प्राप्त करने की कोशिश करें तो निम्न में से किस प्रकार की तर्क-शक्ति पर भरोसा करें?

A. आगमनात्मक B. निगमनात्मक

C. प्रदर्शनात्मक D. शरीर विज्ञान सम्बन्धी

52. एक निगमनात्मक तर्क अवैध होता है यदिः

A. इसके आधार वाक्य और निष्कर्ष सभी असत्य हैं

B. इसके आधार वाक्य सत्य परन्तु निष्कर्ष असत्य हैं

C. इसके आधार वाक्य असत्य परन्तु निष्कर्ष सत्य हैं

D. इसके आधार वाक्य और निष्कर्ष सभी सत्य हैं

53. आगमनात्मक तर्क निम्नांकित में से किस पर आधारित है?

A. प्रकृति की अखण्डता B. प्रकृति की एकता

C. प्रकृति की समरूपता D. प्रकृति की समरसता

54. निम्नलिखित कथनों में से **दो** एक-दूसरे के विरोधी हैं। सही कूट का चयन कीजिए जो सही उत्तर का प्रतिनिधित्व करे।

कथनः

(*a*) सभी कवि दार्शनिक होते हैं।

(*b*) कुछ कवि दार्शनिक होते हैं।

(*c*) कुछ कवि दार्शनिक नहीं होते।

(*d*) कोई भी दार्शनिक कवि नहीं होता।

कूटः

A. (*a*) और (*b*) B. (*a*) और (*d*)

C. (*a*) और (*c*) D. (*b*) और (*c*)

55. नीचे दिये गये कूटों में से किसमें केवल **सही** कथन समाविष्ट है?

कथनः

(*a*) वेन आरेख तर्कों को आलेखीय रूप से प्रदर्शित करता है।

(*b*) वेन आरेख हमारी समझ को बढ़ा सकता है।

(*c*) वेन आरेख को वैध अथवा अवैध कहा जा सकता है।

(*d*) वेन आरेख संकेत-पद्धति का स्पष्ट तरीका है।

कूटः

A. (*a*), (*b*) और (*c*) B. (*a*), (*b*) और (*d*)

C. (*b*), (*c*) और (*d*) D. (*a*), (*c*) और (*d*)

56. नमिता और समिता दोनों मेधावी और परिश्रमी हैं। अनिता और कराबी आज्ञाकारी और अनियमित हैं। बबीता और नमिता अनियमित हैं परन्तु मेधावी हैं। समिता और कबिता नियमित और आज्ञाकारी हैं। इनमें से कौन मेधावी, आज्ञाकारी, नियमित और परिश्रमी है/हैं?

A. केवल समिता B. नमिता और समिता

C. केवल कबिता D. केवल अनिता

57. योद्धा का संबंध तलवार से है, बढ़ई का संबंध आरी से है, किसान का संबंध हल से है। इसी तरह से लेखक का संबंध है

A. पुस्तक से B. कीर्ति से

C. पाठक से D. कलम से

58. नीचे एक आरेख दिया गया है जिसमें तीन वृत्त A, B और C एक दूसरे को अतिव्याप्त कर रहे हैं। वृत्त A ईमानदार लोगों के वर्ग का प्रतिनिधित्व करता है, वृत्त B निष्ठावान लोगों के वर्ग का प्रतिनिधित्व करता है और वृत्त C राजनेताओं के वर्ग का प्रतिनिधित्व कर रहा है। *p*, *q*, *r*, *s*, U, X, Y अलग-अलग क्षेत्रों का प्रतिनिधित्व करते हैं। उस कूट का चयन कीजिए जो उस क्षेत्र को दिखाते हैं जिसमें ईमानदार राजनेताओं का वर्ग है, जो निष्ठावान नहीं है।

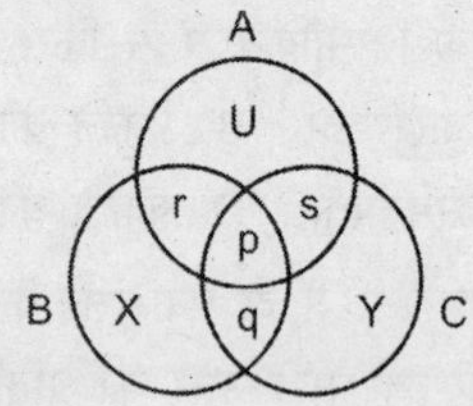

कूटः

A. X B. q

C. p D. s

59. "बेहतर शिक्षा का लाभ उठाकर किसी आदमी का अपने को स्त्री से अधिक बुद्धिमान मानना इसी प्रकार है जैसे कि एक हाथ बँधे हुये व्यक्ति को पीटकर किसी आदमी द्वारा अपने साहस की शेखी बघारना।"

उपर्युक्त अनुच्छेद किसका उदाहरण है?

A. निगमन तर्क

B. काल्पनिक तर्क

C. सादृश्यमूलक तर्क

D. तथ्यात्मक तर्क

60. 'बुद्धिमान व्यक्ति शायद ही मृत्यु से भयभीत होता है' प्रस्ताव निम्नलिखित में से किसका विरोधाभासी है?

A. कुछ बुद्धिमान व्यक्ति मृत्यु से भयभीत होते हैं।

B. सभी बुद्धिमान व्यक्ति मृत्यु से भयभीत होते हैं।

C. कोई भी बुद्धिमान व्यक्ति मृत्यु से भयभीत नहीं होता।

D. कुछ बुद्धिमान व्यक्ति मृत्यु से भयभीत नहीं होते।

61. "जिस प्रकार किसी सेना को छोटी-छोटी टुकड़ियों में बाँटने से सेना की शक्ति क्षीण हो जाती है उसी प्रकार यदि किसी हीरे को छोटे-छोटे टुकड़ों में काट दिया जाए, तो उसके मूल्य में ह्रास हो जायेगा।"

उपरोक्त युक्ति को कहा जाता है

A. सादृश्यतः B. निगमनात्मक

C. आँकड़ात्मक D. कारणात्मक

62. नीचे कुछ तार्किक युक्ति के लक्षण दिये गए हैं। उस कूट का चयन कीजिए जो ऐसी विलक्षणता को दर्शाता हो जो अपने में आगमनात्मक न होः

A. आधारिका से निष्कर्ष के निकलने का दावा किया जाता है।

B. निष्कर्ष कारणात्मक सम्बन्ध पर आधारित होता है।

C. निष्कर्ष अन्ततः आधारिका से निकलता है।

D. निष्कर्ष प्रेक्षण एवं प्रयोग पर आधारित होता है।

63. यदि दो प्रस्तावों, जिनका कर्ता और कर्म शब्द एक से हैं, तो उन दोनों को सही माना जा सकता है परन्तु ये दोनों गलत नहीं हो सकते, इन दोनों प्रस्तावों के बीच के सम्बन्ध को क्या कहेंगे?

A. अन्तर्विरोधात्मक B. विरोधी

C. उप-विरोधी D. अधीनस्थ

64. नीचे एक रेखाचित्र दिया जा रहा है जिसमें तीन वृत्त हैं – A, B, और C जो कि परस्पर सम्बद्ध हैं। वृत्त A भारतीयों के किसी वर्ग का प्रतिनिधि है, वृत्त B वैज्ञानिकों का प्रतिनिधित्व करता है और वृत्त C राजनीतिज्ञों का प्रतिनिधित्व करता है। p, q, r, s....... विभिन्न क्षेत्रों को दर्शाते हैं। उस कूट का चयन कीजिए जो उस क्षेत्र को दर्शाता हो जिसमें भारतीय वैज्ञानिक जो राजनीतिज्ञ न हों, रहते हों।

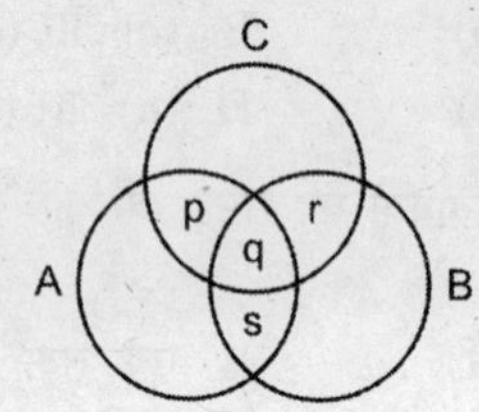

कूट:

A. केवल q और s B. केवल s

C. केवल s और r D. केवल p, q और s

65. नीचे दो आधार वाक्य लिखे गए हैं और इनसे निकले चार निष्कर्ष भी दिये गए हैं। उस कूट का चयन कीजिए जो आधार वाक्यों (अलग और संयुक्त रूप से) यह दर्शाए कि ये निष्कर्ष सही रूप से प्रदत्त आधार-वाक्यों से ही प्राप्त हुए हैं:

आधार वाक्य :

(*a*) सभी कुत्ते स्तनधारी हैं।

(*b*) कोई बिल्ली कुत्ता नहीं है।

निष्कर्ष :

(*i*) कोई बिल्ली स्तनधारी नहीं है।

(*ii*) कुछ बिल्लियाँ स्तनधारी हैं।

(*iii*) कोई कुत्ता बिल्ली नहीं है।

(*iv*) कोई भी कुत्ता गैर-स्तनधारी नहीं है।

कूट :

A. (*i*) केवल B. (*i*) और (*ii*)

C. (*iii*) और (*iv*) D. (*ii*) और (*iii*)

66. दो अभिकथनों के उद्देश्य और विधेय की शब्दावली यदि ऐसी है कि एक की शब्दावली दूसरे का निषेध करती है तो उन दोनों के बीच का संबंध क्या कहलाता है?

A. विरोधात्मक B. विपरीत

C. उप-विपरीत D. उपाश्रयण

67. अनन्या और कृष्णा अंग्रेजी बोल और समझ सकती हैं। बुलबुल अर्चना की तरह ही हिंदी लिख और बोल सकती है। अर्चना अनन्या से बंगला में भी बात करती है। कृष्णा बंगला नहीं समझ सकती। बुलबुल अनन्या से हिंदी में बात करती है। निम्नलिखित में से कौन अंग्रेजी, हिंदी और बंगला बोल और समझ सकती है?

A. अर्चना B. बुलबुल

C. अनन्या D. कृष्णा

68. स्वनिर्मित परिभाषा निम्नलिखित में से कौन-सी कही जा सकती है?

A. जो हमेशा सत्य हो

B. जो हमेशा मिथ्या हो

C. जो कभी सत्य हो, कभी मिथ्या

D. जो न सत्य हो न मिथ्या

69. जब किसी तर्क का निष्कर्ष अंतिम रूप से अपनी आधारिका/आधारिकाओं के परिणामस्वरूप आए तो वह तर्क निम्नलिखित में से क्या कहलाता है?

A. चक्रीय तर्क B. आगमनात्मक तर्क

C. निगमनात्मक तर्क D. सादृश्यमूलक तर्क

70. शनि और मंगल दोनों पृथ्वी की तरह ही ग्रह हैं। वे सूर्य से प्रकाश ग्रहण करते हैं और पृथ्वी की तरह ही सूर्य के चारों तरफ घूमते हैं। इसलिए उन ग्रहों पर विविध प्रकार के जीव रहते हैं जैसे कि पृथ्वी पर रहते हैं।

उक्त गद्यांश में निम्नलिखित में से किस प्रकार का तर्क निहित है?

A. निगमनात्मक

B. फलित-ज्योतिष संबंधी

C. सादृश्यमूलक

D. गणितीय

71. नीचे दो आधारिकाएँ दी गई हैं। उन दो आधारिकाओं से चार कोडों में चार निष्कर्ष निकाले गए हैं। इन कोडों के अंतर्गत जिस कोड में निष्कर्ष प्रामाणिक रूप से बताया गया है उसका चयन कीजिए।

आधारिकाएँ :

(*i*) सभी संत धार्मिक होते हैं। (प्रमुख)

(*ii*) कुछ ईमानदार लोग संत होते हैं। (गौण)

कोड :

A. सभी संत ईमानदार होते हैं

B. कुछ संत ईमानदार हैं

C. कुछ ईमानदार लोग धार्मिक हैं

D. सभी धार्मिक लोग ईमानदार होते हैं

72. निम्नलिखित कथन पर विचार करें जिसके संबंध में दो तर्क (I) और (II) दिए गए हैं:

कथन : क्या भारत को द्विदल पद्धति अपना लेनी चाहिए?

तर्क : (I) हाँ, इससे सरकार में स्थिरता आएगी।

(II) नहीं, इससे मतदाताओं की पसन्द सीमित हो जाएगी।

A. केवल तर्क (I) प्रबल है।

B. केवल तर्क (II) प्रबल है।

C. दोनों तर्क प्रबल हैं।

D. दोनों में से कोई तर्क प्रबल नहीं है।

73. निम्नलिखित कथन तथा दिए गए तर्क (I) और (II) पर विचार करें:

कथन : क्या आपराधिक पृष्ठभूमि के व्यक्तियों का चुनाव में भाग लेने पर प्रतिबंध लगाना चाहिए?

तर्क : (I) हाँ, यह राजनीति के अपराधीकरण को रोकेगा।

(II) नहीं, इससे शासित दल को अपने राजनैतिक विरोधियों के विरुद्ध तुच्छ मामले फाइल करने में प्रोत्साहन मिलेगा।

A. केवल तर्क (I) प्रबल है।

B. केवल तर्क (II) प्रबल है।

C. दोनों तर्क प्रबल हैं।

D. दोनों में से कोई तर्क प्रबल नहीं है।

74. यदि यह अभिकथन कि "कुछ व्यक्ति ईमानदार होते हैं" असत्य है तो निम्नलिखित में से कौन-सा अभिकथन सत्य होगा। नीचे दिए गए सही कोड का चयन कीजिए:

(*i*) सभी व्यक्ति ईमानदार होते हैं।

(*ii*) कोई भी व्यक्ति ईमानदार नहीं होता।

(*iii*) कुछ व्यक्ति ईमानदार नहीं होते हैं।

(*iv*) सभी व्यक्ति बेईमान होते हैं।

कोड :

A. (*i*), (*ii*) और (*iii*) B. (*ii*), (*iii*) और (*iv*)

C. (*i*), (*iii*) और (*iv*) D. (*ii*), (*i*) और (*iv*)

75. नीचे दिए गए कौन-से कोड सही अभिकथन इंगित करते हैं:

अभिकथन:

(*i*) वेन आरेख चिह्नांकन की स्पष्ट विधि है।

(*ii*) वेन आरेख निरुपाधिक न्यायवाक्य के वैधता परीक्षण की सर्वाधिक प्रत्यक्ष विधि है।

(*iii*) वेन आरेख विधि में आधारिकाओं और निरुपाधिक न्यायवाक्य के निष्कर्षों को आरेखित किया जाता है।

(*iv*) वेन आरेख विधि में निरुपाधिक न्यायवाक्य के परीक्षण के लिए तीन अधिव्याप्त वृत्त बनाए जाते हैं।

कोड:

A. (*i*), (*ii*) और (*iii*)

B. (*i*), (*ii*) और (*iv*)

C. (*ii*), (*iii*) और (*iv*)

D. (*i*), (*iii*) और (*iv*)

76. आगमनात्मक तर्क निम्नलिखित में से किसका पूर्वानुमान है:

A. मानव स्वभाव में एकता

B. मानव स्वभाव में सत्यनिष्ठा

C. मानव स्वभाव में एकरूपता

D. मानव स्वभाव में सौहार्द्र

77. कृपया अभिकथन-I और अभिकथन-II पर विचार करें और नीचे दिए गए सही कूट का चयन कीजिए :

अभिकथन-I : बैंक लॉकर भी सुरक्षित नहीं हैं, चोर उन्हें तोड़कर आपकी सम्पत्ति ले जा सकते हैं लेकिन चोर स्वर्ग में नहीं जा सकते। अतः आपको अपनी सम्पत्ति स्वर्ग में रखनी चाहिए।

अभिकथन-II : मनुष्यों के शरीर के रंग में अन्तर सूर्य से दूरी के कारण होता है, किसी चिर-स्थायी विशेषता के कारण नहीं। शरीर का रंग शरीर पर सूर्य और उसकी किरणों की प्रतिक्रिया का परिणाम है।

कूट :

A. अभिकथन-I और II दोनों ही तर्क हैं।
B. अभिकथन-I तर्क है, किन्तु अभिकथन-II नहीं है।
C. अभिकथन-II तर्क है, किन्तु अभिकथन-I नहीं है।
D. दोनों ही अभिकथन तथ्यों का स्पष्टीकरण हैं।

78. निम्नलिखित में से कौन-सा कथन इस कथन के विपरीत है कि 'कुछ व्यक्ति ईमानदार नहीं होते'?

A. सभी व्यक्ति ईमानदार होते हैं।
C. कुछ व्यक्ति ईमानदार होते हैं।
B. कोई व्यक्ति ईमानदार नहीं होता।
D. उपर्युक्त सभी

79. एक स्वनिर्मित परिभाषा होती है :

A. सदैव सत्य
B. सदैव असत्य
C. कभी सत्य कभी असत्य
D. न सत्य और न ही असत्य

80. प्रश्नचिह्न के स्थान पर कूट में दिए गए उचित विकल्प का चयन कीजिए।

परीक्षक – परीक्षार्थी, अधिवक्ता – मुवक्किल, गुरु – ?

A. ग्राहक B. अन्वेषक
C. बोधक D. शिष्य

81. यदि इस कथन को सत्य माना जाए कि 'अधिकतर विद्यार्थी आज्ञाकारी होते हैं' तो निम्नलिखित में से कौन-से एक कथन युग्म को सही माना जा सकता है?

I. सभी आज्ञाकारी व्यक्ति विद्यार्थी होते हैं।
II. सभी विद्यार्थी आज्ञाकारी होते हैं।
III. कुछ विद्यार्थी आज्ञाकारी होते हैं।
IV. कुछ विद्यार्थी अवज्ञाकारी नहीं होते हैं।

कूट :

A. I और II B. II और III
C. III और IV D. II और IV

82. सही कूट का चयन कीजिए :

निगमन (डिडक्टिव) तर्क यह दावा करता है कि :

I. निष्कर्ष आधार में निहित किसी भी वस्तु से अधिक का दावा नहीं करता है।
II. निष्कर्ष अन्तिम रूप से आधार/आधारों द्वारा पुष्ट होता है।
III. यदि निष्कर्ष असत्य है तो आधार या तो सत्य होगा/होंगे या असत्य।
IV. यदि आधार/आधारों का संयोजन सत्य है, तो निष्कर्ष सत्य होगा।

कूट :

A. I और II B. I और III
C. II और III D. उपर्युक्त सभी

83. निम्न वर्गीकरण का आधार है :

'भारत के प्रथम राष्ट्रपति', 'गोदान' के लेखक, 'मेरे ग्रंथालय में किताबें', 'नीली चीजें', और 'विद्यार्थी जो कड़ी-मेहनत करते हैं'।

A. सर्वसामान्य नाम
B. व्यक्तिवाचक नाम
C. वर्णनात्मक संक्षिप्त वाक्य
D. अनिश्चित वर्णन

84. 'कोई चीज अपने से बड़ी नहीं होती'—इस अभिव्यक्ति में 'अपने से बड़ी है' यह संबंध हैः

A. सम्मित विरोधी B. असम्मितीय
C. अकर्मक D. अनिजवाचक

85. **कथन (A) :** पहले की तुलना में आजकल की कानूनी किताबों में कहीं अधिक कानून है, और पहले की तुलना में कहीं अधिक अपराध होते हैं।

कारण (R) : क्योंकि, अपराध कम करने के लिए हमें कानूनों को समाप्त करना होगा।

निम्नलिखित में से सही उत्तर चुनिये :

A. (A) सत्य है, (R) शंकास्पद है और (R), (A) की सही व्याख्या नहीं है।
B. (A) असत्य है, (R) सत्य है और (R), (A) की सही व्याख्या है।
C. (A) शंकास्पद है, (R) शंकास्पद है और (R), (A) की सही व्याख्या नहीं है।
D. (A) शंकास्पद है, (R) सत्य है और (R), (A) की सही व्याख्या नहीं है।

86. यदि कथन ''सभी लोग नाशवंत हैं'' सच है, तो निम्नलिखित अनुमानों में से कौन-सा अनुमान सही है? निम्नलिखित कोड में से चयन करें :

1. 'सभी लोग नाशवंत है।' यह सच है।
2. 'कुछ लोग नाशवंत है।' यह गलत है।
3. 'कोई आदमी नाशवंत नहीं है।' यह शंकास्पद है।
4. 'सभी लोग नाशवंत हैं।' यह गलत है।

कोड :

A. 1, 2 और 3 B. 2, 3 और 4
C. 1, 3 और 4 D. 1 और 3

87. निम्नलिखित परिभाषा की प्रकृति निर्धारित कीजिए : "भ्रूणहत्या" का अर्थ है निर्दोष लोगों की निर्मम हत्या।

A. पदसंबंधी B. विश्वासोत्पादक
C. स्वनिर्दिष्ट D. सैद्धांतिक

88. निम्नलिखित युक्तियों में से कौन-सी युक्ति नहीं है?

A. देवदत्त दिन में भोजन नहीं करता है, इसीलिये वह रात में भोजन करता है।
B. यदि देवदत्त मोटा होता है, और यदि वह दिन भर भोजन नहीं करता है, वह रात में भोजन करेगा।
C. देवदत्त रात में भोजन करता है, इसीलिए वह दिन में भोजन नहीं करता है।
D. चूँकि देवदत्त दिन में भोजन नहीं करता है, वह रात में भोजन करता होगा।

89. वेन डायग्राम इस प्रकार का डायग्राम है, जोः

A. संवाक्य-सम्बन्धी न्यायिकी आकार के प्राथमिक अनुमानों की वैधता का प्रतिनिधित्व और मूल्यांकन करना।
B. न्यायिकी आकार के प्राथमिक अनुमानों की वैधता का प्रतिनिधित्व करना, परन्तु मूल्यांकन नहीं करना।
C. न्यायिकी आकार के प्राथमिक अनुमानों की सत्यता का प्रतिनिधित्व और मूल्यांकन करना।
D. न्यायिकी आकार के प्राथमिक अनुमानों की सत्यता का मूल्यांकन करना, परन्तु प्रतिनिधित्व नहीं करना।

90. साम्यानुमान से तर्क करने से–

A. निश्चितता प्राप्त होती है।
B. सुस्पष्ट निष्कर्ष निकलता है।
C. भविष्यसूचक अनुमान लग सकता है।
D. निसंशय

91. निम्नलिखित कथनों में से कौन-से कथन असत्य हैं? निम्नलिखित कूट में से चुनें :

1. आगमनात्मक युक्तियाँ सदैव विशेष से सामान्य की ओर जाती हैं।
2. युक्त युक्ति आगमनात्मक दृष्टि से मजबूत होगी।
3. वैध युक्ति का गलत पूर्वावयव और गलत निष्कर्ष हो सकते हैं।
4. युक्ति को उचित रूप से 'सच' या 'गलत' कह सकते हैं।

कूटः

A. 2, 3 और 4 B. 1 और 3
C. 2 और 4 D. 1 और 2

92. "शाकाहारी मांसाहारी नहीं होते हैं।" यदि यह कथन असत्य है, तो निम्नलिखित अनुमानों में से कौन-से सही हैं?

निम्न कूट से सही उत्तर चुनियेः

1. "कुछ शाकाहारी मांसाहारी होते हैं।" यह सत्य है।
2. "सभी शाकाहारी मांसाहारी होते हैं।" यह शंकास्पद है।
3. "कुछ शाकाहारी मांसाहारी नहीं होते हैं।" यह सत्य है।
4. "कुछ शाकाहारी मांसाहारी नहीं होते।" यह शंकास्पद है।

A. 1, 2 और 3 B. 2, 3 और 4
C. 1, 3 और 4 D. 1, 2 और 4

93. निम्नलिखित परिभाषा का स्वरूप है

'गरीब का अर्थ है वे लोग जिनकी वार्षिक आय ₹10,000' है।

A. विश्वासोत्पादक B. निश्चित
C. पदसंबंधी D. स्वनिर्दिष्ट

94. निम्नलिखित युक्तियों में से कौन-सी युक्ति नहीं है?

A. यदि आज मंगलवार है, तो कल बुधवार होगा।
B. चूँकि आज मंगलवार है, कल बुधवार होगा।
C. राम ने मुझे अपमानित किया, इसलिए मैंने उसके नाक पर हमला बोला।
D. राम घर पर नहीं है, इसलिए वो शहर गया होगा।

95. वैन डायेग्राम इस प्रकार का डायेग्राम है, जो

A. वर्गों के बुलियन एलजीब्रा की मदद से प्राथमिक अनुमानों की सत्यता का प्रतिनिधित्व और मूल्यांकन करता है।
B. वर्गों के बुलियन एलजीब्रा की मदद से प्राथमिक अनुमानों की वैधता का प्रतिनिधित्व और मूल्यांकन करता है।
C. वर्गों के बुलियन एलजीब्रा की मदद से प्राथमिक अनुमानों की वैधता का प्रतिनिधित्व करता है, परन्तु मूल्यांकन नहीं करता।
D. वर्गों के बुलियन एलजीब्रा की मदद से प्राथमिक अनुमानों की वैधता का मूल्यांकन करता है, परन्तु प्रतिनिधित्व नहीं करता।

96. आगमनात्मक तर्कशास्त्र, युक्तिवाक्य किस प्रकार

A. निष्कर्ष का समर्थन और उसके अनुगमन करने का अध्ययन करता है।
B. निष्कर्ष का समर्थन नहीं करता, अपितु उसके अनुगमन करने का अध्ययन करता है।
C. निष्कर्ष का ना तो समर्थन करता है, न ही उसके अनुगमन करने का अध्ययन करता है।
D. निष्कर्ष का समर्थन करता है किन्तु उसके अनुगमन करने का अध्ययन नहीं करता।

97. निम्न सूचित कथनों में से कौन-से कथन सत्य हैं? निम्न सूचित कूट में से चुनें।

1. कुछ युक्तियाँ जो पूर्णतः वैध नहीं हैं, वो अधिकतर वैध हैं।
2. ठोस युक्ति अवैध हो सकती है।
3. निश्चायक युक्ति में संभवतः गलत निष्कर्ष हो सकता है।
4. विधान सत्यात्मक अथवा असत्यात्मक हो सकता है।

कूटः

A. 1 और 2 B. 1, 3 और 4
C. केवल 4 D. 3 और 4

98. दृश्यप्रपंचशास्त्र (फिनॉमिनॉलॉजी) शब्द निम्नलिखित की प्रक्रिया से संबंधित है।

A. गुणात्मक शोध की

B. प्रसरण के विश्लेषण की

C. सहसंबंध के अध्ययन की

D. संभाविता के प्रतिचयन की

99. नीचे दिए गए दो कथन I और II द्वारा दो निष्कर्ष (*a*) तथा (*b*) निकाले जा सकते हैं। यह मानते हुए कि दोनों कथन सही हैं, नीचे दिए गए में से कौन-सी बात तर्कसंगत है?

कथन : (*a*) कुछ फूल लाल होते हैं।

(*b*) कुछ फूल नीले होते हैं।

निष्कर्ष : I. कुछ फूल न तो लाल न ही नीले होते हैं।

II. कुछ फूल लाल तथा नीले दोनों रंग के होते हैं।

A. केवल (*a*) तर्कसंगत है।

B. केवल (*b*) तर्कसंगत है।

C. (*a*) तथा (*b*) दोनों तर्कसंगत हैं।

D. (*a*) तथा (*b*) दोनों तर्कसंगत नहीं हैं।

100. ऐसा तर्क जिसमें हम किसी विशिष्ट कथन से प्रारंभ करके एक सार्वभौमिक कथन के साथ समाप्त करते हैं, को कहते हैं।

A. निगमनिक तर्क

B. आगमनिक तर्क

C. असामान्य तर्क

D. अनुभवातीत तर्क

उत्तरमाला

1	2	3	4	5	6	7	8	9	10
D	B	A	A	B	A	C	D	B	C
11	**12**	**13**	**14**	**15**	**16**	**17**	**18**	**19**	**20**
C	D	A	A	C	B	D	A	B	B
21	**22**	**23**	**24**	**25**	**26**	**27**	**28**	**29**	**30**
C	D	B	C	B	D	A	C	C	D
31	**32**	**33**	**34**	**35**	**36**	**37**	**38**	**39**	**40**
D	C	A	A	C	C	B	D	B	B
41	**42**	**43**	**44**	**45**	**46**	**47**	**48**	**49**	**50**
D	C	B	C	B	D	B	A	C	B
51	**52**	**53**	**54**	**55**	**56**	**57**	**58**	**59**	**60**
A	B	C	C	B	A	D	D	D	B
61	**62**	**63**	**64**	**65**	**66**	**67**	**68**	**69**	**70**
A	C	C	B	C	A	C	D	C	C
71	**72**	**73**	**74**	**75**	**76**	**77**	**78**	**79**	**80**
C	C	D	D	A	A	A	A	D	C
81	**82**	**83**	**84**	**85**	**86**	**87**	**88**	**89**	**90**
C	D	C	D	A	B	B	B	A	C
91	**92**	**93**	**94**	**95**	**96**	**97**	**98**	**99**	**100**
C	A	B	A	B	D	D	A	C	B

❖❖❖

UNIT–7

आंकड़ों की व्याख्या
(Data Interpretation)

आंकड़ों का स्रोत, प्राप्ति और वर्गीकरण
(Source, Acquisition and Classification of Data)

आंकड़ों को ऐसी संख्याओं के रूप में परिभाषित किया गया है जो यथार्थ विश्व के मापन को प्रदर्शित करती हैं। आधार सामग्री एकमात्र माप है। हम प्रायः समाचार पढ़ते हैं, जैसे– बाड़मेर में लगातार 20 सेमी. वर्षा अथवा चौबीस घंटों में बाँसवाड़ा में निरंतर 35 सेमी. वर्षा अथवा सूचना जैसे–रेलगाड़ी द्वारा नई दिल्ली-मुंबई की दूरी, वाया कोटा-वड़ोदरा 1305 किमी. है और वाया इटारसी-मनमाड 1542 किमी. है। यह संख्यात्मक सूचना आंकड़ा कहलाती है। यह आसानी से अनुभव किया जा सकता है कि आज के संसार में बड़ी संख्या में आंकड़े उपलब्ध हैं फिर भी इन आंकड़ों से तार्किक निष्कर्ष निकालना उस समय कठिन हो जाता है जबकि ये अपरिष्कृत रूप से होते हैं। इसलिए यह सुनिश्चित कर लेना महत्वपूर्ण है कि मापी गई सूचना प्रतीक गणितीय रूप से प्राप्त की गई है अथवा तार्किक रूप से निगमित किए गए हैं अथवा सांख्यिकीय विधि से परिकलित किए गए हैं। सूचना को एक प्रश्न के अर्थपूर्ण उत्तर अथवा अर्थपूर्ण उद्दीपक के रूप में परिभाषित किया गया है जिसे अगले प्रश्नों में सोपानित किया जा सकता है।

आंकड़ों की आवश्यकता

भौगोलिक अध्ययन में मानचित्र एक महत्वपूर्ण साधन है। इसके अतिरिक्त परिघटनाओं के वितरण और वृद्धि को सारणीबद्ध रूप में आंकड़ों के द्वारा स्पष्ट किया गया है। हम जानते हैं कि पृथ्वी की सतह पर बहुत-सी परिघटनाओं के मध्य अंतर्संबंध होते हैं। ये अन्योन्य क्रियाएं बहुत-से चरों द्वारा प्रभावित होती हैं जिनकी सबसे अच्छी व्याख्या मात्रात्मक रूप में की जा सकती है। आज उन चरों का सांख्यिकीय विश्लेषण आवश्यक हो गया है। उदाहरण के लिए किसी क्षेत्र के शस्य प्रारूप के अध्ययन के लिए, फसल के अंतर्गत क्षेत्र, फसल की उत्पादकता और उत्पादन, सिंचित क्षेत्र, वर्षा की मात्रा और उर्वरक, कीटनाशक और पीड़कनाशी के प्रयोग जैसे निवेश के बारे में सांख्यिकीय सूचना का होना आवश्यक है। इसी प्रकार से किसी क्षेत्र में एक नगर के विकास के अध्ययन के लिए कुल जनसंख्या, घनत्व, प्रवासियों की संख्या, लोगों के व्यवसाय, उनके वेतन, उद्योगों, यातायात और संचार के साधनों से संबंधित आंकड़े आवश्यक होते हैं। इस प्रकार, आंकड़े भौगोलिक विश्लेषण में एक महत्वपूर्ण भूमिका निभाते हैं।

आंकड़ों का प्रस्तुतीकरण

आपने एक व्यक्ति की कहानी सुनी होगी जो अपनी पत्नी और पाँच साल के बच्चे के साथ यात्रा कर रहा था। रास्तें में उसे एक नदी पार करनी थी। सबसे पहले उसने चार बिंदुओं की गहराई 0.6, 0.8, 0.9, 1.5 मीटर के रूप में मापी। उसने औसत गहराई 0.95 मीटर निकाली। उसके बच्चे की लंबाई 1 मीटर थी। इसलिए उसने उसे नदी पार करने के लिए उतार दिया और उसका बच्चा नदी में डूब गया। दूसरे किनारे पर वह चिंतन करता हुआ बैठ गया, ''लेखा-जोखा थाए, तो बच्चा डूबा काहे?'' (बच्चा क्यों डूब गया जब गहराई सभी की पहुँच में थी?) इसे सांख्यिकीय दोष कहते हैं जो कि आपको यथार्थ स्थिति से भ्रमित कर सकता है। इसलिए तथ्यों और आकार को जानने के लिए आंकड़ों को एकत्र करना बहुत आवश्यक है, लेकिन उतना ही महत्वपूर्ण आंकड़ों का प्रस्तुतीकरण है। आज सांख्यिकीय विधियों का उपयोग विश्लेषण, प्रस्तुतीकरण और निष्कर्षों को निकालने में लगभग सभी शास्त्रों में जो कि आंकड़ों का उपयोग करते हैं, एक महत्वपूर्ण भूमिका निभाता है। इससे यह अनुमान लगाया जा सकता है कि परिघटनाओं का सांद्रण भिन्न पाया जाता है। जैसे कि जनसंख्या, वन अथवा यातायात या संचार नेटवर्क न केवल स्थान और समय के अनुसार बल्कि आंकड़ों के

उपयोग से आसानी से समझाया जा सकता है। अन्य शब्दों में, आप कह सकते हैं कि चरों के बीच संबंधों की व्याख्या करने में गुणात्मक विश्लेषण से मात्रात्मक विश्लेषण में स्थानांतरण है। इसलिए इन दिनों विश्लेषणात्मक साधन और तकनीकें, विषय को और अधिक तार्किक बनाने और परिशुद्ध निष्कर्ष प्राप्त करने के लिए अत्यधिक महत्वपूर्ण हो गए हैं। आंकड़ों के एकत्रण और संकलन के आरंभ से ही उनके सारणीयन, संगठन, क्रमबद्धता और संक्रियात्मक विश्लेषण तक जब तक कि निष्कर्ष प्राप्त न हो जाए परिशुद्ध सांख्यिकीय तकनीकों का प्रयोग किया जाता है।

आंकड़ों के स्त्रोत

आंकड़ें निम्नलिखित विधियों से एकत्रित किए जाते हैं– 1. प्राथमिक स्रोत, 2. द्वितीयक स्रोत।

जो आंकड़े प्रथम बार व्यक्तिगत रूप से अथवा व्यक्तियों के समूह संस्था/संगठन द्वारा एकत्रित किए जाते हैं, आंकड़ों के प्राथमिक स्रोत कहलाते हैं। दूसरी तरफ जो आंकड़े किसी प्रकाशित अथवा अप्रकाशित साधनों द्वारा एकत्र किए जाते हैं, द्वितीयक स्रोत कहलाते हैं।

प्राथमिक आंकड़ों के साधन

व्यक्तिगत प्रेक्षण

यह सूचनाओं के उस संग्रह की ओर संकेत करता है जो व्यक्तिगत या व्यक्तियों के समूह द्वारा क्षेत्र में प्रत्यक्ष प्रेक्षण द्वारा एकत्र किया जाता है। क्षेत्र-सर्वेक्षण के द्वारा भू-आकृति के लक्षणों, अपवाह प्रारूप, मिट्टी और प्राकृतिक वनस्पति के प्रकारों के साथ-साथ जनसंख्या संरचना, लिंग अनुपात, साक्षरता, परिवहन और संचार के साधन, नगरीय और ग्रामीण अधिवास आदि के बारे में सूचनाएँ एकत्र की जाती हैं। फिर भी व्यक्तिगत प्रेक्षण करते समय उसमें सम्मिलित व्यक्ति/व्यक्तियों को निष्पक्ष मूल्यांकन के लिए विषय का सैद्धांतिक ज्ञान और वैज्ञानिक दृष्टिकोण होना चाहिए।

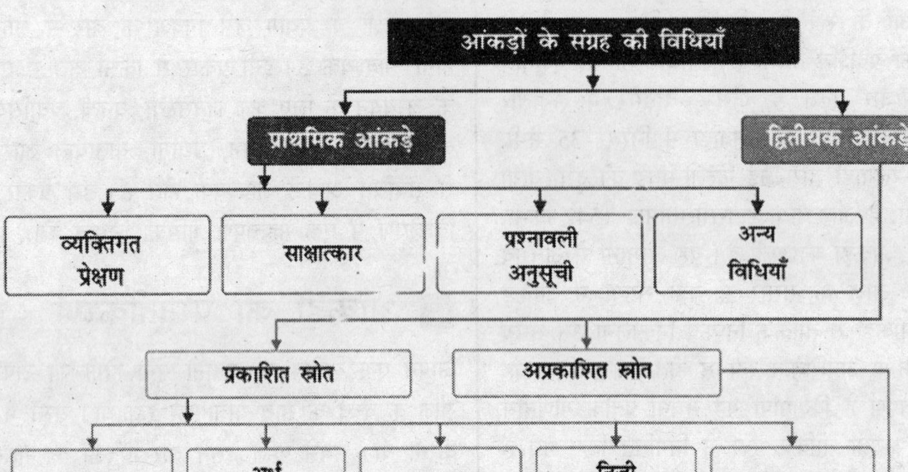

साक्षात्कार

इस विधि में शोधकर्ता उत्तर देने वाले से प्रत्यक्ष सूचना संवाद और बातचीत द्वारा प्राप्त करता है। फिर भी, साक्षात्कारकर्ता को क्षेत्र के लोगों से साक्षात्कार करते समय निम्नलिखित सावधानियों को बरतना चाहिए—

(*i*) लोगों से साक्षात्कार द्वारा जिन सूचनाओं को इकट्ठा करना है, उन विषयों की एक परिशुद्ध सूची तैयार कर लेनी चाहिए।

(*ii*) साक्षात्कार लेने वाले व्यक्ति/व्यक्तियों को सर्वेक्षण के उद्देश्यों के बारे में स्पष्ट जानकारी होनी चाहिए।

(*iii*) कोई भी संवेदनशील प्रश्न पूछने से पहले, उत्तर देने वालों को विश्वास में लेना चाहिए और उसे यह विश्वास दिलाना चाहिए कि गोपनीयता बनाई रखी जाएगी।

(*iv*) अनुकूल वातावरण होना चाहिए जिससे उत्तर देने वाला बिना झिझक के तथ्यों को स्पष्ट कर सके।

(*v*) प्रश्नों की भाषा साधारण और शिष्ट होनी चाहिए जिससे उत्तर देने वाला प्रेरित होकर सहज ही प्रश्नों से संबंधित सूचना देने के लिए सहमत हो जाए।

(*vi*) ऐसे प्रश्नों को पूछने से बचना चाहिए जिससे उत्तर देने वालों के आत्मसम्मान अथवा धार्मिक भावनाओं को ठेस न पहुँचे।

(*vii*) साक्षात्कार के अंत में उत्तर देने वालों से पूछना चाहिए कि वह जो सूचना दे चुके हैं, इसके अतिरिक्त और क्या जानकारी दे सकते हैं?

(*viii*) उन्हें आपके लिए अपना बहुमूल्य समय प्रदान करने के लिए धन्यवाद और कृतज्ञता ज्ञापित करनी चाहिए।

प्रश्नावली अनुसूची

इस विधि में, साधारण प्रश्नों और उनके संभावित उत्तर एक सादे कागज पर लिखे रहते हैं और उत्तर देने वालों को दिए गए विकल्पों में से सही उत्तर पर निशान लगाना होता है। कई बार प्रश्नावली में संरचनात्मक प्रश्नों का एक समूह लिखा रहता है और उत्तर देने वालों के विचार जानने के लिए पर्याप्त स्थान दिया रहता है। यदि केवल वृत्तांत प्रश्नों के माध्यम से लोगों के विचारों को एकत्र करने की जरूरत है तो इसे प्रश्नावली कहते हैं। प्रश्नावली में सर्वेक्षण के उद्देश्य स्पष्ट रूप से उल्लिखित होने चाहिए। यह विधि बड़े क्षेत्र के सर्वेक्षण के लिए उपयोगी होती है। प्रश्नावली को दूरवर्ती क्षेत्रों में भी भेजा जा सकता है। इस विधि की सीमा यह है कि आवश्यक सूचनाओं को उपलब्ध कराने के लिए केवल साक्षर और शिक्षित लोगों से ही संपर्क किया जा सकता है। प्रश्नावली से मिलती-जुलती जिसमें जाँच-पड़ताल से जुड़े प्रश्न दिए रहते हैं, उसे अनुसूची कहा जाता है। प्रश्नावली और अनुसूची में केवल यह अंतर होता है कि प्रश्नावली में उत्तर देने वाला प्रश्नावलियों को स्वयं भरता है जबकि सूची में परिगणक उत्तर देने वाले से प्रश्न पूछकर स्वयं भरता है। प्रश्नावली की तुलना में अनुसूची का मुख्य लाभ यह है कि इसके द्वारा सूचना शिक्षित और अशिक्षित दोनों ही उत्तर देने वालों से एकत्र की जा सकती हैं। एक अनुसूची को भरने के लिए गणनाकर्ता को पूरी तरह प्रशिक्षित होना चाहिए।

अन्य विधियाँ

मृदा और जल के गुणों से संबंधित आंकड़े सीधे क्षेत्रों से, मृदा किट और जल गुणवत्ता किट का उपयोग करते हुए उनकी विशेषताओं को माप कर एकत्र किए जाते हैं। इसी तरह क्षेत्र-वैज्ञानिक के उपयोग से फसलों और वनस्पति के स्वास्थ्य के बारे में आंकड़े इकट्ठे किए जाते हैं।

आंकड़ों के द्वितीयक स्रोत

द्वितीयक स्रोतों के अंतर्गत आंकड़ों के प्रकाशित और अप्रकाशित स्रोत आते हैं जिनमें सरकारी प्रकाशन, प्रलेख और रिपोर्टें सम्मिलित किए जाते हैं।

प्रकाशित साधन

- **सरकारी प्रकाशनः** विभिन्न मंत्रालयों और भारत सरकार के विभागों, राज्यों सरकारों के प्रकाशन और जिलों के बुलेटिन द्वितीयक सूचनाओं के महत्वपूर्ण साधन हैं। इनके अंतर्गत भारत के महापंजीयक कार्यालय द्वारा प्रकाशित भारत की जनगणना, राष्ट्रीय प्रतिदर्श सर्वेक्षण की रिपोर्टें, भारतीय मौसम विज्ञान विभाग की मौसम रिपोर्ट, राज्य सरकारों द्वारा प्रकाशित सांख्यिकीय सारांश और विभिन्न आयोगों द्वारा प्रकाशित आवधिक रिपोर्टें सम्मिलित किए जाते हैं।
- **अर्ध सरकारी प्रकाशनः** इस श्रेणी के अंतर्गत नगर विकास प्राधिकरणों और विभिन्न नगरों और शहरों के नगर-निगमों और जिला परिषदों के प्रकाशन और रिपोर्ट आते हैं।
- **अंतर्राष्ट्रीय प्रकाशनः** अंतर्राष्ट्रीय प्रकाशनों के अंतर्गत वार्षिकी, संयुक्त राष्ट्र के विभिन्न अभिकरणों जैसे—संयुक्त राष्ट्र अभिकरण, वैज्ञानिक तथा सांस्कृतिक संगठन (यूनेस्को), संयुक्त राष्ट्र विकास कार्यक्रम (यू.एन.डी.पी.), विश्व स्वास्थ्य संगठन (डब्ल्यू.एच.ओ.) खाद्य व कृषि परिषद् (एफ.ए.ओ.) आदि द्वारा प्रकाशित रिपोर्ट और मोनोग्राफ सम्मिलित किए जाते हैं। संयुक्त राष्ट्र के कुछ महत्वपूर्ण प्रकाशन जो आवधिक छपते हैं, वे हैं—डेमोग्राफिक इयर बुक, स्टैटिस्टीकल इयर बुक और मानव विकास रिपोर्ट।
- **निजी प्रकाशनः** इस श्रेणी के अंतर्गत समाचार-पत्र और निजी संस्थाओं द्वारा प्रकाशित वार्षिकी पुस्तिका, सर्वेक्षण शोध रिपोर्ट और प्रबंध आते हैं।
- **समाचार-पत्र और पत्रिकाएँः** दैनिक समाचारपत्र और साप्ताहिक, पाक्षिक और मासिक पत्रिकाएँ द्वितीयक आंकड़ों के आसानी से प्राप्य स्रोत हैं।
- **इलेक्ट्रॉनिकः** यह स्रोत वर्तमान में इलेक्ट्रॉनिक माध्यम विशेषकर इंटरनेट, द्वितीयक आंकड़ों का एक महत्वपूर्ण स्रोत बनकर उभरा है।

अप्रकाशित साधन

- **सरकारी प्रलेखः** द्वितीयक आंकड़ों के अन्य स्रोत अप्रकाशित रिपोर्टें, मोनोग्राफ और प्रलेख हैं। ये प्रलेख सरकार के विभिन्न स्तरों पर अप्रकाशित रिकॉर्ड के रूप में तैयार किए और अनुरक्षित रखे जाते हैं। उदाहरण के लिए, गाँव के स्तर पर, राजस्व अभिलेख गाँव के पटवारियों के द्वारा बनाए जाते हैं जो एक गाँव स्तर की सूचना के महत्वपूर्ण साधन हैं।
- **अर्ध सरकारी प्रलेखः** अर्ध सरकारी प्रलेखों में, विभिन्न नगर निगम, जिला परिषदों और लोक सेवा विभागों द्वारा तैयार और अनुरक्षित की गई आवधिक रिपोर्टें और विकास योजनाएँ सम्मिलित की जाती हैं।
- **निजी प्रलेखः** इसके अंतर्गत कंपनियों, व्यापार संघों, विभिन्न राजनैतिक और अराजनैतिक संगठनों और निवासीय कल्याण संघों के अप्रकाशित रिपोर्ट और रिकॉर्ड सम्मिलित किए जाते हैं।

प्राथमिक तथा द्वितीयक आँकड़ों में अन्तर

	प्राथमिक आँकड़े	द्वितीयक आँकड़े
●	प्राथमिक आँकड़े मौलिक रूप से एकत्र किए जाते हैं	द्वितीयक आँकड़े पहले से ही मौजूद होते हैं। अतः द्वितीयक आँकड़े मौलिक नहीं हो सकते हैं।
●	प्राथमिक आँकड़े एक बार प्रयोग होने के उपरान्त द्वितीयक हो जाते हैं	द्वितीयक आँकड़े कभी भी प्राथमिक नहीं हो सकते हैं।
●	प्राथमिक आँकड़ों को एकत्र करने में समय लगता है	द्वितीयक आँकड़े बहुत कम समय में एकत्रित कर लिए जाते हैं
●	किसी संस्था द्वारा प्रयोग किए गए प्राथमिक आँकड़े केवल एक बार ही प्राथमिक रह जाते हैं	द्वितीयक आँकड़े किसी भी संस्था द्वारा कितनी बार भी प्रयोग में लाए जा सकते हैं
●	प्राथमिक आँकड़ों का संकलन व्ययपूर्ण है	द्वितीयक आँकड़ों का संकलन मितव्ययी है

आंकड़ों की प्राप्ति

जब कोई व्यक्ति, सरकारी संस्था या कम्पनी आंकड़ों को उपकरणों, सॉफ्टवेयर और हार्डवेयर के द्वारा एकत्र कर लेती है, ताकि भविष्य में समय-समय पर उसका सही उपयोग करके जानकारी ली जा सके। मुख्यतः ऐसे सॉफ्टवेयर बड़ी कम्पनियों और सरकारी संस्थाओं में होते हैं जिनका कम्प्यूटर के माध्यम से प्रयोग किया जाता है। इसमें इन आंकड़ों को संकेत में बदलकर कम्प्यूटर से जानकारी ली जाती है। इसका उपयोग तापमान, प्रकाश, ऊर्जा और ध्वनि आदि से संबंधित जानकारी के लिए किया जाता है। जैसे-मौसम विभाग ने अपने यहाँ ऐसे उपकरण लगा रखे हैं, जो मौसम में होने वाले बदलावों को कम्प्यूटर के जरिए सूचना में बदलकर जानकारी उपलब्ध कराता है, कि आज का मौसम कैसा है, कहाँ पर वर्षा की सम्भावना और किस स्थान पर तथा उसका वेग (गति) का क्या अनुमान है आदि।

आंकड़ों का वर्गीकरण

आंकड़ों को एकत्र करने से सही निष्कर्ष नहीं निकाला जा सकता है, जब तक कि हम उन आंकड़ों को सही ढंग से व्यवस्थित न कर लें। आंकड़ों के वर्गीकरण के अंतर्गत इन्हें किसी निश्चित क्रम में या समूहों के आधार पर इस प्रकार व्यवस्थित करना होता है, ताकि आसानी से समझ आ सके। आंकड़ों को समूहों में वर्गीकृत करने के लिए एक निश्चित पैमाना तय करना होता है, जिसके आधार पर इन्हें वर्गीकृत किया जाता है। आंकड़ों को चार भागों में वर्गीकृत किया जा सकता है : 1. गुणात्मक आंकड़े, 2. मात्रात्मक आंकड़े, 3. भौगोलिक आंकड़े, 4. कालक्रमबद्ध आंकड़े।

- **मात्रात्मक आंकड़े :** यह विभिन्न स्केलों के अनुप्रयोग से प्राप्त होते हैं। व्यक्तियों के अनुभवों को मानकीकृत उत्तरों में फिट करके उन्हें संख्यात्मक मान दे दिए जाते हैं। यह आंकड़े संवृत होते हैं और कोई गहराई या विवरण प्रदान नहीं करते। मात्रात्मक आंकड़े प्राचलिक (Parametric) या अप्राचलिक (Non-parametric) होते हैं। प्राचलिक आंकड़े अंतराल या अनुपाती स्केलों पर मापे जाते हैं। अप्राचलिक आंकड़े, मापने के सामान्य स्केलों या क्रमसूचक स्केलों के अनुप्रयोग से प्राप्त होते हैं। यह आंकड़े या तो गिने जाते हैं या कोटि स्थिति प्रदर्शित करते हैं।
- **गुणात्मक आंकड़े :** यह आंकड़े मौखिक या सांकेतिक सामग्री होते हैं। प्रेक्षित व्यवहार, व्यक्तियों, स्थितियों, घटनाओं के वर्णन इसके कुछ उदाहरण हैं। विवृतांत प्रश्नावली व अनुसूची प्रश्नों के उत्तर, व्यक्तियों के अपने अनुभवों की सूचनाएँ, विचार, धारणाएँ आदि तथा प्रलेखों के चयनित उद्धरण, केस इतिहास, व्यक्तिगत डायरी तथा पत्र, गुणात्मक आंकड़ों के अन्य उदाहरण हैं।
- **भौगोलिक वर्गीकरण :** एकत्रित किए गए आंकड़ों को स्थान या भौगोलिक स्थिति के अनुसार (जैसे–देश, प्रदेश, शहर, जिला आदि) वर्गीकृत किया जाता है। ये आंकड़े संदर्भ के लिए वर्णानुक्रम से व संख्या-माप के आधार पर व्यवस्थित किए जा सकते हैं। इनसे तुलनात्मक अध्ययन में सहायता मिलती है। उदाहरण के लिए विभिन्न प्रान्तों अथवा किसी एक प्रान्त के जिलों में जनसंख्या का वर्गीकरण भौगोलिक वर्गीकरण कहलाता है।
- **कालक्रमानुसार वर्गीकरण :** जब आंकड़ों का वर्गीकरण अवधि या काल (वर्ष, माह, सप्ताह आदि) के अनुसार किया जाता है, तब उसे कालक्रमानुसार वर्गीकरण कहते हैं। सामान्यतया आंकड़ों को चढ़ते हुए क्रम में व्यवस्थित किया जाता है किन्तु कुछ वर्गीकरणों में आंकड़े उतरते हुए क्रम में भी व्यवस्थित किए जा सकते हैं।

भारत की जनसंख्या

वर्ष	1961	1971	1981	1991	2001	2011
जनसंख्या (करोड़ों में)	43.8	54.6	68.4	81.8	102.7	121

आंकड़ों का चित्रवत वर्णन
(Graphical Representation of Data)

आंकड़ों को कई तरीकों से क्रमिक एवं निरूपित किया जा सकता है। उदाहरण के लिए–सारणी, पिक्टोग्राम, बार चार्ट, हिस्टोग्राम, पाई चार्ट, लाइन ग्राफ। कई बार आंकड़े एक से अधिक तालिका, पाई चार्ट आदि में भी हो सकते हैं। इनका उद्देश्य न केवल मात्रात्मक कोशिका परीक्षण है बल्कि तुलनात्मक और विश्लेषणात्मक कौशल का पता लगाना भी है।

सारणी

सारणी सारणीयन प्रक्रिया का परिणाम है। सारणीयन में आँकड़ों को पंक्तियों तथा कॉलमों में व्यवस्थित किया जाता है जिसके परिणामस्वरूप सारणी तैयार होती है। सारणीयन वास्तव में आंकड़ों को खानों व पंक्तियों में प्रस्तुत करने की विधि है जिससे आंकड़ों की विशेषताओं को स्पष्ट किया जाता है। सारणी इस प्रकार से बनाई जाती है कि अनुसंधान से संबंधित प्रत्येक पटल पर प्रकाश पड़ता हो एवं निष्कर्ष निकालने व तुलना करने में आसानी हो।

- ब्लेयर के अनुसार, "सारणीयन विस्तृत अर्थों में कॉलमों और पंक्तियों के रूप में आंकड़ों की क्रमबद्ध व्यवस्था है।"
- बाउले के अनुसार, "सारणीयन वह सांखियकीय क्रिया है जो उपलब्ध संकलित सामग्री से अंतिम तर्कसंगत परिणाम निकालने के लिए की जाती है।"

उपर्युक्त परिभाषाओं से स्पष्ट है कि सारणीयन सामग्री को व्यवस्थित करने की वह प्रक्रिया है जो सामग्री के अन्दर संक्षिप्तता एवं स्पष्टता लाती है और साथ ही साथ सामग्री को अन्तिम विश्लेषण के योग्य बनाती है।

सारणीयन का महत्व

सारणीयन का महत्व निम्नलिखित है :

- **पर्याप्त किन्तु छोटा आकार :** सारणी का आकार न बहुत छोटा और न ही बहुत बड़ा होना चाहिए। सारणी में बहुत अधिक विवरण नहीं दिया जाना चाहिए। सारणी का आकार बहुत बड़ा होने पर यह पाठकों के लिए भ्रम उत्पन्न करती है।
- **आकर्षक :** आंकड़ों को जब सारणी में चित्ताकर्षक ढंग से प्रस्तुत किया जाता है तो वे बहुत प्रभावशाली हो जाते हैं और मस्तिष्क पर उनकी अमिट छाप पड़ती है।
- **आंकड़ों का सरलीकरण :** सारणीयन की सहायता से सांख्यिकीय तथ्यों को इस प्रकार प्रस्तुत किया जाता है कि इसे समझने में सरलता होती है और जटिल एवं विस्तृत सामग्री सरल बन जाती है।
- **समय की बचत :** इसमें स्थान व समय की बचत होती है क्योंकि अधिक-से-अधिक सूचना कम-से-कम स्थान में दिखाई जा सकती है।
- **समस्या का ज्ञान :** सारणी समस्या के ज्ञान को सरल एवं स्पष्ट रूप में प्रस्तुत करती है। यह आंकड़ों के प्रस्तुतीकरण की समस्या को सरल बनाती है।
- **तुलना में सहायक :** सारणियों में जब सामग्री को निकटवर्ती खानों में रखा जाता है तो उनका तुलनात्मक अध्ययन आसानी से हो जाता है।
- **अशुद्धियों की जाँच :** सारणीयन की सहायता से गणना करना सरल हो जाता है और शुद्धियाँ भी ठीक हो जाती हैं।

सारणी के भाग

एक सांख्यिकीय सारणी के मुख्य भाग निम्नलिखित हैं :

- **सारणी संख्या :** सारणी के सबसे ऊपर उसकी संख्या दी जाती है। इससे सारणी ढूँढने में सहायता मिलती है।
- **शीर्षक :** संख्या के पश्चात् सारणी का शीर्षक लिखा जाता है। शीर्षक संक्षिप्त, स्पष्ट तथा पूर्ण होना चाहिए।
- **शीर्ष टिप्पणी :** इसमें वह अतिरिक्त सूचना दी जाती है जो शीर्षक में नहीं दी जा सकती। उदाहरण के लिए, शीर्षक टिप्पणी में यह बताया जाता है कि आंकड़े किस इकाई लाख टन आदि में व्यक्त किए गए हैं। इन्हें कोष्ठक में लिखा जाना चाहिए।
- **पंक्ति शीर्षक :** क्षैतिज पंक्तियों के शीर्षक को पंक्ति शीर्षक या अनुशीर्षक कहते हैं। सरल भाषा में सारणी की पंक्तियों के शीर्षक को पंक्ति शीर्षक कहा जाता है। पंक्ति के कई अन्य उपशीर्षक भी हो सकते हैं।
- **कॉलम शीर्षक :** उदग्र खानों के शीर्षकों को कॉलम शीर्षक या उपशीर्षक कहते हैं। इसके द्वारा यह ज्ञात होता है कि प्रत्येक कॉलम में कौन-से आंकड़े दिखाए जा रहे हैं। उपशीर्षक के अन्तर्गत कई अन्य शीर्षक भी हो सकते हैं। उदाहरण के लिए, छात्रों वाले उपशीर्षक को लड़कों या लड़कियों में बाँटा जा सकता है।
- **सारणी का मुख्य अंग या कलेवर :** सारणाी का यह महत्वपूर्ण भाग है। इस भाग को सारणी का प्राण भी कहा जाता है। इसके द्वारा सारणी में दी गई समस्त सूचनाओं को दर्शाया जाता है। प्रत्येक आंकड़े को कॉलम तथा पंक्ति द्वारा बनाए गए खाने में पृथक्-पृथक् लिखा जाता है।

- **टिप्पणी :** जहाँ तक हो सके, सारणी स्वयं पूर्ण होनी चाहिए परन्तु यदि किसी समंक या शब्द को अधिक स्पष्ट करना है तो सारणी के नीचे एक संक्षिप्त टिप्पणी दी जा सकती है।
- **स्रोत :** प्रत्येक सारणी के अंत में समंकों के सन्दर्भ और स्रोत दिये जाने चाहिए, ताकि मूल आंकड़ों से तुलना की जा सके और अशुद्धियों को ठीक किया जा सके।

आयत चित्र

यह ऐसा सांख्यिकीय ग्राफ है जिसमें आयताकार स्तंभों की ऊँचाई द्वारा यह निरूपित या प्रदर्शित किया जाता है कि किसी प्रतिदर्श या प्रयोग में किसी परिणाम विशेष का प्रत्येक वर्ग कितनी बार आ रहा है। उदाहरणः नीचे की सारणी में किसी शहर में (15-50) आयु-वर्ग के प्रौढ़ व्यक्तियों की संख्या प्रदर्शित की गई है।

आयु वर्ग	व्यक्तियों की संख्या
15-20	200
20-25	350
25-30	475
30-35	600
35-40	750
40-45	900
45-50	100

उपर्युक्त आंकड़े का आयत-चित्र नीचे दिया गया हैः

आयत चित्र

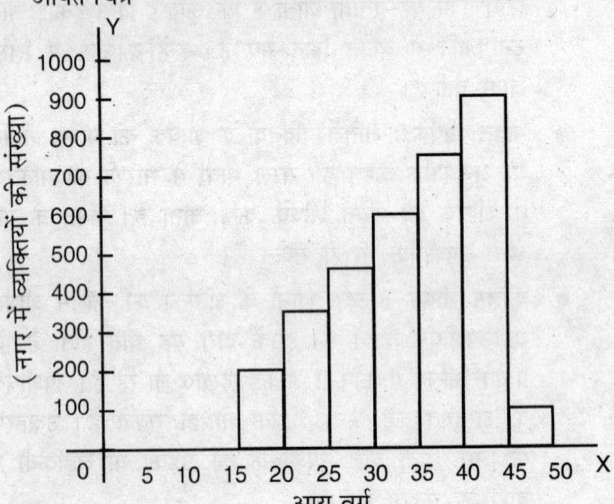

बारंबारता बहुभुज

समान वर्ग-अंतराल के आयत-चित्र में प्रत्येक दो क्रमागत आयतों की ऊपरी भुजाओं के मध्य बिंदुओं को एक रेखाखंड द्वारा मिलाने से प्राप्त आकृति को बारंबारता बहुभुज कहते हैं।

बारंबारता बहुभुज

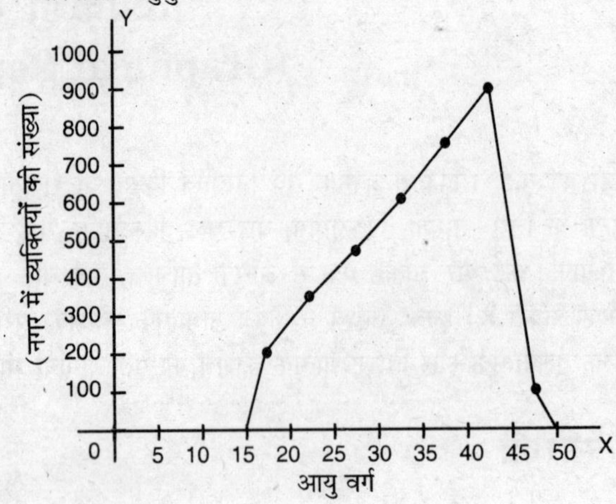

बारंबारता बहुभुज का क्षेत्रफल वही होता है जो उसके संगत आयत चित्र का है। उदाहरण : उपर्युक्त आंकड़े का बारंबारता बहुभुज चित्र में दर्शाया गया है।

दंड चार्ट

यह आंकड़ों का एक ऐसा ग्राफीय निरूपण है जिसमें आंकड़ों के किसी समुच्चय में दी गई राशियों की समानुपाती लंबाइयों के दंड बने होते हैं। इसका प्रयोग तब किया जाता है जबकि किसी एक अक्ष का कोई सांख्यिकीय पैमाना नहीं हो सकता।

उदाहरण के लिए यदि किसी अक्ष द्वारा यह निरूपित किया जाना हो कि मिश्रित बीजों के एक पैकेट से फूलों की अलग-अलग कितनी क्यारियां बनाई जा सकती हैं।

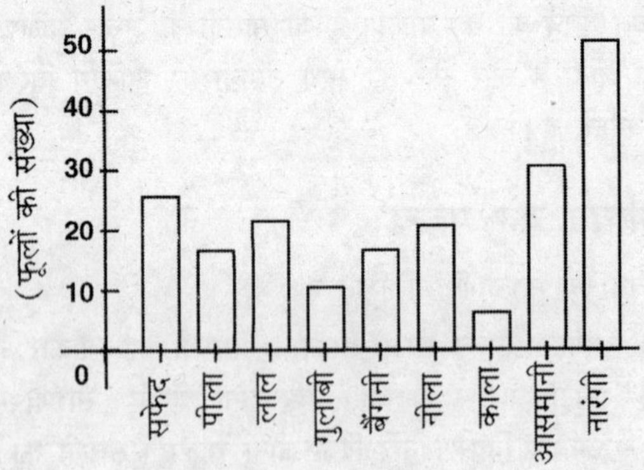

पाई चार्ट

इस प्रकार के आरेख में समानुपातों को किसी वृत्त के त्रिज्यखंडों (sectors) के रूप में प्रदर्शित किया जाता है। त्रिज्यखंडों के सापेक्षिक क्षेत्रफल विभिन्न अनुपातों को निरूपित करते हैं। उदाहरण : यदि 100 सैनिकों में से 25 सैनिक टैंक का, 30 सैनिक युद्धपोतों का, 40 सैनिक वायुयानों का और शेष सैनिक बंदूकों का प्रयोग करते हों तो उपर्युक्त आंकड़े का पाई-चार्ट निम्नवत् होगाः

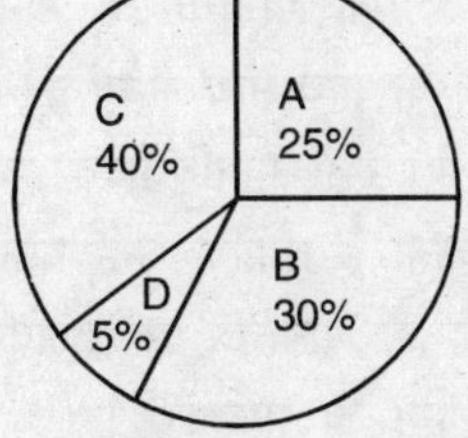

A टैंक का प्रयोग करने वाले सैनिक = $\frac{25 \times 360}{100} = 90°$

B युद्धपोतों का प्रयोग करने वाले सैनिक = $\frac{30 \times 360}{100} = 108°$

C वायुयानों का प्रयोग करने वाले सैनिक = $\frac{40 \times 360}{100} = 144°$

D बंदूकों का प्रयोग करने वाले सैनिक = $\frac{5 \times 360}{100} = 18°$

टेबल चार्ट

आंकड़ों को व्यवस्थित करने के लिए पंक्ति और स्तम्भों का प्रयोग किया जाता है जिसे टेबल चार्ट कहते हैं।

- ब्लेयर के अनुसार "सबसे विस्तृत अर्थ में आंकड़ों की स्तम्भों और पंक्तियों में क्रमबद्ध व्यवस्था को सारणी कहते हैं"।

विगत वर्षों में व्यक्तियों की वार्षिक आय (लाख में)

वर्ष	व्यक्ति			
	A	B	C	D
2021	5.2	3.1	4.2	4.2
2022	7.4	3.2	5.1	2.3
2023	7.8	3.6	5.2	3.4

रेखा चित्र

रेखा चित्र में सीधी रेखाओं के माध्यम से परस्पर जुड़े कई बिन्दु होते हैं। सामान्यतः रेखा चार्ट का उपयोग किसी निश्चित समय अवधि में समंकों में हुए परिवर्तन को दर्शाने के लिए किया जाता है। यह कहा जा सकता है कि एक रेखा चार्ट/बिन्दु प्रदान की गई सूचना को प्रत्यक्ष रेखाओं से जुड़े प्रतिक्रिया बिन्दुओं के रूप में दर्शाता है।

उदाहरणः रेखा चित्र की सहायता से निम्नलिखित समंकों को प्रस्तुत कीजिएः

छात्र	1	2	3	4	5	6
ऊँचाई सेमी. में	192	165	171	189	150	168

हलः छात्रों का X अक्ष पर समान दूरी एवं Y अक्ष पर उनकी ऊँचाई को ध्यान में रखते हुए रेखा चित्र को निम्न प्रकार खींचा गया है :

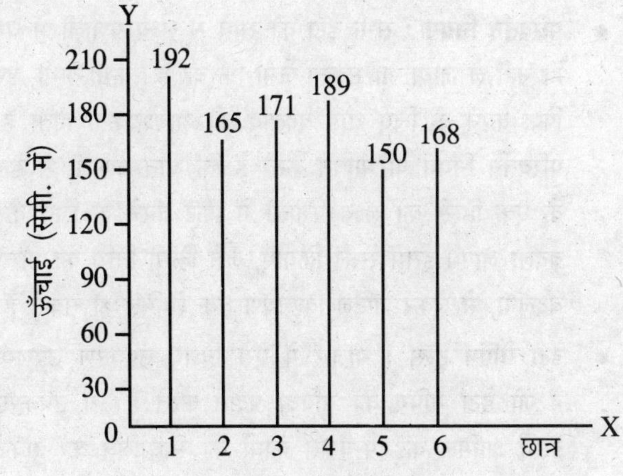

रेखा चित्र

आंकड़ों का मानचित्रण/डेटा मैपिंग

डेटा मैपिंग को एक अलग डेटा स्रोत के लिए एक डेटा फील्ड को दूसरे डेटा स्रोत के दूसरे डेटा फील्ड से जोड़ने की विधि के रूप में संदर्भित करते हैं। डेटा कई स्रोतों से आता है, जहाँ प्रत्येक डेटा स्रोत प्रत्येक डेटा बिंदु को अलग-अलग तरीके से परिभाषित करता है। डेटा मैपिंग किसी भी तरह की डेटा प्रबंधन प्रक्रिया के लिए महत्वपूर्ण है। डेटा मैपिंग एक प्रारूप में डेटा को दूसरे प्रारूप में सिंक करके अंतर को पाटने में मदद करती है। यह स्रोत डेटा फील्ड को लक्ष्य डेटा फील्ड में फिट करने की एक प्रक्रिया है।

डेटा मैप संरचनाओं का अर्थ

डेटा मैप संरचना या मैप डेटा संरचना एक प्रकार की तेज कुंजी लुकअप डेटा संरचना है जो अपने अद्वितीय भागों में अनुक्रमण का एक लचीला साधन प्रदान करती है। डेटा संरचना कुंजी-मूल्य युग्मों के एक समूह को संग्रहीत करती है। इसमें मौजूद प्रत्येक कुंजी अद्वितीय है और मूल्यों तक त्वरित पहुँच की अनुमति देती है। उदाहरण के लिए, एक मानचित्र कक्षा में विद्यार्थियों के ग्रेड संग्रहीत कर सकता है (छात्र का नाम कुंजी है, ग्रेड मूल्य है)।

डेटा मैपिंग के प्रमुख घटक

- **सोर्स सिस्टम :** यह हमारी डेटा यात्रा का शुरुआती बिंदु है। यह मूल डेटाबेस, एप्लिकेशन या फाइल को संदर्भित करता है जहाँ डेटा किसी भी बदलाव को साझा करने से पहले रहता है।
- **लक्ष्य प्रणाली :** डेटा बदलने के बाद, उसे एक गंतव्य की आवश्यकता होती है। लक्ष्य प्रणाली वह लक्ष्य है। यह वह जगह है जहाँ डेटा मैपिंग के बाद रहेगा।
- **डेटा फील्ड और तत्व :** ये डेटा के बारीक टुकड़े हैं जो स्रोत से लक्ष्य सिस्टम तक मैप किए जाते हैं। उदाहरण के लिए, यदि आप किसी पुराने क्लाइंट डेटाबेस से डेटा को नए में माइग्रेट कर रहे हैं, तो डेटा फील्ड में क्लाइंट का नाम, पता, संपर्क नंबर आदि शामिल हो सकते हैं।

- **परिवर्तन नियम :** सभी डेटा को स्रोत से लक्ष्य प्रणाली में वैसे ही नहीं ले जाया जा सकता जैसा कि वह है। कभी-कभी, इसे फिट करने के लिए थोड़े बदलाव की आवश्यकता होती है। परिवर्तन नियम परिभाषित करते हैं कि स्रोत प्रणाली से डेटा के एक हिस्से को लक्ष्य प्रणाली में फिट करने के लिए कैसे बदला जाए। इसमें सरल क्रियाएँ, जैसे किसी तिथि का प्रारूप बदलना, से लेकर जटिल विश्लेषण तक शामिल हो सकते हैं।
- **डेटा मैपिंग टूल्स :** बाजार में ऐसे विशेष उपकरण उपलब्ध हैं जो डेटा मैपिंग की सुविधा प्रदान करते हैं। ये उपकरण इसमें शामिल कई मैन्युअल कार्यों को स्वचालित कर सकते हैं, जिससे प्रक्रिया तेज हो जाती है और मानवीय त्रुटियों की संभावना कम हो जाती है। उदाहरणों में टैलेंड, इंफॉर्मेटिका पावरसेंटर और माइक्रोसॉफ्ट एसएसआईएस शामिल हैं।
- **मेटाडेटा :** यह डेटा के बारे में डेटा है। मेटाडेटा संदर्भ प्रदान करता है, जिससे डेटा की उत्पत्ति, लक्ष्य और विशेषताओं को समझना आसान हो जाता है। डेटा मैपिंग में, मेटाडेटा डेटा के स्रोत, परिवर्तन नियमों और लक्ष्य प्रणाली में स्थान के बारे में जानकारी प्रदान कर सकता है।
- **डेटा की गुणवत्ता :** मैपिंग के बाद, यह सुनिश्चित करना महत्वपूर्ण है कि लक्ष्य प्रणाली में डेटा वास्तविक, प्रासंगिक और उपयोग करने योग्य है। इसमें असंगतियों, गुम मानों या अन्य विषमताओं की जाँच करना शामिल है जो मैपिंग प्रक्रिया के दौरान सामने आ सकती हैं।
- **दस्तावेजीकरण :** अंतिम लेकिन कम महत्वपूर्ण नहीं, दस्तावेजीकरण महत्वपूर्ण है। इसमें मैपिंग विनिर्देश, परिवर्तन नियम और मैपिंग प्रक्रिया के बारे में अन्य महत्वपूर्ण नोट्स शामिल हैं। उचित दस्तावेजीकरण स्पष्टता सुनिश्चित करता है, समस्या निवारण को आसान बनाता है, और भविष्य की मैपिंग के लिए आधार प्रदान करता है।

डेटा मैप के प्रकार

डेटा मैप के प्रमुख प्रकार निम्नलिखित हैं :

- **बिन्दु मानचित्र :** बिन्दु मानचित्र वे मानचित्र होते हैं जिनका उपयोग भौगोलिक जानकारी के व्यापक वितरण के साथ डेटा प्रदर्शित करने के लिए व्यापक रूप से किया जाता है। अधिक सटीकता और तीव्र स्थिति निर्धारण के लिए बिंदु मानचित्रों का उपयोग किया जा सकता है। बिन्दु मानचित्रों का उपयोग दुर्घटनाओं और गंभीर घटनाओं जैसी विशिष्ट घटनाओं को चित्रों, पाठ्य सामग्री आदि के साथ चिह्नित करने के लिए भी किया जाता है।
- **लाइन मैप्स :** रेखा मानचित्र वे मानचित्र होते हैं जिनका उपयोग स्थान के साथ-साथ समय को प्रदर्शित करने के लिए किया जाता है। रेखा मानचित्रों का व्यापक रूप से उपयोग नहीं किया जाता है क्योंकि उन्हें बनाना बहुत कठिन होता है। इस तरह के मानचित्र से ड्राइविंग या सवारी के कई मार्गों को दर्शाया जा सकता है।
- **क्षेत्रीय मानचित्र :** क्षेत्रीय मानचित्रों को भरने वाले मानचित्र भी कहा जाता है। ये मानचित्र किसी देश, राज्य, शहर, प्रांत आदि के क्षेत्रफल और आकार को मानचित्रों पर रंगों की छायाओं के माध्यम से दर्शाते हैं। विभिन्न विशेषताओं को दर्शाने के लिए अलग-अलग रंगों का इस्तेमाल किया जाता है।
- **प्रवाह मानचित्र :** प्रवाह मानचित्र वे होते हैं जिनका उपयोग डेटा के उद्‌गम-से-गंतव्य प्रवाह को दर्शाने के लिए किया जाता है, जो बिंदु या सतह हो सकते हैं। मूल स्थान से गंतव्य स्थान तक के डेटा को मूल स्थान के गुरुत्वाकर्षण केंद्र को गंतव्य स्थान से जोड़ने वाली रेखाओं के माध्यम से दर्शाया जा सकता है। मानचित्र पर प्रत्येक बिंदु या तो उद्‌गम स्थान है या फिर गंतव्य।
- **हीटमैप :** हीटमैप ऐसे मानचित्र होते हैं जो भौगोलिक सीमा में प्रत्येक बिंदु का भार दिखाते हैं। दर्शाए जाने वाले क्षेत्र को धुंधले विशेष हाइलाइट रंग द्वारा दर्शाया जाता है जिसमें गहरा रंग हल्के रंग वाले क्षेत्र की तुलना में खराब वायु गुणवत्ता वाले क्षेत्र को दर्शाता है।
- **हीट प्वाइंट मानचित्र :** हीट प्वाइंट मैप, हीट मैप और पॉइंट मैप का संयोजन है। हीटमैप की तुलना में हीट पॉइंट मैप की सटीकता अधिक होती है। हीट पॉइंट मैप में, पॉइंट वास्तव में वृत्त होते हैं जो एक दूसरे के साथ ओवरलैप हो सकते हैं।
- **समय स्थान वितरण मानचित्र :** समय-स्थान वितरण मानचित्र वह मानचित्र है जो मानचित्र पर प्रत्येक बिंदु का समय और स्थानिक वितरण दिखाता है। इसका उपयोग GPS भौगोलिक ट्रैकिंग में भी किया जाता है।
- **डेटा स्पेस वितरण मानचित्र :** डेटा स्पेस डिस्ट्रीब्यूशन मैप रेल ट्रांजिट में यात्री प्रवाह को दिखाने में बहुत उपयोगी है। यहाँ इस मैप में, अलग-अलग रंग अलग-अलग लाइनों की पहचान करते हैं। इन लाइनों की मोटाई अलग-अलग स्टेशनों पर ट्रैफिक की मात्रा को दर्शाती है। लाइन जितनी मोटी होगी, ट्रैफिक उतना ही ज्यादा होगा।
- **त्रि-आयामी आयताकार मानचित्र :** त्रि-आयामी आयताकार मानचित्र बिंदु मानचित्र का एक उच्च संस्करण है जिसमें बिंदु अलग-अलग आकार में भिन्न हो सकते हैं जैसे कि

3-आयामी आयत। आकृतियाँ विभिन्न संरचनाओं को दर्शा सकती हैं, जैसे कि इमारतें, पेड़, आदि।

- **कस्टमर मानचित्र :** जैसा कि नाम से पता चलता है, ग्राहक मानचित्र किसी व्यक्ति के अपने डिजाइन का प्रतिनिधित्व है। यह कुछ डेटा विश्लेषण और दृश्य डिजाइन के बाद किया जाता है। इसे किसी व्यक्ति की अपनी जरूरतों और आवश्यकताओं के अनुसार अनुकूलित किया जा सकता है।

मानचित्रण के लिए डेटा संग्रह के तरीके

मानचित्रण के लिए डेटा एकत्र करने के लिए कई डेटा संग्रह विधियों का उपयोग किया जा सकता है। इनमें से कुछ निम्नलिखित हैं :

- **साहित्य समीक्षा :** यह एक डेटा संग्रह उपकरण है जिसमें पहले से उपलब्ध डेटा का अध्ययन किया जाता है, और आवश्यक विवरण निकाला जाता है। जैसे किताबें, पत्रिकाएँ, आदि।
- **सर्वेक्षण :** यह एक प्रकार का डेटा संग्रह उपकरण है जिसमें किसी निश्चित विषय पर कई व्यक्तियों की प्रतिक्रियाओं को एकत्रित करके डेटा एकत्र किया जाता है, और फिर एकत्र किए गए डेटा का विश्लेषण किया जाता है।
- **साक्षात्कार :** यह एक प्रकार का डेटा संग्रह उपकरण है जिसमें उत्तरदाताओं के साथ बहुत अधिक भागीदारी होती है। फिर, उनसे किसी विशेष विषय पर उनकी राय पूछी जाती है, और फिर आगे के अध्ययन के लिए उनके जवाबों का वीडियो बनाया जाता है।
- **अवलोकन :** इसमें उत्तरदाताओं से सीधे प्रश्न नहीं पूछे जाते। इसके बजाय, उन्हें उनकी स्वाभाविक गतिविधियों के प्रवाह में ही देखा जाता है, तथा उनकी प्रतिक्रियाओं को एक पर्यवेक्षक द्वारा देखा जाता है, तथा फिर एकत्र किए गए आंकड़ों का आगे अध्ययन किया जाता है।
- **प्रयोग :** यह एक प्रकार का डेटा संग्रह उपकरण है जिसमें एक या कई चरों पर एक से अधिक चरों के प्रभाव को देखने के लिए प्रयोग किए जाते हैं, और फिर परिणाम का मूल्यांकन किया जाता है।

आंकड़े और सुशासन (Data and Governance)

आंकड़े और सुशासन संगठनात्मक निकायों, नियमों, निर्णयों, अधिकारों तथा लोगों की सूचना प्रणालियों के लिए उत्तरदायी है। यह उभरते हुए सुशासन के लिए एक उत्तम शब्द है, जिसमें आंकड़े प्रबंधन, आंकड़े की गुणवत्ता, व्यवसाय प्रक्रिया प्रबंधन इत्यादि के लिए विभिन्न अभ्यास शामिल हैं। आंकड़े एवं सुशासन का लक्ष्य यह है कि आंकड़े एक स्थाई तरीके से संगठनात्मक उद्देश्यों की पूर्ति करता है।

विकीपीडिया के अनुसार, आंकड़े एवं सुशासन लोगों, प्रक्रियाओं और सूचना प्रौद्योगिकी को शामिल करता है, जो व्यावसायिक उद्यम में एक संगठन के आंकड़े का सुसंगत तथा उचित संचालन के लिए आवश्यक है।

आंकड़े और सुशासन में ''सुशासन'' का अर्थ है, आंकड़ों को व्यवस्थित ढंग से संचालित करना। कोई भी व्यक्ति या कम्पनी, या संस्था किसी आंकड़े को बहुत ही महत्वपूर्ण ढंग से सुरक्षित रखता है, ताकि भविष्य में उसका प्रयोग कर सके। कोई भी आंकड़ा पुराने वर्ष या आगामी वर्षों में तुलनात्मक अध्ययन करने के काम में आता है। इन्हीं आंकड़ों के आधार पर कई संस्थाएँ या कम्पनियाँ वर्षों के लाभ, हानि, उत्पादन आदि का अध्ययन करती हैं। यह आंकड़े सुस्पष्ट और सत्य होने चाहिए, ताकि उसके आधार पर लिए गए निर्णय उपयोगी हों।

वर्तमान समय में किसी भी देश के विकास के लिए होने वाले बदलावों में आंकड़ों का प्रयोग किया जाता है। कोई भी देश किसी भी क्षेत्र में बदलाव के लिए आंकड़ों पर निर्भर होता है, जिसकी सहायता से उन बदलावों को नया रूप दिया जाता है। आज का पूरा विश्व 21वीं सदी के बदलावों से होकर गुजर रहा है, जिसमें जनसंख्या, आर्थिक स्थिति, मौसम की जानकारी, करारोपण, आय एवं व्यय की सभी जानकारियाँ आंकड़ों के आधार पर उपलब्ध होती हैं।

प्रत्येक देश में इस प्रकार के आंकड़े उसके लिए अहम होते हैं। आज के युग में सभी आंकड़ों को कम्प्यूटरीकृत किया जाता है, ताकि वह सुरक्षित हों, तथा कम्प्यूटर की मदद से उसका गणनात्मक उपयोग किया जा सके। समाज के विभिन्न वर्गों, क्षेत्रों में चलाई जा रही कल्याणकारी योजनाओं-परियोजनाओं, कार्यक्रमों की मासिक, छः मासिक, वार्षिक और पंचवर्षीय या दीर्घकालिक योजनाएँ उसके प्रगति के तुलनात्मक आंकड़ों का प्रदर्शन और प्रस्तुतिकरण सुशासन के लिए आवश्यक अंग बन गया है। इस प्रक्रिया के द्वारा आम जनता को एवं समाज के विभिन्न समुदायों को आसानी से समझाया जा सकता है। शिक्षा, स्वास्थ्य, सड़क, परिवहन, पेयजल, आवास इत्यादि की आधारभूत सेवाओं के आंकड़े प्रशासन को पारदर्शी, प्रभावशाली और विकास उन्मुख बनाने के लिए कार्य में लिए जाते हैं।

अभ्यास प्रश्न

निर्देश (प्र. सं. 1–5): *सभी प्रश्न दिये गये पाई-चार्ट पर आधारित हैं।* सात विभिन्न संस्थानों A, B, C, D, E, F तथा G में कला और वाणिज्य का अध्ययन करने वाले छात्रों का प्रतिशत बंटन निम्न प्रकार है।

कला में कुल अध्ययन करने वाले छात्रों की संख्या = 3800

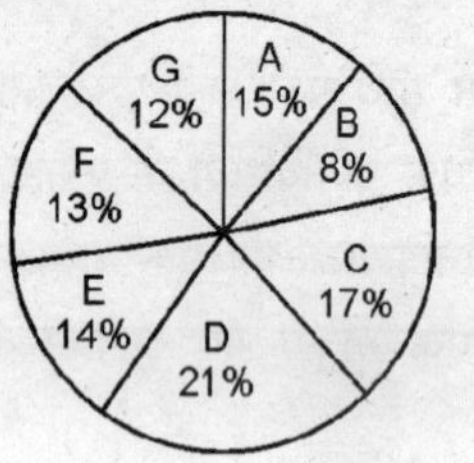

वाणिज्य में अध्ययन करने वाले कुल छात्रों की संख्या = 4200

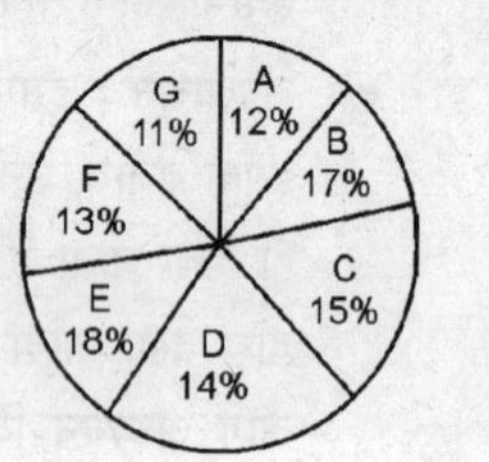

1. A और G दोनों संस्थानों में कला का अध्ययन करने वाले छात्रों की कुल संख्या कितनी है?
A. 1026 B. 1126
C. 1226 D. 1206

2. संस्थान B में कला और वाणिज्य का अध्ययन करने वाले छात्रों की संख्या कितनी है?
A. 1180 B. 1108
C. 1018 D. 1208

3. संस्थान E में कला तथा वाणिज्य का अध्ययन करने वाले छात्रों का क्रमशः अनुपात है:
A. 27 : 14 B. 19 : 27
C. 19 : 16 D. 19 : 28

4. संस्थान E में कला का अध्ययन करने वाले तथा संस्थान D में वाणिज्य का अध्ययन करने वाले छात्रों का अनुपात है:
A. 12 : 17 B. 12 : 7
C. 19 : 21 D. 17 : 19

5. संस्थान B और D में मिलाकर वाणिज्य का अध्ययन करने वाले छात्रों की संख्या कितनी है?
A. 1320 B. 1302
C. 1202 D. 1220

निर्देश (प्र. सं. 6–10): *नीचे दी गई सारणी का सावधानीपूर्वक अध्ययन करके प्रश्नों का उत्तर दीजिए।*

6 छात्रों द्वारा 6 विभिन्न विषयों में प्राप्त अंकों का प्रतिशत

छात्र	विषय					
	इतिहास (कुल अंक 50)	भूगोल (कुल अंक 50)	गणित (कुल अंक 150)	विज्ञान (कुल अंक 100)	अंग्रेजी (कुल अंक 75)	हिन्दी (कुल अंक 75)
अमित	76	85	69	73	64	88
भारत	84	80	85	78	73	92
उमेश	82	67	92	87	69	76
निखिल	73	72	78	69	58	83
प्रतीक्षा	68	79	64	91	66	65
रीतेश	79	87	88	93	82	72

6. सभी विषयों को मिलाकर उमेश द्वारा प्राप्त अंकों का प्रतिशत कितना है?
A. 80% B. 84%
C. 86% D. 78%

7. सभी छात्रों द्वारा हिन्दी में प्राप्त प्रतिशत अंकों का औसत कितना है?
A. 77.45% B. 79.33%
C. 75.52% D. 73.52%

8. गणित में सभी छात्रों के अंकों का औसत कितना है?
A. 128 B. 112
C. 119 D. 138

9. भूगोल में सभी छात्रों द्वारा प्राप्त अंकों का औसत कितना है?
A. 38.26 B. 37.26
C. 37.16 D. 39.16

10. सभी विषयों में प्रतीक्षा द्वारा प्राप्त कुल अंक कितने हैं?
A. 401.75 B. 410.75
C. 402.75 D. इनमें से कोई नहीं

निर्देश (प्र.सं. 11–15): *नीचे दिये गये दण्ड आरेख और सारणी का सावधानीपूर्वक अध्ययन करें तथा निम्न प्रश्नों का उत्तर दीजिए।*

पाँच कम्पनियों (A, B, C, D तथा E) में काम करने वाले कर्मचारियों की संख्या

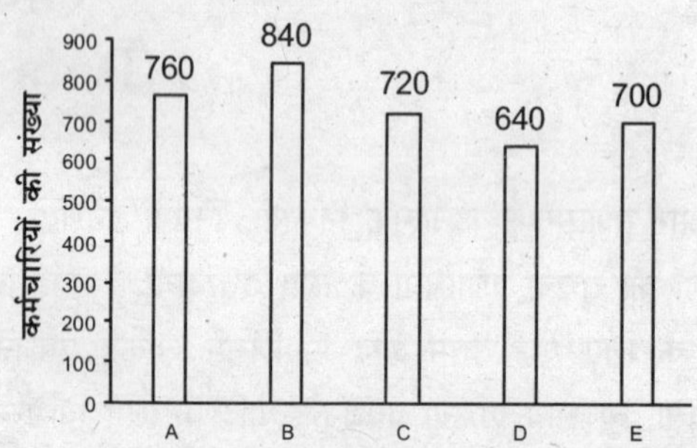

—कम्पनी—

पुरुष और महिला कर्मचारियों का अनुपात

कम्पनी	पुरुष		महिला
A	13	:	6
B	4	:	3
C	7	:	8
D	9	:	11
E	23	:	12

11. सभी कम्पनियों में कार्यरत पुरुषों की संख्या कितनी है?
A. 2084 B. 2048
C. 2064 D. 2046

12. सभी कम्पनियों में कार्यरत महिलाओं की औसत संख्या कितनी है?
A. 340 B. 315
C. 335 D. 325

13. A तथा C कम्पनी में कार्यरत पुरुषों की संख्या कम्पनी B तथा D में कार्यरत महिलाओं की संख्या से कितना प्रतिशत अधिक है?
A. 164 B. 146
C. 144 D. 154

14. D तथा E कम्पनी में कार्यरत महिलाओं की संख्या का अनुपात क्रमशः कितना है?

A. 17 : 22 B. 22 : 17
C. 15 : 22 D. 22 : 15

15. कम्पनी C में कार्यरत सभी कर्मचारियों की संख्या कम्पनी D में कार्यरत सभी कर्मचारियों की संख्या से कितना प्रतिशत अधिक है?

A. 12.5% B. 16.5%
C. 21% D. 20%

निर्देश (प्र. सं. 16–20): *निम्नलिखित ग्राफ व सारणी का ध्यान से अध्ययन कर नीचे दिए गए प्रश्नों के उत्तर दीजिएः*

अलग-अलग दो दिनों पर छह वाहनों को यात्रा करने में लगा समय (घंटों में)

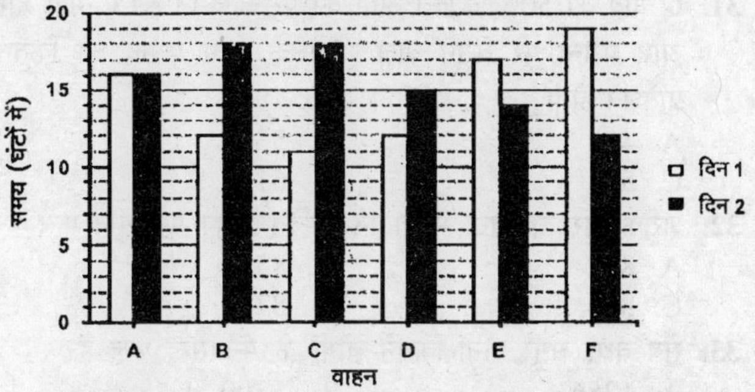

प्रत्येक दिन छह वाहनों द्वारा तय की गई दूरी (किलोमीटर में)

वाहन	दिन 1	दिन 2
A	832	864
B	516	774
C	693	810
D	552	765
E	935	546
F	703	636

16. निम्नलिखित में से कौन-सा वाहन दोनों दिन समान गति से चला था?

A. वाहन A B. वाहन C
C. वाहन F D. वाहन B

17. पहले दिन वाहन A की गति और उसी दिन वाहन C की गति के बीच क्या अंतर था?

A. 7 किमी/घंटा B. 12 किमी/घंटा
C. 11 किमी/घंटा D. 8 किमी/घंटा

18. मीटर प्रति सेकंड में दूसरे दिन वाहन C की गति क्या थी?

A. 15.3 B. 12.8
C. 11.5 D. इनमें से कोई नहीं

19. वाहन F द्वारा दूसरे दिन तय की गई दूरी उसके द्वारा पहले दिन तय की गई दूरी का लगभग कितना प्रतिशत है?

A. 80 B. 65
C. 85 D. 90

20. दूसरे दिन वाहन D और वाहन E की गति के बीच का क्रमशः अनुपात क्या था?

A. 15 : 13 B. 17 : 13
C. 13 : 11 D. 17 : 14

निर्देश (प्र. सं. 21–25): *निम्नलिखित पाइ चार्ट और सारणी का ध्यान से अध्ययन कर नीचे दिए गए प्रश्नों के उत्तर दीजिएः*

छह महीने के दौरान एक दुकानदार द्वारा बेचे गए मोबाइल फोनों की संख्या का प्रतिशतवार विभाजन
बेचे गए मोबाइल फोनों की कुल संख्या = 45,000

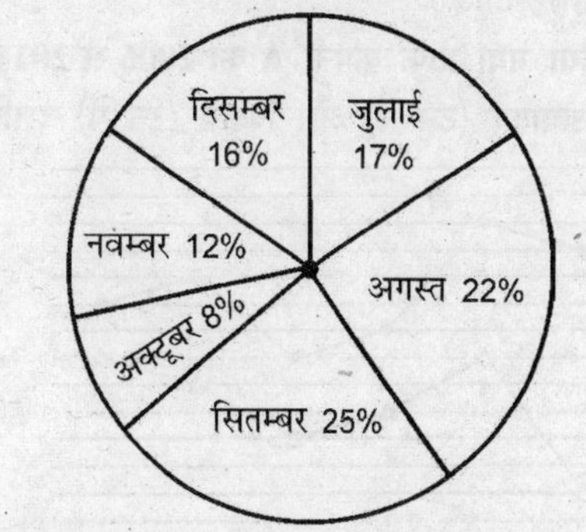

छह महीने के दौरान कंपनी A और कंपनी B के बिके हुए मोबाइल फोनों की संख्या के बीच का क्रमशः अनुपात

महीना	अनुपात
जुलाई	8 : 7
अगस्त	4 : 5
सितम्बर	3 : 2
अक्टूबर	7 : 5
नवम्बर	7 : 8
दिसम्बर	7 : 9

21. जुलाई के दौरान कंपनी B के बिके मोबाइल फोनों की संख्या उसी कंपनी के दिसंबर के दौरान बिके मोबाइल फोनों की संख्या के बीच का क्रमशः अनुपात क्या है?

A. 119 : 145 B. 116 : 135
C. 119 : 135 D. 119 : 130

22. नवंबर के दौरान कंपनी A द्वारा बेचे गए मोबाइल फोनों की संख्या में से 35% छूट सहित बेचे गए थे। कंपनी A के कितने मोबाइल फोन उस महीने बिना छूट बेचे गए थे?

A. 882 B. 1635
C. 1638 D. 885

23. अक्टूबर के दौरान बेचे गए कंपनी B के प्रत्येक मोबाइल फोन पर दुकानदार को ₹ 433 का लाभ हुआ था तो उसी महीने उस कंपनी के बेचे गए मोबाइल फोन पर उसका अर्जित कुल लाभ कितना था?

A. ₹ 6,49,900 B. ₹ 6,45,900
C. ₹ 6,49,400 D. ₹ 6,49,500

24. जुलाई के दौरान बिके कंपनी A के मोबाइल फोनों की संख्या दिसंबर के दौरान बिके कंपनी A के मोबाइल फोनों की संख्या का लगभग कितना प्रतिशत थी?

A. 110 B. 140
C. 150 D. 130

25. अगस्त और सितंबर के दौरान मिलकर कंपनी B के बिके हुए मोबाइल फोनों की कुल संख्या क्या थी?

A. 10,000 B. 15,000
C. 10,500 D. 9,500

निर्देश (प्र. सं. 26–30): *निम्नलिखित जानकारी का अध्ययन कर नीचे दिए गए प्रश्नों के उत्तर दीजिए:*

नीचे दिया गया ग्राफ कंपनी A का 2006 से 2011 का उत्पादन (टन में) और विक्रय (टन में) दर्शाता है

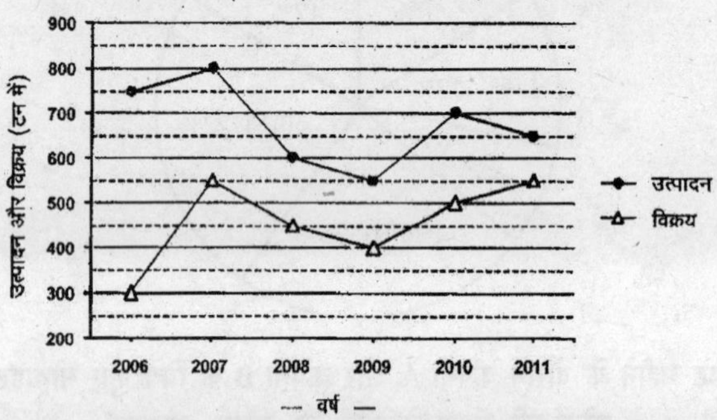

नीचे दी गई सारणी कंपनी A के उत्पादन (टन में) का कंपनी B के उत्पादन (टन में) से क्रमशः अनुपात और कंपनी A के विक्रय (टन में) का कंपनी B के विक्रय (टन में) से क्रमशः अनुपात दर्शाता है।

वर्ष	उत्पादन	विक्रय
2006	5 : 4	2 : 3
2007	8 : 7	11 : 12
2008	3 : 4	9 : 14
2009	11 : 12	4 : 5
2010	14 : 13	10 : 9
2011	13 : 14	1 : 1

26. वर्ष 2009 से वर्ष 2010 में कंपनी A के उत्पादन (टन में) लगभग कितने प्रतिशत वृद्धि हुई है?

A. 18 B. 38
C. 23 D. 27

27. वर्ष 2009 में कंपनी A का विक्रय उसी वर्ष कंपनी A के उत्पादन का लगभग कितना प्रतिशत है?

A. 65 B. 73
C. 79 D. 83

28. वर्ष 2006 से वर्ष 2011 में कंपनी B का औसत उत्पादन (टन में) कितना है?

A. 574 B. 649
C. 675 D. 593

29. कंपनी A के कुल उत्पादन (टन में) कंपनी A के कुल विक्रय (टन में) से क्रमशः अनुपात क्या है?

A. 81 : 64 B. 64 : 55
C. 71 : 81 D. 81 : 55

30. वर्ष 2006 में कंपनी B के उत्पादन (टन में) का वर्ष 2008 में कंपनी B के उत्पादन (टन में) से क्रमशः अनुपात क्या है?

A. 2 : 5 B. 4 : 5
C. 3 : 4 D. 1 : 4

निर्देश (प्र. सं. 31 से 35 तक) : *नीचे दिए गए पाई-चार्ट का ध्यानपूर्वक अध्ययन कीजिए तथा नीचे दिए गए प्रश्नों का उत्तर दीजिए।*

विभिन्न गाँवों में 5800 लोगों का मनपसन्द फलों का सर्वेक्षण किया गया है:

मनपसन्द फल *विभिन्न गाँवों में बसने वाले लोग*

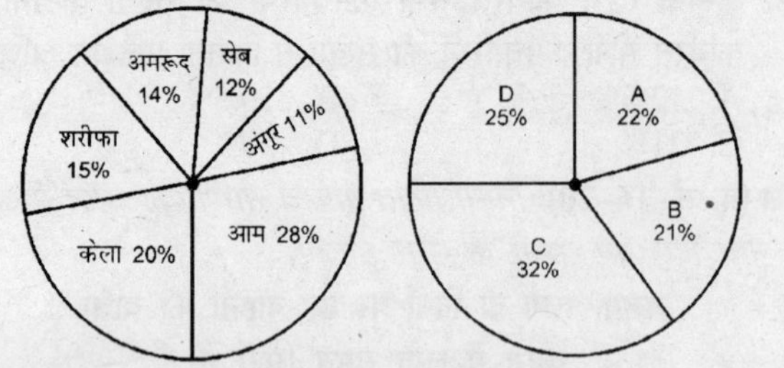

31. C गाँव का 50% व्यक्ति आम को पसन्द करते हैं। C गाँव द्वारा आम पसंन्द पूरे बसने वाले गाँवों के आम पसन्द का कितना प्रतिशत होगा?

A. 48 B. 53
C. 57 D. 61

32. शरीफा पूरे व्यक्तियों में कितने व्यक्तियों का मनपसन्द फल है?

A. 812 B. 850
C. 864 D. 870

33. सेब तथा अंगूर दोनों कितने लोगों के मनपसन्द फल हैं?

A. 1286 B. 1300
C. 1334 D. 1420

34. D गाँव से 20% लोग केले को मनपसन्द फल मानते हैं तथा उसी गाँव से अमरूद 12% लोग पसन्द करते हैं। अन्य फल पसन्द करने वाले लोगों की संख्या कितनी है?

A. 764 B. 896
C. 968 D. 986

35. B गाँव के 50% लोग केले को अपना मनपसन्द फल मानते हैं। अन्य गाँवों के कितने लोगों का यही मनपसन्द फल है?

A. 551 B. 609
C. 1020 D. 1160

निर्देश (प्र. सं. 36 से 40 तक) : *ग्राफ को ध्यानपूर्वक पढ़ें तथा नीचे दिए गए प्रश्नों के उत्तर दीजिए।*

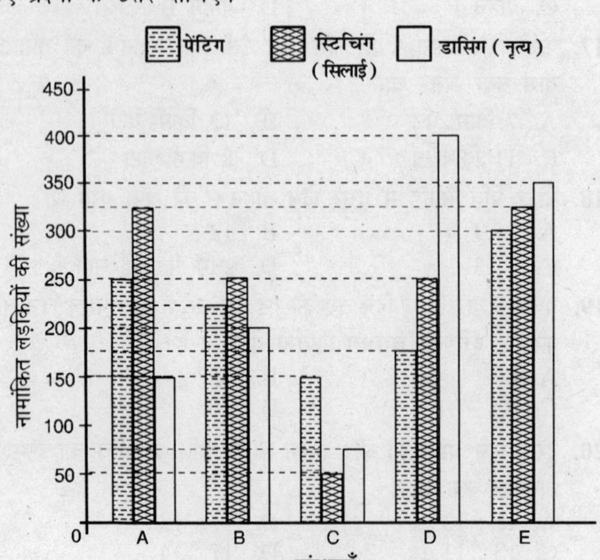

36. A तथा C संस्था में एक साथ पेंटिंग करने वाली तथा संस्था D एवं E में एक साथ सिलाई करने वाली नामांकित लड़कियों की संख्याओं का अनुपात कितना है?
A. 5 : 4 B. 5 : 7
C. 9 : 8 D. 16 : 23

37. पेंटिंग, सिलाई तथा नृत्य करने वाली कुल नामांकित लड़कियों की संख्या सभी संस्थाओं की लड़कियों का अनुपात कितना है?
A. 43 : 47 : 48 B. 44 : 47 : 48
C. 44 : 48 : 47 D. 47 : 48 : 44

38. पेंटिंग में नामांकित लड़कियों की संख्या पूरी संस्था में कितनी है?
A. 1100 B. 1150
C. 1200 D. 1275

39. संस्था B में सिलाई करने वाली लड़कियों की संख्या सभी संस्थाओं में सिलाई करनेवाली नामांकित लड़कियों की संख्या का कितना प्रतिशत है?
A. 21 B. 29
C. 33 D. 37

40. संस्था A में नृत्य करनेवाली नामांकित लड़कियों की संख्या सभी कक्षाओं में नामांकित लड़कियों की संख्या का कितना प्रतिशत है?
A. 17.76 B. 20.69
C. 31.23 D. 33.97

निर्देश (प्र. सं. 41 से 45 तक) : *नीचे के सारणी का अध्ययन कीजिए तथा दिए गए प्रश्नों के उत्तर दीजिए:*

केन्द्र तथा उनके पदानुसार उम्मीदवारों की संख्या

केन्द्र	ऑफिसर	क्लर्क	फील्ड ऑफिसर	सुपर-वाइजर	विशेषज्ञ ऑफिसर
बंगलौर	2000	5000	50	2050	750
दिल्ली	15000	17000	160	11000	750
मुम्बई	17000	19500	70	7000	900
हैदराबाद	3500	20000	300	9000	1150
कोलकाता	14900	17650	70	1300	1200
लखनऊ	11360	15300	30	1500	650
चेन्नई	9000	11000	95	1650	500

41. किस केन्द्र पर उम्मीदवारों की संख्या अधिकतम है?
A. दिल्ली B. हैदराबाद
C. कोलकाता D. मुम्बई

42. ऑफिसर तथा क्लर्क की संख्याओं में अन्तर ज्ञात कीजिए।
A. 28680 B. 29680
C. 32690 D. 34180

43. चेन्नई में क्लर्क की संख्या ऑफिसर की संख्या से कितने प्रतिशत ज्यादा है?
A. 2 B. 18
C. 20 D. 22

44. बंगलुरू की तुलना में 300% से ज्यादा क्लर्क की संख्या किस केन्द्र पर है?
A. चेन्नई B. हैदराबाद
C. मुम्बई D. दिल्ली

45. कोलकाता में विशेषज्ञ ऑफिसरों की संख्या ऑफिसरों की संख्या का कितना प्रतिशत है?
A. 6.9 B. 8
C. 8.7 D. 9

निर्देश (प्र. सं. 46 से 50 तक) : *नीचे के ग्राफ तथा सारणी को ध्यानपूर्वक पढ़ें तथा नीचे दिए गए प्रश्नों के उत्तर दीजिए:*

पाई-चार्ट में सात राज्यों से प्रतियोगी परीक्षा में भाग लेने वाले उम्मीदवारों को दर्शाया गया है:

भाग लेने वाले कुल उम्मीदवारों की संख्या = 3 लाख

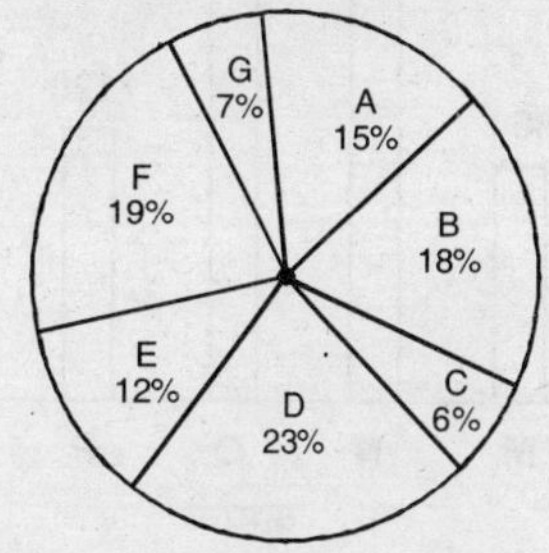

राज्य के हिसाब से पुरुष तथा महिला योग्य उम्मीदवारों का प्रतिशत तथा अनुपात

राज्य	राज्य से भाग लेने वालों में योग्य का प्रतिशत	योग्य उम्मीदवारों का अनुपात
A	49	4 : 5
B	61	6 : 4
C	54	7 : 8
D	45	3 : 2
E	65	7 : 6
F	57	11 : 8
G	48	9 : 1

46. 'G' राज्य से योग्य पुरुष उम्मीदवारों की संख्या कितनी है?
A. 4536 B. 4568
C. 5454 D. 5544

47. किन दो राज्यों के योग्य पुरुष उम्मीदवारों की संख्या बराबर है?
A. A और E B. B और F
C. C और E D. C और G

48. 'E' तथा 'D' राज्यों से कुल योग्य उम्मीदवारों की संख्या कितनी है?
A. 45540 B. 54410
C. 54450 D. 54540

49. A तथा B राज्यों से कुल महिला योग्य उम्मीदवारों की संख्या ज्ञात कीजिए।
A. 24526 B. 25426
C. 26426 D. 26526

50. A तथा C राज्यों से योग्य उम्मीदवारों की संख्या सभी राज्यों के उम्मीदवारों की संख्या का कितना प्रतिशत है?

A. 16.23 B. 18.33
C. 22.23 D. 25.33

निर्देश (प्र. सं. 51 से 55 तक) : *नीचे दिए गए दण्ड-आलेख में विभिन्न पाँच कम्पनियों M, N, O, P तथा Q में बनी कमीज तथा पायजामों की संख्याओं को दर्शाता है। सारणी में कमीजों तथा पायजामों का अनुपात दिया गया है। दोनों को ध्यानपूर्वक पढ़ें तथा प्रश्नों के उत्तर दीजिए।*

5 कम्पनियों M, N, O, P तथा Q में बनी कमीज तथा पायजामों की संख्या

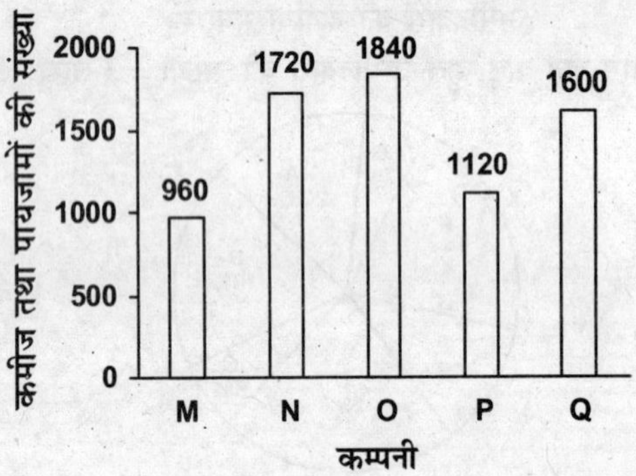

कमीज तथा पायजामों का अनुपात

कम्पनी	कमीज	पायजामे
M	5	3
N	24	19
O	7	9
P	3	5
Q	8	17

51. M, O तथा Q कम्पनियों में बनी कमीजों की संख्या का औसत कितना है?

A. 639 B. 539
C. 693 D. 369

52. P कम्पनी में बनी कमीजों की संख्या है :

A. 320 B. 420
C. 480 D. 460

53. N तथा P कम्पनियों में कुल बनी पायजामों की संख्या ज्ञात कीजिए।

A. 1360 B. 1260
C. 1460 D. 1406

54. Q कम्पनी में बनी कमीजों की संख्या कुल उत्पादन का कितना प्रतिशत है?

A. 25% B. 28%
C. 30% D. 32%

55. M कम्पनी में बनी कमीजों की संख्या तथा P कम्पनी में बने पायजामों की संख्या का अनुपात है :

A. 9 : 7 B. 8 : 7
C. 7 : 8 D. 6 : 7

निर्देश (प्र. सं. 56 से 60): *दिए गए प्रश्नों के उत्तर देने के लिए निम्नलिखित ग्राफ का अध्ययन कीजिए।*

विगत वर्षों में एक कंपनी द्वारा उत्पादित (करोड़ में) और निर्यातित (करोड़ में) यूनिटों की संख्या

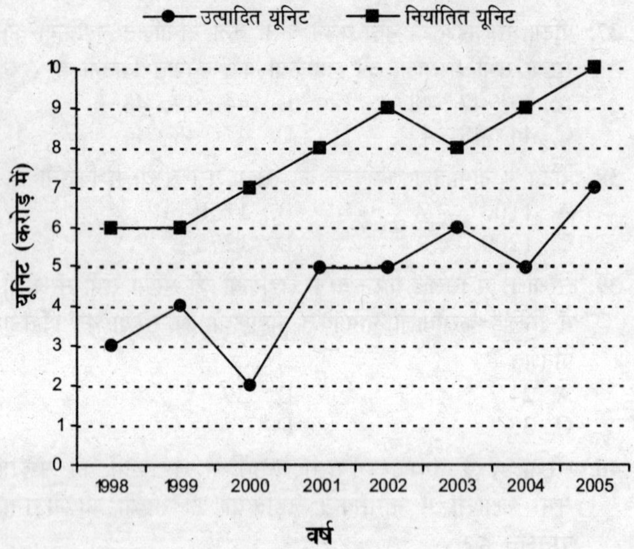

56. 1999 और 2000 में निर्यातित यूनिटों की संख्या के बीच कितना अंतर है?

A. 20000000
B. 200000000
C. 2000000
D. 200000

57. किस वर्ष में उत्पादित यूनिटों में वृद्धि का प्रतिशत पिछले वर्ष से अधिकतम है?

A. 2005 B. 2004
C. 2001 D. 2000

58. उत्पादित और निर्यातित यूनिटों के बीच अंतर किस वर्ष में सर्वाधिक है?

A. 2002 B. 2004
C. 2005 D. इनमें से कोई नहीं

59. विगत वर्षों में निर्यातित यूनिटों की औसत संख्या कितनी है?

A. 27857000 B. 462500000
C. 46250000 D. 248570000

60. किस वर्ष उत्पादित यूनिटों से निर्यातित यूनिटों का प्रतिशत सर्वाधिक है?

A. 2005 B. 2003
C. 2001 D. 1999

निर्देश (प्र. सं. 61 से 65): *निम्नलिखित ग्राफ को ध्यानपूर्वक पढ़िए और नीचे दिए प्रश्नों के उत्तर दीजिए।*

विगत वर्षों में दो कंपनियों A और B द्वारा अर्जित लाभ का प्रतिशत

$$\% \text{ लाभ} = \frac{\text{आय} - \text{व्यय}}{\text{व्यय}} \times 100$$

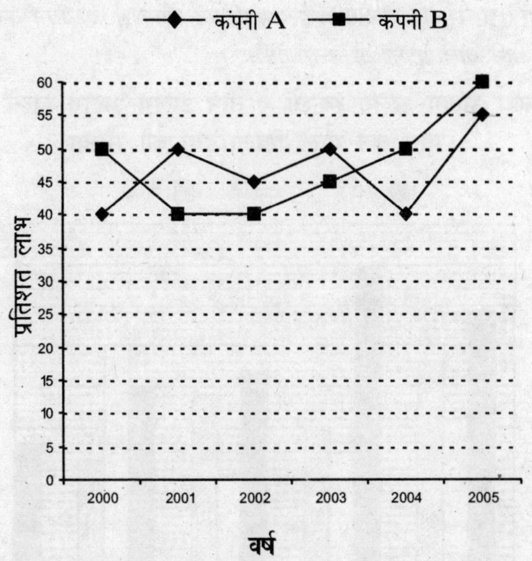

61. 2003 में कंपनी A और B के व्यय का अनुपात क्रमशः 4 : 5 था। उस वर्ष उनकी आय का क्रमशः अनुपात क्या था?

A. 10 : 29 B. 20 : 29
C. 9 : 10 D. इनमें से कोई नहीं

62. 2004 और 2005 में कंपनी A का व्यय क्रमशः ₹ 12 लाख और ₹ 14.5 लाख है। 2004 और 2005 में मिलाकर कंपनी A की कुल आय कितनी थी (₹ लाख में)?

A. 41.2 B. 38.5
C. 44.6 D. 36.9

63. यदि 2002 और 2003 में कंपनी B की आय क्रमशः 3 : 4 के अनुपात में थी, तो इन दो वर्षों में उस कंपनी के व्यय का अनुपात क्रमशः कितना था?

A. 29 : 45 B. 29 : 56
C. 45 : 58 D. 56 : 29

64. यदि कंपनी A, B का 2001 में व्यय एक समान था और दोनों कंपनियों की कुल आय ₹ 116 लाख थी, तो उस वर्ष दोनों कंपनियों का कुल व्यय कितना था?

A. ₹ 65 लाख B. ₹ 80 लाख
C. ₹ 42 लाख D. निर्धारित नहीं किया जा सकता

65. सब वर्षों में मिलाकर कंपनी A का कुल व्यय ₹ 128.5 लाख था। सब वर्षों में मिलाकर कंपनी की कुल आय कितनी थी?

A. ₹ 147.5 लाख B. ₹ 153 लाख
C. ₹ 189.5 लाख D. निर्धारित नहीं किया जा सकता

निर्देश (प्र. सं. 66 से 70): *निम्नलिखित सारणी को ध्यानपूर्वक पढ़िए और नीचे दिए गए प्रश्नों का उत्तर दीजिए।*

विगत वर्षों में छः राज्यों से परीक्षा में बैठे और पास हुए परीक्षार्थियों की संख्या

वर्ष	राज्य											
	A		B		C		D		E		F	
	परीक्षा में बैठे	पास हुए	परीक्षा में बैठे	पास हुए	परीक्षा में बैठे	पास हुए	परीक्षा में बैठे	पास हुए	परीक्षा में बैठे	पास हुए	परीक्षा में बैठे	पास हुए
2000	1400	125	1650	140	1100	165	1550	105	1750	185	1350	130
2001	1200	130	1600	110	1300	170	1300	110	1400	165	1700	150
2002	1650	115	1250	130	1400	140	1700	120	1400	160	1500	145
2003	1450	120	1450	165	1550	155	1550	125	1600	140	1550	155
2004	1700	105	1500	165	1400	160	1350	135	1820	125	1600	120
2005	1800	110	1850	175	1250	175	1100	140	1450	105	1450	110

66. राज्य F से परीक्षा में बैठे परीक्षार्थियों में से पास हुए परीक्षार्थियों का प्रतिशत निम्नलिखित में से किस वर्ष न्यूनतम था?

A. 2005 B. 2001
C. 2000 D. 2004

67. 2001 में छहों राज्यों से मिलाकर परीक्षा में बैठे परीक्षार्थियों में से उत्तीर्ण हुए परीक्षार्थियों का लगभग प्रतिशत क्या है?

A. 10 B. 16
C. 21 D. 19

68. 2003 और 2005 में मिलाकर राज्य C से पास हुए परीक्षार्थियों की संख्या 2002 और 2004 में मिलाकर राज्य A से परीक्षा में बैठे परीक्षार्थियों की संख्या का कितने प्रतिशत है? (दशमलव के बाद दो अंकों तक पूर्णांकित)

A. 10.15 B. 9.75
C. 11.25 D. इनमें से कोई नहीं

69. दिए हुए वर्षों में राज्य D से पास हुए परीक्षार्थियों की औसत संख्या लगभग कितनी है?

A. 110 B. 123
C. 146 D. 129

70. 2002 में परीक्षा में बैठे परीक्षार्थियों में से पास हुए परीक्षार्थियों का प्रतिशत निम्नलिखित में से किस राज्य के लिए सर्वाधिक है?

A. B B. C
C. E D. F

निर्देश (प्र. सं. 71 से 75): *निम्नलिखित ग्राफ का ध्यान से अध्ययन कर उसके बाद आने वाले प्रश्नों के उत्तर दीजिए।*

अलग-अलग पांच शहरों में तीन अलग-अलग फलों की कीमत (₹ प्रति कि.ग्रा.)

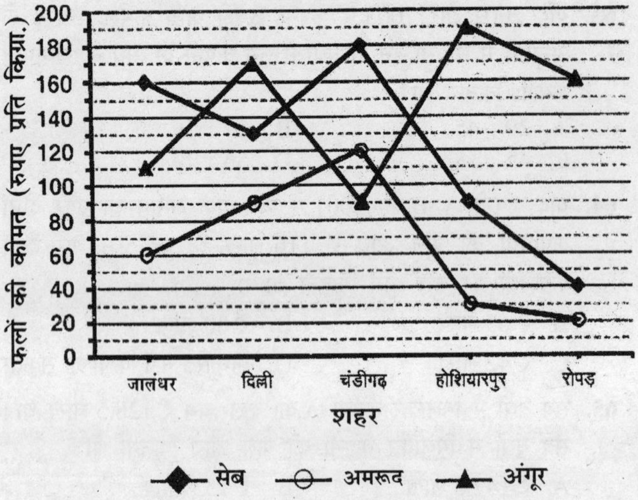

71. किस शहर में एक कि.ग्रा. सेब और एक कि.ग्रा. अमरूद की कीमत के बीच का अंतर दूसरा सबसे कम है?

A. जालंधर
B. दिल्ली
C. चंडीगढ़
D. होशियारपुर

72. जालंधर में एक कि.ग्रा. अमरूद की कीमत, चंडीगढ़ में दो कि.ग्रा. अंगूर की कीमत का **लगभग** कितना प्रतिशत है?

A. 66 B. 24
C. 28 D. 34

73. 3 कि. ग्रा. सेब और 2 कि. ग्रा. अमरूद दिल्ली में खरीदने के लिए दुकानदार को राम कुल कितनी राशि अदा करेगा?

A. ₹ 530 B. ₹ 450
C. ₹ 570 D. ₹ 620

74. रवींदर को होशियारपुर से 45 कि.ग्रा. अंगूर खरीदने थे। दुकानदार ने उसे प्रति कि.ग्रा. 4% की छूट दी। छूट के बाद उसने दुकानदार को कितनी राशि अदा की?

A. ₹ 8,208
B. ₹ 8,104
C. ₹ 8,340
D. ₹ 8,550

75. रोपड़ से एक कि.ग्रा. सेब की कीमत और चंडीगढ़ से एक कि.ग्रा. अंगूर की कीमत के बीच का क्रमशः अनुपात क्या है?

A. 3 : 2 B. 2 : 3
C. $2^2 : 3^2$ D. $4^2 : 9^2$

निर्देश (प्र. सं. 76 से 80): *इस ग्राफ का ध्यान से अध्ययन कर उसके बाद आने वाले प्रश्नों के उत्तर दीजिए।*

पांच अलग-अलग स्कूलों में तीन अलग-अलग खेलों में भाग लेने वाले खिलाड़ियों की संख्या

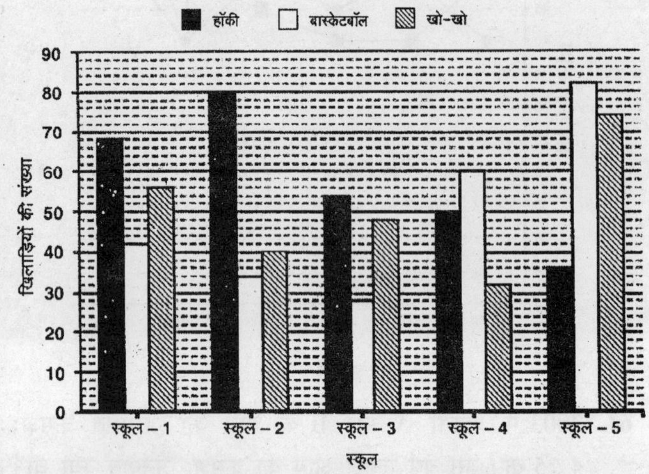

76. पांचों स्कूलों से मिलकर हॉकी में भाग लेने वाले खिलाड़ियों की कुल संख्या क्या है?

A. 324
B. 288
C. 342
D. 284

77. स्कूल–1 से बास्केटबॉल में भाग लेने वाले खिलाड़ियों की संख्या और स्कूल–3 से खो-खो में भाग लेने वाले खिलाड़ियों की संख्या के बीच क्रमशः अनुपात क्या है?

A. 5 : 7
B. 7 : 9
C. 7 : 8
D. 9 : 7

78. किस स्कूल में हॉकी और बास्केटबॉल में भाग लेने वाले खिलाड़ियों की मिलकर संख्या दूसरी सबसे अधिक है?

A. स्कूल–1
B. स्कूल–2
C. स्कूल–3
D. स्कूल–4

79. स्कूल–4 से खो-खो में भाग लेने वाले खिलाड़ियों की संख्या स्कूल–2 से हॉकी में भाग लेने वाले खिलाड़ियों की संख्या का कितना प्रतिशत है?

A. 42 B. 48
C. 36 D. 40

80. स्कूल–5 से हॉकी में भाग लेने वाले खिलाड़ियों में से 25% महिलाएं हैं। स्कूल–5 में पुरुष हॉकी खिलाड़ियों की संख्या कितनी है?

A. 15 B. 18
C. 30 D. 27

निर्देश (प्र. सं. 81 से 85): *निम्नलिखित बार-ग्राफ का ध्यान से अध्ययन कर उसके बाद आने वाले प्रश्नों के उत्तर दीजिए।*

चार अलग-अलग दिनों में तीन अलग-अलग लोगों की आमदनी (रुपयों में)

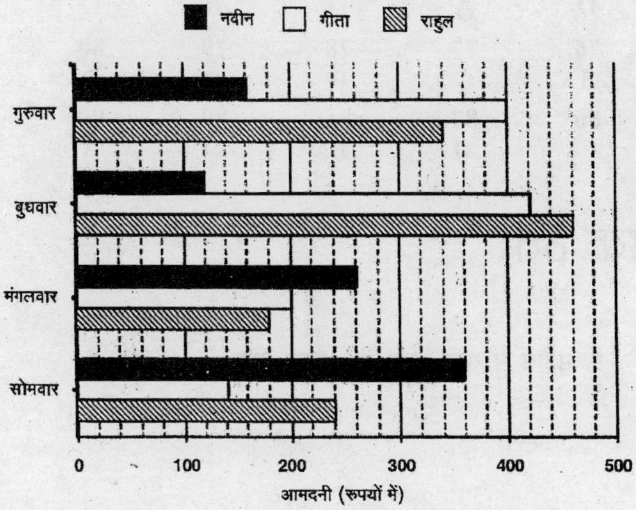

81. सभी दिनों में मिलकर गीता की औसत आमदनी क्या है?
A. ₹ 285 B. ₹ 290
C. ₹ 320 D. ₹ 310

82. मंगलवार और गुरुवार को मिलकर राहुल और नवीन की मिलकर अर्जित राशि कुल कितनी है?
A. ₹ 1,040 B. ₹ 1,020
C. ₹ 980 D. ₹ 940

83. गीता ने अपनी बुधवार की आमदनी नवीन को दान दे दी। गीता के दान के बाद बुधवार को नवीन की कुल आमदनी कितनी थी?
A. ₹ 520 B. ₹ 550
C. ₹ 540 D. ₹ 560

84. सोमवार को राहुल की आमदनी और मंगलवार को गीता की आमदनी के बीच क्या अंतर है?
A. ₹ 40 B. ₹ 20
C. ₹ 50 D. ₹ 30

85. सोमवार, बुधवार और गुरुवार की नवीन की आमदनी के बीच का क्रमशः अनुपात क्या है?
A. 7 : 3 : 5 B. 8 : 6 : 5
C. 8 : 7 : 4 D. 9 : 3 : 4

निर्देश (प्र. सं. 86 से 90): *निम्नलिखित पाई चार्ट का अध्ययन कर नीचे दिए गए प्रश्नों के उत्तर दीजिए।*

छह अलग-अलग व्यवसायों में कर्मचारियों का प्रतिशतवार वितरण
कर्मचारियों की कुल संख्या = 26800

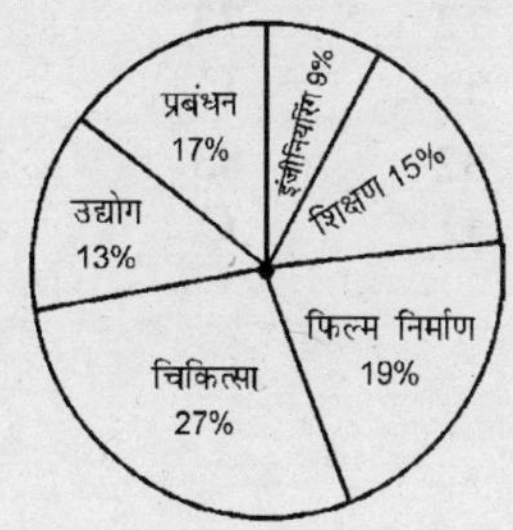

86. शिक्षण और चिकित्सा व्यवसाय में मिलकर कर्मचारियों की कुल संख्या और प्रबंधन व्यवसाय में कर्मचारियों की संख्या के बीच क्या अंतर है?
A. 6770 B. 7700
C. 6700 D. 7770

87. प्रबंधन व्यवसाय में कर्मचारियों की संख्या में से तीन-चौथाई महिलाएं हैं। प्रबंधन व्यवसाय में पुरुष कर्मचारियों की संख्या क्या है?
A. 1239 B. 1143
C. 1156 D. 1139

88. फिल्म निर्माण व्यवसाय से 25% कर्मचारी हड़ताल पर गए। फिल्म निर्माण व्यवसाय से कितने कर्मचारियों ने हड़ताल में भाग **नहीं** लिया है?
A. 3271 B. 3819
C. 3948 D. 1273

89. इंजीनियरिंग और उद्योग व्यवसाय में मिलकर कुल कर्मचारियों की संख्या कितनी है?
A. 5698 B. 5884
C. 5687 D. 5896

90. शिक्षण व्यवसाय में यदि तीन बटा पांच शिक्षक स्थायी नहीं हैं तो शिक्षण व्यवसाय में स्थायी शिक्षकों की संख्या क्या है?
A. 1608 B. 1640
C. 1764 D. 1704

उत्तरमाला

1	2	3	4	5	6	7	8	9	10
A	C	B	C	B	A	B	C	D	D
11	**12**	**13**	**14**	**15**	**16**	**17**	**18**	**19**	**20**
A	B	C	D	A	D	C	D	D	B
21	**22**	**23**	**24**	**25**	**26**	**27**	**28**	**29**	**30**
C	C	D	D	A	D	B	C	D	C
31	**32**	**33**	**34**	**35**	**36**	**37**	**38**	**39**	**40**
C	D	C	D	A	D	C	A	A	B

41	42	43	44	45	46	47	48	49	50
D	C	D	B	B	A	D	C	B	B
51	52	53	54	55	56	57	58	59	60
A	B	C	D	D	A	D	D	C	B
61	62	63	64	65	66	67	68	69	70
D	A	C	B	D	D	A	D	B	C
71	72	73	74	75	76	77	78	79	80
B	D	C	A	C	B	C	B	D	D
81	82	83	84	85	86	87	88	89	90
B	D	C	A	D	C	D	B	D	A

व्याख्यात्मक उत्तर

1. अभीष्ट छात्रों की संख्या $= 3800 \times \frac{27}{100} = 1026.$

2. अभीष्ट छात्रों की संख्या $= \frac{3800 \times 8}{100} + \frac{4200 \times 17}{100}$

$= 304 + 714 = 1018.$

3. अभीष्ट अनुपात $= \frac{3800 \times 14}{100} : \frac{4200 \times 18}{100}$

$= 38 \times 14 : 42 \times 18$

$= 19 : 27.$

4. अभीष्ट अनुपात $= \frac{3800 \times 14}{100} : \frac{4200 \times 14}{100} = 19 : 21.$

5. अभीष्ट छात्रों की संख्या $= \frac{4200 \times 17}{100} + \frac{4200 \times 14}{100}$

$= 714 + 588$

$= 1302.$

6. उमेश के कुल अंक

$= 41 + 33.5 + \frac{92}{100} \times 150 + 87 + \frac{69}{100} \times 75 + \frac{76}{100} \times 75$

$= 41 + 33.5 + 138 + 87 + 51.75 + 57$

$= 408.25$

अभीष्ट प्रतिशत $= \frac{408}{500} \times 100 = 80.$

7. अभीष्ट हिन्दी में प्रतिशत का औसत

$= \frac{88 + 92 + 76 + 83 + 65 + 72}{6} = \frac{476}{6} = 79.33.$

8. गणित में सभी छात्रों का औसत अंक

$= \frac{150(69 + 85 + 92 + 78 + 64 + 88)}{100 \times 6}$

$= \frac{150 \times 476}{100 \times 6} = 119.$

9. भूगोल में सभी छात्रों का औसत अंक

$= \frac{50(85 + 80 + 67 + 72 + 79 + 87)}{100 \times 6}$

$= \frac{50 \times 470}{100 \times 6} = \frac{235}{6} = 39.16.$

10. प्रतीक्षा द्वारा प्राप्त अंक

$= 50 \times \frac{68}{100} + 50 \times \frac{79}{100} + 150 \times \frac{64}{100}$

$+ 91 + \frac{75 \times 66}{100} + \frac{75 \times 65}{100}$

$= 34 + 39.5 + 96 + 91 + 49.5 + 48.75$

$= 358.75.$

11. पुरूषों की संख्या $= 520 + 480 + 336 + 288 + 460 = 2084$

12. औरतों की संख्याः

कम्पनी A $= 760 - 520 = 240$

कम्पनी B $= 840 - 480 = 360$

कम्पनी C $= 720 - 336 = 384$

कम्पनी D $= 640 - 288 = 352$

कम्पनी E $= 700 - 460 = 240$

अभीष्ट औसत $= \frac{240 + 360 + 384 + 352 + 240}{5}$

$= \frac{1576}{5} = 315.$

13. कम्पनी A तथा C में कार्यरत पुरुष $= 520 + 336 = 856$

कम्पनी B तथा D में कार्यरत औरत $= 360 + 352 = 712$

अन्तर $= 856 - 712$

$= 144.$

14. अभीष्ट अनुपात = 352 : 240 = 22 : 15.

15. अभीष्ट प्रतिशत $= \frac{720-640}{640} \times 100$

$$= \frac{80}{640} \times 100 = \frac{25}{2}\% = 12.5\%.$$

16. वाहन B के लिए

$$S_1 = \frac{516}{12} = 43 \text{ किमी/घंटा}$$

$$S_2 = \frac{774}{18} = 43 \text{ किमी/घंटा}$$

अतः वाहन B दोनों दिन समान गति से चला था।

17. पहले दिन वाहन A की गति $= \frac{832}{16} = 52$ किमी/घं.

उसी दिन वाहन C की गति $= \frac{693}{11} = 63$ किमी/घं.

दोनों के बीच की गति का अन्तर = 63 – 52 = 11 किमी/घं.

18. मीटर प्रति सेकेण्ड में दूसरे दिन वाहन C की गति

$$= \frac{810}{18} \text{ किमी/घं.} = 45 \text{ किमी/घं.}$$

$$= 45 \times \frac{5}{18} \text{ मी/से.} = 12.5 \text{ मी/से.}$$

19. 636 = x का 703%

$$636 = \frac{703}{100} \times x \Rightarrow x = \frac{636 \times 100}{703}$$

$$= \frac{63600}{703} = 90.4 = 90 \text{ (लगभग)}$$

20. दूसरे दिन वाहन D की गति $= \frac{765}{15} = 51$ किमी/घं.

दूसरे दिन वाहन E की गति $= \frac{546}{14} = 39$ किमी/घं.

$\therefore$ अभीष्ट अनुपात $= \frac{51}{39} = \frac{17}{13} = 17 : 13$

21. जुलाई में कम्पनी B के बिके मोबाइल फोनों की संख्या

$$= \frac{17}{100} \times 45000 = 7650$$

दिसम्बर में कम्पनी B के बिके मोबाइल फोनों की संख्या

$$= \frac{16}{100} \times 45000 = 7200$$

जुलाई में कम्पनी B के बिके मोबाइल फोनों की संख्या

$$= \frac{7}{15} \times 7650$$

$$= 3570$$

दिसम्बर में कम्पनी B के बिके मोबाइल फोनों की संख्या

$$= \frac{9}{16} \times 7200$$

$$= 4050$$

$\therefore$ अभीष्ट अनुपात $= \frac{3570}{4050} = \frac{119}{135} = 119 : 135$

22. नवम्बर में कम्पनी A के द्वारा बेचे गये फोनों की संख्या

$$= \frac{12}{100} \times 45000 = 5400$$

$$= \frac{7}{15} \times 5400 = 2520$$

अभीष्ट बेचे गये फोनों की संख्या

$$= \frac{65}{100} \times 2520 = 126 \times 13 = 1638$$

23. अक्टूबर के दौरान $= \frac{8}{100} \times 45000 = 3600$

अक्टूबर में कम्पनी B द्वारा बेचे गये मोबाइल फोनों की संख्या

$$= \frac{5}{12} \times 3600 = 1500$$

प्रत्येक मोबाइल पर लाभ = ₹ 433

1500 मोबाइल पर लाभ = ₹ 433 × 1500 = ₹ 649500

24. जुलाई के दौरान कम्पनी A के बेचे गये मोबाइल फोनों की संख्या

$$\frac{17}{100} \times 45000 = 7650$$

दिसम्बर के दौरान कम्पनी A के बेचे गये मोबाइल फोनों की संख्या

$$\frac{16}{100} \times 45000 = 7200$$

दिसम्बर में कम्पनी A द्वारा बेचे गये मोबाइल फोनों की संख्या

$$= \frac{7}{16} \times 7200 = 3150$$

4080 = 3150 का x%

$$4080 = \frac{x}{100} \times 3150$$

$$\Rightarrow \quad x = \frac{4080 \times 100}{3150} = \frac{2720}{21}$$

$$= 129.5$$

$$= 130 \text{ (लगभग)}$$

25. अगस्त के दौरान $= \frac{22}{100} \times 45000 = 9900$

सितम्बर के दौरान $= \frac{25}{100} \times 45000 = 11250$

अगस्त में कम्पनी B द्वारा बेचे गये फोनों की संख्या

$$= \frac{5}{9} \times 9900$$
$$= 5 \times 1100$$
$$= 5500$$

सितम्बर में कम्पनी B द्वारा बेचे गये फोनों की संख्या

$$= \frac{2}{5} \times 11250 = 2 \times 2250$$
$$= 4500$$

$\therefore$ अगस्त व सितम्बर में कम्पनी B द्वारा कुल बेचे गये फोनों की संख्या = 10,000

26. A द्वारा 2009 में उत्पादन = 550

A द्वारा 2010 में उत्पादन 700

प्रतिशत वृद्धि = $\frac{700 -}{550}$ = 27

27. A द्वारा 2009 में बिक्री = 4

A द्वारा 2009 में उत्पादन =

$$400 = 550$$
$$400 = \frac{x}{100} \times$$
$$x = \frac{400 \times 1}{550} \quad \frac{0}{11} = 73$$

28. B द्वारा 2006 में उत्पादन = $\frac{4}{5} \times 750 = 600$

B द्वारा 2007 में उत्पादन = $\frac{7}{8} \times 800 = 700$

B द्वारा 2008 में उत्पादन = $\frac{4}{3} \times 600 = 800$

B द्वारा 2009 में उत्पादन = $\frac{12}{11} \times 550 = 600$

B द्वारा 2010 में उत्पादन = $\frac{13}{14} \times 700 = 650$

B द्वारा 2011 में उत्पादन = $\frac{14}{13} \times 650 = 700$

B द्वारा कुल उत्पादन = 4050

$\therefore$ औसत उत्पादन = $\frac{4050}{6} = 675.$

29. A द्वारा कुल उत्पादन

$$= 750 + 800 + 600 + 550 + 700 + 650$$
$$= 4050$$

A द्वारा कुल बिक्री

$$= 300 + 550 + 450 + 400 + 500 + 550$$
$$= 2750$$

अभीष्ट अनुपात = $\frac{4050}{2750}$ = 81 : 55

30. B द्वारा 2006 में उत्पादन = $\frac{4}{5} \times 750 = 600$

B द्वारा 2008 में उत्पादन = $\frac{4}{3} \times 600 = 800$

अभीष्ट अनुपात = $\frac{600}{800}$ = 3 : 4.

31. C गाँव के लोगों % जिनका पसंदीदा फल आम है = 16%

अतः अभीष्ट प्रतिशत = $\frac{16}{28} \times 100 = 57.14 \approx 57\%$.

32. कस्टर्ड सेब पसन्द करने वाले लोगों की संख्या

$$= \frac{15}{100} \times 5800 = 870.$$

33. सेब तथा अंगूर पसन्द करनेवाले लोगों की संख्या

$$= \frac{(12+11)}{100} \times 5800 = 23 \times 58 = 1334$$

34. केला और अमरूद पसन्द करने वाले D गाँव के लोगों के पसन्द का प्रतिशत = 20 + 12 = 32%

D गाँव के लोगों का अन्य मनपसन्द फल का प्रतिशत

= 100 – 32 = 68%

अतः अभीष्ट लोगों की संख्या

$$= \frac{68}{100} \times \frac{25}{100} \times 5800 = 986.$$

35. अभीष्ट लोगों की संख्या = $\frac{20}{100} \times 5800 - \frac{1}{2} \times \frac{21}{100} \times 5800$

= 1160 – 609 = 551.

36. A तथा C संस्था में पेंटिंग में नामांकित लड़कियों की संख्या

= 250 + 150 = 400

D तथा F में सिलाई में नामांकित लड़कियों की संख्या

= 250 + 325 = 575

अतः अभीष्ट अनुपात = 400 : 575 = 16 : 23

37. पेंटिंग में नामांकित कुल लड़कियों की संख्या

= 250 + 225 + 150 + 175 + 300 = 1100

सिलाई में नामांकित कुल लड़कियों की संख्या

= 325 + 250 + 50 + 250 + 325 = 1200

नृत्य में नामांकित कुल लड़कियों की संख्या

= 150 + 200 + 75 + 400 + 350 = 1175

अतः अभीष्ट अनुपात

= 1100 : 1200 : 1175 = 44 : 48 : 47.

38. पेंटिंग में नामांकित कुल लड़कियों की संख्या

= 250 + 225 + 150 + 175 + 300 = 1100

39. B संस्था में सिलाई में नामांकित लड़कियों की संख्या = 250

सभी संस्थाओं में सिलाई में नामांकित कुल लड़कियों की संख्या

= 325 + 250 + 50 + 250 + 325 = 1200

अतः अभीष्ट प्रतिशत = $\frac{250}{1200} \times 100 = 20.83 \approx 21\%$.

40. संस्था A में नृत्य में नामांकित लड़कियों की संख्या = 150

संस्था A की कक्षाओं में नामांकित लड़कियों की संख्या

$= 250 + 325 + 150 = 725.$

अतः अभीष्ट प्रतिशत $= \frac{150}{725} \times 100 = 20.69.$

41. कुल उम्मीदवारों की संख्या

दिल्ली →

$15000 + 17000 + 160 + 11000 + 750 = 43910$

हैदराबाद →

$3500 + 20000 + 300 + 9000 + 1150 = 33950$

कोलकाता →

$14900 + 17650 + 70 + 1300 + 1200 = 35120$

मुम्बई →

$17000 + 19500 + 70 + 7000 + 900 = 44470$

अतः मुम्बई में उम्मीदवारों की संख्या अधिकतम है।

42. कुल ऑफिसरों की संख्या

$= 2000 + 15000 + 17000 + 3500 + 14900 + 11360 + 9000 = 72760$

कुल क्लर्कों की संख्या

$= 5000 + 17000 + 19500 + 20000 + 17650 + 15300 + 11000 = 105450$

उनका अन्तर $= 105450 - 72760 = 32690.$

43. अभीष्ट प्रतिशत $= \frac{11000 - 9000}{9000} \times 100 = \frac{2000}{90} \approx 22\%.$

44. बंगलौर में क्लर्कों की संख्या = 5000

हैदराबाद में क्लर्कों की संख्या = 20000

बंगलौर की तुलना में हैदराबाद में क्लर्कों की संख्या अधिक है

$= \frac{20000 - 5000}{5000} \times 1000 = 300\%$

अतः बंगलौर की तुलना में हैदराबाद में क्लर्कों की संख्या 300% अधिक है

45. अभीष्ट प्रतिशत $= \frac{1200}{14900} \times 100 \approx 8\%.$

46. G राज्य से योग्य उम्मीदवारों की संख्या

$= \frac{48}{100} \times \frac{7}{100} \times 3{,}00{,}000 = 10080$

G राज्य से पुरुष योग्य उम्मीदवारों की संख्या

$= \frac{9}{9+11} \times 10080 = \frac{9}{20} \times 10080 = 4536.$

47. विभिन्न राज्यों से योग्य पुरुषों की संख्या

$A \to \frac{4}{9} \times \frac{49}{100} \times \frac{15}{100} \times 300000 = 9800$

$B \to \frac{6}{10} \times \frac{61}{100} \times \frac{18}{100} \times 300000 = 19764$

$C \to \frac{7}{15} \times \frac{54}{100} \times \frac{6}{100} \times 300000 = 4536$

$D \to \frac{3}{5} \times \frac{45}{100} \times \frac{23}{100} \times 300000 = 18630$

$E \to \times \frac{7}{13} \times \frac{65}{100} \times \frac{12}{100} \times 300000 = 12600$

$F \to \frac{11}{19} \times \frac{57}{100} \times \frac{19}{100} \times 300000 = 18810$

$G \to \frac{9}{20} \times \frac{48}{100} \times \frac{7}{100} \times 300000 = 4536$

अतः C तथा G राज्य से योग्य पुरुष उम्मीदवारों की संख्या बराबर-बराबर है।

48. अभीष्ट उम्मीदवारों की संख्या

$= \frac{65}{100} \times \frac{12}{100} \times 300000 + \frac{45}{100} \times \frac{23}{100} \times 300000$

$= 23400 + 31050 = 54450.$

49. अभीष्ट महिला उम्मीदवारों की संख्या

$= \frac{5}{9} \times \frac{49}{100} \times \frac{15}{100} \times 300000 + \frac{4}{10} \times \frac{61}{100} \times \frac{18}{100} \times 300000$

$= 12250 + 13176 = 25426.$

50. A तथा C राज्यों से योग्य उम्मीदवारों की संख्या

$= \frac{49}{100} \times \frac{15}{100} \times 300000 + \frac{61}{100} \times \frac{18}{100} \times 300000$

$= 22050 + 32940 = 54990$

अभीष्ट प्रतिशत $= \frac{54990}{300000} \times 100 = 18.33\%.$

51. अभीष्ट औसत

$= \frac{1}{3}\left(960 \times \frac{5}{8} + 1840 \times \frac{7}{16} + 1600 \times \frac{8}{25}\right)$

$= \frac{1}{3}(600 + 805 + 512)$

$= \frac{1}{3} \times 1917 = 639.$

52. अभीष्ट कमीजों की संख्या $= 1120 \times \frac{3}{8} = 420.$

53. अभीष्ट पायजामों की संख्या $= 1720 \times \frac{19}{43} + 1120 \times \frac{5}{8}$

$= 760 + 700 = 1460.$

54. कम्पनी Q द्वारा बनी कमीजों की संख्या

$= 1600 \times \frac{8}{25} = 512$

अभीष्ट प्रतिशत $= \frac{512}{1600} \times 100 = 32\%.$

55. अभीष्ट अनुपात = $960\times\frac{5}{8}:\frac{1120\times5}{8}$ = 96 : 112 = 6 : 7.

56. वर्ष 1999 में निर्यातित यूनिटों की संख्या = 4 करोड़
वर्ष 2000 में निर्यातित यूनिटों की संख्या = 2 करोड़
अतः इन वर्षों में निर्यातित यूनिटों की संख्याओं का अन्तर
= 4 – 2 = 2 = ₹ 20000000

57. वर्ष 1999 में उत्पादित यूनिटों में वृद्धि का प्रतिशत
$= \frac{0}{6}\times100 = 0\%$
वर्ष 2000 में उत्पादित यूनिटों में वृद्धि का प्रतिशत
$= \frac{7-6}{6}\times100$
वर्ष 2001 में उत्पादित यूनिटों में वृद्धि का प्रतिशत
$= \frac{1}{7}\times100 = \frac{100}{7}\%$
वर्ष 2002 में उत्पादित यूनिटों में वृद्धि का प्रतिशत
$= \frac{1}{8}\times100 = \frac{100}{8}\%$
वर्ष 2004 में उत्पादित यूनिटों में वृद्धि का प्रतिशत
$= \frac{1}{8}\times100 = \frac{100}{8}\%$
वर्ष 2005 में उत्पादित यूनिटों में वृद्धि का प्रतिशत
$= \frac{1}{9}\times100 = \frac{100}{9}\%$
अतः इन वर्षों में उत्पादित यूनिटों को देखने से पता चलता है कि अधिकतम वृद्धि का प्रतिशत वर्ष 2000 में दर्ज की गई।

58. रेखा-चित्र का निरीक्षण करने से पता चलता है कि वर्ष 2000 में उत्पादित और निर्यातित यूनिटों के बीच सर्वाधिक अन्तर रहा।

59. विगत वर्षों में निर्यातित यूनिटों की औसत संख्या
$= \frac{3+4+2+5+5+6+5+7}{8} = \frac{37}{8}$ करोड़
= ₹ 46250000

60. वर्ष 1999 में उत्पादित यूनिटों से निर्यातित यूनिटों का प्रतिशत
$= \frac{4}{6}\times100 = \frac{200}{3} = 66.67\%$
वर्ष 2001 में उत्पादित यूनिटों से निर्यातित यूनिटों का प्रतिशत
$= \frac{5}{8}\times100 = 62.5\%$
वर्ष 2003 में उत्पादित यूनिटों से निर्यातित यूनिटों का प्रतिशत
$= \frac{6}{8}\times100 = 75\%$
वर्ष 2005 में उत्पादित यूनिटों से निर्यातित यूनिटों का प्रतिशत
$= \frac{7}{10}\times100 = 70\%$
अतः विगत वर्षों के निर्यातित यूनिटों का अवलोकन करने से पता चलता है कि वर्ष 2003 में निर्यातित यूनिटों का प्रतिशत सर्वाधिक था।

61. माना कि वर्ष 2003 में कम्पनी A का व्यय $4x$ तथा कम्पनी B का व्यय $5x$ है। पुनः माना कि कम्पनी A की आय I_A तथा कम्पनी B की I_B है।

अतः $$45 = \frac{I_A - 4x}{4x}\times100$$

$$\Rightarrow\quad I_A - 4x = \frac{45x}{25}$$

$$\Rightarrow\quad I_A - 4x = \frac{9x}{5}$$

$$\Rightarrow\quad 5\,I_A - 20x = 9x$$

$$\Rightarrow\quad I_A = \frac{29x}{5}$$

इसी प्रकार, कम्पनी B के लिए,

$$50 = \frac{I_B - 5x}{5x}\times100$$

$$\Rightarrow\quad I_B - 5x = \frac{50x}{20}$$

$$\Rightarrow\quad 2I_B - 10x = 5x$$

$$\Rightarrow\quad I_B = \frac{15x}{2}$$

$$\therefore\quad \frac{I_A}{I_B} = \frac{\frac{29x}{5}}{\frac{15x}{2}} = \frac{29x}{5}\times\frac{2}{15x}$$

$$= \frac{58}{75}$$

62. माना कि वर्ष 2004 में कम्पनी A की आय = I_{A4}
तथा वर्ष 2005 में आय = I_{A5}

अतः, $$50 = \frac{I_{A4}-12}{12}\times100$$

$$\Rightarrow\quad 6 = I_{A4} - 12$$

$$\Rightarrow\quad I_{A4} = 18$$

और, $$60 = \frac{I_{A5}-14.5}{14.5}\times100$$

$$\Rightarrow\quad 3\times14.5 = 5(I_{A5}-14.5)$$

$$\Rightarrow\quad 43.5 = 5I_{A5} - 14.5\times5$$

$$5I_{A5} = 43.5 + 72.5$$

$$\therefore\quad I_{A5} = \frac{116.0}{5} = 23.2$$

अतः वर्ष 2004 और 2005 में कम्पनी A की कुल आय
= 18 + 23.2 = 41.2

63. माना कि वर्ष 2002 में कम्पनी B की आय = $3x$
तथा वर्ष 2003 में आय = $4x$

2002 में, $45 = \frac{3x - E_B}{E_B} \times 100$

(जहां E_B = कम्पनी B का व्यय)

$\Rightarrow \quad 9E_B = 20\,(3x - E_B)$

$\Rightarrow \quad 29E_B = 60x$

$\therefore \quad E_B = \frac{60x}{29}$ ...(i)

2003 में, $50 = \frac{4x - E_B}{E_B} \times 100$

$\Rightarrow \quad E_B = 2\,(4x - E_B)$

$\Rightarrow \quad 3E_B = 8x$

$\therefore \quad E_B = \frac{8x}{3}$ ...(ii)

$$\therefore \frac{\text{वर्ष 2002 में कम्पनी B का व्यय}}{\text{वर्ष 2003 में कम्पनी B का व्यय}} = \frac{\frac{60x}{29}}{\frac{8x}{3}}$$

$$= \frac{180}{29 \times 8} = \frac{45}{58}$$

64. माना कि कम्पनी A की आय = x

तब, कम्पनी B की आय = $116 - x$

मानाकि दोनों कम्पनियों का एक समान व्यय = y

अब, कम्पनी A के लिए,

$40 = \frac{x - y}{y} \times 100$

$\Rightarrow \quad 2y = 5\,(x - y)$

$\Rightarrow \quad 7y = 5x$

$\Rightarrow \quad x = \frac{7}{5}y$ ...(i)

और कम्पनी B के लिए,

$50 = \frac{116 - x - y}{y} \times 100$

$\Rightarrow \quad y = 2(116 - x - y)$

$= 232 - 2x - 2y$

$\Rightarrow \quad 2x = 232 - 3y$

$\Rightarrow \quad x = \frac{232 - 3y}{2}$ ...(ii)

समीकरण (i) और (ii) की तुलना करने पर

$\frac{7}{5}y = \frac{232 - 3y}{2}$

$\Rightarrow \quad 14y = 1160 - 15y$

$\Rightarrow \quad 29y = 1160$

$\therefore \quad y = \frac{1160}{29} = 40$

अतः कुल व्यय = $2y = 2 \times 40 = 80$ लाख

65. विगत वर्षों में कम्पनी की कुल आय की गणना नहीं की जा सकती क्योंकि विगत वर्षों का कुल लाभ ज्ञात नहीं है।

67. वर्ष 2001 में सभी छः राज्यों से परीक्षा में बैठे परीक्षार्थियों की कुल संख्या = 1200 + 1600 + 1300 + 1300 + 1400 + 1700
= 8500

वर्ष 2001 में सभी छः राज्यों से परीक्षा पास करने वाले छात्रों की कुल संख्या = 130 + 110 + 170 + 110 + 165 + 150 = 835

अतः अभीष्ट प्रतिशत = $\frac{835}{8500} \times 100 = 9.8 \approx 10$

68. 2003 और 2005 में राज्य C से पास हुए छात्रों की कुल संख्या
= 155 + 175 = 330

तथा 2002 और 2004 में राज्य A से परीक्षा में बैठे हुए परीक्षार्थियों की कुल संख्या = 1650 + 1700 = 3350

अभीष्ट प्रतिशत = $\frac{330}{3350} \times 100 = 9.85$

69. राज्य D से दिए गए वर्षों में पास हुए छात्रों की औसत संख्या

$$= \frac{105+110+120+125+135+140}{6}$$

$$= \frac{735}{6} = 122.5 \approx 123.$$

72. 1 कि.ग्रा. अमरूद की कीमत जालंधर में = 60

2 कि.ग्रा. अंगूर की कीमत चंडीगढ़ में = 180

अभीष्ट प्रतिशत = $\frac{60}{180} \times 100 = \frac{66.66}{2} = 34\%$.

73. 3 कि.ग्रा. सेब का दाम = 3 × 130 = 390

2 कि.ग्रा. अमरूद का दाम = 2 × 90 = 180

कुल राशि = 390 + 180 = ₹ 570.

74. 4% छूट के बाद होशियारपुर में प्रति कि.ग्राम अंगूर की कीमत

$$= 190 \times \frac{96}{100}$$

4% छूट के बाद 45 कि.ग्राम. अंगूर की कीमत

$$= \frac{19 \times 96}{10} \times 45$$

= ₹ 8208.

75. अभीष्ट अनुपात = $\frac{40}{90} = 2^2 : 3^2$.

76. पाँच स्कूलों से हॉकी में भाग लेने वाले खिलाड़ियों की संख्या
= 68 + 80 + 54 + 50 + 36
= 288.

77. अभीष्ट अनुपात = $\frac{42}{48} = 7 : 8$.

78. हॉकी और बास्केटबॉल में मिलकर भाग लेने वाले खिलाड़ियों की संख्या

स्कूल	हॉकी	बास्केटबॉल	कुल	
1	68	42	110	
2	80	34	114	दूसरी सबसे अधिक
3	54	28	82	
4	50	60	110	
5	36	82	118	सबसे अधिक

79. अभीष्ट वृद्धि = $\frac{32}{80} \times 100 = 40\%$.

80. पुरुष हॉकी खिलाड़ियों की संख्या $= 36 \times \frac{75}{100} = 27$.

81. गीता की कुल आमदनी $= 400 + 420 + 200 + 140$
$= 1160$

गीता की औसत आमदनी $= \frac{1160}{4} =$ ₹ 290.

82. मंगलवार और गुरुवार को मिलाकर राहुल की अर्जित राशि
$= 180 + 340 =$ ₹ 520

मंगलवार तथा गुरुवार को मिलाकर नवीन की अर्जित राशि
$= 260 + 160 =$ ₹ 420

दोनों की कुल अर्जित राशि = 520 + 420 = 940.

83. गीता की बुधवार की आमदनी जो नवीन को दान दी = ₹ 420
बुधवार को नवीन की कुल अर्जित राशि = 420 + 120 = ₹ 540.

84. राहुल की सोमवार की आमदनी = ₹ 240
गीता की मंगलवार की आमदनी = ₹ 200
दोनों की आमदनी में अन्तर = ₹ 40.

85. अभीष्ट अनुपात = 360 : 120 : 160 = 9 : 3 : 4.

86. शिक्षण तथा चिकित्सा व्यवसाय में कर्मचारियों का प्रतिशत
$= 15 + 27 = 42\%$

प्रबंधन कर्मचारियों का प्रतिशत = 17%

प्रतिशत में अन्तर = 42 − 17 = 25%

छात्रों की संख्या में अन्तर $= 26800 \times \frac{25}{100} = 6700$.

87. प्रबंधन में पुरुष कर्मचारियों की संख्या

$$= 26800 \times \frac{25}{100} \times \frac{17}{100} = 1139.$$

88. हड़ताल में भाग नहीं लेनेवाले कर्मचारियों की संख्या

$$= 26800 \times \frac{19}{100} \times \frac{75}{100} = 3819.$$

89. इंजीनियरिंग और उद्योग में एक साथ काम करने वाले कर्मचारियों का प्रतिशत = 13 + 9 = 22%

कर्मचारियों की संख्या $= 26800 \times \frac{22}{100} = 5896$.

90. स्थायी शिक्षकों की संख्या $= 26800 \times \frac{15}{100} \times \frac{2}{5} = 1608$.

❖❖❖

UNIT–8

सूचना और संचार प्रौद्योगिकी
(Information and Communication Technology)

वर्तमान समय में सूचना और संचार प्रौद्योगिकी (ICT) मनुष्य जीवन का एक अनिवार्य हिस्सा बन चुका है। विशेष रूप से विकासशील देशों के आर्थिक, सामाजिक और राजनीतिक विकास के लिए इन्हें निर्णायक (महत्त्वपूर्ण) घटक के रूप में देखा जाता है। शासन के अंतर्गत, समाज में नियम-निर्माण और सामूहिक कार्य की संरचनाओं और गति से संबंधित है। जरूरी नहीं है कि शासन की प्रक्रियाएँ मात्र राज्य क्रिया प्राधिकार के दायरे में ही विद्यमान होती हों। शासन की समकालीन समझ इस मान्यता से उद्भूत होती है कि सरकारों की क्षमताएँ या सामर्थ्य सीमित होती हैं। लोकनीतियों का निर्माण करने में ऐसी सीमा को ध्यान में रखा जाना चाहिए और समकालिक परिदृश्य में, निर्णयन प्रक्रिया में सहभागी घटकों को एकीकृत करना प्रभावी शासन के लिए अत्यंत महत्त्वपूर्ण है।

समाज में सरकार की भूमिका निरंतर बदल रही है और यह आम राय है कि शासन के क्षेत्र में सूचना और संचार प्रौद्योगिकी के सामर्थ्य का उपयोग किया जाना चाहिये। प्रभावी नागरिक सशक्तीकरण और सहभागिता प्राप्त करने के लिए कई चुनौतियाँ उभर कर सामने आई जिनका परीक्षण किया जाना चाहिए और नवीन साधनों से उनसे निपटा जाना चाहिए। आई.सी.टी.–समर्थ शासन मॉडल और निगरानी करने की विधियाँ, अंतःक्रिया, नीति-निर्माण के लिए सहयोग और सुदृढ़ीकरण का आविर्भाव हो रहा है और सूचना समाज में सरकार की भूमिका को परिवर्तित कर रहा है। सूचना और संचार प्रौद्योगिकी सूचना प्रावधान में पारदर्शिता को बढ़ाकर सुशासन को सवंर्धित करती है और निर्णयन प्रक्रिया, सार्वजनिक सहभागिता को बढ़ावा देकर और सार्वजनिक वस्तुओं और सेवाओं के कुशल वितरण को प्रोत्साहित करके जवाबदेही को सुनिश्चित करती है।

ICT का अर्थ एवं परिभाषाएँ

मनुष्य प्रत्यक्ष एवं अप्रत्यक्ष दोनों तरीकों से ज्ञान प्राप्त कर सकता है। जब कभी किसी कारणवश कोई विद्यार्थी प्रत्यक्ष रूप से ज्ञान प्राप्त नहीं कर सकता तब ऐसी स्थिति में वह अप्रत्यक्ष रूप से ज्ञान प्राप्त करता है। अप्रत्यक्ष ढंग से ज्ञान प्राप्त करने के कई माध्यम हो सकते हैं, जैसे—किसी व्यक्ति से पूछकर, किताओं से, पत्र-पत्रिका के माध्यम से, चित्र, फोटोग्राफ, फिल्म देखकर, वीडियो, रेडियो, टेप, कम्प्यूटर इत्यादि से।

उपर्युक्त माध्यमों से सूचना के आधार पर विद्यार्थी किसी व्यक्ति, स्थान या वस्तु विशेष के बारे में जानने का प्रयास करता है। यह सभी जितने भी सूचना के माध्यम हो उन सभी से ठीक प्रकार से सूचना प्राप्त करना और सूचना का ठीक समय पर प्रयोग करना अर्थात् व्यक्ति को सूचनाएँ प्राप्त करने, संग्रह करने और आवश्यकता होने पर इसके प्रयोग का ज्ञान आवश्यक है। इस प्रकार की गतिविधियाँ ही सूचना तकनीकी (Information Technology-IT) कहलाती हैं, परन्तु सूचना की प्राप्ति और उसका उपयोग तभी सम्भव है जब इसमें सम्प्रेषण कला का समावेश हो। अतः सम्प्रेषण एक द्विमार्गी प्रक्रिया Two-way process) है। सम्प्रेषण की ही सहायता से हम अपने विचारों, सूचना, मान्यताओं और जानकारी को दूसरों के साथ बाँटते हैं। सम्प्रेषण में सूचना के स्रोत एवं सूचना प्राप्त करने वाले के मध्य आदान-प्रदान होता है जिससे ज्ञान की वृद्धि होती है।

इस प्रकार सूचना एवं सम्प्रेषण दोनों को ही ज्ञान प्राप्त करने और ज्ञान प्राप्ति के ढंग को जानने एवं समझने की आवश्यकता होती है। सूचना एवं सम्प्रेषण संबंधी कार्य को अधिक कुशल बनाने के लिए नवीन तकनीकी अथवा विज्ञान की सहायता ली जाती है। इसे ही सूचना-सम्प्रेषण तकनीकी (ICT) कहा जाता है।

ICT की प्रकृति

सूचना सम्प्रेषण तकनीकी प्रारूपिक रूप में सूचनाओं का संकलन, प्रोसेसिंग एवं सम्प्रेषण संबंधी सभी कार्य करती है। इस आधार पर इसकी प्रकृति तार्किक एवं क्रमबद्ध प्रतीत होती है। वास्तव में यह तकनीकी सम्पूर्णता के साथ सूचनाओं के संचार को क्रियान्वित करती है। अतः यह समग्र प्रकृति की भी है। यह आधुनिक युग में दुर्लभ वरदान बनकर उभरी है तथा जीवन के प्रत्येक क्षेत्र में हस्तक्षेप करती है। संक्षेप में इसने शिक्षा, वाणिज्य, चिकित्सा, अभियांत्रिकी एवं युद्ध आदि सभी क्षेत्रों में अपना साम्राज्य स्थापित कर लिया है।

ICT की भूमिका

सूचना-सम्प्रेषण तकनीकी की भूमिका निम्न क्षेत्रों में इसके अपेक्षित योगदान से प्रकट होती है :

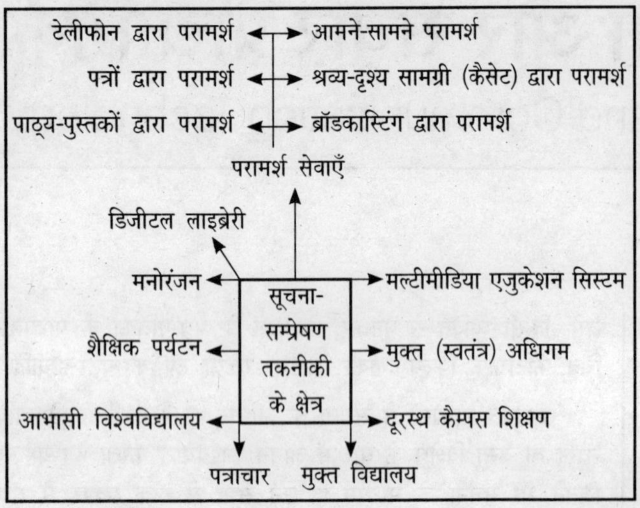

ICT का उद्गम एवं विकास

प्राचीन समय में जब सूचनाओं को भेजने के तकनीकी साधन नहीं थे लेकिन फिर भी सूचनाओं का आदान-प्रदान होता था। उस समय सूचनाएँ मौखिक रूप से इकट्ठी की जाती थीं। मस्तिष्क में स्मृति के रूप में इन्हें इकट्ठा किया जाता था और मौखिक रूप से सूचना का हस्तांतरण व उपयोग किया जाता था। इसके पश्चात् लिखने की कला का आविष्कार हुआ। इस लिखने की कला से सूचना सम्प्रेषण का कार्य कुछ हद तक आसान हो गया। इसके पश्चात् 1438 में जर्मनी में गुटेनबर्ग (Gutenberg) द्वारा छापने (Print) की मशीन का आविष्कार माना जाता है। प्रिन्टिंग साधनों ने सूचना एवं सम्प्रेषण तकनीकी में विशेष योगदान दिया है।

सूचना एवं सम्प्रेषण की दिशा में निम्नलिखित प्रयास किए गए जो कि सूचनाओं को एक दूसरे तक शीघ्रता से पहुँचाने में सहायक हुए :

- 1849 में फ्रांस के निवासी एल.जी.एम. डेगूरे तथा इंग्लैण्ड निवासी डब्ल्यू.एच.एफ. तालबोट द्वारा फोटोग्राफी का आविष्कार।
- 1900 में फ्रांस के प्रोफेसर ऐबो रेने ग्राफीन द्वारा फोटोस्टेट तकनीक का आविष्कार।
- 1938 में अमेरिकन प्रोफेसर एफ. कार्लसन द्वारा जीरोग्राफी (Xerography) का आविष्कार।
- 1940 में इंग्लैंड निवासी जे.बी. डेंसर तथा फ्रांस निवासी रेने डेग्रेन द्वारा माइक्रोग्राफी का आविष्कार। माइक्रोग्राफी द्वारा रिकार्ड की हुई सामग्री को बहुत छोटे रूप में कॉपी (Copy) किया जा सकता है।
- 1960 में अमेरिका निवासी थियोडोर मेमन ने प्रिन्ट के लिए लेजर तकनीकी का आविष्कार किया।
- 20वीं सदी में चुम्बकीय वीडियो कैमरा, वीडियो डिस्क एवं कम्प्यूटरों का विकास।

इन आविष्कारों के माध्यम से मनुष्य को अपनी सूचना शीघ्रतापूर्वक पहुँचाने में काफी सहायता हुई परन्तु सेटेलाइट संचार (Satellite Communication) ने सूचना पहुँचाने के स्तर को और अधिक बढ़ा दिया। इसी प्रकार सूचना एवं सम्प्रेषण में अन्य निम्नलिखित आविष्कार हुए :

- 1837 में अमेरिका निवासी एस.पी.बी. मोर्स द्वारा टेलीग्राफ का आविष्कार।
- 1876 में अलेक्जेन्डर ग्राहम बेल, जो कि स्कॉटलैंड के निवासी थे उन्होंने टेलीफोन का आविष्कार किया।
- 1895 में इटली निवासी जी. मारकोनी ने रेडियो का आविष्कार किया।
- 1925 में स्कॉटलैंड निवासी जे.एल. बेयर्ड द्वारा टेलीविजन का आविष्कार।
- संचार उपग्रहों का विकास।
- 20वीं शताब्दी में ही केबल व फैक्स तकनीकी का आविष्कार।

इस प्रकार सूचना एवं सम्प्रेषण तकनीकी का निरन्तर विकास होता रहा। 1950 में USA में सूचना विज्ञान का प्रचलन हुआ। इसका मुख्य उद्देश्य सूचनाओं के संचार को अधिक प्रभावशाली बनाकर सूचना की प्राप्ति के लिए नई विधियों व नई विकसित तकनीकी के लिए प्रोग्राम को बनाना था। अब धीरे-धीरे सूचना सम्प्रेषण विज्ञान के दायरे में वृद्धि होती गई और 1960 में औद्योगिक क्षेत्र में भी इसका प्रयोग किया जाने लगा। इसी समय कम्प्यूटर एवं संचार उपग्रह सेवाओं का विकास होने पर सूचना एवं सम्प्रेषण का दायरा बढ़कर सभी क्षेत्रों में—बैंकिंग, मैनेजमेंट, शिक्षण, शोध, चिकित्सा, स्वास्थ्य सेवाएँ, पुलिस एवं सेना, कानूनी सेवाएँ, इत्यादि—प्रसारित हो चुका था। आज हम इसका प्रयोग औपचारिक व अनौपचारिक शिक्षण अधिगम में, कक्षा शिक्षण, दूरवर्ती शिक्षण में सभी प्रकार से कर रहे हैं।

ICT की उपयोगिता

शिक्षा की दृष्टि से सूचना एवं सम्प्रेषण तकनीकी की उपयोगिता एवं महत्व निम्न प्रकार हो सकते हैं—

- **शिक्षकों के लिए उपयोगी**
  - ❑ सूचना एवं सम्प्रेषण तकनीकी शिक्षण दायित्वों को निभाने में उनकी सहायता कर सकती है।
  - ❑ शिक्षण मशीन, कम्प्यूटर निर्देशित सब अधिगम सामग्री और अभिक्रमित पाठ्य-पुस्तकें आदि के द्वारा वे अपना कार्य अपेक्षाकृत अधिक अच्छे ढंग से कर सकते हैं।
  - ❑ विद्यार्थियों को भी ज्ञान व सूचना के स्रोतों से अवगत कराकर शिक्षक अपने कार्यभार को कुछ हल्का कर सकते हैं।
  - ❑ प्रभावी शिक्षण कार्य हेतु उन्हें विभिन्न प्रकार की सूचनाओं, आँकड़े और जानकारी की आवश्यकता होती है। इस दृष्टि से सूचना एवं सम्प्रेषण तकनीकी की भूमिका महत्वपूर्ण हो सकती है।
- **विद्यार्थियों के लिए उपयोगी** : छात्र-छात्राओं के लिए सूचनाओं एवं सम्प्रेषण तकनीकी का उपयोग निम्नलिखित कार्यों में हो सकता है :
  - ❑ विद्यार्थी सूचना के स्रोतों से परिचित हो सकेंगे।
  - ❑ सूचनाओं को सम्यक् रूप से एकत्रित करेंगे।

- ❑ सूचना एवं सम्प्रेषण तकनीकी द्वारा वे समस्या समाधान की योग्यता और निर्णय क्षमता का प्रशिक्षण ग्रहण करेंगे।
- ❑ सूचनाओं के एकत्रीकरण के पश्चात् आवश्यकतानुसार उपयुक्त अवसर पर उनके उपयोग का प्रशिक्षण प्राप्त करेंगे।

- **शैक्षिक नियोजकों एवं प्रशासकों के लिए उपयोगी :** सूचना एवं सम्प्रेषण तकनीकी शैक्षिक नियोजन एवं प्रशासन से संबंधित विभिन्न कार्यों की दृष्टि से नियोजकों एवं प्रशासकों के लिए अत्यंत उपयागी हो सकती है। ये कार्य निम्नलिखित हैं :
  - ❑ शिक्षा संबंधी गतिविधियों का ठीक प्रकार से संचालन करने में सूचना एवं सम्प्रेषण तकनीकी मूल्यवान सिद्ध होती है।
  - ❑ किसी भी प्रकार का योजनाबद्ध कार्य बिना उपयुक्त सूचनाओं, जानकारी एवं आँकड़ों, के अभाव में पूर्ण नहीं हो सकता, जैसे—छात्रों को किसी पाठ्यक्रम में प्रवेश देना, परीक्षाएँ आयोजित करना, इत्यादि।
- **मार्गदर्शकों के लिए उपयोगी :** निर्देशन एवं परामर्शन सेवाएँ चाहे उनका संचालन विद्यालय परिसर में हो या अन्य संस्थाओं में, सूचना एवं सम्प्रेषण तकनीकी हमेशा ही सहायक सिद्ध हो सकती है। इस दृष्टि से यह व्यक्तिगत, व्यावसायिक तथा शैक्षिक से विभिन्न प्रकार की संबंधित सूचनाओं, आँकड़ों, जानकारी एवं सम्प्रेषण की निरन्तर आवश्यकता रहती है। अतः सूचना एवं सम्प्रेषण तकनीकी की सहायता से विश्वसनीय एवं वैध आँकड़े तथा पूर्ण जानकारियाँ उपलब्ध कराई जा सकती हैं।

सूचना एवं सम्प्रेषण तकनीकों का वर्गीकरण

सूचना एवं सम्प्रेषण तकनीकियों का अस्तित्व प्राचीन काल से निरन्तर विकसित होता आया है। अतः सूचना एवं सम्प्रेषण तकनीकियों को इस आधार पर दो भागों में विभाजित किया जा सकता है। ये दो भाग निम्नलिखित हैं :

- **परम्परागत सूचना एवं सम्प्रेषण तकनीकी :** परम्परागत सूचना एवं सम्प्रेषण तकनीकी में निम्न प्रकार की सामग्री, उपकरण एवं साधनों का प्रयोग किया जाता है :
  - ❑ इसके अन्तर्गत मुद्रित साधन आते हैं। जैसे—पाठ्यपुस्तकें, सन्दर्भग्रंथ पुस्तकें, पत्र-पत्रिकाएँ, विद्यालयी एवं सार्वजनिक पुस्तकालयों में उपलब्ध पठन सामग्री।
  - ❑ औपचारिक एवं अनौपचारिक रूप में प्राप्त मौखिक सूचनाएँ एवं ज्ञान भी परम्परागत सूचना एवं सम्प्रेषण तकनीकी में आता है।
  - ❑ चित्रात्मक शिक्षण सहायक साधन भी परम्परागत सूचना एवं सम्प्रेषण तकनीकी के अन्तर्गत आते हैं। जैसे—चार्ट, मानचित्र, चित्र, आरेख आदि।
  - ❑ दृश्य-श्रव्य शिक्षण सामग्री भी परम्परागत सूचना एवं सम्प्रेषण तकनीकी है। जैसे—रेडियो, टेलीविजन, स्लाइड प्रोजेक्टर, ओवरहेड प्रोजेक्टर, चलचित्र आदि।
  - ❑ त्रिआयामी शिक्षण सहायक साधन परम्परागत सूचना एवं सम्प्रेषण तकनीकी में आते हैं। जैसे—मॉडल, कठपुतलियाँ आदि।
- **आधुनिक सूचना एवं सम्प्रेषण तकनीकी :** आधुनिक सूचना एवं सम्प्रेषण तकनीकी हार्डवेयर, सॉफ्टवेयर, मीडिया तथा सम्प्रेषण प्रणालियों का मिश्रण है। इनमें से प्रमुख निम्नलिखित हैं :
  - ❑ कम्प्यूटर डेटाबेस
  - ❑ पॉवर प्वाइंट प्रजेंटेशन
  - ❑ डिजिटल लाइब्रेरी
  - ❑ ई-मेल, इंटरनेट एवं वर्ल्ड वाइड वेब (WWW)
  - ❑ हाईपरमीडिया तथा हाइपरटेक्स्ट स्रोत
  - ❑ डिजिटल वीडियो कैमरा
  - ❑ मल्टीमीडिया पर्सनल कम्प्यूटर
  - ❑ वीडियो कार्ड तथा वेब कैमरे के साथ लैपटॉप
  - ❑ CD ROM एवं DVD
  - ❑ एप्लीकेशन सॉफ्टवेयर-वर्ड प्रोसेसर, स्प्रेडशीट
  - ❑ LCD प्रोजेक्टर अथवा DLP
  - ❑ वीडियो टेक्स्ट, टेली टेक्स्ट, इंटरएक्टिव वीडियो टेक्स्ट, इंटरएक्टिव रिमोट इन्स्ट्रक्शन
  - ❑ दृश्य व श्रव्य कान्फ्रेंसिंग (Audio-Video Conferencing)
  - ❑ अंतःक्रियात्मक रिमोट अनुदेशन (Ineractive Remote Instruction)
  - ❑ आभासी कक्षा-कक्ष (Virtual Classroom)-E-learning, M-learning एवं Virtual Reality

शिक्षा के क्षेत्र में ICT को एकीकृत करने में चुनौतियाँ

भारत जैसे विकासशील देश में ICT का प्रयोग करना अपने आप में व्यापक चुनौतीपूर्ण कार्य है। ये चुनौतियाँ निम्नलिखित हैं :

- **प्रशिक्षित लोगों की कमी :** ICT का कोई भी कार्यक्रम बगैर प्रशिक्षित लोगों के सम्भव नहीं। भारत में प्रत्येक विद्यालय में ऐसे प्रशिक्षित लोगों की नियुक्ति एक चुनौतिपूर्ण कार्य है। यदि हम पहले से नियुक्त व्यक्तियों को ही प्रशिक्षित करना चाहें तब भी उनके शिक्षण-प्रशिक्षण हेतु समय, धन आदि का खर्च ज्यादा होगा।
- **पर्याप्त बजट का अभाव :** यह सही है कि आज सरकारी तंत्र ICT के महत्व को समझते हुए इस हेतु व्यापक धन की व्यवस्था कर रहा है परन्तु विद्यार्थियों की संख्या के आधार पर यह काफी कम है।
- **संसाधनों की कमी :** ICT नवीनतम तकनीकों की सबसे बड़ी कमी यही है कि वे उपकरणों के अभाव में दिशाहीन हो जाती हैं। इसी प्रकार ICT के कोई भी कार्यक्रम बगैर आवश्यक उपकरणों के निस्तेज हो जाते हैं।
- **तार्किक दृष्टिंकोण का अभाव :** यह भी एक बड़ी चुनौती है, तार्किक दृष्टिकोण के अभाव में कार्यक्रमों की उपयोगिता सदैव संदिग्ध बनी रहेगी।

- **बुनियादी सुविधाओं का अभाव :** अभी कई गाँवों एवं दूरदराज के इलाकों में बुनियादी सुविधाएँ उपलब्ध नहीं हैं। बिजली का न होना अथवा अत्यधिक गायब रहना, दोनों ही दशाओं में कार्य प्रभावी तरीके से नहीं हो पायेगा।
- **परम्परागत सोच :** ICT को विद्यालयों में लागू करने का पूरा दारोमदार वहाँ कार्यरत कर्मचारियों एवं शिक्षकों पर है। यदि वहाँ कार्यरत शिक्षक एवं कर्मचारी कहीं से भी नवीन सोच को अपनाने में संकोच करते हैं एवं पुराने तरीकों पर ही दृढ़ रहते हैं तो ऐसे में कार्यक्रम महज कागजी कार्यक्रम होकर रह जाता है।

ICT के उपयोग की सीमाएँ

सूचना एवं सम्प्रेषण तकनीकी का उपयोग करने में कुछ हद तक कठिनाइयों का सामना भी करना पड़ सकता है। अतः इसके प्रयोग संबंधी दोष या सीमाएँ निम्नलिखित हैं :

- शिक्षकों को हमेशा चिंता बनी रहती है कि तकनीकी के प्रयोग में विद्यार्थी स्वयं ज्ञान प्राप्त कर लेंगे और उनका (शिक्षक) महत्व नहीं रहेगा। इसीलिए शिक्षक स्वयं इस तकनीकी का प्रयोग करना नहीं चाहते जिससे कि उनका स्वामित्व बना रहे।
- सूचना एवं सम्प्रेषण तकनीकी के उपयोग संबंधी सुविधाएँ हमारे गाँव के विद्यालयों में उपलब्ध नहीं हैं। गाँव में लोग न तो इनका उपयोग करना चाहते हैं और न ही उनके पास तकनीकी उपकरण खरीदने के साधन हैं।
- विद्यालयी अधिकारीगण, विद्यालय प्रशासन, राज्य सरकारें कोई भी सूचना एवं सम्प्रेषण तकनीकी के विद्यालयों में उपयोग को लेकर न तो आवश्यक उत्साही नजर आते हैं और न ही इस कार्य के लिए उचित वातावरण तैयार किया जाता है जिससे तकनीकी के प्रयोग का कार्य आगे नहीं बढ़ा पाता।
- विद्यालयों में समुचित सुविधाओं का अभाव और विद्यालय प्रशासन एवं राज्य सरकारों का सूचना सम्प्रेषण के उपयोग को लेकर उत्साही न होना।
- विद्यालय का पाठ्यक्रम, परीक्षा पद्धति, मूल्यांकन आदि सूचना एवं सम्प्रेषण तकनीकी के प्रयोग के अनुकूल नहीं है।
- अधिकतर विद्यालयी प्रशासन सूचना सम्प्रेषण तकनीकी को प्रभावशाली ढंग से प्रयोग करना नहीं जानते। उनकी अनभिज्ञता सूचना सम्प्रेषण तकनीकी में बाधा बनी हुई है।
- विद्यार्थी भी इस तकनीकी के प्रयोग के लिए तैयार नहीं हैं। वह परम्परागत अधिगम प्रक्रिया का त्याग करना नहीं चाहते और विद्यालय द्वारा भी सूचना एवं सम्प्रेषण तकनीकी के उपयोग संबंधी किसी प्रकार का कोई प्रशिक्षण नहीं दिया जाता। ऐसी स्थिति में विद्यार्थियों द्वारा इस तकनीकी का अपने अधिगम में प्रयोग नहीं लाया जाता।
- शिक्षक-प्रशिक्षण संस्थाओं द्वारा सूचना एवं सम्प्रेषण तकनीकों के प्रयोग से संबंधित ज्ञान, कौशल, अभिवृत्ति, रुचि आदि के विकास का प्रयास नहीं किया जाता है।

कम्प्यूटर (Computer)

कम्प्यूटर की संरचना

'कम्प्यूटर' शब्द की उत्पत्ति अंग्रेजी भाषा के शब्द 'कम्प्यूट' से हुई है, जिसका अर्थ है 'गणना करना'। यद्यपि प्रारंभ में कम्प्यूटर का उपयोग विशेषतः गणनात्मक कार्यों के लिए किया जाता था, परन्तु अब इसका कार्यक्षेत्र बहुत बढ़ गया है। अतः कम्प्यूटर एक ऐसी इलेक्ट्रॉनिक युक्ति (device) है, जो दिए गए निर्देशन-समूह के आधार पर सूचना को संसाधित (process) करती है। इस निर्देशन-समूह को प्रोग्राम (Program) कहते हैं। 'Computer' में प्रयुक्त आठ अक्षरों का अर्थ इस प्रकार है-

C — Commonly (समरूपता)
O — Operator (चालक)
M — Machine (यंत्र)
P — Particular (मुख्य)
U — User (प्रयोग)
T — Trade (व्यवसाय)
E — Education (शिक्षा)
R — Research (अनुसंधान)

इस प्रकार कम्प्यूटर केवल एक गणक (कैलकुलेटर) ही नहीं है बल्कि यह गणितीय तथा अगणितीय, सभी प्रकार की सूचना को संसाधित करने वाला उपकरण है।

कम्प्यूटर एक इलेक्ट्रॉनिक डिवाइस है, जो इनपुट के माध्यम से आंकड़ों को ग्रहण करता है उन्हें प्रोसेस करता है एवं सूचनाओं को निर्धारित स्थान पर स्टोर करता है। कम्प्यूटर एक क्रमादेश्य मशीन है।

वर्तमान काल के कम्प्यूटर इलेक्ट्रॉनिक और डिजिटल हैं। इनमें मुख्य रूप से तार ट्रांजिस्टर एवं सर्किट का उपयोग किया जाता है जिसे हार्डवेयर कहा जाता है। निर्देश एवं डाटा को सॉफ्टवेयर कहा जाता है। कम्प्यूटर अपने कामकाज, प्रयोजन या उद्देश्य तथा रूप-आकार के आधार पर विभिन्न प्रकार के होते हैं। वस्तुतः इनका सीधे-सीधे अर्थात् प्रत्यक्षतः (Direct) वर्गीकरण करना कठिन है, इसलिए इन्हें हम निम्नलिखित तीन आधारों पर वर्गीकृत करते हैं :

1. अनुप्रयोग (Application)
2. उद्देश्य (Purpose)
3. आकार (Size)

- **अनुप्रयोग के आधार पर कम्प्यूटरों के प्रकार (Types of Computers based on Application) :** यद्यपि कम्प्यूटर के अनेक अनुप्रयोग हैं जिनमें से तीन अनुप्रयोगों के आधार पर कम्प्यूटरों के तीन प्रकार होते हैं :
  - ❑ एनालॉग कम्प्यूटर (Analog Computer)
  - ❑ डिजिटल कम्प्यूटर (Digital Computer)
  - ❑ हाइब्रिड कम्प्यूटर (Hybrid Computer)
- **उद्देश्य के आधार पर कम्प्यूटरों के प्रकार (Types of Computers based on Purpose) :** कम्प्यूटर को दो उद्देश्यों के लिए हम स्थापित कर सकते हैं—सामान्य और विशिष्ट। इस प्रकार कम्प्यूटर उद्देश्य के आधार पर निम्न दो प्रकार के होते हैं :
  - ❑ सामान्य-उद्देशीय कम्प्यूटर (General Purpose Computer)
  - ❑ विशिष्ट-उद्देशीय कम्प्यूटर (Special Purpose Computer)
- **आकार के आधार पर कम्प्यूटरों के प्रकार (Types of Computers based on Size) :** आकार के आधार पर हम कम्प्यूटरों को निम्न श्रेणियाँ प्रदान कर सकते हैं-
  - ❑ माइक्रो कम्प्यूटर (Micro Computer)
  - ❑ वर्कस्टेशन (Work Station)
  - ❑ मिनी कम्प्यूटर (Mini Computer)
  - ❑ मेनफ्रेम कम्प्यूटर (Mainframe Computer)
  - ❑ सुपर कम्प्यूटर (Super Computer)

कम्प्यूटर संबंधी प्रारंभिक शब्द (Computer Related Word)

- **डाटा (Data) :** यह अव्यवस्थित आँकड़ा या तथ्य है। यह प्रोसेस के पहले की अवस्था है। साधारणतः डाटा को दो भागों में विभाजित करते हैं-
  - ❑ **संख्यात्मक डाटा (Numerical Data) :** इस तरह के डाटा में 0 से 9 तक के अंकों का प्रयोग होता है; जैसे-कर्मचारियों का वेतन, परीक्षा में प्राप्त अंक, जनगणना, रोल नं., अंकगणितीय संख्याएँ आदि।
  - ❑ **अल्फान्यूमेरिक डाटा (Alphanumeric Data) :** इस तरह के डाटा में अंकों, अक्षरों तथा चिह्नों का प्रयोग किया जाता है; जैसे-पता (Address) आदि।
- **सूचना (Information) :** यह अव्यवस्थित डाटा का प्रोसेस करने के बाद प्राप्त परिणाम है जो व्यवस्थित होता है।

कम्प्यूटर की विशेषताएँ (Properties of Computer)

- **उच्च गति (High Speed) :** कम्प्यूटर में मनुष्यों की अपेक्षा अधिक गति से दैनंदिन के कार्य पूरा करने की क्षमता है। वे जटिल गणनाओं को क्षणभर में कर सकते हैं।
- **परिशुद्धता (Accuracy) :** जब कोई कार्य मैन्युअल रूप से किया जाता है, तो हमेशा मानवीय त्रुटि की सम्भावना होती है। यदि डाटा इनपुट सही है तो कम्प्यूटर का उपयोग उस तरीके से कार्य करने के लिए किया जा सकता है जो परिशुद्धता सुनिश्चित करता है।
- **संग्रहण (Storage) :** कम्प्यूटर बड़ी मात्रा में जानकारी संग्रह कर सकता है। जानकारी का संग्रह करने के बाद, जैसी आवश्यकता हो उसे वापस लाया जा सकताहै।
- **स्वचालन (Auto-calculation) :** कम्प्यूटर को जटिल कार्य स्वचालित रूप से करने के लिए कहा जा सकता है।
- **एकरूपता (Uniformality) :** कम्प्यूटर एक ही कार्य को बिना थके बार-बार उसी परिशुद्धता के साथ कर सकता है।
- **बहुविज्ञता (Versatility) :** कम्प्यूटर का उपयोग आसान और जटिल दोनों ही कार्यों को करने के लिए किया जाता है।
- **लागत-प्रभाविता :** कम्प्यूटर्स कागजी कार्यवाही और मानवीय प्रयास की मात्रा को घटाते हैं, इस तरह वे लागत में कटौती कर रहे हैं।

कम्प्यूटर की सीमाएँ (Limitations of the Computer)

- **विद्युत पर निर्भरता (Depends on Electricity) :** कम्प्यूटर अपने कार्य के लिए विद्युत पर निर्भर करता है तथा इसके अभाव में कोई भी कार्य सम्पन्न कर पाने में सक्षम नहीं है।
- **वायरस का खतरा (Immune to virus) :** कम्प्यूटर में वायरस का खतरा बना रहता है जो सूचना और निर्देशों को दूषित या समाप्त कर सकता है। ये वायरस कम्प्यूटर की भंडारण क्षमता को भी प्रभावित करते हैं। हालांकि एंटीवायरस सॉफ्टवेयर (Antivirus Software) का प्रयोग कर इससे बचा जा सकता है।
- **खर्चीला (Expensive) :** कम्प्यूटर के हार्डवेयर तथा सॉफ्टवेयर काफी महंगे होते हैं तथा इन्हें समय-समय पर आवश्यकता अनुसार परिवर्तित भी करना पड़ताहै।
- **बुद्धिहीन (No mind) :** कम्प्यूटर में स्वयं की सोचने और निर्णय लेने की क्षमता नहीं होती। यह केवल दिए गए दिशा-निर्देशों के अंदर ही कार्य कर सकता है।

डेटा प्रोसेसिंग और इलेक्ट्रॉनिक डेटा प्रोसेसिंग (Data Processing & Electronic Data Processing)

कम्प्यूटर के निर्माण से पहले निश्चित लक्ष्य को प्राप्त करने के लिए डाटा का संकलन, संचयन संसाधन और निर्गमन हस्तचालित विधि (manual method) से होता था, जिसे डाटा प्रोसेसिंग कहते थे। जैसे-जैसे टेक्नॉलोजी का विकास हुआ इन सभी कार्यों के लिए कम्प्यूटर का उपयोग होने लगा। इसे इलेक्ट्रॉनिक डाटा प्रोसेसिंग (E.D.P.) कहते हैं।

डाटा प्रोसेसिंग का मुख्य लक्ष्य अव्यवस्थित डाटा (Raw Data) से व्यवस्थित डाटा (Information) प्राप्त करना है। जिसका उपयोग निर्णय लेने के लिए होता है।

कम्प्यूटर सिस्टम (Computer System)

यह उपकरणों का एक समूह है जो एक साथ मिलकर डाटा प्रोसेस करते हैं। कम्प्यूटर सिस्टम में अनेक इकाइयाँ होती हैं जिनका उपयोग इलेक्ट्रॉनिक डाटा प्रोसेसिंग में होता है-

- **इनपुट यूनिट (Input unit) :** वैसी इकाई जो यूजर (User) से डाटा प्राप्त कर सेन्ट्रल प्रोसेसिंग यूनिट को इलेक्ट्रॉनिक पल्स के रूप में प्रवाहित (transmit) करता है। जैसा कि ऑटोमेटिक टेलर मशीन (Automatic Teller Machine—ATM) में जब हम निकासी (Withdraw) के लिए जाते हैं तो हमें पिन नम्बर (Personal Identification Number) डालना होता है। उसके लिए इनपुट इकाई के रूप में कीपैड का उपयोग किया जाता है।
- **सेन्ट्रल प्रोसेसिंग यूनिट (CPU) :** इसे प्रोसेसर भी कहते हैं। यह एक इलेक्ट्रॉनिक माइक्रोचिप है जो डाटा को इनफॉर्मेशन में बदलते हुए प्रोसेस करता है। इसे 'कम्प्यूटर का ब्रेन' कहा जाता है। यह कम्प्यूटर सिस्टम के सारे कार्यों को नियंत्रित करता है तथा यह इनपुट को आउटपुट में रूपान्तरित करता है। यह इनपुट यूनिट तथा आउटपुट यूनिट से मिलकर पूरा कम्प्यूटर सिस्टम बनाता है। इसके अग्रलिखित भाग होते हैं-
    - ❑ **अर्थमेटिक लॉजिक यूनिट (Arithmetic Logic Unit या ALU) :** इसका उपयोग अंकगणितीय तथा तार्किक गणना में होता है। अंकगणितीय गणना के अन्तर्गत जोड़, घटाव, गुणा और भाग इत्यादि तथा तार्किक गणना के अन्तर्गत तुलनात्मक गणना जैसे, (<, > या =), हाँ या ना (Yes या No) इत्यादि आते हैं।
    - ❑ **कंट्रोल यूनिट (Control Unit) :** यह कम्प्यूटर के सारे कार्यों को नियंत्रित करता है तथा कम्प्यूटर के सारे भागों जैसे; इनपुट, आउटपुट डिवाइसेज, प्रोसेसर इत्यादि की सारी गतिविधियों के बीच तालमेल बैठाता है।
    - ❑ **मेमोरी यूनिट (Memory Unit) :** यह डाटा तथा निर्देशों के संग्रह करने में प्रयुक्त होता है। इसे मुख्यतः दो वर्गों प्राइमरी तथा सेकेंडरी मेमोरी में विभाजित करते हैं। जब कम्प्यूटर कार्यशील रहता है, अर्थात् वर्तमान में उपयोग हो रहे डाटा तथा निर्देशों का संग्रह प्राइमरी मेमोरी में होता है। सेकेंडरी मेमोरी का उपयोग बाद (later) में उपयोग होने वाले डाटा तथा निर्देशों को संग्रहीत करने में होता है।
- **आउटपुट यूनिट (Output Unit) :** वैसी इकाई जो सेन्ट्रल प्रोसेसिंग यूनिट से डाटा लेकर उसे यूजर को समझने योग्य बनाता है। जैसा कि, जब हम सुपर मार्केट में बिल अदा करते हैं तो हमें रसीद प्राप्त होता है, जो आउटपुट का रूप है। यह आउटपुट उपकरण (output device) प्रिन्टर से प्राप्त होता है।

पर्सनल कम्प्यूटर (Personal Computer)

पर्सनल कम्प्यूटर माइक्रो कम्प्यूटर समानार्थक से जाने वाले वैसे कम्प्यूटर प्रणाली है जो विशेष रूप से व्यक्तिगत अथवा छोटे समूह के द्वारा प्रयोग में लाए जाते हैं। इन कम्प्यूटरों को बनाने में माइक्रोप्रोसेसर मुख्य रूप से सहायक होते हैं। पर्सनल कम्प्यूटर निर्माण विशेष क्षेत्र तथा कार्य को ध्यान में रखकर किया जाता है। उदाहरणार्थ-घरेलू कम्प्यूटर तथा कार्यालय में प्रयोग किए जाने वाले कम्प्यूटर। बाजार में, छोटे स्तर की कम्पनियाँ अपने कार्यालयों के कार्य के लिए पर्सनल कम्प्यूटर को प्राथमिकता देती हैं। पर्सनल कम्प्यूटर के मुख्य कार्यों में क्रीड़ा-करना, इंटरनेट का प्रयोग, शब्द-प्रक्रिया इत्यादि शामिल हैं। पर्सनल कम्प्यूटर के कुछ व्यावसायिक कार्य निम्नलिखित हैं-

- कम्प्यूटर सहायक रूपरेखा तथा निर्माण
- इन्वेन्ट्री तथा प्रोडक्शन कन्ट्रोल
- स्प्रेडशीट कार्य
- अकाउन्टिंग
- सॉफ्टवेयर निर्माण
- वेबसाइट डिजाइनिंग तथा निर्माण
- सांख्यिकी गणना

पर्सनल कम्प्यूटर का मुख्य भाग (Important Parts of Personal Computer)

माइक्रोप्रोसेसर वह चिप होती है जिस पर कंट्रोल यूनिट और ए.एल.यू. एक परिपथ होता है। माइक्रोप्रोसेसर चिप तथा अन्य डिवाइस एक इकाई में लगे रहते हैं, जिसे सिस्टम यूनिट कहते हैं। पी.सी. में एक सिस्टम यूनिट, एक मॉनीटर या स्क्रीन, एक की-बोर्ड, एक माउस और अन्य आवश्यक डिवाइसेज, जैसे-प्रिंटर, मॉडेम, स्पीकर, स्कैनर, प्लॉटर, ग्राफिक टेबलेट, लाइट पेन आदि होते हैं।

पर्सनल कम्प्यूटर का मूल सिद्धान्त (Fundamental Principle of PC)

पी.सी. एक प्रणाली है जिसमें डाटा और निर्देशों को इनपुट डिवाइस के माध्यम से स्वीकार किया जाता है। इस इनपुट किए गए डाटा व निर्देशों को आगे सिस्टम यूनिट में पहुँचाया जाता है, जहाँ निर्देशों के अनुसार सी.पी.यू. डाटा पर क्रिया या प्रोसेसिंग का कार्य करता है और परिचय को आउटपुट यूनिट मॉनीटर या स्क्रीन पर भेज देता है। यह प्राप्त परिणाम आउटपुट कहलाता है। पी.सी. में इनपुट यूनिट में प्रायः की-बोर्ड और माउस काम आते हैं जबकि आउटपुट यूनिट के रूप में मॉनीटर और प्रिंटर काम आते हैं।

कम्प्यूटर का विकास (Development of Computers)

कम्प्यूटर एक ऐसी मानव निर्मित मशीन है जिसने हमारे काम करने, रहने, खेलने इत्यादि सभी के तरीकों में परिवर्तन कर दिया है। इसने हमारे जीवन के हर पहलू को किसी-न-किसी तरह से छुआ है। यह अविश्वसनीय आविष्कार ही कम्प्यूटर है।

पिछले लगभग चार दशकों में इसने हमारे समाज के रहन-सहन, काम करने के तौर-तरीके को बदल डाला है। यह लकड़ी के एबैकस से शुरू होकर नवीनतम उच्च गति के माइक्रोप्रोसेसर में परिवर्तित हो गया है।

कम्प्यूटर का इतिहास (History of Computer)

- **एबैकस (Abacus) :** प्राचीन समय में (गणना करने के लिए) एबैकस का उपयोग किया जाता था। एबैकस एक यंत्र है जिसका उपयोग आंकिक गणना (Arithmetic calculation) के लिए किया जाता है। गणना तारों में पिरोये मोतियों के द्वारा किया जाता है। इसका आविष्कार चीन में हुआ था।
- **पास्कल कैलकुलेटर (Pascal Calculator) या पास्कलाइन (Pascaline) :** प्रथम गणना मशीन (Mechanical Calculator) का निर्माण सन् 1642 में फ्रांस के गणितज्ञ ब्लेज पास्कल (Blaise Pascal) ने किया था। उस कैलकुलेटर में इन्टर लौकिंग गियर्स (Inter Locking gears) का उपयोग किया गया था, जो 0 से 9 संख्या को दर्शाता था। यह केवल जोड़ या घटाव करने में सक्षम था। अतः इसे ऐडिंग मशीन (Adding Machine) भी कहा गया।
- **एनालिटिकल इंजन (Analytical Engine) :** सन् 1801 में जोसफ मेरी जैक्वार्ड ने स्वचालित बुनाई मशीन (Automated weaving loom) का निर्माण किया। इसमें धातु के प्लेट को छेदकर पंच किया गया था और जो कपड़े की बुनाई को नियंत्रित करने में सक्षम था।

  सन् 1834 में एक अंग्रेज आविष्कारक चार्ल्स बैबेज (Charles Babbage) ने डिफरेंस इंजन (Deference Engine) तथा बाद में एनालिटिकल इंजन बनाया। चार्ल्स बैबेज के कॉन्सेप्ट का उपयोग कर पहला कम्प्यूटर प्रोटोटाइप का निर्माण किया गया। इस कारण चार्ल्स बैबेज को 'कम्प्यूटर का जन्मदाता' (Father of Computer) कहा जाता है। दस साल के मेहनत के बावजूद वे पूर्णतः सफल नहीं हुए। सन् 1842 में ऑगस्टा एडा बायरन (Augusta Ada Byron) ने एक पेपर L.F. Menabrea on the Analytical Engine का इटालियन से अंग्रेजी में रूपान्तरण किया। अगॅस्टा ने ही एक पहला Demonstration Program लिखा और उनके बाइनरी अर्थमेटिक के योगदान को जॉन वॉन न्यूमैन ने आधुनिक कम्प्यूटर के विकास के लिए उपयोग किया। इसलिए अगॅस्टा को 'प्रथम प्रोग्रामर' तथा 'बाइनरी प्रणाली का आविष्कारक' कहा जाता है।
- **हरमैन हौलर्थ और पंच कार्ड (Herman Hollerth and Punch Cards) :** सन् 1880 के लगभग हौलर्थ (Hollerth) ने पंचकार्ड का निर्माण किया, जो आज के Computer card की तरह होता था। उन्होंने हॉलर्थ 80 कॉलम कोड और सेंसस टेबुलेटिंग मशीन (Census Tabulator) का भी आविष्कार किया।
- **प्रथम इलेक्ट्रॉनिक कम्प्यूटर ENIAC (First electronic computer–ENIAC) :** सन् 1937 में हावर्ड यूनिवर्सिटी के एच आइकन ने एक कम्प्यूटर का निर्माण किया। यह कम्प्यूटर Mark I आज के कम्प्यूटर का प्रोटोटाइप था। सन् 1946 में द्वितीय विश्वयुद्ध के दौरान ENIAC (Electronic Numerical Integrated and Calculator) का निर्माण हुआ। जो प्रथम पूर्णतः इलेक्ट्रॉनिक कम्प्यूटर था।
- **स्टोर्ड प्रोग्राम कॉन्सेप्ट EDSAC (Stored Program Concept-EDSAC) :** स्टोर्ड प्रोग्राम कॉन्सेप्ट के अनुसार प्रचालन निर्देश (Operating instructions) और आँकड़ा (Data) जिनका प्रोसेसिंग में उपयोग हो रहा है उसे कम्प्यूटर में स्टोर्ड (stored) होना चाहिए और आवश्यकतानुसार प्रोग्राम के क्रियान्वयन (execution) के समय रूपान्तरित होना चाहिए।

  एडजैक (EDSAC) कम्प्यूटर कैम्ब्रिज विश्वविद्यालय में विकसित किया गया था, जिसमें स्टोर्ड प्रोग्राम कॉन्सेप्ट समाहित था। यह कम्प्यूटर में निर्देश (Instruction) के अनुक्रम (Sequence) को स्टोर्ड करने में सक्षम था और पहला कम्प्यूटर प्रोग्राम के समतुल्य था।
- **यूनिवेक-I (UNIVAC-I) :** इसे Universal Automatic Computer भी कहते हैं। सन् 1951 में व्यापारिक उपयोग के लिए उपलब्ध यह प्रथम कम्प्यूटर था। इसमें कम्प्यूटर की प्रथम पीढ़ी (First generation) के गुण (characteristics) समाहित थे।

कम्प्यूटर की पीढ़ियाँ (Computer's Generations)

पीढ़ी	हार्डवेयर	सॉफ्टवेयर	उदाहरण	विशेषताएँ
प्रथम (1942-1955)	निर्वात, ट्यूब, पंचकार्ड, विद्युत और यांत्रिक मशीन	मशीनी भाषा, असेम्बली भाषा, स्टोर प्रोग्राम	एनियक; इडवैक; यूनीवैक-1	बड़ा आकार, खर्चीला, केवल वैज्ञानिक अनुप्रयोग
द्वितीय (1955-1964)	ट्रांजिस्टर, चुम्बकीय मेमोरी	उच्च स्तरीय भाषा; बैच ऑपरेटिंग सिस्टम	आईबीएम; यूनीवैक	अपेक्षाकृत छोटा, तीव्र, खर्चीला, वैज्ञानिक और व्यावसायिक उपयोग
तृतीय (1964-1975)	इंटीग्रेटेड चिप, SSI व MSI; चुम्बकीय भंडारण क्षमता में वृद्धि	उच्च स्तरीय भाषा का मानकीकरण; टाइम शेयरिंग ऑपरेटिंग सिस्टम, हार्डवेयर व सॉफ्टवेयर की अलग अलग बिक्री	आईबीएम-360; पीडीपी-8	तीव्र, छोटे, सस्ते, विश्वसनीय, उपयोग में आसान
चतुर्थ (1975-1989)	VLSI, माइक्रोप्रोसेसर सेमीकंडक्टर मेमोरी; पीसी; उच्च क्षमता वाले नेटवर्क	पीसी के लिए ऑपरेटिंग सिस्टम, ग्राफिकल यूजर, इंटरफेस, यूनिक्स, 'C' प्रोग्राम भाषा; एक साथ कई कार्य करने की क्षमता	आईबीएम-पीसी एप्पल-II	सस्ते, उच्च क्षमतायुक्त उपयोग में आसान, व्यावसायिक उत्पादन तथा व्यक्तिगत उपयोग
पंचम (1989-अब तक)	ULSI; ऑप्टीकल डिस्क; कम जगह में अधिक भंडारण, नोटबुक, कम्प्यूटर, इंटरनेट, मल्टीमीडिया	इंटरनेट तथा मल्टीमीडिया सॉफ्टवेयर www	आईबीएम, नोटबुक पेंटियम पीसी, सुपर कम्प्यूटर, कृत्रिम ज्ञान क्षमता (AI)	अति छोटे, अति तीव्र उपयोग में आसान; प्लग और प्ले

कम्प्यूटर की कार्यप्रणाली (Working of Computers)

कम्प्यूटर की अपनी कोई बुद्धिमता नहीं होती है, न ही इसमें कोई सोचने-विचारने की समझ या निर्णय लेने या तर्क करने की शक्ति होती है। यह शक्ति तो उसे मानव द्वारा ही प्रोग्राम के रूप में प्रदान की जाती है।

यद्यपि कम्प्यूटर की तुलना मस्तिष्क से की जाती है परन्तु कम्प्यूटर मानव की ही कृति है, इसलिए यह मानव से श्रेष्ठ कार्य करने के लिए अभिकल्पित तो किया ही जा सकता है क्योंकि उसमें समस्त मानव सभ्यता की सबसे अधिक श्रेष्ठ एवं परिष्कृत तथा आधुनिकतम अभियान्त्रिकी एवं प्रतिभा का उपयोग किया जा रहा है। कम्प्यूटर की कार्य प्रणाली के चार मुख्य अवयव होते हैं।

इन्हें कम्प्यूटर का रचना-शिल्प भी कहते हैं। इनके नाम हैं-

1. निवेश (Input)
2. केन्द्रीय संसाधन एकक (CPU)
3. बाह्य स्मृति (External Memory)
4. निर्गम (Output)

निवेश एवं निर्गम एककों (Input and output units) के द्वारा कम्प्यूटर एवं मानव के बीच सम्पर्क स्थापित होता है। चूँकि ये एकक कम्प्यूटर को चारों तरफ घेरे हुए होती हैं, इसलिए इन्हें परिधीय युक्तियाँ (Peripheral devices) भी कहा जाता है।

निवेश/निर्गम के प्रकार (Type of Input/Output)

- लिखित भाषा या कार्यक्रम भाषाओं से।
- ध्वनि माध्यम से।
- दृश्यमूलक माध्यमों अस्तु चित्र, रेखांकन ग्राफ आदि।
- यान्त्रिक माध्यमों से।

लिखित (recorded) ध्वनि या दृश्यमूलक (Video) और यांत्रिक निर्देश को इस प्रकार बनाया जाता है कि निवेशित होने वाली जानकारी को विद्युतीय संकेतों में बदल दिया जाए। ये संकेत इलेक्ट्रॉनिक युक्तियों के द्वारा परिवर्तित किए जाते हैं एवं द्विआधारी पद्धति (Binary system) में होते हैं। द्विआधारी कोड के अनुसार विद्युतीय स्पन्द (electrical pulse) का होना 1 को एवं न होना 0 को प्रदर्शित करता है।

कम्प्यूटर के रचना-शिल्प की विशेषताएँ (Properties of Computer's Architecture)

कम्प्यूटर के रचना-शिल्प (architecture) में निम्नलिखित विशेषताएँ होती हैं :

(*i*) इसमें सारे अवयव स्वचालित रूप से कार्य करते हैं।

(*ii*) इसमें निवेश एवं निर्गम के लिए एक से अधिक कई विधियों का प्रयोग किया जाता है।

(*iii*) यह बहुत तेज गति एवं शुद्धता से कार्य करता है। यद्यपि कम्प्यूटर के केन्द्रीय संसाधन एकक में स्मृति का बृहत् भंडार होता है लेकिन कई बार यह भी कम पड़ जाता है। ऐसी दशा में एक बाह्य स्मृति भंडार बनाना आवश्यक हो जाता है। यह स्मृति भंडार कम कीमत अथवा लागत वाला होता है इसलिए इसकी गति भी कम होती है।

कम्प्यूटर के प्रमुख भाग (Main Parts of Computer)

सेन्ट्रल प्रोसेसिंग यूनिट (CPU)

सेन्ट्रल प्रोसेसिंग यूनिट को हिन्दी में केन्द्रीय विश्लेषक इकाई भी कहा जाता है। इसके नाम से ही स्पष्ट है, यह कम्प्यूटर का वह भाग है, जहाँ पर कम्प्यूटर प्राप्त सूचनाओं का विश्लेषण करता है। सेन्ट्रल प्रोसेसिंग यूनिट (सी.पी.यू.) को पुनः तीन भागों में बांटा जा सकता है–1. कन्ट्रोल यूनिट 2. ए.एल.यू. 3. स्मृति (मेमोरी)।

कन्ट्रोल यूनिट (Control Unit)

कन्ट्रोल यूनिट का कार्य कम्प्यूटर की इनपुट एवं आउटपुट युक्तियों को नियन्त्रण में रखना है। कन्ट्रोल यूनिट के मुख्य कार्य है-

- सर्वप्रथम इनपुट युक्तियों की सहायता से सूचना/डाटा को कन्ट्रोलर तक लाना।
- कन्ट्रोलर द्वारा सूचना/डाटा को स्मृति में उचित स्थान प्रदान करना।
- स्मृति से सूचना/डाटा को पुनः कन्ट्रोलर में लाना एवं इन्हें ए.एल.यू. में भेजना।
- ए.एल.यू. से प्राप्त परिणामों को आउटपुट युक्तियों पर भेजना एवं स्मृति में उचित स्थान प्रदान करना।

ए.एल.यू. (ALU)

कम्प्यूटर की वह इकाई जहाँ सभी प्रकार की गणनाएं की जा सकती है, अर्थमेटिक एंड लॉजिकल यूनिट कहलाती है।

मेमोरी (Memory)

किसी भी निर्देश, सूचना अथवा परिणाम को संचित करके रखना ही स्मृति कहलाती है। कम्प्यूटर के सी.पी.यू. में होने वाली समस्त क्रियाएँ सर्वप्रथम स्मृति में जाती है। तकनीकी रूप में मेमोरी कम्प्यूटर का कार्यकारी संग्रह है। मेमोरी कम्प्यूटर का अत्यधिक महत्वपूर्ण भाग है जहां डाटा, सूचना और प्रोग्राम प्रक्रिया के दौरान स्थित रहते हैं और आवश्यकता पड़ने पर तत्काल उपलब्ध होते हैं।

कम्प्यूटर की मेमोरी दो प्रकार की होती है–अस्थायी एवं स्थायी। अस्थायी नाम से ही स्पष्ट है इसका प्रयोग गणना करते समय किया जाता है, जबकि स्थायी मेमोरी में सूचना हमेशा के लिए संग्रहीत रहती हैं। अस्थायी मेमोरी का संबंध रैम (रेंडम एक्सेस मेमोरी) तथा स्थायी मेमोरी का संबंध रोम (रीड ओनली मेमोरी) से है।

रैम में लिखा गया डाटा परिमार्जन और परिवर्तन की दृष्टि से सरल होता है। लेकिन इसका अस्तित्व अस्थायी होता है। जबकि रोम एक स्थायी स्मृति है।

असल में रोम का निर्माण करते समय उसमें कुछ ऐसे प्रोग्राम भर देते हैं जिनकी आवश्यकता कम्प्यूटर को हमेशा होती है। रोम में हम अपनी इच्छानुसार परिवर्तन नहीं कर सकते हैं। स्मृति की शक्ति और क्षमता किलोबाइट में आँकी जाती है।

माइक्रोप्रोसेसर (Microprocessor)

सी.पी.यू. एक जटिल इलेक्ट्रॉनिक सर्किट होता है। यह सिलिकॉन की एक छोटी पट्टी पर बना होता है, जिसे बाहर से कनेक्शन लगाने के लिए पिनें लगी होती हैं यही माइक्रोप्रोसेसर कहलाता है। इसी माइक्रोप्रोसेसर चिप को ध्यान में रखकर कम्प्यूटर बनाया जाता है। कम्प्यूटर की क्षमता का आधार ही माइक्रोप्रोसेसर हो गया है। कम्प्यूटर की गति में निरन्तर विकास होता रहा है और अब काफी शक्तिशाली माइक्रोप्रोसेसर चिपें मिलने लगी हैं। प्रत्येक कम्प्यूटर में एक क्लॉक सर्किट होता है जो घड़ी की तरह नियमित विद्युत् संकेत देता रहता है। यह क्लॉक जिस तेजी से संकेत देती है, कम्प्यूटर भी अपनी संगणनाएँ या अन्य कार्य उतनी ही तेजी से करता है। इसकी रफ्तार को मेगाहर्ट्ज यानी कि एक सेकेंड के दस लाखवें हिस्से के रूप में आँका जाता है। माइक्रोप्रोसेसर की क्षमता को बिट्स में आँका जाता है। पहले 8 बिट वाले कम्प्यूटर होते थे जबकि अब 16 से 32 बिट वाले प्रोसेसर होते हैं।

सिस्टम यूनिट (System Unit)

'सिस्टम यूनिट' एक पावर हाउस होता है। यह किसी भी पीसी की सभी क्रियाओं को नियंत्रित करता है। यह एक बक्से की तरह होता है। यह दो रूपों में आता है–डेस्कटॉप और टॉवर टाइप। कम्प्यूटर के सभी इलेक्ट्रॉनिक सर्किट इसी बक्से में बंद होती हैं। इसी सर्किट बोर्ड में माइक्रोप्रोसेसर और अन्य आईसी (इंटीग्रेटेड सॉकेट) लगे होते हैं, जो स्लॉट्स कहलाते हैं। इसमें अनेक प्रकार के इंटरफेस कार्ड लगाए जाते हैं। एक कार्ड की-बोर्ड के लिए, दूसरा मॉनीटर के लिए और तीसरा प्रिंट के लिए लगाए जा सकते हैं। अन्य स्लॉट्स में आवश्यकतानुसार कार्ड लगाकर कम्प्यूटर को बहुउद्देशीय बनाया जाता है। जैसे-फैक्स, मॉडेम, कार्ड, इंटरनेट, ध्वनि, फिल्म आदि।

सीडी रोम (C.D. ROM)

आजकल इसी का जमाना है। साथ ही इसमें डाटा बैकअप की भी सुविधा है। एक सीडी में आसानी से 640 मेगाबाइट तक डाटा लिखा अथवा संग्रहित किया जा सकता है। साथ ही इसमें संगीत और फिल्म को भी रिकॉर्ड किया जा सकता है। पहले सीडी पर एक ही बार लिखा जा सकता था। मगर अब जो सीडी उपलब्ध है, उस पर बार-बार लिखा जा सकता है।

हार्ड डिस्क ड्राइव (Hard Disk Drive)

यह सूचनाओं को स्थायी रूप से संग्रहीत करता है। इसके पढ़ने-लिखने की गति काफी तेज होती है। यह एक स्थायी उपकरण है। इसे आप बाहर नहीं निकाल सकते हैं। इस पर दोनों ओर चुंबकीय पदार्थ की पतली-सी परत लगी होती है। इसमें एक साथ पढ़ने-लिखने के लिए दोनों ओर हेड लगे होते हैं।

सॉलिड-स्टेट ड्राइव (Solid State Drive)

एसएसडी (SSD) का अर्थ सॉलिड स्टेट ड्राइव (Solid State Drive) है। सॉलिड-स्टेट ड्राइव कम्प्यूटर में उपयोग की जाने वाली स्टोरेज युक्ति की एक नई पीढ़ी है। यह डेटा को स्टोर करने के लिए मेमोरी के रूप में इंटीग्रेटेड सर्किट असेंबलियों का उपयोग करता है।

मॉनीटर (Monitor)

यह टीवी की तरह होता है। वैसे आजकल टीवी को भी मॉनीटर बनाने की तैयारी चल रही है और कुछ कंपनियों ने बाजार में ऐसा कम्प्यूटर उपलब्ध भी कराया है। अभी बाजार में जो टीवी उपलब्ध है उसे मॉनीटर के रूप में उपयोग करने में कठिनाई है।

यदि टीवी पर एक लाइन में 40 अक्षर से अधिक आ जायें तो देखने में कठिनाई होती है। जबकि कम्प्यूटर के मॉनीटर पर आसानी से 80 तक अक्षरों को देख और पढ़ सकते हैं। मॉनीटर का प्रचलन इन दिनों न के बराबर है। मॉनीटर दो प्रकार के होते हैं—श्वेत एवं श्याम और रंगीन। यह छोटे-छोटे बिन्दुओंसे बना होता है। इन बिन्दुओं को 'पिक्सल' कहा जाता है।एक मॉनीटर पर लगभग 600 बिन्दुओं की 200 रेखायें होती हैं।

की-बोर्ड (Key Board)

की-बोर्ड टाइपराइटर की तरह होता है। इस पर अल्फाबेट अंकित होता है। कम्प्यूटर का उपयोग इसी के द्वारा होता है। हालाँकि इसमें एक साधारण टाइपराइटर से अधिक 'की' होती हैं। इसकी 'की' कई भागों में विभाजित होती हैं।

माउस (Mouse)

'की-बोर्ड' की तरह 'माउस' एक छोटा-सा इनपुट डिवाइस होता है। इसमें तीन बटन होते हैं। इसके द्वारा अलग-अलग ऐप्लीकेशन सॉफ्टवेयरों को अत्यन्त तीव्र गति से चलाकर परिणाम प्राप्त कर सकते हैं। लगभग सभी पीसी में दो सीरियल पोर्ट होते हैं।

ये COM_1 और COM_2 के नाम से जाने जाते हैं। हम किसी भी पोर्ट में माउस लगाकर अपना काम कर सकते हैं। इसे हाथ से टेबुल पर नचाने पर एक तीर कम्प्यूटर में चलता है। इस तीर को 'करसर' कहते हैं। इस तीर को किसी भी कमांड पर दबाने पर वह कार्यान्वित हो जाता है। इन दिनों इंटरनेट का प्रचलन बढ़ गया है और इसमें माउस की उपयोगिता काफी बढ़ गई है।

प्रिंटर (Printer)

यह कम्प्यूटर का एक महत्वपूर्ण आउटपुट उपकरण है। मॉनीटर पर आप जो देखते हैं उसे छपे रूप में इसके द्वारा प्राप्त कर सकते हैं। प्रिंटर उपयोगिता के हिसाब से अलग-अलग प्रकार के होते हैं।

स्कैनर (Scanner)

इसके द्वारा किसी भी दस्तावेज, चित्र अथवा आँकड़े को सीधे हू-ब-हू रूप में कम्प्यूटर में भेज सकते हैं। इन दिनों यह कम्प्यूटर का एक प्रमुख उपयोगी उपकरण हो गया है।

स्पीकर (Speaker)

वर्तमान समय के सभी कम्प्यूटर मल्टीमीडिया कम्प्यूटर हैं। इसलिए स्पीकरों का प्रयोग सबके साथ होता है। लेकिन स्पीकर को कम्प्यूटर से जोड़ना हमारी इच्छा पर निर्भर है। कम्प्यूटर में स्पीकर को सीपीयू में लगे साउंड कार्ड के एक जैक से जोड़ते हैं, जहाँ से हमें आवाज सुनाई पड़ती है।

सीडी राइटर (C.D. Writer)

सीडी राइटर का प्रयोग भी जिप ड्राइव की तरह किया जाता है। इसे दो रूपों में इस्तेमाल कर सकते हैं। बहुत से लोग सीडी राइटर को सीपीयू में स्थायी रूप से लगा लेते हैं और इसके द्वारा सीडी राइटिंग से लेकर सीडी में लिखे प्रोग्रामों तक को पढ़ने में इस्तेमाल कर सकते हैं। लेकिन अभी भी सीडी राइटर को लोग एक्सटर्नल रूप में इस्तेमाल करते हैं। जिसमें हम जिप ड्राइव की पोर्ट से ही सीडी राइटर को जोड़कर कम्प्यूटर में स्टोर बहुत बड़ी मात्रा में डाटा को सीडी पर लिखकर सुरक्षित रख सकते हैं।

वेब कैमरा या वेबकैम (Webcam)

आजकल इंटरनेट का चलन लगातार बढ़ रहा है, जिससे नई-नई ऐसेसरीज बाजार में आ रही है। इसी नई तकनीक के तहत अभी हाल में वेब कैमरा बाजार में आया है। इस कैमरे के प्रयोग से आप कम्प्यूटर में फिल्म इनपुट करने से लेकर दूर बैठे व्यक्ति से इस तरह से बात कर सकते हैं जैसे वह आपके सामने बैठा हो। वेब कैमरे को कम्प्यूटर की यूएसबी पोर्ट में लगाते हैं। इसके बाद जब वह कम्प्यूटर में इंस्टॉल हो जाता है तो आप इंटरनेट से फोन करते समय इसका प्रयोग लाइव वीडियो कैमरे की तरह कर सकते हैं।

माइक्रोफोन (Microphone)

माइक भी कम्प्यूटर का ऐसा भाग है जिसे जरूरत होने पर कम्प्यूटर में जोड़ा जाता है। मल्टीमीडिया कम्प्यूटर में माइक को आवाज इनपुट करने के लिए प्रयोग करते हैं। सीपीयू में साउंड कार्ड की माइक संबंधित पोर्ट से जोड़कर हम इसमें आवाज रिकार्ड कर सकते हैं।

कम्प्यूटर की मूल इकाइयाँ (Fundamental Units of Computer)

मूल इकाइयाँ : कम्प्यूटर की मूल इकाइयों का मतलब कम्प्यूटर की उन बातों से है जिनसे कम्प्यूटर की गणनाओं का काम प्रारंभ होता है।

बिट (Bit)

बिट अर्थात् Binary digit, कम्प्यूटर की स्मृति की सबसे छोटी इकाई है। यह स्मृति में एक बायनरी अंक 0 अथवा 1 को संचित किया जाना प्रदर्शित करता है। यह बाइनरी डिजिट का छोटा रूप है यहाँ एक सवाल उठता है कि बिट 0 और 1 ही क्यों होता है? 3-4 क्यों नहीं? तो इसका जवाब दो तरह से आता है।

चूँकि गणितीय गणना के लिए वैज्ञानिकों को ऐसा अंक चाहिए था जो किसी भी तरह की गणना को आगे बढ़ाने या घटाने पर गणितीय स्तर पर असर न डाले तो केवल 0 एकमात्र ऐसी संख्या है जिसे किसी भी अंक के साथ जोड़ने या घटाने पर कोई फर्क नहीं पड़ता और 1 एकमात्र ऐसी संख्या हैं जिसे किसी अंक के साथ गुणा या भाग देने पर कोई फर्क नहीं पड़ता। दूसरी तरफ इलेक्ट्रॉनिक्स में हम जानते हैं कि 0 और 1 क्रमशः ऑन और ऑफ को दिखलाता है। कम्प्यूटर भी इलेक्ट्रॉनिक सिग्नल को ही पहचानता है। इस कारण 0 और 1 का उपयोग किया जाता है।

बाइट (Byte)

यह कम्प्यूटर की स्मृति (memory) की मानक इकाई है। कम्प्यूटर की स्मृति में की-बोर्ड से दबाया गया प्रत्येक अक्षर, अंक अथवा विशेष चिह्न ASCII Code में संचित होते हैं। प्रत्येक ASCII Code 8 byte का होता है। इस प्रकार किसी भी अक्षर को स्मृति में संचित करने के लिए 8 बिट मिलकर 1 बाइट बनती है।

कैरेक्टर (Character)

संख्याओं के अलावा वह संकेत है जो भाषा और अर्थ बताने के काम आते हैं। उदाहरण के लिए हम देखें-

a b c d e f g h i j k l m n o p q r s t u v w x y z A B C D E F G H I J K L M N O P Q R S T U W X Y Z 0 1 2 3 4 5 6 7 8 9 ! @ # $ % ^ & * ( ) _ = | \ ' , . / ; ' [ ] { } : " < > ?

कम्प्यूटर सिस्टम सामान्यतः कैरेक्टर को संचित करने के लिए ASCII कोड का उपयोग करते हैं। प्रत्येक कैरेक्टर 8 बिटस का उपयोग करके संचित होता है।

आस्की (ASCII) कोड क्या होता है?

आज हम कम्प्यूटर पर आसानी जो कुछ भी लिखते हैं वो आस्की में ही लिखा होता है। प्रत्येक कम्प्यूटर प्रयोगकर्ता अंकों, अक्षरों तथा संकेतों के लिए बाइनरी सिस्टम पर आधारित कोड का निर्माण करके कम्प्यूटर को परिचालित कर सकता है। लेकिन उसके कोड केवल उसी के द्वारा प्रोग्रामों और आदेशों के लिए लागू होंगे। इससे कम्प्यूटर के प्रयोगकर्ता परस्पर सूचनाओं का आदान-प्रदान तब तक नहीं कर सकते जब तक कि वे एक-दूसरे द्वारा इस्तेमाल किए हुए कोड संकेतों से परिचित न हों। सूचनाओं के आदान-प्रदान की सुविधा के लिए अमेरिका में एक मानक कोड तैयार किया गया है जिसे अब पूरे विश्व में मान्यता प्राप्त है। इसे आस्की (ASCII— American Standard Code For Information Interchange) के नाम से जाना जाता है। इसमें प्रत्येक अंक, अक्षरों व संकेत को 8 बिटों से दर्शाया गया है। इन 8 स्थानों पर केवल 9 और 1 की संख्या ही लिखी गई है।

इनपुट तथा आउटपुट डिवाइस (Input and Output Devices)

इनपुट डिवाइसेज (Input Devices)

जिन यंत्रों के द्वारा डाटा इनपुट किया जाता है अर्थात् जिन यंत्रों से आँकड़ें, शब्द या निर्देश मेमोरी में डाले जाते हैं, इनपुट डिवाइसेस कहलाते हैं।

दूसरे शब्दों में ये ऐसे यंत्र हैं जिनके द्वारा हम कम्प्यूटर को निर्देश देते हैं और कम्प्यूटर उन पर प्रोग्राम के अनुरूप कार्य करता है। जैसे कि की-बोर्ड, माउस आदि।

कुछ प्रमुख इनपुट डिवाइसेस निम्नलिखित हैं :

- की-बोर्ड (Key-Board)
- माउस (Mouse)
- ट्रैकबॉल (Trackball)
- जॉयस्टिक (Joystick)
- स्कैनर (Scanner)
- माइक्रोफोन (Microphone)
- वेब कैम (Web Cam)
- बार कोड रीडर (Bar Code Reader)
- ओ.सी.आर. (OCR-Optical Character Reader)
- एम.आई.सी.आर. (MICR-Magnetic Ink Character Reader)

- ओ.एम.आर. (OMR–Optical Mark Reader)
- किमबॉल टैग रीडर (Kimball Tag Reader)
- स्पीच रेकग्निशन सिस्टम (Speech Recognition System)
- लाइट पेन (Light Pen)
- टच स्क्रीन (Touch Screen)

की-बोर्ड (Key Board)

की-बोर्ड किसी भी कम्प्यूटर की मुख्य और सुगम ऑन लाइन इनपुट डिवाइस है। यह एक टाइपराइटर के समान कुंजियों वाला उपकरण होता है। इसमें कुंजियों की संख्या टाइपराइटर से अधिक होती है। की-बोर्ड की सभी कुंजियों को हम पाँच श्रेणियों में बाँट सकते हैं।

- **अल्फाबेट की (Alphabet Keys) :** की-बोर्ड में 26 अल्फाबेट की (Keys) A से Z तक होते हैं, जिनका उपयोग कर हम किसी भी शब्द या टेक्स्ट (Text) को लिख (Type) सकते हैं।
- **संख्यात्मक की (Numeric Keys) :** इन की (Keys) का उपयोग नम्बर या अंक टाइप करने के लिए होता है। इन पर 0 से 9 तक संख्या अंकित रहते हैं। साधारणतः की-बोर्ड के दाहिने तरफ अंक टाइप करने के लिए संख्यात्मक की-पैड होता है। इसमें 0 से 9 तक अंक, दशमलव, जोड़, घटाव, गुणा तथा भाग के की (Key) होते हैं।
- **फंक्शन-की (Function Keys) :** ये की-बोर्ड में सबसे ऊपर स्थित होते हैं। इन बटनों पर F1 से F12 अंकित होते हैं। इनका उपयोग (use) बार-बार किए जाने वाले कार्य के लिए पहले से निर्धारित रहता है। उनके उपयोग से समय की बचत होती है।
- **कर्सर कंट्रोल की (Cursor Control Keys) :** इन की (Keys) का उपयोग स्क्रीन पर कर्सर को कहीं भी ले जाने के लिए होता है। ये चार भिन्न दिशाओं को इंगित करते हैं जिसे चार तीर के निशान से दर्शाया रहता है। इसे ऐरो की (Arrow Key) भी कहा जाता है। इसे दायाँ (Right), बायाँ (Left), ऊपर (Up) तथा नीचे (Down) ऐरो-की कहते हैं।

इनके ठीक ऊपर कर्सर को नियंत्रित करने के लिए चार और बटन होते हैं; जिन्हें होम, एंड, पेजअप और पेज डाऊन कहते हैं।

- **होम (Home) :** कर्सर को लाइन के आरंभ में ले जाता है।
- **इन्ड (End) :** कर्सर को लाइन के अंत में ले जाता है।
- **पेज अप (Page Up) :** कर्सर को एक पीछे या पिछले पेज में ले जाता है।
- **पेज डाउन (Page Down) :** कर्सर को अगले पेज पर ले जाता है।

माउस (Mouse)

माउस एक ऑन लाइन इनपुट डिवाइस है जिसे हम अपने हाथों में पकड़कर काम में लेते हैं। इसमें लेफ्ट बटन, राइट बटन और बीच में एक स्क्रॉल व्हील होता है। माउस के उपयोग करने से हमें की-बोर्ड के किसी बटन को याद करने की आवश्यकता नहीं होती है। समतल सतह पर माउस को हिलाने से इसमें नीचे लगी बॉल घूमती है, जो माउस में लगे छोटे-छोटे रोलरों को संवेदित करती है।

ट्रैकबॉल (Trackball)

यह माउस का ही एक विकल्प है। इसके ऊपर एक बॉल होता है जिसे हाथ से घुमाकर प्वाइंटर की दिशा में परिवर्तन किया जाता है। मुख्यतः इसका उपयोग चिकित्सा के क्षेत्र में, कैड (CAD) तथा कैम (CAM) में किया जाता है।

माइक्रोफोन (Microphone)

इस इनपुट डिवाइस का प्रयोग किसी भी आवाज को रिकॉर्ड करने में होता है।

वेबकैम (Webcam)

इसका प्रयोग इंटरनेट पर फोटो देखने तथा फोटो लेने के लिए होता है। इसका उपयोग कर इंटरनेट की सहायता से दूर बैठे आदमी का फोटो देख सकते हैं, परन्तु दूसरे व्यक्ति के पास भी webcam उपलब्ध होना चाहिए। यह डिजिटल कैमरे की तरह होता है जिसे कम्प्यूटर से जोड़कर इनपुट डिवाइस के रूप में उपयोग होता है।

बार कोड रीडर (Bar Code Reader)

यह Point of sales डाटा रिकॉर्डिंग है। आजकल सुपर मार्केट में मूल्यों तथा डाटा अपडेट करने के लिए इसका उपयोग किया जाता है। सुपर मार्केट में सामान के ऊपर जो सफेद और काली लाइन बनी होती है, वह बार कोड है। जिसे बार कोड रीडर जो एक स्कैनिंग डिवाइस है, के द्वारा स्कैन कर डिजिटल रूप में कम्प्यूटर में भेजा जाता है। आजकल बार कोड रीडर का उपयोग सुपर मार्केट, पुस्तकालय, बैंक तथा पोस्ट ऑफिस में भी किया जाता है।

किमबॉल टैग रीडर (Kimball Tag Reader)

किमबॉल टैग एक छोटा-सा कार्ड है, जिसमें छेद पंच रहते हैं। जैसे किसी दुकान में कपड़े में कार्ड लगा रहता है जिसे खरीदने के बाद निकाल दिया जाता है और कम्प्यूटर केन्द्र में प्रोसेसिंग के लिए भेज दिया जाता है।

स्पीच रेकग्निशन सिस्टम (Speech Recognition System)

स्पीच रिकग्निशन माइक्रोफोन या टेलीफोन द्वारा बोले गए शब्दों के सेट को पकड़कर ध्वनि में परिवर्तित करने की क्रिया है। रेकग्नाइज्ड शब्दों को कमांड और नियंत्रण, डाटा प्रविष्टि और दस्तावेज तैयार करने के लिए

उपयोग किया जा सकता है। स्पीच रेकग्निशन सिस्टम, बोले हुए शब्दों को मशीन के पढ़ने लायक इनपुट में बदल देता है। इसका उपयोग Voice डायलॉग, सरल डाटा प्रविष्टि, स्पीच से टेक्स्ट प्रोसेसिंग तथा हवाई जहाज के कॉकपिट में होता है।

टच स्क्रीन (Touch Screen)

यह एक इनपुट डिवाइस है। जब हम इस स्क्रीन को स्पर्श करते हैं तो यह पता लगा लेता है कि हमने इसे कहाँ स्पर्श किया है। इसका उपयोग बैंकों में एटीएम तथा सार्वजनिक सूचना केन्द्रों में स्क्रीन पर उपलब्ध विकल्पों का चयन करने के लिए किया जाता है। इसका उपयोग संगीत सुनने के लिए होता है।

ऑप्टीकल मार्क रीडर (Optical Mark Reader)

यह किसी कागज पर पेन्सिल या पेन के चिह्न की उपस्थिति और अनुपस्थिति को जाँचती है। यह तकनीकी केवल छपे हुए कार्ड या फार्म पर निश्चित स्थानों पर बने बक्सों और पेन्सिल से भरे बक्सों को जाँचती हैं।

ऑप्टीकल कैरेक्टर रिकॉग्नीशन (Optical Character Recognition—O.C.R.)

एक ऐसी तकनीक है जिसमें पहले से छपे कैरेक्टर्स के परस्पर फर्क देखकर मानक कैरेक्टर्स से पहचान की जाती है।

मैग्नेटिक इंक कैरेक्टर रेकग्निशन (Magnetic Ink Character Recognition—MICR)

बैकिंग में अधिक उपयोग की जाने वाली तकनीक है, जहाँ अधिक संख्या में चेक जाँचे जाते हैं। इस तकनीक में चेक पर विशेष चुम्बकीय स्याही द्वारा कैरेक्टर छपे होते हैं। रीडर चेक पर छपे कैरेक्टर को चुम्बकीय कॉइल के संवेदन से पढ़ता है।

स्कैनर (Scanner)

यह कम्प्यूटर में किसी पृष्ठ पर बनी आकृति या लिखित सूचना को सीधे इनपुट करता है। इसका मुख्य लाभ यह है कि यूजर को सूचना टाइप नहीं करनी पड़ती है।

जॉयस्टिक (Joystic)

यह खेल खेलने के काम में आने वाली डिवाइस है। जॉयस्टिक के माध्यम से स्क्रीन पर उपस्थित टर्टर या आकृति को इसके हैंडल से पकड़कर चलाया जा सकता है।

लाइट पेन (Light Pen)

लाइट पेन का कम्प्यूटर स्क्रीन पर कोई भी आकृति बनाने के लिए प्रयोग किया जाता है। लाइट पेन में एक फोटो सेल होता है। लाइट पेन की टिप से कम्प्यूटर स्क्रीन पल्स स्क्रीन से ट्रॉन्समिट होकर प्रोसेसर के अन्दर प्रवेश कर जाती है।

डिजिटल टेबलेट या ग्राफिक टेबलेट (Digital Tab or Graphic Tab)

ग्राफिक टेबलेट एक ड्राइंग सतह होती है इसके ऊपर पेन या माउस होता है। ड्राइंग सतह में पतले तारों का जाल होता है जिस पर पेन या माउस को चलाने से संकेत कम्प्यूटर में चले जाते हैं।

आउटपुट डिवाइस (Output Devices)

ये ऐसे उपकरण हैं जो प्रोसेस के उपरांत रिजल्ट देते या प्रदर्शित करते हैं। इसके द्वारा कम्प्यूटर द्वारा प्रोसेस्ड जानकारी को देखते या ग्रहण करते हैं।

कुछ आउटपुट डिवाइस निम्नलिखित हैं-1. मॉनीटर (Monitor), 2. प्रिन्टर (Printer), 3. स्पीकर (Speaker), 4. प्लॉटर (Plotter), 5. स्क्रीन इमेज प्रोजेक्टर (Screen Image Projector)

मॉनीटर (Monitor)

यह एक आउटपुट डिवाइस है जो चित्र या प्रोसेस इनपुट के रिजल्ट को स्क्रीन पर प्रदर्शित करता है। यह कम्प्यूटर तथा यूजर के बीच संबंध स्थापित करता है। मॉनीटर की गुणवत्ता की पहचान डॉट पिच, रिजोल्यूशन और रिफ्रेश रेट से किया जाता है। कम्प्यूटर की समस्त सूचनाएँ देखने के लिए इस डिवाइस का प्रयोग किया जाता है। इसे VDU (Visual Display Unit) भी कहते हैं।

मुख्यतः दो प्रकार के मॉनीटर आजकल प्रचलन में है-

- **सी.आर.टी. मॉनीटर (CRT-Cathod Ray Tube) :** यह मॉनीटर उसी सिद्धान्त पर कार्य करता है, जिनपर टीवी करता है। इसमें एक कैथोड रे ट्यूब रहता है जिसमें इलेक्ट्रॉन गन लगा होता है। जिसके द्वारा प्राप्त इलेक्ट्रॉन बीम को परावर्तित कर चित्र बनाया जाता है अर्थात् स्क्रीन पर डिस्प्ले प्राप्त होता है। सीआरटी स्क्रीन थोड़ी मुड़ी होती है। मॉनीटर पर चित्र छोटे-छोटे बिन्दुओं से मिलकर बनता है जिन्हें पिक्सेल कहते हैं।
- **टीएफटी मॉनीटर (TFT) :** यह एक सीधा (Flat) स्क्रीन होता है जो हल्का तथा पतला होता है तथा कम जगह घेरता है। यह सी.आर.टी. मॉनीटर से अपेक्षाकृत महंगा होता है।

प्रिन्टर (Printer)

प्रिन्टर एक मुख्य आउटपुट डिवाइस है जिसके द्वारा प्रिन्टेड कॉपी या हार्ड कॉपी कागज पर प्राप्त होता है। इसका उपयोग स्थायी दस्तावेज (Permanent Document) तैयार करने के लिए होता है।

प्रिन्टर के प्रकार : कम्प्यूटर प्रिन्टर को मुख्यतः तीन समूहों में बाँटा जाता है :

- **कैरेक्टर प्रिन्टर (Character Printer) :** यह एक बार में एक कैरेक्टर प्रिन्ट करता है। इसे सीरियल प्रिन्टर भी कहते हैं। कैरेक्टर प्रिन्टर 200-450 कैरेक्टर/सेकन्ड प्रिन्ट करता है।

- **लाइन प्रिन्टर (Line Printer) :** यह एक बार में एक लाइन प्रिन्ट करता है। यह तीव्र गति से कार्य करता है। लाइन प्रिन्टर 200–2000 कैरेक्टर/मिनट प्रिन्ट करता है।
- **पेज प्रिन्टर (Page Printer) :** यह एक बार में पूरा पेज प्रिन्ट करता है। यह विशाल डाटा का प्रिन्ट लेने में सक्षम होता है।

प्रिन्ट करने के तरीके (Manner) के अनुसार प्रिन्टर दो प्रकार के होते हैं :

- **इम्पैक्ट प्रिन्टर (Impact Printer) :** यह कागज, रिबन तथा कैरेक्टर तीनों पर एक-साथ चोट कर डाटा प्रिन्ट करता है। इम्पैक्ट प्रिन्टर भी कई प्रकार के होते हैं।
  - ❑ **डॉट मैट्रिक्स प्रिन्टर (Dot Matrix Printer) :** यह एक कैरेक्टर प्रिन्टर है। जिसमें एक प्रिन्ट हेड होता है जो आगे-पीछे तथा ऊपर-नीचे घूमता है। यह स्याही लगे रिबन पर चोट कर प्रिन्ट करता है। यह 80 कॉलम तथा 132 कॉलम दो तरह की क्षमताओं में आता है। इसमें प्रिन्टिंग खर्च बाकी प्रिन्टरों की अपेक्षा कम आता है लेकिन प्रिन्ट की गुणवत्ता और स्पीड दूसरे प्रिन्टर के मुकाबले कम होती है। इसमें एक बार में केवल एक रंग का प्रिन्ट लिया जा सकता है इसलिए इसे मोनो प्रिन्टर भी कहते हैं। इसकी क्षमता को डीपीआई (Dots Per Inch) में मापा जाता है।
  - ❑ **डेजी व्हील प्रिन्टर (Daisy wheel Printer) :** यह भी कम्प्यूटर प्रिन्टर है जिसमें प्रिन्ट हेड की जगह डेजी व्हील लगा होता है जो प्लास्टिक या धातु का बना होता है। व्हील के बाहरी छोर पर अक्षर बना होता है। एक अक्षर को प्रिन्ट करने के लिए डिस्क को घुमाना पड़ता है, जब तक पेपर तथा अक्षर सामने न आ जाए। तब हैमर व्हील पर चोट करता है तथा अक्षर रिबन को चोटकर कागज पर एक अक्षर प्रिन्ट करता है। इससे ग्राफ या चित्र प्रिन्ट नहीं किया जा सकता है। यह शोर करने वाला तथा धीमी छपाई करता है।
- **नन इम्पैक्ट प्रिन्टर (Non Impact Printer) :** यह ध्वनि मुक्त प्रिन्टर है क्योंकि इसमें प्रिन्टिंग हेड कागज पर चोट नहीं करता है। नन इम्पैक्ट प्रिन्टर भी कई प्रकार के होते हैं-
  - ❑ **इंकजेट प्रिन्टर (Inkjet Printer) :** यह नन इम्पैक्ट कैरेक्टर प्रिन्टर है। यह इंकजेट तकनीक पर कार्य करता है। यह दो तरह के होते हैं–मोनो और रंगीन। इसमें स्याही के लिए कार्टरिज (cartridge) लगाया जाता है। स्याही को जेट की सहायता से छिड़ककर कैरेक्टर तथा चित्र प्राप्त होता है। इसकी गुणवत्ता तथा स्पीड दोनों कम होती है, तथा इसमें प्रिन्टिंग खर्च भी ज्यादा आता है।
  - ❑ **लेजर प्रिन्टर (Laser Printer) :** यह तीव्र गति का पेज प्रिन्टर है। इसमें लेजर बीम की सहायता से ड्रम पर आकृति बनाता है। लेजर (बीम) ड्रम पर डालने के फलस्वरूप विद्युत चार्ज हो जाता है। तब ड्रम को टोनर में लुढ़काया जाता है, जिससे टोनर ड्रम के चार्ज भागों पर लग जाता है। इसे ताप तथा दबाव के संयोजन से कागज पर स्थानान्तरित कर दिया जाता है जिससे प्रिन्ट प्राप्त होता है। यह थर्मल तकनीक पर काम करता है। यह दो तरह के होते हैं–मोनो और रंगीन। इसकी गुणवत्ता और स्पीड दोनों बाकी प्रिन्टरों की तुलना में काफी बेहतर होती है।
  - ❑ **थर्मल प्रिन्टर (Thermal Printer) :** इसमें थर्मोक्रोमिक (Thermochromic) कागज का उपयोग किया जाता है। जब कागज थर्मल प्रिन्ट हेड से गुजरता है तो कागज के ऊपर स्थित लेप (Coating) उस जगह काला हो जाता है जहाँ यहं गर्म होता है तथा प्रिन्ट प्राप्त होता है। यह डॉट मैट्रिक्स प्रिन्टर की तुलना में तीव्र तथा ध्वनिरहित होता है। इसमें प्रिन्ट की गुणवत्ता अच्छी होती है।

स्पीकर *(Speaker)*

यह भी एक आउटपुट डिवाइस है जो अक्सर मनोरंजन के लिए उपयोग में आता है। यह ध्वनि के रूप में आउटपुट देता है। इसके लिए सी.पी.यू. (CPU) में साउंड कार्ड का होना आवश्यक है। इसका उपयोग प्रायः संगीत या किसी तरह की ध्वनि सुनने में होता है।

प्लॉटर *(Plotter)*

यह एक आउटपुट डिवाइस है, जिसका उपयोग ग्राफ प्राप्त करने के लिए होता है। मुख्यतः इसका उपयोग इंजीनियर, चिकित्सक, वास्तुविद्, सिटी प्लानर आदि करते हैं। यह ग्राफ तथा रेखाचित्र जैसे आउटपुट प्रदान करता है।

स्क्रीन इमेज प्रोजेक्टर *(Screen Image Projector)*

यह एक हार्डवेयर डिवाइस है जो बड़े सतह या पर्दे पर चित्रों को दिखाता है।

सामान्यतः इसका उपयोग प्रस्तुतियों और बैठकों (Presentation and Meetings) में किया जाता है, जो एक बड़ी छवि के रूप में दिखाया जाता है जिसे बड़े हॉल में बैठे हर कोई देख सके।

मेमोरी यूनिट (Memory Unit)

मेमोरी कम्प्यूटर का बुनियादी घटक है। यह कम्प्यूटर का आंतरिक भंडारण (Internal storage) क्षेत्र है। केन्द्रीय प्रोसेसिंग इकाई (CPU) को प्रोसेस करने के लिए इनपुट डाटा एवं निर्देश (Instruction) चाहिए, जो कि मेमोरी में संग्रहीत रहता है। मेमोरी में ही संग्रहीत डाटा तथा निर्देश का प्रोसेस होता है, तथा आउटपुट प्राप्त होता है। अतः मेमोरी कम्प्यूटर का एक आवश्यक अंग है।

डेटा प्रतिनिधित्व (Data Representation)

मेमोरी बहुत सारे सेल में बँटे होते हैं जिन्हें लोकेशन (Location) कहते हैं। हर लोकेशन का एक अलग लेबल होता है जिसे एड्रेस (Address) कहते हैं। सेल का उपयोग डाटा और निर्देश के संग्रह के लिए किया जाता है। सारे डाटा और निर्देश कम्प्यूटर में बाइनरी कोड के रूप में रहते हैं जिसे 0 तथा 1 से निरूपित किया जाता है। 1 सर्किट के 'ऑन' (on) स्थिति को दर्शाता है तथा 0 सर्किट के 'ऑफ' (off) स्थिति को दर्शाता है। लोकेशन में डाटा संग्रह करने को लिखना (Write) तथा लोकेशन से डाटा प्राप्त करने को पढ़ना (Read) कहते हैं। प्रत्येक लोकेशन में निश्चित बिट स्टोर की जा सकती है जिसे वर्ड लेंथ (word length) कहते हैं। वर्ड लेंथ 8, 16, 32 या 64 बिट की हो सकती है। बिट बाइनरी डिजिट की सबसे छोटी इकाई है। बाइट डाटा की एक इकाई है जो कि EBCDIC (External Binary Coded Decimal Interchange Code) में आठ बिट्स तथा ASCII (American Standard Code for Information Interchange) में सात बिट्स के समूह हैं।

मेमोरी के प्रकार (Types of Memory)

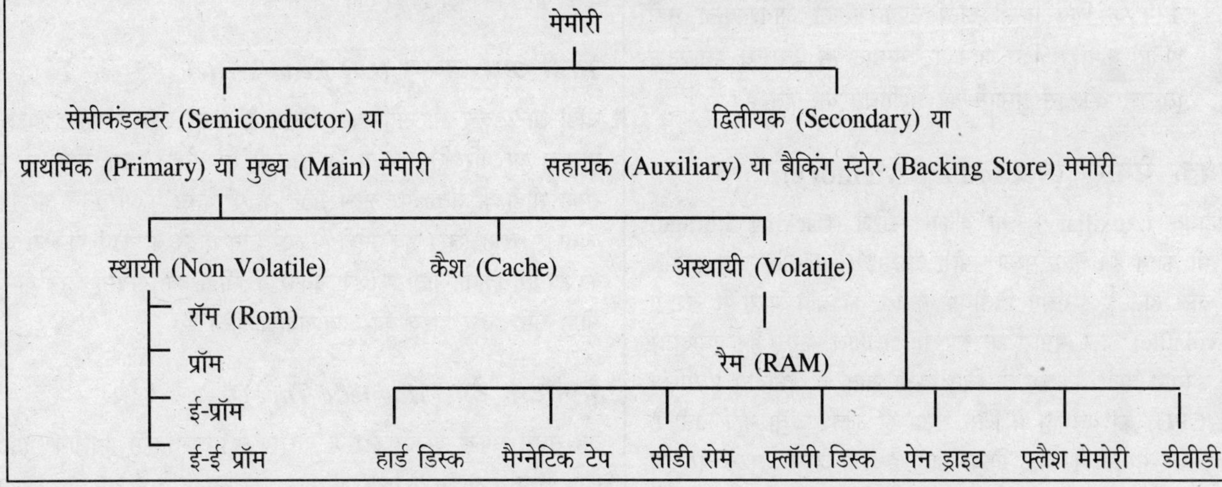

मेमोरी अक्सर सेमीकंडक्टर स्टोरेज जैसे RAM और कभी-कभी दूसरे तीव्र तथा अस्थायी रूप में जाना जाता है। मेमोरी शब्द चिप (chip) के रूप में प्रयोग होने वाले डाटा स्टोरेज को इंगित करता है, परन्तु स्टोरेज सामान्यतः उपयोग होने वाले स्टोरेज डिवाइस जैसे ऑप्टिकल डिस्क तथा हार्ड डिस्क इत्यादि मेमोरी और स्टोरेज मूल्य, विश्वसनीयता तथा गति आदि घटकों पर एक-दूसरे से भिन्न हैं।

प्राथमिक मेमोरी (Primary Memory)

यह वह युक्तियाँ होती हैं जिसमें डाटा व प्रोग्राम्स तत्काल प्राप्त एवं संग्रह किए जाते हैं।

रैम (Random Access Memory–RAM)

कम्प्यूटर की यह सबसे महत्वपूर्ण मेमोरी होती है। इस मेमोरी में प्रयोगकर्ता अपने प्रोग्राम को कुछ देर के लिए स्टोर कर सकते हैं। साधारण भाषा में इस मेमोरी को RAM कहते हैं। यही कम्प्यूटर की बेसिक मेमोरी भी कहलाती है। यह निम्नलिखित दो प्रकार की होती है-

- **डायनेमिक रैम (DRAM) :** डायनेमिक का अर्थ है गतिशील। इस RAM पर यदि 10 आंकड़े संचित कर दिए जाएं और फिर उनमें से बीच के दो आंकड़े मिटा दिए जाएं, तो उसके बाद वाले बचे सभी आंकड़े बीच के रिक्त स्थान में स्वतः चले जाते हैं और बीच के रिक्त स्थान का उपयोग हो जाता है।
- **स्टैटिक रैम (SRAM) :** स्टैटिक रैम में संचित किए गए आंकड़े स्थित रहते हैं। इस RAM में बीच के दो आंकड़े मिटा दिए जाएं तो इस खाली स्थान पर आगे आने वाले आंकड़े खिसककर नहीं आएंगे। फलस्वरूप यह स्थान तब तक प्रयोग नहीं किया जा सकता जब तक कि पूरी मेमोरी को 'वाश' करके नए सिरे से काम शुरू न किया जाए।

रीड ओनली मेमोरी (Read Only Memory-ROM)

आधुनिक कम्प्यूटर की महत्वपूर्ण मेमोरी ROM उसे कहते हैं, जिसमें लिखे हुए प्रोग्राम के आउटपुट को केवल पढ़ा जा सकता है, परन्तु उसमें अपना

प्रोग्राम संचित नहीं किया जा सकता। बेसिक इनपुट सिस्टम (BIOS) नाम का एक प्रोग्राम ROM का उदाहरण है, जो कम्प्यूटर के ऑन होने पर उसकी सभी इनपुट आउटपुट युक्तियों की जाँच करने एवं नियंत्रित करने का काम करता है।

- **प्रोग्रामेबल रॉम (PROM) :** इस स्मृति में किसी प्रोग्राम को केवल एक बार संचित किया जा सकता है, परंतु न तो उसे मिटाया जा सकता है और न ही उसे संशोधित किया जा सकता है।
- **इरेजेबिल प्रॉम (EPROM) :** इस I.C. में संचित किया गया प्रोग्राम पराबैंगनी किरणों के माध्यम से ही मिटाया जा सकता है। फलस्वरूप यह I.C. दोबारा प्रयोग की जा सकती है।
- **इलेक्ट्रिकली-इ-प्रोम (EEPROM) :** इलेक्ट्रिकली इरेजेबिल प्रॉम पर स्टोर किए गए प्रोग्राम को मिटाने अथवा संशोधित करने के लिए किसी अन्य उपकरण की आवश्यकता नहीं होती। कमांड्स दिए जाने पर कम्प्यूटर में उपलब्ध इलेक्ट्रिक सिग्नल्स ही इस प्रोग्राम को संशोधित कर देते हैं।

द्वितीयक मेमोरी (Secondary Memory)

इसे सहायक (Auxiliary) तथा बैकिंग स्टोरेज (Backing Storage) मेमोरी भी कहते हैं। चूँकि मुख्य मेमोरी अस्थाई (volatile) तथा सीमित क्षमता वाले होते हैं इसलिए द्वितीयक मेमोरी को बड़ी मात्रा में स्थायी (non-volatile) डाटा मेमोरी के रूप में इस्तेमाल करते हैं। ज्यादातर इसका उपयोग डाटा बैकअप के लिए किया जाता है। केन्द्रीय प्रोसेसिंग इकाई (CPU) को वर्तमान में जिस डाटा की आवश्यकता नहीं होती है उसे द्वितीयक मेमोरी में संग्रह किया जाता है तथा जरूरत पड़ने पर इसे मुख्य मेमोरी में कॉपी कर उपयोग किया जाता है। आजकल उपयोग होने वाले मैग्नेटिक डिस्क इसके मुख्य उदाहरण हैं।

हार्ड डिस्क (Hard Disk)

हार्ड डिस्क CPU के अन्तर्गत डाटा स्टोर करने की प्रमुख डिवाइस होती है। यह दूसरे डिस्क की तुलना में उच्च संग्रहण क्षमता, विश्वसनीयता तथा तीव्र गति प्रदान करता है। चूँकि ये डिस्क एक बॉक्स (Module) के अन्दर रीड तथा राइट हेड (Read and write head) के साथ सील रहता है तो यह वातावरण तथा खरोच से भी सुरक्षित रहता है। रीड तथा राइट हेड डिस्क के किसी भी ट्रैक के किसी भी सेक्टर पर सीधे पढ़ तथा लिख सकता है जिससे डाटा को पढ़ना या लिखना तेज गति से होता है। कम्प्यूटर में अक्सर इसे 'सी' (C) ड्राइव नाम दिया जाता है। कम्प्यूटर के अन्तर्गत इसी हार्ड डिस्क में सभी प्रोग्राम या डाटा इन्सटाल्ड (Installed) रहता है जिसका उपयोग हम अपनी जरूरत के अनुसार करते हैं।

हार्ड डिस्क 10 GB, 20 GB, 40 GB, 80 GB आदि क्षमता में उपलब्ध है। डिस्क को ट्रैकों तथा सेक्टर में विभाजित किया जाता है जिसे फार्मेटिंग कहते हैं।

सीडी रॉम (CD ROM–Compact Disc Read Only Memory)

सीडी रॉम को ऑप्टिकल डिस्क भी कहा जाता है। ऑप्टिकल डिस्क के ऊपर डाटा को स्थायी रूप से अंकित किया जाता है। लेजर की सहायता से सीडी की सतह पर अतिसूक्ष्म गड्ढे बनाए जाते हैं।

सीडी में अंकित डाटा (Recording) मिट नहीं सकती है। रिकॉर्डेड डाटा को पढ़ने के लिए कम तीव्रता वाले लेजर बीम का उपयोग किया जाता है। इनमें ट्रेक स्पाइरल (Spiral) होता है जिससे डाटा को हार्ड डिस्क की अपेक्षा तीव्र गति से पढ़ा नहीं जा सकता है। साधारणतः सीडी रॉम की संग्रह क्षमता 640 MB होती है। सीडी से डाटा प्राप्त करने के लिए सीडी ड्राइव तथा सीडी में डाटा को डालने के लिए सीडी राइटर (CD-Writer) की आवश्यकता होती है। इसे WORM (Write Once Read Many) डिस्क भी कहते हैं अर्थात् वैसा सीडी जिस पर केवल एक बार लिखा जा सकता है पर बार-बार पढ़ा जा सकता है। अंकित डाटा में कोई परिवर्तन नहीं किया जा सकता है।

सीडी-आर/डब्ल्यू (CD-Read/Write)

सीडी-आर/डब्ल्यू भी ऑप्टिकल डिस्क है परन्तु इसमें संग्रहीत डाटा को मिटाया या परिवर्तित किया जा सकता है। लेजर द्वारा सीडी में डाटा संग्रह सीडी के सतह पर सूक्ष्म गड्ढे के परावर्तन में परिवर्तन कर किया जाता है, तथा लिखे हुए सीडी में परिवर्तन करने के लिए फिर से लेजर का उपयोग किया जाता है। इस प्रकार के सीडी का उपयोग करने के लिए सीडी-आर/डब्ल्यू ड्राइव की आवश्यकता होती है।

मैग्नेटिक टेप (Magnetic Tape)

यह सबसे सफल बैकिंग स्टोरेज माध्यम है। वास्तव में हमलोग गानों के संग्रह तथा रिकॉर्डिंग के लिए जो कैसेट उपयोग करते हैं, यह उसी सिद्धान्त पर कार्य करता है।

मैग्नेटिक टेप 2400 से 3600 फीट लम्बा तथा पॉलिस्टर का बना होता है। इसे रील में लपेटा जाता है। पंच कार्ड तथा पेपर टेप की तुलना में इसमें विशाल डाटा संग्रह किया जा सकता है। टेप में डाटा को कितनी बार भी लिखा, मिटाया परिवर्तित किया जा सकता है। तथा इसके लिए मैग्नेटिक टेप ड्राइव की आवश्यकता होती है। सभी मैग्नेटिक टेप ड्राइव में दो रील होते हैं। एक रील के टेप जो पढ़ने या लिखने (Read or Write) में उपयोग होता है, फाइल रील (File reel) कहलाता है तथा दूसरा टेकअप रील (Take up reel) कहलाता है।

डीवीडी (DVD)

डीवीडी Digital Versatile Disc या Digital Video Disc का संक्षिप्त नाम है। यह ऑप्टिकल डिस्क तकनीक के CD-रॉम की तरह होता है। इसमें न्यूनतम 4.7 GB डाटा, एक पूर्ण लम्बाई की फिल्म संग्रहीत किया जा सकता है। डीवीडी सामान्यतः फिल्मों और अन्य मल्टीमीडिया प्रस्तुतियों को डिजिटल रूप में प्रस्तुत करने का एक माध्यम है। यह एकतरफा या

दोतरफा (Single or Double Sided) होता है और हर तरफ एक या दो परत में डाटा संग्रह कर सकता है। दो तरफा दो परत वाले DVD में 17 GB वीडियो, ऑडियो या अन्य जानकारियों को संग्रह किया जा सकता है।

पेन ड्राइव (Pen Drive)

यह छोटे की रिंग (Keyring) के आकार का होता है तथा आसानी से यूएसबी (USB-Universal Serial Bus) संगत प्रणालियों के बीच फाइलों के स्थानांतरण तथा संग्रहण करने के लिए उपयोग होता है। यह भिन्न-भिन्न क्षमताओं में उपलब्ध है। इसे पीसी के USB पोर्ट में लगाकर (Plug) उपयोग किया जाता है। इसे फ्लैश ड्राइव भी कहते हैं। यह ई ई-प्रॉम मेमोरी का एक उदाहरण है।

फ्लैश मेमोरी (Flash memory)

इसे फ्लैश रैम भी कहा जाता है। इसे मिटाया तथा फिर से प्रोग्राम किया जा सकता है। इसका उपयोग सेलुलर फोन, डिजिटल कैमरा, डिजिटल सेट टॉप बॉक्स इत्यादि में होता है।

RAM और ROM में अन्तर

रेंडम एक्सेस मेमोरी (RAM) : संग्रह क्षेत्र का उपयोग अस्थायी तौर से प्रोग्राम रखने और डाटा की प्रक्रिया करने के लिए किया जाता है। बिजली की आपूर्ति जिस क्षण बन्द कर दी जाती है तो डाटा खो जाता है।

रीड-ओनली मेमोरी (ROM) : संग्रह क्षेत्र का उपयोग किसी कम्प्यूटर की कार्रवाई के लिए आवश्यक निर्देशों को रखने के लिए किया जाता है। ये निर्देश स्थायी रूप से संग्रहीत किए जाते हैं। वे मिटाए नहीं जा सकते या संशोधित नहीं किए जा सकते। कम्प्यूटर को भले ही बन्द कर दिया जाए उसके बाद भी डाटा नहीं खोता।

सॉफ्टवेयर (Software)

किसी भी चीज के कलपुर्जो की चर्चा हार्डवेयर कहलाता है। हम बचपन से ही हार्डवेयर की दुकानों में जाते रहे हैं। वहाँ कील, हथौड़ा, हैंडिल, तार आदि बिकते हैं। कम्प्यूटर भी एक मशीन है। हम जिनका अनुभव छूकर करते हैं, वे सभी हार्डवेयर हैं। जबकि 'सॉफ्टवेयर' को छूकर अनुभव नहीं कर सकते हैं। उनका केवल अपने उद्देश्य से प्रयोग किया जा सकता है। इसलिए हिन्दी में इसे 'कोमलांग' कहते हैं। हम घर में गाना सुनने के लिए 'कैसेट' लाते हैं। टेपरिकॉर्डर में लगाकर मधुर संगीत सुनते हैं। यदि कैसेट को छूकर कुछ समझना चाहें तो स्वयं सोचिये कि क्या समझ पायेंगे? यही हाल सॉफ्टवेयर का है। निष्कर्ष के तौर पर यह कहा जा सकता है कि कम्प्यूटर में प्रयोग होने वाले सभी ठोस तत्व, जिनको छू सकते हैं, वे हार्डवेयर हैं। जबकि जिन चीजों को हार्डडिस्क अथवा फ्लॉपी/सीडी में भरकर कम्प्यूटर में प्रयोग करते हैं, वे सॉफ्टवेयर हैं।

कम्प्यूटर की भाषा में जिन कलपूर्जो को आप छूकर देख सकते हैं उन्हें हार्डवेयर कहते हैं, और रिकार्ड की गई जानकारियों को सॉफ्टवेयर कहते हैं। सॉफ्टवेयर के बिना हार्डवेयर कुछ नहीं कर सकता, और हार्डवेयर के बिना सॉफ्टवेयर बेकार है।

कम्प्यूटर सॉफ्टवेयर विभिन्न तरह के होते हैं। सामान्यतः इसे तीन वर्गों में वगीकृत किया जाता है-

- **सिस्टम सॉफ्टवेयर :** यह कम्प्यूटर हार्डवेयर को इस प्रकार नियंत्रित करता है कि अनुप्रयोग सॉफ्टवेयर अच्छी तरह से चल सके। जैसे-ऑपरेटिंग सिस्टम, डिवाइस ड्राइवर, विंडोज सिस्टम आदि।
- **अनुप्रयोग सॉफ्टवेयर :** यह यूजर को एक या एक से अधिक कौई विशेष कार्य पूरा करने की अनुमति देता है। उच्च स्तरीय की कम्प्यूटर भाषाओं का उपयोग कर अनुप्रयोग सॉफ्टवेयर बनाए जाते हैं। सॉफ्टवेयर प्रोग्राम अंग्रेजी भाषा का प्रयोग करते हुए लिखा जाता है, अतः यूजर आसानी से कम्प्यूटर का उपयोग कर सकता है, जैसे-औद्योगिक स्वचालन (Industrial Automation), व्यापार सॉफ्टवेयर, चिकित्सा सॉफ्टवेयर, शैक्षणिक सॉफ्टवेयर, वर्ड प्रोसेसर आदि।
- **प्रोग्रामिंग सॉफ्टवेयर :** यह आमतौर पर कम्प्यूटर प्रोग्राम लिखने में एक प्रोग्रामर की सहायता करने के लिए उपकरण प्रदान करता है; जैसे-पाठ संपादक (Text editors), कम्पाइलर (Compiler), डि-बगर (Debugger), इन्टरप्रेटर (Interpreter) आदि। प्रोग्राम में त्रुटि जिससे गलत या अनुपयुक्त परिणाम उत्पन्न होते हैं उसे बग (Bug) कहते हैं। ज्ञात सॉफ्टवेयर बग के लिए इंटरनेट पर उपलब्ध छोटा प्रोग्राम जो निःशुल्क रिपेयर करता है, उसे पैच कहते हैं। सॉफ्टवेयर कोड में बग ढूँढने की प्रक्रिया को डीबगिंग (Debugging) कहते हैं।

ऑपरेटिंग सिस्टम (Operating System)

ऑपरेटिंग सिस्टम व्यवस्थित रूप से जमे हुए सॉफ्टवेयर का समूह है जो कि आंकड़ों एवं निर्देश के संचरण को नियंत्रित करता है।

ऑपरेटिंग सिस्टम की आवश्यकता

ऑपरेटिंग सिस्टम हार्डवेयर एवं सॉफ्टवेयर के बीच सेतु का कार्य करता है। कम्प्यूटर का अपने आप में कोई अस्तित्व नहीं है। यह केवल हार्डवेयर जैसे की-बोर्ड, मॉनीटर, सी.पी.यू. इत्यादि का समूह है। ऑपरेटिंग सिस्टम समस्त हार्डवेयर के बीच सम्बन्ध स्थापित करता है। ऑपरेटिंग सिस्टम के कारण ही प्रयोगकर्ता को कम्प्यूटर के विभिन्न भागों की जानकारी रखने की जरूरत नहीं पड़ती है। साथ ही प्रयोगकर्ता अपने सभी कार्य तनाव रहित होकर कर सकता है। यह सिस्टम के साधनों को बाँटता एवं व्यवस्थित करता है।

ऑपरेटिंग सिस्टम के कई अन्य उपयोगी विभाग होते हैं जिनके सुपुर्द कई काम केन्द्रीय प्रोसेसर द्वारा किए जाते हैं। उदाहरण के लिए प्रिंटिंग का कोई कार्य किया जाता है तो केन्द्रीय प्रोसेसर आवश्यक आदेश देकर

वह कार्य ऑपरेटिंग सिस्टम पर छोड़ देता है। और वह स्वयं अगला कार्य करने लगता है। इसके अतिरिक्त फाइल को पुनः नाम देना, डायरेक्टरी की विषय सूची बदलना, डायरेक्टरी बदलना आदि कार्य ऑपरेटिंग सिस्टम के द्वारा किए जाते हैं। इसके अन्तर्गत निम्न कार्य आते हैं-

- **फाइल पद्धति :** फाइल बनाना, मिटाना एवं फाइल एक स्थान से दूसरे स्थान तक ले जाना। फाइल निर्देशिका को व्यवस्थित करना।
- **प्रक्रिया :** प्रोग्राम एवं आँकड़ों को मेमोरी में बांटना एवं प्रोसेस का प्रारंभ एवं समानयन करना। प्रयोगकर्ता मध्यस्थ फाइल की प्रतिलिपि, निर्देशिका, इत्यादि के लिए निर्देश, रेखाचित्रीय डिस्क टॉप आदि।
- **इनपुट/आउटपुट :** मॉनीटर, प्रिंटर, डिस्क आदि के लिए मध्यस्थ।

ऑपरेटिंग सिस्टम के प्रकार (Types of Operating System)

उपयोगकर्ता की गिनती के आधार पर ऑपरेटिंग सिस्टम को दो भागों में विभाजित किया गया है।

- **एकल उपयोगकर्ता :** एकल उपयोगकर्ता ऑपरेटिंग सिस्टम वह ऑपरेटिंग सिस्टम है जिसमें एक समय में केवल एक उपयोगकर्ता काम कर सकता है।
- **बहुल उपयोगकर्ता :** वह ऑपरेटिंग सिस्टम जिसमें एक से अधिक उपयोगकर्ता एक ही समय में काम कर सकते हैं।

काम करने के मोड के आधार पर भी इसे दो भागों में विभाजित किया गया है।

- **कैरेक्टर यूजर इंटरफेस :** जब उपयोगकर्ता सिस्टम के साथ कैरेक्टर के द्वारा सूचना देता है तो इस ऑपरेटिंग सिस्टम को कैरेक्टर यूजर इंटरफेस कहते हैं। उदाहरण-डॉस, यूनिक्स।
- **ग्राफिकल यूजर इंटरफेस :** जब उपयोगकर्ता कम्प्यूटर से चित्रों के द्वारा सूचना का आदान-प्रदान करता है तो इसे ग्राफिकल यूजर इंटरफेस कहा जाता है। उदाहरण-विंडो।

कुछ महत्वपूर्ण ऑपरेटिंग सिस्टम निम्नलिखित हैं :

- **एम.एस. डॉस (MS-DOS) :** MS-DOS (Disc Operating System) व्यापक रूप से पर्सनल कम्प्यूटर में स्थापित (Installed) माइक्रोसॉफ्ट का प्रथम ऑपरेटिंग सिस्टम था। यह सरल गैरसुचित्रित (Non-graphical), कमांड लाइन ऑपरेटिंग सिस्टम है। यह सरल है परन्तु यूजर फ्रेन्डली नहीं, क्योंकि इसमें कमांड याद रखना होता है।
- **एम.एस. विंडोज (Microsoft windows) :** यह माइक्रोसॉफ्ट द्वारा विकसित ग्राफिकल यूजर इंटरफेस ऑपरेटिंग सिस्टम है। इसमें एम.एस. डॉस के कमियों को ध्यान में रखा गया तथा इसे यूजर फ्रेंडली बनाया गया।
- **यूनिक्स (Unix) :** यह सन् 1969 में AT & T कर्मचारियों (Employees) द्वारा बेल प्रयोगशाला में विकसित ऑपरेटिंग सिस्टम है। जिसमें केन थॉमसन (Ken Thompson), डेनिस रिची (Dennis Ritchic), डगलस मैक्लरॉय (Douglas Mcllroy) तथा जो ओसाना (Joe Ossanna) शामिल थे। सर्वर तथा वर्क-स्टेशन दोनों में यूनिक्स ऑपरेटिंग सिस्टम का वृहत उपयोग होता है। यूनिक्स असेम्बली भाषा में सर्वप्रथम लिखा गया था। सन् 1973 में इसे C प्रोग्रामिंग भाषा में दोबारा लिखा गया। इसमें करनल (Kernal) द्वारा डाटा प्रबंधन होता है।
- **लाइनक्स (Linux) :** सन् 1991 में इसका प्रथम संस्करण लाया गया था। यह यूनिक्स की तरह कम्प्यूटर ऑपरेटिंग सिस्टम है जो लाइनक्स करनल (Linux Kernal) पर आधारित है। इसका उपयोग मुख्यतः सर्वर में ऑपरेटिंग सिस्टम के लिए होता है।

ट्रांसलेटर (Translator)

ट्रांसलेटर, प्रोग्राम या निर्देशों की श्रृंखला है जो प्रोग्रामिंग भाषा को मशीनी भाषा में रूपान्तरित कर देता है। ये तीन प्रकार के होते हैं-

- **असेम्बलर (Assembler) :** यह असेम्बली भाषा में लिखे गए प्रोग्राम को मशीनी भाषा में रूपान्तरित करता है।
- **कम्पाइलर (Compiler) :** कम्पाइलर किसी कम्प्यूटर के सिस्टम सॉफ्टवेयर का भाग होता है। कम्पाइलर एक ऐसा प्रोग्राम है, जो किसी उच्चस्तरीय भाषा में लिखे गए प्रोग्राम का अनुवाद किसी कम्प्यूटर की मशीनी भाषा में कर देता है। निम्न चित्र में इस कार्य को दिखाया गया है।

  उच्चस्तरीय भाषा प्रोग्राम → कम्पाइलर → मशीनी भाषा प्रोग्राम

  हर प्रोग्रामिंग भाषा के लिए अलग-अलग कम्पाइलर होता है पहले वह हमारे प्रोग्राम के हर कथन या आदेश की जांच करता है कि वह उस प्रोग्रामिंग भाषा के व्याकरण के अनुसार सही है या नहीं। यदि प्रोग्राम में व्याकरण की कोई गलती नहीं होती, तो कम्पाइलर के काम का दूसरा भाग शुरू होता है। यदि कोई गलती पाई जाती है, तो वह बता देता है कि किस कथन में क्या गलती है। यदि प्रोग्राम में कोई बड़ी गलती पाई जाती है, तो कम्पाइलर वहीं रूक जाता है। तब हम प्रोग्राम की गलतियाँ ठीक करके उसे फिर से कम्पाइलर को देते हैं।
- **इन्टरप्रेटर (Interpreter) :** इन्टरप्रेटर भी कम्पाइलर की भांति कार्य करता है। अन्तर यह है कि कम्पाइलर पूरे प्रोग्राम को एक साथ मशीनी भाषा में बदल देता है और इन्टरप्रेटर प्रोग्राम की एक-एक लाइन को मशीनी भाषा में परिवर्तित करता है। प्रोग्राम लिखने से पहले ही इन्टरप्रेटर को स्मृति में लोड कर दिया जाता है।

विन्डोज की आन्तरिक/बाह्य एप्लिकेशन (Internal/External Application of Windows)

जब कम्प्यूटर में ऑपरेटिंग सिस्टम के तौर पर विंडोज को लोड किया जाता है तो उसके साथ काम करने के लिए आवश्यक सॉफ्टवेयर खुद-ब-खुद लोड हो जाते हैं, वही विंडोज का आन्तरिक एप्लिकेशन (सॉफ्टवेयर) कहलाता है और जो सॉफ्टवेयर विंडोज के लोड हो जाने के बाद अलग से किसी अन्य माध्यम से कम्प्यूटर में डाला जाता है उसे बाह्य एप्लिकेशन (सॉफ्टवेयर) कहा जाता है।

आन्तरिक एप्लिकेशन के उदाहरण

- **MS-Paint** : इस एप्लिकेशन का उपयोग चित्र बनाने के लिए किया जाता है।
- **Calculator** : अंकीय जोड़-घटाव करने के लिए कैलकुलेटर का उपयोग किया जाता है।
- **Internet Explorer** : इंटरनेट पर काम करने के लिए इस सॉफ्टवेयर का उपयोग किया जाता है।
- **Windows Multimedia** : गाना-वीडियो सुनने और देखने के लिए इस सॉफ्टवेयर का उपयोग किया जाता है।
- **Windows Movie Maker** : वीडियो में कुछ फेरबदल करने के लिए या जोड़ने आदि के लिए इस सॉफ्टवेयर का उपयोग किया जाता है।
- **Notepad** : यह एक टेक्स्ट एडिटर प्रोग्राम होता है। अर्थात् इसके अंतर्गत लिखने आदि का काम होता है। यह प्रोग्राम दिखने में जितना साधारण लगता है उससे बहुत ज्यादा शक्तिशाली होता है। ऐसी कोई भी कम्प्यूटर भाषा जिसे कम्पाईल करने की आवश्यकता नहीं होती उसे नोटपेड पर लिखा जा सकता है। जैसे-HTML–(Hyper Text Markup Language)
- **WordPad** : यह भी एक टेक्स्ट एडिटर प्रोग्राम है जिसके अंतर्गत हम कोई पत्र या शब्दों से सम्बन्धित किसी काम को सम्पादित कर सकते हैं। इसके प्रयोग से हम साधारण टाइप राइटर्स की तुलना में कहीं अच्छे तरीके से लिखने का काम कर सकते हैं।

बाह्य एप्लिकेशन के उदाहरण

- **MS-Office** : यह एक बहुत उपयोगी प्रोग्राम का बण्डल है, जिसके अंतर्गत लिखनेवाला काम तो होता ही है साथ ही साथ स्प्रेडशीट्स और प्रेजेंटेशन का भी काम होता है। स्प्रेडशीट्स का मतलब हुआ-एक प्रकार का व्यापारिक लेखा जोखा वाला काम और प्रेजेंटेशन का मतलब हुआ-लिखे हुए काम को दूसरों के पास दिखलाने का तरीका।
- **Outlook** : इस सॉफ्टवेयर का प्रयोग इंटरनेट से मेल भेजने या मंगवाने के लिए किया जाता हैं। इसमें एक बार आने के बाद पुनः उसे पढ़ने के लिए इंटरनेट कनेक्शन की आवश्यकता नहीं होती।
- **Photoshop** : चित्र से सम्बन्धित वृहत काम के लिए इस सॉफ्टवेयर का प्रयोग किया जाता है।
- **Corel Draw** : लोगो डिजाइन से सम्बन्धित काम के लिए इस सॉफ्टवेयर का प्रयोग किया जाता है।
- **Flash** : चलंत चित्र (Animation) बनाने के लिए इस सॉफ्टवेयर का प्रयोग किया जाता है।
- **PageMaker** : पत्र डिजाइन से सम्बन्धित काम के लिए इस सॉफ्टवेयर का प्रयोग किया जाता है।
- **.NET** : स्वयं का अलग काम करने के लिए प्रयुक्त होने वाले प्रोग्राम को बनाने हेतु सम्बन्धित काम के लिए इस सॉफ्टवेयर का प्रयोग किया जाता है।
- **Oracle** : डाटाबेस के लिए इस सॉफ्टवेयर का प्रयोग किया जाता है। डाटाबेस का अर्थ हुआ ऐसी जगह जहाँ हम अपने डाटा को सुसज्जित तरीके से पुनः प्रयोग में लाने के लिए रखते हैं। जैसे अगर हमें किसी विद्यार्थी का डाटा रखना है तो उससे जुड़ी बहुत-सी जानकारी रखनी होती हैं। जैसे-उसका नाम, क्लास, पिता का नाम, घर का पता इत्यादि।

विंडोज का एसेसरीज मेनू

विंडोज के अंदर का अधिकांश आंतरिक प्रोग्राम एसेसरीज मेनू के अंदर दिखलाया जाता है जो स्टार्ट बटन के अंदर समाहित होता है।

एसेसरीज मेनू खोलने के लिए टास्कबार में मौजूद स्टार्ट बटन पर क्लिक (जहाँ केवल एक बार क्लिक लिखा होगा वहाँ माउस का बायाँ बटन बस एक बार दबाना होगा) करेंगे, फिर ऑल प्रोग्राम पर क्लिक करेंगे तो उसी से सटा हुआ एक और मेनू खुलेगा वहाँ साधारण तौर पर सबसे ऊपर एसेसरीज लिखा जाता है ("Δ" प्रकार का सिम्बल मेनू में जहाँ दिखेगा उसका मतलब हुआ कि उसके अंदर और प्रोग्राम मौजूद है) वहाँ एसेसरीज पर क्लिक करेंगे तो कई और मेनू खुलेंगे।

माइक्रोसॉफ्ट ऑफिस

माइक्रोसॉफ्ट ऑफिस (Microsoft Office-MS Office) का आविष्कार वर्ष 1988 में माइक्रोसॉफ्ट कम्पनी (अमेरिका) ने किया था। मुख्य रूप से यह एक पैकेज है, जो विभिन्न प्रकार के सॉफ्टवेयर के संगठन से बना है। यह सॉफ्टवेयर किसी कार्यालय, किसी स्कूल आदि में विशेष रूप से प्रयोग किया जाता हैं इसलिए इसका नाम MS-Office है।

- MS-Word (World Processing Software)
- MS-Excel (Tabular Data Formatting Software)
- MS-Power Point (Presentation Software)
- MS-Access (Database Management Software)
- MS-Outlook (E-mail Client)

माइक्रोसॉफ्ट वर्ड (MS-Word)

Microsoft word, Microsoft office का एक part है और यह माइक्रोसॉफ्ट ऑफिस का सबसे बड़े पैमाने पर इस्तेमाल होने वाले Computer के एक अनुप्रयोगों में से एक है।

यह माइक्रोसॉफ्ट कम्पनी द्वारा बनाया गया। यह सबसे पहले सन् 1983 में पहली बार Multi-Word tool के नाम से xenix system से जारी किया गया था। बाद में DOS (1983) व Apple Macintosh (1984) के सहित कई अन्य प्लेटफार्म के लिए इसे लिखा गया था। Windows Operating System के लिए MS-Word का first version 1989 में आया। Microsoft word को शॉर्ट रूप में MS-Word कहा जाता है। इसके जरिए हम कम्प्यूटर में एक टेक्स्ट फाइल बना सकते हैं जिसमें हम राइटिंग का, एडिटिंग का और ड्राइंग का काम कर सकते हैं। MS-Word के Document को हम आसानी से शेयर कर सकते हैं। इसके डॉक्यूमेंट को एक सिस्टम से दूसरे सिस्टम में आसानी से ले जाया जा सकता है।

MS-Word के लाभ

- MS-Word में टेक्स्ट को आसानी से लिखा जा सकता है।
- यह आसान और लगभग तत्काल शाब्दिक (alphabets, numbers) को इनपुट कर सकता है।
- MS-Word में बहुत ही बड़ी संख्या में फॉर्मेटिंग टूल्स हैं। जैसे-Fonts weight (regular/bold) से टेक्स्ट को रेगूलर या बोल्ड में बदलने की क्षमता टेक्स्ट के नीचे अंडरलाइन खींचना आदि सहित स्वरूप विकल्पों की एक विशाल रेंज इसमें है।
- MS–Word में images को मेन्युअली डाला जा सकता है या फिर इसको वर्ड आर्ट गैलरी से आयात भी किया जा सकता है।
- इसमें सूचियों को आसानी से बनाया और प्रारूपित किया जा सकता है।
- MS-Word में सामग्री (content), Standard मानक HTML में होते हैं जिनको हम आसानी से नियंत्रित कर सकते हैं।
- इसमें Self-Explanatory dialogue boxes और Menu option हैं।
- MS-Word में हम आसानी से ग्राफिक वर्क भी कर सकते हैं।
- इसमें टेबल बना सकते हैं और डाटा को टेबल फॉर्म में रख सकते हैं।

एम.एस. एक्सल (M.S. Excel)

माइक्रोसॉफ्ट एक्सल एक इलेक्ट्रॉनिक स्प्रेडशीट है, जो सांख्यिक गणना करने तथा चार्ट बनाने में सहायता करता है। स्प्रेडशीट सांख्यिकी विश्लेषण के लिए एक युक्ति (Tool) है तथा विश्लेषण क्या कहता है, यह बताने के लिए रिपोर्ट और प्रेजेन्टेशन तैयार करता है। जिन लोगों को संख्या का विश्लेषण, रिकॉर्ड तथा व्यवस्थित करने की आवश्यकता होती है, वे लोग स्प्रेडशीट का प्रयोग करते हैं।

स्प्रेडशीट रो तथा कॉलम के हर वर्ग या खाने (cell) को एक सेल एड्रेस (address) देता है तथा प्रयोक्ता को सूचना डालने की अनुमति देता है। कॉलम में टेक्स्ट प्रायः लेफ्ट अलाइन होता है। यह सेल एड्रेस का कॉलम तथा रो लेबल है। यह जल्द सांख्यिक गणना करने, वार्षिक या मासिक आँकड़े संग्रहीत करने, वित्तीय विवरण (statement) तैयार करने के लिए तथा कर (Tax) वर्कशीट तैयार करने इत्यादि के लिए उपयोग होता है।

इलेक्ट्रॉनिक स्प्रेडशीट कम्प्यूटर मेमोरी में तार्किक वर्कशीट है जो कॉलम तथा रो में बँटा है। यह यूटिलिटी सॉफ्टवेयर पैकेज है। एक बार सूत्र (Formula) का निर्धारण करने के बाद गणना स्वतः होती रहती है तथा परिणाम उपयोगकर्ता को दिखता रहता है। एम.एस. एक्सल वर्क बुक (Work book) चार्टों का संग्रह है।

एम.एस. पॉवर प्वाइंट (MS-Power Point)

यह माइक्रोसॉफ्ट द्वारा विकसित, एम.एस. ऑफिस (MS-Office) का एक भाग है। यह प्रस्तुतीकरण तथा स्लाइड शो (Presentation and slide show) को तैयार करने के लिए शक्तिशाली उपकरण है।

पॉवर प्वाइंट के उपयोग (Use of Power Point)

- व्यवसाय अनुप्रयोग प्रस्तुतीकरण (Business Application Presentation) का स्लाइड तैयार करना।
- एनिमेशन के द्वारा ग्राफिकल चीजों (Graphical Object) को तैयार करना।
- सामान्य उपयोग के लिए आर्ट गैलरी के द्वारा कलात्मक स्लाइड तैयार करना।
- व्यवसाय जगत में ट्रेनिंग देने के लिए।

एम.एस. एक्सेस (MS-Access)

माइक्रोसॉफ्ट एक्सेस डाटाबेस बनाने तथा प्रबंधन के लिए शक्तिशाली प्रोग्राम है। इनमें डाटा को देखने तथा निर्माण में सहायता करने के लिए कई सुविधाएँ हैं। सर्वप्रथम हमें यह पता होना चाहिए कि MS-एक्सेस का डाटाबेस को तोड़ने में कैसे उपयोग होता है।

डाटाबेस फाइल : यह मुख्य फाइल है जो संपूर्ण डाटाबेस है तथा हार्ड ड्राइव या फ्लॉपी डिस्क में सुरक्षित है। जैसे-Student database.mdb.

टेबल : रिलेशनल डाटाबेस में टेबल एक डाटा स्ट्रक्चर है जो सूचनाओं को कॉलम तथा रो में व्यवस्थित करता है। यह एक विशिष्ट विषय (Specific Topic) के डाटा का संग्रह है। एक डाटाबेस में कई टेबल हो सकते हैं। टेबल डाटा को रो (Rows) तथा कॉलम (Fields) में व्यवस्थित करता है। जैसे-1. छात्र, 2. शिक्षक।

फील्ड : एक टेबल में फील्ड की विभिन्न श्रेणियाँ हैं। जैसे-1. छात्र Last Name, 2. छात्र First Name।

डाटा टाइप : यह हर फील्ड का गुण है। एक फील्ड एक ही डाटा टाइप के हो सकते हैं। जैसे-फील्ड-छात्र (Last Name), डाटा टाइप-टेक्स्ट।

माइक्रोसॉफ्ट आउटलुक

यह एक प्रकार का पर्सनल इन्फॉर्मेशन मैनेजर और ई-मेल कम्युनिकेशन सॉफ्टवेयर है। इसे माइक्रोसॉफ्ट कम्पनी ने बनाया था और यह एम.एस. ऑफिस का एक सॉफ्टवेयर है। इसका मुख्य प्रयोग मेल भेजने के लिए करते हैं। इसे ई-मेल क्लाइंट (E-mail client) के नाम से भी जाना जाता है। इसमें कैलेंडर, टास्क मैनेजर, कॉंटेक्ट मैनेजर, नोअ मेकिंग, जर्नल और वेब ब्राउजिंग की सुविधा भी उपलब्ध है। इसे स्टैंड अलोन एप्लीकेशन की तरह प्रयोग किया जा सकता है। यदि किसी संगठन में एक से अधिक उपयोगकर्ता हों, तो माइक्रोसॉफ्ट एक्सचेंज सर्वर और माइक्रोसॉफ्ट शेयर प्वॉइंट सर्वर का प्रयोग करना अत्यंत लाभदायी होता है।

इंटरनेट, इन्ट्रानेट एवं ई–मेल (Internet, Intranet and E-mails)

इंटरनेट (Internet)

इंटरनेट शब्द को अगर दो भागों में बाँट दिया जाए तो इंटरनेशनल + नेटवर्क दो शब्द बनते हैं और दोनों शब्दों का मतलब निकाला जाए तो इसका अर्थ आता है अन्तर्राष्ट्रीय जाल अर्थात् ऐसा जाल जिसमें सम्पूर्ण संसार शामिल हो। इंटरनेट दुनियाभर में सार्वजनिक रूप से सुलभ कम्प्यूटर के सुपर नेटवर्क है। इंटरनेट नेटवर्क में हजारों की संख्या में पूरी दुनिया के कम्प्यूटर जुड़े हुए हैं।

इंटरनेट का सफर, 1970 के दशक में, विंट सर्फ (Vint Cerf) और बाब काहन् (Bob Kanh) ने शुरू किया। उन्होंने एक ऐसे तरीके का आविष्कार किया, जिसके द्वारा कम्प्यूटर पर किसी सूचना को छोटे-छोटे पैकेट में तोड़ा जा सकता था और दूसरे कम्प्यूटर में इस प्रकार से भेजा जा सकता था कि वे पैकेट दूसरे कम्प्यूटर पर पहुँच कर पुनः उस सूचना की प्रतिलिपि बना सकें। अर्थात् कम्प्यूटरों के बीच संवाद करने का तरीका निकाला। इस तरीके को ट्रांसमिशन कंट्रोल प्रोटोकॉल {Transmission Control Protocol (TCP)} कहा गया।

सूचना का इस तरह से आदान-प्रदान करना तब भी दुहराया जा सकता है जब किसी भी नेटवर्क में दो से अधिक कम्प्यूटर हों। क्योंकि किसी भी नेटवर्क में हर कम्प्यूटर का खास पता होता है। इस पते को इंटरनेट प्रोटोकॉल पता [Internet Protocol (I.P.) Address] कहा जाता है। इंटरनेट प्रोटोकॉल (I.P.) पता वास्तव में कुछ नम्बर होते हैं जो एक-दूसरे से एक बिंदु के द्वारा अलग-अलग किए गए हैं।

सूचना को जब छोटे-छोटे पैकेटों में तोड़कर दूसरे कम्प्यूटर में भेजा जाता है तो यह पैकेट एक तरह से एक चिट्ठी होती है जिसमें भेजने वाले कम्प्यूटर का पता और पाने वाले कम्प्यूटर का पता लिखा होता है। जब वह पैकेट किसी भी नेटवर्क कम्प्यूटर के पास पहुँचता है तो कम्प्यूटर देखता है कि वह पैकेट उसके लिए भेजा गया है या नहीं। यदि वह पैकेट उसके लिए नहीं भेजा गया है तो वह उसे आगे उस दिशा में बढ़ा देता है जिस दिशा में वह कम्प्यूटर है जिसके लिए वह पैकेट भेजा गया है। इस तरह से पैकेट को एक जगह से दूसरी जगह भेजने को इंटरनेट प्रोटोकॉल (I.P.) कहा जाता है।

अक्सर कार्यालयों के सारे कम्प्यूटर आपस में एक-दूसरे से जुड़े रहते हैं और वे एक-दूसरे से संवाद कर सकते हैं। इसको Local Area Network (LAN) लेन कहते हैं। लेन में जुड़ा कोई कम्प्यूटर या कोई अकेला कम्प्यूटर, दूसरे कम्प्यूटरों के साथ टेलीफोन लाइन या सेटेलाइट से जुड़ा रहता है। अर्थात् दुनियाभर के कम्प्यूटर एक-दूसरे से जुड़ें हैं। इंटरनेट, दुनियाभर के कम्प्यूटर का ऐसा नेटवर्क है जो एक-दूसरे से संवाद कर सकता है।

मोडेम (MODEM–Modulator Demodulator)

जब इंटरनेट को टेलीफोन लाइन के माध्यम से कनेक्ट करते हैं तो मोडेम की आवश्यकता होती है। यह कम्प्यूटर में चल रहे इंटरनेट ब्राउजर और इंटरनेट सर्विस प्रदाता के बीच आवश्यक लिंक हैं। टेलीफोन लाइन पर एनालॉग सिग्नल भेजा जा सकता हैं, जबकि कम्प्यूटर डिजिटल सिग्नल देता है। अतः इन दोनों के बीच सामंजस्य स्थापित करने के लिए मोडेम की आवश्यकता होती है, जो डिजिटल सिग्नल को एनालॉग में और एनालॉग सिग्नल को डिजिटल सिग्नल में रूपांतरित करता है। मोडेम के दोनों ओर कम्प्यूटर और टेलीफोन लाइन से जुड़ा होना आवश्यक होता है। मोडेम से स्पीड को Bit Per Second (BPS), Kilobyte Per Second (KBPS), Megabyte Per Second (MBPS) में मापा जाता है।

मोडेम मुख्यतः दो प्रकार के होते हैं-

- **इंटरनल (आंतरिक) मोडेम :** ऐसा मोडेम जो डेस्कटॉप या लैपटॉप में अंदर से ही लगा होता है। ऐसा मोबाइल जिसमें हम इंटरनेट का प्रयोग करते हैं, उसमें इसी प्रकार के मोडेम का इस्तेमाल किया जाता है।

- **एक्स्टर्नल (बाह्य) मोडेम :** ऐसा मोडेम जिसे डेस्कटॉप या लैपटॉप में बाहर से लगाना पड़ता है। डाटा कार्ड (Photon, IDIA etc) या PCMCI में इस प्रकार के मोडेम का उपयोग किया जाता है।

अतः मोडेम एक ऐसा डिवाइस है जो डाटा को पल्स में परिवर्तित करता है तथा उन्हें टेलीफोन लाइन पर संप्रेषित करता है।

इंटरनेट सॉफ्टवेयर या वेब ब्राउजर

वेब एक विशाल पुस्तक की तरह है तथा वेब ब्राउजर एक सॉफ्टवेयर है जो कम्प्यूटर को इंटरनेट से जोड़ता है। कुछ वेब ब्राउजर निम्नलिखित हैं-

- नेटस्केप नेविगेटर
- माइक्रोसॉफ्ट इंटरनेट एक्सप्लोरर
- मोजिला फायरफोक्स
- गूगल क्रोम
- ओपेरा आदि

इन सॉफ्टवेयर का उपयोग कर हम लोग इंटरनेट से जुड़ सकते हैं तथा वेब से अपनी पसंद की जानकारियाँ प्राप्त कर सकते हैं। वेब ब्राउजर का प्रयोग कर हम लोग किसी विशेष पेज या लोकेशन पर उसके पता (Address) को टाइप कर जा सकते हैं। URL (Universal Resources Locater) में प्रयुक्त हो रहे टूल्स और इंटरनेट पता दोनों रहते हैं। जैसे-URL http://www.samidhafoundation.co.cc में टूल्स http (hypertext transfer protocol यह एक प्रोटोकॉल अर्थात् एक पूर्व से निर्धारित नियम है जिसका काम संकेत को दिए गए इंटरनेट पता पर भेजना है) है और इंटरनेट पता www. samidhafoundation.co.cc है।

इंटरनेट के लिए आवश्यक उपकरण

कम्प्यूटर पर इंटरनेट शुरू करने के लिए निम्न चीजों की आवश्यकता होती हैं :

- कम्प्यूटर या मोबाइल (जो G.P.R.S. सपोर्ट करता हो)
- टेलीफोन या मोबाइल सिम कार्ड
- मोडेम
- सॉफ्टवेयर जिसकी मदद से इंटरनेट पर काम किया जाता है।

कम्प्यूटर या मोबाइल (जो G.P.R.S. सपोर्ट करता हो)

बाजार में मिलने वाले घरेलू उपयोग वाले सभी कम्प्यूटर को इंटरनेट से जोड़ा जा सकता है। अगर आप अपने मोबाइल में इंटरनेट का उपयोग करना चाहते हैं तो मोबाइल लेने से पहले यह सुनिश्चित कर लेना जरूरी है कि वह मोबाइल फोन G.P.R.S. सपोर्ट करता है या नहीं। बस जो फोन G.P.R.S. सपोर्ट कर सकता है उसी में इंटरनेट का उपयोग किया जा सकता है।

टेलीफोन या मोबाइल सिम कार्ड

कम्प्यूटर द्वारा बनने वाले डिजिटल सिग्नल को टेलीफोन लाइन वाले एनालॉग सिग्नल के माध्यम से ही एक जगह से दूसरी जगह भेजा जाता है। इस कारण इंटरनेट के इस्तेमाल के लिए एक फोन लाइन का होना अति आवश्यक होता है। नया फोन लेते वक्त कुछ खास बातों पर ध्यान देना होता है।

- हम जिस कंपनी का फोन लेने जा रहे हैं। वह इंटरनेट सेवा प्रदान करता है या नहीं।
- कंपनी स्वयं मोडेम प्रदान करता है या नहीं।
- कंपनी किस प्रकार की सेवा मुहैया करवाता है जैसे ब्रॉडबैंड, डायलअप, लीज्ड लाइन आदि।
- फोन प्रदाता कम्पनी किस प्रकार अपना बिल लेता है। मसलन मासिक चार्ज कितना लेती है, उसमें कितना डाउनलोड्स मुफ्त मिलता है। अतिरिक्त डाउनलोड होने पर चार्ज कितना लिया जाता है आदि।

मोबाइल में डिजिटल सिग्नल को टेलीफोन लाइन वाले एनालॉग सिग्नल के माध्यम से एक जगह से दूसरी जगह भेजने के लिए सिम कार्ड का उपयोग किया जाता है। मोबाइल में सिम कार्ड लेते वक्त ये जानकारी प्राप्त करना जरूरी होता है कि सिम कार्ड वाली कंपनी इंटरनेट सेवा देती है या नहीं और देती है तो उसके चार्ज कितने होते हैं।

मोडेम

अगर फोन प्रदाता कंपनी आपको मोडेम प्रदान नहीं कर रही हैं तो आपको बाजार से मोडेम खरीदना होगा। यहाँ आपको इस बात पर ध्यान देना होगा कि फोन सेवा देने वाली कंपनी अधिकतम कितने स्पीड का इंटरनेट सेवा प्रदान करती है। उसी के आधार पर आपको मोडेम लेना पड़ता है।

मोबाइल फोन जिसमें G.P.R.S. सुविधा होती है। मोडेम आंतरिक तौर पर ही लगा होता है। इस कारण हम मोबाइल में तो इंटरनेट उपयोग कर ही सकते हैं। इसके साथ ही हम मोबाइल को कम्प्यूटर से जोड़कर फोन और मोडेम जैसा भी उपयोग कर सकते हैं।

इसके साथ ही बाजार में बहुत डाटा कार्ड भी उपलब्ध है जिसका उपयोग हम सीधे तौर पर मोडेम और टेलीफोन जैसा कर सकते हैं। इसमें भी मोबाइल जैसे टेलीफोन और मोडेम दोनों का एक साथ उपयोग करने के लिए सिम कार्ड की जरूरत होती है। डाटा कार्ड भी मोबाइल जैसा मुख्यतः दो प्रकार का होता है।

- GSM (ग्रुप स्पेशल मोबाइल)
- CDMA (कोड डिवीजन मल्टीपल एक्सेस)

सॉफ्टवेयर जिसकी मदद से इंटरनेट पर काम किया जाता है—इंटरनेट पर काम करने के लिए एक विशेष प्रकार के एप्लीकेशन सॉफ्टवेयर की आवश्यकता होती है। जिसके उपयोग से ही हम इंटरनेट पर काम कर सकते हैं। जब उपरोक्त सभी सामग्री उपलब्ध हो जाए तब ही इंटरनेट प्रारम्भ करना सम्भव हो सकता है।

इंटरनेट का उपयोग (Use of Internet)

1. वर्ल्ड वाइट वेब (World Wide Web)
2. ई-कॉमर्स (E-Commerce)
3. ऑनलाइन शॉपिंग (Online Shopping)
4. इलेक्ट्रॉनिक मेल (Electronic mail)
5. बातचीत करना (Chatting)
6. यूजनेट (Usenet)
7. फाइल ट्रांसफर प्रोटोकॉल (FTP–File Transfer Protocol)
8. वीडियो कॉन्फरेसिंग (Video Conferencing)
9. टेलीनेट (Telenet)
10. मनोरंजन (Entertainment)

इंटरनेट संबंधित प्रोटोकॉल (Internet Related Protocols)

किसी नेटवर्क पर सूचनाओं का आदान-प्रदान करने के लिए कुछ निश्चित नियम होते हैं, जिन्हें प्रोटोकॉल (Protocol) कहा जाता है। इंटरनेट भी इसका अपवाद नहीं है, क्योंकि यह संसार का सबसे बड़ा नेटवर्क है। इसका भी अपना एक प्रोटोकॉल है, जिसको TCP/IP कहा जाता है, जिसका पूरा नाम Transmission Control Protocol/Internet Protocol है।

TCP/IP एक डाक विभाग की तरह कार्य करता है। कंप्यूटरों का परस्पर त्रुटिहीन संचार सुनिश्चित करने के लिए दो प्रकार की आवश्यकताएँ होती हैं: (1) पता, (2) सूचना पहुँचाने या प्राप्त करने के लिए एक सुरक्षित माध्यम। TCP मूलतः सूचना के आदान-प्रदान के लिए उसको छोटे-छोटे पैकेट्स में विभाजित करने, उनके पुनः संयोजन (reassemble) और सुरक्षित पहुँचाने के लिए नियम है।

IP उस पर गंतव्य स्थान का पता लिखने की औपचारिकता को पूरा करता है। पते को हम मानकीकृत रूप में use@host.domain के रूप में लिखते हैं। इसमें इन्टरनेट से जुड़े सभी कंप्यूटर्स अथवा websites का एक Main Adress दिया जाता है, जिसकों IP address कहते हैं। यह कंप्यूटर की पहचान है। इसके चार भाग होते हैं, तथा ये दशमलव से अलग होते हैं, जिसमें सभी भाग में 0 से 255 तक की एक संख्या होती है। उदाहरण के लिए, 192.168.210.15. किसी भी दो कंप्यूटर्स या वेबसाइटों का IP पता एक जैसा नहीं हो सकता है। यह सभी प्रकार के हार्डवेयर एवं सॉफ्टवेयर पर लागू होता है। प्रत्येक डिवाइस (जैसे, कंप्यूटर, सर्वर, प्रिंटर, स्मार्टफोन) का एक यूनिक एड्रेस होता है और कम्युनिकेशन के लिए वे इंटरनेट प्रोटोकॉल का उपयोग करते हैं।

TCP/IP के डिजाइनर ने IP ऐड्रेस को एक 32 बिट नम्बर के रूप में परिभाषित किया और इंटरनेट प्रोटोकॉल वर्जन 4 या IPv4 के नाम से जानी जाने वाली यह प्रणाली, आज भी उपयोग में है। बाद में इंटरनेट के व्यापक विकास और इसके परिणामस्वरूप उपलब्ध पतों की कमी के कारण, 1995 में एड्रेस के लिए 128 बिट का उपयोग करके एक नया परिचयन सिस्टम (IPv6) विकसित किया गया।

TCP के स्थान पर User Datagram Protocol (UDP) का भी प्रयोग किया जा सकता है। IP एवं UDP को कनेक्शनलेस प्रोटोकॉल्स भी कहा जाता है।

अन्य महत्त्वपूर्ण प्रोटोकॉल्स

- **HTTP (HyperText Transfer Protocol) :** वेब ब्राउजर और वेबसर्वर के मध्य संचार को स्थापित करने हेतु।
- **IMAP (Internet Message Access Protocol) :** ई-मेल सर्वर और उपभोगकर्त्ता के मध्य संचार हेतु। इसके स्थान पर कई जगह Post Office प्रोटोकॉल का भी प्रयोग किया जाता है।
- **SSL (Secure Sockets Layer) :** इंटरनेट के द्वारा निजी दस्तावेजों को सम्प्रेषित करने हेतु।
- **FTP (File Transfer Protocol) :** डेटा फाइलों को एक कंप्यूटर से दूसरे कंप्यूटर पर भेजने हेतु।
- **TFTP (Trivial File Transfer Protocol) :** नेटवर्क यंत्रों के बीच डेटा फाइलों को स्थानान्तरित करने हेतु।
- **SMTP (Simple Mail Transfer Protocol) :** नेटवर्क आधारित ई-मेल को पहले APRANET पर FTP की सहायता से प्रेषित किया जाता था, अब यही कार्य SMTP के द्वारा किया जाता है।
- **SGML (Standardised General Markup Language) :** इसकी एक भाषा कहना ठीक नहीं है। वस्तुतः एक मेटा भाषा है, जो कि एक दस्तावेज के आयोजन और टैगिंग के लिए दिशा निर्देश के बारे में है। SGML को वर्ष 1986 में International Organization for Standards (ISO) ने विकसित किया था। यह किसी विशेष फॉर्मेटिंग को परिभाषित नहीं करता। यह टैगिंग तत्वों के लिए नियमों को निर्दिष्ट करता है।
- **टेलनेट (TelNet) :** इस सुविधा से कोई व्यक्ति इंटरनेट से जुड़े दूरस्थ दूसरे कंप्यूटर से डेटा प्राप्त कर सकता है। इसको 'रिमोट लॉग इन' भी कहा जाता है।
- **यूजनेट (UseNet) :** इस सेवा का प्रयोग लोगों के सूमह द्वारा अपनी पसन्द के किसी विषय पर अपनी राय या सूचना देने के लिए किया जा सकता है। इस सम्बद्ध में हम न्यूज ग्रुप तथा न्यूज सर्वर शब्दों का प्रयोग करते हैं।
- **पुश नेट (Push Net) :** इससे संदेश इलेक्ट्रॉनिक बुलेटिन बोर्ड पर भेजा जा सकता है, जहाँ पर वह सबके लिए उपलब्ध रहता है।

सर्च इंजन (Search Engine)

सर्च इंजन एक ऐसा प्रोग्राम है, जो इंटरनेट पर उपलब्ध सूचनाओं में से किसी विशेष सूचना को ढूँढकर कंप्यूटर स्क्रीन पर प्रदर्शित करता है। हमें किसी संस्थान, वस्तु, व्यक्ति, विषय आदि किसी के बारे में कुछ भी सूचना प्राप्त करनी है, तो हम इस सर्च टूल का प्रयोग करते हैं। गूगल, याहू, अल्टाविस्टा, लाइकोस, होटबोट, आदि अनेक उदाहरण हैं।

मेटासर्च इंजन (Metasearch engine) या जिसको एग्रीगेटर (aggregator) कहते हैं, एक ऐसा सर्च उपकरण है जो अपने स्वयं के परिणाम दर्शाने के लिए दूसरे सर्च इंजन के डेटा का उपयोग करता है। मेटाक्रॉलेर, हॉटबोट, डॉगपाइल, आदि मेटा सर्च इंजन के उदाहरण हैं।

वेबसाइट (Website)

यह वेब पेज और अन्य जानकारी (चित्र, ध्वनि और वीडियो फाइल, आदि) का समूह है, जो कि एकल वेब सर्वर के माध्यम से हमें उपलब्ध होती हुई प्रतीत होती है। दूसरी तरफ यूआरएल, इंटरनेट पर किसी संसाधन का पता है। वर्ल्ड वाइड वेब URL की शुरुआत http:// से होती है।

पोर्टल (Portal)

इसका अर्थ Gateway होता है, जो कि एक वेब ब्राउजिंग का प्रारम्भिक चरण है। प्रायः ऐसे सर्च इंजन या वेबसाइटों की बड़ी डायरेक्टरियाँ होती हैं। पोर्टल का मुख्य कार्य यूजर को उसकी रुचि अनुसार कुछ वेबसाइटों की सूची प्रदान करना है, परन्तु आजकल ये बहुत सारी सूचनाएँ एवं सेवाएँ भी उपलब्ध कराते हैं।

पोर्टल्स के प्रकार

1. Web Searching Portals
2. E-Commerce Portals
3. E-Learning Portals
4. Government Portals, आदि

ब्लॉग (Blog)

ब्लॉग शब्द का उद्‌गम लाग अर्थात डायरी है। ब्लॉग एक तरह की वेबसाइट होती है, हम अपने विचार, अनुभव और सुझाव दूसरों के समक्ष ब्लॉग के माध्यम से क्रमिक रूप से रख सकते हैं।

आप अगर ब्लॉग में काम करते हैं, तो उसे ब्लॉगिंग (blogging) कहते हैं और जो ब्लॉग लिखता है उसे ब्लॉगर (blogger) कहते हैं। ब्लॉगस्पॉट (blogspot) गूगल के द्वारा ही जारी किया गया एक प्लेटफार्म है। गूगल आपको फ्री में ब्लॉग डालने की अनुमति देता है।

ब्लॉग के माध्यम से तत्काल प्रतिपुष्टि एवं सहभागिता सुनिश्चित की जा सकती है। एक शिक्षक एडुबलोग्स के माध्यम से शिक्षण अधिगम प्रक्रिया को और प्रभावी बना सकता है, इसमें शिक्षा के नीति निर्धारकों का भी योगदान हो सकता है। इससे विद्यार्थी परस्पर चर्चा कर सकते हैं जिसमें शिक्षक की भूमिका एक सुगमकर्त्ता की बन जाती है। कुछ ब्लॉग सबके लिए मुक्त (open) है, कुछ को पासवर्ड से सुरक्षित किया जा सकता है।

- **फ्री ब्लॉग होस्टिंग (Free Blog Hosting):** wordpress selva, blogger, tumblr
- **ब्लॉग होस्ट्स विद फीस (Blog Hosting with Fees):** GoDaddy, Bluehost, Hostgator, hostmonster
- **आरएसएस (RSS):** इस वेब उपकरण की सहायता से आप सूचना को दूसरी कुछ वेबसाइटों से एकत्रित कर अपनी वेबसाइट पर दिखा सकते हैं। इससे शिक्षक और विद्यार्थी के पास कई विषय-वस्तुओं के बारे में विस्तृत जानकारी इकट्ठी हो जाती है, विशेषतया समसामयिक घटनाओं के बारे में। यह एक प्रकार से किसी विषय-वस्तु पर अनुसन्धान जैसा बन जाता है, जिसमें कई पहलू कवर किए जा सकते हैं। आप इसके बारे में और अधिक जानकारी प्राप्त करने हेतु rssfeedreader.com पर जा सकते हैं।

इंटरनेट चैटिंग (Internet Chatting)

चैटिंग इंटरनेट पर की जाने वाली एक रोचक क्रिया है। यह टेलीफोन पर बात करने के समान है। अंतर केवल यह है कि बोलने की जगह हम अपनी बात या संदेश की बोर्ड पर टाइप करते हैं, जो तत्काल ही प्राप्तकर्ता के मॉनीटर की स्क्रीन पर तुरंत ही दिया जाता है। तब प्राप्तकर्त्ता अपने की-बोर्ड पर उसका उत्तर टाइप करता है, जो हमारे मॉनीटर की स्क्रीन पर तुरंत ही दिखा दिया जाता है। इस प्रकार बातचीत तब तक चलती रहती है जब तक आप चाहते हैं। इस तरह चैटिंग को टेक्स्ट चैट कहा जाता है।

चैटिंग चैट समूहों में की जाती है। किसी चैट समूह को चैनल भी कहा जाता है। चैनल सामान्यतः विशेष विषयों पर केन्द्रित होते हैं जैसे- राजनीति, खेल, संगीत, फिल्म आदि। प्रत्येक चैनल का नाम '#' चिन्ह से प्रारंभ होता है। उदाहरण के लिये #politics एक चैनल भी हो सकता है, जो राजनीति पर केन्द्रित हो। यदि कोई उपनाम '@' चिन्ह से प्रारंभ हो रहा हो, जैसे- @robotman, तो वह किसी व्यक्ति के बजाय उस प्रोग्राम का नाम होता है, जो उस चैट समूह को संचालित या व्यवस्थित करता है।

वीडियो कॉन्फ्रेंसिंग (Video Conferencing)

वीडियो कॉन्फ्रेंसिंग के द्वारा दो या दो से अधिक व्यक्ति विश्व के किसी भी भाग में बैठकर audio-video रूप में आपस में Interaction कर सकते हैं, अर्थात् आसानी से एक-दूसरे से बातचीत कर सकते हैं। वीडियो कॉन्फ्रेंसिंग कम्युनिकेशन की एक आधुनिक एवं नई टेक्नोलोजी है। इसमें कई दूर सम्प्रेषण (Remote communication) तकनीकियों का उपयोग किया जाता है। वीडियो कॉन्फ्रेंसिंग अन्य दूर सम्प्रेषण विधियों से अलग है क्योंकि जहाँ दूर सम्प्रेषण तकनीकों में केवल ध्वनि को ही एक स्थान से दूसरे स्थान पर संचारित किया जाता है वहीं वीडियो कॉन्फ्रेंसिंग से आवाज के साथ चित्र भी दिखाई देते हैं। वीडियो कॉन्फ्रेंसिंग में ऐसा लगता है कि जैसे दो व्यक्ति आमने-सामने बैठकर ही बातें कर रहे हैं।

वीडियो कॉन्फ्रेंसिंग के लाभ (Advantages of Video Conferencing)

वीडियो कॉन्फ्रेंसिंग के मुख्य लाभ निम्न हैं :

1. Teleseminars
2. Teacher's Conference
3. E-Learning
4. Help From Experts
5. Guest Lectures
6. Study during Vacations
7. E-Tutor
8. Helpful in Research
9. Directing and consulting

वीडियो कॉन्फ्रेंसिंग के दोष (Disadvantages of Video Conferencing)

वीडियो कॉन्फ्रेंसिंग के उपर्युक्त कई लाभ हैं लेकिन फिर भी तकनीक के कुछ दोष हैं जो निम्न हैं-

1. Costly technique
2. Complex process
3. Use of Internet
4. Proper training requirement

ई-बैंकिंग (e-Banking)

ई-बैंकिंग इलेक्ट्रॉनिक बैंकिंग को संदर्भित करता है। यह बैंकिंग उद्योग में ई-व्यवसाय की तरह है। ई-बैंकिंग को ''वर्चुअल बैंकिंग'' या ''ऑनलाइन बैंकिंग'' भी कहा जाता है। ई-बैंकिंग बैंक के ग्राहकों की बढ़ती अपेक्षाओं का परिणाम है। ई-बैंकिंग में सूचना प्रौद्योगिकी आधारित बैंकिंग शामिल है। इस IT प्रणाली के तहत, बैंकिंग सेवाओं को कम्प्यूटर-नियंत्रित प्रणाली के माध्यम से वितरित किया जाता है। इस बैंक की प्रणाली में ग्राहकों के साथ सीधा सम्पर्क शामिल है। ग्राहकों को परिसर में जाने की जरूरत नहीं है। बैंकिंग अब केवल शाखाओं तक ही सीमित नहीं रह गई है, जहाँ किसी को व्यक्तिगत रूप से शाखा से सम्पर्क करना पड़ता है, नकदी निकालने या चेक जमा करने या खातों के विवरण का अनुरोध करने की आवश्यकता होती है।

इन्ट्रानेट

इंट्रानेट एक प्राइवेट नेटवर्क है जिसका इस्तेमाल दो या दो से अधिक कंप्यूटरों को आपस में जोड़ने के लिए किया जाता है, जिससे कि इन कंप्यूटरों के बीच सूचना और डाटा का आदान-प्रदान किया जा सके। इंट्रानेट एक प्राइवेट नेटवर्क है इसलिए इसका इस्तेमाल किसी बड़ी कंपनी, ऑफिस या ऑर्गनाइजेशन के लिए इस्तेमाल किया जाता है।

इंट्रानेट एक प्रकार का प्राइवेट इंटरनेट है इसलिए इसको केवल कंपनी या आर्गेनाइजेशन के लोग ही एक्सेस कर सकते हैं, दूसरे लोग इसको एक्सेस नहीं कर सकते। इस नेटवर्क के माध्यम से एक कर्मचारी दूसरे कर्मचारी के साथ संचार कर सकता है, और महत्वपूर्ण जानकारी और सूचनाओं को शेयर कर सकता है।

सरल शब्दों में कहे तो यह एक सिस्टम है जिसका इस्तेमाल कई कंप्यूटर को एक दूसरे के साथ जोड़ने के लिए किया जाता है ताकि उनमें डेटा और फाइलों को शेयर किया जा सके।

इस नेटवर्क के माध्यम से लोग दूर-संवाद (teleconference) कर सकते हैं और एक स्थान में रहकर अपने डेटा और सूचनाओं को अन्य लोगों के साथ शेयर कर सकते हैं।

Intranet के उदाहरण : Axero; Blink; Facebook Workplace; Happeo; HCL Connections; HyperOffice Atlas; Jostle; Microsoft SharePoint; Microsoft Yammer; Passageways OnSemble; Samepage; Simpplr; Staffbase; Workvivo; and Zoho Connect.

इंट्रानेट के लाभ :

- यह एक बहुत ही सरल नेटवर्क है जिसे किसी भी कंपनी या आर्गेनाइजेशन में स्थापित करना काफी आसान होता है।
- यह इंटरनेट और एक्सट्रानेट की तुलना में अधिक सुरक्षित होता है। क्योंकि इसे केवल कंपनी के कर्मचारी ही उपयोग कर सकते हैं।
- इस नेटवर्क का उपयोग करना और चलाना काफी आसान होता है।
- इंट्रानेट एक तेज नेटवर्क है जो कर्मचारियों को तेज गति से डाटा और सूचना को शेयर करने में मदद करता है।
- यह नेटवर्क एप्लीकेशन को स्टोर और विकसित करने के लिए एक सुरक्षित स्थान प्रदान करता है।
- यह नेटवर्क में मौजूद त्रुटियों (errors) को कम करके कंपनी की दक्षता (efficiency) में सुधार करता है।
- यह कर्मचारियों को सही समय पर कार्यों को पूरा करने में मदद करता है।
- यह कंपनियों के लिए एक testing platform प्रदान करता है जहाँ पर कंपनी अपने विचारों और डेटा को अपलोड करती है।
- यह एक विश्वसनीय (reliable) नेटवर्क है जो कंपनी की विश्वसनीयता (credibility) बनाए रखता है।
- इसमें जानकारी को real time में शेयर की जाती है जिसके कारण यूजर को जानकारी तुरंत दिखाई देती है।
- इंट्रानेट कर्मचारियों की गतिविधियों पर नजर रखने में मदद करता है।

- इंट्रानेट का इस्तेमाल हम मोबाइल डिवाइस में भी कर सकते हैं जिसके कारण यूजर फोन और टेबलेट में जानकारी या डाटा को देख सकता है।
- इस नेटवर्क को कोई बाहरी व्यक्ति एक्सेस नहीं कर सकता जिसके कारण यह और भी ज्यादा सुरक्षित है।

इंट्रानेट के नुकसान

- इस नेटवर्क को स्थापित (establish) करने में ज्यादा खर्चा आता है। इसलिए यह इंटरनेट की तुलना में एक महंगा नेटवर्क है।
- यदि इंट्रानेट में फायरवॉल का इस्तेमाल नहीं किया जाता है तो इसे हैकर hack कर सकते हैं।
- इस नेटवर्क को सुरक्षित रखने के लिए मजबूत पासवर्ड का उपयोग किया जाता है जिसके कारण हैकर को पासवर्ड का पता लगाने में कठिनाइयों का सामना करना पड़ता है। यदि हमने कमजोर पासवर्ड का इस्तेमाल किया तो इसे आसानी से hack किया जा सकता है।
- इस नेटवर्क को कंट्रोल करके रखना कठिन होता है।
- इसमें कभी-कभी दस्तावेज duplicate निकल जाते हैं जिसके कारण कर्मचारी भ्रमित (confuse) हो जाते हैं।

इंट्रानेट के अनुप्रयोग

इंट्रानेट का इस्तेमाल निम्नलिखित जगहों पर किया जाता है :

- **शिक्षा के क्षेत्र में :** इंट्रानेट का इस्तेमाल शिक्षा के क्षेत्र में किया जाता है। इसका उपयोग स्कूलों में शिक्षकों (teachers) के द्वारा एक दूसरे के साथ संचार करने के लिए किया जाता है। इस नेटवर्क के माध्यम से स्कूल के टीचर परीक्षा तिथियों, स्कूलों के कार्यों, छुट्टियों आदि के बारे में जानकारी प्राप्त कर सकते हैं।
- **रियल एस्टेट के क्षेत्र में :** इस नेटवर्क का उपयोग रियल एस्टेट कंपनियों के द्वारा किया जाता है। यह नेटवर्क बिक्री टीम (sales team) को सभी महत्वपूर्ण ब्रोशर, टेम्प्लेट, फॉर्म तक पहुँचने में मदद करता है। इस नेटवर्क के कारण कंपनी में मौजूद कर्मचारी meetings, training, sessions जैसी चीजों के लिए अपडेट रहते हैं।
- **स्वास्थ्य के क्षेत्र में :** इंट्रानेट का उपयोग स्वास्थ्य के क्षेत्र में किया जाता है। इस नेटवर्क को बड़े-बड़े अस्पतालों में उपयोग किया जाता है। यह नेटवर्क रोगियों की देखभाल करने, और उपचार करने में मदद करता है। इस नेटवर्क में माध्यम से डॉक्टर रिपोर्ट, उपचार प्रक्रियाओं, बिलों को शेयर कर सकते हैं।
- **आईटी के क्षेत्र में :** इसका उपयोग IT (इन्फार्मेशन टेक्नोलॉजी) के क्षेत्र में भी किया जाता है। इस नेटवर्क का उपयोग करके बड़ी मात्रा में जानकारी को एक स्थान से दूसरे स्थान पर शेयर किया जा सकता है।
- **संगठन में :** यह नेटवर्क संगठन के लिए काफी ज्यादा लोकप्रिय होते हैं। क्योंकि इस नेटवर्क का उपयोग करके संगठन में मौजूद कर्मचारी एक दूसरे के साथ सुरक्षित तरीके से जानकारी को शेयर कर सकते हैं।

इंटरनेट और इंट्रानेट में अंतर

इंटरनेट	इंट्रानेट
यह एक public नेटवर्क है	यह एक private नेटवर्क है
इसका इस्तेमाल सभी लोग कर सकते हैं	इसका इस्तेमाल केवल कंपनी या आर्गेनाइजेशन के कर्मचारी ही कर सकते हैं
यह एक सस्ता नेटवर्क है इसमें कम खर्चा आता है	यह एक मंहगा नेटवर्क है इसमें अधिक खर्चा आता है
यह कम सुरक्षित होता है	यह अधिक सुरक्षित होता है
इसमें users की संख्या अधिक होती है	इसमें users की संख्या कम होती है
यह कम विश्वसनीय है	यह बहुत अधिक विश्वसनीय) है
इसमें बहुत जानकारी मौजूद होती है	इसमें कम जानकारी मौजूद होती है
इसका कोई owner नहीं होता है	इसका owner हो सकता है

इलेक्ट्रॉनिक मेल (E-mail)

ई-मेल एक सेवा है, जो हमें इंटरनेट पर इलेक्ट्रॉनिक मोड में संदेश भेजने के लिए अनुमति देता है। यह एक ऐसा इलेक्ट्रॉनिक संदेश होता है, जो किसी नेटवर्क से जुड़े विभिन्न कम्प्यूटरों के बीच भेजा व प्राप्त किया जाता है, जो कि भौगोलिक रूप से हजारों मील दूर भी हो सकते हैं। ई-मेल को मेल सर्वर के माध्यम से भेजा जाता है और प्राप्त किया जाता है। मेल सर्वर ऐसा कम्प्यूटर होता है, जिसका कार्य ई-मेल को प्रोसेस करके उचित क्लाइंट कम्प्यूटर तक भेजना होता है।

वेब पते की तरह हमारे ई-मेल पते भी होते हैं, जिस पर ई-मेल भेजी जाती है। ब्राउजर प्रोग्राम की तरह ई-मेल भेजने और प्राप्त करने के लिए विशेष ई-मेल प्रोग्राम या सॉफ्टवेयर होते हैं, जैसे-माइक्रोसॉफ्ट आउटलुक तथा आउटलुक एक्सप्रेस, आदि। हम कुछ वेबसाइट की सहायता से भी अपना ई-मेल भेज तथा प्राप्त कर सकते हैं।

ई-मेल की संरचना (E-mail Structure)

ई-मेल पता (E-mail Address)

ई-मेल के प्रत्येक उपयोगकर्ता को अपने ई-मेल खाते के लिए एक अनूठा नाम मिलता है। इस नाम को ई-मेल पते (E-mail Address) के रूप में

जाना जाता है। विभिन्न उपयोगकर्ता ई-मेल पते के अनुसार संदेश भेज सकते हैं और प्राप्त कर सकते हैं।

ई-मेल username@domainname के रूप में होता है। उदाहरण के लिए, student@bestest.in में student उपयोगकर्ता के रूप में है तथा bestest.in डोमेन नाम है।

1. यूजरनेम और डोमेन नाम @ प्रतीक से अलग होते हैं।
2. ई-मेल पता केस संवेदनशील (case sensitive) नहीं है।
3. ई-मेल पते में रिक्त स्थान (space) की अनुमति नहीं होती है।

ई-मेल संदेश अवयव

इन घटकों को निम्न आरेख में वर्णित किया गया है :

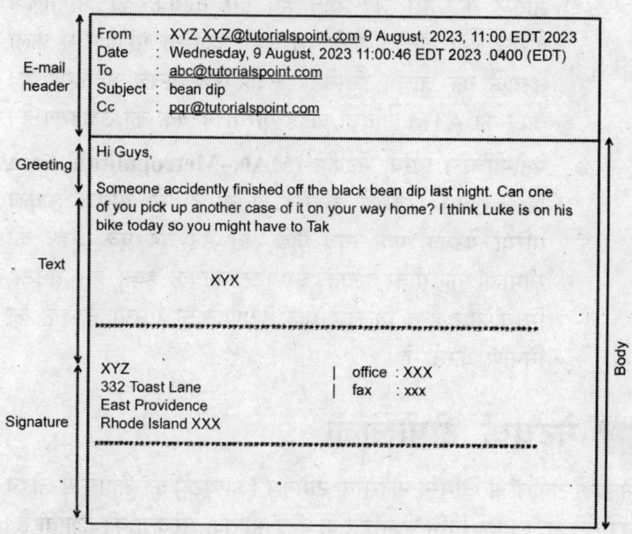

ई-मेल हैडर (E-mail Header)

ई-मेल संदेश की पहली पाँच या छह पंक्तियों को ई-मेल हैडर कहा जाता है। इसमें निम्नलिखित फील्ड होते हैं।

- From : प्रेषक का पता
- Date: तिथि/दिनांक
- To: संदेश प्राप्तकर्ता
- Subject: विषय, यह ई-मेल के सटीक उद्देश्य को इंगित करता है।
- CC: इसका अर्थ है—Carbon Copy, इसमें वे प्राप्तकर्ता होते हैं जिनको भी हम जानकारी देना चाहते हैं, लेकिन वह लक्षित प्राप्तकर्ता नहीं है।
- BCC: Black Carbon Copy—वे लोग जो संदेश प्राप्त कर पाते हैं, लेकिन इसकी जानकारी संदेश प्रेषक दूसरों को नहीं देना चाहता।
- Greeting: अभिवादन
- Text: पत्र-संदेश
- Signature: हस्ताक्षर, यह एक ई-मेल संदेश का अंतिम भाग है। इसमें प्रेषक का नाम, पदवी, भौतिक पता और संपर्क नंबर, आदि होते हैं।

ई-मेल के लाभ (Benefits of Email)

ई-मेल संचार का एक शक्तिशाली और विश्वसनीय माध्यम प्रमाणित हुआ है। ई-मेल के निम्नलिखित लाभ हैं :

- **विश्वसनीय :** यह सुरक्षित है। इसमें संदेश उसी व्यक्ति तक पहुँचता है, जिस तक हम पहुँचाना चाहते हैं।
- **सुविधाजनक :** इसमें स्टेशनरी या स्टैम्प्स की आवश्यकता नहीं होती।
- **गति :** यह नेटवर्क पर भी निर्भर करती है।
- **सस्ता :** इसके लिए सिर्फ नेटवर्क कनेक्शन की आवश्यकता होती है।
- **छापने योग्य :** संदेश का प्रिंट भी लिया जा सकता है।
- **व्यापकता :** इससे विश्व के किसी भी भाग में बैठे व्यक्ति को कुछ की सेकंडों में संदेश भेजा जा सकता है।

ई-मेल हैकिंग (E-mail Hacking)

ई-मेल हैकिंग निम्न में से किसी भी प्रकार से किया जा सकता है :

- **ई-मेल स्पैमिंग (Email Spamming) :** ई-मेल स्पैमिंग का अर्थ है, जब-जब कोई वाणिज्यिक संस्थान बिना किसी अनुरोध के ही अपने उत्पादों और सेवाओं के विज्ञापन के लिए ई-मेल खाताधारियों को मेल भेजता है। इनको जंक मेल भी कहा जाता है। इनको आंग्ल भाषा में Unsolicited Bulk E-mails भी कहा जाता है।
- **वायरस (Virus) :** किसी ई-मेल फाइल में दुर्भावनापूर्ण स्क्रिप्ट होता है, जब ऐसी फाइल को हम अपने कम्प्यूटर पर चलाते हैं, तो महत्वपूर्ण डेटा नष्ट होने का अंदेशा रहता है।
- **फिशिंग (Phishing) :** ई-मेल फिशिंग एक वैध उद्यम होने का दावा करके उपयोगकर्ता को ई-मेल भेजने की एक गतिविधि है। इसका मुख्य उद्देश्य उपयोगकर्ता का नाम, पासवर्ड और क्रेडिट कार्ड का विवरण, आदि के रूप में संवेदनशील जानकारी चोरी करना होता है। इस मेल में ऐसे लिंक होते हैं, जो ई-मेल उपयोगकर्ता को ऐसी वेबसाइट पर ले जाते हैं, जो देखने में वास्तविक वेबसाइट जैसी लगती है।
- **सपलाग (Splag) :** किसी को तब तक स्पैमिंग करते रहना जब तक कि उसके कम्प्यूटर में बहुत गड़बड़ न होनी शुरू हो जाए व कम्प्यूटर क्रैश हो जाए, को सपलाग (Splag) कहते हैं।

कम्प्यूटर नेटवर्क (Computer Network)

आज के युग में उपयोगकर्ता को इलेक्ट्रॉनिक संचार की आवश्यकता है। लोगों के परस्पर सूचना के संचार के लिए तकनीक की आवश्यकता है। एक अच्छी सूचना संचार पद्धति प्रत्येक संस्थानों के लिए आवश्यक है। संस्थाएँ सूचना की प्रक्रिया के लिए परस्पर जुड़े हुए कम्प्यूटर पर निर्भर रहती हैं। इलेक्ट्रॉनिकी की सहायता से एक स्थान से दूसरे स्थान पर सूचना प्रेषित करने की क्रिया को दूरसंचार कहते हैं। एक या एक से अधिक कम्प्यूटर और विविध प्रकार के टर्मिनलों के बीच आंकड़ों को भेजना या प्राप्त करना डाटा संचार कहलाता है।

नेटवर्क की रूपरेखा

सामान्यतया संचार नेटवर्क में किसी चैनल के माध्यम से प्रेषक अपना संदेश प्राप्तकर्ता को भेजता है। किसी भी नेटवर्क के पाँच मूल अंग हैं।

- **टर्मिनल :** टर्मिनल मुख्य रूप से वीडियो टर्मिनल एवं वर्कस्टेशनों का समावेश होता है। इनपुट एवं आउटपुट उपकरण नेटवर्क में डाटा भेजने एवं प्राप्त करने का कार्य करते हैं। उदाहरण-माइक्रोकम्प्यूटर, टेलीफोन, फैक्स मशीन आदि।
- **दूरसंचार प्रोसेसर :** दूरसंचार प्रोसेसर टर्मिनल और कम्प्यूटर के बीच रहते हैं। ये डाटा भेजने एवं प्राप्त करने में सहायता करते हैं। मोडेम मल्टीप्लेक्सर, फ्रन्ट एंड प्रोसेसर जैसे उपकरण नेटवर्क में होने वाली विविध क्रियाओं और नियंत्रणों में सहायता करता है।
- **दूरसंचार चैनल एवं माध्यम :** वे माध्यम जिनके ऊपर डाटा प्रेषित एवं प्राप्त किया जाता है, उसे दूरसंचार चैनल कहते हैं। दूरसंचार नेटवर्क के विभिन्न अंगों को जोड़ने के लिए माध्यम का उपयोग करते हैं।
- **कम्प्यूटर :** नेटवर्क सभी प्रकार के कम्प्यूटर को आपस में जोड़ता है। जिससे वे उसकी सूचना पर प्रक्रिया कर सके।
- **दूरसंचार सॉफ्टवेयर :** दूरसंचार सॉफ्टवेयर एक प्रोग्राम है जोकि होस्ट कम्प्यूटर पद्धति पर आधारित है। यह कम्प्यूटर पद्धति दूरसंचार विधियों को नियंत्रित करता है और नेटवर्क की क्रियाओं को व्यवस्थित करता है।

कम्प्यूटर नेटवर्क के प्रकार

कम्प्यूटर नेटवर्क आपस में जुड़े कम्प्यूटरों का समूह है जो एक-दूसरे से संचार स्थापित करने तथा सूचनाओं, संसाधनों को साझा इस्तेमाल करने में सक्षम होते हैं।

नेटवर्क के निम्नलिखित प्रकार होते हैं-

- **लोकल एरिया नेटवर्क (LAN–Local Area Network) :** यह एक कम्प्यूटर नेटवर्क है जिसके अंदर भौगोलिक परिधि सीमित होती है। जैसे-घर, ऑफिस, भवनों का छोटा समूह आदि का कम्प्यूटर नेटवर्क। वर्तमान लेन इथरनेट तकनीक पर आधारित होता है। इस नेटवर्क का आकार छोटा परन्तु डाटा संचारण की तीव्र गति होती है।
- **वाइड एरिया नेटवर्क (WAN–Wide Area Network) :** इस नेटवर्क में कम्प्यूटर आपस में लीज्ड लाइन या स्विच सर्किट के द्वारा जुड़े रहते हैं। इस नेटवर्क की भौगोलिक परिधि बड़ी होती है जैसे पूरा शहर, देश या महादेश में फैला नेटवर्क का जाल। इंटरनेट इसका एक अच्छा उदाहरण है। बैंकों की ATM सुविधा वाइड एरिया नेटवर्क का उदाहरण है।
- **मेट्रोपोलिटन एरिया नेटवर्क (MAN–Metropolitan Area Network) :** इसके अंतर्गत दो या दो से अधिक लोकल एरिया नेटवर्क एक साथ जुड़े होते हैं। यह एक शहर की सीमाओं के भीतर स्थित कम्प्यूटर नेटवर्क होता है। राउटर, स्विच और हब्स मिलकर एक मेट्रोपोलिटन एरिया नेटवर्क का निर्माण करता है।

नेटवर्क टोपोलॉजी

नेटवर्क टोपोलॉजी विभिन्न नोड्स या टर्मिनल (कम्प्यूटर) को आपस में जोड़ने का तरीका है। यह विभिन्न नोड्स के बीच भौतिक संरचना को दर्शाता है।

नेटवर्क टोपोलॉजी निम्नलिखित प्रकार के होते हैं :

- **मेस नेटवर्क :** यह नेटवर्क उच्च ट्रैफिक स्थिति में मार्ग को ध्यान में रखकर उपयोग किया जाता है। इसमें किसी भी स्रोत से कई मार्गों से संदेश भेजा जा सकता है। पूर्णतः इंटरकनेक्टेड मेस नेटवर्क खर्चीला है, क्योंकि इसमें ज्यादा केबल और हर नोड पर इंटेलीजेंस की आवश्यकता होती है। इस नेटवर्क में उच्च सुरक्षा अनुप्रयोग में डाटा प्रेषित किया जाता है।
- **स्टार नेटवर्क :** इस नेटवर्क में एक केन्द्रीय नोड होता है जो इंटेलीजेंस से युक्त होता है। बाकी नोड्स इससे जुड़ा होता है। इस केन्द्रीय नोड को हब कहा जाता है। किसी एक केबल में कोई समस्या आने पर नोड विफल होता है। परन्तु हब में कोई समस्या आने पर सारा नेटवर्क विफल हो जाता है। इसका स्वरूप तारे के समान होने के कारण इसे स्टार नेटवर्क के नाम से जाना जाता है।
- **रिंग नेटवर्क :** इस नेटवर्क में सभी नोड्स में इंटेलीजेंस होता है। डाटा का प्रवाह हमेशा एक ही दिशा में होता है परन्तु

किसी भी एक केबल या नोड में समस्या आने पर दूसरी दिशा में डाटा का प्रवाह संभव है। इसका स्वरूप रिंग (गोले) के समान होने के कारण इसे रिंग नेटवर्क के नाम से जाना जाता है।

- **बस नेटवर्क :** इस नेटवर्क के सभी नोड एक ही केबल से जुड़े होते हैं। कोई भी नोड किसी दूसरे नोड को डाटा प्रेषित करना चाहता है तो उसे देखना होता है कि बस में कोई डाटा प्रवाहित तो नहीं हो रहा है। बस खाली रहने पर नोड डाटा प्रेषित कर सकता है। डाटा प्राप्त करने के लिए हर नोड के पास इतनी इंटेलीजेंस होनी चाहिए कि बस से अपने पता ज्ञात कर डाटा प्राप्त कर सके। इसमें कम केबल की आवश्यकता होती है तथा कोई नया नोड जोड़ना आसान होता है।

मोड्युलेशन

यह किसी जानकारी को लंबी दूरी तक सिग्नल के रूप में भेजने के लिए उपयोग होता है। मोड्युलेशन डिजिटल सिग्नल को एनालॉग रूप में बदलने की प्रक्रिया है। यह मोडेम (Modem-Modulator Demodulator) के द्वारा संभव होता है। मोडेम एक विद्युत यंत्र हैं जो डिजिटल सिग्नल को एनालॉग में और एनालॉग सिग्नल को डिजिटल सिग्नल में बदलने का काम करता है।

मोड्युलेशन तीन प्रकार के होते हैं-

- **आयाम (Amplitude) मोड्यूलेशन (AM) :** इस प्रक्रिया में वाहक सिग्नल का आयाम सूचना युक्त डिजिटल सिग्नल के अनुरूप बदला जाता है।
- **आवृत्ति (Frequency) मोड्यूलेशन (FM) :** इस प्रक्रिया में वाहक सिग्नल की आवृत्ति को सूचना युक्त डिजिटल सिग्नल के अनुरूप बदला जाता है।
- **चरण (Phase) मोड्यूलेशन (PM) :** इस प्रक्रिया में वाहक सिग्नल के फेज को डिजिटल सिग्नल के अनुरूप बदला जाता है।

डाटा ट्रांसमिशन सेवा (Data Transmission Service)

डाटा को एक स्थान से दूसरे स्थान पर भेजने के लिए जिस सेवा का उपयोग होता है उसे डाटा ट्रांसमिशन सेवा कहते हैं। इस सेवा को देने वाले को डाटा ट्रांसमिशन सेवा प्रदाता (Data Transmission Service Provider) कहते हैं। जैसे-

- VSNL–विदेश संचार निगम लिमिटेड
- BSNL–भारत संचार निगम लिमिटेड
- MTNL–महानगर टेलीफोन निगम लिमिटेड

डाटा ट्रांसमिशन सेवा निम्नलिखित हैं-

- **डायल अप लाइन (Dialup Line) :** डायल अप लाइन टेलीफोन कनेक्शन से सम्बन्धित हैं जो एक सिस्टम में बहुत सारे लाइनों तथा यूजर्स से जुड़ा होता है। इसका उपयोग टेलीफोन की तरह नंबर डायल कर संचार स्थापित करने में किया जाता है। इसे कभी-कभी स्विच लाइन भी कहा जाता है। यह पहले से विद्यमान टेलीफोन सेवा का उपयोग करता है। ब्रॉडबैंड तकनीक भी डायल उप कनेक्शन का ही उपयोग करता है।
- **लीज्ड लाइन (Leased Line) :** लीज्ड लाइन आवाज और डाटा दूरसंचार सेवा के लिए दो स्थानों को जोड़ती है। यह एक सिर्फ, समर्पित लाइन (Dedicated Line) नहीं है, बल्कि यह वास्तव में दो बिंदु के बीच आरक्षित सर्किट है। इसका सबसे ज्यादा उपयोग उद्योगों द्वारा अपनी शाखाओं को जोड़ने के लिए किया जाता है क्योंकि यह नेटवर्क ट्रैफिक के लिए बैंडविड्थ की गारंटी देता है।
- **एकत्रित सेवा डिजिटल नेटवर्क (ISDN-Integrated Services Digital Network) :** एकत्रित सेवा डिजिटल नेटवर्क सर्किट स्विच टेलीफोन नेटवर्क के माध्यम से आवाज, डाटा और इमेज का स्थानान्तरण है। इस सेवा के अंतर्गत आवाज, डाटा और इमेज को डिजिटल रूप में भेजा जाता है और जरूरत के अनुरूप इस्तेमाल किया जाता है। इस सेवा में मोडेम की जरूरत नहीं होती क्योंकि डाटा का आदान-प्रदान केवल डिजिटल रूप में होता है।

नेटवर्क इंटरफेस कार्ड

यह एक हार्डवेयर डिवाइस है जो कम्प्यूटर को नेटवर्क में संचार स्थापित करने में सहायता प्रदान करता है। नेटवर्क के अन्तर्गत कम्प्यूटर एक निश्चित प्रोटोकॉल (कोई काम करने का पूर्व से निर्धारित एक नियम) के तहत डाटा पैकेट को आपस में आदान-प्रदान करता है।

वायरलेस तकनीक : जैसा कि नाम से ज्ञात होता है यह बिना तारों की तकनीक है। अर्थात् इसके द्वारा डाटा का परिवहन बिना तारों या केबल के होता है। इस तकनीक के प्रयोग से केबल में होने वाले खर्च की भी बचत होती है। इस तकनीक में केबल के स्थान पर इलेक्ट्रोमैग्नेटिक तरंगें, माइक्रोवेव, इन्फ्रारेड आदि के द्वारा डाटा का परिवहन होता है। वायरलेस तकनीक के अनुप्रयोग निम्नलिखित हैं–टेलीविजन रिमोट, मोबाइल फोन, वाई-फाई आदि।

वाई-मेक्स : यह एक डिजिटल वायरलेस संचार प्रणाली है। यह तकनीक बिना केबल के 75 मेगाबाइट/सेकंड ब्रॉडबैंड स्पीड प्रदान करती हैं।

वायरलेस लोकल लूप : यह एक वायरलेस संचार प्रणाली है जिसमें उपभोक्ता नेटवर्क से रेडियो आवृत्ति के प्रयोग से जुड़ते हैं। यह एक बेहतर आवाज तथा उच्च गति डाटा क्षमता प्रदान करता है। जिस स्थान पर लैंड लाइन टेलीफोन का प्रावधान नहीं है। उस जगह वायरलेस लोकल लूप का इस्तेमाल किया जाता है। यह CDMA तकनीक पर आधारित होता है।

कम्प्यूटर की समस्याएँ एवं सुरक्षा (Problems & Safety of Computer)

जैसे-जैसे कम्प्यूटरों का प्रचलन बढ़ रहा है, उनका प्रयोग करने वाले उन पर अधिक संख्या में आश्रित हो रहे हैं और उतना ही वे क्षतिग्रस्त हो सकने के लिए कमजोर भी पड़ रहे हैं। कम्प्यूटर सिस्टम की थोड़ी-सी गड़बड़ी सारे कार्य को अस्त-व्यस्त कर सकती है। यहाँ पर कम्प्यूटरों की उत्तम देखभाल की आवश्यकता है, परंतु उससे भी अधिक सुरक्षा की आवश्यकता उन्हें तोड़-फोड़ करने वालों से बचाए रखने की है। ये तोड़-फोड़ करने वाले हथियार नहीं रखते। इनका हथियार तो इनका कम्प्यूटर संबंधी ज्ञान ही है। एक असंतुष्ट कर्मचारी कम्प्यूटर के काम को बिना किसी जोर-जबरदस्ती के आसानी से छिन्न-भिन्न कर सकता है। उसकी एक अत्यंत घातक विधि है प्रोग्राम के अंदर एक टाइम बम को छुपा देना। इसमें सामान्य तौर पर कम्प्यूटर बिल्कुल ठीक काम करता है, परंतु डाटा के आँकड़ों की एक विशेष स्थिति में पहुँचते ही, या किसी भविष्य की निश्चित तारीख को सारे डेटा को नष्ट कर डालता है। यह कार्य किसने किया उसका पता लगाना बहुत मुश्किल होता है। इस विनाश से दुबारा काम की स्थिति में आना बहुत महँगा पड़ सकता है।

कम्प्यूटर वायरस (Computer Virus)

कम्प्यूटर वायरस भी इसी प्रकार के विनाशकारी प्रोग्राम होते हैं जो आपके डेटा व प्रोग्रामों को, बिना आपकी अनुमति के आपके कम्प्यूटर में घुसकर कुछ भी नुकसान पहुँचा सकते हैं। एक बार कम्प्यूटर में घुसने के बाद ये अपनी स्थिति सुदृढ़ बना लेते हैं और फिर संक्रामक रोग की तरह फैलना प्रारंभ कर देते हैं। ये किसी भी पैन ड्राइव या हार्ड डिस्क के संपर्क में आते ही उसमें प्रवेश हो जाते हैं। बाद में उस वायरस वाली पैन ड्राइव को यदि किसी दूसरे कम्प्यूटर पर चलाने का प्रयास किया जाए तो उसे उसकी हार्ड डिस्क में प्रवेश कर बैठ जाते हैं और संक्रामक रोग की तरह यह बीमारी फैलती रहती है। वायरस की पहचान व उससे छुटकारा पाना बहुत महँगा पड़ सकता है। 1999 के अप्रैल के महीने में CIH वायरस ने विश्वभर में बहुत उत्पात मचाया था।

माइकेल एंजेलो वायरस

यह अत्याधुनिक तकनीक के साथ जुड़ा है। मार्च, 1993 में समूचे विश्व में माइकेल एंजेलो (प्रसिद्ध चित्रकार) नाम का एक वायरस चिंता का कारण बना हुआ था। इसे माइकेल एंजेलों की 317वीं जन्मतिथि पर 6 मार्च को संगणक निकायों पर आक्रमण करने के लिए प्रोग्राम किया गया था। भारत में भी यह शीघ्र ही पहुँच गया था, किन्तु सॉफ्टवेयर अभियंताओं ने इसे आरंभ में ही खोज कर नष्ट कर दिया। विशेष वायरस खोज प्रोग्रामों द्वारा इसका पता लगाया गया। यह सर्वप्रथम इंजीनियर्स इंडिया लिमिटेड के संगणक निकायों में पाया गया व बाद में एक बहुराष्ट्रीय बैंक तथा एक निजी कम्पनी तक भी पहुँच गया। बंगलौर की एक कम्पनी जो वायरस विरोधी प्रोग्रामों में विशेष दक्षता रखती है, ने माइकेल एंजेलो के निदान का मार्ग ढूँढा। संगणक वायरस एक तरह का प्रोग्राम (संगणक को संचालित करने के लिए विशिष्ट निर्देशों का समूह) होता है, जो संगणक के उपयोग को धीमा अथवा असंभव बना देता है तथा उसमें संचयित सूचनाओं को नष्ट कर देता है।

यह संक्रामक बीमारी की तरह बहुत तेजी से अन्य संगणकों में फैल सकता है, साथ ही इसका पता तब तक लगाना कठिन है जब तक यह आक्रमण न करे। अब तक लगभग 21 प्रकार के संगणक वायरस भारत में पाए गए हैं जिनमें प्रथम था 'सी-ब्रेन' नामक एक वायरस जो 1988 में चेन्नई में प्रकट हुआ। कुछ अन्य वायरस हैं–'डार्क एवेंजर', 'किलों', 'फिलिज' आदि। कई 'स्वदेशी' वायरस भी मिलने लगे हैं। जैसे–'चेंज मुंगू', 'देसी', 'ब्लडी' आदि।

वायरस की खोज व निवारण

वायरस के कम्प्यूटर में प्रवेश का आपको पता चल भी सकता है और नहीं भी। यदि आपकी डिस्क बहुत जल्दी भरने लगे, या कम्प्यूटर की कार्य गति धीमी पड़ जाए या मॉनीटर के पटल पर विभिन्न प्रदर्शन होने लगे, तो आप वायरस का संदेह कर सकते हैं। ऐसी स्थिति में आप वायरस की खोज निकालने वाले प्रोग्रामों द्वारा अपनी पूरी हार्ड डिस्क व फ्लॉपी डिस्कों की जाँच कर सकते हैं। ऐसे प्रोग्राम Virus Scan आदि नाम से McAfee Associates, USA द्वारा बनाए गए हैं। वायरस का पता चलने पर ये प्रोग्राम उनका निवारण भी कर सकते हैं। भारत में भी ऐसे प्रोग्राम कुछ कम्पनियों द्वारा बनाए जाते हैं, पर सभी प्रोग्रामों में एक समस्या तो बनी ही रहती है कि रोज नए वायरस बनाए जा रहे हैं। इसलिए वायरस को ढूँढने व निकालने के प्रोग्रामों के थोड़े-थोड़े समय के अन्तराल के बाद नए संस्करण लेना आवश्यक है। अब अनेक प्रकार के हार्डवेयर भी मिलने लगे हैं जिन्हें लगाकर आप वायरस के प्रवेश पर रोक लगा सकते हैं।

कम्प्यूटर सुरक्षा

यह प्रौद्योगिकी की एक शाखा है जो सूचना सुरक्षा के रूप में जानी जाती है, जोकि कम्प्यूटरों पर लागू होती है। सूचनाओं का संरक्षण चोरी या भ्रष्टाचार से या संरक्षण की उपलब्धता जैसी कि सुरक्षा नीति में परिभाषित हो, कम्प्यूटर सुरक्षा के उद्देश्य में शामिल है।

कम्प्यूटर सुरक्षा में सुधार करने के लिए आम दृष्टिकोण शामिल कर सकते हैं-

- शारीरिक रूप से कम्प्यूटरों तक पहुँच को रोकना और उनकी क्षति पहुँचाने से रोकना।

- हार्डवेयर तन्त्र स्थापित करना, जो अनधिकृत कम्प्यूटर के प्रोग्राम पर नियन्त्रण कर सके और बचाएं आश्रित होने से कम्प्यूटर प्रोग्रामों से, जो कम्प्यूटर सुरक्षा से खेलते हैं।
- ऑपरेटिंग सिस्टम तन्त्र को सशक्त करना, जोकि कम्प्यूटर को आश्रित होने से बचाएं उन कम्प्यूटर प्रोग्रामों से, जो कम्प्यूटर सुरक्षा से खेलते हैं या उसमें भेद करते हैं।
- कम्प्यूटर प्रोग्रामिंग रणनीति, जोकि बनाती है कम्प्यूटर प्रोग्रामों को भरोसेमंद व विध्वंस का विरोध करती है।

कम्प्यूटर सुरक्षा साधन

Windows फायरवॉल (Firewalls)

ये या तो हार्डवेयर उपकरण होते हैं या सॉफ्टवेयर प्रोग्राम। ये ऑनलाइन घुसपैठ से कुछ संरक्षण प्रदान करते हैं। Windows फायरवॉल एक अवरोध है, जो इंटरनेट या किसी अन्य नेटवर्क से आने वाली जानकारी (जिसे कई बार ट्रैफिक कहा जाता है) की जाँच करती है और आपकी फायरवॉल सेटिंग्स के आधार पर या तो उसे नकार देती है या आपके कम्प्यूटर पर आने की अनुमति देती है।

फायरवॉल अनधिकृत उपयोगकर्ताओं को किसी नेटवर्क या इंटरनेट से आपके कम्प्यूटर तक आने से रोककर इसकी सुरक्षा करता है। Windows फायरवॉल Windows XP में अन्तर्निहित होता है और अपने आप चालू हो जाता है, जिससे आपके कम्प्यूटर की वायरसों अन्य सुरक्षा खतरों से रक्षा करने में मदद मिलती है।

एंटीवायरस

यह उन कम्प्यूटर प्रोग्रामों से बना होता है, जोकि कार्य करते हैं, कम्प्यूटर वायरस को पहचानने का और उनके उन्मूलन का और अन्य दुर्भावनापूर्ण सॉफ्टवेयर (मैलवेयर) की पहचान करते हैं। सबसे अधिक एंटीवायरस सॉफ्टवेयर निपटने के लिए तैयार रहता है कृमि (Worms), फिशिंग हमले (Phishing attacks), rootkits, Trojan हॉर्स व मैलवेयर से भी। एंटीवायरस प्रोग्राम वायरस, वर्म्स और ट्रोजन हॉर्सेज देखने के लिए ई-मेल और आपके कम्प्यूटर की अन्य फाइलों की जाँच करता है। यदि कोई वायरस, वर्म या ट्रोजन हॉर्स मिलता है, तो यह आपके कम्प्यूटर को नुकसान पहुँचाए उससे पहले एंटीवायरस प्रोग्राम या तो इसे रोककर रखता है या इसे पूरी तरह से हटा देता है।

कई एंटीवायरस प्रोग्राम्स में स्वचालित अद्यतन की क्षमता होती है। जब आपका एंटीवायरस सॉफ्टवेयर अद्यतन किया जाता है, तो जाँचने के लिए नए वायरस की एक सूची जोड़ दी जाती है, जिससे आपका कम्प्यूटर नए आक्रमणों से सुरक्षित हो जाता है।

सुरक्षा केन्द

यह आपको अपने कम्प्यूटर की सुरक्षा स्थिति बताता है और वे कार्य दर्शाता है जिनकी आपको अपने कम्प्यूटर को अधिक सुरक्षित बनाने के लिए आवश्यकता होती है। सुरक्षा केन्द्र आपके कम्प्यूटर का तीन सुरक्षा अनिवार्यताओं के लिए परीक्षण कर सकते हैं-

- **फायरवॉल :** फायरवॉल अनधिकृत उपयोगकर्ताओं को आपके कम्प्यूटर पर पहुँचने से रोककर सुरक्षा प्रदान करने में मदद करती है।
- **वायरस सुरक्षा सॉफ्टवेयर :** एंटीवायरस सॉफ्टवेयर वायरसों और अन्य सुरक्षा खतरों के विरुद्ध आपके कम्प्यूटर को सुरक्षित बनाने में मदद कर सकते हैं।
- **स्वचालित अद्यतन :** स्वचालित अद्यतनों की सहायता से, Windows आपके कम्प्यूटर के लिए नवीनतम महत्वपूर्ण अद्यतनों के लिए खोज कर सकते हैं और उन्हें स्वचालित रूप से स्थापित कर सकते हैं।

यदि आपका कम्प्यूटर इन तीनों क्षेत्रों में से किसी एक से बेहतर सुरक्षा प्राप्त कर सकता है तो सुरक्षा केन्द्र उसकी खोज कर सकता है। यदि ऐसा है तो आपको एक चेतावनी दी जाती है।

सुरक्षा चेतावनियाँ

सुरक्षा चेतावनियाँ अधिसूचना क्षेत्र में दिखाई देता है। यदि सुरक्षा केन्द्र यह पाता है कि आपके कम्प्यूटर को तीन सुरक्षा क्षेत्रों फायरवॉल, वायरस सुरक्षा या स्वचालित अद्यतन में उन्नत सुरक्षा की आवश्यकता हो सकती है, तो जब तक समस्या सुलझ नहीं जाती, आपके द्वारा हर बार लॉग ऑन करने पर एक चेतावनी संकेत दिखाई देता है।

स्वचालित अद्यतन

Microsoft सुरक्षा के लिए महत्वपूर्ण अद्यतन और ऐसे अन्य विशिष्ट अद्यतन उपलब्ध करवाता है, जो आपके कम्प्यूटर को इंटरनेट पर फैल सकने वाले नए वायरसों और अन्य सुरक्षा खतरों से सुरक्षित बनाने में मदद करते हैं। अन्य अद्यतनों में वे बेहतर सुविधाएँ होती हैं, जैसे नवीनीकरण और वे उपकरण जो आपके कम्प्यूटर को सहजता से चलाने में मदद करते हैं। स्वचालित अद्यतन उच्च प्राथमिकता अद्यतन उपलब्ध कराते हैं, जिनमें सुरक्षा और वे अन्य विशिष्ट अद्यतन शामिल हैं, जो आपके कम्प्यूटर को सुरक्षित बनाने में मदद करते हैं।

फायरवॉल व एंटीवायरस में अन्तर

फायरवॉल किसी एंटीवायरस सॉफ्टवेयर से भिन्न है, परन्तु ये दोनों आपके कम्प्यूटर को सुरक्षित बनाने में मदद करते हैं। आप कह सकते हैं कि फायरवॉल अपरिचितों और अवांछित को आने से रोकती है, जबकि एक एंटीवायरस प्रोग्राम उन वायरसों या अन्य सुरक्षा खतरों से सुरक्षा करते हैं, जो आपके कम्प्यूटर में घुसने का प्रयास कर सकते हैं।

फायरवॉल की कार्यप्रणाली

जब कोई व्यक्ति इंटरनेट पर आपके कम्प्यूटर से कनेक्ट होने का प्रयास करता है, तो हम इस प्रयास को 'अनसॉलिसिटेड रिक्वेस्ट' कहते हैं। जब आपके कम्प्यूटर पर अनसॉलिसिटेड रिक्वेस्ट आती है, तो Windows फायरवॉल कनेक्शन को अवरोधित कर देती है। यदि आप कोई ऐसा प्रोग्राम चलाते हैं, जिसे इंटरनेट या नेटवर्क से सूचना प्राप्त करनी होती है, जैसे त्वरित संदेश प्रोग्राम या कोई मल्टीप्लेयर नेटवर्क गेम, तो फायरवॉल

आपसे कनेक्शन को अवरोधित या अनवरोधित करने (अनुमति देने) के बारे में पूछती है। यदि आप कनेक्शन को अनवरोधित करना चुनते हैं, तो Windows फायरवॉल एक अपवाद बनाती है, ताकि जब भी प्रोग्राम को भविष्य में सूचना प्राप्त करने की आवश्यकता हो, तो फायरवॉल से आपको कोई परेशानी न हो।

क्रिप्टोग्राफी तकनीक

इसे डाटा की रक्षा करने के लिए गूढ़ालेखन का प्रयोग किया जा सकता है। संक्रमण से बचाव के लिए और संचार में सशक्त प्रमाणीकरण सुनिश्चित करने के लिए भी इस तकनीक का इस्तेमाल किया जा सकता है। सुरक्षित Cryptoprocessors का उपयोग किया जाता है। सुरक्षा तकनीकों की सहायता के लिए, जोकि खुद कम्प्यूटर की सुरक्षा प्रणाली हैं।

हनी पोट

ये वे कम्प्यूटर हैं जो जानबूझकर या अनजाने में कुछ जानकारी क्रैकर्स के हमले के लिए छोड़ते हैं। जिससे कि वो अपनी कुछ सुरक्षा कमजोरियाँ पकड़ सके।

साइबर क्राइम

इसमें सभी अपराध व अपराधी शामिल हैं, जो संचार उपकरणों की सहायता से कम्प्यूटर और उसके नेटवर्क पर किए जा सकते हैं। उदाहरण के लिए-इंटरनेट, टेलीफोन लाइन या मोबाइल नेटवर्क पर किए अपराध को भी सम्मिलित करता है।

- स्पैमिंग और कॉपीराइट अपराध।
- अनधिकृत पहुँच, दुर्भावनापूर्ण कम्प्यूटर प्रोग्राम कोड।
- सेवा में चोरी (विशेष रूप से, दूरसंचार धोखाधड़ी) और कुछ वित्तीय घोटाले।
- hacking, phishing, पहचान की चोरी, बाल अश्लील साहित्य, ऑनलाइन जुआ, प्रतिभूति धोखाधड़ी।

कम्प्यूटर की सुरक्षा में बाधक विभिन्न कारण

- **वायरस :** वायरस विनाशक या भ्रामक प्रोग्राम होते हैं, जो इंटरनेट पर या किसी नेटवर्क पर एक कम्प्यूटर से दूसरे कम्प्यूटर पर फैलते हैं। वायरस अन्य फाइलों से अनुलग्न हो जाते हैं या स्वयं को सामान्य रूप से दिखाई देने वाली फाइल के रूप में छुपा लेते हैं। वे स्वयं की प्रतिलिपि बना सकते हैं और आपके कम्प्यूटर के विभिन्न भागों जैसे दस्तावेजों, प्रोग्राम्स और आपके ऑपरेटिंग सिस्टम के भागों को संक्रमित कर सकते हैं। अधिकतर वायरस स्वयं को किसी फाइल या आपकी हार्ड डिस्क के किसी भाग से अनुलग्न कर लेते हैं और तब ऑपरेटिंग सिस्टम के भीतर अन्य स्थानों पर अपनी प्रतिलिपि बनाते हैं। कुछ वायरसों में कोड होता है, जो फाइलों को हटाकर या सुरक्षा सेटिंग्स का स्तर घटाकर, अन्य आक्रमणों को आमन्त्रित कर अधिक विनाश का कारण बनता है।
- **वर्म्स :** वर्म एक ऐसा प्रोग्राम है, जो अपनी प्रतिलिपियाँ तैयार करता है और ऑपरेटिंग सिस्टम के बाहर भी फैल सकता है। यह ई-मेल या अन्य परिवहन युक्तियों का उपयोग कर भी एक कम्प्यूटर से दूसरे कम्प्यूटर पर जा सकता है। वर्म्स आपके कम्प्यूटर डेटा और सुरक्षा को लगभग उसी प्रकार से नुकसान कर सकता है जैसे वायरस, परन्तु ये वायरस से इस प्रकार भिन्न हैं कि वे एक सिस्टम से दूसरे सिस्टम में स्वयं की प्रतिलिपि बना सकते हैं।
- **ट्रोजन हॉर्सेस :** ट्रोजन हॉर्स एक अहानिकारक लगने वाला प्रोग्राम है, जो इस प्रकार बनाया जाता है कि आप यह सोचने लगें कि आपको इसकी आवश्यकता है, पर जब आप इसे चलाते हैं, तो यह नुकसान पहुँचाता है। यह सामान्यतः इंटरनेट से डाउनलोड्स के साथ आता है। ट्रोजन हॉर्स वायरस और वर्म्स की तरह अपने आप नहीं फैलते। अधिकतर वायरस सुरक्षा प्रोग्राम्स केवल एक सीमित संख्या में ही ट्रोजन हॉर्सेस को ढूँढ सकते हैं। अपने कम्प्यूटर को ट्रोजन हॉर्सेस से सुरक्षित रखने का अच्छा तरीका है केवल भरोसेमंद वेब साइट्स पर ही जाना और चीजों को तब तक डाउनलोड करने से बचना जब तक कि आपको उनके स्रोत के बारे में भी भरोसा न हो।
- **हैकर (घुसपैठिया) :** सुरक्षा के सन्दर्भ में, एक हैकर घुसपैठ करता है कम्प्यूटर की सुरक्षा व असुरक्षा में, उसे विशेषज्ञता होती है खोजने में कम्प्यूटर सिस्टम की कमजोरी की या अनधिकृत पहुँच बनाने में सुरक्षा को भेदते हुए अपनी प्रणालियों के माध्यम से, कौशल व रणनीति का प्रयोग करते हुए।
- **क्रैकर्स :** ये मुख्यतः वह होते हैं, जोकि कम्प्यूटर सुरक्षा में डाले गए गुप्त कोड को तोड़कर उसकी सुरक्षा में भेद लगाते हैं। ये गुप्त कोड को तोड़कर कम्प्यूटर और उसके प्रोग्रामों को सार्वजनिक भी कर देते हैं।
- **सुरक्षा दोहन (Security exploit) :** एक सुरक्षा दोहन व तैयार अनुप्रयोग है, जोकि जानी गई कमजोरियों का लाभ लेता है।
- **भेद्यता स्कैनर (Vulnerability Scanner) :** एक स्कैनर अनुप्रयोग है, जोकि कम्प्यूटर नेटवर्क की कमजोरी को जानकर कम्प्यूटर सुरक्षा को भेदता है। हैकर्स सामान्यतः प्रयोग में पोर्ट स्कैनर लाते हैं जो यहाँ जाँचते हैं कि किन कम्प्यूटर की नेटवर्क सुरक्षा प्रणाली कमजोर हो और उसकी सुरक्षा में भेद लगाते हैं।
- **Packet Sniffer :** यह कम्प्यूटर के सुरक्षा कोड को जानकर कम्प्यूटर पर नियन्त्रण स्थापित करने की कोशिश करते हैं।
- **Spoofing हमला (Spoofing attack) :** इस हमले की स्थिति में एक व्यक्ति के रूप में किसी अन्य के द्वारा अनधिकृत प्रोग्रामों को सफलतापूर्वक गलत तरीके से स्थापित किए जाते हैं और कम्प्यूटर डाटा तक अवैध पहुँच बनाई जाती है।

आईसीटी : सामान्य संक्षिप्तियाँ और शब्दावली (ICT : General Abbreviations and Terminology)

संक्षिप्ताक्षर (Abbreviations)

- **ALGOL** : Algorithmic Language
- **ALU** : Arithmetic Logic Unit
- **ARPA** : Advanced Research Projects Agency
- **ASCII** : American Standard Code for Information Interchange
- **ABC** : Atanasoff-Berry Computer
- **AGP** : Accelerated Graphics Port
- **AI** : Artificial Intelligence
- **AMD** : Advanced Micro Devices
- **ANSI** : American National Standards Institute
- **ASIC** : Application Specific Integration Circuit
- **BASIC** : Beginer's All Purpose Symbolic Instruction Code
- **BCD** : Binary Coded Decimal Code
- **BIOS** : Basic Input-Output System
- **BEMA** : Business Equipment Manufacturers Association
- **BCR** : Bar Code Reader
- **BPI** : Bytes Per Inch
- **BPS** : Bits Per Second
- **CAD** : Computer Aided Design
- **CAM** : Computer Aided Manufacturing
- **CD** : Compact Disk
- **C-DAC** : Centre for Development of Advanced Computing
- **CDMA** : Code Division Multiple Access
- **C-DOT** : Centre for Development of Telematics
- **CD-ROM** : Compact Disk–Read Only Memory
- **COBOL** : Common Business Oriented Language
- **COMAL** : Common Algorithmic Language
- **CPU** : Central Processing Unit
- **CAL** : Computer Aided Learning
- **CD-R** : Compact Disk-Recordable
- **CD-R/W** : Compact Disk-Read/Write
- **CLASS** : Computer Literacy And Studies in School
- **CMOS** : Complementry Metal Oxide Semiconductor
- **CPI** : Character Per Inch
- **CRS** : Computerised Reservation System
- **CU** : Control Unit
- **DOS** : Disk Operating System
- **DTP** : Desk Top Publishing
- **DTS** : Digital Theatre System
- **D/A** : Digital-to-Analog
- **DBMS** : Data Base Management System
- **DDS** : Digital Data Storage
- **DPI** : Dots Per Inch
- **DRDO** : Defence Research and Development Organisation
- **DSDD** : Double Sided Double Density
- **DTR** : Data Terminal Ready
- **DVD** : Digital Video/Versatile Disk
- **EBCDIC** : Extended Binary Coded Decimal Interchange Code
- **E-Business** : Electronic Business
- **E-Commerce** : Electronic Commerce
- **E-mail** : Electronic Mail
- **EDP** : Electronic Data Processing
- **EEPROM** : Electrically Erasable Programmable Read Only Memory
- **ENIAC** : Electronic Numerical Integrator and Calculator
- **EPROM** : Erasable Programmable Read Only Memory
- **ERNET** : Education and Research Network
- **FORTRAN** : Formula Translation
- **FAX** : Far Away Xerox
- **FAT** : File Allocation Table
- **FD** : Floppy Disk
- **FDM** : Frequency Division Multiplexing
- **FET** : Field Effect Transistor
- **FLOP** : Floating Point Operation
- **FSK** : Frequency Shift Keying
- **FTP** : File Transfer Protocol

- **GIAS** : Gateway Internet Access Service
- **GB** : Giga Bytes
- **GIGO** : Garbage In-Garbage-Out
- **GIS** : Geographical Information System
- **GPL** : General Public License
- **GPS** : Global Positioning System
- **GUI** : Graphical User Interface
- **HLL** : High Level Language
- **HTML** : Hyper Text Markup Language
- **HTTP** : Hyper Text Transfer Protocol
- **HP** : Hewlett Packard
- **IBM** : International Business Machines
- **I/O** : Input-Output
- **IRC** : Internet Relay Chat
- **ISDN** : Integrated Services Digital Network
- **ISO** : International Standards Organisation
- **ISP** : Internet Service Provider
- **IT** : Information Technology
- **JPEG** : Joint Photographic Expert Group
- **JRE** : Java Runtime Engine
- **JSP** : Java Server Pages
- **KB** : Kilo Bytes
- **Kb** : Kilo bits
- **KIPS** : Knowledge Information Processing System
- **LAN** : Local Area Network
- **LCD** : Liquid Crystal Display
- **LDU** : Liquid Display Unit
- **LLL** : Low Level Language
- **LASER** : Light Amplification for Stimulated Emission of Radiation
- **LD** : Laser Diode
- **LED** : Light Emitting Diode
- **LISP** : List Processing
- **LSD** : Least Significant Digit
- **LSI** : Large Scale Integration
- **MAN** : Metropolitan Area Network
- **MICR** : Magnetic Ink Character Recognition
- **MIPS** : Millions Instructions Per Second
- **MOPS** : Millions of Operations Per Second
- **MODEM** : Modulator-Demodulator
- **MB** : Mega Bytes
- **MHz** : Mega Hertz
- **MIDI** : Musical Instrument Digital Interface
- **MOS** : Metal Oxide Semiconductor
- **MPEG** : Moving Pictures Expert Group
- **MP-3** : MPEG-1 Audio Layer 3
- **MS** : Microsoft
- **MSI** : Medium Scale Integration
- **MTBF** : Mean Time Between Failure
- **NICNET** : National Information Centre Network
- **NIU** : Network Interface Unit
- **NTSC** : National Television Standards Committee
- **OCR** : Optical Character Recognition
- **OMR** : Optical Mark Reader
- **OOP** : Object Oriented Programming
- **OS** : Operating System
- **OSS** : Open Source Software
- **PROM** : Programmable Read Only Memory
- **PSPDN** : Pocket Switched Public Data Network
- **PSTN** : Public Switched Telephone Network
- **PAL** : Phase Alternation Line
- **PC** : Personal Computer
- **PCB** : Printed Circuit Board
- **PCI** : Peripheral Component Interconnect
- **PDA** : Personal Digital Assistant
- **PDF** : Portable Document Format
- **PL/1** : Programming Language/1
- **PM** : Phase Modulation
- **POST** : Power On Self Test
- **PPM** : Pages Per Minute
- **PROLOG** : Programming in Logic
- **RABMN** : Remote Area Business Message Network
- **RAM** : Random Access Memory
- **ROM** : Read Only Memory
- **RGB** : Red, Green, Blue
- **RPG** : Report Program Generator
- **RS-232** : Recommended Standard 2-3-2
- **SCSI** : Small Computer System Interface
- **SEQUEL** : Structured English Query Language
- **SIMM** : Single In-Line Memory Module
- **SNOBOL** : String Oriented Symbolic Language
- **SSI** : Small Scale Integration
- **SVGA** : Super Video Graphics Array
- **TCP** : Transmission Control Protocol

- **TB** : Tera Byte
- **TDM** : Time Division Multiplexing
- **UPS** : Uninterruptable Power Supply
- **ULSI** : Ultra Large Scale Integration
- **UNIVAC** : Universal Automatic Computer
- **UPC** : Universal Product Code
- **URL** : Uniform Resource Locater
- **USB** : Universal Serial Bus
- **UVEPROM** : Ultra Violet Erasable Programmable Read Only Memory
- **VDU** : Video Display Unit
- **VLSI** : Very Large Scale Integration
- **VAN** : Value Aided Network
- **VCR** : Video Cassette Recorder
- **VGA** : Video Graphics Array
- **VIRUS** : Vital Resources Under Seize
- **VSAT** : Very Small Aperture Terminal
- **VSNL** : Videsh Sanchar Nigam Limited
- **WAN** : Wide Area Network
- **WAP** : Wireless Application Protocol
- **WWW** : World Wide Web
- **WMAX** : World Wide Interoperability for Microwave Access
- **WLL** : Wireless Local Loop
- **WMP** : Windows Media Player
- **WORM** : Write Once-Read Many
- **XML** : Extensible Markup Language
- **XMS** : Extended Memory Specification
- **4G** : Fourth Generation Wireless Technology
- **5G** : Fifth Generation Wireless Technology

शब्दावली (Terminology)

- **Access** : समीप में पहुँचना, वांछित डेटा तक पहुँचना।
- **Ada** : प्रोग्रामिंग की एक उच्चस्तरीय भाषा जिसका विकास मिलिटरी से संबन्धित कार्यों के करने के लिये किया गया।
- **Algol** : ALGOrithmic भाषा। एक फोर्ट्रान जैसी बीजगणित पर आधारित प्रोग्रामिंग की उच्चस्तरीय भाषा।
- **Alogrithm** : किसी समस्या को सुलझाने के लिये परिभाषित नियम।
- **Application Software** : वे प्रोग्राम जिनके द्वारा कंप्यूटर पर उपयोगी कार्य किए जा सकते हैं। सामान्यतया ये सीडी रोम पर वितरित किये जाते हैं। इन्हें पहले हार्ड डिस्क पर स्थापित करना होता है।
- **ASCII** : यह American Standard Code for Inforamtion Interchange का संक्षिप्त रूप है। इसमें अंग्रेजी भाषा के समस्त अक्षरों, अंकों, व अन्य चिह्नों को सम्बोधित करने के लिए शून्य से लेकर 127 तक की संख्याएँ निर्धारित की गई हैं, जो सूचना के आदान-प्रदान के लिए सभी निर्माताओं को मान्य हैं।
- **Attribute (A,R,H,S)** : वह सूचना जिसके द्वारा यह जाना जाता है कि कोई फाइल गुप्त है, या केवल पढ़े जाने के लिये है, या वह सिस्टम फाइल है, और क्या उसमें बैक-अप के पश्चात् कोई संशोधन हुआ है।
- **Backup** : सुरक्षा के लिए किसी भी प्रोग्राम या डेटा की प्रतिलिपि (copy) बना कर रखना।
- **Baud** : संचार व्यवस्था में सूचना के आदान-प्रदान की गति bits per second का दूसरा नाम।
- **Batch File** : डॉस के आदेशों वाली ASCII अक्षरों में लिखी पाठ्य फाइल।
- **Bit** : यह शब्द binary digit को संक्षिप्त करके बनाया गया है। एक बिट 0 या 1 हो सकता है, जो कि विद्युत सर्किट के ऑन या ऑफ होने की अवस्था दर्शाता है।
- **Boot** : कंप्यूटर को प्रारंभ करने की क्रिया। बूट-डिस्क द्वारा आप अपने कंप्यूटर को चालू करके कार्य प्रारम्भ कर सकते हैं।
- **Browse** : डायरेक्टरियों (फोल्डरों) और फाइलों की सूचियों के बीच झाँकना। किसी बात के बक्से में browse बटन को दबाने पर डायरेक्टरियों व फाइलों की सूची दिखाई देने लगती है जिसमें से वांछित फाइल का चयन किया जा सकता है।

- **Bug** : कंप्यूटर के प्रोग्राम में त्रुटि। इनके निवारण को debugging कहा जाता है।
- **Buffer** : कंप्यूटर स्मृति में पाठ्य सामग्री (text) को तब तक संचित करके रखने का स्थान जब तक कि कंप्यूटर कुछ और कार्य करने के लिए तैयार नहीं हो जाता।
- **Bus** : विद्युत संकेतों को लाने-ले जाने वाले तारों का समूह।
- **Byte** : आठ बिटों (bits) का एक समूह। एक बाइट द्वारा बाइनरी प्रणाली में 256 अंक (शून्य से लेकर 255 तक) गिना जा सकता है।
- **Cache** : सूचना के भंडारण की एक युक्ति जिसमें सूचना अंकित करने व अंकित सूचना को पढ़ने का कार्य बहुत द्रुत गति से किया जा सकता है।
- **CGA** : Colour Graphics Adapter का संक्षिप्त रूप। IBM PC व उसके समतुल्य कम्प्यूटरों में यह कार्ड सर्वाधिक प्रचलित कार्ड रहा है। अब VGA तथा SVGA का प्रचलन है।
- **Clipart** : प्रकाशन, प्रस्तुतिकरण या अन्य कार्यों के लिये उपयोग में लिये जा सकने वाले चित्रों का संग्रह, जिनके उपयोग में कॉपीराइट की कोई समस्या नहीं होती।
- **Clipboard** : अस्थाई स्मृति में कुछ याद रख सकने का क्षेत्र। इसमें किसी पाठ्य या चित्र की प्रतिलिपि काट (cut) कर संचित रखी जा सकती है और उसे फिर किसी भी अन्य उपयोगी प्रोग्राम (application) में कितनी भी बार चिपकाया (paste) जा सकता है।
- **Button** : Cancel बटन जिन पर क्लिक करके प्रक्रिया की जा सकती है। यदि किसी बटन के आगे तीन बिन्दु हों जैसे कि Browse... में, तो उसे क्लिक करने पर एक और बातचीत का बक्सा खुल जायेगा।
- **Compatibility** : किसी दूसरे प्रकार के हार्डवेयर या सॉफ्टवेयर को आपके कंप्यूटर पर चलाए जा सकने की क्षमता।
- **Compiler** : उच्चस्तरीय भाषा में लिखे गये प्रोग्राम को मशीनी भाषा में परिणत करने वाला प्रोग्राम।
- **Console** : कंप्यूटर का वह भाग जिसके द्वारा मानव कंप्यूटर मशीन से संपर्क कर सकता है।
- **Crash** : किसी हार्डवेयर या सॉफ्टवेअर के फेल हो जाने पर कंप्यूटर का अचानक कार्य करना बन्द कर देना।
- **Cursor** : मॉनीटर के पटल पर एक टिमटिमाती रेखा, जो यह दर्शाती है कि आपके द्वारा कीबोर्ड पर टाइप किया जाने वाला अक्षर पटल पर कहाँ दृष्टिगोचर होगा।
- **Cylinder** : डिस्क पर वे सारे ट्रैक जिन्हें एक साथ पढ़ा जा सकता है।
- **Daughter Board** : कंप्यूटर के मदरबोर्ड पर उपलब्ध सॉकेटों में लगाया जा सकने वाला प्रिन्टेड सर्किट बोर्ड। इसका उपयोग कंप्यूटर की क्षमता को बढ़ाने के लिये किया जाता है।
- **Database** : सुव्यवस्थित प्रकार से भंडारित सूचना।
- **Debug** : प्रोग्राम या सॉफ्टवेयर में त्रुटियों (bugs) का समाधान करना।
- **Default Button** : किसी बातचीत के बक्से में जिस बटन का चयन विन्डोज़ ने पहले से ही कर रखा हो।
- **Default Data** : सॉफ्टवेयर द्वारा पहले से निर्धारित सूचना, अंक या माप।
- **Defragmentation** : डिस्क या बिखरी फाइलों को एक साथ एकत्रित करके अंकित करने की क्रिया ताकि बीच-बीच में व्यर्थ घिरा हुआ स्थान रिक्त करके उपयोग में लाया जा सके।
- **Dialog Box** : पटल पर दिखाई देने वाली एक अस्थाई खिड़की में बातचीत का बक्सा, जो या तो कुछ अतिरिक्त सूचना माँगता है, या प्रदर्शित करता है। अनेक बक्सों में विकल्प के बटन भी होते हैं जिन्हें माउस से क्लिक किया जा सकता है।
- **Directory** : डिस्क पर संचित सूचना का एक विशेष अंग। इसमें समस्त संचित सूचनाओं की विशिष्ट जानकारी होती है जिसके द्वारा कंप्यूटर किसी भी फाइल को तुरन्त ढूँढ कर उपयोग में ले सकता है।
- **Digitizer** : कंप्यूटर के साथ काम में ली जाने वाली वह युक्ति जो कंप्यूटर को भेजे जाने वाले विद्युत संकेतों को कंप्यूटर की समझ में आ सकने वाले सांख्यिकी (digital) संकेतों में बदल देती है।
- **DOS** : Disk Operating System का संक्षिप्त रूप। वह प्रोग्राम जो उपभोक्ता व कंप्यूटर की मशीन के बीच परस्पर का सम्बन्ध स्थापित करने की क्षमता देता है।
- **Double Click** : किसी प्रोग्राम को चलाने के लिए माउस के बटन को दो बार जल्दी-जल्दी क्लिक करना।

- **Downloaded Fonts** : वे फॉन्ट जिन्हें मुद्रण करने के लिए प्रिन्टर की स्मृति में संचित करने के लिये भेजा जाता है।
- **Drag** : माउस के बटन को दबाये रख कर माउस के द्वारा पटल पर की किसी आकृति को सरकाने की क्रिया।
- **DTP** : Desk Top Publishing का संक्षिप्त रूप। ये प्रोग्राम पुस्तकें अथवा विज्ञापन आदि को तैयार करने के लिये उपयोग किये जाते हैं।
- **Dump** : कंप्यूटर शब्दावली में उपयोग किया जाने वाला शब्द, जो कि पटल, स्मृति या किसी फाइल में संचित जानकारी को दूसरी जगह भेजने की क्रिया दर्शाता है। उदाहरण के लिए, पटल पर दिख रहे सारे दृश्य को प्रिन्टर को भेजना screen dump कहलाता है।
- **Editor** : पाठ्य अथवा ग्राफिक्स का अवलोकन करने व उसमें फेर-बदल करने की सुविधा देने वाला प्रोग्राम।
- **EGA** : Enhanced Graphics Adapter का संक्षिप्त रूप। यह अधिक रिजॉल्यूशन वाले कार्ड का संकेत करता है। ग्राफिक्स के कार्यों में इसका अधिक प्रयोग होता है।
- **EMS** : Expanded Memory Specification का संक्षिप्त रूप। इसमें वे मान्यताएं दी गई हैं जो कि PC में DOS की 640 KB की स्मृति को बढ़ाकर उपयोग में लेने के लिए आवश्यक है।
- **EPS** : Encapsulated Postscript का संक्षिप्त रूप। यह फाइलों के भंडारण की एक विशिष्ट प्रणाली है।
- **Ergonomics** : मनुष्य व मशीन के पारस्परिक संपर्क में आराम की ओर विशेष ध्यान देने वाली विद्या या ज्ञान।
- **Esc/Escape** : कंप्यूटर कीबोर्ड पर एक विशेष कुंजी जो कि प्रायः किसी आदेश को रद्द करने के लिए उपयोग में ली जाती है।
- **Extension** : फाइल का उपनाम जो कि बिन्दु (.) के बाद लिखा जाता है और जिसमें अधिक से अधिक तीन अक्षर हो सकते हैं। सामान्यतया यह उस फाइल को बनाने वाले प्रोग्राम का द्योतक होता है।
- **Fax Card** : कंप्यूटर के रिक्त स्लॉट में लगाया जा सकने वाला एक कार्ड जिसके लगाने पर कंप्यूटर से फैक्स (fax) के द्वारा संदेश भेजे जा सकते हैं।
- **Fax Modem** : ऐसी मोडेम जिसके द्वारा कंप्यूटर से फैक्स (fax) भी भेजा जा सके।
- **File** : डिस्क पर संचित सूचना के एक खण्ड का नाम। एक फाइल में पाठ्य (text), चित्र या बाइनरी प्रणाली में सूचना हो सकती है।
- **Font** : किसी विशिष्ट आकार-प्रकार में लिखे गये एक भाषा की वर्णमाला के अक्षर। वैसे अब केवल चिह्नों वाली फॉन्टें भी मिलने लगी हैं जैसे कि Dingbats या Wingding फॉन्टें।
- **Folder** : जिसे डॉस में डाइरेक्टरी कहा जाता है, विन्डोज़ में उसे फोल्डर कहते हैं। डॉस की भाँति ही एक फोल्डर में अनेक फाइलें व फोल्डर हो सकते हैं। इस फोल्डरों को संबोधित करने की वंशावली पर आधारित प्रणाली भी डॉस के जैसी ही है।
- **Footer** : किसी ग्रन्थ में हर पृष्ठ पर नीचे की ओर लिखा जाने वाला पाठ्य।
- **Format** : किसी डिस्क को सूचना रिकार्ड कर सकने के लिए तैयार करने की क्रिया। सभी प्रकार की डिस्कों को कुछ भी रिकार्ड करने के पहले फॉर्मेट करना पड़ता है।
- **GIGO** : Garbage-In Garbage-Out का संक्षिप्त रूप। इसका अर्थ यह है कि गलत आदेश अथवा गलत डाटा के देने पर कंप्यूटर का उत्तर भी अनर्गल, अर्थात् अर्थहीन ही होगा।
- **Graphics** : कंप्यूटर पर चित्र बनाने की कला।
- **GUI** : Graphics User Interface का संक्षिप्त रूप। जिन प्रोग्रामों में यह सुविधा होती है उनमें कीबोर्ड पर टाइप करने की आवश्यकता बहुत कम रह जाती है।
- **Header** : किसी ग्रन्थ के हर पृष्ठ पर सबसे ऊपर लिखा जाने वाला पाठ्य।
- **Icon** : डिस्क ड्राइव, डाइरेक्टरी, समूह, उपयोगी प्रोग्राम या दस्तावेज को पटल पर दर्शाने वाला एक लघुचित्र। इस चित्र से उस प्रोग्राम का आभास हो जाता है, और इस पर माउस द्वारा डबल-क्लिक करने से वह प्रोग्राम या क्रिया चालू हो जाती है।
- **Interpreter** : उच्चस्तरीय भाषा में लिखे गये प्रोग्राम की एक-एक पंक्ति पढ़ते हुए क्रिया करने वाला प्रोग्राम।
- **Label** : किसी डिस्क पर पहचान के लिये दिया जाने वाला नाम या अंक या दोनों का समूह।

- **Local Printer** : स्थानीय प्रिन्टर। वह प्रिन्टर जिसे कंप्यूटर के साथ सीधे ही संलग्न किया गया हो।
- **Logical Device** : यदि किसी बड़ी हार्ड डिस्क का विभाज़न किया गया है तो उन विभाजनों को दर्शाने वाले नाम, जैसे कि D:, E:, etc.
- **Memory** : स्मृति जिसमें किसी भी प्रकार की सूचना (पाठ्य अथवा चित्र) संचित किया जा सकता है, और जहाँ से आवश्यकता पड़ने पर उसे वापस भी लिया जा सकता है।
- **MIDI** : Musical Instruments Digital Interface का संक्षिप्त रूप। इसके द्वारा आप कंप्यूटर पर प्यानो के कीबोर्ड को संलग्न करके कंप्यूटर पर संगीत बजा सकते हैं, उसमें अनेक प्रकार के संशोधन कर सकते हैं, और रिकार्डिंग भी कर सकते हैं।
- **MODEM** : MOdulator-DEModulator के संक्षिप्तीकरण से बना एक शब्द। यह यन्त्र कंप्यूटर जनित डिजिटल प्रकार के विद्युत-संकेतों को परिवर्तित करके उन्हें टेलिफोन की लाइनों द्वारा दूर भेजे जा सकने योग्य बना देता है, और उसी प्रकार से टेलीफोन लाइनों से आने वाले विद्युत-संकेतों को कंप्यूटर के उपयोग के लिये अनुरूप डिजिटल विद्युत-संकेतों में बदल कर कंप्यूटर को दे सकता है।
- **Monitor** : कंप्यूटर के संदेश दिखाने वाला यंत्र। ये दो प्रकार के होते हैं–सादा और रंगीन। रंगीन प्रकार के मॉनीटर या तो RGB (Red Green Blue) संकेतों पर काम करने वाले होते हैं, और या संयुक्त (composite) संकेतों पर काम करने वाले होते हैं।
- **Motherboard** : एक बड़ा प्रिन्टेड सर्किट बोर्ड जिस पर कंप्यूटर का मुख्य इलेक्ट्रॉनिक सर्किट बना होता है। सामान्यतया यह सिस्टम यूनिट के अंदर पेंदे पर लगा होता है।
- **Multiuser** : ऐसा कंप्यूटर सिस्टम जिसमें एक से अधिक व्यक्ति ही कंप्यूढर का एक साथ उपयोग कर सकते हैं।
- **Null** : वह संख्या जिसके सारे अक्षर शून्य होते हैं, अर्थात् जिसका कोई मान नहीं होता।
- **OCR** : Optical Character Recognition का संक्षिप्त रूप। मशीन द्वारा लिखे या छपे अक्षरों को पहचानना।
- **Optical Disk** : लेजर किरणों के उपयोग से बहुत अधिक मात्रा में सूचना भंडारण करने वाला डिस्क।
- **Parallel Port** : माइक्रोकंप्यूटर के पीछे लगा प्रिन्टर चलाने वाला पोर्ट। इसे Centronics पोर्ट भी कहा जाता है।
- **Partition Table** : हार्ड डिस्क पर वह क्षेत्र जहाँ पर डिस्क पर अंकित सूचना की व्यवस्था की पूरी जानकारी संचित की जाती है।
- **Peripheral** : कंप्यूटर पर बाहर से जोड़ी जाने वाली युक्ति अथवा उपकरण।
- **Pixel** : कंप्यूटर के मॉनीटर के पटल पर का एक बिन्दु। कंप्यूटर के पटल पर प्रदर्शन की स्पष्टता (resolution) इन बिन्दुओं की संख्या पर निर्भर करती है। उदाहरणार्थ, यदि एक पटल पर आड़ी लाइन में 640 और खड़ी लाइन में 200 पिक्सलें हैं तो कुल मिला कर चित्र खींचने के लिये $640 \times 200 = 128,000$ पिक्सलें हुई।
- **Platter** : हार्ड डिस्क के बक्से में बन्द वास्तव में सूचना भंडारण करने वाली डिस्क। सामान्यतया इसमें रिकार्डिंग दोनों ओर होती है।
- **Port** : कंप्यूटर के पीछे की ओर बना छिद्र। ऐसे छिद्रों में तरह-तरह के सॉकेट लगे होते हैं जिनमें बाहर से जोड़ी जाने वाली युक्तियों के केबल कनेक्ट किए जा सकते हैं।
- **Printer Port** : कंप्यूटर के पीछे लगा एक सॉकेट जिसमें प्रिन्टर का केबल कनेक्ट किया जाता है।
- **Printer** : कंप्यूटर जनित संदेशों को मुद्रित करने का यंत्र। ये कई प्रकार के होते हैं, जैसे कि डॉट-मैट्रिक्स प्रिन्टर, लेजर प्रिन्टर, डेज़ी व्हील प्रिन्टर, व इंक जैट प्रिन्टर।
- **PRN** : डॉस में पहले पैरेलल पोर्ट को संकेत करने का शब्द। इसे LPT1 भी कहते हैं।
- **Prompt** : उकसाना। मॉनीटर के पटल पर दिखाई देने वाला वह विशेष चिह्न (>) जो आपको कंप्यूटर के लिये अगला आदेश देने का आवाहन करता है। डॉस में इसे डॉस प्रॉम्प्ट कहा जाता है।
- **RAM** : Random Access Memory का संक्षिप्त रूप। यह एक अस्थायी प्रकार की स्मृति होती है जिसे कंप्यूटर गणनाओं के लिए एक स्लेट की भांति प्रयोग करता है।

- **Reset Button** : कंप्यूटर में लगा बटन जिसके द्वारा बिना कंप्यूटर को बन्द किये ही दुबारा से बूट किया जा सकता है। इसका प्रयोग Ctrl + Alt + Del के काम न करने की अवस्था में किया जाता है।
- **RGB** : एक विशेष प्रकार का रंगीन मॉनीटर जिसकी CRT में तीन रंगों (Red, Green व Blue) के लिए अलग-अलग guns बनी होती हैं। ये महँगे होते हैं पर ये रंगीन चित्रों को बहुत स्पष्ट दिखाते हैं।
- **Robot** : विद्युत-संकेतों द्वारा दिये गये आदेशों पर काम करने वाली मशीन या युक्ति।
- **ROM** : Read Only Memory का संक्षिप्त रूप। यह एक स्थायी प्रकार की इलेक्ट्रॉनिक स्मृति होती है। इसमें अंकित सूचना को पढ़ा तो अनेक बार जा सकता है पर बदला नहीं जा सकता। कंप्यूटर का BIOS प्रोग्राम इसी प्रकार की स्मृति में अंकित होता है।
- **RS-232** : इसे सीरियल पोर्ट (Serial Port) भी कहा जाता है। यह Electronic Industry Association के Required Standard 232 का संक्षिप्त रूप है।
- **Save** : कंप्यूटर की अस्थायी स्मृति से स्थायी स्मृति (जैसे कि फ्लापी डिस्क) में सूचना के संचय करने की क्रिया।
- **Screen Saver** : वह प्रोग्राम जिसके द्वारा कुछ समय तक कोई कुंजी या माउस के प्रयोग न करने पर पटल पर एक हिलने-डुलने वाला दृश्य दिखाई देने लगता है। एक स्थाई चित्र पटल पर स्थाई रूप से रच सकता है, और यह प्रोग्राम ऐसी क्षति से मॉनीटर को बचाये रखता है।
- **Scroll** : पटल के दृश्य को ऊपर-नीचे या इधर-उधर सरकाने की क्रिया ताकि जो भाग नहीं दिख रहा है उसे भी देखा जा सके।
- **SCSI** : Small Computer System Interface का संक्षिप्त रूप। कंप्यूटर के साथ अन्य युक्तियों के संलग्न करने का इन्टरफेस।
- **Serial Port** : कंप्यूटर के पीछे लगा वह सॉकेट जिसमें माउस, मोडेम, जॉयस्टिक, सीरियल प्रिन्टर आदि अनेक प्रकार की युक्तियाँ लगाई जा सकती हैं, और उपयोग में ली जा सकती हैं।
- **Server** : वह कंप्यूटर जो अन्य कंप्यूटरों की किसी प्रकार की सेवा प्रदान करता है, जैसे कि इन्टरनेट सेवा प्रदान करने वाले का कम्प्यूटर।
- **Software** : कंप्यूटरों पर प्रयोग के लिए प्रोग्रामों का संग्रह। सामान्यतया ये फ्लापी डिस्कों पर रिकार्ड करके वितरित किए जाते हैं।
- **SOHO** : Small Office, Home Office का संक्षिप्त रूप। व्यापार का वह भाग जहाँ पर व्यवसायिक कार्य भी घर पर ही किये जाते हैं।
- **Source Program** : उच्चस्तरीय भाषा में लिखा गया प्रोग्राम जिसे कम्पाइलर द्वारा या इन्टरप्रैटर द्वारा कंप्यूटर पर चलाया जा सकता है।
- **Trojan Horse** : एक उपयोगी प्रोग्राम पर सवार हो कर कंप्यूटर में घुस जाने वाला वाइरस।
- **Unix** : मिनी व मेन-फ्रेम कंप्यूटरों का ऑपरेटिंग सिस्टम, जिसमें एक ही कंप्यूटर पर अनेक व्यक्ति एक साथ काम कर सकते हैं।
- **VGA** : Video Graphics Array का संक्षिप्त रूप। इस कार्ड से मॉनीटर का रिजॉल्यूशन बहुत अधिक हो जाता है।
- **Wild Card** : वे चिह्न जिन्हें अन्य अक्षरों के स्थान पर उपयोग किया जा सकता है। कंप्यूटर में ऐसे दो चिह्न हैं, ? तथा * जिनमें ? का उपयोग तो एक अक्षर के लिये किया जा सकता है और * का उपयोग आगे आने वाले सभी अक्षरों के लिये किया जाता है।
- **Word Processor** : कंप्यूटर पर चलने वाला वह प्रोग्राम जिसके द्वारा पाठ्य सामग्री को सुगमता से टाइप किया जा सकता है, और आवश्यकता अनुसार उथल-पुथल करके व्यवस्थित व सुन्दर ढंग से जमाया जा सकता है।
- **WORM** : Write Once, Read Many का संक्षिप्त रूप। ये केवल एक बार ही रिकार्ड की जा सकने वाली डिस्कों का द्योतक है।
- **Write Protect** : किसी डिस्क पर अकस्मात कोई अनचाही चीज़ रिकार्ड होने से सुरक्षित रखने की युक्ति।
- **WYSIWYG** : 'विजीविग' अर्थात् 'What You See Is What is You Get' का संक्षिप्त रूप है। इसका अर्थ यह है कि मुद्रण करने पर जैसा दृश्य आप मॉनीटर के पटल पर देख रहे हैं, वैसा का वैसा ही मुद्रित होगा। इसका प्रयोग डेस्क टॉप पब्लिशिंग में किया जाता है।
- **Wizard** : एक ऐसा प्रोग्राम जो कठिन कार्य को आसानी से कर सकने के लिये एक कुशल व्यक्ति की तरह अपना मार्ग दर्शन करता है।

उच्च शिक्षा में डिजिटल पहल (Digital Initiatives in Higher Education)

डिजिटलीकरण के युग ने शिक्षा क्षेत्र में बहुत बड़ा बदलाव किया है। विभिन्न सरकारी और गैर-सरकारी निकाय शिक्षा में डिजिटल पहलों की जड़ें बढ़ाने के लिए कदम उठा रहे हैं। आईसीटी के माध्यम से शिक्षा पर राष्ट्रीय मिशन (एनएमईआईसीटी) शिक्षा मंत्रालय द्वारा गुणवत्तापूर्ण सामग्री तक पहुँच में सुधार करने और सीखने के परिणामों में सुधार करने के लिए डिजिटल शिक्षा समाधानों को शामिल करने की एक प्रमुख पहल है। शिक्षाविदों द्वारा डिजिटल उपकरणों के उपयोग को निम्नलिखित कारकों के कारण प्राथमिकता दी जाती है :

- वहनीयता
- समावेशीपन
- रोजगार योग्यता
- गुणवत्ता

इन डिजिटल पहलों ने न केवल शिक्षण-अधिगम प्रक्रिया में सुधार किया है, बल्कि शिक्षार्थियों की स्मरण शक्ति को भी बढ़ाया है और उन्हें अवधारणाओं को आसानी से समझने में मदद की है।

उच्च शिक्षा में डिजिटल पहलें निम्नलिखित हैं :

- **नेशनल मिशन ऑन एजुकेशन थ्रू इंफॉर्मेशन एंड कम्युनिकेशन टेक्नोलॉजी (एनएमईआईसीटी)** : भारत सरकार के मानव संसाधन विकास मंत्रालय के सूचना प्रौद्योगिकी आधारित राष्ट्रीय शिक्षा मिशन (आईसीटी-एनएमईआईसीटी) शिक्षण और सीखने की प्रक्रिया में तकनीक का इस्तेमाल करके, आभासी प्रयोगशालाओं, ऑन-लाइन परीक्षण और प्रमाणन के माध्यम से प्रदर्शन करने की सुविधा प्रदान करना है। मल्टीमीडिया युक्त इस मिशन के द्वारा ई-सामग्री प्रदान करके संपूर्ण ई-लर्निंग पारिस्थितिकी तंत्र बनाने की एक महत्वाकांक्षी योजना है। मिशन में शिक्षकों हेतु प्रशिक्षण कार्यक्रमों की भी परिकल्पना की गई है। उच्च शिक्षा में ई-सामग्री का विकास मिशन का एक महत्वपूर्ण हिस्सा रहा है, जिसमें शैक्षिक संचार संकाय (सीईसी) एक प्रमुख भागीदार है। MHRD के NME-ICT प्रोजेक्ट के तहत, सीईसी ने 87 स्नातक (यूजी) विषयों पर ई-सामग्री विकसित की है।

  NME-ICT में वे सभी तीन तत्व शामिल हैं जो शिक्षा नीति के तीन प्रमुख सिद्धांतों–पहुँच, इक्विटी और गुणवत्ता को अच्छी तरह से पूरा करते हैं।

  मिशन के दो प्रमुख घटक हैं : 1. संस्थानों और शिक्षार्थियों को एक्सेस डिवाइस के प्रावधान के साथ कनेक्टिविटी प्रदान करना; 2. सामग्री पीढ़ी।

  यह ई-लर्निंग के लिए उपयुक्त शिक्षाशास्त्र पर ध्यान केंद्रित करने के लिए आभासी प्रयोगशालाओं के माध्यम से प्रयोग करने की सुविधा प्रदान करना, ऑनलाइन परीक्षण और प्रमाणन, शिक्षार्थियों को मार्गदर्शन और सलाह देने के लिए शिक्षकों की ऑनलाइन उपलब्धता, उपलब्ध शिक्षा उपग्रह (एडुसैट) का उपयोग और सीधे शिक्षण-अधिगम, आदि की नई पद्धति का प्रभावी ढंग से उपयोग करने के लिए शिक्षकों का घरेलू मंच, प्रशिक्षण और सशक्तिकरण की योजना बना रहा है।
- **स्वयं (SWAYAM)** : भारत सरकार के डिजिटल इंडिया पहल के तहत, NIOS को "युवा आकांक्षाओं के लिए सक्रिय अध्ययन की आवश्यकता–Study Webs of Active Learning for Young Aspiring Minds (SWAYAM)" के लिए राष्ट्रीय MOOC पहलों के लिए एक भागीदार के रूप में पहचाना गया है। इस प्रयास का उद्देश्य सबसे अधिक वंचितों सहित सभी तक सर्वश्रेष्ठ शिक्षण-अधिगम संसाधन को लाना/पहुँचाना है।
  - ❑ एनसीईआरटी (NCERT) ने स्वयं (SWAYAM) पोर्टल पर विद्यार्थियों (कक्षा XI-XII) और शिक्षकों के लिए 34 ऑनलाइन पाठ्यक्रम शुरू किए हैं।
  - ❑ राष्ट्रीय मुक्त विद्यालयी शिक्षा संस्थान (NIOS) सेकेंडरी स्तर पर 18 MOOCs पाठ्यक्रम और सीनियर सेकेंडरी स्तर पर 20 पाठ्यक्रम प्रदान करता है।
  - ❑ MOOC फोर-क्वाड्रेंट (for quadrant) एप्रोच का उपयोग करके विकसित किए जाते हैं–पी.डी.एफ. में पाठ, एक शिक्षण वीडियो, आत्म-मूल्यांकन अभ्यास और चर्चा मंच।
- **स्वयं प्रभा** : स्वयं प्रभा 32 DTH चैनलों का एक समूह है जो उच्च गुणवत्ता वाले शैक्षिक कार्यक्रमों को प्रसारित करने के लिए समर्पित है। यह कार्यक्रम व्यापक तौर पर स्कूली शिक्षा को कवर करता है एवं अध्यापकों के प्रशिक्षण के लिए मॉड्यूल प्रदान करने के साथ-साथ भारत के बच्चों के लिए 4 चैनलों के माध्यम से शिक्षण-अधिगम सामग्री प्रदान करता है, ताकि वे विषयों को बेहतर ढंग से समझ सकें और प्रोफेशनल डिग्री कार्यक्रमों में प्रवेश के लिए प्रतियोगी परीक्षाओं की तैयारी में उनको मदद मिल सके। यह शिक्षकों और विद्यार्थियों को सप्ताह के दौरान जोर देने वाले मॉड्यूल को समझने में मदद करने के लिए नमूना साप्ताहिक अनुसूची के साथ प्रति चैनल एक ग्रेड प्रदान करने पर केंद्रित है। सामग्री की पहुँच को अधिकतम करने के लिए, स्वयं प्रभा हिंदी, अंग्रेजी और उर्दू में उपलब्ध है।

- **राष्ट्रीय डिजिटल पुस्तकालय (एनडीएल) :** राष्ट्रीय डिजिटल पुस्तकालय (एनडीएल) शिक्षा मंत्रालय की शैक्षिक सामग्री और संसाधनों का एक डिजिटल भंडार है। एनडीएल की मदद से, छात्रों को डिजिटल शिक्षण संसाधनों की एक व्यापक लाइब्रेरी तक पहुँच होगी, जैसे कि शोधपत्र, वीडियो, ऑडियो व्याख्यान, पाठ्यपुस्तकें और बहुत कुछ। यह डिजिटल सामग्री के विशाल और विविध संग्रह के साथ विज्ञान, प्रौद्योगिकी, मानविकी, सामाजिक विज्ञान सहित शैक्षणिक क्षेत्रों की एक विस्तृत श्रृंखला प्रदान करता है। चूंकि प्लेटफॉर्म ओपन-एक्सेस है और उपयोगकर्ता शुल्क के बिना अपने संसाधनों तक पहुँच सकते हैं, इसलिए छात्रों, प्रशिक्षकों, शोधकर्ताओं और आम जनता सहित लोगों की एक विस्तृत श्रृंखला इन अनुदेशात्मक सामग्रियों तक पहुँच सकती है।

  एनडीएल शिक्षकों और सामग्री रचनाकारों को मंच पर अपनी सामग्री का योगदान करने के लिए प्रोत्साहित करता है, इस प्रकार संग्रह का विस्तार करता है और ज्ञान के साझाकरण को बढ़ावा देता है। इसके अलावा, शैक्षिक संस्थान, पुस्तकालय और संगठन अपने छात्रों और सदस्यों को भंडार के संसाधनों तक पहुँच प्रदान करने के लिए एनडीएल को अपने सिस्टम में एकीकृत कर सकते हैं। यह एक मोबाइल एप्लिकेशन भी प्रदान करता है, जिससे उपयोगकर्ताओं को अपने स्मार्टफोन और टैबलेट पर शैक्षिक सामग्री तक पहुँचने में सुविधा होती है।

- **दीक्षा (ज्ञान साझा करने के लिए डिजिटल बुनियादी ढांचा) :** शिक्षा मंत्रालय ने दीक्षा डिजिटल पोर्टल लॉन्च किया जो शिक्षकों को विभिन्न प्रकार की ऑनलाइन सामग्रियों तक पहुँच प्रदान करता है। यह इंटरेक्टिव पाठ योजना, परीक्षण और अन्य शैक्षिक संसाधन प्रदान करता है। शिक्षक अपनी शैक्षणिक क्षमताओं को तेज करने और सबसे हालिया शिक्षण तकनीकों के साथ बने रहने के लिए ''दीक्षा'' का उपयोग कर सकते हैं। दीक्षा एक ''मेड इन इंडिया'' डिजिटल बुनियादी ढांचा है और इसे पीएम ई-विद्या पहल और आत्मनिर्भर भारत अभियान के तहत स्कूली शिक्षा के लिए ''वन नेशन, वन प्लेटफॉर्म'' के रूप में विकसित किया गया है। इसमें कक्षा 1 से 12 के लिए क्यूआर कोड वाली पाठ्य-पुस्तकें और विभिन्न विशेष ई-सामग्री और 31 भारतीय भाषाओं और 7 विदेशी भाषाओं में और राज्यों, केंद्रशासित प्रदेशों और राष्ट्रीय स्तर के संगठनों द्वारा बनाए गए आईएसएल भी हैं। दीक्षा इंफ्रास्ट्रक्चर सीखने की निरंतरता सुनिश्चित करने के लिए भारत सरकार द्वारा पहचाने गए 4 डिजिटल सार्वजनिक सामानों में से एक है। इसमें एआई-सक्षम तारा चैटबॉट भी है।

- **विद्वान :** यह वैज्ञानिकों/शोधकर्ताओं और अन्य संकाय सदस्यों के प्रोफाइल का डेटाबेस है, जो शैक्षणिक संस्थानों और अन्य अनुसंधान एवं विकास संगठनों में शामिल हैं। यह एक विशेषज्ञ की पृष्ठभूमि, संपर्क, पता, अनुभव, विद्वानों के प्रकाशन, कौशल और उपलब्धियों, शोधकर्ता पहचान आदि जैसी जानकारी प्रदान करता है। डेटाबेस को सूचना और पुस्तकालय नेटवर्क केंद्र (इनफ्लिबनेट) द्वारा आईसीटी के माध्यम से शिक्षा पर राष्ट्रीय मिशन से वित्तीय सहायता के साथ विकसित किया गया है।

  इसके उद्देश्य हैं :

  - ❑ देश में साथियों, भावी सहयोगियों, वित्त पोषण एजेंसियों, नीति निर्धारकों और अनुसंधान विद्वानों को विशेषज्ञ के बारे में त्वरित और आसानी से सूचना प्रदान करना।
  - ❑ लेख और अनुसंधान प्रस्तावों के लिए सहकर्मी समीक्षकों की पहचान करना।
  - ❑ ऑन-गोइंग अनुसंधान परियोजनाओं के लिए संभावित सहयोगी खोजना।
  - ❑ उन विशेषज्ञों के साथ सीधे संवाद स्थापित करना जिनके पास उपयोगकर्ताओं द्वारा आवश्यक विशेषज्ञता है।
  - ❑ वैज्ञानिकों के बीच सूचना आदान-प्रदान और नेटवर्किंग के अवसर पैदा करना।

- **राष्ट्रीय शैक्षणिक डिपॉजिटरी (एनएडी) :** केंद्रीय मंत्रिमंडल द्वारा 27 अक्टूबर, 2016 में एक बैठक आयोजित की गई थी। इस बैठक में सिक्योरिटीज डिपॉजिटरी की तर्ज पर नेशनल एकेडमिक डिपॉजिटरी (एनएडी) के नाम से जाने जाने वाले अकादमिक पुरस्कारों की एक डिजिटल डिपॉजिटरी स्थापित करने की मंजूरी दी गई। कैबिनेट द्वारा दी गई मंजूरी के बाद, सरकार इस पर काम कर रही थी। विश्वविद्यालय अनुदान आयोग अधिनियम, 1956 की धारा 20(1) के तहत प्रदत्त शक्तियों ने विश्वविद्यालय अनुदान आयोग (यूजीसी) को सभी केंद्रीय उच्च शैक्षणिक संस्थानों (सीएचईआई), राष्ट्रीय महत्त्व के संस्थानों की ओर से त्रिपक्षीय समझौते में प्रवेश करने के लिए एक अधिकृत निकाय के रूप में नामित किया है।

  राष्ट्रीय शैक्षणिक डिपॉजिटरी की विशेषताएँ निम्नलिखित हैं :

  - ❑ डिजिटल केन्द्रीय एनडीए शैक्षणिक संस्थानों को प्रमाणपत्र डिग्री और मार्कशीट की डिजिटल प्रतियाँ अपलोड करने की अनुमति प्रदान करता है जिससे उन्हें डिजिटली सुविधापूर्वक आसानी से सुलभ और साझा किया जा सकता है।
  - ❑ एनएडी ब्लॉकचेन तकनीक सहित उन्नत सुरक्षा उपायों का उपयोग करता है जिससे डिजिटल प्रमाणपत्रों की अखंडता और प्रामाणिकता सुनिश्चित करने धोखाधड़ी के जोखिम को कम करने के लिए उपयोग किया जाता है।
  - ❑ पूर्व छात्र एवं वर्तमान छात्रों को अपने शैक्षणिक रिकॉर्ड और प्रमाणपत्रों तक ऑनलाइन पहुँचने में आसानी हुई है जिससे नौकरी के लिए आवेदन आगे की पढ़ाई या किसी अन्य लक्ष्य के लिए योग्यता के प्रमाण की आवश्यकता होती है।

- ❑ एनएडी के माध्यम से भौतिक दस्तावेजों के भंडारण और सत्यापन से जुड़ी प्रशासनिक लागत को कम किया जा सकता है जिससे शैक्षणिक संस्थानों और सत्यापन करने वाले संगठनों को लाभ मिलता है।
- ❑ कोई भी शैक्षणिक संस्थान एवं संगठन एनएडी के पोर्टल के माध्यम से कम समय में आसानी से शैक्षणिक प्रमाणपत्रों का सत्यापन कर सकता है जिससे मैन्युअल सत्यापन प्रक्रिया को कम या समाप्त किया जा सकता है।

- **फॉसी (FOSSEE–Free/Libre And Open Source Software for Education) अर्थात् शिक्षण हेतु निःशुल्क स्रोत सॉफ्टवेयर** : हमारे देश में शिक्षा की गुणवत्ता में सुधार करने के उद्देश्य से भारत सरकार ने इस कार्यक्रम की शुरुआत की है, जिसका लक्ष्य है शिक्षण संस्थानों से महँगे सॉफ्टवेयर हटाकर उसके समान निःशुल्क शैक्षणिक सॉफ्टवेयर उपलब्ध कराना। इसके अंतर्गत निःशुल्क प्रयोग में लाए जा सकनेवाले सॉफ्टवेयर विकसित किए जाते हैं एवं पहले से उपलब्ध सॉफ्टवेयरों को शोध एवं अकादमिक आवश्यकताओं की पूर्ति के लिए लगातार अपग्रेड किया जाता है। इस योजना के तहत जिन परियोजनाओं को आगे बढ़ाया जा रहा है, उनमें Scilab, python, eSim, osdag, DWSIM, openFOAm, openModelica, openPLC, Floss Arduino, SBHS, R, QGIS, FOCAL और SOUL सॉफ्टवेयर आते हैं।
- **वर्चुअल लेब (Virtual Lab)** : इस प्रोजेक्ट का उपयोग प्राप्त ज्ञान की समझ का आकलन करने, आँकड़े एकत्र करने और सवालों के उत्तर देने के लिए पूरी तरह से इंटरैक्टिव सिमुलेशन एन्वायरनमेंट (Interactive Simulation Environment) विकसित करना है। महत्त्वाकांक्षी परियोजना के उद्देश्यों को प्राप्त करने, वास्तविक दुनिया के वातावरण और समस्याओं से निपटने की क्षमता विकसित करने के लिए अत्याधुनिक कम्प्यूटर सिमुलेशन तकनीक के साथ आभासी प्रयोगशालाओं को विकसित करना आवश्यक है। इस प्रोजेक्ट के अंतर्गत 1800 से अधिक प्रयोगों के साथ लगभग 225 ऐसी प्रयोगशालाएँ संचालित हैं और 5 लाख से अधिक छात्रों को लाभ प्रदान कर रही हैं।
- **गियान (GIAN or Global Initiative of Academic Networks):** देश के वैज्ञानिकों तथा उद्यमियों और उच्च शिक्षण संस्थाओं को अंतरराष्ट्रीय स्तर पर परस्पर जोड़ने के लिए इस ऑनलाइन प्लेटफॉर्म का गठन भारत सरकार द्वारा किया गया है। इसका लक्ष्य देश के अकादमिक स्रोतों को बढ़ाना है तथा इसके माध्यम से दुनिया भर के सर्वश्रेष्ठ अकादमिक एवं उद्योगों से जुड़े विशेषज्ञों को देश के शिक्षकों एवं विद्यार्थियों से जोड़ा जाता है, वे अपनी विशेषज्ञता तथा अनुभवों को बाँटने हेतु इनकी संस्थाओं में आकर व्याख्यान देते हैं।
- **ई-यंत्र (e-Yantra):** यह भारत में इंजीनियरिंग कॉलेजों में एम्बेडेड सिस्टम (Embedded Systems) और रोबोटिक्स (Robotics) पर प्रभावी शिक्षा को सक्षम करने की एक परियोजना है। शिक्षकों और छात्रों को प्रशिक्षण कार्यशालाओं के माध्यम से एम्बेडेड सिस्टम और प्रोग्रामिंग की मूल बातें सिखाई जाती हैं। इस पहल से पूरे भारत के 275 से अधिक कॉलेज लाभान्वित हुए हैं। मानव संसाधन विकास मंत्रालय के स्कूल शिक्षा विभाग (Department of School Education) के अंतर्गत शिक्षार्थियों की ऑनलाइन संसाधनों तक पहुँच सुनिश्चित करने के लिए निम्नलिखित योजनाएँ चलाई गई हैं। NCERT द्वारा ई-रिसोर्सेज (eResources जैसे–ऑडियो, वीडियो इंटरएक्टिव आदि) के रूप में विकसित अध्ययन सामग्री को वेब पोर्टल्स के माध्यम से हितधारकों के साथ साझा किया गया है। उदाहरण के लिए स्टडी वेब्स ऑफ एक्टिव लर्निंग फॉर यंग एस्पायरिंग माइंड्स (SWAYAM), ई-पाठशाला (ePathshala), नेशनल रिपोजिटरी ओपन एजुकेशनल रिसोर्सेज (NROER) और मोबाइल एप्लीकेशंस।
- **स्पोकेन ट्यूटोरियल** : स्पोकेन ट्यूटोरियल शिक्षा मंत्रालय द्वारा टॉक टू ए टीचर कार्यक्रम के अंतर्गत तैयार की गई परियोजना है, जिसमें कोई व्यक्ति बिना किसी अन्य व्यक्ति की सहायता लिए किसी सॉफ्टवेयर को सीख सकता है। यदि किसी व्यक्ति के पास कम्प्यूटर है तथा उसमें सीखने की इच्छाशक्ति है, तो वह कभी भी और किसी भी भाषा में इसे सीख सकता है। इसे आई.आई.टी. बॉम्बे तथा शिक्षा मंत्रालय द्वारा संयुक्त रूप से तैयार किया गया है। इसका प्रयोग करके अनेक कम्प्यूटर कोर्स किए जा सकते हैं। यह कम्प्यूटर की सहायता से डिजिटल साक्षरता बढ़ाने में बेहद मददगार साबित हो रहा है।
- **त्वरित प्रतिक्रिया (QR)** : छात्रों, अभिभावकों और शिक्षकों को डिजिटल संसाधनों का उपयोग करने में सक्षम बनाने के लिए QR कोड बनाए गए हैं। QR कोड को किताबों के प्रत्येक अध्याय के साथ एनसीईआरटी की विधिवत मैपिंग eResources की मुद्रित पाठ्य पुस्तकों के साथ एकीकृत किया गया है।
- **साक्षात्** : साक्षात् परियोजना की शुरुआत 30 अक्तूबर, 2006 को सेवारत लोगों को ज्ञान प्राप्ति हेतु आजीवन निःशुल्क शिक्षा से जोड़ने हेतु की गई थी। साक्षात् की विषय-वस्तु को विषय-वस्तु सलाहकार समिति (Content Advisory Committee) द्वारा निर्धारित किया जाता है, जिसमें इग्नू, दिल्ली विश्वविद्यालय, केंद्रीय विद्यालय संगठन, नवोदय विद्यालय संगठन, राष्ट्रीय मुक्त विद्यालय संस्थान (NIOS), एन.सी.ई.आर.टी. एवं क्षेत्र के विख्यात विशेषज्ञों को शामिल किया गया है। इसके अतिरिक्त कुछ स्वयंसेवी संगठनों को भी इस पोर्टल पर निःशुल्क विषय-वस्तु अपलोड करने की अनुमति दी गई है।

- **शोध गंगोत्री :** शोध गंगोत्री अपने नाम के अनुरूप भारतीय शोध पत्रों तथा पी-एच.डी. कार्यक्रमों हेतु शोध प्रस्तावों एवं संक्षिप्तिकाओं (Synopses) को ऑनलाइन एक जगह उपलब्ध करानेवाला कोष (Repository) है, जिसमें इलेक्ट्रॉनिक माध्यम से सॉफ्टकॉपी में देश के विभिन्न विश्वविद्यालयों के शोध पत्र, शोध सार, लघु शोध परियोजना कार्य, फेलोशिप कार्य, पोस्ट डॉक्टोरल फेलोशिप कार्य आदि उपलब्ध कराए जा रहे हैं। इसमें पूरे शोध प्रबंध या थीसिस को भी ऑनलाइन उपलब्ध कराने की सुविधा उपलब्ध है, जिससे शोध कार्य के दोहराव तथा नकल या Plagiarism पर रोक लगाई जा सके। यह INFLIBNET के सहयोग से शुरू की गई परियोजना है, जो शोधार्थियों, वैज्ञानिकों एवं शिक्षकों के शोध कार्य हेतु अत्यंत उपयोगी सिद्ध होगी।
- **ई-पीजी पाठशाला :** यह सभी विषयों की परास्नातक कक्षाओं के विद्यार्थियों के लिए शुरू किया गया ऑनलाइन प्लेटफॉर्म है, जिस पर सभी विषयों के ई-कंटेट एक जगह उपलब्ध कराए गए हैं। यह INFLIBNET द्वारा यू.जी.सी. तथा NME-ICT (National Mission on Education Through ICT) द्वारा संयुक्त रूप से संचालित परियोजना है। इसके माध्यम से परास्नातक विद्यार्थियों के लिए 700 से अधिक ई-पुस्तकें (E-books) तथा वीडियो कंटेन्ट उपलब्ध हैं। ई-पाठ्य भी ई-पीजी पाठशाला का एक भाग है, जो सॉफ्टवेयर आधारित पाठ्यक्रम है। यह ऑफलाइन भी उपलब्ध है।
- **शोधगंगा :** शोधगंगा भारत के शोधप्रबन्धों का ऑनलाइन इलेक्ट्रॉनिक भंडार है। यह इन्फ्लिबनेट केन्द्र (INFLIBNET Centre) द्वारा स्थापित किया गया है। इन्फ्लिबनेट अहमदाबाद की ऑनलाइन कम्पनी है। विश्वविद्यालय अनुदान आयोग के जून 2009 के एक आदेश के अनुसार विश्वविद्यालयों के शोधार्थियों के लिए अपने शोध-प्रबन्धों को इलेक्ट्रॉनिक रूप में भी जमा करना अनिवार्य बना दिया गया है। यूजीसी द्वारा शुरू की गई 'शोधगंगा' से अब तक देश के 70 के करीब विश्वविद्यालय जुड़ चुके हैं। इस योजना के तहत देशभर के सभी विश्वविद्यालय के शोधपत्र ऑनलाइन किए जा रहे हैं जिसके कारण किसी भी विश्वविद्यालय का शोधपत्र कहीं भी देखा जा सकता है। यूजीसी ने अहमदाबाद स्थित इन्फार्मेशन लाइब्रेरी की इन्फ्लिबनेट कंपनी को ऑनलाइन रिसर्च मैटीरियल उपलब्ध करवाने का कार्य सौंपा है। शोध के दौरान साहित्यिक चोरी या मुद्राधिकार उल्लंघन से बचने तथा शोध की गिरती हुई गुणवत्ता को संभालने के उद्देश्य से शोधगंगा की पहल की गई है। शोधगंगा में अभी तक 428 विश्वविद्यालय योगदान दे रहे हैं।
- **ई-शोध सिंधु :** भारत सरकार के शिक्षा मंत्रालय ने UGC-INFONET Digital Library Consortium, NLIST तथा INDEST-AICTE Consortium का विलय करके ई-शोध सिंधु की स्थापना की है। इसका लक्ष्य देश के अकादमिक जगत से जुड़े विद्वानों विशेषकर वैज्ञानिकों, शिक्षकों एवं शोधार्थियों के लिए एक स्थान पर सभी पीयर रिव्यूड जर्नलों, विभिन्न विषयों के साइटेशन या उद्धरणों, ग्रंथ सूची और इससे संबंधित तथा इस पर आधारित आँकड़ों को उपलब्ध कराना है, ताकि शोध कार्य से जुड़े लोगों को ये सभी सामग्री सरलतापूर्वक प्राप्त हो सके। ई-शोध सिंधु पर वर्तमान समय में 7200 करोड़ से अधिक पुरातन एवं अधुनातन सामग्री पृष्ठ उपलब्ध हैं। यह शिक्षा मंत्रालय द्वारा ई-स्रोत सामग्री उपलब्ध कराने हेतु अत्यंत महत्त्वपूर्ण एवं महत्त्वाकांक्षी कार्यक्रम है।

आईसीटी और सुशासन (ICT and Governance)

आईसीटी-सूचना और संचार प्रौद्योगिकी, सूचना के भंडारण, पुनर्प्राप्ति, संचरण और हेरफेर के लिए कम्प्यूटर, सॉफ्टवेयर और दूरसंचार सहित प्रौद्योगिकी के उपयोग को संदर्भित करता है। इसमें संचार, डेटा प्रबंधन और निर्णय लेने की प्रक्रियाओं को सुविधाजनक बनाने वाली तकनीकों और अनुप्रयोगों की एक विस्तृत शृंखला शामिल है। शासन के संदर्भ में, आईसीटी सरकारी संस्थानों और सार्वजनिक प्रशासन के कामकाज में पारदर्शिता, दक्षता और जवाबदेही बढ़ाने में महत्वपूर्ण भूमिका निभाता है। यह सरकारी सेवाओं के डिजिटलीकरण, प्रशासनिक प्रक्रियाओं के स्वचालन और ई-गवर्नेंस पहलों के कार्यान्वयन को सक्षम बनाता है। सेवा वितरण, नागरिक जुड़ाव और समग्र शासन प्रभावशीलता को बेहतर बनाने के लिए आईसीटी उपकरण और अनुप्रयोगों का उपयोग किया जाता है।

यूनेस्को आईसीटी के मानव एवं मशीन के साथ प्रेषित जानकारी को संभालने हेतु प्रयोग की जाने वाली वैज्ञानिक तकनीक एवं इंजीनियरिंग विषयों तथा प्रबंधन तकनीकियों के रूप में परिभाषित करता है।

सुशासन

'शासन' निर्णय लेने की एवं जिसके द्वारा निर्णय लागू किये जाते हैं, की प्रक्रिया है। शासन का उपयोग कई संदर्भों में किया जा सकता है जैसे कि कॉर्पोरेट शासन, अंतर्राष्ट्रीय शासन, राष्ट्रीय शासन और स्थानीय शासन।

वर्ष 1992 में 'शासन और विकास' (Governance and Development) नामक रिपोर्ट में विश्व बैंक ने सुशासन अर्थात्

2782 (UGC PAPER-I)—37-II

'गुड गवर्नेंस' की परिभाषा तय की। इसने सुशासन को 'विकास के लिये देश के आर्थिक एवं सामाजिक संसाधनों के प्रबंधन में शक्ति का प्रयोग करने के तरीके' के रूप में परिभाषित किया।

सुशासन की 8 प्रमुख विशेषताएँ हैं। यह भागीदारी, आम सहमति, जवाबदेही, पारदर्शी, उत्तरदायी, प्रभावी एवं कुशल, न्यायसंगत और समावेशी होने के साथ-साथ 'कानून के शासन' (Rule of Law) का अनुसरण करता है।

यह विश्वास दिलाता है कि भ्रष्टाचार को कम-से-कम किया जा सकता है, इसमें अल्पसंख्यकों के विचारों को ध्यान में रखा जाता है और निर्णय लेने में समाज में सबसे कमजोर लोगों की आवाज सुनी जाती है। यह समाज की वर्तमान एवं भविष्य की जरूरतों के लिये भी उत्तरदायी है।

संयुक्त राष्ट्र द्वारा बताए गए सुशासन के 8 सिद्धांत :

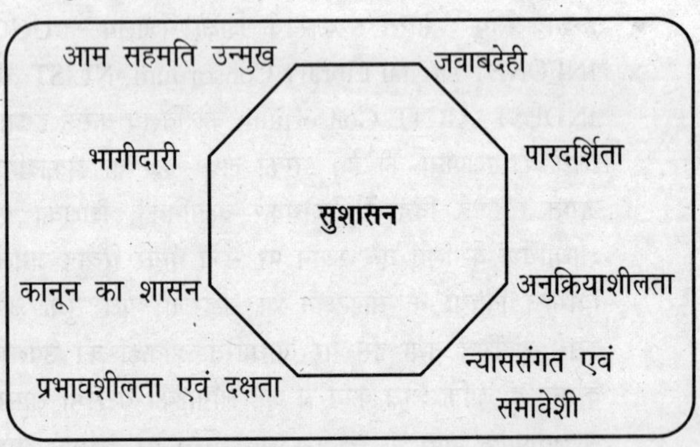

- **भागीदारी (Participation)**
  - ❑ लोगों को वैध संगठनों या प्रतिनिधियों के माध्यम से अपनी राय देने में सक्षम होना चाहिये।
  - ❑ इसमें पुरुष एवं महिलाएँ, समाज के कमजोर वर्ग, पिछड़े वर्ग, अल्पसंख्यक आदि शामिल हैं।
  - ❑ भागीदारी का तात्पर्य संघ एवं अभिव्यक्ति की स्वतंत्रता से भी है।
- **कानून का शासन (Rule of Law) :**
  - ❑ कानूनी ढाँचे को निष्पक्ष रूप से लागू किया जाना चाहिये विशेषकर मानवाधिकार कानूनों के परिप्रेक्ष्य में।
  - ❑ 'कानून के शासन' के बिना राजनीति, मत्स्य न्याय (Matsya Nyaya) के सिद्धांत अर्थात् मछली के कानून (Law of Fish) का पालन करेगी जिसका अर्थ है ताकतवर कमजोरों पर प्रबल होगा।
- **आम सहमति उन्मुख (Consensus-oriented)**
  - ❑ आम सहमति उन्मुख निर्णय लेने से यह सुनिश्चित होता है कि हर किसी की सामान्य न्यूनतम जरूरत पूरी की जा सकती है जो किसी के लिये हानिकारक नहीं होगा।
  - ❑ यह एक समुदाय के सर्वोत्तम हितों को पूरा करने के लिये व्यापक सहमति के साथ साथ विभिन्न हितों की मध्यस्थता करता है।
- **न्यायसंगत एवं समावेशी (Equity and Inclusiveness)**
  - ❑ सुशासन एक समतामूलक समाज के निर्माण का आश्वासन देता है।
  - ❑ लोगों के पास अपने जीवन स्तर में सुधार करने या उसे बनाए रखने का अवसर होना चाहिये।
- **प्रभावशीलता एवं दक्षता (Effectiveness and Efficiency)**
  - ❑ विभिन्न संस्थानों को अपने समुदाय की जरूरतों को पूरा करने वाले परिणाम उत्पन्न करने में सक्षम होना चाहिये।
  - ❑ समुदाय के संसाधनों का उपयोग अधिकतम उत्पादन के लिये प्रभावी रूप से किया जाना चाहिये।
- **जवाबदेही (Accountability)**
  - ❑ सुशासन का उद्देश्य लोगों की बेहतरी पर आधारित है और यह सरकार के बिना लोगों के प्रति जवाबदेह नहीं हो सकता है।
  - ❑ सरकारी संस्थानों, निजी क्षेत्रों और नागरिक संगठनों को सार्वजनिक एवं संस्थागत हितधारकों के प्रति जवाबदेह ठहराया जाना चाहिये।
- **पारदर्शिता (Transparency)**
  - ❑ आवश्यक सूचनाएँ जनता के लिये सुलभ हों और उनकी निगरानी होनी चाहिये।
  - ❑ पारदर्शिता का मतलब मीडिया पर किसी भी प्रकार का नियंत्रण न हो और लोगों तक सूचनाओं की पहुँच भी हो।
- **अनुक्रियाशीलता (Responsiveness)**
  - ❑ संस्थानों और प्रक्रियाओं द्वारा उचित समय में सभी हितधारकों को सेवाएँ प्रदान की जानी चाहिये।

सुशासन की राह में चुनौतियाँ

- **राजनीति का अपराधीकरण :** राजनीति का अपराधीकरण तथा राजनेताओं, सिविल सेवकों एवं व्यापारिक घरानों का गठजोड़ सार्वजनिक नीति निर्माण एवं शासन पर बुरा प्रभाव डालते हैं। यद्यपि जनता के बीच राजनीतिक वर्ग का सम्मान लगातार कम होता जा रहा है, इसलिये ऐसे किसी व्यक्ति जिसके खिलाफ गंभीर एवं जघन्य अपराध व भ्रष्टाचार से संबंधित आपराधिक आरोप लंबित हैं, को अयोग्य घोषित करने के लिये जनप्रतिनिधित्व अधिनियम 1951 की धारा 8 में संशोधन करना आवश्यक है।

- **भ्रष्टाचार :** शासन की गुणवत्ता को सुधारने में भ्रष्टाचार एक बड़ी बाधा है। जबकि स्पष्ट रूप से मानव लालच भ्रष्टाचार का चालक है। यह भारत में भ्रष्टाचार की बढ़ती प्रवृत्ति में योगदान करने के लिये जिम्मेदार है।
- **लैंगिक असमानता :** स्वामी विवेकानंद के अनुसार, "जब तक महिलाओं की स्थिति में सुधार नहीं होगा, विश्व कल्याण के बारे में सोचना असंभव है। जिस प्रकार एक पक्षी के लिये केवल एक पंख पर उड़ना असंभव होता है"। किसी राष्ट्र की स्थिति का आकलन करने का एक तरीका यह है कि वहाँ की महिलाओं की स्थिति का अध्ययन किया जाए। चूँकि महिलाएँ कुल आबादी का लगभग 50% हैं, इसलिये सरकारी संस्थानों एवं अन्य संबद्ध क्षेत्रों में पर्याप्त रूप से महिलाओं का प्रतिनिधित्त्व बढ़ाया जाना चाहिये। अर्थात् सुशासन सुनिश्चित करने के लिये महिलाओं का सशक्तीकरण आवश्यक है।
- **हिंसा की बढ़ती घटनाएँ :** अवैध तरीके से बल का सहारा लेना कानून व्यवस्था की समस्या मानी जाती है किंतु सुशासन के सिद्धांतों के दृष्टिकोण से देखने पर लगता है कि शांति और व्यवस्था, विकास की दिशा में पहला कदम है।
- **न्याय में देरी :** एक नागरिक को समय पर न्याय पाने का अधिकार है, किंतु कई ऐसे कारक है जिनकी वजह से एक सामान्य व्यक्ति को समय पर न्याय नहीं मिल पाता है।
- **प्रशासनिक प्रणाली का केंद्रीकरण :** महात्मा गांधी के अनुसार, जब पंचायत राज स्थापित हो जाएगा, तब लोकमत ऐसे अनेक कार्य कर दिखाएगा जहाँ हिंसा का कोई स्थान नहीं होगा। पंचायती राज संस्थान भारत में ग्रामीण स्थानीय स्वशासन की एक प्रणाली है। स्थानीय स्वशासन का अर्थ है स्थानीय लोगों द्वारा निर्वाचित निकायों के माध्यम से स्थानीय मामलों का प्रबंधन। किंतु वर्तमान में यह प्रक्रिया निधियों के अपर्याप्त हस्तांतरण के कारण सुशासन की राह में बाधा बन रही है।
- **सामाजिक एवं आर्थिक रूप से पिछड़े लोगों का सीमांकन :** विकास की प्रक्रिया में हाशिये पर स्थित समाज के सामाजिक और आर्थिक रूप से पिछड़े वर्गों को मुख्यधारा में लाने के लिये कई संवैधानिक प्रावधान है किंतु वास्तविकता में शिक्षा, आर्थिक गतिविधियों आदि जैसे कई क्षेत्रों में वे अभी भी पीछे हैं।

ई-गवर्नेंस (E-Governance)

ई-गवर्नेंस शब्द में 'ई' का अर्थ है 'इलेक्ट्रॉनिक' और 'गवर्नेंस' का अर्थ है 'सुशासन'। इलेक्ट्रॉनिक माध्यम से शासकीय सेवाओं का सुचारू रूप से संचालन ई-गवर्नेंस के अंतर्गत आता है।

शासन की परिकल्पना/अवधारणा के अंतर्गत मुख्य लक्षित समूहों के निम्नलिखित भेद किये जा सकते हैं :

- शासन समूह (Government groups)
- कर्मचारी समूह (Employee groups)
- नागरिक समूह (Citizen groups)
- व्यवसाय/सरोकार समूह (Business/interest groups)

ई-गवर्नेंस के माध्यम से शासन की सेवाएँ, सूचनाएँ सुविधाजनक, कुशल और पारदर्शी तरीके से नागरिकों को उपलब्ध कराई जाती हैं तथा प्रशासन और व्यवसाय/सरोकार समूहों, प्रशासन और कर्मचारियों के बीच कार्य सुविधा की दृष्टि से संपर्क स्थापित किया जाता है।

ई-गवर्नेंस सूचना प्रौद्योगिकी का एक अनुप्रयोग है जिसके अंतर्गत सूचना एवं संचार तकनीकों (Information and Communication Technologies)) के माध्यम से अलग-अलग स्वतंत्र प्रणालियों का एकीकरण किया जाता है।

जैसे -

- शासन से नागरिक (Government to Citizen)-G2C
- शासन से व्यवसाय (Government to Business)-G2B
- शासन से कर्मचारी (Government to Employee)-G2E
- शासन से शासन (Government to Government)-G2G
- बैक ऑफिस प्रक्रिया (कार्यालय की आंतरिक प्रक्रिया जो बाहर से दिखाई नहीं देती)
- सम्पूर्ण शासन तंत्र (सरकारी ढाँचा या Government Framework) का आंतरिक संपर्क

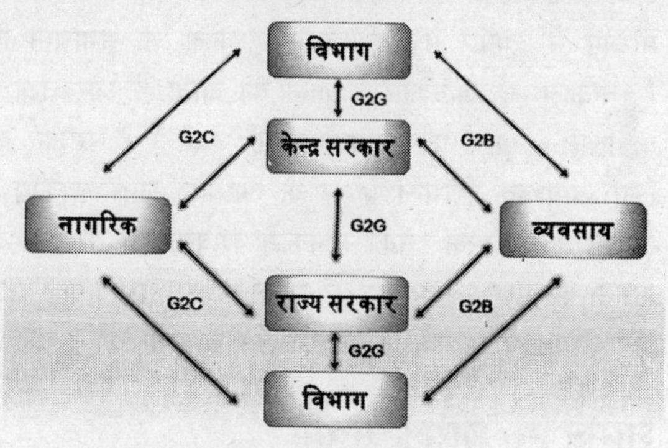

शासन से नागरिक संबंध

ई-गवर्नेंस का उद्देश्य सूचना एवं संचार तकनीक की सेवाएँ कुशलतापूर्वक एवं कम व्यय के उचित आर्थिक तरीके से नागरिकों तक पहुँचाना है। इस प्रकार तकनीक का प्रयोग करते हुए सरकार और जनता के बीच एक सशक्त संबंध स्थापित किया जा सकता है।

ऑनलाइन माध्यम से कर भुगतान, बिलों का भुगतान, आधार कार्ड एवं अन्य सेवाओं के लिए ऑनलाइन आवेदन आदि कार्य, लोक सेवा गारंटी के अंतर्गत प्रदान की जाने वाली सेवाएँ, ऑनलाइन के माध्यम से नागरिकों को प्रदान की जाने वाली सेवाएँ, कोरोना काल में प्रशासन का इलेक्ट्रॉनिक माध्यमों से नागरिकों से संपर्क तथा टीकाकरण के लिए ऑनलाइन पंजीकरण G2C ई-गवर्नेंस के कुछ उदाहरण हैं।

शासन से कर्मचारी संबंध

शासन और कर्मचारी की सहभागिता (Government to Employee Partnership-G2E) ई-गवर्नेंस के डिलीवरी मॉडल में चार प्रमुख तत्वों में से एक है । ऑनलाइन माध्यम से, कर्मचारियों को सरकार और अपने विभाग के साथ स्रोतों और लेखों के द्वारा संचार बनाए रखने में मदद मिलती है। नई तकनीक के माध्यम से कम्प्यूटर का प्रयोग करते हुए कर्मचारियों के साथ ई-गवर्नेंस संबंध स्थापित किया जाता है। दस्तावेज भी अन्य सहयोगियों के साथ ऑनलाइन संगृहीत (Save) और साझा (Share) किए जा सकते हैं ।

ई-गवर्नेंस के द्वारा कर्मचारी कागज रहित कार्य (Paperless Work) कर सकते हैं और कर्मचारियों द्वारा कोई भी अभिलेख या दस्तावेज प्रिंट करने या फैक्स करने के बजाय दुनिया भर के सहयोगियों को इंटरनेट के माध्यम से आसानी से भेजा जा सकता है। G2E सेवाओं में रखरखाव के लिए सॉफ्टवेयर भी शामिल हैं जिनके माध्यम से कर्मचारियों की व्यक्तिगत जानकारी और रिकॉर्ड को एकत्रित और संगृहीत किया जा सकता है।

शासन से व्यवसाय संबंध

केंद्र सरकार या राज्य सरकार और वाणिज्यिक व्यापार क्षेत्र के बीच ऑनलाइन गैर-व्यावसायिक संपर्क इस व्यवस्था के अंतर्गत आता है। इस व्यवस्था का उद्देश्य व्यावसायिक संस्थानों को ई-व्यवसाय के सबसे अच्छे तरीकों पर जानकारी और सलाह देना है। इस व्यवस्था के माध्यम से व्यापार में आने वाली मुश्किलों का समाधान किया जाता है, तत्काल नई जानकारियाँ प्रदान की जाती हैं और तथा ई-व्यवसाय के लिए अनुकूल परिस्थितियाँ बनाई जाती हैं। सरकार व्यवसाय के लिए आवश्यक विभिन्न प्रकार के आर्थिक, जनसांख्यकीय और अन्य आँकड़े एकत्र करके इसकी जानकारी व्यावसायिक संस्थानों को उपलब्ध कराती है, जिससे व्यवसाय में सफलता की संभावनाएँ बढ़ जाती हैं। कम लागत में अधिक उत्पादकता इस व्यवस्था का उद्देश्य है।

शासन से शासन संबंध

इस व्यवस्था के माध्यम से केंद्र सरकार और राज्य सरकारों अथवा दो या दो से अधिक राज्य सरकारों, एक राज्य के सरकारी संगठनों, विभागों और प्राधिकरणों के बीच ऑनलाइन संपर्क स्थापित किया जाता है। इससे प्रत्येक स्तर पर शासन व्यवस्था का सुचारु रूप से संचालन सुनिश्चित हो जाता है। शासकीय कार्यों में गति आती है और समय की बचत होती है।

भारत में ई-गवर्नेंस

सरकारी विभागों का कंप्यूटरीकरण करने के बाद भारत में ई-गवर्नेंस का तीव्रता से विकास हुआ है। पारदर्शी और सुविधाजनक तरीके से शासकीय कार्यों का संचालन और सरकारी सेवाओं को नागरिकों तक पहुँचाना ई-गवर्नेंस के माध्यम से बहुत आसान हो गया है। राष्ट्रीय, राज्य और स्थानीय स्तर पर ई-गवर्नेंस के कार्यान्वयन, उत्तरोत्तर विकास तथा सुधार के लिए अनेक कार्यक्रम और योजनाएँ सरकार द्वारा चलाई जा रही हैं।

राष्ट्रीय ई-गवर्नेंस योजना (NeGP) के माध्यम से पूरे देश में एक आधारभूत संरचना विकसित की जा रही है जिससे इंटरनेट के माध्यम से सरकारी सेवाएँ दूर-दराज के ग्रामीण क्षेत्रों के नागरिकों तक भी आसानी से पहुँचाई जा सकें।

सरकार ने ई-गवर्नेंस को बढ़ावा देने के लिए तीन स्तरों पर डिजिटल परिवर्तन का लक्ष्य रखा है :

- **नकदी रहित स्तर (कैशलेस लेयर)** : एन.पी.सी.आई. द्वारा डिजिटल कैशलेस ट्रांसफर की योजना का क्रियान्वयन किया जा रहा है।
- **कागज रहित स्तर (पेपरलेस लेयर)** : डिजिलॉकर द्वारा ई.के. वाई.सी., ई-साइन और सत्यापन प्रक्रिया के माध्यम से इस स्तर पर कार्य किया जा रहा है।
- **उपस्थिति रहित स्तर (प्रेजेंसलेस लेयर)** : यू.आई.ए.आई. द्वारा आधार के माध्यम से इस स्तर पर कार्य किया जा रहा है।

ई-गवर्नेंस को समग्र रूप से विकसित करने के लिए, मुख्य या मूल (Core) एवं गौण या सहयोगी (Support) आधारभूत संरचना (Infrastructure) विकसित करने के लिए विभिन्न नीतिगत पहल और परियोजनाएँ प्रारंभ की गई हैं। जैसे–राज्य डेटा केंद्र (State Data Center-SDC), स्टेट वाइड एरिया नेटवर्क (State Wide Area Network-SWAN), सामान्य सेवा केंद्र (Common Service Centre -CSC), मिडलवेयर गेटवे अर्थात नेशनल ई-गवर्नेंस सर्विस डिलीवरी गेटवे (NSDG), स्टेट ई-गवर्नेंस सर्विस डिलीवरी गेटवे (SSDG), और मोबाइल ई-गवर्नेंस सर्विस डिलीवरी गेटवे (MSDG) आदि।

सामान्य सेवा वितरण आउटलेट के द्वारा नागरिकों के लिए सभी सरकारी सेवाओं को सुलभ बनाना, और नागरिकों की मूलभूत आवश्यकताओं को समझते हुए उन्हें पूरा करने के लिए कम से कम मूल्य पर कुशलतापूर्वक, पारदर्शी और विश्वसनीय तरीके से सरकारी सेवाओं का लाभ नागरिकों तक पहुँचाना राष्ट्रीय ई-गवर्नेंस योजना का प्रमुख उद्देश्य है।

ई-गवर्नेंस के लाभ

- ई-गवर्नेंस से प्रशासनिक कार्य एवं सेवाओं की दक्षता एवं गुणवत्ता में सुधार होता है।
- ई-गवर्नेंस के माध्यम से सरकार को सारे आँकड़े आसानी से उपलब्ध हो जाते हैं।
- सरकारें विभिन्न योजनाएँ और नीतियाँ बनाने के दौरान इन आँकड़ों का विश्लेषण कर बेहतर निर्णय ले सकती हैं।

- ई-गवर्नेंस के परिणामस्वरूप एक कॉमन डेटा तैयार हो जाता है जिसका उपयोग विभिन्न उद्देश्यों के लिये किया जा सकता है।
- इससे जनता और सरकार के बीच स्वस्थ एवं पारदर्शी संवाद को मजबूत बनाया जा सकता है।
- सुशासन के लिये एक महत्वपूर्ण कदम सरकार की प्रक्रियाओं को सरल बनाना है ताकि पूरी प्रणाली को पारदर्शी बनाकर तीव्र किया जा सके और यह ई-गवर्नेंस के माध्यम से ही संभव है।
- ई-गवर्नेंस से व्यवसाय और नए अवसरों का सृजन हुआ है।

ई-गवर्नेंस से संबंधित चुनौतियाँ

- **अवसंरचना :** बिजली, इंटरनेट आदि बुनियादी सुविधाओं का अभाव। (BharatNet और Saubhagya जैसी पहलें इस संबंध में उठाए गए कदम हैं।)
- **लागत :** ई-गवर्नेंस हेतु किये जाने वाले उपाय महँगे होते हैं और इनके लिये भारी सार्वजनिक व्यय की आवश्यकता होती है। भारत जैसे विकासशील देशों में, ई-गवर्नेंस पहल के कार्यान्वयन में परियोजनाओं की लागत प्रमुख बाधाओं में से एक है।
- **गोपनीयता और सुरक्षा :** डेटा लीक होने के मामलों ने ई-गवर्नेंस के प्रति लोगों के विश्वास को खतरे में डाल दिया है। इसलिये, ई-गवर्नेंस परियोजनाओं के कार्यान्वयन में सभी वर्गों के लोगों के हितों की सुरक्षा के लिये सुरक्षा मानक और प्रोटोकॉल होने चाहिए।
- **डिजिटल डिवाइड :** ई-गवर्नेंस सेवाओं का लाभ उठाने वाले और इन सेवाओं से वंचित लोगों की संख्या के मध्य बहुत अधिक अंतराल है। डिजिटल विभाजन जनसंख्या के अमीर-गरीब, पुरुष-महिला, शहरी-ग्रामीण आदि क्षेत्रों में देखा जाता है। इस अंतर को कम करने की आवश्यकता है, तभी ई-गवर्नेंस के लाभों का समान रूप से उपयोग किया जाएगा।

अभ्यास प्रश्न

1. कथन I: माईगव (MyGov) एक ऐसा मंच है जिसके माध्यम से भारत सरकार नागरिकों से सुशासन के संबंध में उनके विचार और सुझाव प्राप्त कर उसकी भागीदारी को प्रोत्साहित करने को लक्षित करती है।

कथन II: माईगव मंच को फ्लिपकार्ट के तीन पूर्व कर्मियों ने नकदी रहित एवं निर्बाध भुगतान अनुभव प्रदान करने के लिए विकसित किया है।

उपरोक्त कथन के आलोक में, नीचे दिए गए विकल्पों में से सही उत्तर का चयन कीजिए:

A. कथन I और II दोनों सत्य हैं
B. कथन I और II दोनों असत्य हैं
C. कथन I सत्य है, लेकिन कथन II असत्य है
D. कथन I असत्य है, लेकिन कथन II सत्य है

2. इंटरनेट कुकीज के संबंध में निम्नलिखित (*a*)-(*d*) में से कौन-सा/से कथन सही है/हैं?

(*a*) वे स्पाईवेयर के रूप हैं।
(*b*) उनका केवल विज्ञापन में प्रयोग होता है।
(*c*) उनका प्रयोग ब्राउजर प्रयोग की खबर रखने के लिए होता है।
(*d*) वे वाइरस की तरह ही कार्य करते हैं।

नीचे दिए गए विकल्पों में से सबसे उपयुक्त उत्तर का चयन कीजिए:

A. केवल (*a*) B. केवल (*a*) और (*b*)
C. केवल (*c*) D. केवल (*c*) और (*d*)

3. कथन I: ड्रापबॉक्स इंटरनेट पर ई-मेल सेवा का एक उदाहरण है।

कथन II: गूगल डाक्स एक आनलाइन वर्ड प्रोसेसर है।

उपरोक्त कथन के आलोक में, नीचे दिए गए विकल्पों में से सही उत्तर का चयन कीजिए:

A. कथन I और II दोनों सत्य हैं
B. कथन I और II दोनों असत्य हैं
C. कथन I सत्य है, लेकिन कथन II असत्य है
D. कथन I असत्य है, लेकिन कथन II सत्य है

4. कथन I: गतिक आर.ए.एम. (डी.आर.ए.एम.) कंप्यूटरों में प्रयोग होने वाला आर.ए.एम. का सर्वाधिक सामान्य प्रकार है परन्तु जहाँ पर परम गति अनिवार्य होती है, वहाँ पर आर.ए.एम. (एस.आर.ए.एम.) प्रौद्योगिकी को वरीयता दी जाती है।

कथन II: प्रोसेसर की मेमोरी कैश मेमोरी का उच्च गति भाग है और उसके लिए एस.आर.ए.एम. प्रभावी प्रौद्योगिकी है।

उपरोक्त कथन के आलोक में, नीचे दिए गए विकल्पों में से सही उत्तर का चयन कीजिएः

A. कथन I और II दोनों सत्य हैं
B. कथन I और II दोनों असत्य हैं
C. कथन I सत्य है, लेकिन कथन II असत्य है
D. कथन I असत्य है, लेकिन कथन II सत्य है

5. नीचे दो कथन दिए गए हैंः

कथन I: डिजिटल प्रौद्योगिकी के फलस्वरूप जनसंचार माध्यम के उपभोग में वृद्धि हुई है।

कथन II: सहधर्मी (एनालॉग) जनसंचार माध्यम की गुणवत्ता अपेक्षाकृत अधिक उत्तम होती है किंतु इसकी अधिक मांग नहीं है।

उपरोक्त कथन के आलोक में, नीचे दिए गए विकल्पों में से सबसे उपयुक्त उत्तर का चयन कीजिएः

A. कथन I और II दोनों सत्य हैं
B. कथन I और II दोनों असत्य हैं
C. कथन I सत्य है, लेकिन कथन II असत्य है
D. कथन I असत्य है, लेकिन कथन II सत्य है

6. निम्नलिखित में से कौन-से ऑनलाइन उपकरण मन चित्रण के सृजन और साझा करने में प्रयोग किए जाते हैं?

(*a*) कूगल
(*b*) फ्लिपग्रिड
(*c*) माइंडमीस्टर
(*d*) गूगल फार्म
(*e*) माइरो

नीचे दिए गए विकल्पों में से सही उत्तर का चयन कीजिएः

A. केवल (*a*), (*c*) और (*e*)
B. केवल (*b*), (*d*), (*e*)
C. केवल (*a*) और (*c*)
D. केवल (*b*) और (*d*)

7. कम्प्यूटरों का विकास प्रारंभिक मेनफ्रेम कम्प्यूटरों से अपेक्षाकृत स्मार्ट उपकरणों तक हुआ है जिनमें वर्तमान उच्च परिकलन शक्ति का प्रयोग किया जा रहा है। निम्नलिखित में से किस के आविष्कार ने कम्प्यूटरों के भौतिक आकार को छोटा बनाने में योगदान दियाः

A. निर्वात नलिका (वैक्यूम टयूब्स)
B. ट्रांजिस्टर
C. एकीकृत सर्किट (इंटीग्रेटेड सर्किट)
D. कैथोड रे टयूब

8. सूची-I का सूची-II से मिलान कीजिएः

सूची-I (इंटरनेट शब्द)	**सूची-II (विवरण)**
(*a*) ब्राउजर	(*i*) वह प्रोटोकॉल जिसका उपयोग पूरे इंटरनेट पर वेब पेजों के लिए आंकड़े भेजने हेतु किया जाता है।
(*b*) एचटीटीपीएस (HTTPS)	(*ii*) वह टेक्स्ट फाइल (वेब ब्राउजर द्वारा भंडारित) जिसमें किसी प्रयोगकर्ता की ब्राउजिंग अभिरुचियों के बारे में आंकड़े होते हैं।
(*c*) यूआरएल (URL)	(*iii*) वह सॉफ्टवेयर जिसमें प्रयोगकर्ता वेब पेज देख पाता है।
(*d*) कूकी	(*iv*) वेब पते का टेक्स्ट आधारित संस्करण

निम्नलिखित विकल्पों में से सही उत्तर का चयन कीजिएः

	(*a*)	(*b*)	(*c*)	(*d*)
A.	(*ii*)	(*i*)	(*iv*)	(*iii*)
B.	(*iii*)	(*iv*)	(*i*)	(*ii*)
C.	(*i*)	(*iii*)	(*ii*)	(*iv*)
D.	(*iii*)	(*i*)	(*iv*)	(*ii*)

9. टेलीविजन धारावाहिक स्थितिपरक-सुखांतिकी और कॉमिक्स निम्नलिखित में से किसके अंश हैं?

A. कुलीन संस्कृति
B. मध्यम वर्गीय संस्कृति
C. प्रतिबंधात्मक संस्कृति
D. लोकप्रिय संस्कृति

10. स्वयम् प्रभा एक शिक्षा अधिगम है, जो ________ द्वारा प्रारम्भ किया गया और यह 34 डी.टी.एच. चैनलों के माध्यम से 24 × 7 उपलब्ध है।

A. मानव संसाधन एवं विकास मंत्रालय (अब शिक्षा मंत्रालय)
B. विश्वविद्यालय अनुदान आयोग (यूजीसी)
C. शैक्षिक सम्प्रेषण के लिए कंसोर्टियम (सीईसी)
D. अखिल भारतीय तकनीकी शिक्षा परिषद (एआईसीटीई)

11. नीचे दो कथन दिए गए हैंः

कथन I : इंटरनेट स्वयं में एक नेटवर्क (संजाल) और साइबर स्पेस संबंधों हेतु एक प्रतिमान (मॉडल) भी है।

कथन II : इंटरनेट से समर्थित वैश्विक अन्योन्य- क्रियात्मक प्रौद्योगिकियों ने बीसवीं शताब्दी के अंत तक 'द्वितीय मीडिया युग' के आगमन का मार्ग प्रशस्त किया।

उपरोक्त कथन के आलोक में, नीचे दिए गए विकल्पों में से सबसे उपयुक्त उत्तर का चयन कीजिए:

A. कथन I और II दोनों सत्य हैं।
B. कथन I और II दोनों असत्य हैं।
C. कथन I सत्य है, लेकिन कथन II असत्य है।
D. कथन I असत्य है, लेकिन कथन II सत्य है।

12. निम्नलिखित में से कौन-सा कथन ई-मेल सुरक्षा के बारे में ईमेल इनक्रिप्शन (गोपन) का सर्वोत्तम वर्णन करता है?

A. यह एक स्व-प्रतिकृति प्रोग्राम है, जो ई-मेल द्वारा विस्तृत हो सकता है।
B. यह संवेदनशील सूचना के संरक्षण के लिए ईमेल के संदेशों की विषयवस्तु को छद्मवेश धारण कर छिपाता है।
C. इसमें उसी ईमेल पते को अनेक डुप्लीकेट (द्वैध) मेल्स को प्रेषित करना सम्मिलित है।
D. ईमेल हैडर को परिवर्तित किया जाता है ताकि संदेश किसी अन्य से आया हुआ प्रतीत होता है।

13. नीचे दो कथन दिए गए हैं:

कथन I : एम.पी. 3 संरूप (फॉर्मेट) में भंडारित एक संगीत क्लिप डब्ल्यू.ए.वी. संरूप में भंडारित उसी क्लिप की तुलना में अधिक मेमोरी लेगा।

कथन II : एम.पी. 3 संरूप में भंडारित संगीत फाइल्स डब्ल्यू.ए.वी. संरूप में भंडारित फाइलों की तुलना में बेहतर गुणवत्तापरक होती है।

उपरोक्त कथन के आलोक में, नीचे दिए गए विकल्पों में से सही उत्तर का चयन कीजिए:

A. कथन I और II दोनों सत्य हैं।
B. कथन I और II दोनों असत्य हैं।
C. कथन I सत्य है, लेकिन कथन II असत्य है।
D. कथन I असत्य है, लेकिन कथन II सत्य है।

14. निम्नलिखित में से कौन-से कथन परिशुद्ध हैं?

(*a*) वेब 2.0 अपने उपयोगकर्ताओं के साथ बिना किसी अंतर्क्रिया के एक साधारण स्थिर वेबसाइट है।
(*b*) वेब 2.0 मशीनों का उपयोग कर सूचना द्वारा व्यक्तियों को एक साथ अधिक निकट लाती है।
(*c*) वेब 3.0 सूचना का उपयोग कर मशीनों को एक साथ अधिक निकट लाती है।

निम्नलिखित विकल्पों में से सही उत्तर का चयन कीजिए:

A. केवल (*a*)
B. केवल (*b*)
C. केवल (*b*) और (*c*)
D. केवल (*d*)

15. सूची-I के साथ सूची-II का मिलान कीजिए:

सूची-I (निर्गम उपकरण आउटपुट डिवाइस)	सूची-II (वर्णन)
(*a*) इंकजेट प्रिन्टर (स्याही जेट मुद्रक)	I. सपाट पैनल प्रदर्श (डिसप्ले) जो तरल क्रिस्टल्स की प्रकाश माडुलन (मॉड्युलेशन) विशेषताओं का उपयोग करता है।
(*b*) एल.सी.डी. स्क्रीन	II. सपाट पैनल प्रदर्श, जो पिक्सेल्स के रूप में प्रकाश उत्सर्जन डायोड्स के विन्यास का उपयोग करता है।
(*c*) एल.ई.डी. स्क्रीन	III. कागज पर स्याही के बिन्दुक (ड्रॉपलेट्स) ठेलता (प्रोपेल्ड) है।
(*d*) लेजर प्रिंटर	IV. वैद्युत आवेशित (चार्ज की गई) पाउडरयुक्त स्याही कागज पर स्थानांतरित होती है।

निम्नलिखित विकल्पों में से सही उत्तर का चयन कीजिए:

	(*a*)	(*b*)	(*c*)	(*d*)
A.	IV	I	II	III
B.	IV	II	I	III
C.	II	I	III	IV
D.	III	I	II	IV

16. वर्ल्ड वाइड वेब (WWW) का निम्नलिखित में से किसने आविष्कार किया था?

A. एलन ट्यूरिंग
B. स्टीव जॉब्स
C. बिल गेट्स
D. टिम बर्नर्स-ली

17. पूर्वस्नातक विषयों के लिए एम.ओ.ओ.सी. को विकसित करने का काम निम्नलिखित में से किस राष्ट्रीय संयोजक को दिया गया है?

A. आई.आई.एम. बेंगलुरु
B. अखिल भारतीय तकनीकी शिक्षा परिषद् (ए.आई.सी.टी.ई.)
C. शैक्षिक संचार संकाय (सी.ई.सी.)
D. इंदिरा गांधी राष्ट्रीय मुक्त विश्वविद्यालय (इग्नू)

18. अधिगम प्रबंधन प्रणाली (एल.एम.एस.) के मामले में निम्नलिखित में से कौन सही है?

(*a*) एल.एम.एस. एक सॉफ्टवेयर है।
(*b*) एल.एम.एस. का उपयोग आभासी अध्यापक-छात्र समूहों के लिए किया जा सकता है।
(*c*) एल.एम.एस. एक हार्डवेयर है।
(*d*) एल.एम.एस. का उपयोग ऑनलाइन क्विज (प्रश्नोत्तरी) के लिए किया जा सकता है।
(*e*) एल.एम.एस. का उपयोग सांस्थानिक वेबसाइट बनाने के लिए किया जा सकता है।

नीचे दिए गए विकल्पों में से सही उत्तर चुनें:

A. केवल (*a*), (*b*) और (*e*)
B. केवल (*b*), (*c*) और (*d*)
C. केवल (*a*), (*b*) और (*d*)
D. केवल (*a*), (*b*), (*d*) और (*e*)

19. ऑनलाइन समुदायों में भागीदारी करने वाले व्यक्ति अज्ञात रह सकते है और कल्पित मुखवट बना सकते हैं। इस अज्ञानता का नैतिक सरोकार यह है कि यह ....

A. अनैतिक व्यवहार में संलग्नता को सुगम बनाता है।
B. विचारों को मुक्त अभिव्यक्ति का संवर्धन करता है।
C. सरकार को समुदायों की पृष्ठभूमि की जाँच करने में समर्थ बनाता है।
D. व्यापार बाजार शोध का सरलीकरण करता है।

20. एन.आई.डी.आई. (NIDI) का पूर्ण रूप निम्नलिखित में से क्या है?

A. नेशनल इन्स्टीट्यूट ऑफ डिस्टेन्स इन्स्ट्रक्शन
B. नेशनल इन्टेलेक्चुअल डाटा इनिशिएटिव
C. नेशनल इंटर डेवेलपमेंट इन्स्टीट्यूट
D. नेशनल इनिशिएटिव फॉर डिजाइन इनोवेशन

21. गूगल फार्म जैसे आई सी टी (ICT) एप्लिकेशन का उपयोग करते हुए सर्वे फार्म तैयार करने के विभिन्न चरण हैं:

(*a*) प्रश्न प्रकार का चयन और उसे तैयार करना
(*b*) सर्वे फार्म को नाम देना और सेव करना
(*c*) प्रश्नों को अनिवार्य बनाना/विकल्प रखना
(*d*) प्रतिक्रिया देने वाले के साथ साझा करना
(*e*) सेटिंग का विन्यास

नीचे दिए गए विकल्पों में से सही उत्तर का चयन कीजिए:

A. (*a*), (*c*), (*b*), (*e*), (*d*)
B. (*b*), (*d*), (*e*), (*c*), (*a*)
C. (*c*), (*d*), (*a*), (*b*), (*e*)
D. (*d*), (*b*), (*c*), (*a*), (*e*)

22. सूची-I को सूची-II से सुमेलित कीजिए:

सूची-I	सूची-II
(*a*) नेटवर्क सिस्टम	I. ई-मेल
(*b*) ऑपरेटिंग सिस्टम	II. फायर वॉल
(*c*) मेमोरी	III. मैक (MAC)
(*d*) कम्युनिकेशन	IV. रोम (ROM)

नीचे दिए गए विकल्पों में से सही उत्तर चुनिए:

	(*a*)	(*b*)	(*c*)	(*d*)
A.	I	II	III	IV
B.	II	III	IV	I
C.	III	IV	I	II
D.	IV	I	II	III

23. निम्नलिखित कथन को पढ़ें और सही कोड चुनें:

(*a*) सूचनाओं को ग्रहण करने या पढ़ने के लिए रेडियो फ्रीक्वेंसी आइडेंटिफिकेशन सिस्टम रेडियो तरंगों का प्रयोग करते हैं।
(*b*) एम.आई.सी.आर. (मैग्नेटिक इंक कैरेक्टर रिकॉग्निशन) के अक्षर आसानी से विनिर्मित होते हैं तथा उनके ऊपर नहीं लिखा जा सकता।
(*c*) ओ.एम.आर. (ऑप्टिकल मार्क रिकॉग्निशन) किसी फॉर्म पर एक विशिष्ट स्थान में पेन्सिल अथवा कलम से लिखे गए चिह्नों को पढ़ लेता है।
(*d*) ऑप्टिकल कैरेक्टर रिकॉग्निशन (ओ.सी.आर.) टेक्स्ट को स्कैन करता है और कम्प्यूटर के द्वारा पढ़े जाने योग्य फॉर्मेट में बदल देता है।
(*e*) बारकोड को क्षति पहुंचायी जा सकती है या जालसाजी किया जा सकता है।

नीचे दिए गए विकल्पों में से सही उत्तर का चयन कीजिए:

A. केवल (*a*), (*b*) और (*c*)
B. केवल (*a*), (*c*) और (*e*)
C. केवल (*a*), (*c*), (*d*) और (*e*)
D. केवल (*b*), (*c*), (*d*) और (*e*)

24. यूटिलिटी प्रोग्राम क्या है?

A. ऑपरेटिंग सिस्टम का वह भाग जो डिफ्रैगमेंटेशन या डिस्क फॉर्मेटिंग करता है।
B. दूसरे स्टोरेज डिवाइस पर फाइलों की प्रतिलिपि बनाता है।
C. डेटा को साझा और विनिमय की अनुमति देता है।
D. डिवाइस के द्वारा समझा जाने वाला फॉर्मेट में डेटा को स्थानांतरित करता है।

25. नीचे दो कथन दिए गए हैं:

कथन-I : हर बार एक डिवाइस जब नेटवर्क से जुड़ता है तो इसे आई.पी. (इंटरनेट प्रोटोकॉल) ऐड्रेस दिया जाता है।

कथन-II : डिवाइस जो कभी भी डिस्कनेक्ट नहीं होते उनका आई.पी. ऐड्रेस समान बना रहता है।

उपरोक्त कथनों के आलोक में, नीचे दिए गए विकल्पों में से सही उत्तर का चयन कीजिए:

A. कथन I और II दोनों असत्य हैं।
B. कथन I और II दोनों सत्य हैं।
C. कथन I असत्य है, किन्तु कथन II सत्य है।
D. कथन I सत्य है, किन्तु कथन II असत्य है।

26. सूची-I को सूची-II से सुमेलित कीजिए:

सूची-I	**सूची-II**
(*a*) मेजरमेंट एप्लिकेशन	I. ऑटोमेटिक ओवन
(*b*) कंट्रोल एप्लिकेशन	II. वेबसाइट
(*c*) मॉडलिंग एप्लिकेशन	III. वेदर स्टेशन
(*d*) कम्प्युनिकेशन एप्लिकेशन	IV. कार क्रैश सिमुलेटर

नीचे दिए गए विकल्पों में से सही उत्तर चुनिए:

	(*a*)	(*b*)	(*c*)	(*d*)
A.	I	III	IV	II
B.	II	IV	I	III
C.	III	I	IV	II
D.	III	IV	II	I

27. भारत सरकार द्वारा शुरू किया गया स्वयं (SWAYAM) कार्यक्रम का उद्देश्य है:

(*a*) उत्तम गुणवत्ता वाली विषय-वस्तु बनाने और प्रदान किए जाने को सुनिश्चित करना।

(*b*) नाममात्र कीमत पर गुणवत्तापूर्ण सामग्री प्रदान करना।

(*c*) कक्षा-IX से परास्नातक तक सभी कक्षाओं को पढ़ाना।

(*d*) विद्यार्थियों का लगातार मूल्यांकन और उपाधि प्रदान करना।

(*e*) किसी के द्वारा, कहीं से, किसी भी समय पहुँच में होना।

नीचे दिए गए विकल्पों में से सही उत्तर का चयन कीजिए:

A. केवल (*a*), (*b*) और (*c*)
B. केवल (*a*), (*c*) और (*d*)
C. केवल (*a*), (*c*) और (*e*)
D. केवल (*b*), (*c*) और (*d*)

28. RAM निम्नलिखित में से किस पर होती है?

A. हार्ड डिस्क B. एक्सटेंशन बोर्ड
C. मदरबोर्ड D. यू.एस.बी.

29. निम्नलिखित में से कौन-से कथन सही हैं?

(*a*) NKN–New Knowledge Network का संक्षिप्त रूप है।

(*b*) MOOCs ऑफ लाइन पाठ्यक्रम हैं।

(*c*) नेशनल सुपर कम्प्युटिंग मिशन भारत सरकार की एक पहल है।

(*d*) सी.पी.यू. का क्लॉक रेट गीगाबाइट्स में मापा जाता है।

(*e*) परम शिवाय एक सुपर कम्प्यूटर है।

नीचे दिए गए विकल्पों में से सही उत्तर चुनिए:

A. केवल (*c*) और (*e*)
B. केवल (*b*) और (*c*)
C. केवल (*c*) और (*d*)
D. केवल (*a*) और (*e*)

30. नीचे दो कथन दिए गए हैं:

कथन I : कैश मेमोरी रैंडम एक्सेस मेमोरी से तेज होती है।

कथन II : रैंडम एक्सेस मेमोरी कैश मेमोरी की तुलना में, प्रोसेसर के कहीं अधिक निकट होती है।

उपर्युक्त कथनों के आलोक में निम्नांकित विकल्पों में से सर्वाधिक उपयुक्त उत्तर चुनें:

A. कथन I और II दोनों सही हैं।
B. कथन I और II दोनों सही नहीं हैं।
C. कथन I सही है, किन्तु कथन II सही नहीं है।
D. कथन I सही नहीं है, किन्तु कथन II सही है।

31. निम्नलिखित में से कौन-सा वेब ब्राउजर नहीं है?

A. फायरफॉक्स B. फेसबुक
C. क्रोम D. सफारी

32. यू.आर.एल. है:

A. यूनिवर्सल रिसोर्स लोकेशन
B. यूनिवर्सल रेस्पांस लोकेटर
C. यूनिफाइड रेस्पांस लोकेशन
D. यूनिफॉर्म रिसोर्स लोकेटर

33. भारत सरकार के 'डिजिटल इंडिया' पहल के परिप्रेक्ष्य में निम्नलिखित में से कौन-सा कथन सही है/हैं?

(*a*) भारतीय राष्ट्रीय डिजिटल पुस्तकालय (एन.डी.एल. इंडिया) अकादमिक संस्थानों में संग्रहित विधिवत डिजिटीकृत समस्त अकादमिक पुस्तकारों का एक 24 × 7 ऑनलाइन भंडार कोष है।

(*b*) राष्ट्रीय अकादमिक निक्षेपागार (एन.डी.ए.) एक पूर्ण रूप से डिजिटल पुस्तकालय है जिसमें नागरिकों के लिए प्रासंगिक विभिन्न प्रकार की डिजिटल विषय-वस्तु से संबंधित सूचना (मेटा डाटा) का भंडारण होताहै।

सही विकल्प चुनिए:

A. केवल (*a*)
B. केवल (*b*)
C. (*a*) और (*b*) दोनों
D. न तो (*a*) और न ही (*b*)

34. निम्नलिखित में से उस विकल्प को चुनें जिसमें सिर्फ ऑप्टिकल स्टोरेज मीडिया शामिल है?

A. यू.एस.बी. मेमोरी स्टिक, ब्लू-रे डिस्क, सी.डी.-रॉम, डी.वी.डी.
B. डी.वी.डी., सी.डी.-रॉम, यू.एस.बी. मेमोरी स्टिक, सी.डी.-आर. डब्ल्यू.
C. हार्ड डिस्क, यू.एस.बी. मेमोरी स्टिक, सी.डी.-रॉम, डी.वी.डी.
D. डी.वी.डी., सी.डी.आर., ब्लू-रे डिस्क, सी.डी.-आर. डब्ल्यू.

35. निम्नलिखित में से कौन-सा/से कथन सही है/हैं?

(*a*) www नेटवर्कों का एक नेटवर्क है जो प्रथमतः चार कम्प्यूटर नोडों के साथ शुरू हुआ था।

(*b*) www इंटरनेट पर चलने वाली एक सेवा है।

सही विकल्प चुनिए:

A. केवल (*a*)
B. केवल (*b*)
C. (*a*) और (*b*) दोनों
D. न तो (*a*) और न ही (*b*)

36. नीचे दो कथन दिए गए हैं, एक को अभिकथन (A) और दूसरे को तर्क (R) कहा जाता है:

अभिकथन (A) : सूचना प्रौद्योगिकी भारत में तेजी से एक अत्यंत महत्वपूर्ण क्षेत्र बनती जा रही है।

तर्क (R) : सॉफ्टवेयर भारत के प्रमुख निर्यातों में से एक है और इसके अलावा भारत का हार्डवेयर में काफी मजबूत आधार है।

उपर्युक्त दोनों कथनों के आलोक में सही विकल्प चुनें:

A. (A) और (R) दोनों सही हैं और (R), (A) की सही व्याख्या है।
B. (A) और (R) दोनों सही हैं किंतु (R), (A) की सही व्याख्या नहीं है।
C. (A) सही है, किंतु (R) गलत है।
D. (A) गलत है, किंतु (R) सही है।

37. निम्नलिखित में से कौन सर्च इंजन है?

A. फ्लैश
B. फायर फॉक्स
C. इन्टरनेट एक्सप्लोरर
D. गूगल

38. सूचना प्रौद्योगिकी (आई. टी.) का वह उपयोग जिसे समाज की आवश्यकताएं पूरी करने हेतु सरकार की क्षमता में सुधार करने के लिए किया जाता है, कहलाता है:

A. ई-आधार
B. ई-प्रशासन
C. ई-शासन
D. ई-विपणन

39. वेब पेज के निर्माण हेतु निम्नलिखित में से किसे उपयोग किया जाता है?

A. एच.टी.टी.पी.
B. यू.आर.एल.
C. एफ.टी.पी.
D. एच.टी.एम.एल.

40. वह कौन-सी योजना है जिसका उद्देश्य अभियांत्रिकी विज्ञान में शोध को बढ़ावा देकर संस्थानों में शोध का वातावरण तैयार करना है?

A. ई-शोध सिन्धू
B. उद्यमिता विकास प्रकोश
C. शोध संवर्धन योजनाएँ (आर.पी.एस.)
D. संस्थान विकास योजना

41. सी.पी.यू. के दो मुख्य अवयव हैं :

A. कन्ट्रोल यूनिट और ए.एल.यू.
B. ए.एल.यू. और बस
C. कन्ट्रोल यूनिट और रजिस्टर
D. रजिस्टर और मेन मेमोरी

42. ज्वाइंट फोटोग्राफिक एक्सपर्ट्स ग्रुप (जे.पी.ई.जी.) का उपयोग किसे कम्प्रेस करने के लिए किया जाता है?

A. म्यूजिक
B. वीडियो
C. इमेज
D. फ्रेम

43. निम्नलिखित में से कौन-सा युग्म कम्प्यूटर के संबंध में अल्पतम रूप में मेल खाता है?

A. 1 गीगाबाइट : (1024) × (1024) × (1024) बाइट्स
B. एल.सी.डी. : लाइट क्रिस्टल डिस्प्ले
C. यू.एस.बी. : यूनिवर्सल सीरियल बस
D. जी.यू.आई. : ग्राफिकल यूजर इंटरफेस

44. अमित ने एक डी.वी.डी.-आर.डब्ल्यू. या डी.वी.डी.- आर. में से किसी एक के उपयोग का निर्णय किया है। उन कथनों को चुनिए, जो भंडारण उपस्करों के मामले में सही हैं।

P : डी.वी.डी.-आर. और डी.वी.डी.-आर.डब्ल्यू. दोनों को केवल पढ़ा जाता है।
Q : डी.वी.डी.-आर. पर केवल एक बार लिखा जा सकता है।
R : डी.वी.डी.-आर.डब्ल्यू. पर अनेक बार लिखा जा सकता है।
S : डी.वी.डी.-आर और डी.वी.डी.-आर.डब्ल्यू. दोनों पर केवल एक बार लिखा जा सकता है।

A. केवल P
B. केवल S
C. केवल P और R
D. केवल Q और R

45. निम्नलिखित सूची में कम्प्यूटर नेटवर्क्स के विभिन्न प्रकारों को दर्शाया गया है। इन्हें अंतर्निहित जिओग्राफिकल स्पेस के आधार पर आरोही क्रम में व्यवस्थित कीजिए।

A. एल.ए.एन., डब्ल्यू.ए.एन., एम.ए.एन.
B. डब्ल्यू.ए.एन., एल.ए.एन., एम.ए.एन.
C. एम.ए.एन., एल.ए.एन., डब्ल्यू.ए.एन.
D. एल.ए.एन., एम.ए.एन., डब्ल्यू.ए.एन.

46. कम्प्यूटर पेरीफेरल्स कम्प्यूटर से जुड़े बाह्य उपस्कर होते हैं। किस सूची में केवल इनपुट पेरीफेरल्स दिए गएहैं?

A. स्पीकर्स, स्कैनर्स, माउस, मॉडम
B. कीबोर्ड, प्रोजेक्टर, माउस, फ्लैश ड्राइव
C. माइक्रोफोन्स, ट्रैक-बॉल माउस, स्कैनर, टच स्क्रीन
D. लैजर प्रिन्टर, ग्राफिक टैबलेट, बार कोड रीडर, हार्ड डिस्क

47. निम्नलिखित स्प्रेडशीट (एम.एस.- एक्सेल) को पढ़िए:

एक्सेल स्प्रेडशीट

	A	B	C
1	10	16	
2	20		
3	8		
4	12		
5	0		

सेल B2 में समीकरण है = A2 + B1

इसके बाद समीकरण को कॉपी किया जाता है और B3, B4 और B5 में पेस्ट कर दिया जाता है। B5 का मान क्या होना चाहिए?

A. 36 B. 24
C. 44 D. 56

48. आई.सी.टी. शब्द पद के बारे में निम्नलिखित में से कौन-सा/कौन-से कथन **सही** है/हैं?

P : आई.सी.टी. प्रथमाक्षरी नाम है, जिसका पूरा नाम इंडियन क्लासीकल टेक्नोलॉजी है।

Q : आई.सी.टी. के अंतर्गत वे परिणामी प्राविधिकी सम्मिलित हैं जिनके अंतर्गत श्रव्य-दृश्य, दूरभाष और कम्प्यूटर (संगणक) नेटवर्क एक साथ समान केबलिंग प्रणाली द्वारा संयोजित किए जाते हैं।

A. केवल P
B. केवल Q
C. P और Q
D. न तो P और न ही Q

49. एक नए लैपटॉप का निर्माण किया गया है, जिसका भार कम है और अधिक लघु है तथा अपने पूर्ववर्ती मॉडल्स की तुलना में कम बिजली का उपयोग होता है।

इसको बनाने में निम्नलिखित में से किस प्रौद्योगिकी का उपयोग किया गया है?

A. यूनिवर्सल सीरियल बस माउस
B. फास्टर रैन्डम एक्सेस मेमोरी
C. ब्ल्यू रे ड्राइव
D. सोलिड स्टेट हार्ड ड्राइव

50. निम्नलिखित इमेल फील्ड्स में से 'स्वामी' को संदेश मिलने पर वह कौन से ईमेल पतों को जान सकेगा?

To... राम@टेस्ट.कॉम
Cc... राज@टेस्ट.कॉम; रवि@टेस्ट.कॉम
Bcc... स्वामी@टेस्ट.कॉम; रामा@टेस्ट.कॉम

A. राम@टेस्ट.कॉम
B. राम@टेस्ट.कॉम; राज@टेस्ट.कॉम; रवि@टेस्ट.कॉम
C. राम@टेस्ट.कॉम; रामा@टेस्ट.कॉम
D. राम@टेस्ट.कॉम; रामा@टेस्ट.कॉम; राज@टेस्ट.कॉम; रवि@टेस्ट.कॉम

51. भंडारण की निम्नलिखित इकाइयों को सही क्रम में रखिए, जिसमें पहले लघुतम इकाई से प्रारम्भ करते हुए दीर्घतम इकाई की ओर चलते जाएं:

(*a*) किलोबाइट (*b*) बाइट
(*c*) मेगाबाइट (*d*) टेराबाइट
(*e*) गीगाबाइट (*f*) बिट

निम्नलिखित कूट से अपना उत्तर दीजिए:

A. (*f*), (*b*), (*a*), (*c*), (*d*), (*e*)
B. (*f*), (*b*), (*a*), (*d*), (*e*), (*c*)
C. (*f*), (*b*), (*a*), (*c*), (*e*), (*d*)
D. (*f*), (*b*), (*a*), (*d*), (*c*), (*e*)

52. कम्प्यूटर मेमोरी के बारे में निम्नलिखित में से कौन-सा/कौन-से कथन **सही** है/हैं?

P : रीड ओनली मेमोरी (ROM) 'वॉलेटाइल' मेमोरी है।
Q : रैन्डम एक्सेस मेमोरी (RAM) 'वॉलेटाइल' मेमोरी है।
R : सेकन्डरी मेमोरी 'वॉलेटाइल' मेमोरी है।

A. केवल P B. केवल Q
C. केवल P और Q D. केवल P और R

53. भारत में नागरिक-केन्द्रित प्रशासन में निम्नलिखित में से कौन-सी बाधाएँ हैं?

(*a*) सरकारी नौकरशाहों की सख्त और अनम्य अभिवृत्ति
(*b*) कानूनों और नियमों का अप्रभावी कार्यान्वयन
(*c*) नागरिकों के अधिकारों और कर्तव्यों के बारे में जागरूकता
(*d*) युवाओं के लिए नौकरी के अवसरों का अभाव

नीचे दिए गए कूट में से **सही** उत्तर को चुनिए:

A. (*a*), (*b*), (*c*) और (*d*)
B. केवल (*a*), (*b*) और (*c*)
C. केवल (*a*), (*b*) और (*d*)
D. केवल (*a*) और (*b*)

54. वेब-पृष्ठ पते (एड्रेस) के लिए क्या नाम है?

A. डोमेन B. डायरेक्ट्री
C. प्रोटोकॉल D. यू.आर.एल.

55. डाटा भंडारण के अधिक्रम में शामिल हैं:

A. बाइट्स, बिट्स, फील्ड्स, रिकॉर्ड्स, फाइलें तथा डाटाबेसेज
B. बिट्स, बाइट्स, फील्ड्स, रिकॉर्ड्स, फाइलें तथा डाटाबेसेज
C. बिट्स, बाइट्स, रिकॉर्ड्स, फील्ड्स, फाइलें तथा डाटाबेसेज
D. बिट्स, बाइट्स, फील्ड्स, फाइलें, रिकॉर्ड्स तथा डाटाबेसेज

56. निम्नलिखित डोमेनों में किसे अनुलाभकारी व्यापार हेतु प्रयोग किया जाता है?

A. .ओआरजी (.org) B. .एनईटी (.net)

C. .ईडीयू (.edu) D. .सीओएम (.com)

57. कम्प्यूटर से सम्बन्धित कार्यों में प्रयोग हेतु यू.एस.बी. का पूरा रूप क्या है?

A. अल्ट्रा सिक्योरिटी ब्लॉक

B. यूनिवर्सल सिक्योरिटी ब्लॉक

C. यूनिवर्सल सीरियल बस

D. यूनाइटेड सीरियल बस

58. निम्नलिखित में से कौन-सा एक अरब (बिलियन) कैरेक्टर्स प्रदर्शित करता है?

A. टेराबाइट्स B. मेगाबाइट्स

C. किलोबाइट्स D. गीगाबाइट्स

59. निम्नलिखित दोनों कथनों को पढ़ें:

I: सूचना एवं संचार प्रौद्योगिकी (आई.सी.टी.) को सूचना प्रौद्योगिकी (आई.टी.) का उपसमुच्चय माना जाता है।

II: सॉफ्टवेयर के किसी हिस्से के 'उपयोग-अधिकार' को कॉपी-राइट (सर्वाधिकार सुरक्षित) कहा जाता है।

उपरोक्त कथनों में से कौन कथन सही है/हैं?

A. दोनों I तथा II B. न ही I, न ही II

C. केवल II D. केवल I

60. निम्नलिखित में से कौन-सा कम्प्यूटर मेमोरी प्रकारों में से उच्चतम से न्यूनतम गति (स्पीड) को सूचीबद्ध करता है?

A. सेकेंडरी स्टोरेज, मेन मेमोरी (आर.ए.एम.), कैशे मेमोरी, सी.पी.यू. रजिजस्टर्स

B. सी.पी.यू. रजिस्टर्स, कैशे मेमोरी, सेकेंडरी स्टोरेज, मेन मेमोरी (आर.ए.एम.)

C. सी.पी.यू. रजिस्टर्स, कैशे मेमोरी, मेन मेमोरी (आर.ए.एम.), सेकेंडरी स्टोरेज

D. कैशे मेमोरी, सी.पी.यू. रजिस्टर्स, मेन मेमोरी (आर.ए.एम.); सेकेंडरी स्टोरेज

61. निम्नलिखित में से वेब 2.0 अनुप्रयोगों की कौन-सी विशेषता है?

A. एक से अधिक प्रयोगकर्ता वेब 2.0 के अनुप्रयोग के लिए एक समय पर केवल एक अपना समय निर्धारित करते हैं।

B. वेब 2.0 का अनुप्रयोग लोगों को आपस में मिलकर ऑनलाइन सूचना का आदान-प्रदान करने की क्षमता पर केंद्रित होते हैं।

C. वेब 2.0 का अनुप्रयोग विषय प्रदान कराता है न कि उसकी संरचना के लिए सुकारक होता है।

D. वेब 2.0 अनुप्रयोग केवल अपरिवर्तनीय पृष्ठों का उपयोग करता है।

62. वर्ड प्रोसेसिंग सॉफ्टवेयर के संदर्भ में, एक समाहित प्रकाशन बनाने हेतु डाटा स्रोत में परिवर्ती सूचना के साथ प्रकाशन में अपरिवर्तनीय सूचनाओं के संयोजन के प्रक्रम को जाना जाता है

A. इलेक्ट्रॉनिक मेल

B. डाटा सोर्सिंग

C. मेल मर्ज

D. स्पैम मेल

63. 'डी.वी.डी.' प्रौद्योगिकी में डिजिटल डाटा के भंडारण के लिए ऑप्टिकल मीडिया का उपयोग किया जाता है। 'डी.वी.डी.' परिवर्णी किसके लिये हैं?

A. डिजिटल वेक्टर डिस्क

B. डिजिटल वॉल्यूम डिस्क

C. डिजिटल वर्सेटाइल डिस्क

D. डिजिटल विजुअलाइजेशन डिस्क

64. यह कथन—"कम्प्यूटर आधारित सूचना प्रणाली का अध्ययन, अभिकल्प, विकास, क्रियान्वयन, प्रायोजन या प्रबंधन, विशेषतः सॉफ्टवेयर अनुप्रयोगों और कम्प्यूटर हार्डवेयर" संबंधित है

A. सूचना प्रौद्योगिकी (आई.टी.) से।

B. सूचना और प्रतिभाग आधारित प्रौद्योगिकी (आई.सी.टी.) से।

C. सूचना और प्रदत्त प्रौद्योगिकी (आई.डी.टी.) से।

D. कृत्रिम बुद्धि (ए.आई.) से।

65. सी.डी. रॉम में फाइल को कॉपी करने की प्रक्रिया को ऐसे जाना जाता है:

A. बर्निंग B. जिप्पिंग

C. डिजिटाइजिंग D. रिप्पिंग

66. कई प्राप्तकर्ताओं को तुरंत भेजा गया अयाचित ई-मेल को कहा जाता है:

A. वॉर्म B. वाइरस

C. थ्रेट D. स्पाम

67. .... मेमोरी सर्किट्री का एक प्रकार है, जो कम्प्यूटर के स्टार्ट-अप रुटीन को धारण करता है।

A. आर.आई.एम. (रीड इनीशियल मेमोरी)

B. आर.ए.एम. (रेंडम एक्सेस मेमोरी)

C. आर.ओ.एम. (रीड ओनली मेमोरी)

D. कैशे मेमोरी

68. ए.एस.सी.आई.आई. एक कैरेक्टर एन-कोडिंग स्कीम है, जो वैयक्तिक कम्प्यूटर द्वारा नियोजित की जाती है ताकि ऐसे विभिन्न कैरेक्टरों, संख्याओं और नियंत्रण कुंजियों को व्यक्त किया जा सके, जिनका कम्प्यूटर प्रयोक्ता की-बोर्ड पर चयन करता है, ए.एस.सी.आई.आई. .... के लिए एक एक्रोनिम (परिवर्णी) है।

A. सूचना के अंतर्विनिमय के लिए अमरीकी मानक कोड
B. बुद्धिमत्तापूर्ण सूचना के लिए अमरीकी मानक कोड
C. सूचना की सत्यनिष्ठा के लिए अमरीकी मानक कोड
D. पृथक् सूचना के लिए अमरीकी मानक कोड

69. एन.एम.ई.आई.सी.टी. का अर्थ है:
A. नेशनल मिशन ऑन एजुकेशन थ्रू आई.सी.टी.
B. नेशनल मिशन ऑन ई-गवर्नेंस थ्रू आई.सी.टी.
C. नेशनल मिशन ऑन ई-कॉमर्स थ्रू आई.सी.टी.
D. नेशनल मिशन ऑन ई-लर्निंग थ्रू आई.सी.टी.

70. निम्नलिखित में से कौन एक इन्सटेंट मैसेजिंग एप्लीकेशन है?
(*a*) व्हाट्सऐप (*b*) गूगल टॉक
(*c*) वाइबर

नीचे दिए गए कूट में से **सही** उत्तर का चयन कीजिए:
A. केवल (*a*) और (*b*) B. केवल (*b*) और (*c*)
C. केवल (*a*) D. (*a*), (*b*) और (*c*)

71. एक कम्प्यूटर में एक बाइट में सामान्यतः शामिल होते हैं:
A. 4 बिट्स B. 8 बिट्स
C. 16 बिट्स D. 10 बिट्स

72. निम्नलिखित में से कौन निवेशी (इनपुट) डिवाइस **नहीं** है?
A. माइक्रोफोन B. कीबोर्ड
C. जॉयस्टिक D. मॉनीटर

73. निम्नलिखित में से कौन ओपन सोर्स सॉफ्टवेयर है?
A. एम.एस. वर्ड B. विंडोज
C. मोजिल्ला फायरफॉक्स D. एक्रोबैट रीडर

74. निम्नलिखित में से कौन हमें एक ही पत्र को एम.एस. वर्ड में विभिन्न व्यक्तियों को भेजने में समर्थ बनाता है?
A. मेल ज्वाइन B. मेल कॉपी
C. मेल इंसर्ट D. मेल मर्ज

75. नेटवर्क के आर-पार ट्रांसमिशन के लिए आंकड़ों को कूटबद्ध करना या गडमड करना क्या कहलाता है?
A. सुरक्षा B. अवगमन
C. कोडीकरण D. विकोडीकरण

76. निम्नलिखित में से कौन-सी निर्गम युक्ति **नहीं** है?
A. प्रिंटर B. स्पीकर
C. मॉनीटर D. की-बोर्ड

77. निम्नलिखित में से कौन-सी एक अरब अक्षरों का प्रतिनिधित्व करती है?
A. किलोबाइट B. मेगाबाइट
C. गिगाबाइट D. टेराबाइट

78. निम्नलिखित में से कौन निशुल्क स्रोत साफ्टवेयर **नहीं** है?
A. इंटरनेट एक्सप्लोरर B. फेडोरा लाइनैक्स
C. ओपन ऑफिस D. अपाचे एच.टी.टी.पी. सर्वर

79. निम्नलिखित में से कौन-सी दशमलव संख्या 25 का दोहरा समानार्थी (बाइनरी इक्विवेलेंट) है?
A. 10101 B. 01101
C. 11001 D. 11011

80. बातचीत (चैटिंग) के लिए कौन-सा इस्टैंट मैसेंजर प्रयुक्त होता है?
A. अल्टाविस्टा B. एम.ए.सी.
C. माइक्रोसॉफ्ट ऑफिस D. गूगल टॉक

81. A-F तक के प्रतीकों को निम्नलिखित में से किसमें प्रयोग किया गया है?
A. द्विआधारी अंक प्रणाली
B. दशमलव अंक प्रणाली
C. षडदशमलव अंक प्रणाली
D. अष्टभुजा अंक प्रणाली

82. निम्नलिखित में से कौन-सा सर्च इंजन नहीं है?
A. गूगल B. क्रोम
C. याहू D. बींग

83. CSS का सम्पूर्ण रूप है
A. Cascading Style Sheets
B. Collecting Style Sheets
C. Comparative Style Sheets
D. Comprehensive Style Sheets

84. MOOC का पूर्ण रूप है
A. Media Online Open Course
B. Massachusetts Open Online Course
C. Massive Open Online Course
D. Myrind Open Online Course

85. दशमलव अंक 35 का द्विआधारी समतुल्य है
A. 100011 B. 110001
C. 110101 D. 101011

86. gif, jpg, bmp, png का प्रयोग फाइल्स के विस्तार के रूप में किया जाता है, जो भंडारण करती हैं
A. ऑडियो डाटा B. इमेज डाटा
C. वीडियो डाटा D. टैक्स्ट डाटा

87. निम्नलिखित में से कौन-सा फाइल प्रकार कारकों छाया/बिन्दुरेखन नहीं है?
A. पीएनजी B. जीआईएफ
C. बीएमपी D. जीयूआई

88. प्रथम वेब ब्राउसर है

A. इण्टरनेट एक्सप्लोरर B. नेटस्केप
C. वर्ल्ड वाइड वेब D. फायरफॉक्स

89. जब कम्प्यूटर बूटिंग कर रहा हो, तो मेमोरी में बीआईओएस किसके द्वारा लोड किया जा रहा होता है?

A. आरएएम (RAM)
B. आरओएम (ROM)
C. सीडी-आरओएम (CD-ROM)
D. टीसीपी (TCP)

90. निम्नलिखित में से कौन-सा बाकी के तीन के समान नहीं है?

A. एमएसी एड्रेस B. हार्डवेयर एड्रेस
C. फिजीकल एड्रेस D. आईपी एड्रेस

91. निम्नलिखित में से आईपी एड्रेस की पहचान कीजिए:

A. 300 · 215 · 317 · 3
B. 302 · 215 @ 417 · 5
C. 202 · 50 · 20 · 148
D. 202 - 50 - 20 - 148

92. एफटीपी—इसका संक्षिप्त रूप से क्या भाव है?

A. फाइल स्थानान्तरण प्रोटोकॉल
B. त्वरित स्थानान्तरण प्रोटोकॉल
C. फाइल परिमार्जन प्रोटोकॉल
D. फाइल स्थानान्तरण प्रक्रिया

93. 'डब्ल्यू. डब्ल्यू. डब्ल्यू.' से तात्पर्य है:

A. वर्क विद् वैब B. वर्ड वाइड वैब
C. वर्ल्ड वाइड वैब D. वर्थ व्हाइल वैब

94. एक हार्ड डिस्क ट्रैक्स में विभाजित होती है, जिसे निम्नलिखित में और उपविभाजित किया जाता है:

A. कलस्टर्स B. सैक्टर्स
C. वैक्टर्स D. हैड्स

95. ऐसा कंप्यूटर प्रोग्राम, जो किसी प्रोग्राम को वक्तव्य वार मशीनी भाषा में अनूदित करता है, उसे कहते हैं:

A. कंपाइलर B. सिमुलेटर
C. ट्रांसलेटर D. इन्टरप्रैटर

96. एक गिगाबाइट निम्नलिखित के बराबर होता है:

A. 1024 मेगाबाइट्स B. 1024 किलोबाइट्स
C. 1024 टेराबाइट्स D. 1024 बाइट्स

97. कम्पाइलर एक ऐसा सॉफ्टवेयर होता है, जो निम्नलिखित परिवर्तन करता है:

A. करेक्टर्स से बिट्स
B. उच्च स्तरीय भाषा से मशीनी भाषा
C. मशीनी भाषा से उच्च स्तरीय भाषा
D. वर्ड्स से बिट्स

98. वास्तविक मैमरी है:

A. अति विस्तृत मुख्य मेमोरी
B. अति विस्तृत उपप्रधान मेमोरी
C. अति विस्तृत मुख्य मेमोरी का भ्रम
D. मेमोरी का एक प्रकार, जिसका उपयोग सुपर कंप्यूटर में कियां जाता है

99. ए.एल.यू. का अर्थ है :

A. अमेरिकन लॉजिक यूनिट
B. आल्टरनेट लोकल यूनिट
C. आल्टरनेटिंग लॉजिक यूनिट
D. अरिथमेटिक लॉजिक यूनिट

100. एक व्यक्तिगत कम्प्यूटर को जिस सर्किट बोर्ड पर बहुत सारे चिप्स लगे होते हैं, उसे कहते हैं :

A. माइक्रोप्रोसेसर B. सिस्टम बोर्ड
C. डॉटर बोर्ड D. मदर बोर्ड

101. कम्प्यूटर वायरस है:

A. हार्डवेयर B. बैक्टेरिया
C. सॉफ्टवेयर D. इनमें से कोई भी नहीं

102. इनमें से कौन-सा एक सही है?

A. $(17)_{10} = (17)_{16}$
B. $(17)_{10} = (17)_{8}$
C. $(17)_{10} = (10111)_{2}$
D. $(17)_{10} = (10001)_{2}$

103. एम.एस.वर्ड ऑफिस 2007 का फाइल एक्सटेंशन होता है :

A. .pdf B. .doc
C. .docx D. .txt

104. ......एक उपसंधि (प्रोटोकॉल) है जो ई-मेल ग्राहकों को आपके कम्प्यूटर में ई-मेल के डाउनलोड करने के लिए इस्तेमाल होता है।

A. TCP B. FTP
C. SMTP D. POP

105. TCP/IP आवश्यक है यदि एक को निम्नलिखित से संबद्ध किया जाता है :

A. फोन लाइन B. LAN
C. इंटरनेट D. सर्वर

106. कम्प्यूटर के कीबोर्ड पर प्रत्येक कैरेक्टर का ASCII मूल्य/मान होता है जिसका अर्थ होता है:

A. अमेरिकन स्टॉक कोड फॉर इन्फोर्मेशन इंटरचेंज
B. अमेरिकन स्टैन्डर्ड कोड फॉर इन्फोर्मेशन इंटरचेंज
C. अफ्रीकन स्टैन्डर्ड कोड फॉर इन्फोर्मेशन इंटरचेंज
D. एडैपटेबल स्टैन्डर्ड कोड फॉर इन्फोर्मेशन इंटरचेंज

107. निम्नलिखित में से कौन-सी प्रोग्रामिंग भाषा नहीं है?

A. पास्कल　　B. माइक्रोसॉफ्ट ऑफिस

C. जावा　　D. C++

108. कोई 3 अंक दशमलव संख्या का संग्रह (स्टोर) करने के लिये बिट्स (द्वयंक) की न्यूनतम संख्या किसके बराबर है?

A. 3　　B. 5

C. 8　　D. 10

109. इंटरनेट अन्वेषक किस प्रकार का है?

A. प्रचालक पद्धति　　B. कम्पाइलर

C. ब्राउजर　　D. IP पता (एड्रेस)

110. POP3 तथा IMAP ई-मेल अकाउंट हैं जिसमें:

A. एक अपने आप ही प्रतिदिन अपनी मेल पाता है।

B. एक को अपनी मेल पढ़ने के लिये सर्वर से सम्बन्धित होना पड़ता है।

C. एक को ई-मेल भेजने तथा प्राप्त करने के लिये केवल सर्वर से सम्बन्धित होना पड़ता है।

D. एक को किसी टेलीफोन लाइन की जरूरत नहीं है।

111. मोबाइल फोन पर निम्नलिखित में से कौन सी प्रचालन पद्धति उपयोग की जाती है?

A. विंडो विस्टा　　B. एण्ड्रॉयड

C. विंडोस XP　　D. उपर्युक्त सभी

112. उच्च स्तरीय प्रोग्रामिंग भाषा को निम्नांकित में से किसका उपयोग करके मशीन भाषा में बदला जा सकता है?

A. ऑरिकल　　B. कॅम्पाइलर

C. मैट लैब　　D. ॲसेम्बलर

113. HTML (एच.टी.एम.एल.) का उपयोग क्या बनाने के लिये किया जाता है?

A. मशीन भाषा प्रोग्राम　　B. उच्च स्तर का प्रोग्राम

C. वेब पेज　　D. वेब सर्वर

114. DNS (डी. एन. एस.) पद का तात्पर्य है

A. डोमेन नेम सिस्टम

B. डिफेंस न्यूक्लियर सिस्टम

C. डाऊनलोडेबल न्यू सॉफ्टवेयर

D. डिपेंडेंट नेम सर्वर

115. IPv4 और IPv6 पते (एड्रेस) हैं, जिनका उपयोग इंटरनेट पर कम्प्यूटरों को पहचान करने के लिए किया जाता है। निम्नलिखित में से सही कथन ज्ञात कीजिये:

A. IPv4 के लिये अपेक्षित बिट्स की संख्या IPv6 एड्रेस के लिये अपेक्षित बिट्स की संख्या से ज्यादा है।

B. IPv4 एड्रेस के लिये अपेक्षित बिट्स की संख्या IPv6 एड्रेस के लिये अपेक्षित बिट्स की संख्या के जितनी है।

C. IPv4 एड्रेस के लिये अपेक्षित बिट्स की संख्या IPv6 एड्रेस के लिये अपेक्षित बिट्स की संख्या से कम होती है।

D. IPv4 एड्रेस के लिये अपेक्षित बिट्स 64 होते हैं।

116. चिह्नित परिमाण प्रणाली में $(-19)_{10}$ का द्वि-आधारी समतुल्य है

A. 11101100　　B. 11101101

C. 10010011　　D. उपरोक्त में से कोई नहीं

117. इन्टरनेट की भाषा में DNS का अर्थ है

A. डायनामिक नेम सिस्टम　　B. डोमेन नेम सिस्टम

C. डिस्ट्रीब्यूटेड नेम सिस्टम　　D. इनमें से कोई नहीं

118. एच टी एम एल (HTML) इंगित करता है

A. हाइपर टेक्सट मार्कअप लैंग्विज

B. हाइपर टेक्सट मैनिपुलेशन लैंग्विज

C. हाइपर टेक्सट मैनेजिंग लिंक्स

D. हाइपर टेक्सट मैनिपुलेटिंग लिंक्स

119. निम्न में से कौनसा LAN का प्रकार है?

A. इथरनेट　　B. टोकन रिंग

C. एफ डी डी आई　　D. उपर्युक्त सभी

120. निम्नलिखित कथनों में से कौन सा सही है?

A. स्मार्ट कार्डों को प्रचालन-प्रणाली की आवश्यकता नहीं।

B. स्मार्ट कार्ड तथा पी.सी. किसी प्रकार की प्रचालन प्रणाली का प्रयोग करते हैं।

C. COS एक स्मार्ट कार्ड प्रचालन प्रणाली है।

D. प्रवाचक तथा कार्ड के मध्य संचार सम्पूर्ण द्विस्तरी विधि के रूप में होता है।

121. निम्नलिखित में से कौन-सा इंटरनेट सर्विस प्रोवाइडर (ISP) नहीं है?

A. MTNL (एम.टी.एन.एल.)

B. BSNL (बी.एस.एन.एल.)

C. एरनेट इंडिया (ई.आर.एन.ई.टी. इंडिया)

D. इन्फोटेक इंडिया लिमिटेड

122. $(-15)_{10}$ का दोहरा तुल्यमान (2′ की पूरक पद्धति का उपयोग किया है) है

A. 11110001　　B. 11110000

C. 10001111　　D. कोई भी नहीं

123. 1 GB बराबर है

A. 2^{30} बिट्स के　　B. 2^{30} बाइट्स के

C. 2^{20} बिट्स के　　D. 2^{20} बाइट्स के

124. कम्प्यूटर के हार्डवेयर/सॉफ्टवेयर को संचालित करने वाले कम्प्यूटर प्रोग्रामों का समुच्चय क्या कहलाता है?

A. कॉम्पाइलर सिस्टम　　B. ऑपरेशन सिस्टम

C. ऑपरेटिंग सिस्टम　　D. कोई भी नहीं

125. इंटरनेट प्रौद्योगिकी में S/MIME का तात्पर्य है
A. सिक्योर मल्टीपरपज इंटरनेट मेल एक्सटेंशन
B. सिक्योर मल्टीमीडिया इंटरनेट मेल एक्सटेंशन
C. सिम्पल मल्टीपरपज इंटरनेट मेल एक्सटेंशन
D. सिम्पल मल्टीमीडिया इंटरनेट मेल एक्सटेंशन

126. एक विशिष्ट 32-बिट कम्प्यूटर में प्रायः किस संख्या विधि का अनुसरण किया जाता है?
A. 2 B. 8
C. 10 D. 16

127. निम्नलिखित में से परिचालन विधि (ऑपरेटिंग सिस्टम) का उदाहरण कौन सा है?
A. माइक्रोसॉफ्ट वर्ड B. माइक्रोसॉफ्ट एक्सल
C. माइक्रोसॉफ्ट एक्सेस D. माइक्रोसॉफ्ट विंडोज

128. निम्नलिखित में से कौन-सा दशमलव संख्या 23 का दोहरा समानार्थी (बाइनरी इक्विवेलेंट) है?
A. 01011 B. 10111
C. 10011 D. उपरोक्त में से कोई नहीं

129. निम्नलिखित में से कौन-सा अन्य से भिन्न है?
A. गूगल B. विंडोज
C. लाइनेक्स D. मैक

130. एक कम्प्यूटर अपने डाटा में कहाँ पर कुछ जोड़ता है और उसकी तुलना करता है?
A. सी पी यू B. मेमोरी
C. हार्ड डिस्क D. फ्लॉपी डिस्क

131. इंटरनेट वाले कम्प्यूटरों की पहचान किससे होती है?
A. ई-मेल एड्रेस B. स्ट्रीट एड्रेस
C. आई पी एड्रेस D. उपरोक्त में से कोई नहीं

132. निम्न में से कौन सा इन्टरनेट की सूचना सुरक्षा से सम्बन्धित **नहीं** है?
A. डेटा एन्क्रिप्सन B. वाटर मार्किंग
C. डाटा हाइडिंग D. इंफार्मेशन रिट्राइवल

133. निम्न में से भण्डारण की सबसे बड़ी इकाई कौन सी है?
A. टेरा बाइट B. मेगा बाइट
C. किलो बाइट D. गिगा बाइट

134. bit का तात्पर्य है
A. बाइनरी इंफार्मेशन टर्म B. बाइनरी डिजिट
C. बाइनरी ट्री D. बायवेरिएट थ्योरी

135. निम्नलिखित में से कौन-सी रैखिक डेटा संरचना **नहीं** है?
A. एरे B. बाइनरी ट्री
C. क्यू D. स्टेक

136. निम्नलिखित में से कौन-सी नेटवर्क उपकरण **नहीं** है?
A. राउटर B. स्विच
C. हब D. सी.पी.यू

137. एक कम्पाइलर का प्रयोग निम्न को ऑबजैक्ट कोड में बदलने के लिए किया जाता है?
A. उच्च स्तरीय भाषा B. निम्न स्तरीय भाषा
C. असैम्बली भाषा D. प्राकृतिक भाषा

138. फायरवाल्स व्यवस्था निम्न में से किसे सुरक्षा प्रदान करने के लिए उपयोग में लिया जाता है?
A. अनाधिकृत प्रहार B. वायरस प्रहार
C. डाटा ड्राइवर प्रहार D. अग्नि प्रहार

139. निम्नलिखित में कौन सी कम्प्यूटर भाषा **नहीं** है?
A. पास्कल (PASCAL) B. यूनिक्स (UNIX)
C. फोरट्रान (FORTRAN) D. कोबोल (COBOL)

140. एक की बोर्ड में कम से कमः
A. 91 कुंजी होती है B. 101 कुंजी होती है
C. 111 कुंजी होती है D. 121 कुंजी होती है

141. ई-मेल पता में कितने भाग होते हैं?
A. दो भाग B. तीन भाग
C. चार भाग D. पाँच भाग

142. CorelDraw एक लोकप्रियः
A. चित्रण (Illustration) कार्यक्रम है।
B. प्रोग्रामिंग की भाषा है।
C. टेक्स्ट प्रोग्राम है।
D. उपरोक्त में से कोई भी नहीं।

143. एक अनुप्रयोग से दूसरे अनुप्रयोग में सामग्री का अंतरण कहलाता है :
A. डायनेमिक डिस्क एक्सचेंज
B. डॉजी डेटा एक्सचेंज
C. डॉगमेटिक डेटा एक्सचेंज
D. डायनेमिक डेटा एक्सचेंज

144. सेन्ट्रल प्रोसेसिंग यूनिट (सी.पी.यू.) का कौन सा भाग आकलन करता है और निर्णय लेता है?
A. अरिथमेटिक लॉजिक यूनिट
B. अल्टरनेटिंग लॉजिक यूनिट
C. अल्टरनेट लोकल यूनिट
D. अमेरिकन लॉजिक यूनिट

145. "डी.पी.आई." (DPI) दर्शाता हैः
A. डॉट पर इंच B. डिजिट्स पर यूनिट
C. डॉट्स पिक्सेल इंच D. डाइग्राम्स पर इंच

146. एक प्रलेख का पाठ (text) चित्र, शीर्षक और फोटोग्राफ आदि निम्नलिखित में से किसमें अन्तर्निहित होते हैं?

A. डेक टॉप पब्लिशिंग B. डेस्क टॉप प्रिंटिंग
C. डेस्क टॉप पब्लिशिंग D. डेक टॉप प्रिंटिंग

147. अपनी समस्याओं को बेवसाइट द्वारा प्रसारित करने की प्रक्रिया को कहते हैं:

A. साइबरवेंटिंग B. साइबर रेंटिंग
C. वेब हेट D. वेब प्ली

148. वेब द्वारा अधिक संख्या में ऐसी दस्तावेजों की प्राप्ति जिनमें संबंधित सूचना का अभाव हो, उसे कहा जाता है:

A. क्षीण स्मरण प्रक्रिया (पूअर रिकाल)
B. वेब सरकना (वेब क्रोल)
C. प्रमित विधि की दुर्बलता (पूअर प्रीसिशन रेट)
D. दुर्बल वेब प्रत्युत्तर (पूअर वेब रेसपोंस)

149. सूक्ष्म बौद्धिक क्षमता की अवधारणा कहां से ले गयी है?

A. मूलभूत यथार्थ
B. भ्रांतिमूलक तर्क
C. ब्लूय टूथ तकनीक (ब्लूटूथ टेक्नोलौजी)
D. मूल्य जनित नेटवर्क (वेल्यू एडेड नेटवर्क)

150. सामान्य दूरभाष का व्यवहार एक इंटरनेट उपादेय के प्रकार को कहते हैं:

A. वॉइस नेट B. वॉइस टेलीफोन
C. वॉइस लेन D. वॉइस पोर्टल

151. इन्टरनेट पर वीडियो प्रसारण जो विलम्बित प्रत्यक्ष प्रसार का रूप धारण करता है उसे कहते हैं:

A. वास्तविक वीडियो (वर्चुअल वीडियो)
B. प्रत्यक्ष प्रसारण
C. वीडियो स्थानान्तरण
D. समय मूलक वीडियो

152. रेखा-मार्ग (लाइन-एक्सेस) और टकराव का परिहार मुख्य कार्य है:

A. CPU के B. मॉनिटर के
C. नेटवर्क प्रोटोकाल के D. विस्तृत क्षेत्र नेटवर्क के

153. 'हाइपरमीडिया डाटाबेस' में सूचना 'बिट्स' संग्रहीत होती हैं:

A. सिग्नल्स के रूप में B. क्यूब्स के रूप में
C. नोड्स के रूप में D. सिम्बलस के रूप में

154. संचार पट्टिका विस्तार '(कम्युनिकेशन्स बैण्डविड्थ)' जिसमें सर्वाधिक क्षमता है तथा जो 'माइक्रोवेव' 'केबल' तथा 'फाइबर ऑप्टिक्स लाइन्स' के रूप में प्रयुक्त होता है उसे:

A. 'हाइपर-लिंक' कहा जाता है।
B. 'ब्राडबैण्ड' कहा जाता है।
C. 'बस विड्थ' कहा जाता है।
D. 'कैरियर वेव' कहा जाता है।

155. एक इलेक्ट्रानिक 'बिलबोर्ड' जिसमें संक्षिप्त पाठ या आलेखी (ग्रैफिकल) विज्ञापन संदेश होता है, उसे:

A. 'बुलेटिन' कहा गया है B. 'स्ट्रैप' कहा गया है
C. 'ब्रिज-लाइन' कहा गया है D. 'बैनर' कहा गया है

156. अधोलिखित में कौन कम्प्यूटर का लक्षण नहीं है?

A. कम्प्यूटर 'इलेक्ट्रिक मशीन' है
B. कम्प्यूटर स्वयं नहीं सोच सकता है
C. कम्प्यूटर त्रुटिमुक्त सूचनायें तैयार करता है
D. कम्प्यूटर किसी भी काल तक आंकड़ों को सुरक्षित रखता है

157. आई. सी. टी. सम्बोधित करता है:

A. इन्टरनेशनल कम्युनिकेशन टेक्नोलोजी
B. इन्टरा कॉमन टर्मीनोलोजी
C. इन्फॉर्मेशन एण्ड कम्युनिकेशन टेक्नोलोजी
D. इन्टर कनेक्टेड टर्मिनल्स

158. निम्न में से कौन-सा कथन सही नहीं है?

A. कम्प्यूटर डिजिटल सिगनल को संधारित करने में समर्थ है।
B. कम्प्यूटर संख्यात्मक एवं गुणात्मक जानकारी का विश्लेषण करने में समर्थ है।
C. जानकारी को संधारित करने के लिए उपयुक्त सोफ्टवेयर की जरूरत है।
D. कम्प्यूटर डिजिटल एवं एनालॉग सिग्नल को संधारित करने में समर्थ है।

159. निम्नलिखित में से सूचना प्रौद्योगिकी की उपयुक्त परिभाषा कौन सी है?

A. सूचना को संधारित करने के लिए उपयोग में लाए गये हार्डवेयर और साफ्टवेयर को सूचना प्रौद्योगिकी कहते हैं।
B. लाभकारी सूचना के वितरण के लिए उपयोग में लाए गये हार्डवेयर और साफ्टवेयर को सूचना प्रौद्योगिकी कहते हैं।
C. भिन्न प्रकार की सूचना का संग्रहण, पुनः प्राप्ति, संधारित और वितरण के लिए उपयोग में लाए गये हार्डवेयर और साफ्टवेयर को सूचना प्रौद्योगिकी कहते हैं।
D. भिन्न प्रकार की सूचना को संधारित करने के लिए भौतिक विज्ञान एवं सामाजिक विज्ञान के सिद्धान्तों के उपयोग को सूचना प्रौद्योगिकी कहते हैं।

160. निम्न में से कौन सा कथन सही है?

A. वाइरस कम्प्यूटर के द्वारा सूचना के संधारण की गति को बढ़ा देता है।
B. इन्टरनेट वाइरस को फैलने नहीं देता है।
C. वाइरस साफ्टवेयर का हिस्सा है।
D. वाइरस एक आपरेटिंग सिस्टम है।

उत्तरमाला

1	**2**	**3**	**4**	**5**	**6**	**7**	**8**	**9**	**10**
C	C	D	A	C	A	C	D	D	A
11	**12**	**13**	**14**	**15**	**16**	**17**	**18**	**19**	**20**
A	B	B	C	D	D	C	C	A	D
21	**22**	**23**	**24**	**25**	**26**	**27**	**28**	**29**	**30**
A	B	C	A	B	C	C	C	A	C
31	**32**	**33**	**34**	**35**	**36**	**37**	**38**	**39**	**40**
B	D	D	D	B	C	D	C	D	C
41	**42**	**43**	**44**	**45**	**46**	**47**	**48**	**49**	**50**
A	C	B	D	D	C	D	B	D	B
51	**52**	**53**	**54**	**55**	**56**	**57**	**58**	**59**	**60**
C	B	D	D	B	D	C	D	B	C
61	**62**	**63**	**64**	**65**	**66**	**67**	**68**	**69**	**70**
B	C	C	A	A	D	C	A	A	D
71	**72**	**73**	**74**	**75**	**76**	**77**	**78**	**79**	**80**
B	D	C	D	C	D	C	A	C	D
81	**82**	**83**	**84**	**85**	**86**	**87**	**88**	**89**	**90**
C	B	A	C	A	B	D	C	B	D
91	**92**	**93**	**94**	**95**	**96**	**97**	**98**	**99**	**100**
C	A	C	B	A	A	B	C	D	D
101	**102**	**103**	**104**	**105**	**106**	**107**	**108**	**109**	**110**
C	D	B	D	A	B	B	D	C	C
111	**112**	**113**	**114**	**115**	**116**	**117**	**118**	**119**	**120**
B	C	A	A	C	D	B	A	D	C
121	**122**	**123**	**124**	**125**	**126**	**127**	**128**	**129**	**130**
D	D	B	C	A	A	D	B	B	A
131	**132**	**133**	**134**	**135**	**136**	**137**	**138**	**139**	**140**
C	D	A	B	B	D	A	A	B	B
141	**142**	**143**	**144**	**145**	**146**	**147**	**148**	**149**	**150**
A	A	D	A	A	C	A	A	D	C
151	**152**	**153**	**154**	**155**	**156**	**157**	**158**	**159**	**160**
D	C	A	B	B	A	C	D	C	C

UNIT–9

लोग, विकास और पर्यावरण
(People, Development and Environment)

सहस्राब्दि विकास लक्ष्य (Millennium Development Goal—MDG)

सितंबर, 2000 में संयुक्त राष्ट्र सहस्राब्दी शिखर सम्मेलन में 189 देशों के वैश्विक नेताओं की एक सभा द्वारा सहस्राब्दी घोषणा पर हस्ताक्षर किए गए थे, जिसका उद्देश्य एक बेहतर दुनिया और बेहतर कल प्राप्त करना था। सहस्राब्दी विकास लक्ष्य (MDG) इस ऐतिहासिक घोषणा से प्राप्त हुए थे। MDG में, दुनिया के सबसे गरीब लोगों के जीवन में सुधार के लिए कुल आठ लक्ष्य थे। प्रत्येक लक्ष्य के लिए कई माप और संकेतक भी निर्धारित किए गए थे। इन लक्ष्यों को 2015 तक हासिल करने और 1990 के स्तर से आगे की प्रगति को मॉनीटर करने का लक्ष्य रखा गया। इन लक्ष्यों के माध्यम से, अंतर्राष्ट्रीय समुदाय ने गरीबी से लड़ने और गरीब समर्थक विकास के दृष्टिकोण को विकसित करने की कोशिश की। गरीबी से लैंगिक समानता, बच्चों और महिलाओं में मृत्यु दर को कम करना और सतत् पर्यावरण प्रदान करने के आठ लक्ष्य निम्नलिखित प्रकार से थे–

सहस्राब्दी विकास लक्ष्य और लक्ष्य

सहस्राब्दी विकास लक्ष्य (MDG)	लक्ष्य
• अत्यधिक गरीबी और भुखमरी का उन्मूलन।	• प्रतिदिन एक डॉलर से कम पर रहने वाले लोगों के अनुपात को आधा करना। • भूख से पीड़ित लोगों के अनुपात को आधा करना।
• सार्वभौमिक प्राथमिक शिक्षा प्राप्त करना।	• सुनिश्चित करना कि सभी लड़के और लड़कियाँ प्राथमिक शिक्षा का पूरा पाठ्यक्रम पूरा करें।
• लैंगिक समानता को बढ़ावा देना और महिलाओं को सशक्त बनाना।	• प्राथमिक और माध्यमिक शिक्षा में 2005 तक और 2015 तक सभी स्तरों पर लैंगिक असमानता को समाप्त करना।
• शिशु मृत्यु दर में कमी लाना।	• पांच वर्ष से कम आयु के बच्चों की मृत्यु दर को दो तिहाई कम करना।
• मातृ स्वास्थ्य में सुधार।	• मातृ मृत्यु दर को तीन चौथाई कम करना।
• एचआईवी/एड्स, मलेरिया अन्य बीमारियों का मुकाबला करना।	• एचआईबी/एड्स के प्रसार को रोकना। • अन्य प्रमुख बीमारियों की घटनाओं को रोकना।
• विकास के लिए वैश्विक साझेदारी विकसित करना।	• निजी क्षेत्र के सहयोग से नई तकनीकों का लाभ उपलब्ध कराना। • विशेषकर सूचना और संचार प्रौद्योगिकी के माध्यम से।
• पर्यावरणीय सतत्ता सुनिश्चित करना।	

पंद्रह वर्षों की अवधि में, MDG ने कुछ महत्वपूर्ण क्षेत्रों में प्रगति की है जैसे आय की निर्धनता को कम करना, जल और स्वच्छता तक पहुंच प्रदान करना, मृत्यु दर में कमी करना और मातृ स्वास्थ्य में भारी सुधार करना। इससे मुफ्त प्राथमिक शिक्षा के लिए एक वैश्विक आंदोलन भी शुरू किया, जो देशों को अपनी भावी पीढ़ियों में निवेश करने के लिए प्रेरित करता है। सबसे महत्वपूर्ण बात यह है कि MDG ने एचआईवी/एड्स और मलेरिया और तपेदिक जैसी बीमारियों से निपटने में भारी प्रगति की है।

MDG की मुख्य उपलब्धियाँ

- लक्ष्य 1 के तहत, अत्यधिक गरीबी को 1990 के स्तर से काफी कम कर दिया गया है जब 50 प्रतिशत लोग प्रतिदिन 1.25 डॉलर से कम पर रहते थे और 2015 में यह संख्या घटकर 14 प्रतिशत रह गयी। 1990 के बाद से अब तक एक अरब से अधिक लोगों को अत्यधिक गरीबी से बाहर निकाला गया है।
- विकासशील क्षेत्रों में प्राथमिक शिक्षा और नामांकन में सुधार हुआ है। विशेष रूप से सब-सहारा अफ्रीका इस पहल के बाद प्राथमिक शिक्षा में सुधार का सबसे अच्छा उदाहरण है। शुद्ध नामांकन में 2000 से 2015 तक लगभग 20% की वृद्धि देखी गई। 1990 के बाद से प्राथमिक स्कूल न जाने वाले बच्चों की संख्या में भी भारी कमी आई है।
- 1990 और 2015 के बीच बाल मृत्यु दर आधे से अधिक घट गई है। पांच वर्ष से कम आयु के बच्चों की मृत्यु की संख्या 12.7 मिलियन (1990) से घटकर 6 मिलियन (2015) हो गई है। सब-सहारा अफ्रीका क्षेत्र में 2005-2013 के दौरान मृत्यु दर में कमी की वार्षिक दर पांच गुना से भी अधिक तेज थी।
- 2000 के बाद से वैश्विक स्तर पर मातृ मृत्यु दर में लगभग 45% की गिरावट दर्ज की गई है। दक्षिणी एशिया में इसमें 64% और उप-सहारा अफ्रीका में 49% को गिरावट आई।
- एचआईवी/एड्स संक्रमण लगभग 40 प्रतिशत (2000 से) तक कम हो गया।
- बेहतर पेयजल तक पहुँच जैसी सेवाओं में पाइप से पीने के जल की पहुंच में भी दुनिया भर में सुधार हुआ है। लगभग 147 देशों में पीने के जल का लक्ष्य पूरा कर लिया गया है, 95 देशों ने स्वच्छता का लक्ष्य पूरा कर लिया है और 77 देशों ने दोनों लक्ष्यों को पूरा कर लिया है। आधी से अधिक वैश्विक आबादी उच्च स्तर की सेवाओं का आनंद ले रही है।
- विकसित देशों से सहायता और विकासशील देशों से शुल्क मुक्त आयात में 2000 के बाद से वृद्धि हुई है। दुनिया की लगभग 95% आबादी मोबाइल सिग्नल से आच्छादित है और दुनिया की आबादी के लिए इंटरनेट सेवा में बहुत बड़ी वृद्धि 2000 में केवल 6% से 2015 में 43% हो गई है। इसके कारण 32 अरब लोग वैश्विक नेटवर्क के माध्यम से सामग्री और अनुप्रयोगों के लिए जुड़े हुए हैं।

भारत ने गरीबी भुखमरी में कमी, प्राथमिक, माध्यमिक और तृतीयक शिक्षा में नामांकन में लैंगिक समानता, मातृ मृत्यु दर, तपेदिक जैसी बीमारी पर नियंत्रण, वन क्षेत्र में वृद्धि आदि के लक्ष्यों को प्राप्त किया है। इसके अलावा स्वच्छ पेयजल तक पहुंच बनाने ग्रीनहाउस गैसों को नियंत्रित करने की स्थिति में सुधार हुआ है लेकिन फिर भी बड़ी चुनौतियाँ बनी हुई हैं।

सतत विकास लक्ष्य

सतत विकास शब्द का पहली बार प्रयोग विश्व संरक्षण रणनीति (WCS) में 1980 में इंटरनेशनल यूनियन फॉर कंजर्वेशन ऑफ नेचुरल रिसोर्सेज (UCN) में किया गया था। लेकिन इस अवधारणा को 1983 में विश्व पर्यावरण आयोग द्वारा स्पष्ट किया गया। विश्व पर्यावरण विकास आयोग (WCED) ने प्रो. हार्लोल ब्रुन्डलैंड को आयोग के अध्यक्ष के रूप में नियुक्त किया जिसकी रिपोर्ट को ब्रुंडलैंड आयोग की रिपोर्ट के रूप में जाना जाता था। रिपोर्ट में, मानव गतिविधियों और पृथ्वी पर विकास के नकारात्मक प्रभावों के बारे में भी कई चिंताओं को उठाया गया है और यह भी रेखांकित किया गया है कि फिर यदि उन्हे नियंत्रित नहीं किया गया, तो भविष्य अस्थिर होगा।

स्थिर दृष्टिकोण के साथ विकास की संकल्पना आर्थिक विकास, सामाजिक समानता और पर्यावरण संरक्षण के साथ बहुत अधिक जुड़ी हुई है। इसके अलावा, सतत विकास का गहरा अर्थ है। उदाहरण के लिए, एक स्थिर स्थिति में, लोगों के पास रोजगार के अधिक अवसर हो सकते हैं; हर कोई पौष्टिक भोजन, गुणवत्तापूर्ण शिक्षा, सामाजिक और लैंगिक समानता और मानवधिकारों का खर्च उठा सकता है। कुल मिलाकर, यह सब की सामाजिक स्थिति और कल्याण को बेहतर करने के बारे में है। यह एक जन-केंद्रित पहल है।

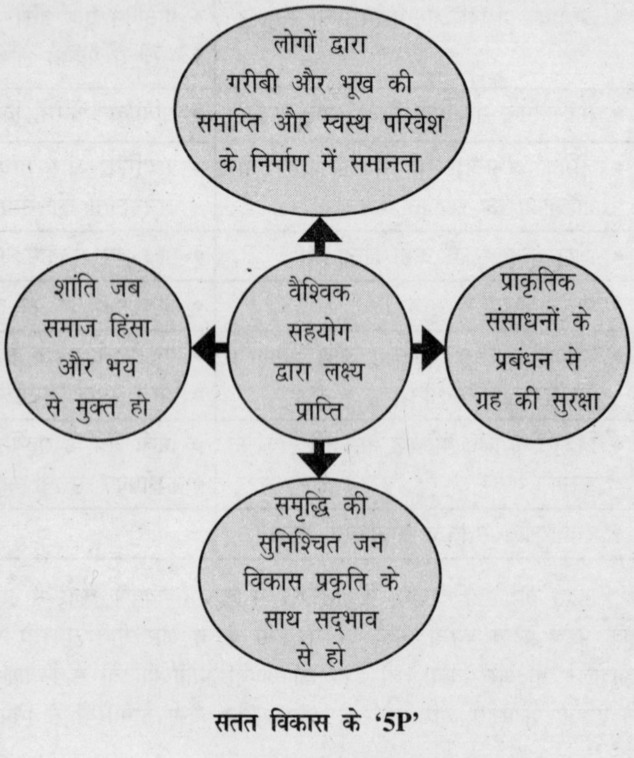

सतत विकास के '5P'

SDG, 25 सितंबर को आयोजित संयुक्त राष्ट्र महासभा के 70 वें सत्र में 193 देशों के विश्व नेताओं द्वारा अपनाए गए 17 सार्वभौमिक लक्ष्यों पर किए गए समझौतों का एक समूह है। जिसको 'हमारी दुनिया को बदलनाः सतत विकास के लिए 2030 एजेंडा' का नाम दिया गया। 2030 का यह एजेंडा सतत विकास या हमारे इच्छित भविष्य की ओर ले जाने वाला है। यह जनवरी 2016 में लागू किया गया। यह MDG के बाद आया। संयुक्त राष्ट्र के सदस्य देशों द्वारा स्वीकृत SDG लोगों और पृथ्वी के लिए शांति और समृद्धि का खाका प्रदान करते हैं। सभी 5P सतत विकास में साझेदारी द्वारा शामिल हैं। इस समझौते का सबसे महत्वपूर्ण उद्देश्य गरीबी को समाप्त करना और वृद्धि और विकास के कई पहलुओं पर काम करना है।

चूंकि SDG के संबंध में 2030 के अंत की तारीख आने से पहले दुनिया ने आखिरी दशक में प्रवेश कर लिया था, इसलिए इसे ''कार्रवाई का दशक'' कहा गया है। भारत SDG इण्डिया इंडेक्स बनाने वाला पहला राष्ट्र है।

सतत विकास लक्ष्य (एसडीजी) के उद्देश्य

सतत विकास लक्ष्य (एसडीजी)	उद्देश्य
• **लक्ष्य 1 :** गरीबी उन्मूलन	• गरीबी का उसके सभी रूपों में अंत
• **लक्ष्य 2 :** शून्य भूख	• भुखमरी समाप्त करना, खाद्य सुरक्षा प्राप्त करना, पोषण में सुधार करना और टिकाऊ कृषि को बढ़ावा देना।
• **लक्ष्य 3 :** अच्छा स्वास्थ्य और कल्याण	• लैंगिक समानता हासिल करना और सभी महिलाओं और लड़कियों को सशक्त बनाना।
• **लक्ष्य 4 :** गुणवत्तापूर्ण शिक्षा	• समावेशी और समान गुणवत्ता वाली शिक्षा सुनिश्चित करना और सभी के लिए आजीवन सीखने के अवसरों को बढ़ावा देना।
• **लक्ष्य 5 :** लैंगिक समानता	• लैंगिक समानता हासिल करना और सभी महिलाओं और लड़कियों को सशक्त बनाना।
• **लक्ष्य 6 :** स्वच्छ जल और स्वच्छता	• जल की उपलब्धता, सतत प्रबंधन सुनिश्चित करना तथा सभी के लिए स्वच्छता सुनिश्चित करना।
• **लक्ष्य 7 :** सस्ती और स्वच्छ ऊर्जा	• सभी के लिए जल और स्वच्छता की उपलब्धता और सतत प्रबंधन सुनिश्चित करना।
• **लक्ष्य 8 :** अच्छा काम और आर्थिक विकास	• समावेशी और सतत आर्थिक वृद्धि को बढ़ावा देना, विकास और उत्पादक रोजगार और सभी के लिए अच्छा काम उपलब्ध करवाना।
• **लक्ष्य 9 :** उद्योग, नवाचार और बुनियादी ढांचा	• समावेशी लचीला और बुनियादी ढांचा निर्मित करना तथा टिकाऊ औद्योगीकरण और नवाचार को बढ़ावा देना
• **लक्ष्य 10 :** असमानता को कम करना	• देशों के भीतर और देशों के बीच असमानता को कम करना
• **लक्ष्य 11 :** टिकाऊ शहर और समुदाय	• शहरों और मानव बस्तियों को समावेशी, सुरक्षित, लचीला और टिकाऊ बनाना
• **लक्ष्य 12 :** उत्तरदायी खपत और उत्पादन	• टिकाऊ खपत और उत्पादन का पैटर्न सुनिश्चित करना
• **लक्ष्य 13 :** जलवायु	• जलवायु परिवर्तन और इसके प्रभावों से लड़ने के लिए तत्काल कार्रवाई करना।
• **लक्ष्य 14 :** जल में जीवन	• सतत विकास के लिए महासागरों, समुद्रों और समुद्री संसाधनों का संरक्षण और सतत उपयोग
• **लक्ष्य 15 :** भूमि पर जीवन	• स्थलीय पारिस्थितिक तंत्र के सतत उपयोग को सुरक्षित, पुनर्स्थापित और बढ़ावा देना, वनों का स्थायी प्रबंधन, मरुस्थलीकरण का मुकाबला करना और भूमि क्षरण को रोकना एवं जैव विविधता की हानि को रोकना।
• **लक्ष्य 16 :** शांति, न्याय और मजबूत संस्थान	• सतत विकास के लिए शांतिपूर्ण और समावेशी समाज को बढ़ावा देना, सभी के लिए न्याय तक पहुंच प्रदान करना और सभी स्तरों पर प्रभावी, जवाबदेह और समावेशी संस्थानों का निर्माण करना।
• **लक्ष्य 17 :** लक्ष्यों के लिए साझेदारी	• सतत विकास के कार्यान्वयन के लिए साधनों को मजबूत करना और वैश्विक साझेदारी को पुनः शक्तिशाली बनाना।

MDG और SDG के बीच अंतर और दोनों का महत्त्व

SDG को MDG के अधूरे एजेंडे को आगे बढ़ाने एवं MDG का विस्तारित रूप कहा जा सकता है और इसमें हमारी वर्तमान पीढ़ी के सामने आने वाली पर्यावरणीय, राजनीतिक और आर्थिक चुनौतियों को दूर करने के लिए निरंतरता भी है। लक्ष्यों का उद्देश्य दुनिया के सबसे गरीब और अल्प-विकसित देशों सब-सहारा देशों, लैटिन अमेरिकी देशों आदि में सामाजिक, आर्थिक और पर्यावरणी स्थितियों में सुधार करके विकास को प्रोत्साहित करना है। उन्हें 15 साल की अवधि वाले दीर्घकालिक लक्ष्यों के रूप में वर्गीकृत किया गया है। MDG 2015 में पूरे किए गए जबकि SDG हासिल करने का लक्ष्य 2030 होगा।

MDG और SDG के बीच अंतर

मानदंड	MDG	SDG
• उद्देश्य	• विकास को बढ़ावा देना	• स्थिरता और विकास दोनों को प्राप्त करना
• उद्भव	• MDG संयुक्त राष्ट्र मुख्यालय से विशेषज्ञों के एक समूह ने तैयार किए थे।	• SDG 70 खुले कार्य समूहों, नागरिक संगठनों, विषयागत परामर्श, आमने-सामने बैठकर आम जनता को भागीदारी और ऑनलाइन तंत्र तथा 'डोर टू डोर' सर्वेक्षण सहित एक लंबे और व्यापक परामर्श के बाद विकतिस हुए।
• विकास लक्ष्यों की संख्या	• MDG केवल 8 लक्ष्यों, 21 लक्ष्यों और 63 संकेतकों पर केंद्रित थे।	• 169 लक्ष्यों के साथ 17 लक्ष्य शामिल हैं, यह काफी व्यापक है।
• अनुदान	• SDG के मामले में सभी देश इसके फोकस में हैं और विभिन्न वैश्विक एजेंसियों और देशों के माध्यम से इनके लिए धन उपलब्ध कराया जाता है।	• जैसा MDG ने विकासशील देशों पर अधिक ध्यान केन्द्रित किया, जबकि उन्होंने यह मान लिया था कि फॉडिंग अमीर देशों के माध्यम से आएगी जो नहीं हुआ।
• लक्ष्य प्राप्त करने की समयावधि	• MDG को 2000 में अपनाया गया और इसका आधार वर्ष 1990 था जिसे 2015 में पूरा किया गया।	• SDG ने वास्तविक समय के आंकड़ों पर अधिक जोर दिया है और 2015 से आधार रेखा अनुमानित की गई ताकि इन लक्ष्यों की ओर प्रगति को आयु, लिंग, शिक्षा, स्वास्थ्य, प्रवास के स्तर तथा पूरी जनसंख्या के स्तर पर समझा जा सके। 15 वर्ष के एस.डी.जी के 2030 में वह लक्ष्य प्राप्त होंगे।
• निर्धारित समय-सीमा	• 2000 – 2015	• 2015 – 2030
• लक्ष्यों की प्रकृति	• सहस्राब्दि विकास लक्ष्यों के समय जेंडर, लोगों की भागीदारी और स्थानीय शासन को गरीबी की तुलना में महत्वपूर्ण नहीं माना जाता था।	• लिंग और पर्यावरणीय गरिमा पर जोर देने के साथ लक्ष्य अधिक उदार और व्यापक हैं। यह भी स्पष्ट है कि एसडीजी हमारे सामाजिक जीवन स्थितियों के सूक्ष्म पहलू को ध्यान में रखते हैं।
• हितधारक	• यह देखा गया है कि अल्पमत विकसित देश (LDC) फोकस में थे क्योंकि उनसे कार्रवाई करने का आग्रह किया गया था और नागरिक संगठन या स्थानीय समाज की कोई भूमिका नहीं थी।	• एसडीजी में सभी राष्ट्रों से अपेक्षा की जाती है कि वे कार्य करें और संकट का मुकाबला करें प्रतिक्रिया दें और मांग करें कि स्थानीय स्वशासन को कार्यात्मक बनाया जाए।
• निजी क्षेत्र एसडीजी अंतर सरकारी सहयोग और की भूमिका कार्यों में अधिक निहित थे।		• विकास प्रक्रिया में निजी खिलाड़ियों की भूमिका के बारे में एसडीजी अधिक स्पष्ट और स्वागत योग्य हैं। इसमें स्थायी विकास प्राप्त करने के लिए निजी क्षेत्र के साथ एक जीवंत और व्यवस्थित साझेदारी बनाने की दृष्टि शामिल हैं।

लक्ष्यों की दोनों श्रेणियों को वैश्विक लक्ष्यों के रूप में जाना जाता है और लागू किया जाता है, लक्ष्य को लक्ष्यों के साथ और मापने योग्य परिणामों के संकेतकों के माध्यम से विस्तृत किया जाता है जो कार्रवाई उन्मुख होते हैं।

मनुष्य–पर्यावरण अंत:क्रिया (Human—Environment Interaction)

भौतिक पर्यावरण हमारे व्यापार को प्रत्यक्ष या अप्रत्यक्ष रूप से प्रभावित करता है। उदाहरण के लिए, ऐसा देखा गया है ठंडे मौसम की अपेक्षा गर्म और उमस भरे मौसम में लोग चिड़चिड़े और आक्रामक हो जाते हैं। पर्यावरण की ऐसी परिवर्तनशीलता में हमारी रूचि ने पर्यावरण मनोविज्ञान के क्षेत्र का विकास किया।

मनोविज्ञान को यह क्षेत्र मनोवैज्ञानिक प्रक्रियाओं और भौतिक पर्यावरण—दोनों प्राकृतिक एवं मानवकृत—के मध्य पारस्परिक संबंधों के अध्ययन के लिए समर्पित हैं। पारस्परिक संबंध द्विमार्गी प्रक्रिया से कार्य करता है जिसमें पर्यावरण मानव व्यवहार पर प्रभाव डालता है और मनुष्य पर्यावरण को प्रभावित करता है। इस अंतःक्रिया के विभिन्न पक्षों को समझने के लिए पर्यावरण के विभिन्न प्रकारों, जिनका हम सामना करते हैं, को समझना उपयोगी होगा।

पर्यावरण के प्रकार

- **भौतिक पर्यावरण :** इसके अंतर्गत भौतिक यथार्थ और समाज-सांस्कृतिक परिदृश्य, जो हमारे चारों ओर रहता है, आते हैं, शोरगुल, तापक्रम, जल और वायु के गुण और विभिन्न पदार्थ और वस्तुएँ हमें चारों ओर से घेरने वाला भौतिक जगत बनाते हैं।
- **सामाजिक एवं सांस्कृतिक पर्यावरण :** इसके अंतर्गत सामाजिक अंतःक्रिया के पक्ष और उनके उत्पाद आते हैं जैसे विश्वास, धारणायें, रुढ़ियाँ इत्यादि। इसमें पर्यावरण के भौतिक और अभौतिक पक्ष शामिल रहते हैं।
- **मनोवैज्ञानिक पर्यावरण :** इसके अंतर्गत पर्यावरण के किसी समुच्चय से संबंधित प्रत्यक्षीकरण और अनुभव आते हैं। कुछ पर्यावरण उत्तेजक हो सकते हैं जबकि दूसरे शिथिल और उबाऊ। मनोवैज्ञानिक अभिव्यक्ति बहुधा संगठनात्मक संदर्भ में प्रयोग होती है।

पर्यावरण का विषय अन्य अनेक विषयों के लिए प्रासंगिक है, जैसे भूगोल, वास्तुशिल्प, नगरीय नियोजन आदि। वास्तव में इसकी प्रकृति बहुविषयक है। इसे पर्यावरण विज्ञान के रूप में जाना जाता है। मनुष्य–पर्यावरण अंतःक्रिया के पाँच प्रमुख अवयव हैं। इन अवयवों का संक्षिप्त विवरण नीचे दिया जा रहा है:

- **मनोवैज्ञानिक पर्यावरण :** इसमें प्राकृतिक पर्यावरण के पक्ष आते हैं, जैसे जलवायु, भूभाग की विशेषताएँ, तापमान, वर्षा, वनस्पति, पशु-पक्षी आदि।
- **सामाजिक एवं सांस्कृतिक पर्यावरण :** इसके अंतर्गत सांस्कृतिक पर्यावरण के सभी पक्ष आते हैं जैसे, मानबिंदु, रीति-रिवाज, समाजीकरण की प्रक्रिया आदि।
- **पर्यावरणीय दिशा-निर्देशन :** यह अपने पर्यावरण के बारे में लोगों के विश्वास का संकेत करता है। उदाहरण के लिए कुछ लोग पर्यावरण को भगवान के समान मानते हैं और इसीलिए वे इसके हर पक्ष को बड़े ही सम्मान से देखते हैं और पूर्णरूप से बनाये रखने का प्रयास करते हैं तथा उसे प्रदूषित नहीं होने देते।
- **पर्यावरणीय व्यवहार :** यह लोगों की सामाजिक अंतःक्रिया के दौरान पर्यावरण के प्रयोग की ओर संकेत करता है। उदाहरण के लिए व्यक्ति जब अपनी पहचान पर्यावरण से करता है तो पर्यावरण को व्यक्तिगत स्थान मानता है।
- **व्यवहार के उत्पाद :** इसमें लोगों के कार्यों के परिणाम आते हैं और जैसे घर, नगर, बाँध, स्कूल आदि। इस प्रकार ये पर्यावरण के साथ व्यवहार के उत्पाद या परिणाम हैं।
- पर्यावरण के उपर्युक्त सभी पक्ष पर्यावरण और मनुष्य के मध्य अंतःक्रिया के अध्ययन के महत्वपूर्ण अवयवों को चित्रित करते हैं। यह जानना बहुत महत्वपूर्ण है कि मनुष्य पर्यावरण का एक अंग है और पर्यावरण को प्रदूषित करने का परिणाम मनुष्य और अन्य प्राणियों का लुप्त होना होगा। इसीलिए पर्यावरण को सुव्यवस्थित रखना मनुष्य का मुख्य दायित्व है क्योंकि इसके विनाश का अर्थ मानव जीवन का विनाश है।

मनुष्य के व्यवहार पर पर्यावरण के प्रभाव

पर्यावरण मनुष्य के व्यवहार को प्रभावित करता है और मनुष्य का व्यवहार पर्यावरण को प्रभावित करता है। इस प्रकार पर्यावरण मानव प्राणियों पर पोषक एवं विनाशक दोनों प्रकार का प्रभाव डालता है।

संपूर्ण मानव इतिहास में लोग बाढ़, भूकम्प और अन्य प्राकृतिक आपदाओं से पीड़ित रहे हैं। विज्ञान के विशद विकास के बावजूद हम प्राकृतिक भयावह घटनाओं के प्रभाव पर नियंत्रण पाने में समर्थ नहीं हो पाये हैं और न ही प्राकृतिक आपदाओं पर नियंत्रण पा सके हैं। इधर के समय में प्रौद्योगिकी नवाचारों और उन्नति ने हमारे लिए पर्यावरण के संभावित नये खतरे पैदा कर दिये हैं, जो मानवकृत हैं। ये खतरे भौतिक दृष्टि से हानिकारक और तनावपूर्ण हैं। लोगों को इन तनाव

पैदा करने वाले कारकों का सामना करना है। जिनके कारक प्रदूषक पदार्थ कहलाते हैं और मूलरूप से ये चार होते हैंः वायु प्रदूषण, जल प्रदूषण, ध्वनि प्रदूषण, और भीड़।

हम अनेक प्राकृतिक आपदाएँ पाते हैं जो मनुष्य के व्यवहार को अनेक प्रकार से प्रभावित करती हैं। इन प्राकृतिक आपदाओं में भूकंप, ज्वालामुखी फटना, तूफान, बवंडर, चक्रवात, दुभिक्ष, बाढ़ आदि आते हैं। लाटूर और भुज के भूकंप (2001) और उड़ीसा का वृहत् चक्रवात (1999) ने केवल संपत्ति और भौतिक पर्यावरण को भीषण क्षति ही नहीं पहुँचाई अपितु लोगों के जीवन पर भी उनका दीर्घकालिक प्रभाव पड़ा था।

बहुत सी मानवकृत आपदायें भी होती हैं। प्रौद्योगिकी की आपदायें जैसे थ्रीमाइल आइलैंड (Three Mile Island, 1979), चेर्नोविल (Chernobyl, 1986) और भोपाल मिथाइल आइसोसाइनाइड (Bhopal Methy Iso Cynide-MIC) आपदा, (1984) आदि कुछ प्रमुख मानवकृत आपदायें हैं। मानव जीवन पर जिनका गहन और दीर्घकालिक प्रभाव पड़ा है। शोध अध्ययनों से पता चलता है कि ऐसी आपदाओं में बचे हुए लोग चिंता, पलायन, अवसाद, तनाव, क्रोध, डरावने सपनों से पीड़ित रहते हैं।

मानवीय व्यवहार का पर्यावरण पर प्रभाव

मनुष्य के क्रियाकलाप भी पर्यावरण को प्रभावित करते हैं। वास्तव में, लगभग प्रत्येक व्यक्ति अपनी क्रियाओं द्वारा पर्यावरण को जिसमें वह रहता है सकारात्मक और निषेधात्मक रूप से प्रभावित करता है। जब भी कोई स्कूटर, मोटर साइकिल या कार चलाता है, स्प्रे प्रयोग करता है, खाना बनाता है तो पर्यावरण प्रभावित होता है। अपनी क्रियाओं द्वारा पर्यावरण के क्षय को हम प्रत्यक्ष देख नहीं पाते। मानवीय क्रियाओं का पर्यावरण पर दीर्घकालिक प्रभाव आने वाली पीढ़ियों के जीवन को भी प्रभावित करेगा।

सौभाग्य से अपने पर्यावरण से विनाश लीला करने के बाद समस्त विश्व के लोग मानवकृत इस आपदा के बारे में सजग हो गए हैं। अब आपदा के दुष्परिणामों को नियंत्रित करने के प्रयास किए जा रहे हैं।

भविष्य की योजना

दरअसल राष्ट्र संघ गंभीरता से विश्वभर में पर्यावरण को हानि पहुँचाने वाली लोगों की क्रियाओं पर नियंत्रण पाने के लिए कार्य कर रहा है। पर्यावरण कुछ सीमाओं के साथ प्रकृति-प्रदत्त संपत्ति है हमें उसका औचित्यपूर्ण प्रयोग करना सीखना है। हवा, पानी, भोजन, ईंधन आदि सभी मनुष्य को दिये गये वरदान हैं और हमें उनका न्यायपूर्ण प्रयोग एवं उनका संरक्षण करना सीखना है। हमें पानी और हवा को संरक्षित रखने पर अधिक ध्यान देना है। निरर्थक पदार्थ, कचरा, मल-मूत्र आदि को नाली में बहाना और कूड़ा फेंकने पर विशेष ध्यान देने की आवश्यकता है।

- **पानीः** हम प्राकृतिक संसाधनों का प्रयोग करते हैं पर उनकी पूर्ति नहीं कर पाते, और पानी एक ऐसा ही संसाधन है। हमारे ग्रह पर आज कम से कम 80 देशों में पानी की गंभीर कमी है जो खेती के लिए एक गंभीर खतरा है। इन देशों में भारत भी है जहाँ पानी की कमी खेती को बुरी तरह प्रभावित कर रही है। कर्नाटक और तमिलनाडु में पानी की कमी एक उदाहरण है। महानगरों में भी पानी की कमी एक गंभीर खतरा है। उदाहरण के लिए गर्मी के दिनों में दिल्ली क्षेत्र में पानी की अधिक कमी होती है और आस-पास के नगरों से आने वाली आबादी के कारण यह कमी दिन पर दिन बढ़ती जा रही है। इसका समाधान वर्षा के पानी के एकत्रीकरण में है।
- **हवाः** हवा के गुण को मोटर वाहनों और औद्योगिक निस्सारित पदार्थों ने बुरी तरह प्रभावित किया है। इन साधनों से निस्सरित कार्बनमोनोऑक्साइड, नाइट्रोजनडाइऑक्साइड, सल्फर डाईऑक्साइड आदि जहरीली गैस हवा में मिल रही है जिन्हें हम अपनी सांस में लेते हैं, जन स्वास्थ्य की रक्षा के लिए इस सड़न को रोकने के गंभीर प्रयास करने की आवश्यकता है। इस दिशा में दिल्ली प्रशासन ने सीएनजी का प्रयोग करके एक कदम उठाया है। इसे जनयातायात में प्रयोग किया जा रहा है जिससे दिल्ली में हवा में गुणात्मक अंतर आया है। ऐसी ही नवाचार बड़ी मात्रा में हवा की गुणवत्ता बनाये रखने के लिए आवश्यक है।
- **निरर्थक पदार्थः** संभवतः मानवीय क्रियाओं का सबसे अधिक प्रकट मानवकृत उत्पाद निरर्थक पदार्थ है। इस निरर्थक पदार्थ में नाली में बहता मल और कचरा आते हैं। इनका प्रबंधन स्थानीय प्रशासन, नगर पालिका और महानगर निगम के लिए एक गंभीर समस्या है। और अभी तक नाली में बहते हुए मल को बिना समाधान के नदियों में गिरा दिया जाता है। इसने जल प्रदूषण की समस्या को गंभीर बना दिया है। यह नदियों के पानी को मनुष्य के उपयोग के योग्य नहीं रहने देता। अब इस गंभीर समस्या के प्रति जागरूकता पैदा हुई है और नाली के मल को पूर्व संशोधित किये बिना नदियों या सागर में न गिराया जाये इसके प्रयास किये जा रहे हैं। जिस कचरे का उत्पाद हम अत्यधिक मात्रा में करते हैं उससे एक और भीषण समस्या पैदा होती है। कचरे का निस्तारण विशेषकर न गलने वाले पदार्थ जैसे प्लास्टिक के थैले एक गंभीर समस्या है। हमें दैनिक जीवन में प्लास्टिक बैग के प्रयोग में सावधानी बरतनी चाहिए। धरती को ऐसे निरर्थक पदार्थ के प्रभाव से होने वाले प्रदूषण से बचाने के लिए बायो-डिग्रेबल वस्तुएँ बनाने का कार्य प्रारंभ करना चाहिए।

पर्यावरणपरक मुद्दे : स्थानीय, क्षेत्रीय और वैश्विक (Environmental Issues : Local, Regional and Global)

पर्यावरणीय मुद्दे स्थानीय समुदायों से लेकर पूरे क्षेत्र और पूरे ग्रह तक विभिन्न स्तरों पर महत्वपूर्ण चुनौतियाँ पेश करते हैं। इन मुद्दों का पारिस्थितिकी तंत्र, मानव स्वास्थ्य और वर्तमान और भविष्य की पीढ़ियों दोनों के समग्र कल्याण पर व्यापक प्रभाव पड़ सकता है।

पर्यावरण के मुद्दे

पर्यावरणीय मुद्दे प्राकृतिक दुनिया की स्थिति और मानवीय गतिविधियों के साथ इसके संबंधों से जुड़ी समस्याएं, चुनौतियां या चिंताएं हैं। इन मुद्दों का अक्सर पर्यावरण के साथ-साथ सामाजिक, आर्थिक और स्वास्थ्य पर दूरगामी प्रभाव पड़ता है। कुछ प्रमुख पर्यावरणीय मुद्दों में शामिल हैं:

भारत में पर्यावरण संबंधी कार्य

अधिनियम	वर्ष
वायु (प्रदूषण निवारण एवं नियंत्रण) अधिनियम	1981
जल (प्रदूषण की रोकथाम और नियंत्रण)	1974
पर्यावरण (संरक्षण) अधिनियम	1986
खतरनाक और अन्य अपशिष्ट (प्रबंधन और सीमापार आवागमन) नियम	2016
ध्वनि प्रदूषण(विनियमन और नियंत्रण) नियम	2000
राष्ट्रीय हरित अधिकरण अधिनियम	2010
स्थानीय पर्यावरण संबंधी मुद्दे	

स्थानीय पर्यावरणीय मुद्दे उन चुनौतियों को कहते हैं जो विशिष्ट क्षेत्रों या समुदायों को सीधे प्रभावित करते हैं।

वायु प्रदूषण (Air Pollution)

वायु प्रदूषण एक सामान्य स्थानीय समस्या है, जो वाहनों से निकलने वाले उत्सर्जन, उद्योगों और घरेलू गतिविधियों के कारण होती है। इन उत्सर्जनों से वायुमंडल में कणीय पदार्थ, नाइट्रोजन ऑक्साइड और वाष्पशील कार्बनिक यौगिक जैसे प्रदूषक निकलते हैं, जिससे वायु की गुणवत्ता खराब हो जाती है। स्थानीय वायु प्रदूषण इन क्षेत्रों में रहने वाली आबादी में श्वसन संबंधी समस्याओं, एलर्जी और अन्य स्वास्थ्य समस्याओं को जन्म दे सकता है।

वायुमण्डल में विभिन्न प्रकार की गैसें पाई जाती हैं, वाष्प एवं धूल के कण विद्यमान रहते हैं। जब किन्हीं कारणों से वायुमण्डलीय गैसों का अनुपात बदलने लगता है और कुछ कणीय पदार्थ वायु में मिल जाते हैं, तो उसे वायु प्रदूषण कहा जाता है।

वायु प्रदूषक तत्त्व : वायु प्रदूषक तत्वों में प्रमुख कणीय पदार्थ, नाइट्रोजन के ऑक्साइड, सल्फर डाइ-ऑक्साइड, हाइड्रोकार्बन, कार्बन डाइ-ऑक्साइड तथा कार्बन मोनो-ऑक्साइड आदि हैं।

वायु प्रदूषण के स्रोत : वायु प्रदूषण के स्रोतों का वर्गीकरण सामान्यत: प्रचलित दो रूपों में किया जाता है : **1.** प्राकृतिक स्रोत (Physical Sources) तथा **2.** मानवीय स्रोत (Human Sources)। इन स्रोतों की संक्षिप्त व्याख्या निम्न प्रकार है :

1. प्राकृतिक स्रोत (Physical/Natural Sources) : प्राकृतिक कारणों में ज्वालामुखी विस्फोट द्वारा निकली राख, जंगलों की आग, आँधी-तूफान के समय उड़ने वाली धूल आदि हैं।

2. मानवीय स्रोत (Human Sources) : मानव अपनी विभिन्न क्रियाओं को दूषित करता जा रहा है। उद्योग, परिवहन, रसायनों के उपयोग में वृद्धि, ऊर्जा के विविध उपयोग आदि ने मानव को अनेक सुविधाएँ प्रदान करने के साथ ही वायु प्रदूषण का संकट उपस्थित किया है। इन मानवीय स्रोतों का वर्गीकरण निम्नलिखित प्रकार से किया जा सकता है :

- **दहन क्रियाओं द्वारा :** (a) घरेलू कार्यों में दहन, (b) वाहनों में दहन, (c) ताप विद्युत ऊर्जा हेतु दहन, (d) अन्य दहन क्रियाएँ।
- **उद्योगों द्वारा :** वर्तमान समय में उद्योग वायु प्रदूषण का प्रमुख स्रोत है। उद्योगों से उत्पन्न होने वाला वायु प्रदूषण उद्योग के प्रकार, आकार, कच्चा माल, उत्पाद, उप उत्पाद संयंत्र आदि पर निर्भर करता है। उद्योगों में एक ओर दहन क्रिया होती है और दूसरी तरफ विविध पदार्थों का धुआँ चिमनियों से निकलकर वायु को प्रदूषित करता है। रासायनिक उद्योगों से निकलने वाली गैसें वायु प्रदूषण फैलाती हैं। भोपाल त्रासदी इसका प्रत्यक्ष उदाहरण है। उद्योगों द्वारा निकलने वाली गैसों व पदार्थों में कार्बन डाइऑक्साइड, कार्बन मोनोऑक्साइड, सल्फर डाइऑक्साइड, हाइड्रोकार्बन, क्लोरीन, नाइट्रोजन ऑक्साइड, अमोनिया, सीसा, बैरीलियम, आर्सेनिक एवं रेडियोधर्मी पदार्थ आदि हैं।

अम्लीय वर्षा (Acid Rain) भी वायु प्रदूषण का एक खतरनाक प्रकार है। जब सल्फर डाइऑक्साइड वायु में पहुँचकर सल्फ्युरिक एसिड में परिवर्तित हो जाता है तो वह सूक्ष्म जलकणों के रूप में नगरों पर छाया रहता है और अन्त में जलकणों के रूप में गिरता है जिसमें सल्फेट आयन अधिक होता है, तब उसे **अम्लीय वर्षा** कहते हैं जो मानव तथा वनस्पति के लिए अत्यन्त हानिकर होता है।

- **कृषि कार्यों द्वारा :** कृषि कार्यों में फसल को रोगों एवं कीटों से बचाने व अधिक उत्पादन हेतु कीटनाशक एवं पेस्ट, दवाइयों के छिड़काव तथा रसायनिक उर्वरकों के प्रयोग से होता है। ये पाउडर या द्रव रूप में होते हैं। छिड़काव के बाद इनके सूक्ष्म कण वायुमण्डल में तैरते रहते हैं और वायुमण्डल को प्रदूषित करते हैं।
- **विलायकों के प्रयोग द्वारा :** अनेक प्रकार के पालिश, स्प्रे पेन्ट आदि करने के लिए विलायकों का प्रयोग किया जाता है जिनके

हाइड्रोकार्बन पदार्थ वायु में मिलकर प्रदूषित करते हैं। विभिन्न रसायनशालाओं में प्रयोग किए जाने वाले विलायक असावधानी से वायु में पहुँचकर उसे प्रदूषित करते हैं।

- **रेडियोधर्मिता द्वारा :** परमाणु ऊर्जा संयंत्रों, नाभिकीय रिएक्टरों या इन संयंत्रों में दुर्घटनाओं एवं परमाणु बम विस्फोट से रेडियो एक्टिव पदार्थ वायुमण्डल में दूर-दूर तक फैल जाते हैं तथा बाद में अवपात (fallout) के रूप में जमीन पर आ जाते हैं। इनसे पूरा वातावरण रेडियो एक्टिव विकिरण से प्रभावित होता है। पूर्व सोवियत संघ में चेरनोबिल परमाणु संयंत्र के रिसाव से हजारों व्यक्तियों के मौत के मुँह में चला जाना इसका प्रत्यक्ष प्रमाण है।
- **खनन कार्य द्वारा :** खानों में खनन कार्य करते समय खनिज के कण एवं धूल उत्पन्न होती है। खनिज के प्रकार के अनुसार विभिन्न खनिज धूल से विभिन्न रोग फैलते हैं। यह रोग मुख्यत: श्वसन एवं फेफड़ों के होते हैं।
- **युद्ध एवं विस्फोटक पदार्थों द्वारा :** युद्ध में अनेक प्रकार के विस्फोटक पदार्थ, केमिकल हथियार, जैविक हथियार एवं परमाणु व न्यूट्रॉन बमों का उपयोग किया जाता है। इनमें से अनेक हानिकारक एवं विनाशक रसायन वायुमण्डल में प्रवेश कर जाते हैं जैसा कि 1991 के खाड़ी युद्ध के समय में हुआ। इससे सम्पूर्ण पृथ्वी का पर्यावरण दूषित होने का खतरा भी उत्पन्न हो जाता है।
- **निर्माण कार्य :** बाँधों, नहरों, सुरंगों, इमारतों आदि के निर्माण के समय भारी मशीनों एवं उपकरणों का उपयोग खुदाई, लदाई, ढलाई आदि अनेक कार्यों में होता है। भारत में केरल की साइलेंट वैली प्रोजेक्ट को इसी कारण बंद किया गया था।

उपर्युक्त वायु प्रदूषणों के स्रोतों अथवा कारकों के विवेचन से यह स्पष्ट हो जाता है कि वायु प्रदूषण के प्राकृतिक स्रोतों से अधिक भयंकर दुष्प्रभाव मानवीय स्रोतों का पड़ता है। इसी कारण आज मानव के सम्मुख पर्यावरण व पारिस्थितिकी संकट की समस्या बनी हुई है और मानव विश्व स्तर पर पर्यावरण की रक्षा व संरक्षण के उपाय ढूँढने में लगा है जिससे वह वायु प्रदूषण के कारणों या स्रोतों को रोक सके या कम से कम कर सके। अत: मानव की आज प्राथमिक आवश्यकता यह बन गई है कि वह विश्व को एक संतुलित व स्वच्छ पर्यावरण किस प्रकार प्रदान कर सकता है और वर्तमान प्रदूषण को कम से कम करने में समर्थ हो सकता है।

वायु प्रदूषण के दुष्प्रभाव

- **क्षेत्रीय प्रभाव :** वायु प्रदूषण से पर्यावरण व सम्पूर्ण जीव-जगत् विविध प्रकार से कुप्रभावित होता है। परन्तु वायु प्रदूषण का प्रभाव इतना व्यापक है कि उसकी कल्पना के नाम से रोंगटे खड़े हो जाते हैं। वायु प्रदूषण का प्रभाव स्थानीय, क्षेत्रीय एवं विश्व-व्यापी होता है। स्थानीय एवं प्रादेशिक मौसम पर इसका प्रभाव चार प्रकार से पड़ता है :
    - ❑ दृष्टव्यता पर प्रभाव (Effect on Visibility)
    - ❑ सूर्यप्रकाश की सघनता (On Sunshine density)
    - ❑ जल वर्षा की मात्रा पर (On Precipitation amount)
    - ❑ अम्ल वर्षा (Acid Rain)
- **विश्वव्यापी प्रभाव :** वायु प्रदूषण के विश्वव्यापी प्रभावों (Global Effects) के अन्तर्गत प्रमुख प्रभाव निम्नलिखित होते हैं :
    - ❑ प्राकृतिक जलवायु में परिवर्तन
    - ❑ कार्बन डाइऑक्साइड में वृद्धि
    - ❑ विभिन्न प्रदूषक कणिकाओं की वृद्धि
    - ❑ ओजोन परत का विरल व विघटन होना आदि।

वास्तव में वायु प्रदूषण वर्तमान युग की औद्योगिक एवं तकनीकी सम्पन्नता की एक ऐसी विशेष देन है जो न केवल पर्यावरण व पारिस्थितिक तंत्र को असंतुलित बनाती है वरन् अन्य अनेक हानिकारक प्रभाव उत्पन्न करने के साथ ही मानव एवं अन्य जीवों तथा वनस्पति आदि के लिए भी संकट का कारण बनता जा रहा है।

प्रमुख प्रभाव : वायु प्रदूषण द्वारा होने वाले प्रमुख प्रभाव निम्नलिखित हैं :

- **मानव स्वास्थ्य पर प्रभाव (Effect on Human Health):** मानव श्वसन क्रिया के लिए वायु का उपयोग करता है। यदि वायु अशुद्ध है व उसमें प्रदूषक तत्वों का समावेश है तो वह शरीर में पहुँचकर विभिन्न प्रकार के भयंकर रोगों का कारण बनती है और मानव स्वास्थ्य को कुप्रभावित कर उसे बिगाड़ती है। वायु प्रदूषण सर्वाधिक मनुष्य के श्वसन तंत्र को प्रभावित करता है, इससे दमा, श्वसनीयशोथ, निमोनिया, आँखों में जलन, सिरदर्द व खाँसी आदि बीमारियाँ हो जाती हैं। वायु में कार्बन मोनोऑक्साइड की मात्रा अधिक होने पर यह रक्त के हीमोग्लोबिन में घुलकर कार्बोक्सी हीमोग्लोबिन बना देती है, जिससे रक्त में ऑक्सीजन की कमी होने से मृत्यु तक की संभावना हो जाती है। पेट्रोल वाहनों के धुएँ में उपस्थित सीसा वायु, जल एवं भोजन द्वारा मानव-शरीर में प्रवेश कर अनेक हानिकारक बीमारियाँ जैसे— यकृत तथा वृक्क के ऊतकों की क्षति, आहार-नाल को क्षति, बच्चों के मस्तिष्क व हड्डियों में विकार एवं प्रजनन की क्षमता पर विपरीत प्रभाव पड़ता है। वायु में सल्फर डाइऑक्साइड, नाइट्रोजन के ऑक्साइड्स एवं बहुकेन्द्रित हाइड्रोकार्बन फुफ्फुस, कैंसर, हृदय रोग, मधुमेह आदि जैसी भयंकर बीमारियों को बढ़ावा देते हैं। इससे एम्फॉयसीमा (Emphysema) नामक जानलेवा बीमारी हो जाती है।
- **वनस्पति पर प्रभाव (Effects on Vegetation or Flora):** वायु प्रदूषण के अम्लीय वर्षा, धूम, कुहरा, ओजोन, मोनो-ऑक्साइड, सल्फर डाईऑक्साइड, फ्लोराइड आदि का वनस्पति पर विपरीत प्रभाव पड़ता है। वायु प्रदूषण के कारण पौधों को प्रकाश कम मिल पाता है। इससे उसकी प्रकाश संश्लेषण क्रिया पर विपरीत प्रभाव पड़ता है। धूम और कुहरे के क्षेत्रों में पनपने वाले पौधों के विकास में कमी हो जाती है। ओजोन और नाइट्रेट ऑक्साइड से पौधों की पत्तियाँ विकृत और सफेद होकर गिरने

लगती हैं, सौंदर्यवर्द्धक फूल और भक्ष्य फल समाप्त हो जाते हैं। औद्योगिक क्षेत्रों में वायु प्रदूषण के कारण बहुत से पादपों के पत्ते व तने काले पड़ जाते हैं तथा सूख जाते हैं। सल्फर डाइऑक्साइड की अधिकता से पौधों के पर्णरन्ध्र प्रभावित होते हैं व पत्तियाँ रंगहीन हो जाती हैं तथा नष्ट हो जाती हैं व उत्पादन भी कम होने लगता है।

- **जीव-जंतुओं पर प्रभाव (Effects on Fauna) :** वायु प्रदूषण का प्रभाव मानव व वनस्पति के साथ ही अन्य जीवों पर भी हानिकारक प्रभाव डालता है। जीव वायु ग्रहण करते हैं और प्रदूषण से विषाक्त पदार्थ शरीर में पहुँचकर हानि पहुँचाते हैं। पशुओं द्वारा खाए जाने वाले चारे पर क्लोराइड यौगिक के गिरने से उनके शरीर में पहुँचकर दाँतों तथा हड्डियों में फ्लूओरोसिस रोग उत्पन्न कर देते हैं।
- **वायुमण्डल एवं जलवायु पर प्रभाव (Effects on Atmosphere and Climate) :** ओजोन परत का छिद्र, ग्रीन हाउस प्रभाव, स्थानीय व क्षेत्रीय मौसम पर प्रभाव आदि।
- **अन्य प्रभाव (Other Effects) :** अम्लीय वर्षा (Acid Rain)

उपर्युक्त वायु प्रदूषण के दुष्प्रभावों के विवेचन से यह स्पष्टतः निष्कर्ष निकलता है कि वायु प्रदूषण एक क्रमिक रूप से घुलता हुआ जहर है जो मनुष्य ही नहीं बल्कि समस्त जीव-जगत् व पर्यावरण को प्रभावित कर रहा है।

वायु प्रदूषण पर नियंत्रण

वायु प्रदूषण को नियंत्रण करने एवं उसके प्रभाव को कम करने की दिशा में अत्यधिक शोध कार्य हो रहा है। अनेक यांत्रिक विधियों का विकास हुआ है जिनमें निःसादन (Setting), घोल द्वारा (By dissolving), छानकर (Filtering) या अधिशोषण द्वारा (By absorption) वायु प्रदूषण को कम किया जाता है। उद्योगों में प्रदूषण नियंत्रण यंत्र लगाना तथा वाहनों के धुएँ को शुद्धिकरण कर बाहर फेंकने के यंत्रों द्वारा वायु प्रदूषण पर कुछ सीमित नियन्त्रण किया जा सकता है। कई गैसों के हानिकारक तत्वों को रसायनिक प्रक्रिया द्वारा समाप्त कर दिया जाता है। लेकिन वायु प्रदूषण वर्तमान युग की सर्वाधिक ज्वलन्त समस्या है, इसके लिए सामूहिक प्रयत्न आवश्यक है। वायु प्रदूषण की सघनता को कम करने के लिए सामान्य उपाय निम्न हैं :

- घरों में धुआँरहित ईंधन का उपयोग किया जाए।
- वाहनों से उत्पन्न धुएँ निकास पर छलनी एवं पश्च-जवलक (After Burner) के उपयोग को कम किया जा सकता है।
- पुराने वाहनों की रोक, वाहनों की नियमित जाँच, निश्चित गति से वाहन को चलाना आदि से वायु प्रदूषण कम हो सकता है।
- कोयले के रेल इंजन के स्थान पर विद्युत इंजनों के प्रयोग को प्रोत्साहन दिया जाए।
- उद्योगों की चिमनियों पर से निकलने वाले धुएँ को परिष्कृत करने वाले यन्त्रों से शुद्ध किया जाए।
- उद्योगों में कम प्रदूषणकारी प्रौद्योगिकी का प्रयोग किया जाए।
- प्राकृतिक वनस्पति के विनाश को रोका जाए एवं हरित पेटियों (Green Belt) का विकास उद्योगों एवं नगरों के समीप किया जाए।
- जनचेतना जागृत की जाए।
- स्कूल एवं कॉलेजों आदि शिक्षण संस्थानों में पर्यावरण प्रदूषण संबंधी उपयुक्त शिक्षा की व्यवस्था करना आवश्यक है।

वायु प्रदूषण की हानियों को और उसके बहुआयामी प्रभावों को देखते हुए उस पर प्रारंभ से ही जितना शीघ्र हो सके नियन्त्रण एवं निराकरण करना चाहिए। समय रहते हुए यदि वायु प्रदूषण की समस्या पर एवं उसके नियन्त्रण पर ध्यान नहीं दिया गया तो सम्पूर्ण पर्यावरण प्रदूषित हो जाएगा और इस धरा-धाम पर जीवधारियों का जीवित रहना असंभव हो जाएगा।

वर्तमान में सभी देशों की सरकारें प्रदूषण के प्रति सचेष्ट हैं। उन्होंने अनेक कानून भी बनाए हैं। भारत में भी इसके लिए अनेक अधिनियम बने हैं और इस दिशा में पर्याप्त अनुसंधान भी हो रहा है। आवश्यकता है सभी को सचेष्ट रहने की जिससे हमारा वर्तमान ही नहीं बल्कि भविष्य भी सुखद हो सके।

जल प्रदूषण (Water Pollution)

जल प्रदूषण एक अन्य महत्वपूर्ण स्थानीय पर्यावरणीय चिंता है। जल निकायों का प्रदूषण और औद्योगिक उत्सर्जन, अनुचित अपशिष्ट प्रबंधन, या कृषि अपवाह के कारण हो सकता है। विषाक्त पदार्थ और प्रदूषक नदियों, झीलों और भूजल में प्रवेश कर सकते हैं, जिससे जलीय पारिस्थितिकी तंत्र और इन जल स्रोतों पर निर्भर स्थानीय समुदायों के स्वास्थ्य के लिए खतरा पैदा हो सकता है।

मानव जाने-अनजाने में अपने स्वार्थ की पूर्ति हेतु जल में अनेक प्रकार की अशुद्धियाँ समाहित कर देता है जिससे जल की रसायनिक, भौतिक और जैविक क्रियाओं की विशिष्टताओं में अवनति आ जाती है। जल में कार्बनिक व अकार्बनिक पदार्थों के मिश्रण से उसकी भौतिक व जैविक संरचना का परिवर्तित होकर हानिकारक बन जाना ही जल प्रदूषण है। इस प्रदूषण से जल में दुर्गन्ध, स्वाद परिवर्तन व जीवाणुओं की उत्पत्ति हो जाती है जो मानव, वनस्पति व जीव-जंतुओं को प्रत्यक्ष व अप्रत्यक्ष रूप से हानि पहुँचाता है।

''मानवकृत परिवर्तनों से जल की वास्तविक या संभावित उपयुक्तता में हानिकरण ही जल प्रदूषण है'' अथवा ''प्राकृतिक जल में किसी अवांछित बाह्य पदार्थ का प्रवेश, जिससे जल की गुणवत्ता में अवनति आती है, जल प्रदूषण कहलाता है।''

जल प्रदूषक पदार्थ : प्रदूषक पदार्थों की प्रकृति के आधार पर जल प्रदूषण को भौतिक, रासायनिक व जैव श्रेणियों में विभक्त किया जाता है। भौतिक जल प्रदूषण से जल का रंग, गंध, तापक्रम, स्वाद प्रभावित होता है और रासायनिक जल प्रदूषण से उसमें अनेक रासायनिक हानिकारक पदार्थों का सम्मिश्रण हो जाता है तथा जैव प्रदूषण से बैक्टीरिया के सूक्ष्म जीवाणु जल में उद्भूत हो जाते हैं। ये सभी प्राकृतिक व मानवकृत प्रदूषक तत्व सामूहिक रूप से प्रभाव डालते हैं, लेकिन उनके प्रभाव का परिणाम भिन्न-भिन्न हो जाता है।

जल प्रदूषण के स्रोत

जल प्रदूषण के स्रोत को दो प्रमुख भागों में वर्गीकृत किया जाता है : **(1)** प्राकृतिक स्रोत (Physical Sources) तथा **(2)** मानवीय स्रोत (Human Sources)। जल प्रदूषण यद्यपि किसी एक विशिष्ट स्रोत से नहीं होता है बल्कि इसके विविध स्रोत हैं, लेकिन फिर भी कहीं एक स्रोत और कहीं एक से अधिक स्रोत प्रमुख हो सकते हैं। अधिकांश जल प्रदूषण के स्रोत मानव द्वारा विभिन्न पदार्थों की जल में निस्तारण ही है लेकिन कतिपय प्राकृतिक स्रोत भी जल प्रदूषण के कारण होते हैं।

- **प्राकृतिक स्रोत (Natural/Physical Sources) :** जल प्राकृतिक रूप से भी प्रदूषित होता रहता है। इस प्रदूषण के कारण जल में मिलने वाली गैसें, मृदा, खनिज, ह्यूमस पदार्थ, जीव-जन्तुओं का मल-मूत्र आदि हैं। यह प्रदूषण मंद अथवा सामयिक होता है। जल में प्राकृतिक रूप से शुद्ध होने की क्रिया होती रहती है। यह जैव अथवा अजैव, कार्बनिक अथवा अकार्बनिक, रेडियो सक्रिय अथवा निष्क्रिय, विषैले अथवा हानिरहित हो सकती है। धूल के कण, मृदा, पोटैशियम, कैल्सियम, मैग्नीशियम, लौह, मैगनीज आदि की मात्रा सामान्य से अधिक हो जाने पर जल प्रदूषित हो जाता है। इसी तरह निकेल, बेरियम, बेरीलियम, कोबाल्ट, सीसा, कैडमियम, पारा, वैनेडियम जैसी विषैली धातुओं की मात्रा में थोड़ी-सी वृद्धि भी हानिकारक होती है। जलीय वनस्पति की अधिकता भी प्रदूषक का स्रोत बन सकती है।
- **मानवीय स्रोत (Human Sources) :** जनसंख्या में निरन्तर तेजी से वृद्धि, औद्योगीकरण, विद्युत उत्पादन, रसायनिक व तैलीय पदार्थों का अधिक उपयोग आदि मानवीय क्रियाएँ जल प्रदूषण का कारण बनकर पेयजल की उपलब्धि को कम कर रही हैं और विकासशील देशों में तकनीकी स्तर की कमी के कारण यह समस्या और भी आत्मघाती हो रही है। मूक दर्शक बनकर मानव यह सभी कुछ देख रहा है कि विकास की दौड़ में नदियाँ, तालाब, कुएँ आदि जल स्रोत प्रदूषण की चपेट में आते जा रहे हैं। जल प्रदूषण के लिए उत्तरदायी मानवीय क्रियाएँ अनेक हैं, जिनमें प्रमुख क्रियाएँ निम्नलिखित हैं—
  - ❑ घरेलू बहि:स्राव (Domestic Effluent)
  - ❑ वाहित मल (Sewage)
  - ❑ औद्योगिक बहि:स्राव (Industrial Effluent)
  - ❑ कृषि बहि:स्राव (Agricultural Effluent)
  - ❑ रेडियोधर्मी अवशिष्ट (Radio-Active Wastes)
  - ❑ तापीय प्रदूषण (Thermal Pollution)
  - ❑ तेल प्रदूषण (Oil Pollution)

जल प्रदूषण के दुष्प्रभाव

जल प्रदूषण का प्रभाव अत्यन्त व्यापक रूप से हानिकारक होता है, क्योंकि प्रत्येक जीव, मानव, पशु-पक्षी तथा अन्य जीव-जन्तु ही नहीं बल्कि वनस्पति एवं कृषि का अस्तित्व भी जल पर ही निर्भर करता है। जैसे ही जल प्रदूषित हो जाता है, उसका दुष्परिणाम सभी को भुगतना पड़ता है। भोजन चक्र (Food cycle) का नियंत्रक जल ही होता है और यदि भोजय पदार्थ ही दूषित हो जाता है तो उसका दुष्प्रभाव उसे ग्रहण करने वाले पर अवश्य पड़ेगा।

जल प्रदूषण के प्रभावों को अध्ययन की सुविधा की दृष्टि से निम्नलिखित तीन श्रेणियों में विभक्त किया जा सकता है :

- **मनुष्यों पर प्रभाव :** जल प्रदूषण का मानव पर प्रत्यक्ष प्रभाव होता है क्योंकि जल का वह अत्यधिक प्रयोग पेयजल एवं अन्य कार्यों में करता है। अत: मानव को शुद्ध जल की आवश्यकता होती है। प्रदूषित जल केवल स्वास्थ्य के लिए ही हानिकारक नहीं होता है बल्कि अनेक जानलेवा बीमारियों का भी कारण बनता है। प्रदूषित व संदूषित जल में जीवाणुओं का तीव्रता से निवास होता है, जिससे मानव स्वास्थ्य पर विपरीत प्रभाव पड़ता है। प्रदूषित जल के पीने से हैजा, टायफाइड, डायरिया, पेचिश, आदि रोग फैल जाते हैं और ये कभी-कभी महामारी का रूप भी ले लेते हैं। दूषित जल में उपस्थित वायरस के यकृतशोथ, पीलिया व पोलियो जैसी भयंकर बीमारियाँ हो जाती हैं। पेट व आँतों की बीमारियाँ जैसे : अतिसार, यकृत एप्सिस आदि भी प्रदूषित जल के पीने से ही होती हैं। अधिकांश छिछले व खुले कुओं के जल में नारू के कीटाणु होते हैं जिनका पानी पीने से नारू नामक कष्टप्रद रोग हो जाता है।

  जीवाणुओं के अलावा प्रदूषित जल में अनेक रसायनों का मिश्रण होता है और उसके पीने से मानव पर विपरीत प्रभाव पड़ता है। जल में क्लोराइड की मात्रा अधिक होने से दाँत विकृत हो जाते हैं और जल के नाइट्रेट्स शरीर में पहुँचकर नाइट्राटस में परवर्तित होकर रक्त ऑक्सीजन वहन क्षमता को कम कर देते हैं। कृषि में प्रयुक्त डी.डी.टी. एवं अन्य कीटनाशकों और रसायनिक खादों के प्रदूषित जल पीने से अनेक असाध्य रोग हो जाते हैं।
- **जल जीवों एवं जलीय वनस्पति पर प्रभाव :** जल प्रदूषण का सर्वाधिक प्रभाव जलीय जीवों एवं जलीय वनस्पति पर होता है क्योंकि इनका अस्तित्व जल में होता है और ये जलीय पारिस्थितिकी का अभिन्न अंग होते हैं। जल में घरेलू अपशिष्टों का मिश्रण हो अथवा औद्योगिक बहि:स्राव के रसायनों का, उसमें तापीय प्रदूषण हो या रेडियोधर्मी अथवा तेल प्रदूषण, सभी जलीय जीवन को हानि पहुँचाते हैं तथा उनका विनाश हो जाता है।

प्रदूषित जल में मछलियाँ मरने लगती हैं, क्योंकि उन्हें पर्याप्त ऑक्सीजन नहीं मिलती है। इसी कारण तेल फैलने से मछलियाँ सर्वाधिक प्रभावित होती हैं। रेडियाधर्मी पदार्थ जल-जीवों में प्रवेश कर अन्तत: उन्हें समाप्त कर देते हैं या उनके माध्यम से मनुष्य के शरीर में पहुँच जाते हैं।

जल प्रदूषण जलीय वनस्पतियों को भी अनेक प्रकार से प्रभावित करता है। जल में नाइट्रेट्स और फॉस्फेट के मिश्रित हो जाने से शैवाल में वृद्धि होती है। प्रदूषित जल में नीले हरित शैवाल और डायटम्स (Diatoms) आदि अधिक हो जाते हैं। इनकी अत्यधिक वृद्धि से एक तो सूर्य का प्रकाश अन्दर तक नहीं पहुँच पाता तथा अनेक व्यर्थ की वनस्पति का विकास हो जाता है और अनेक जलीय पौधे समाप्त हो जाते हैं। तापीय प्रदूषण से जलीय वनस्पति समाप्त हो जाती है तथा कवक व शैवालों की वृद्धि होती है जिससे जल में श्वसन तथा सड़न के फलस्वरूप ऑक्सीजन में कमी आ जाती है।

- **अन्य प्रभाव :** प्रदूषित जल से उपर्युक्त वर्णित प्रभावों के अलावा अन्य कुछ प्रभाव भी पड़ते हैं, जिससे जल की पारदर्शिता में कमी आ जाती है, उसमें दुर्गन्ध आने लगती है तथा उसका स्वाद भी अरुचिकर हो जाता है। कार्बनिक अवशिष्टों के सड़ने से उसमें अमोनिया, हाइड्रोजन, सल्फाइड जैसे तत्त्वों में वृद्धि हो जाती है। अम्लीय तत्वों के परिणामस्वरूप जल विकृत हो जाता है तथा वह भारी हो जाता है। वाहित मल के विघटन से उत्पन्न गैस भी हानिकारक होती है तथा उनमें कभी-कभी पाइपों में विस्फोट भी हो जाता है।

निष्कर्ष रूप में हम कह सकते हैं कि जल प्रदूषण मनुष्य, पशु, जलीय जीव, जलीय वनस्पति को अनेक प्रकार से हानि पहुँचाता है। इसके फलस्वरूप पर्यावरण व वायुमण्डल भी अशुद्ध हो जाता है। इससे सामान्य जलीय पारिस्थितिकी तंत्र में भी असंतुलन उत्पन्न हो जाता है, जिसका परिणाम भविष्य में अत्यधिक हानिकारक होता है। यह एक विश्व व्यापी समस्या है जिस पर समुचित ध्यान देकर वर्तमान अपितु भविष्य को भी सुरक्षित बनाया जा सकता है।

जल प्रदूषण नियंत्रण

जल प्रदूषण आज विश्वव्यापी समस्या है और इसके नियंत्रण के लिए विकसित देश उच्च तकनीक का प्रयोग करने लगे हैं और एक सीमा तक उसे नियंत्रित करने में सफल सिद्ध हुए हैं। लेकिन आज यह तकनीक अत्यधिक महँगी होने के कारण विकासशील देश इसे उपयोग में नहीं ला सकते हैं। अत: विकास देशों के सम्मुख यह जल प्रदूषण की समस्या बनी हुई है। विश्व संगठन भी इस समस्या के निवारण हेतु सचेष्ट है और अनेक देशों ने नियन्त्रण हेतु कानून भी बनाए हैं। लेकिन यह समस्या मात्र कानून बनाने से हल नहीं हो सकती है। इसके लिए सामान्य जनता में जागृति उत्पन्न कर जन-जन को इसमें भागीदार बनाना पड़ेगा।

जल शोधन की विधियाँ

जल शोधन की निम्नलिखित दो विधियाँ प्रमुख हैं :

- **जल शोधन की प्राकृतिक विधि (Natural Method of Water Purification) :** इस विधि में अनेक बलों जैसे गुरुत्वाकर्षण, तनुकरण, तापमान, सूर्य का प्रकाश, समय, जीवाणु, जलीय वनस्पति आदि से अशुद्धियों की मात्रा कम होती रहती है। इस प्राकृतिक शोधन को स्वत: शोधन भी कहा जाता है क्योंकि यह प्रक्रिया प्रकृति में निरन्तर अबाध गति से चलती रहती है।
- **जल शोधन की कृत्रिम विधि (Artificial Method of Water Purification) :** घरों में प्रयोग आने वाले जल का शोधन अनेक प्रकार से किया जाता है, जिनमें जल की कठोरता का निष्कासन करके, उबालकर, छानकर, तलछट करके, आसुतिकरण से, रसायनिक उपचार से तथा जीवाणुनाशन या क्लोरीनीकरण द्वारा आदि विधियाँ प्रमुख हैं।

जल प्रदूषण नियन्त्रण के उपाय : जल प्रदूषण नियन्त्रण हेतु कतिपय सामान्य उपाय निम्नलिलिखित हैं :

- घरेलू बहि:स्राव एवं वाहित मल को उपचारित करने के पश्चात् ही किसी जल स्रोत में डाला जाए।
- उपचारित गंदे पानी का उपयोग सिंचाई के लिए किया जा सकता है क्योंकि इसमें उर्वरता अधिक होने से इसका उपयोग विशेषत: सब्जियों के उत्पादन में किया जा सकता है।
- पेयजल स्रोतों के समीप गंदगी एकत्रित न होने दें, उनके चारों तरफ पक्की दीवार बनाकर उनमें नहाने व कपड़े धोने पर पूर्णत: प्रतिबंध लगा देना चाहिए।
- उद्योगों द्वारा वाहित प्रदूषित जल, स्रोतों में न डाला जाए। उद्योगों में जल उपचार संयंत्र लगाए जाएँ और उपचारित जल ही नदियों आदि में छोड़ा जाए।
- कृषि में कीटनाशक दवाइयों का प्रयोग सीमित किया जाए और डी.डी.टी. तथा अन्य स्थायी प्रकार के कीटनाशकों पर प्रतिबंध लगा दिया जाए।
- नगरों व महानगरों में शौच हेतु पर्याप्त व्यवस्था हो तथा नदी व जलाशयों के निकट शौच जाने पर रोक लगा दी जाए। सुलभ शौचालयों का निर्माण किया जाए।
- जल को शुद्ध करने वाले जीवों को संरक्षण दिया जाए।
- जल स्रोतों में मृत लाशें न बहाई जाएँ।
- जल की अनावश्यक शैवाल व अन्य पौधों की सफाई कर देनी चाहिए।
- पेयजल स्रोत को समय-समय पर जीवाणु मुक्त किया जाए।
- सरकारी स्तर पर जल के प्रदूषण की नियमित जाँच होनी चाहिए।
- जनजागृति व स्वयं सेवी संस्थाओं का सहयोग भी आवयक है।

जल संरक्षण की विधियाँ (Techniques of Water Conservation): जल संरक्षण की प्रमुख विधियाँ निम्नलिखित हैं :

- जल की उचित वितरण व्यवस्था (Proper distribution system of Water)
- भूमिगत जल का विवेकपूर्ण प्रयोग (Rational use of underground water)
- वनस्पति विनाश पर नियन्त्रण (Control over deforestation)
- जल प्रदूषण से बचाव (Protection of water for Pollution)
- अपशिष्ट जल का शोधन (Purification of waste water)

जल प्रदूषण को नियन्त्रित करने हेतु किए जाने वाले सरकारी प्रयास

किसी भी देश की सरकार को जल प्रदूषण नियन्त्रण के लिए निम्नलिखित प्रयास करने चाहिए :

- जल स्रोतों के जल प्रदूषण की स्थिति ज्ञात करने के लिए सर्वेक्षण।
- औद्योगिक संस्थानों एवं इकाइयों द्वारा जल स्रोतों में अपशिष्टों के प्रवाहित होने की निगरानी।
- प्रदूषित जल शोधन की विधियों का विकास।
- स्थानीय संस्थानों और औद्योगिक इकाइयों को जल प्रदूषण नियन्त्रण हेतु उपाय सुझाना।
- पर्यावरण एवं जल प्रदूषण संबंधी शोध एवं अनुसंधान।
- जल साधारण को प्रदूषण के प्रति जागरूक करना।
- जल प्रदूषण नियन्त्रण के लिए नियम एवं कानून बनाना तथा उसका कठोरतापूर्वक पालन करवाना।
- जल प्रदूषण फैलाने वालों को दण्डित करना आदि।

भारत सरकार ने **1974** में **जल प्रदूषण नियन्त्रण अधिनियम** पारित करके जल प्रदूषण के रोकथाम की पहल की है। गंगा को प्रदूषणमुक्त करने के लिए **केन्द्रीय गंगा प्राधिकरण** का गठन किया गया है।

वनों की कटाई

वनों की कटाई एक स्थानीय मुद्दा है जिसके व्यापक परिणाम होंगे। शहरीकरण, कृषि या लकड़ी काटने के लिए वनों की कटाई से स्थानीय पारिस्थितिकी तंत्र बाधित होता है, जिससे अनगिनत प्रजातियों के आवास नष्ट हो जाते हैं। वनों की कटाई से मृदा क्षरण में भी वृद्धि होती है, कार्बन अवशोषण में कमी आने से जलवायु परिवर्तन में वृद्धि होती है, तथा वन संसाधनों पर निर्भर रहने वाले मूलनिवासी समुदायों की आजीविका को भी खतरा होता है।

ध्वनि प्रदूषण (Noise Pollution)

ध्वनि प्रदूषण एक स्थानीय समस्या है जो मानव और वन्य जीवन दोनों पर नकारात्मक प्रभाव डालती है। यातायात, निर्माण स्थलों या औद्योगिक गतिविधियों से उत्पन्न अत्यधिक शोर से प्रभावित क्षेत्रों में रहने वाले व्यक्तियों में तनाव, नींद में गड़बड़ी और सुनने की समस्याएँ उत्पन्न हो सकती हैं। वन्यजीव प्रजातियां, विशेषकर शहरी परिवेश के निकट रहने वाली प्रजातियां, उच्च ध्वनि स्तर के कारण आवास व्यवधान और संचार व्यवधान से पीड़ित हैं।

मैक्सवेल ने शोर (ध्वनि) को परिभाषित करते हुए कहा है कि **''शोर वह ध्वनि है जो अवांछनीय है। यह वायुमण्डलीय प्रदूषण का एक प्रमुख प्रकार है।''**

मानव सामान्यतया अपने कानों से ध्वनि को एक निश्चित सीमा तक सुन सकता है, किन्तु जब उसके कान सुनने के लिए तैयार न हों तो वही **ध्वनि प्रदूषण है।**

आधुनिक, वैज्ञानिक, तकनीकी व औद्योगिक युग में निरन्तर बढ़ते हुए उद्योग-धन्धों, कल-कारखानों, मोटरों व रेलगाड़ियों आदि वाहनों, स्वचालित वाहनों, जेट व हवाई जहाजों की संख्या ने भी ध्वनि या आवाज को अप्रिय शोर बना दिया है। तेज आवाज का संगीत, धार्मिक व सामाजिक समारोह, जुलूस, जल सभाएँ आदि अनेक तत्व ध्वनि प्रदूषण के कारण बनते हैं, जो कि नगरीय सभ्यता की देन है।

शोर का मापन एवं प्रबलता : शोर एक सापेक्षिक तथ्य है जिसे अनुभव के आधार पर श्रेणीबद्ध करना कठिन है क्योंकि कुछ प्रकार की ध्वनियाँ किसी को तीव्र बनाती हैं तो किसी को मधुर। अत: शोर मापनहेतु वैज्ञानिकों ने प्रयास किया और मापन हेतु डेसीबल (db/Decibel Meter) का विकास किया।

विभिन्न स्रोतों से ध्वनियों की प्रबलता

	स्रोत	*प्रबलता (डेसीबल में)*	*अनुभव*
1.	फुसफुसाहट	10-25	शांत
2.	धीमा रेडियो	30-40	मधुर
3.	वार्तालाप	50-60	सामान्य तेज
4.	हल्का यातायात	70	शोरगुल
5.	मोटर साईकिल	90	प्रबल
6.	जेट इंजन	105	असुविधाजनक प्रबल
7.	जेट का उड़ना	150	पीड़ाजनक

ध्वनि प्रदूषण के स्रोत

ध्वनि प्रदूषण को दो वर्गों में विभक्त किया जाता है : **1. प्राकृतिक** (Natural/Physical) स्रोत, **2. मानवीय या कृत्रिम** (Human or Artificial) **स्रोत।**

ध्वनि प्रदूषण के स्रोत

1. प्राकृतिक स्रोत

(i) बादलों की गर्जन
(ii) बिजली की गर्जन
(iii) तूफानी तेज हवाएँ
(iv) भयंकर तूफान
(v) भयंकर जलवृष्टि
(vi) पहाड़ों की ऊँचाई से गिरते जल की ध्वनि
(vii) भूकम्प
(viii) ज्वार-भाटा
(ix) ज्वालामुखी का फटना
(x) दावानल का भयंकर प्रकोप आदि।

2. मानवीय या कृत्रिम स्रोत

- उद्योग धन्धे व मशीनें
- जल, स्थल एवं वायु परिवहन के साधन
- मनोरंजन के साधन एवं धार्मिक क्रियाकलाप
- अन्य कारण

(i) सड़क निर्माण हेतु इंजन चलाना
(ii) चुनावों का प्रचार
(iii) धार्मिक कथा-कीर्तन
(iv) विवाहोत्सवों में बैण्ड बजाना
(v) खनिज खनन
(vi) सेना द्वारा युद्धाभ्यास आदि।

ध्वनि प्रदूषण के दुष्प्रभाव

वर्तमान में विविध स्रोतों के द्वारा ध्वनि प्रदूषण में निरन्तर वृद्धि हो रही है। ध्वनि द्वारा मानव सर्वाधिक प्रभावित होता है क्योंकि कानों के माध्यम से उसे तीव्र शोर की पीड़ा झेलनी पड़ती है। वैज्ञानिक प्रयोगों ने यह सिद्ध कर दिया है निरन्तर शोर भरे स्थानों पर रहने वाले लोगों में आंशिक या पूर्ण बहरापन आ जाता है। 80 डेसीबल से अधिक वाला शोर श्रवण-शक्ति पर विपरीत प्रभाव डालता है और 120 से अधिक डेसीबल शोर इसे विकृत कर देता है कि कानों की संवेदनशीलता व श्रवण शक्ति लगभग हो जाती है। 150 डेसीबल की ध्वनि त्वचा को सर्वथा जला डालती है और इससे अधिक की ध्वनि से मनुष्य की मौत भी हो सकती है। इसलिए 200 डेसीबल ध्वनि उत्पन्न करने वाले माइक अस्त्रों को विकसित किया गया है।

कानों के अलावा ध्वनि प्रदूषण से मानसिक रोग तथा सिरदर्द भी हो जाता है। फ्रांस में मानसिक तनाव के 70 प्रतिशत मामलों की वजह हवाई अड्डों का शोर है। शोर का प्रभाव हृदय व पाचन संस्थान पर पड़ता है। शोर का सर्वाधिक प्रभाव बच्चों पर पड़ता है, उनकी स्मरण-शक्ति कमजोर हो जाती है और पढ़ाई में उनका ध्यान नहीं लगता है।

शोर-शराबे में निरन्तर रहने वाले 60 प्रतिशत बच्चे पढ़ने में ध्यान नहीं दे पाते तथा 40 प्रतिशत बहरेपन का शिकार हो जाते हैं तथा अनेक में सिर-दर्द और चिड़चिड़ेपन की शिकायतें हो जाती हैं। शोर के कारण व्यक्ति के दैनिक जीवन में सामाजिक तनाव, लड़ाई-झगड़े, मानसिक अस्थिरता, कुण्ठा, पागलपन आदि अनेक दोष उत्पन्न हो जाते हैं। वास्तव में शोर मनुष्य को समय से पूर्व ही बूढ़ा व अशक्त कर देता है। प्रसिद्ध चिकित्सक **सेमुआन रोंजन** का इसी कारण विचार है कि **''आप चाहे शोर को क्षमा कर दें पर आपकी धमनियाँ नहीं करेंगी।''** कैलीफोर्निया विश्वविद्यालय के प्रोफेसर नोवेल जोन्स ने 2 लाख नवजात बच्चों का परीक्षण कर यह निष्कर्ष निकाला है कि शांत स्थानों में रहने वाली गर्भवती महिलाओं की तुलना में शोरग्रस्त क्षेत्रों में रहने वाली गर्भवती महिलाओं द्वारा जन्मे शिशुओं में जन्मजात विकृतियाँ अधिक होती हैं। इस प्रकार ध्वनि या शोर प्रदूषण के दुष्प्रभाव मानव पर सर्वाधिक पड़ते हैं, जिन्हें देखकर व अनुभव करके ही आजकल शोर प्रदूषण के नियन्त्रण के उपायों पर विचार किया जा रहा है और उन्हें प्रयोग में लिया जा रहा है।

ध्वनि प्रदूषण पर नियंत्रण

शत-प्रतिशत करने से तात्पर्य औद्योगिक विकास को बिल्कुल बंद कर देना है जो प्रायः असंभव है, फिर भी ध्वनि प्रदूषण के कुछ उपाय निम्नलिखित हैं:

- ध्वनि प्रदूषण नियन्त्रण का सबसे सरल व उपयुक्त उपाय है कि ध्वनि के उद्गम के स्थान पर ही नियन्त्रण करना चाहिए। शोर करने वाले परिवहन के विभिन्न साधन जो कि खराब एवं जीर्ण अवस्था के कारण शोर उत्पन्न करते हैं, उनके परिचालन पर रोग लगा देनी चाहिए अथवा उन्हें आबादी वाले स्थानों से होकर निकलने पर रोक लगानी चाहिए।
- सभी प्रकार के परिवहन साधनों के शोर को कम करने के लिए साइलेन्सर लगाना कानूनी रूप से आवश्यक कर देना चाहिए।
- मोटर वाहनों के तेज और बहुध्वनि वाले हॉर्न बजाने पर प्रतिबंध लगाना चाहिए।
- वाहनों में प्रयुक्त होने वाले ऐसे टायरों का निर्माण किया जाना चाहिए जिनमें कम आवाज उत्पन्न हो।

- ध्वनि प्रदूषण के दुष्प्रभावों को रोकने के लिए ध्वनि प्रदूषण नियन्त्रण कानून बनाना चाहिए।
- राष्ट्रीय स्तर पर ध्वनि प्रदूषण नियन्त्रण हेतु प्रयास किए जाने चाहिए।
- जेट विमानों के शोर को कम करने के लिए उनके टर्बों को शोर अवशेषक का प्रयोग करना चाहिए।
- बड़े-बड़े नगरों के समीप से **वाहिमार्ग** (By Pass) का निर्माण होना चाहिए।
- नए कल-कारखानों को जिनके यंत्रों से अधिक प्रदूषण होता है, शहर से बाहर होना चाहिए।
- ध्वनि प्रदूषण को नियन्त्रित करने के लिए जनता को शिक्षित एवं जागृत करना चाहिए।
- विद्यार्थियों को अध्ययन के समय ध्वनि प्रदूषण के विषय में शिक्षा प्रदान करनी चाहिए।
- बड़े-बड़े नगरों में ध्वनि नियन्त्रण केन्द्रों की स्थापना होनी चाहिए।
- ध्वनि विस्तारक यन्त्रों को अत्यधिक जोर से नहीं बजाना चाहिए।
- आवास-गृहों, विद्यालयों, चिकित्सालयों, पुस्तकालयों इत्यादि का निर्माण नगर के कोलाहल से दूर किसी शांत स्थान पर करना चाहिए आदि।

एक स्विस अध्ययन के अनुसार ध्वनि प्रदूषण से बचने के लिए चिकित्सालयों एवं विश्राम-गृह को राष्ट्रीय मार्गों से लगभग 300 मीटर से अधिक दूरी पर, आवास को 150 मीटर से अधिक दूरी पर कार्यालय को 30 मीटर से अधिक दूरी पर निर्मित करवाना चाहिए। विभिन्न प्रकार के भवनों के निर्माण के समय इन तथ्यों को ध्यान में रखने पर ध्वनि प्रदूषण से बचा जा सकता है।

क्षेत्रीय पर्यावरणीय मुद्दे

क्षेत्रीय पर्यावरणीय मुद्दे स्थानीय सीमाओं से परे होते हैं तथा व्यापक भौगोलिक क्षेत्रों को प्रभावित करते हैं।

पानी की कमी

जल की कमी एक महत्वपूर्ण क्षेत्रीय चुनौती है, जो प्रायः सूखे, अत्यधिक उपभोग या अपर्याप्त जन प्रबंधन प्रथाओं जैसे कारकों के कारण होती है। जल की कमी से जूझ रहे क्षेत्रों को अपनी आबादी की जरूरतों को पूरा करने, कृषि को बनाए रखने और पर्याप्त जल उपलब्धता पर निर्भर पारिस्थितिकी तंत्र को सहारा देने में कठिनाइयों का सामना करना पड़ता है।

भूमि क्षरण

भूमि क्षरण एक अन्य क्षेत्रीय पर्यावरणीय मुद्दा है जिसके परिणाम गंभीर हैं। असंवहनीय कृषि पद्धतियां, अतिचारण और भूमि कुप्रबंधन के कारण मृदा अपरदन, मरुस्थलीकरण और उपजाऊ भूमि की हानि हो सकती हैं। क्षेत्रीय भूमि क्षरण से खाद्य सुरक्षा को खतरा होता है, जलवायु परिवर्तन के प्रभाव बढ़ते हैं, तथा विविधता को नुकसान पहुंचता है।

भू-प्रदूषण (Land Pollution)

भूमि व मृदा प्रदूषण : पृथ्वी के धरातल के एक चौथाई भाग पर भूमि है, लेकिन उसमें मानव-उपयोग की भूमि का केवल 280 लाख वर्ग मील अर्थात् 448 लाख वर्ग किमी. है। इस भूमि का सही व समुचित उपयोग आज सम्पूर्ण विश्व का उत्तरदायित्व है, लेकिन विश्व में हो रही तीव्र जनसंख्या-वृद्धि की निरन्तरता से भूमि के उपयोग में विविधता व सघनता आ गई है। इसके फलस्वरूप उसका अनुपयुक्त तरीकों द्वारा उपयोग किया जा रहा है। परिणामस्वरूप **'भू-प्रदूषण'** की समस्या का जन्म हुआ और यह भू-प्रदूषण की समस्या आज विश्व के अनेक भागों की प्रमुख समस्या बनी हुई है।

'भू' अथवा 'भूमि' एक व्यापक शब्द है, जिसमें पृथ्वी का सम्पूर्ण धरातल समाहित है लेकिन मूल रूप से भूमि की ऊपरी परत, जिस पर कृषि की जाती है और मानव जीविकोपार्जन के लिए विविध क्रियाएँ करता है, वह विशेष महत्त्वपूर्ण है। इस परत का भूमि निर्माण विभिन्न प्रकार की शैलों में होता है जिनका क्षरण मृदा को जन्म देता है, जिसमें विभिन्न कार्बनिक एवं अकार्बनिक यौगिकों का मिश्रण होता है। जब मानवीय एवं प्राकृतिक कारणों से भूमि का प्राकृतिक स्वरूप व उसकी जैविक, रसायनिक गुणवत्ता नष्ट होने लगती है, तब भू-प्रदूषण का प्रारंभ होता है। उसे पारिभाषिक रूप से इस प्रकार कहा जा सकता है : **''भूमि के भौतिक, रसायनिक या जैविक गुणों में ऐसा अवांछित परिवर्तन जिसका प्रभाव मनुष्य एवं अन्य जीवों तथा पर्यावरण और पारिस्थितिकी पर पड़े या भूमि की गुणवत्ता तथा उपयोगिता नष्ट हो जावे, तब वह भू-प्रदूषण कहलाता है।''**

भूमि प्रदूषक (Land Pollutants) : भू-प्रदूषण समस्या यथार्थ में ठोस अपशिष्ट के निक्षेपण की ही समस्या है और इस प्रदूषण के लिए घरेलू, औद्योगिक, खनन, नगरपालिका, कृषि अपशिष्टों के साथ-साथ ही रसायनिक कृत्रिम उर्वरक तथा कीटनाशक व कवकनाशक तथा खरपतवार नाशक दवाइयों को प्रदूषकों की श्रेणी में रखा जाता है। कभी-कभी अत्यधिक सिंचाई, कठोर जल, क्षारीय जल से भी भूमि प्रदूषित हो जाती है।

मृदा/भूमि प्रदूषण के स्रोत

मृदा/भूमि प्रदूषण के स्रोतों को दो भागों में विभक्त किया जा सकता है :

- **मृदा प्रदूषण के प्राकृतिक स्रोत** (Natural Sources of Soil Pollution) :
  - ❑ उत्खनन
  - ❑ ज्वालामुखी उद्गार
  - ❑ मृदा क्षरण
  - ❑ प्राकृतिक रसायनिक प्रदूषण
- **मृदा प्रदूषण के मानव-कृत स्रोत** (Human Made Source of Soil Pollution) :
  - ❑ घरेलू अपशिष्ट (Domestic Wastes)
  - ❑ औद्योगिक अपशिष्ट (Industrial Wastes)
  - ❑ कृषि अपशिष्ट (Agricultural Wastes)
  - ❑ शहरी अवशिष्ट या नगरपालिका का अपशिष्ट (Municipal Wastes)
  - ❑ वन विनाश (Deforestation)
  - ❑ खनन कार्य (Mining) आदि।

मृदा प्रदूषण के स्रोत

मृदा प्रदूषण से जल प्रदूषण भी प्रारंभ होता है, अतः इसके दुष्प्रभाव अनेक होते हैं, लेकिन इनमें से कुछ प्रमुख प्रभाव निम्नलिखित हैं :

- भू-दृश्यावली का विकृत होना।
- अस्वच्छ स्थान पर अनेक कीड़े-मकोड़े, मक्खी-मच्छर उत्पन्न होकर बीमारियाँ फैलाते हैं।
- दूषित मृदा पर उगाई गई सब्जियों एवं कंदमूल से अनेक रोग फैलते हैं और जन-स्वास्थ्य खराब होता है।
- घर के आसपास अस्वच्छ वातावरण पैदा होने से मानसिक प्रसन्नता व उल्लास नहीं रहते।
- कृषि उत्पादन भी घटता है।
- भू-प्रदूषण अन्य प्रकार के प्रदूषणों की जैसे : वायु एवं जल प्रदूषण में वृद्धि करता है।
- अपशिष्ट पदार्थों को समुद्रों में डालने की प्रवृत्ति से सामुद्रिक पारिस्थितिक तंत्र में असंतुलन आता जा रहा है।

जैव विविधता की हानि

जैव विविधता की हानि एक क्षेत्रीय चिंता का विषय है, जो आवास विनाश, आक्रामक प्रजातियों और प्रदूषण के परिणामस्वरूप होती है। जब क्षेत्रीय पारिस्थितिकी तंत्र अपनी प्रजातियों की विविधता खो देते हैं, तो इससे इन पारिस्थितिकी तंत्रों का संतुलन और कार्यप्रणाली बाधित हो जाती है। जैव विविधता की यह हानि पारिस्थितिकी तंत्र सेवाओं, जैसे परागण, पोषक चक्रण और कीट नियंत्रण को प्रभावित करती है, तथा अंततः खाद्य उत्पादन, जल गुणवत्ता और क्षेत्रीय पारिस्थितिकी तंत्र के लचीलेपन को प्रभावित करती है।

अम्ल वर्षा

अम्लीय वर्षा एक क्षेत्रीय पर्यावरणीय समस्या है जो औद्योगिक गतिविधियों से निकलने वाले सल्फर डाइऑक्साइड और नाइट्रोजन ऑक्साइड जैसे प्रदूषकों के कारण होती है। ये प्रदूषक वायुमंडलीय नमी के साथ मिलकर अम्ल बनाते हैं, जो अम्लीय वर्षा के रूप में पृथ्वी की सतह पर वापस गिरते हैं। अम्लीय वर्षा जंगली, झीलों और बुनियादी ढांचे के नुकसान पहुंच सकती हैं, विशेष रूप से औद्योगिक क्षेत्रों में जहाँ उत्सर्जन केंद्रित हैं।

वैश्विक पर्यावरणीय मुद्दे

वैश्विक पर्यावरणी मुद्दों के दूरगामी परिणाम, होते हैं जो राष्ट्रीय सीमाओं से परे होते हैं तथा संपूर्ण ग्रह को प्रभावित करते हैं।

जलवायु परिवर्तन

जलवायु परिवर्तन संभवतः सबसे प्रमुख वैश्विक पर्यावरणीय चुनौती है। मुख्य रूप से जीवाश्म ईंधनों के जलने और वनों की कटाई से ग्रीनहाउस गैसों के उत्सर्जन से वैश्विक तापमान में वृद्धि हुई है। तापमान में इस वृद्धि के परिणामस्वरूप ग्लेशियर पिघल रहे हैं, समुद्र का जलस्तर बढ़ रहा है, चरम मौसम की घटनाओं की आवृत्ति और तीव्रता बढ़ रही है, तथा दुनिया भर में पारिस्थितिकी तंत्र में व्यवधान आ रहा है। जलवायु परिवर्तन मानव समाज, जैव विविधता और प्राकृतिक प्रणालियों की स्थिरता के लिए महत्वपूर्ण जोखिम पैदा करता है।

ओजोन रिक्तीकरण

ओजोन क्षरण एक अन्य वैश्विक समस्या है, जो क्लोरोफ्लोरोकार्बन (सीएफसी), हैलोन, कार्बन टेट्राक्लोराइड (CCl_4), मिथाइल क्लारोफॉर्म (CH_3CCl_3), आदि जैसे ओजोन क्षरणकारी पदार्थों के उत्सर्जन के कारण होती हैं। ये पदार्थ पृथ्वी के समताप मंडल में सुरक्षात्मक ओजोन परत को नुकसान पहुंचाते हैं, जिससे हानिकारक पराबैंगनी विकिरण (UV) सतह तक पहुंच जाता है। ओजोन क्षरण से त्वचा कैंसर, मोतियाबिंद और अन्य स्वास्थ्य समस्याओं का खतरा बढ़ जाता है, साथ ही समुद्री पारिस्थितिकी तंत्र और कृषि उत्पादकता पर भी असर पड़ता है।

प्लास्टिक प्रदूषण

प्लास्टिक प्रदूषण एक वैश्विक पर्यावरणीय समस्या है जिसके परिणाम व्यापक हैं। प्लास्टिक के अनुचित निपटान और अत्यधिक उपयोग के कारण महासागरों, नदियों और भूमि में व्यापक प्रदूषण हुआ है। यह प्रदूषण समुद्री जीवन और पारिस्थितिकी तंत्र के लिए खतरा बन जाता है, तथा संभवतः खाद्य शृंखला में प्रवेश कर मानव और पशु दोनों के स्वास्थ्य पर प्रतिकूल प्रभाव पड़ता है।

अपशिष्ट (Waste)

किसी भी प्रक्रम के अंत में बनने वाले अनुपयोगी पदार्थ या उत्पाद अपशिष्ट कहलाते हैं। इसका तात्पर्य उन पदार्थों से है जिन्हें उपयोग के पश्चात अनुपयोगी मानकर फेंक दिया जाता है। इनमें एक ओर मानव द्वारा उपयोग में लाए पदार्थ जैसे कागज, कपड़ा, प्लास्टिक, काँच, रबड़ आदि हैं तो दूसरी ओर उद्योगों से निस्तारित तरल पदार्थ एक ठोस अपशिष्ट है। इसके अतिरिक्त खदानों का मलबा एवं कृषि अपशिष्ट आदि खुले में फेंक देने से पर्यावरण प्रदूषण सहित भू-प्रदूषण भी होता है। यह समस्या गाँवों की अपेक्षा नगरों में अधिक है क्योंकि जनसंख्या के जमाव तथा उद्योगों के केन्द्रीकरण से अपशिष्ट पदार्थों की मात्रा में निरंतर वृद्धि होती जा रही है। संयुक्त राज्य अमेरिका जैसे विकसित देश में नगरीय अपशिष्ट की मात्रा प्रतिवर्ष 4.34 करोड़ टन होती है भारत जैसे देश में जहां कूड़ा-करकट निस्तारण की व्यवस्था नहीं है, वहां इसकी मात्रा कई गुना अधिक है।

अपशिष्ट के प्रकार

अपशिष्ट को इसकी प्रकृति के आधार पर ठोस, तरल व गैसीय अपशिष्ट में वर्गीकृत कर सकते हैं परंतु अपघटनीय क्रियाओं के आधार पर अपशिष्ट को दो वर्गों में वर्गीकृत किया जाता है—जैव-निम्नीकरणीय और अजैव-निम्नीकरणीय अपशिष्ट।

- **जैव-निम्नीकरणीय अपशिष्ट** (Biodegradable waste): वे अपशिष्ट पदार्थ जिनका जैविक कारकों के द्वारा अपघटन नहीं होता है वे अजीव निम्नीकरणीय अपशिष्ट कहलाते हैं जैसे प्लास्टिक की बोतलें, पॉलिथीन, काँच, सीरीज, धातु के टुकड़ें आदि।
- **अजैव-निम्नीकरणीय अपशिष्ट** (Non-biodegradable waste): वे अपशिष्ट पदार्थ जिनका जैविक कारकों को द्वारा अपघटन नहीं होता है वे अजैव निम्नीकरणीय अपशिष्ट कहलाते हैं जैसे प्लास्टिक की बोतलें, पॉलिथीन, काँच, सीरिज, धातु के टुकड़े आदि।

अपशिष्ट के स्रोत

वातावरण के अपशिष्ट अनेकों स्रोतों द्वारा निस्तारित किये जाते हैं जैसे घरेलू स्रोत, नगरपालिका, उद्योग एवं खनन कार्य, कृषि और चिकित्सा क्षेत्र।

- **घरेलू स्रोत (Household source):** घरों में प्रतिदिन सफाई के पश्चात गंदगी निकलती है जिसमें धूल-मिट्टी के अतिरिक्त कागज, गत्ता, कपड़ा, प्लास्टिक, लकड़ी, धातु के टुकड़े, सब्जियों व फलों के छिलके, सड़े गले पदार्थ, सूखे फल, पत्तियाँ आदि सम्मिलित हैं। यदा-कदा होने वाले समारोह तथा पार्टियों में इनकी मात्रा अधिक हो जाती है। ये सभी पदार्थ घरों से बाहर सड़कों अथवा निर्धारित स्थानों पर डाल दिये जाते हैं। जहाँ इनके सड़ने से अनेक रोगाणु उत्पन्न होते हैं जो न केवल प्रदूषण बल्कि अनेक रोगों का कारण भी है।
- **नगरपालिका (Municipal):** इससे तात्पर्य नगर में एकत्र संपूर्ण कूड़ा-करकट एवं गंदगी से है। इसमें घरेलु अपशिष्ट के अतिरिक्त मल-मूल विभिन्न संस्थानों, बाजारों, सड़कों से एकत्रित गंदगी, मृत जानवरों के अवशेष, मकानों के तोड़ने से निकले पदार्थ तथा वर्कशॉप आदि से फेंके गए पदार्थ सम्मिलित होते हैं। वास्तव में कस्बे की सम्पूर्ण गन्दगी इसमें सम्मिलित है। इसकी मात्रा नगर की जनसंख्या एवं विस्तार पर निर्भर है। एक अनुमान के अनुसार भारत के 45 बड़े नगरों से कुल मिलाकर प्रतिदिन लगभग 50,000 टन नगरपालिका अपशिष्ट निकलता है।
- **उद्योग एवं खनन कार्य (Industry and mining work):** उद्योगों से बड़ी मात्रा मे कचरा एवं उपयोग में लाए गए पदार्थों के अपशिष्ट बाहर फेंके जाते हैं। इनमें धातु के टुकड़े रासायनिक पदार्थ, अनेक विषैले ज्वलनशील पदार्थ, तेलीय पदार्थ, अम्लीय तथा क्षारीय पदार्थ, जैव अपघटनीय पदार्थ, राख आदि सम्मिलित होते हैं। इसी प्रकार खनन क्षेत्रों में खानों से निकले अपशिष्ट पदार्थों के विशाल ढेर पर्यावरण प्रदूषण का कारण बनते हैं।
- **कृषि (Agriculture):** कृषि के उपरान्त बचा भूसा, घास-फूस, पत्तियाँ, डंठल आदि एक स्थान पर एकत्रित कर दिए जाते है या फैला दिये जाते हैं ये कृषि अपशिष्ट बरसात के पानी से सड़ने लगते हैं तथा जैविक क्रिया होने से प्रदूषण का कारण बन जाते हैं।
- **चिकित्सा क्षेत्र (Medical Area):** अस्पतालों से निकले अपशिष्ट जैसे काँच, प्लास्टिक की बोतलें, ट्यूब, सिरिंज आदि अजैव-निम्नीकरणीय अपशिष्ट हैं इसके अलावा जैव-निम्नीकरणीय अपशिष्ट जैसे रक्त, माँस के टुकड़े, संक्रमित ऊतक व अंग अनेक रोगों के संक्रमण हेतु माध्यम प्रदान करते हैं।

भारत के नगरों में राख, मिश्रित पदार्थ एवं कार्बन के रूप में लगभग 90% प्रतिशत कूड़ा-करकट होता है। विकसित देशों में इसकी प्रकृति भिन्न होती है जैसे संयुक्त राज्य अमेरिका में 42 प्रतिशत कागज एवं गत्ते की वस्तुएँ, 24 प्रतिशत धातु पदार्थ और 42 प्रतिशत अपशिष्ट खाद्य पदार्थ होते हैं। स्पष्ट है कि नगरीय अपशिष्ट आज पर्यावरण अपकर्षण का प्रमुख कारण है जिसमें उत्तरोतर वृद्धि होती जा रही है।

अपशिष्ट प्रबन्धन

अपशिष्ट आज भारत में ही नहीं बल्कि वैश्विक समस्या है। अंतर्राष्ट्रीय स्तर पर कूड़ा प्रबंधन के प्रति असावधानी को आज गंभीरता से लिया गया है और इससे वातावरण पर पड़ने वाले दुष्प्रभावों के प्रति चिंता प्रकट की गई है। भारत में कुल 5464 नगर हैं जिनमें 35 को महानगर का दर्जा प्राप्त है। 393 प्रथम श्रेणी और 404 द्वितीय श्रेणी के नगर के अतिरिक्त 20000 से 50000 की आबादी वाले छोटे नगर भी हैं। भारत में इन नगरों से प्रतिदिन लगभग एक लाख टन अपशिष्ट पदार्थ निकलते हैं। छोटे नगरों से निकलने वाले कूड़े को प्रति व्यक्ति औसत मात्रा 0.4 किग्रा. है जबकि बड़े नगरों में 0.4 से 0.6 किग्रा. औसत कूड़ा निकलता है। भारत में नगरों के सौन्दर्य को बिगाड़ने में यह कूड़ा अहम भूमिका निभाता है। नगर सभ्यता की ओर आकर्षित होते मध्यवर्गीय ग्रामीणों की बढ़त से नगरों की आबादी मे वृद्धि होती है तो यह नए नगर कूड़े के प्रबंधन के प्रति स्वभाविक रुप से लापरवाह भी होते हैं। छोटे नगरों में कोष की कमी या अनुपयुक्तता के कारण प्रबंधन होने में कठिनाई होती है। ठेकेदारों का अभाव होता है। उनके समय पर भुगतान के प्रति सचेष्ट नहीं होने के कारण भी यह समस्या उत्पन्न होती है। स्थानीय लोगों को अपने-अपने क्षेत्रों से निस्तारित कूड़े को अलग कर कूड़े से जैविक खाद, वर्मीकम्पोस्ट बनाने का रास्ता और आवश्यक प्रबंधन विकसित करना अधिक आसान है।

रासायनिक खादों के बढ़ते दुष्प्रभाव, अनुपलब्धता एवं मंहगाई के विकल्प स्वरूप जैविक खाद पर अवलम्बित होना अधिक प्राकृतिक और उपयुक्त होगा। कूड़े का प्रबंधन व्यक्तिगत सावधानी से संभव है। यह न सिर्फ सामाजिक कर्तव्य है बल्कि जीवन और पर्यावरण के अन्योन्याश्रय संबंध का निर्धारक जैविक कर्तव्य भी है।

अपशिष्ट प्रबंधन परिवहन, संसाधन पुनर्चक्रण, या अपशिष्ट के काम में प्रयोग की जाने वाली सामग्री का संग्रह है। अपशिष्ट प्रबंधन में शामिल होते हैं ठोस, तरल, गैस या रेडियोधर्मी पदार्थ। प्रत्येक पदार्थ के साथ अलग-अलग तरीकों और विशेषज्ञता का प्रयोग किया जाता है। अपशिष्ट प्रबंधन का तरीका विकसित और विकासशील देशों में, गांव और शहरों में आवासीय और औद्योगिक निर्माताओं के लिए अलग-अलग होता है।

अपशिष्ट पदार्थों के एकीकरण एवं विस्तार की समस्या एक गम्भीर समस्या है। आज यह बड़े नगरों में है, कल छोटे नगरों में होगी। यही नहीं अपितु नगरीय विकास के साथ-साथ यह और विकट होती जाएगी। विकास एक नैसर्गिक प्रक्रिया है जिसे रोका नहीं जा सकता। आवश्यकता है उसे एक उचित दिशा देने की जिससे "अपशिष्ट रहित विकास" की कल्पना को मूर्तरूप दिया जा सके। यह कार्य उचित प्रबन्धन द्वारा सम्भव है जिसे सरकारी तंत्र, स्वयंसेवी संस्थाओं और नागरिकों के सहयोग से किया जा सकता है।

भारत सरकार ने 1975 में शिवरामन समिति का गठन इस कार्य हेतु किया था जिसके सुझाव थे—बड़े-बड़े कूड़ेदानों की स्थापना, मानव द्वारा अपशिष्ट मल-मूत्र निष्कासन की उचित व्यवस्था, नगरों में कूड़ा-करकट उठाने की समूचित व्यवस्था, कूड़े के ढेरों को जला कर भस्म करना आदि।

अपशिष्ट प्रबंधन के तरीके

अपशिष्ट प्रबंधन अलग-अलग क्षेत्रों में अपशिष्ट सामग्री के प्रकार, आस-पास की भूमि के उपयोग और उपलब्ध क्षेत्र समेत कई कारणों से भिन्न होते हैं।

- **भूमिभराव (Land fill):** इस प्रक्रिया में अपशिष्ट का प्रबन्धन इस प्रकार करते हैं—भूमिभराव अक्सर गैर उपयोग की खानों, खनन रिक्तियों इत्यादि क्षेत्रों में बनाये जाते है। यह अपशिष्ट निपटान का एक बहुत ही साफ और अपेक्षाकृत कम खर्च वाला तरीका है तथा अधिकतर देशों में यह आम चलन है। लेकिन पुराने और गलत तरीके से भूमिभराव करने से पर्यावरण पर उल्टे प्रभाव हो सकते हैं जैसे-हवा से कचरे के उड़ने, कीटों को आकर्षित करना, तरल का उत्पादन आदि इसके अलावा कार्बनिक अपशिष्ट के अपघटन से मेथेन गैस बनती है, जो बदबू पैदा कर सकती है, यह वनस्पति को नष्ट कर सकती हैं साथ ही यह एक ग्रीन हाऊस गैस भी है। आधुनिक भूमिभराव में नियोजित तरीकों से अपशिष्ट का निष्पादन किया जाता है। गड्ढों को मिट्टी से भर देते हैं और भूमिभराव गैस निकासी के लिए भूमिभराव गैस प्रणाली स्थापित की जा सकती है। इस गैस को एकत्रित कर विद्युत उत्पादन किया जा सकता है।
- **भस्मीकरण (Incineration):** निष्पादन की इस विधि में अपशिष्ट पदार्थ का दहन किया जाता है। जिससे अपशिष्ट ताप, गैस, भाप और राख में परिवर्तित हो जाते हैं।

  भस्मीकरण दोनों ही पैमाने पर किया जाता है। छोटे पैमाने पर व्यक्तियों द्वारा और उद्योगों द्वारा एक बड़े पैमाने पर इसका प्रयोग तरल, ठोस और गैसीय अपशिष्ट के निष्पादन के लिए किया जाता है। इसे खतरनाक कचरा जैसे जैविक चिकित्सा अपशिष्ट निष्पादन के लिए एक व्यवहारिक पद्धति के रूप में मान्यता प्राप्त है परन्तु गैसीय प्रदूषकों के उत्सर्जन के कारण भस्मीकरण अपशिष्ट निष्पादन एक विवादास्पद पद्धति है। भस्मीकरण जापान जैसे देशों में ज्यादा प्रचलित है क्योंकि इसमें कम भूमि की जरूरत पड़ती है और इस हेतु भूमिभराव के जितने बड़े क्षेत्रों की आवश्यकता नहीं होती है।
- **पुनर्चक्रण तरीके (Recycling methods):** अपशिष्ट से संसाधनों को या किसी भी मूल्य की चीज को निकालना पुनर्चक्रण के नाम से जाना जाता है जिसका अर्थ होता है पुनः मिलना, जिससे अपशिष्ट पदार्थ का पुनर्नवीकरण होता है। कच्चा माल निकाला जा सकता है और पुनः प्रक्रम किया

जाता है या अपशिष्ट की कैलोरी सामग्री बिजली में परिवर्तित की जा सकती है। ज्यादातर विकसित देशों में पुनर्चकण का लोकप्रिय अर्थ व्यापक संग्रह और रोजाना अपशिष्ट पदार्थो का पुनः प्रयोग करने को सन्दर्भित है।

पुनर्चक्रण प्रक्रिया

पुनर्नवीनीकरण के लिए सबसे आम उपभोक्ता उत्पादों में एल्युमीनियम पेय के डिब्बे, इस्पात, भोजन और एयरोसोल के डिब्बे, प्लास्टिक व कांच की बोतले, गत्ते के डिब्बे, पत्रिकाएं, प्लास्टिक के सामान आदि हैं। प्राकृतिक जैविक अपशिष्ट पदार्थ जैसे पौधे की सामग्री, बचा हुआ भोजन, कागज, ऊन आदि का प्रयोग कम्पोस्ट खाद, वर्मीकम्पोस्ट, जैविक खाद बनाने में किया जा सकता है साथ ही इस प्रक्रिया से गैस उत्पादन कर विद्युत बनायी जा सकती है।

- **रासायनिक क्रिया (Chemical reaction) :** रासायनिक क्रिया द्वारा भी अनेक अपशिष्ट पदार्थों को नष्ट किया जा सकता है अथवा उन्हें पुनः उपयोगी बनाया जा सकता है। इनके अतिरिक्त अपशिष्ट निस्तारण के अन्य उपाय इस प्रकार हैः
  - ❑ गहरे महासागरों में अपशिष्ट का निस्तारण किया जा सकता है किन्तु इसमें यह ध्यान देना आवश्यक है कि सागरीय पर्यावरण प्रदूषित न हो।
  - ❑ हड्डियों, वसा, पंख, रक्त आदि पशु अवशेषों को पका कर चर्बी प्राप्त की जा सकती है जिनका प्रयोग साबुन बनाने में किया जाता है तथा इसके प्रोटीन अंश वाला भाग पशु चारे के रूप में उपयोगी होता है।
  - ❑ कूड़े-करकट को अत्यधिक दाब से ठोस ईटों में बदला जा सकता है।
  - ❑ नगरीय जल-मल को नगर से दूर गढ़ों में डाला जाए तथा वहां से शुद्धिकरण के पश्चात ही इसका सिंचाई आदि में उपयोग किया जाना चाहिए।
  - ❑ सरकारी और गैर-सरकारी स्तर पर अपशिष्ट पदार्थों के निस्तारण एंव उनके उपयोगों के संबंध में निरन्तर शोध की आवश्यकता है। यही नहीं अपितु विकसित देशों द्वारा विकासशील देशों को वे सभी तकनीकें प्रदान करनी चाहिए जो अपशिष्ट के निस्तारण एवं पर्यावरण सुरक्षा में सहायक हो।
  - ❑ अपशिष्ट पदार्थों की बढ़ती समस्या एवं पर्यावरण सुरक्षा हेतु प्रत्येक क्षेत्र, यहां तक की प्रत्येक नगर हेतु एक दीर्घकालीन "मास्टर प्लान" बनाया जाना आवश्यक है जिससे नियोजित रूप से इसका निराकरण हो सके।
  - ❑ सर्वाधिक आवश्यक है - सामान्य नागरिकों के व्यवहार में सुधार। यदि हम में से प्रत्येक अपने घर के अपशिष्ट पदार्थों को स्वयं या दूसरों के घरों अथवा नालियों में फेंकना बन्द कर उसको उचित स्थान पर एकत्र करें तो यह समस्या स्वतः कम हो जाएगी। इसी प्रकार नगरपालिकाओं को भी अपनी उदासीनता त्यागनी होगी और सफाई कर्मचारियों के कार्यों में कुशलता एवं कर्त्तव्य परायणता लानी होगी। अपशिष्ट पदार्थों से पर्यावरण प्रदूषित न हो और हमारे स्वास्थ्य पर इसका प्रतिकूल प्रभाव न हो इसके लिए सामूहिक प्रयास की आवश्यकता है क्योंकि पर्यावरण एक सांझी विरासत है जिसे हमें सुरक्षित रखना है।

इलेक्ट्रॉनिक अपशिष्ट

इलेक्ट्रॉनिक अपशिष्ट विश्व की तेजी से बढ़ती समस्याओं में एक है। भारत में न केवल अपना ई-अपशिष्ट उत्पन्न होता है बल्कि यहाँ विकसित देशों के ई-अपशिष्ट का ढेर भी जमा हो रहा है। ई-अपशिष्ट की संरचना बहुत ही विविध है। देश में दस राज्य कुल ई-अपशिष्ट में 70% का योगदान देते हैं, जबकि 65 शहर कुल ई-अपशिष्ट का 60% से भी अधिक उत्पादन करते हैं। संयुक्त राष्ट्र की एक रिपोर्ट के अनुसार पुराने कंप्यूटरों से भारत का ई-अपशिष्ट पिछले वर्षों की तुलना में कई गुना बढ़ गया है। इलेक्ट्रॉनिक सामानों से उत्पन्न कचरे के निपटान का उत्तरदायित्व ई-अपशिष्ट प्रबंधन और अपशिष्ट निदान 2011 के अंतर्गत आता है।

यूएनईपी की रिपोर्ट के अनुसार, दुनिया भर में उत्पादित 40 मिलियन टन इलेक्ट्रॉनिक अपशिष्ट जैसे कि पुराने, स्मार्टफोन, टीवी, लैपटॉप और अप्रचलित रसोई उपकरण विदेशों में भेजे जाते हैं, क्योंकि ऐसा करना काफी मितव्ययी है। चीन, भारत, मलेशिया और पाकिस्तान मुख्य गंतव्य हैं। ई-अपशिष्ट का अधिकांश भाग लैंडफिल, इन्कैस्टर और गैर सुसज्जित रीसाइक्लिंग सुविधाओं में समाप्त हो जाता है, जिनको 'टॉक्सिक टाइम बम' (Toxic Time Bomb) भी कहा जाता है।

अपशिष्ट प्रबंधन के संबंध में नगरपालिका निकायों का उत्तरदायित्व भी बना रहेगा।

इलेक्ट्रॉनिक उत्पादों का जीवन काल कम ही रहता है। विकल्पों की उपलब्धता, उत्पादों की उपलब्धता, जीवन की बदलती गति, तेजी

से शहरीकरण और मध्यम वर्ग की बढ़ती क्रय-क्षमता ने विद्युत और उपभोक्ता के विकास में योगदान दिया है। भारत में निम्नलिखित अपशिष्ट पाए जाते हैं:

- **पर्यावरणीय** : जहरीली धातुएँ, जैसे-सीसा, कैडमियम, पारा, आर्सेनिक, क्रोमियम, पीसीबी, सीएफसी इत्यादि, जलने के कारण धुएं के रूप में मिट्टी, जल, प्रदूषण, वायु प्रदूषण का कारण बन सकती है।
- **स्वास्थ्य संबंधी चिंताएँ** : सामान्य आबादी के साथ-साथ उन लोगों के लिए जो इसे संभालते हैं।
- **भारत में इलेक्ट्रिक अपशिष्ट मुख्यतः** लैण्डफिल में ही समाप्त हो जाते हैं, वहाँ से इनको एल्युमीनियम, ताम्बा, प्लेटिनम, सोना, चाँदी, आदि के लिए प्राप्त किया जा सकता है।

विस्तृत निर्माता उत्तरदायित्व की अवधारणा को भी 2011 के अधिनियम के अंतर्गत सुनिश्चित किया गया है। इलेक्ट्रॉनिक अपशिष्ट नियमों की कुछ सीमाएं हैं। निर्माताओं के लिए कोई लक्ष्य नहीं है, इसलिए कोई स्पष्ट जिम्मेदारी भी नहीं है। संग्रह प्रणाली, पुनर्चक्रण आदि के लिए भी कोई अधिक दिशानिर्देश नहीं है।

जलवायु परिवर्तन (Climate Change)

जब किसी क्षेत्र विशेष के मौसम में परिवर्तन आता है तो उसे जलवायु परिवर्तन (Climate Change) कहते हैं। इस तरह के परिवर्तन में लंबा समय लगता है, कभी-कभी तो यह अवधि दशकों में होती है, अथवा इससे लंबी अवधि भी हो सकती है। जलवायु परिवर्तन प्राकृतिक आंतरिक प्रक्रिया अथवा बाहरी दबाब के कारण होती है, जैसे कि सौर चक्र का बलाघात, ज्वालामुखी का विस्फुटन और वायुमण्डल या प्रयोग में आने वाली भूमि की संरचना में सतत् उद्भेदन संबंधी विस्फोटन। वायुमंडल को संयुक्त राष्ट्र संरचना सम्मेलन में जलवायु परिवर्तन (यू.एन.एफ.सी.सी) (UN Framework Convention on Climate Change – UNFCCC) ने यह परिभाषा दी है कि जलवायु परिवर्तन सीधे तौर पर या परोक्ष रूप से मानव गतिविधियों के कारण होता है, जो भूमण्डलीय वायुमण्डल की संरचना को बदलती है और कुछ समय की अवधि के बाद प्राकृतिक जलवायु में भिन्नता लाती है ऐसा तुलनात्मक काल अवधि में देखा जाता है।

जलवायु परिवर्तन, स्थिति या व्यवस्था परिवर्तन से संबंधित होता है जैसे कि तापमान का मौसमी ढाँचा, जोकि लम्बी कालावधि के लिए प्रेक्षण किया जा सकता है। इंटर गवर्नमेंटल पेनल ऑन क्लाइमेंट चेंज (आई.पी.सी.सी) (Intergovernmental Panel on Climate Change – IPCC), के प्रयोगों में स्पष्ट किया गया है कि समय के साथ जलवायु परिवर्तन एक कालावधि के बाद किसी भी परिवर्तन से संबंधित होता है जो मौसम प्राकृतिक विविध प्रक्रियाओं के कारण हो सकता है अथवा मानव की क्रियाविधियों व कार्यकलापों के कारण होता है।

भूमण्डल पर जलवायु परिवर्तन के प्रभाव

गत 50 वर्षो से अधिक मानव क्रियाकलाप विशेषकर जीवाश्म ईंधन का अत्यधिकता से प्रयोग करना या उसको जलाने के कार्यों में अत्यधिक वृद्धि हुई है, जिसके परिणामस्वरूप कार्बन डाइऑक्साइड और अन्य ग्रीन हाऊस गैसों में समुचित वृद्धि हुई है, जिसके कारण निम्न वायुमण्डल और भूमण्डलीय जलवायु अपनी अधिक गर्मी और ताप के घेरे में ले लिया गया है तथा जिसने भूमण्डल की जलवायु की प्रभावित किया है। इसके साथ ही पिछले 130 वर्षों के दौरान पूरा विश्व लगभग 0.85° सेंटीग्रेड की ओर अधिक गरम हुआ है, उसका तापमान बढ़ा है। पिछले 3 दशकों के अंदर सन् 1850 से लेकर इस अवधि में सबसे अधिक तापमान में वृद्धि हुई है। समुद्री स्तर में बेहताशा वृद्धि हुई, ग्लेशियर्स (Glaciers) में विखंडन, वर्षा पैटर्न में परिवर्तन और अत्यधिक मौसम की परिघटनाओं में अधिक सघनता और बार-बार बदलाव की स्थिति बन गई है। मानव का स्वास्थ्य जलवायु और मौसम के बुरे प्रभावों से प्रभावित हो रहा है। जलवायु और जलवायु में विविधताओं में परिवर्तन, विशेषकर अत्यधिक मौसम में बदलाव, पर्यावरण को प्रभावित करते हैं जो कि हमें स्वच्छ वायु, खाद्य, जल, आश्रय और सुरक्षा प्रदान करते हैं। जलवायु परिवर्तन अन्य प्राकृतिक और मानव निर्मित दबावों को एक साथ प्रभावित करता है, मानव स्वास्थ्य को जोखिमपूर्ण बनाता है और अनेक अच्छे तरीकों या साधनों को हानि पहुँचाने का कार्य करता है। इनमें से कुछ स्वास्थ्य पर पड़ने वाले नकारात्मक प्रभाव, विश्व के सभी हिस्सों तथा हिमालय सहित सभी क्षेत्रों में हम पहले से ही सामना करते आ रहे हैं।

जलवायु के प्रभावों के हमने जो आँकड़े दिए हैं, यह स्पष्ट है कि आने वाली शताब्दी में और अधिक वृद्धि के साथ प्रायोजित होने वाले हैं, जो वास्तव में मौजूदा स्वास्थ्य को हानि पहुँचाने की चुनौती में वृद्धि करेंगे और स्वास्थ्य और अधिक घातक तत्वों की उत्पत्ति निश्चित रूप से और भयंकर स्थिति में होगी। पृथ्वी नक्षत्रमंडल पर पड़ने वाले भूमण्डलीय प्रमुख प्रभाव निम्नलिखित हैं।

वैश्विक ऊष्मीय तापमान (Global Warming)

सौर ऊर्जा का लगभग 75 प्रतिशत भाग पृथ्वी की सतह द्वारा अवशोषित कर लिया जाता है, जिससे इसके ताप में वृद्धि होती है। शेष ऊष्मा वायुमंडल में पुनः विकिरित हो जाती है। ऊष्मा का कुछ भाग वायुमंडल में उपस्थित गैसों (जैसे–कार्बन डाइऑक्साइड, ओजोन, क्लोरोफ्लोरो कार्बन यौगिकों तथा जलवाष्प द्वारा प्रग्रहित कर लिया जाता है, जिससे वायुमंडल के ताप में वृद्धि होती हैं यही भूमंडलीय तापवृद्धि का कारण है।

> **हरित गृह गैसें**
>
> भूमंडलीय ऊष्मीकरण के लिए प्रमुख कार्बन डाईआक्साइड गैस जिम्मेदार है परंतु मीथेन, क्लोरोफ्लोरो कार्बन, नाइट्रस आक्साइड, ओजोन, सल्फर डाई आक्साइड तथा जलवाष्प भी इसके लिए जिम्मेदार है। इन्हें 'हरित गृह' गैसें कहा जाता है। भूमंडलीय ऊष्मीकरण में कार्बन डाईआक्साइड का योगदान 50%, मीथेन का 18%, क्लोरोफ्लोरो कार्बन का 14% एवं नाइट्रस ऑक्साइड का 6% है।

पिछले कुछ दशकों में औद्योगिकीकरण तथा जनसंख्या में वृद्धि तथा मानव गतिविधियों में वृद्धि होने के कारण वायुमण्डल प्रदूषित हुआ है और इसके दुष्प्रभाव के कारण वायुमण्डल भयानक रूप से प्रभावित हुआ है।

इस तरह से पूर्व औद्योगिकीय समय से वायुमण्डल में 31 प्रतिशत कार्बन डाइऑक्साइड ही बनने की प्रक्रिया में वृद्धि हुई है और यह निम्न वायुमण्डल में सम्मिलित हुई है, जिसके तापमान से वायुमण्डलीय तापमान में वृद्धि हुई है।

संयुक्त राष्ट्र की जलवायु परिवर्तन संरचना पर सम्मेलन यू.एन.एफ. सी.सी. (United Nations Framework Convention on Climate Change–UNFCC) के अंतर्गत जलवायु परिवर्तन की गंभीरता पर विचार किया गया और ग्रीन हाऊस गैसों के प्रभाव को कम करने के लिए अनेक देशों ने सहमति दर्शाते हुए अपने हस्ताक्षर किए। हालांकि वर्तमान अंतर्राष्ट्रीय समझौता जलवायु और समुद्र के स्तर में महत्वपूर्ण परिवर्तन करने और इसके कुप्रभावों को रोकने में अधिक प्रभावी दिखाई नहीं देता है।

वैश्विक ऊष्मा को रोकने के उपाय

- हरित गृह प्रभाव गैसों का उत्सर्जन कम करना
- उद्योगों और वाहनों से उत्सर्जन के लिए पर्यावरण मानक
- उत्पादों का पुनर्चक्रण
- प्राथमिकता के आधार पर पेड़ों की कटाई रोकनी होगी और जंगलों के संरक्षण पर बल देना होगा
- अक्षय ऊर्जा के उपायों पर ध्यान देना होगा।

जलवायु परिवर्तन के सामाजिक-आर्थिक आयाम

जलवायु एक बहु-आयामी क्षेत्र में है अतः इसके परिवर्तन के भी बहु-आयामी प्रभाव होंगे। यदि हम जल की उपलब्धता की बात करें तो हो सकता है कि अल्पावधि में, ग्लेशियरों के पिघलने पर अनुप्रवाही लोगों के लिए अधिक जल उपलब्ध हो जाए परंतु यदि ग्लेशियर लगातार पिघलकर गायब हो जाएं तो हिमरेखा ऊपर की ओर खिसक जाएगी और नदियां अपना रास्ता बदल लेंगी और फिर पानी की कमी एक प्रमुख संकट बन सकता है। जब भी अनुपलब्धता पर्वतीय पर्यटन के लिए भी खतरा है। उदाहरण के लिए, यूरोप और उत्तरी अमेरिका में जलवायु परिवर्तन से ग्लेशियरों में पिघलने और बर्फ की कमी के कारण सर्दियों के पर्यटन के नुकसान की क्षतिपूर्ति हेतु अन्य विकल्प तलाशे जा रहे हैं।

इन देशों ने पर्वतीय पर्यटक स्थल के लिए अपनी सेवाओं में विविधता लाना शुरू कर दिया है। अनेक देशों ने नीति स्तर पर भूमि-उपयोग की योजनाओं, क्षेत्रीकरण आदि की समीक्षायें प्रारंभ कर दी हैं। ऐसा माना जा रहा है कि, पहाड़ों और आस-पास के नीचे के क्षेत्र दोनों में बाढ़, भू-स्खलन और हिमस्खलन आदि का संकट और भी गंभीर हो जाने की संभावना है। आर्थिक मूल्य के संदर्भ में देखा जाये तो दुनिया के कृषि उत्पादन का एक बड़ा भाग पर्वतीय क्षेत्रों से आता है। कृषि उपज की परिवर्तनशीलता अकसर अधिक ऊँचाई पर बढ़ जाती है, इसलिए जलवायु परिवर्तन, से कृषि उपज की कमी का एक बड़ा खतरा हो सकता है। वैसे तो कृषि उपज की संवेदनशीलता क्षेत्र, फसल, और प्रयुक्त कृषि-प्रणाली के अनुसार बदलती रहती है। जैसे कुछ अध्ययन कहते हैं कि चीन में गरम जलवायु कृषि उत्पादकता में सामान्य वृद्धि करेगा। विश्व के कुछ भागों में और विशेष रूप से विकासशील देशों में, खाद्यान्न उत्पादन और जल उपलब्धता पर जलवायु परिवर्तन के नकारात्मक प्रभावों से पर्वतीय क्षेत्रों की जीवन पद्धति का पूरा विघटन आशंकित है।

जलवायु परिवर्तन के चलते अतिरेक जल प्रवाह, अति वृष्टि, सेडिमेंट प्रवाह, आदि संभावित हैं जो पनबिजली परियोजनाओं के लिए अभिशाप है। पनबिजली परियोजनाओं की सफलता पर्वतीय क्षेत्रों के स्थिर एवं सटीक अनुमानित जल उपलब्धता पर निर्भर करती हैं। पर्वतीय क्षेत्रों के जलवायु परिवर्तन के प्रति संवेदनशीलता पनबिजली परियोजनाओं के भविष्य पर प्रश्न चिन्ह लगाती है। ये परियोजनाएँ पर्वतीय प्रदेशों की आर्थिक उन्नति के पायदान है और इनकी असफलता इन प्रदेशों के सर्वांगीण विकास में बहुत महत्वपूर्ण प्रभाव डालेगी।

पर्यटन और शीतकालीन खेल उत्सव अनेक पर्वतवासियों की जीविका का प्रमुख साधन है। किन्तु इनके लिए आवश्यक संसाधन जैसे प्राकृतिक और मानव निर्मित विहंगम परिदृश्य, शांत पारिस्थितिक तंत्र और स्वास्थ्यवर्धक परिस्थितियां आदि जलवायु पर निर्भर करते हैं और ये संसाधन छोटी और लंबी अवधि में जलवायु परिवर्तन द्वारा प्रभावित हो सकते हैं। जैसे पहले उल्लेखित किया जा चुका है कि पर्वतीय पारिस्थितिक तंत्र के अभिन्न अंग होने के अलावा वन इमारती लकड़ी, गैर इमारती लकड़ी, वन उत्पादों (जैसे-औषधीय पौधे, फल, सूखे मेवे, सब्जी, कंद-मूल, रेजिन, सुगंध, बांस, छाल, फाइबर, घास) आदि अन्य सेवाएं स्थानीय निवासियों को प्रदान करते हैं। जो उनके जीविकोपार्जन में सहायक होता है। जलवायु परिवर्तन के पर्वतीय जैव-विविधता पर पड़ने वाले विपरीत परिणामों से गरीब, किसान और काश्तकार लोगों के सर्वाधिक प्रभावित होने की संभावना है जो लगभग संपूर्ण रूप से प्राकृतिक संसाधनों पर निर्भर है।

मानव स्वास्थ्य पर प्रदूषकों का प्रभाव
(Impacts of Pollutants on Human Health)

स्वस्थ पर्यावरण मानव जीवन का आधार है तथा मानव स्वास्थ्य के लिए स्वच्छ पर्यावरण आवश्यक है। परंतु वर्तमान समय में यह कई कारणों से प्रदूषित हो रहा है जिसका दुष्प्रभाव पर तेजी से बढ़ता जा रहा है।

वायु प्रदूषण का मानव स्वास्थ्य पर प्रभाव

मनुष्य को जीवन पर्यंन्त श्वसन क्रिया के लिए वायु की आवश्यकता होती है। यदि वायु में कोई अशुद्धि है तो उसका सर्वाधिक प्रभाव मानव के श्वसन तंत्र पर पड़ता है। वायु में उपस्थित हानिकारक पदार्थ सांस के साथ फेफड़ों में पहुँचकर रक्त में मिलकर विभिन्न रोग पैदा कर देते हैं। इससे गले में खराश, श्वसन नली में जलन, छाती में जकड़न, सांस लेने में असुविधा आदि शिकायतें होती हैं। प्रदूषित वायु के कारण ब्रोकाइटिस, अस्थमा, फेफड़ों का कैंसर हो सकते हैं।

जल प्रदूषण का मानव स्वास्थ्य पर प्रभाव

प्रदूषित जल से कई रोग उत्पन्न हो जाते हैं जैसे- अतिसार, पेचिस, हैजा, मोतीझरा, पीलिया, चर्मरोग आदि। उद्योगों से निकलने वाले अपशिष्ट जल में अनेक विषैले पदार्थ जैसे-फ्लोराइड, पारा लेड आदि होते हैं। पारा, सीसायुक्त जल के सेवन से तंत्रिका तंत्र, मांसपेशियों और पाचन संस्थान पर घातक प्रभाव पड़ता है। जल में फ्लोराइड, की अधिकता से फ्लोरोसिस रोग हो जाता है, जिससे दाँतों में धब्बे पड़ जाना, हड्डियों व जोड़ों में दर्द होना आदि दुष्प्रभाव देखने को मिलते हैं।

मृदा प्रदूषण का मानव स्वास्थ्य पर प्रभाव

मृदा द्वारा मानव की भोजन, आवास, वस्त्र आदि अधिकांश आवश्यकताओं की पूर्ति होती है। अतः मृदा प्रदूषण का भी मानव स्वास्थ्य पर दुष्प्रभाव पड़ता है। मृदा में एकत्रित कीटनाशक दवाओं का प्रभाव पेड़-पौधों पर पड़ता है। इन दवाओं की कुछ मात्रा पौधों के अंदर प्रवेश कर जाती है तथा ऐसे पौधों के उपयोग से मानव को कई प्रकार के रोग हो जाते हैं। भूमि पर एकत्र अपशिष्ट पदार्थों से उठती दुर्गन्ध मानव स्वास्थ्य पर बुरा प्रभाव डालती है तथा कचरे के ढेर पर विभिन्न रोगवाहक जीव मच्छर, मक्खी पैदा हो जाते हैं और रोग फैलाते हैं।

ध्वनि प्रदूषण का मानव स्वास्थ्य पर प्रभाव

ध्वनि प्रदूषण का सर्वाधिक प्रभाव मानव पर ही पड़ता है। ध्वनि का प्रभाव हमारी श्रवण शक्ति पर पड़ता है। निरंतर शोर में रहने वाले व्यक्तियों में आंशिक या पूर्ण बहरापन आ सकता है। अत्यधिक शोर से कान के परदे फट सकते हैं। ध्वनि प्रदूषण से रक्त दाब बढ़ना, हृदय की धड़कन तेज होना, पाचक रसों के निर्माण में कमी आना आदि स्वास्थ्य संबंधी समस्याएँ उत्पन्न हो जाती है। तेज ध्वनि मानव के शारीरिक स्वास्थ्य के साथ-साथ मानसिक स्वास्थ्य पर भी असर डालती है। तीव्र शोर से नींद में बाधा उत्पन्न होती है और अनिद्रा से मानव की कार्यक्षमता पर प्रतिकूल प्रभाव पड़ता है।

पर्यावरण क्षरण का प्रभाव

मानव द्वारा की गई पदार्थगत प्रगति ने निश्चित ही सुविधाएँ बढ़ाई है, परंतु संसाधनों की वृद्धि के साथ-साथ पर्यावरण प्रदूषण तेजी से फैल रहा है। औद्योगीकरण, शहरीकरण, जनसंख्या वृद्धि के कारण पर्यावरण प्रभावित हो रहा है। वनों की कटाई से वन्य प्राणियों को क्षति पहुँच रही है, उनके आवास पर तथा पालतू जानवरों पर पर्यावरण क्षरण का प्रभाव पड़ रहा है।

वन एवं प्राकृतिक घास स्थल अनेक जीवों के प्राकृतिक आवास होते हैं। मानव द्वारा वन विनाश तथा प्राकृतिक घास स्थलों में कृषि प्रारंभ करने एवं मकान आदि बनाने से जीवों की अनेक जातियों के प्राकृतिक आवास नष्ट हो गए हैं। सड़क, रेलमार्ग, उद्योग, बाँध आदि कार्यों के दौरान प्राणियों के आवास स्थल नष्ट कर दिए गए इससे जीवों की अनेक प्रजातियाँ लुप्त होने लगी हैं।

सुरक्षित तथा अनुकूल आवास स्थलों के अभाव में वन्य प्राणी तेजी से समाप्त हो रहे हैं। वन चूँकि प्राकृतिक संतुलन में एक महत्वपूर्ण भूमिका निभाते हैं अतः निश्चित ही उनका विनाश प्रत्यक्ष या परोक्ष रूप से हमारे पर्यावरण क्षरण को प्रभावित कर रहा है।

आज विभिन्न कारणों से विश्व के कई जीव, जो कभी पर्याप्त मात्रा में पाए जाते थे, या तो विलुप्त हो गए हैं या जल्दी विलुप्त होने वाले हैं। जैसे—चिम्पांजी, तेंदुआ, सिंह, चीता, बाघ, ध्रुवीय भालू आदि।

पालतू जानवरों पर भी पर्यावरण क्षरण का प्रभाव पड़ रहा है। उद्योगों के विकास एवं कृषि योग्य भूमि बढ़ने के कारण जानवरों के चारागाह में कमी आई है। इस प्रकार उन्हें प्राप्त होने वाला भोजन भी प्रभावित हो रहा है। यहाँ तक कि वह भूमि जहाँ से पालतू जानवर भोजन प्राप्त करते हैं प्रदूषित हो रही है। भूमि पर रहने वाले पालतू जानवरों का स्वास्थ्य अपशिष्ट पदार्थों के कारण प्रभावित हो रहा है।

इस प्रकार न केवल वन्य प्राणी बल्कि पालतू जानवरों पर भी पर्यावरण क्षरण का खतरा मंडरा रहा है।

ऊर्जा के स्रोत (Resources of Energy)

ऊर्जा संसाधन शब्द का तात्पर्य किसी भी ऐसी सामग्री से है जिसका उपयोग ऊर्जा के आधार या स्रोत के रूप में किया जा सकता है। ऊर्जा संसाधनों का उपयोग मानव उपयोग के लिए बिजली और अन्य प्रकार की शक्ति उत्पन्न करने के लिए किया जाता है।

भारत में विश्व की लगभग 16% आबादी निवास करती है और यहाँ विश्व में उत्पादित कुल ऊर्जा का लगभग 3% भाग ही उपयोग किया जाता है। ऊर्जा के उपयोग में निरंतर वृद्धि के बावजूद, अन्य देशों की तुलना में भारत की प्रति व्यक्ति ऊर्जा खपत अभी भी अत्यन्त कम है। आज भी, हमारी आबादी का एक बड़ा हिस्सा अपनी ऊर्जा आवश्यकताओं के लिए ईंधन की लकड़ी, गोबर और कृषि अपशिष्ट पर निर्भर है। हम जानते हैं कि ऊर्जा के गैर-नवीकरणीय स्रोत जैसे जीवाश्म ईंधन, कोयला और पेट्रोलियम, दीर्घकाल तक चलने वाले नहीं है। इसलिए, ऊर्जा के वैकल्पिक, गैर-पारंपरिक स्रोतों के संदर्भ में सोचना आवश्यक हो गया है।

ऊर्जा संसाधन की विशेषताएं:

- **उपलब्धता की प्रकृतिः** हम जानते हैं कि कुछ ऊर्जा संसाधन प्रकृति में सीमित हैं। इनका अंधाधुंध तरीके से इस्तेमाल करने पर इनके जल्द ही समाप्त होने की संभावना है। दूसरे, ये संसाधन प्रकृति में सर्वव्यापी नहीं हैं अर्थात् ये स्थान विशिष्ट हैं और पृथ्वी के सभी स्थानों पर समान मात्रा में उपलब्ध नहीं हैं। विश्व के जिन देशों अथवा क्षेत्रों में संसाधन उपलब्ध हैं वे क्षेत्र संसाधन अनुपलब्धता वाले क्षेत्रों अथवा सीमित उपलब्धता वाले क्षेत्रों की तुलना में लाभप्रद स्थिति में हैं।
- **पर्यावरणीय प्रभावः** इन ऊर्जा संसाधनों की खोज आर्थिक लाभ प्रदान करती है और आर्थिक विकास में मदद करती है किंतु इसके साथ अनेक हानिकारक प्रभाव भी जुड़े हुए हैं। पेड़ों की अंधाधुंध कटाई के कारण वनों की उपस्थिति में तीव्र गति से कमी हो रही है।
- **ऊर्जा के नवीकरणीय स्रोतों में अपार संभावनाएं हैं किन्तु इनकी खोज कम हुई हैः** ऊर्जा के अधिकांश नवीकरणीय स्रोत स्वच्छ और हरित ऊर्जा आधारित हैं। सरल शब्दों में स्वच्छ और हरित ऊर्जा से तात्पर्य ऐसी ऊर्जा से है जो सामान्यतः प्रदूषण रहित और पर्यावरण के अनुकूल होती है। भारत विविधताओं का देश है। यह विविधता अक्षय ऊर्जा जैसे सौर, पवन और ज्वार-भाटा के विकास के लिए वरदान के रूप में कार्य करती है।

ऊर्जा संसाधनों का वर्गीकरण

ऊर्जा संसाधनों को व्यापक रूप से पारंपरिक उपयोग तथा उपलब्धता के आधार पर वर्गीकृत किया जा सकता है। पारंपरिक उपयोग के आधार पर ऊर्जा संसाधनों को पारंपरिक और गैर-पारंपरिक के रूप में वर्गीकृत किया जाता है, जबकि उपलब्धता के आधार पर इसे नवीकरणीय और गैर-नवीकरणीय ऊर्जा संसाधनों के रूप में वर्गीकृत किया जा सकता है।

ऊर्जा के गैर-पारंपरिक स्रोतों में सौर, पवन, बायोमास और भू-तापीय ऊर्जा शामिल हैं। जबकि, पारंपरिक ऊर्जा स्रोतों के अंतर्गत पेट्रोलियम, प्राकृतिक गैस, कोयला, और जल विद्युत ऊर्जा को रखा जाता है।

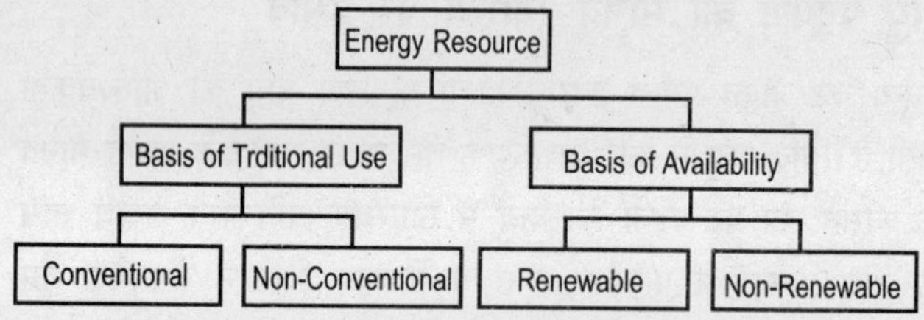

- **उपयोग के आधार पर वर्गीकरणः** इस आधार पर ऊर्जा संसाधनों को पारंपरिक और गैर-पारंपरिक रूप से दो प्रकारों में विभाजित किया जाता है।
  - ❑ **ऊर्जा के पारंपरिक स्रोतः** कोयला, तेल और प्राकृतिक गैस ऊर्जा के पारंपरिक स्रोतों के उदाहरण हैं। ऊर्जा के पारंपरिक स्रोत गैर-नवीकरणीय होते हैं। ये संसाधन सीमित मात्रा में उपलब्ध हैं। ऊर्जा के पारंपरिक स्रोतों को पुनः वाणिज्यिक और गैर-वाणिज्यिक ऊर्जा संसाधनों के रूप में वर्गीकृत किया जा सकता है।
  - ❑ **ऊर्जा के गैर-पारंपरिक स्रोतः** सौर, पवन, जैव-ईंधन, जैव-द्रव्यमान, ज्वार और महासागर ऊर्जा गैर-पारंपरिक ऊर्जा के उदाहरण हैं। ये प्रकृति में नवीकरणीय और पर्यावरण के अनुकूल हैं। ये संसाधन असीमित मात्रा में उपलब्ध हैं और इन्हें स्वच्छ ईंधन माना जाता है।
- **उपलब्धता के आधार पर वर्गीकरणः** इस आधार पर ऊर्जा संसाधनों को दो प्रकारों में विभाजित किया जाता है अर्थात् नवीकरणीय और गैर-नवीकरणीय।
  - ❑ **ऊर्जा के नवीकरणीय स्रोतः** ऊर्जा के नवीकरणीय स्रोत वे ऊर्जा संसाधन है, जिन्हें उपयोग के बाद पुनः प्राप्त किया जा सकता है। नवीकरणीय संसाधनों के उदाहरणों में पवन, और ज्वारीय और भू-तापीय ऊर्जा स्रोत शामिल हैं।
  - ❑ **ऊर्जा के गैर-नवीकरणीय स्रोतः** गैर-नवीकरणीय संसाधन की उपलब्धता सीमित हैं। क्योंकि ये संसाधन प्रकृति में सीमित मात्रा में पाए जाते हैं। गैर-नवीकरणीय संसाधनों में कोयला, तेल और प्राकृतिक गैस शामिल हैं।

ऊर्जा संसाधनों का वितरण एवं उपयोग

ऊर्जा संसाधनों का भण्डारण, उपलब्धता एवं उपयोग विभिन्न स्थानों पर अलग-अलग है। इसे परंपरागत और गैर-परंपरागत ऊर्जा संसाधन के दो हिस्से में विभाजित कर समझा जा सकता है।

परंपरागत संसाधन

कोयला, तेल, प्राकृतिक गैस और जल जैसे पारंपरिक स्रोतों के माध्यम से बिजली उत्पादन की मात्रा कृषि, उद्योग तथा जनसंख्या वृद्धि से प्रेरित वर्तमान मांग की तुलना में अत्यंत कम है। दूसरी ओर, हम गैर-पारंपरिक स्रोतों से अपनी ऊर्जा आवश्यकताओं की अतिरिक्त मांग को पूरा करने में सक्षम नहीं हैं। जिसके परिणामस्वरूप हम अन्य देशों से ऊर्जा संसाधनों जैसे पेट्रोलियम, अच्छी गुणवत्ता वाला कोयला तथा प्राकृतिक गैस आदि का आयात कर रहे हैं।

कोयला

कोयले को उत्पत्ति, कार्बन सामग्री और अन्य विशेषताओं के आधार पर मुख्य रूप से चार प्रकारों में वर्गीकृत किया जाता है। इनमें पीट, लिग्नाइट, बिटुमिनस और एन्थ्रेसाइट शामिल हैं।

- **पीटः** जहाँ तक कार्बन की मात्रा के दृष्टिकोण से इसे निम्नतम ग्रेड का कोयला माना जाता है। क्योंकि, इसमें केवल 30% तक कार्बन तत्व होता है। इस प्रकार का कोयला भारत में बहुत कम पाया जाता है।
- **लिग्नाइटः** इसे भूरे रंग के कोयले के रूप में भी जाना जाता है। इस कोयले का निर्माण पीट के बाद द्वितीय चरण में होता है। इसमें कार्बन की मात्रा 35% एवं नमी अथवा आर्द्रता अधिक पाई जाती है। इसलिए, इसको जलाने पर धुआँ अधिक जबकि ऊष्मा की मात्रा कम पैदा होती है। वितरण के दृष्टिकोण से लिग्नाइट के भंडार सामान्यतः तमिलनाडु, राजस्थान और गुजरात राज्य में पाए जाते हैं।
- **बिटुमिनसः** इस कोयले में कार्बन सामग्री उपर्युक्त अन्य दो प्रकारों की तुलना में अधिक है। इसमें कार्बन की मात्रा 40% से 80% के मध्य पाई जाती है। इस कोयले में नमी अथवा आर्द्रता एवं वाष्पशील सामग्री 15% से 40% के मध्य होती है। बिटुमिनस कोयले को आगे दो अन्य प्रकारों मे विभाजित किया जा सकता है—उप-बिटुमिनस तथा बिटुमिनस।
- **एन्थ्रेसाइटः** यह सर्वोत्तम प्रकार का कोयला होता है। कार्बन की मात्रा सर्वाधिक होने के कारण इसे अच्छी गुणवत्ता वाला कोयला माना जाता है। इसका उपयोग अधिकतर ताप विद्युत संयंत्रों और उद्योगों द्वारा किया जाता है।

भारत अपनी कुल ऊर्जा आवश्यकताओं के आधे से अधिक भाग के लिए कोयले पर निर्भर है। देश की लगभग तीन चौथाई बिजली और 63% वाणिज्यिक ऊर्जा कोयले से प्राप्त की जाती है। भारत के पास विश्व के कुल कोयला भंडार का 8% भाग पाया जाता है। भारत, चीन के बाद दुनिया में दूसरा प्रमुख कोयला उत्पादक देश है। भारत की कोयले की अधिकांश मांग घरेलू उत्पादन के माध्यम से पूरी होती है, केवल कोकिंग कोयला ही अपवाद है जो सीमित मात्रा में उपलब्ध है।

भारत में कोयले का वितरण, वितरण के दृष्टिकोण से देखने पर हम पाते हैं कि भारत में कोयले का वितरण प्रायद्वीपीय भागों के साथ कुछ अन्य क्षेत्रों में संकेद्रित हैं। प्रायद्वीपीय क्षेत्र में कोयले का उत्पादन गोंडवाना चट्टानी तंत्र की दामुडा शृंखला में होता है जबकि अन्य क्षेत्रों में यह इओसीन-ओलिगोसीन भूवैज्ञानिक युग की तृतीयक चट्टानों में पाया जाता है। गोंडवाना चट्टानों के वितरण का विश्लेषण करने पर हम पाते हैं कि इन चट्टानों का विकास प्रायद्वीपीय क्षेत्र में त्रिकोणीय संरचना में हुआ है। इसका उत्तरी भाग मुख्य रूप से नर्मदा और सोन नदियों की सीमा द्वारा निर्धारित है जबकि पूर्व-पश्चिम दिशा में इसकी सीमा नर्मदा नदी की घाटी के साथ अग्रसर होती है। इस त्रिकोणीय क्षेत्र की दक्षिणी सीमा गोदावरी घाटी के साथ उत्तर-पश्चिम से दक्षिण-पूर्व दिशा में विस्तृत है। अंतिम, तीसरी भुजा का निर्माण गोदावरी घाटी एवं राजमहल की पहाड़ियों द्वारा प्रायद्वीप के पूर्वी तट तक किया गया है। त्रिकोणीय क्षेत्र में आंतरिक भाग में महानदी घाटी के साथ कोयले की एक सहायक पेटी पाई जाती है।

गोंडवाना कोयलाः गोंडवाना प्रकार के कोयला क्षेत्रों का संबंध नदी घाटियों से है। इस प्रकार की नदी घाटियां विभिन्न राज्यों में पाई जाती है। कुछ प्रमुख क्षेत्र इस प्रकार हैं:

- ❑ दामोदर – झारखंड और पश्चिम बंगाल
- ❑ सोन – बिहार, मध्य प्रदेश और उत्तर प्रदेश
- ❑ महानदी – छत्तीसगढ़ और ओडिशा
- ❑ गोदावरी वर्धा – महाराष्ट्र, आंध्र प्रदेश और तेलंगाना
- ❑ पेंच – कान्हा – तवा – मध्य प्रदेश

लिग्नाइटः 90% से अधिक लिग्नाइट भंडार तमिलनाडु राज्य में पाए जाते हैं। तमिलनाडु राज्य में, कुड्डालोर जिले के नेवेली क्षेत्रों में पाए जाने वाले भंडार इस प्रकार के कोयले के लिए प्रसिद्ध हैं।

तमिलनाडु के अलावा राजस्थान, गुजरात, जम्मू और कश्मीर और केरल राज्यों में भी लिग्नाइट कोयला पाया जाता है।

पेट्रोलियम

- यह ऊर्जा का एक महत्वपूर्ण स्रोत है तथा आर्थिक विकास को तीव्र करने के लिए इसकी अत्यधिक मांग है। जैसा कि आप जानते हैं कि पेट्रोलियम एक महत्वपूर्ण ऊर्जा संसाधन होने के साथ कई रासायनिक उद्योगों के लिए स्नेहक और

कच्चा माल प्रदान करता है। इसमें विविध उत्पाद शामिल हैं, जैसे मिट्टी का तेल, डीजल, पेट्रोल, विमानन ईंधन, पिगमेंट, विस्फोटक, मुद्रण स्याही, फिल्म–फोटोग्राफी, ग्रीस, सौंदर्य प्रसाधन, पेंट, स्नेहक तेल, पैराफिन और मोम।

पेट्रोलियम एक प्राकृतिक रूप से पाया जाने वाला ज्वलनशील द्रव है। यह तरल और गैसीय हाइड्रोकार्बन का मिश्रण है। इसमें घुलनशील अवस्था में ठोस बिटुमेन, ऑक्सीजन, सल्फर और नाइट्रोजन के कार्बनिक यौगिक मिश्रित रूप में पाए जाते हैं। पेट्रोलियम में पाए जाने वाले हाईड्रोकार्बन मीथेन, नैप्थीन और एरोमैटिक श्रेणी के होते हैं। इसकी उत्पत्ति उथले पानी के प्लवक और डायटम से जुड़ी हुई है और संबधित चट्टानें मेसोजोइक और तृतीयक काल के शैल, सिल्ट और चूना पत्थर जैसे समुद्री तलछट है।

वितरणः भारत में पेट्रोलियम सामान्यतः तटवर्ती और अपतटीय क्षेत्रों में पाया जाता है। पेट्रोलियम और प्राकृतिक गैस के उत्पादन के लिए भारत में बॉम्बे हाई, खंभात, ऊपरी असम, कृष्णा-गोदावरी, असम-अराकान और काबेरी बेसिन प्रसिद्ध हैं।

प्राकृतिक गैस

प्राकृतिक गैस सामान्यतः पेट्रोलियम के साथ पाई जाती है। जब भी पेट्रोलियम को प्राप्त करने के लिए खनन कार्य किया जाता है तब इसी प्रक्रिया के तहत प्राकृतिक गैस भी उपलब्ध होती है। भारत ने वर्ष 1985 के बाद नए गैस क्षेत्रों की खोज की दिशा में तेजी से प्रगति की है। इन्हीं प्रयासों के परिणामस्वरूप गैस देश की ऊर्जा आवश्यकताओं को पूरा करने में महत्वपूर्ण योगदान दे रही है। भारत की ऊर्जा आवश्यकताओं का लगभग 7% भाग प्राकृतिक गैस से पूरा किया जाता है।

वितरणः भारत में कुल गैस का लगभग तीन-चौथाई हिस्सा मुंबई हाई से प्राप्त किया जाता है। साथ ही, कुल गैस का 11 प्रतिशत से अधिक भाग अंकलेश्वर और गुजरात में खंभात की खाड़ी से आता है। शेष भाग आंध्र प्रदेश में गोदावरी और कृष्णा बेसिन राजस्थान के बाड़मेर जिले, तमिलनाडु के तंजावुर और शिंगलपुट, असम और त्रिपुरा से प्राप्त किया जाता है। प्राकृतिक गैस का मुख्य रूप से बिजली उत्पादन, उर्वरक और पेट्रोकेमिकल उत्पादन में उपयोग किया जाता है।

जल विद्युत ऊर्जा

जल विद्युत ऊर्जा के सस्ते एवं स्वच्छ होने के कारण इसे ऊर्जा का सबसे अच्छा स्रोत माना जाता है। आजादी से पहले भारत में बहुत कम संख्या में जल विद्युत परियोजनाएँ थी। स्वतंत्रता के बाद जल विद्युत परियोजनाओं में वृद्धि और विकास तीव्र गति से हुआ है।

भारत के विभिन्न राज्यों में महत्वपूर्ण जल विद्युत संयंत्र

राज्य	जलविद्युत संयंत्रों के नाम
आंध्र प्रदेश	लोअर सिलेरु, अपर सिलेरु, मचकुंड, श्रीशैलम (कृष्णा)
बिहार	कोसी
गुजरात	उकाई (तापी), कड़ाना (माही), सरदार सरोवर।
जम्मू और कश्मीर	लोअर झेलम, चिनाब पर सलाल, दूल, हस्ती, कर्राह और बनिहार।
झारखंड	सुवर्णरिखा, मैथन, पंचेत, तिलैया।
कर्नाटक	तुंगभद्रा, सरावती, कालिंदी, महात्मा गांधी (जोग फॉल), भद्रा, शिवसमुद्रम (कावेरी), शिमासापुरा, मुनीराबाद, लुंगनामक्की
केरल	इद्दीकी (पेरियार), सबरीगिरी, कुट्टियाडी, शोलायर, सेनगुलम, पल्लीवासल, कल्दा, नेरियामंगलम, पेरम्बिकुलम अलीयार, पोरिंगल पोन्नियर।
मध्य प्रदेश	चंबल पर गांधी सागर, नर्मदा पर पेंच, बरगी, बाणसागर - टोंस।
महाराष्ट्र	कोयना, भिवपुरी, खोपोली, भोला, मीरा, पूर्णा, बैतेर्ना, पैठों, भटनागर बीड।
उत्तर-पूर्वी राज्य	दिखू, नागालैंड में दोयांग, त्रिपुरा में गोमुती, मणिपुर में लोकटक, असम में कोपिली, मेघालय में खोंडोंग और किर्डेमकुलई, मिजोरम में सेरलुई और बाराबी, अरुणाचल प्रदेश में रंगनाडी।
ओडिशा	हीराकुड (महानदी), बालीमेला, रेंगाली (ब्राह्मणी), इंद्रावती।
पंजाब और हिमाचल प्रदेश	सतलुज पर भाखड़ा–नंगल, ब्यास पर देहर, गिरि बाटा, आंध्र बिनवा, रुकती, रोंगटोंग, भाभानगर, बस्सी, बैरा सिउल, चमेरा, सतलुज पर नाथपा–झाकरी।
राजस्थान	चंबल पर राणाप्रताप सागर और जवाहर सागर।
तमिलनाडु	पायकारा, मेट्टूर कोडयार, शोलायर, अलियार, सकरपति, मोयार, सुरुलियार, पापनासम।
तेलंगाना	कृष्णा पर निजाम सागर और नागार्जुन सागर।
उत्तराखंड	भागीरथी पर टिहरी बांध।
उत्तर प्रदेश	रिहंद, खोदरी, टोंस पर चिब्रो।
पश्चिम बंगाल	पंचेत।

जल विद्युत परियोजना की अवस्थिति को निर्धारित करने वाले कारकः

- **नदियों के प्रवाह की वार्षिक एवं मौसमी दशाएं तथा उनकी मासिक स्थितिः** जल विद्युत के उत्पादन के लिए नदियों में वर्ष भर जल की उपयुक्त मात्रा एवं प्रवाह का रहना आवश्यक होता है। यह वर्षा की मात्रा (बारिश वाले क्षेत्रों में) अथवा हिमनदों के पिघलने की प्रक्रिया, जिससे नदियों को जल की प्राप्ति होती है पर निर्भर करता है।

- **प्राकृतिक जलप्रपात के लिए पर्याप्त ऊंचाईः** जल विद्युत उत्पादन के लिए आवश्यक है कि जलप्रपात की ऊँचाई अधिक हो जिससे तीव्र गति से जल को छोड़ा जा सके। यह ऊँचाई प्राकृतिक जलप्रपात के रूप में हो सकती है अथवा नदी पर बांध बनाकर प्राप्त की जा सकती है।
- **बाजार की उपलब्धताः** जल विद्युत ऊर्जा के उत्पादन के बाद निकट बाजार की उपलब्धता एक अन्य प्रमुख कारक है क्योंकि बिजली का भंडारण नहीं किया जा सकता है।
- **विशाल पूंजी निवेशः** पूंजी गहन क्रिया होने के कारण जल विद्युत ऊर्जा के उत्पादन के लिए भारी मात्रा में पूंजी निवेश की आवश्यकता होती है।
- **तकनीकी प्रगतिः** इसके लिए उन्नत तकनीकी की भी आवश्यकता होती है क्योंकि उत्पादन, वितरण और उपयोग को कुशलता पूर्वक संपन्न करने के लिए उच्च तकनीकी होना अत्यंत आवश्यक है।

क्षेत्रीय प्रतिरूप उपर्युक्त कारकों में भिन्नता के कारण किसी भी देश में पनबिजली परियोजनाओं का वितरण असमान रूप से पाया जाता है।

हालांकि, हाल के दिनों में बिजली उत्पादन के लिए बड़े बांधों का निर्माण करने के कारण अनेक विवाद उत्पन्न हुए हैं। यही कारण है कि छोटे जल विद्युत संयंत्र व्यवहार्य विकल्प के रूप में उभर रहे हैं।

परमाणु ऊर्जा

परमाणु खनिजों से प्राप्त ऊर्जा को परमाणु ऊर्जा के रूप में जाना जाता है। कुछ महत्वपूर्ण परमाणु खनिज यूरेनियम और थोरियम है। अन्य परमाणु खनिज बेरिलियम, लिथियम और जिरकोनियम हैं।

नियंत्रित तरीके से परमाणु विखंडन से निकलने वाली ऊर्जा का उपयोग बिजली उत्पादन के लिए किया जा सकता है। इस उद्देश्य के लिए प्रयुक्त उपकरण को परमाणु रिएक्टर कहा जाता है। परमाणु रिएक्टर गर्मी पैदा करते हैं, जिसका उपयोग बिजली पैदा करने हेतु टर्बाइनों को घुमाकर भाप उत्पन्न करने के लिए किया जाता है। यह अनुमान लगाया गया है कि 1 किलो प्राकृतिक यूरेनियम (जिसे 235 U लिखा जाता है), 35,000 किलो कोयले से उत्पादित ऊर्जा के बराबर ऊर्जा उत्पन्न करता है।

यूरेनियम जैसे परमाणु ईंधन से ऊर्जा उत्पादन अपेक्षाकृत स्वच्छ एवं कुशल है और कोयले तथा पेट्रोलियम के विकल्प के रूप में कार्य कर सकता है। हालांकि परमाणु रिएक्टरों को मानव बस्तियों से दूर स्थानों पर निर्मित करने की आवश्यकता होती है। रेडियोधर्मी सामग्री के किसी भी आकस्मिक रिसाव को रोकने के लिए उन्हें सख्त सुरक्षा नियंत्रण के तहत संचालित किया जाता है। साथ ही, रेडियोधर्मी कचरे का सावधानीपूर्वक निपटान किया जाना चाहिए। वर्तमान में NPCIL 6780 मेगावाट की स्थापित क्षमता के साथ 22 परमाणु ऊर्जा रिएक्टरों का संचालन करती है।

गैर-परंपरागत संसाधन

31 मार्च 2024 की स्थिति के अनुसार, देश में कुल 143.64 गीगावाट अक्षय ऊर्जा क्षमता (बड़ी जल विद्युत परियोजनाओं को छोड़कर) स्थापित की जा चुकी हैं। इसमें मुख्य रूप से सौर ऊर्जा का योगदान है, हालांकि गुजरात में पवन ऊर्जा का हिस्सा सबसे अधिक है। भारत में उज्जवल भविष्य की संभावनाओं वाले कुछ महत्वपूर्ण गैर-पारंपरिक ऊर्जा संसाधन हैं– सौर, पवन, लघु–पनबिजली, बायोमास, गन्ने के अवशिष्ट पदार्थ आधारित उत्पादन तथा अपशिष्ट से ऊर्जा।

सौर ऊर्जा

यह ऊर्जा का सर्वाधिक आसान एवं प्रचुर मात्रा में उपलब्ध स्रोत है। यह गैर-प्रदूषणकारी भी है। वर्तमान में, हमारे पास विभिन्न उद्देश्यों हेतु सौर ऊर्जा का उपयोग करने के लिए तकनीकी ज्ञान उपलब्ध है।

सौर ऊर्जा का प्रत्यक्ष उपयोग सर्दियों में पानी को गर्म करने तथा ठंडे क्षेत्रों में कमरे के तापमान को बढ़ाने के लिए किया जाता है। हमारे पास सोलर कुकर उपलब्ध हैं जिनका उपयोग कई घरों में खाना पकाने के लिए किया जा रहा है। इसका उपयोग रेफ्रिजरेटर चलाने के लिए भी किया जाता है। 'फोटो वोल्टिक सेल' की सहायता से वाहनों को चलाने के लिए, रोशनी के लिए तथा अनेक अन्य उद्देश्यों के लिए बिजली का उत्पादन किया जा रहा है। चूंकि यह ऊर्जा का एक सतत् स्रोत है, इसलिए सौर ऊर्जा का उपयोग करने के लिए सस्ते और कुशल फोटोसेल अथवा फोटोवोल्टिक उपकरणों को विकसित करने से व्यापक लाभ प्राप्त होगा।

औसतन, 60 मिलियन वर्ग कि.मी. उष्णकटिबंधीय समुद्र 245 बिलियन बैरल तेल की ऊष्मा के बराबर सौर विकिरण को अवशोषित करते हैं। इमारतों अथवा खुले स्थानों में स्थापित सौर फोटोवोल्टिक (एस.पी.वी.) पैनलों में सौर विकिरण सीधे बिजली में परिवर्तित हो जाता है। इस बिजली को सीधे इस्तेमाल करने के साथ घरेलू प्रकाश, स्ट्रीट लाइटिंग, ग्रामीण विद्युतीकरण, पानी के पंपिंग, लवणीय जल के विलवणीकरण, दूरस्थ दूरसंचार स्टेशनों और रेलवे सिग्नल की शक्ति के लिए उपयोग की जाने वाली बैटरी में संग्रहीत किया जा सकता है। सौर निष्क्रिय इमारतों की डिजाइन एवं निर्माण में सौर ऊर्जा का उपयोग किया जा रहा है जिससे हीटिंग और कूलिंग के लिए ऊर्जा की खपत में कटौती हो रही है। यह तकनीक शहरी क्षेत्रों में तेजी से स्वीकृति प्राप्त कर रही है।

जहाँ तक भारत का संबंध है, सौर ऊर्जा संभावित ऊर्जा स्रोतों में से एक है तथा सौर ऊर्जा उद्योग यहाँ में तीव्र गति से बढ़ रहा है। देश की सौर स्थापित क्षमता 31 मार्च 2024 को 81.81 GW तक पहुँच गई है। राजस्थान, जम्मू और कश्मीर, मध्य प्रदेश और महाराष्ट्र राज्य सौर ऊर्जा उत्पादन के सर्वाधिक संभाव्य राज्यों में शामिल हैं।

पवन ऊर्जा

पवन ऊर्जा का उपयोग अनेक वर्षों से नौकायन, अनाज पीसने और सिंचाई के लिए किया जाता रहा है। पवन ऊर्जा प्रणालियाँ पवन की गति से संबंधित गतिज ऊर्जा को ऊर्जा के अधिक उपयोगी रूपों में परिवर्तित करती हैं। पवन टर्बाइन पवन की ऊर्जा को यांत्रिक ऊर्जा में परिवर्तित कर देती हैं, जिसका उपयोग सीधे तौर पर अनाज पीसने, पानी उठाने या बिजली उत्पन्न करने के लिए किया जा सकता है। पवन टर्बाइनों का उपयोग एकल रूप में अथवा समूहों में किया जाता है जिन्हें 'विंड फार्म' कहा जाता है। कई देशों में पवन चक्कियों का उपयोग बहुत पहले से किया जाता रहा है, किंतु भारत में इनका उपयोग हाल में ही आरंभ किया गया है। देश की पवन ऊर्जा की स्थापित क्षमता 31 मार्च, 2024 को 45.89 GW तक पहुँच गई है।

ज्वारीय ऊर्जा

ऊर्जा समुद्री तरंगों और ज्वार से भी प्राप्त की जा सकती है। ये तरंगे और ज्वार-भाटा ऊर्जा के अन्य स्रोत हैं जो शाश्वत रूप से उपलब्ध हैं तथा इनका उपयोग बिजली उत्पादन के लिए किया जा सकता है। सामुद्रिक कुंदराओं विशेष रूप से ऐसे तटीय संकीर्ण क्षेत्र जिनमें जल तीव्र गति से प्रवेश कर जाता है तथा जहां नदियां ऐस्चुरी के रूप में समुद्र में मिल जाती हैं, ऐसे क्षेत्र ज्वारीय ऊर्जा उत्पादन के लिए उपयुक्त दशाएँ प्रदान करते हैं। तटीय क्षेत्रों में ज्वार एवं भाटा द्वारा अंदर जाने एवं बाहर जाने वाले जल को बांध द्वारा नियंत्रित किया जाता है। इस प्रकार दोनों स्थितियों में बिजली उत्पन्न की जाती है। जल ऊर्जा का भारत के पहाड़ी क्षेत्रों में भी व्यापक रूप से उपयोग किया जा रहा है, क्योंकि क्षेत्रों में तेज गति से प्रवाहित होने वाली नदियों में पैडल वाले पहिये से बिजली उत्पन्न की जा सकती है। इस सिद्धांत पर बनी छोटी आकार की आटा मिलों का उपयोग कश्मीर में लंबे समय तक किया जाता रहा है। वास्तव में, बृहद जल विद्युत स्टेशन भी समान सिद्धांत पर कार्य करते हैं। इनमें एक आधुनिक प्रकार के पेडल व्हील को घुमाने के लिए एक प्राकृतिक या कृत्रिम जलप्रपात का निर्माण किया जाता है, जिसे टर्बाइन कहा जाता है तथा इसके घूमने पर बिजली उत्पन्न होती है। भारत में, 150 मेगावाट की क्षमता वाली प्रथम तरंग ऊर्जा परियोजना तिरुवनंतपुरम के निकट बिझिंजम में स्थापित की गई है।

भूतापीय ऊर्जा

ज्वालामुखी, गर्म झरने, गीजर तथा समुद्री जल में मीथेन भूतापीय ऊर्जा के प्रमुख स्रोत हैं। जियोथर्मल का अर्थ है पृथ्वी से निकलने वाली ऊष्मा। कुछ देशों में, जैसे संयुक्त राज्य अमेरिका में भूमिगत रूप में पाए जाने वाले गर्म जल के भंडार से हल को पंप किया जाता है और लोगों के घरों को गर्म करने के लिए उपयोग किया जाता है। बिजली उत्पन्न करने के लिए गर्म जल और गर्म झरनों के ही भाप का उपयोग किया जा सकता है।

भारतीय भूवैज्ञानिक सर्वेक्षण (GSI) द्वारा पहले ही 381 से अधिक गर्म जल के झरने वाले स्थलों की खोज की जा चुकी है, जिनकी पहचान भू-तापीय ऊर्जा के दोहन क्षेत्रों के रूप में की जा सकती है। लद्दाख क्षेत्र की पुगा घाटी में प्रयोगात्मक स्तर पर 1 किलोवाट की परियोजना का संचालन किया जा रहा है, जिससे उत्पन्न होने वाली ऊर्जा को उच्च तापमान की आवश्यकता वाले क्षेत्रों जैसे–मुर्गी पालन, मशरूम की खेती, और पश्मीना–ऊन प्रसंस्करण के लिए किया जा रहा है।

बायोमास ऊर्जा

यह एक अक्षय ऊर्जा स्रोत है जिसे पौधों के उत्पादों, पशु अपशिष्ट और विभिन्न मानव गतिविधियों के अपशिष्ट से प्राप्त किया जाता है। इसे लकड़ी उद्योग, कृषि फसलों, जंगल से प्राप्त कच्चे माल तथा घरेलू कचरे द्वारा भी प्राप्त किया जाता है। बायोमास ऊर्जा का एक महत्वपूर्ण स्रोत है जो कोयले, तेल और प्राकृतिक गैस के बाद विश्व भर में महत्वपूर्ण ईंधन के रूप में प्रसिद्ध है। बायोमास द्वारा पर्यावरण में कार्बन डाइऑक्साइड की शुद्ध मात्रा नहीं जोड़ी जाती है क्योंकि यह उतनी ही कार्बन की मात्रा को अवशोषित कर लेता है जितनी इसके ईंधन के रूप में उपयोग किए जाने पर पर्यावरण में मुक्त होती है। इसका लाभ यह है कि बायोमास का उपयोग उन्हीं उपकरणों अथवा बिजली संयंत्रों से बिजली उत्पन्न करने के लिए किया जा सकता है जो वर्तमान में बिजली उत्पादन के लिए जीवाश्म ईंधन का उपयोग कर रहे हैं। भारत में उपयोग की जाने वाली बायोमास ऊर्जा देश में उपयोग किए जाने वाले कुल ऊर्जा का लगभग एक तिहाई है। 90% से अधिक ग्रामीण परिवार और लगभग 15% शहरी परिवार बायोमास ईंधन (जैसे-लकड़ी, गोबर के उपले तथा फसल के अवशेष आदि) का उपयोग करते हैं। पारंपरिक चूल्हों में इस तरह के ईंधन को अकुशल रूप से जलाने से घरों में वायु प्रदूषण की गंभीर समस्याएं उत्पन्न हो रही हैं जिससे मानवीय स्वास्थ्य नकारात्मक रूप से प्रभावित हो रहा है। इसके अलावा, ईंधन की लकड़ी की निरंतर खपत के कारण वनों की कटाई होने से मरुस्थलीकरण एवं पर्यावरण प्रदूषण में वृद्धि हो रही है। इस प्रकार एक संसाधन के रूप में बायोमास का उचित प्रबंधन अत्यंत आवश्यक है।

इस संदर्भ में, बायोमास का उपयोग करते हुए सस्ती एवं स्वच्छ ऊर्जा प्रणालियों और सेवाओं को सुनिश्चित करने के लिए तकनीकी समाधान, संस्थागत व्यवस्था, वित्तीय सहायता और प्रशिक्षण योजनाओं का व्यापक महत्व है। इस दिशा में गैर-पारंपरिक ऊर्जा स्रोत मंत्रालय द्वारा महत्वपूर्ण प्रयास किया गया है। मंत्रालय द्वारा एक पहल के माध्यम से अधिक ऊर्जा की प्राप्ति, जलाऊ लकड़ी की घरेलू खपत में कमी, रोजगार सृजन तथा ग्रामीण लोगों के जीवन स्तर में सुधार के साथ बायोमास ईंधन के कुशल उपयोग के लिए स्वदेशी प्रौद्योगिकियों को बढ़ावा दिया जा रहा है।

बायोगैस

आपने पशुओं के गोबर से बायोगैस के उत्पादन के संदर्भ में सुना होगा जो खाना पकाने के लिए उपयोग की जाने वाली ऊर्जा का एक स्रोत है। एक सरल प्रक्रिया के माध्यम से मवेशियों के गोबर का उपयोग गैस बनाने के लिए किया जाता है जिसमें 55-70% ज्वलनशील मीथेन गैस होती है। इसे ग्रामीण क्षेत्रों में उपयोग के लिए एक स्वच्छ और कुशल ईंधन माना जाता है। इसमें जलकुंभी, जल लेट्यूस, साल्विनिया, हाइड्रिला, खरपतवार, शैवाल तथा मवेशियों का गोबर पूरक ईंधन का कार्य करता है। बड़े बायोगैस संयंत्र कई परिवारों तथा यहां तक कि छोटे गांवों की ऊर्जा आवश्यकताओं को पूरा कर सकते हैं। बायोगैस उत्पन्न करने के बाद बचा हुआ गोबर अथवा घोल कृषि प्रयोजनों के लिए खाद के रूप में इस्तेमाल किया जा सकता है। यह जैविक कचरे से ऊर्जा प्राप्त करने का एक किफ़ायती तरीका है। चीन तथा भारत जैसे देशों के ग्रामीण क्षेत्रों में अनेक बायोगैस संयंत्र स्थापित करने के प्रयास किए जा रहे हैं।

भारत में ऊर्जा के गैर-पारंपरिक स्रोतों के विकास की अपार संभावनाएँ हैं। हमारे देश की भौगोलिक विविधता गैर-पारंपरिक ऊर्जा स्रोतों जैसे सौर, पवन और ज्वार से ऊर्जा प्राप्त करने में मदद करती है। सौर द्वारा ऊर्जा उत्पादन हेतु भविष्य की संभावनाओं को देखते हुए वर्ष 2015 में अंतर्राष्ट्रीय सौर गठबंधन की स्थापना की गई थी।

इस गठबंधन की स्थापना में भारत ने महत्वपूर्ण भूमिका निभाई है। इससे स्वच्छ और हरित ऊर्जा विकसित करने में मदद मिलेगी जो ऊर्जा के पारंपरिक स्रोतों जैसे कोयला, पेट्रोलियम और रेडियो-सक्रिय, खनिजों के उपयोग के कारण उत्पन्न होने वाली समस्याओं का समाधान करेगी।

अतः यह कहा जा सकता है कि उपर्युक्त गैर-परंपरागत ऊर्जा स्रोत भविष्य के ऊर्जा ईंधन है। किन्तु वर्तमान में हमारे प्रमुख ऊर्जा स्रोत कोयला, जीवाष्म ईंधन, प्राकृतिक गैस, पनबिजली और परमाणु ऊर्जा है। ऊर्जा के इन स्रोतों के पारंपरिक स्रोतों के रूप में जाना जाता है।

प्राकृतिक जोखिम तथा आपदाएँ : न्यूनीकरण के उपाय (Natural Hazards and Disasters : Mitigation Strategies)

परिवर्तन प्रकृति का नियम है। यह एक लगातार चलने वाली प्रक्रिया है, जो विभिन्न तत्त्वों में, चाहे वह बड़ा हो या छोटा, पदार्थ हो या अपदार्थ, अनवरत चलती रहती है तथा हमारे प्राकृतिक और सामाजिक-सांस्कृतिक पर्यावरण को प्रभावित करती है। यह प्रक्रिया हर जगह व्याप्त है परंतु इसके परिमाण, सघनता और पैमाने में अंतर होता है। यह बदलाव धीमी गति से भी आ सकते हैं, जैसे-स्थलाकृतियों और जीवों में। ये बदलाव तेज गति से भी आ सकते हैं, जैसे- ज्वालामुखी विस्फोट, सुनामी, भूकम्प और तूफान इत्यादि। इसी प्रकार इसका प्रभाव छोटे क्षेत्र तक सीमित हो सकता है, जैसे-आँधी और टॉरनेडो। व्यापक परिवर्तनों में भूमंडलीय उष्णीकरण और ओजोन परत का ह्रास आदि है।

इसके अतिरिक्त परिवर्तन का विभिन्न लोगों के लिए भिन्न-भिन्न अर्थ होता है। यह इनको समझने की कोशिश करने वाले व्यक्ति के दृष्टिकोण पर निर्भर करता है। प्रकृति के दृष्टिकोण से परिवर्तन मूल्य-तटस्थ होता है, परंतु मानव दृष्टिकोण से परिवर्तन मूल्य बोझिल होता है। कुछ परिवर्तन अपेक्षित और अच्छे होते हैं, जैसे-ऋतुओं में परिवर्तन, फलों का पकना आदि जबकि कुछ परिवर्तन अनपेक्षित और बुरे होते हैं, जैसे-भूकंप, बाढ़ और युद्ध।

आपदा क्या है?

आपदा प्रायः एक अनपेक्षित घटना होती है, जो ऐसी ताकतों द्वारा घटित होती है, जो मानव के नियंत्रण में नहीं हैं। यह थोड़े समय में और बिना चेतावनी के घटित होती है जिसकी वजह से मानव जीवन के क्रियाकलाप अवरुद्ध होते हैं तथा बड़े पैमाने पर जानमाल का नुकसान होता है। अतः इससे निपटने के लिए हमें सामान्यतः दी जाने वाली वैधानिक आपातकालीन सेवाओं की अपेक्षा अधिक प्रयत्न करने पड़ते हैं।

प्रायः यह देखा गया है कि विद्वान आपदा और प्राकृतिक संकट शब्दों का इस्तेमाल एक-दूसरे की जगह कर लेते हैं। ये दोनों एक-दूसरे से संबंधित हैं परंतु फिर भी इनमें अंतर है। इसलिए इन दोनों में भेद करना आवश्यक है।

प्राकृतिक संकट, प्राकृतिक पर्यावरण में हालात के वे तत्त्व हैं जिनसे धन-जन या दोनों को नुकसान पहुँचने की संभाव्यता होती है। ये बहुत तीव्र हो सकते हैं या पर्यावरण विशेष के स्थायी पक्ष भी हो सकते हैं, जैसे-महासागरीय धाराएँ, हिमालय में तीव्र ढाल तथा अस्थिर संरचनात्मक आकृतियाँ अथवा रेगिस्तानों तथा हिमाच्छादित क्षेत्रों में विषम जलवायु दशाएँ आदि। प्राकृतिक संकट की तुलना में प्राकृतिक आपदाएँ अपेक्षाकृत तीव्रता से घटित होती हैं तथा बड़े पैमाने पर जन-धन की हानि तथा सामाजिक तंत्र एवं जीवन को छिन्न-भिन्न कर देती हैं तथा उन पर लोगों का बहुत कम या कुछ भी नियंत्रण नहीं होता।

प्राकृतिक आपदाओं एवं संकटों के अवगम में परिवर्तन भी आया है। पहले प्राकृतिक आपदाएँ एवं संकट, दो परस्पर अंतर्संबंधी परिघटनाएँ समझी जाती थी अर्थात् जिन क्षेत्रों में प्राकृतिक संकट आते थे, वे आपदाओं के द्वारा भी सुभेद्य थे। अतः उस समय मानव पारिस्थितिक तंत्र के साथ ज्यादा छेड़छाड़ नहीं करता था। इसलिए इन आपदाओं से नुकसान कम होता था। तकनीकी विकास ने मानव को, पर्यावरण को प्रभावित करने की बहुत क्षमता प्रदान कर दी है। परिणामतः मनुष्य ने आपदा के खतरे वाले क्षेत्रों में गहन क्रियाकलाप शुरू कर दिया है और इस प्रकार आपदाओं की सुभेद्यता को बढ़ा दिया है।

अधिकांश नदियों के बाढ़-मैदानों में भू-उपयोग तथा भूमि की कीमतों के कारण तथा तटों पर बड़े नगरों एवं बंदरगाहों, जैसे-मुम्बई तथा चेन्नई आदि के विकास ने इन क्षेत्रों को चक्रवातों, प्रभंजनों तथा सुनामी आदि के लिए सुभेद्य बना दिया है।

1948 से अब तक की प्रमुख प्राकृतिक आपदाएँ

वर्ष	स्थान	प्रकार	मृत्यु
1948	सोवियत संघ (अब रूस)	भूकंप	110,000
1949	चीन	बाढ़	57,000
1954	चीन	बाढ़	30,000
1965	पूर्वी पाकिस्तान (अब बांग्लादेश)	उष्ण कटिबंधीय चक्रवात	36,000
1968	ईरान	भूकंप	30,000
1970	पेरू	भूकंप	66,794
1970	पूर्वी पाकिस्तान (अब बांग्लादेश)	उष्ण कटिबंधीय चक्रवात	500,000
1971	भारत	उष्ण कटिबंधीय चक्रवात	30,000
1976	चीन	भूकंप	700,000
1990	ईरान	भूकंप	50,000
2004	इंडोनेशिया, श्रीलंका, भारत आदि	सुनामी	500,000
2005	पाकिस्तान, भारत	भूकंप	70,000
2011	जापान	सुनामी	15,642
2015	नेपाल, भारत	भूकंप	8,964
2022	यूरोप	हीटवेव	24,500
2023	तुर्की, सीरिया	भूकंप	62,013

प्राकृतिक आपदाओं का वर्गीकरण

वायुमंडलीय	भौमिक	जलीय	जैविक
बर्फानी तूफान	भूकंप	बाढ़	पौधे व जानवर उपनिवेशक के रूप में (टिड्डीयाँ इत्यादि)। कीट ग्रसन-फंफूद, बैक्टीरिया और वायरल संक्रमण बर्ड फ्लू, डेंगू इत्यादि।
तड़ितझंझा	ज्वालामुखी	ज्वार	
तड़ित	भू-स्खलन.	महासागरीय धाराएँ	
टॉरनेडो	हिमघाव	तूफान महोर्मि	
उष्ण कटिबंधीय चक्रवात	अवतलन	सुनामी	
सूखा	मृदा अपरदन		
करकापात			
पाला, लू, शीतलहर			

दी गई सारणी से स्पष्ट है कि प्राकृतिक आपदाओं ने विस्तृत रूप से जन एवं धन की हानि की है। इस स्थिति से निपटने के लिए भरसक प्रयत्न किए जा रहे हैं। यह भी महसूस किया जा रहा है प्राकृतिक आपदा द्वारा पहुँचाई गई क्षति के परिणाम भू-मंडलीय प्रतिघात है और अकेले किसी राष्ट्र में इतनी क्षमता नहीं है कि वह इन्हें सहन कर पाए। अतः 1989 में संयुक्त राष्ट्र सामान्य असेंबली में इस मुद्दे को उठाया गया था और मई 1994 में जापान के यॉकोहामा नगर में आपदा प्रबंधन की विश्व कांफ्रेंस में इसे औपचारिकता प्रदान कर दी गई और यही बाद में 'यॉकोहामा रणनीति तथा अधिक सुरक्षित संसार के लिए कार्य योजना' कहा गया।

प्राकृतिक आपदा न्यूनीकरण का अंतर्राष्ट्रीय दशक यॉकोहामा रणनीति तथा सुरक्षित संसार के लिए कार्य योजना

संयुक्त राष्ट्र के सभी सदस्य देश तथा अन्य देशों की एक बैठक 'प्राकृतिक आपदा न्यूनीकरण' विश्व कांफ्रेंस 23 से 27 मई 1994 को यॉकोहामा नगर में हुई। इस बैठक में यह स्वीकार किया गया कि पिछले कुछ वर्षों में प्राकृतिक आपदाओं के कारण मानव जीवन तथा आर्थिक क्षति अधिक हुई है तथा समाज, सामान्यतः प्राकृतिक आपदाओं के लिए सुभेद्य हो गया है।

विश्व बैठक में प्राकृतिक आपदा न्यूनीकरण के लिए पारित प्रस्ताव निम्नलिखित हैं:

- यह दर्ज होगा कि हर देश की प्रमुख जिम्मेदारी है कि वे प्राकृतिक आपदा से अपने नागरिकों की रक्षा करे।
- यह विकासशील देशों, विशेष रूप से, सबसे कम विकसित एवं चारों ओर से भू-बद्ध देशों तथा छोटे द्वीपीय विकासशील देशों पर आग्रहपूर्वक ध्यान देगा।
- जहाँ भी ठीक समझा जायेगा, वहाँ आपदा से बचाव, निवारण एवं तैयारी के लिए राष्ट्रीय स्तर पर कानून बना कर क्षमता एवं सामर्थ्य का विकास करेगा तथा इस कार्य में स्वैच्छिक संगठनों तथा स्थानीय समुदायों को संगठित किया जाना चाहिए।
- यह उप-क्षेत्रीय, क्षेत्रीय तथा अंतर्राष्ट्रीय सहयोग द्वारा उन कार्यों को बढ़ावा तथा मजबूती देगा जिनसे प्राकृतिक तथा दूसरी आपदाओं को रोका अथवा कम किया जा सके या उसका निवारण किया जा सके। इस प्रक्रिया में निम्नलिखित पर विशेष बल दिया जाएगा:
  - ❑ मानव तथा संस्थागत क्षमता निर्माण तथा सशक्तिकरण;
  - ❑ तकनीकों में भागीदारी: सूचना का एकत्रण, प्रकीर्णन (dissemination) तथा उपयोग और;
  - ❑ संसाधनों का संग्रह करना।

भारत में प्राकृतिक आपदाएँ

भारत एक प्राकृतिक और सामाजिक-सांस्कृतिक विविधताओं वाला देश है। बृहत भौगोलिक आकार, पर्यावरणीय विविधताओं और सांस्कृतिक बहुलता के कारण भारत को 'भारतीय उपमहाद्वीप' और 'अनेकता में एकता वाली धरती' के नाम से जाना जाता है। बृहत आकार, सांस्कृतिक परिस्थितियों में विभिन्नता, लंबे समय तक उपनिवेशन, अभी भी जारी सामाजिक भेदमूलन तथा बहुत अधिक जनसंख्या के कारण भारत की सांस्कृतिक आपदाओं द्वारा सुभेद्यता (vulnerability) को बढ़ा दिया है। प्रमुख प्राकृतिक आपदाएँ इस प्रकार हैं:

भूकंप

भूकंप सबसे ज्यादा अपूर्वसूचनीय और विध्वंसक प्राकृतिक आपदा है। भूकंपों की उत्पत्ति विवर्तनिकी से संबंधित है। ये विध्वंसक हैं और विस्तृत क्षेत्र को प्रभावित करते हैं। भूकंप पृथ्वी की ऊपरी सतह में विवर्तनिक गतिविधियों से निकली ऊर्जा से पैदा होते हैं। इसकी तुलना में ज्वालामुखी विस्फोट, चट्टान गिरने, भू-स्खलन, जमीन के अवतलन (धँसने), बाँध व जलाशयों के बैठने इत्यादि से आने वाला भूकंप कम क्षेत्र को प्रभावित करता है और नुकसान भी कम पहुँचाता है।

इंडियन प्लेट प्रति वर्ष उत्तर व उत्तर-पूर्व दिशा में एक सेंटीमीटर खिसक रही है। परंतु उत्तर में स्थित यूरेशियन प्लेट के लिए अवरोध पैदा करती है। परिणामस्वरूप इन प्लेटों के किनारे लॉक हो जाते हैं और कई स्थानों पर लगातार ऊर्जा संग्रह होता रहता है। अधिक मात्रा में ऊर्जा संग्रह से तनाव बढ़ता रहता है और दोनों प्लेटों के बीच लॉक टूट जाता है और एकाएक ऊर्जा मोचन से हिमालय के चाप के साथ भूकंप आ जाता है। इससे प्रभावित मुख्य केंद्र शासित प्रदेशों और राज्यों में जम्मू और कश्मीर, लद्दाख, हिमाचल प्रदेश, उत्तराखण्ड, सिक्किम, पश्चिम बंगाल का दार्जिलिंग उपमंडल तथा उत्तर-पूर्व के सात राज्य शामिल हैं।

इन क्षेत्रों के अतिरिक्त, मध्य-पश्चिमी क्षेत्र, विशेषकर गुजरात (1819, 1956 और 2001) और महाराष्ट्र (1967 और 1993) में कुछ प्रचंड भूकंप आए हैं। लंबे समय तक भूवैज्ञानिक प्रायद्वीपीय पठार, जो कि सबसे पुराना, स्थिर और प्रौढ़ भू-भाग है, पर आए इन भूकंपों की व्याख्या करने में कठिनाई महसूस करते हैं। कुछ समय पहले भूवैज्ञानिकों ने एक नया सिद्धांत प्रतिपादित किया है जिसके अनुसार लातूर और ओसमानाबाद (महाराष्ट्र) के नजदीक भीमा (कृष्णा) नदी के साथ-साथ एक भ्रंश रेखा विकसित हुई है। इसके साथ ऊर्जा संग्रह होता है तथा इसकी विमुक्ति भूकंप का कारण बनती है। इस सिद्धांत के अनुसार संभवतः इंडियन प्लेट टूट रही है।

राष्ट्रीय भूभौतिकी प्रयोगशाला, भारतीय भूगर्भीय सर्वेक्षण, मौसम विज्ञान विभाग, भारत सरकार और इनके साथ कुछ समय पूर्व बने राष्ट्रीय आपदा प्रबंधन संस्थान ने भारत में आए 1200 भूकंपों का गहन विश्लेषण किया और भारत को निम्नलिखित पाँच भूकंपीय क्षेत्रों (zones) में बाँटा है।

- अति अधिक क्षति जोखिम क्षेत्र
- अधिक क्षति जोखिम क्षेत्र
- मध्यम क्षति जोखिम क्षेत्र
- निम्न क्षति जोखिम क्षेत्र
- अति निम्न क्षति जोखिम क्षेत्र

इनमें से पहले दो क्षेत्रों में भारत के सबसे प्रचंड भूकंप अनुभव किए गए हैं। भूकंप सुभेद्य क्षेत्रों में उत्तरी-पूर्वी प्रांत, दरभंगा से उत्तर में स्थित क्षेत्र तथा अररिया (बिहार में भारत-नेपाल सीमा के साथ), उत्तराखण्ड, पश्चिमी हिमाचल प्रदेश (धर्मशाला के चारों ओर), कश्मीर घाटी और कच्छ (गुजरात) शामिल हैं। ये अति अधिक क्षति जोखिम क्षेत्र का हिस्सा है। जम्मू और कश्मीर, लद्दाख और हिमाचल प्रदेश के बचे हुए भाग, उत्तरी पंजाब, हरियाणा का पूर्वी भाग, दिल्ली, पश्चिम उत्तर प्रदेश और उत्तर बिहार अधिक क्षति जोखिम क्षेत्र में आते हैं। देश के बचे हुए भाग मध्य तथा निम्न क्षति जोखिम क्षेत्र में हैं। भूकंप से सुरक्षित समझे जाने वाले क्षेत्रों का एक बड़ा हिस्सा दक्कन पठार के स्थिर भूभाग में पड़ता है।

भूकंप के सामाजिक-पर्यावरणीय परिणाम

भूकंप के साथ भय जुड़ा है क्योंकि इससे बड़े पैमाने पर और बहुत तीव्रता के साथ भूतल पर विनाश होता है। अधिक जनसंख्या घनत्व वाले क्षेत्रों में तो यह आपदा कहर बरसाती है। ये न सिर्फ बस्तियों, बुनियादी ढाँचे, परिवहन व संचार व्यवस्था, उद्योग और अन्य विकासशील क्रियाओं को ध्वस्त करता है, अपितु लोगों के पीढ़ियों से संचित पदार्थ और सामाजिक-सांस्कृतिक विरासत भी नष्ट कर देता है। यह लोगों को बेघर कर देता है और इससे विकासशील देशों की कमजोर अर्थव्यवस्था पर गहरी चोट पहुँचती है।

भूकंप न्यूनीकरण

- भूकंप नियंत्रण केंद्रों की स्थापना, जिससे भूकंप संभावित क्षेत्रों में लोगों को सूचना पहुँचाई जा सके। जी.पी.एस. (Geographical Positioning System) की मदद से प्लेट हलचल का पता लगाया जा सकता है।
- देश में भूकंप संभावित क्षेत्रों का सुभेद्यता मानचित्र तैयार करना और संभावित जोखिम की सूचना लोगों तक पहुँचाना तथा उन्हें इसके प्रभाव को कम करने के बारे में शिक्षित करना।
- भूकंप प्रभावित क्षेत्रों में घरों के प्रकार और भवन डिज़ाइन में सुधार लाना। ऐसे क्षेत्रों में ऊँची इमारतें, बड़े औद्योगिक संस्थान और शहरीकरण को बढ़ावा न देना।
- अंततः भूकंप प्रभावित क्षेत्रों में भूकंप प्रतिरोधी (resistant) इमारतें बनाना और सुभेद्य क्षेत्रों में हल्के निर्माण सामग्री का इस्तेमाल करना।

सुनामी

भूकंप और ज्वालामुखी से महासागरीय धरातल में अचानक हलचल पैदा होती है और महासागरीय जल का अचानक विस्थापन होता है। परिणामस्वरूप ऊर्ध्वाधर ऊँची तरंगें पैदा होती हैं जिन्हें सुनामी (बंदरगाह लहरें) या भूकंपीय समुद्री लहरें कहा जाता है। सामान्यतः शुरू में सिर्फ एक ऊर्ध्वाधर तरंग ही पैदा होती है, परंतु कालांतर में जल तरंगों की एक श्रृंखला बन जाती है क्योंकि प्रारंभिक तरंग की ऊँची शिखर और नीची गर्त के बीच जल अपना स्तर बनाए रखने की कोशिश करता है।

महासागर में जल तरंग की गति जल की गहराई पर निर्भर करती है। इसकी गति उथले समुद्र में ज्यादा और गहरे समुद्र में कम होती है। परिणामस्वरूप महासागरों के अंदरुनी भाग इससे कम प्रभावित होते हैं। तटीय क्षेत्रों में ये तरंगे ज्यादा प्रभावी होती हैं और व्यापक नुकसान पहुँचाती हैं। इसलिए समुद्र में जलपोत पर, सुनामी का कोई विशेष प्रभाव नहीं पड़ता। समुद्र के आंतरिक गहरे भाग में तो सुनामी महसूस भी नहीं होती। ऐसा इसलिए होता है क्योंकि गहरे समुद्र में सुनामी की लहरों की लंबाई अधिक होती है और ऊँचाई कम होती है। इसलिए, समुद्र के इस भाग में सुनामी जलपोत को एक या दो मीटर तक ही ऊपर उठा सकती है और वह भी कई मिनट में। इसके विपरीत, जब सुनामी उथले समुद्र में प्रवेश करती है, इसकी तरंग लंबाई कम होती चली जाती है, समय वही रहता है और तरंग की ऊँचाई बढ़ती जाती है। कई बार तो इसकी ऊँचाई 15 मीटर या इससे भी अधिक हो सकती है जिससे तटीय क्षेत्र में भीषण विध्वंस होता है। इसलिए इन्हें उथले जल की तरंगें भी कहते हैं।

सुनामी आमतौर पर प्रशांत महासागरीय तट पर, जिसमें अलास्का, जापान, फिलिपाइन, दक्षिण-पूर्व एशिया के दूसरे द्वीप, इंडोनेशिया और मलेशिया तथा हिंद महासागर में म्यांमार, श्रीलंका और भारत के तटीय भागों में आती है। तट पर पहुँचने पर सुनामी तरंगें बहुत अधिक मात्रा में ऊर्जा निर्मुक्त करती हैं और समुद्र का जल तेजी से तटीय क्षेत्रों में घुस जाता है और बंदरगाह शहरों, कस्बों, अनेक प्रकार के ढाँचों, इमारतों और बस्तियों को तबाह करता है। चूँकि विश्वभर में तटीय क्षेत्रों में जनसंख्या सघन होती है और ये क्षेत्र बहुत-सी मानव गतिविधियों के केंद्र होते हैं, अतः यहाँ दूसरी प्राकृतिक आपदाओं की तुलना में सुनामी अधिक जानमाल का नुकसान पहुँचाती है।

किसी अकेले देश या सरकार के लिए सुनामी जैसी आपदा से निपटना संभव नहीं है। अतः इसके लिए अंतर्राष्ट्रीय स्तर के प्रयास आवश्यक हैं जैसाकि 26 दिसंबर, 2004 को आयी सुनामी के समय किया गया था। जिसके कारण 3 लाख से अधिक लोगों को जान से हाथ धोना पड़ा था। इस सुनामी आपदा के बाद भारत ने अंतर्राष्ट्रीय सुनामी चेतावनी तंत्र में शामिल होने का फैसला किया है।

उष्ण कटिबंधीय चक्रवात

उष्ण कटिबंधीय चक्रवात कम दबाव वाले उग्र मौसम तंत्र हैं और 30° उत्तर तथा 30° दक्षिण अक्षांशों के बीच पाए जाते हैं। ये आमतौर पर 500 से 1000 किलोमीटर क्षेत्र में फैला होता है और इसकी ऊर्ध्वाधर ऊँचाई 12 से 14 किलोमीटर हो सकती है। उष्ण कटिबंधीय चक्रवात या प्रभंजन एक ऊष्मा इंजन की तरह होते हैं, जिसे ऊर्जा प्राप्ति, समुद्र सतह से प्राप्त जलवाष्प की संघनन प्रक्रिया में छोड़ी गई गुप्त ऊष्मा से होती है।

उष्ण कटिबंधीय चक्रवात की संरचना

उष्ण कटिबंधीय चक्रवात में वायुदाब प्रवणता बहुत अधिक होती है। चक्रवात का केंद्र गर्म वायु तथा निम्न वायुदाब और मेघ रहित क्रोड होता है। इसे 'तूफान की आँख' कहा जाता है। सामान्यतः समदाब रेखाएँ एक-दूसरे के नजदीक होती हैं जो उच्च वायुदाब प्रवणता का प्रतीक है। वायुदाब प्रवणता 14 से 17 मिलीबार/100 किलोमीटर के आसपास होता है। कई बार यह 60 मिलीबार/100 किलोमीटर तक हो सकता है। केंद्र से पवन पट्टी का विस्तार 10 से 150 किलोमीटर तक होता है।

उष्ण कटिबंधीय चक्रवातों के परिणाम

जैसा कि हम जानते हैं कि उष्ण कटिबंधीय चक्रवातों की ऊर्जा का स्रोत उष्ण आर्द्र वायु से प्राप्त होने वाली गुप्त ऊष्मा है। अतः समुद्र से दूरी बढ़ने पर चक्रवात का बल कमजोर हो जाता है। भारत में, चक्रवात जैसे-जैसे बंगाल की खाड़ी और अरब सागर से दूर जाता है उसका बल कमजोर हो जाता है। तटीय क्षेत्रों में अक्सर उष्ण कटिबंधीय चक्रवात 180 किलोमीटर प्रतिघंटा की गति से टकराते हैं। इससे तूफानी क्षेत्र में समुद्र तल भी असाधारण रूप से ऊपर उठा होता है जिसे 'तूफान महोर्मि' (storm surge) कहा जाता है।

> समुद्र तल में महोर्मि वायु, समुद्र और जमीन की अंतःक्रिया से उत्पन्न होता है। तूफान में अत्यधिक वायुदाब प्रवणता और अत्यधिक तेज सतही पवनें उफान को उठाने वाले बल हैं। इससे समुद्री जल तटीय क्षेत्रों में घुस जाता है, वायु की गति तेज होती है और भारी वर्षा होती है।

इससे तटीय क्षेत्र में बस्तियाँ, खेत पानी में डूब जाते हैं तथा फसलों और कई प्रकार के मानवकृत ढाँचों का विनाश होता है।

बाढ़

नदी का जल उफान के समय जल वाहिकाओं को तोड़ता हुआ मानव बस्तियों और आस-पास की जमीन पर खड़ा हो जाता है और बाढ़ की स्थिति पैदा कर देता है। दूसरी प्राकृतिक आपदाओं की तुलना में बाढ़ आने के कारण जाने-पहचाने हैं। बाढ़ आमतौर पर अचानक नहीं आती और कुछ विशेष क्षेत्रों और ऋतु में ही आती है। बाढ़ तब आती है जब नदी जल-वाहिकाओं में इनकी क्षमता से अधिक जल बहाव होता है और जल, बाढ़ के रूप में मैदान के निचले हिस्सों में भर जाता है। कई बार तो झीलें और आंतरिक जल क्षेत्रों में भी क्षमता से अधिक जल भर जाता है। बाढ़ आने के और भी कई कारण हो सकते हैं, जैसे- तटीय क्षेत्रों में तूफानी महोर्मि, लंबे समय तक होने वाली तेज बारिश, हिम का पिघलना, जमीन की अंतःस्पंदन (infiltration) दर में कमी आना और अधिक मृदा अपरदन के कारण नदी जल में जलोढ़ की मात्रा में वृद्धि होना। हालाँकि बाढ़ विश्व में विस्तृत क्षेत्र में आती

है तथा काफी तबाही लाती है, परंतु दक्षिण, दक्षिण-पूर्व और पूर्व एशिया के देशों, विशेषकर चीन, भारत और बांग्लादेश में इसकी बारंबारता और होने वाले नुकसान अधिक हैं।

दूसरी प्राकृतिक आपदाओं की तुलना में, बाढ़ की उत्पत्ति और इसके क्षेत्रीय फैलाव में मानव एक महत्त्वपूर्ण भूमिका अदा करता है। मानवीय क्रियाकलापों, अँधाधुँध वन कटाव, अवैज्ञानिक कृषि पद्धतियाँ, प्राकृतिक अपवाह तंत्रों का अवरुद्ध होना तथा नदी तल और बाढ़कृत मैदानों पर मानव बसाव की वजह से बाढ़ की तीव्रता, परिमाण और विध्वंसता बढ़ जाती है।

भारत के विभिन्न राज्यों में बार-बार आने वाली बाढ़ के कारण जान-माल का भारी नुकसान होता है। राष्ट्रीय बाढ़ आयोग ने देश में 4 करोड़ हैक्टेयर भूमि को बाढ़ प्रभावित क्षेत्र घोषित किया है। असम, पश्चिम बंगाल और बिहार राज्य सबसे अधिक बाढ़ प्रभावित क्षेत्रों में से हैं। इसके अतिरिक्त उत्तर भारत की ज्यादातर नदियाँ, विशेषकर पंजाब और उत्तर प्रदेश में बाढ़ लाती रहती हैं। राजस्थान, गुजरात, हरियाणा और पंजाब, आकस्मिक बाढ़ से पिछले कुछ दशकों में जलमग्न होते रहे हैं। इसका कारण मानसून वर्षा की तीव्रता तथा मानव कार्यकलापों द्वारा प्राकृतिक अपवाह तंत्र का अवरुद्ध होना है। कई बार तमिलनाडु में बाढ़ नवंबर से जनवरी माह के बीच वापिस लौटती मानसून द्वारा आती है।

सूखा

सूखा ऐसी स्थिति को कहा जाता है जब लंबे समय तक कम वर्षा, अत्यधिक वाष्पीकरण और जलाशयों तथा भूमिगत जल के अत्यधिक प्रयोग से भूतल पर जल की कमी हो जाए।

> सूखा एक जटिल परिघटना है जिसमें कई प्रकार के मौसम विज्ञान संबंधी तथा अन्य तत्त्व, जैसे- वृष्टि, वाष्पीकरण, वाष्पोत्सर्जन, भौम जल, मृदा में नमी, जल भंडारण व भरण, कृषि पद्धतियाँ, विशेषतः उगाई जाने वाली फसलें, सामाजिक-आर्थिक गतिविधियाँ और पारिस्थितिकी शामिल हैं।

सूखे के प्रकार

- **मौसमविज्ञान संबंधी सूखा :** यह एक ऐसी स्थिति है, जिसमें लंबे समय तक अपर्याप्त वर्षा होती है और इसका सामयिक और स्थानिक वितरण भी असंतुलित होता है।
- **कृषि सूखा :** इसे भूमि-आर्द्रता सूखा भी कहा जाता है। मिट्टी में आर्द्रता की कमी के कारण फसलें मुरझा जाती हैं। जिन क्षेत्रों में 30 प्रतिशत से कम कुल बोये गए क्षेत्र में सिंचाई होती है, उन्हें सूखा प्रभावित क्षेत्र माना जाता है।
- **जलविज्ञान संबंधी सूखा :** यह स्थिति तब पैदा होती है जब विभिन्न जल संग्रहण, जलाशय, जलभूत और झीलों इत्यादि का स्तर वृष्टि द्वारा की जाने वाली जलापूर्ति के बाद भी नीचे गिर जाए।
- **पारिस्थितिक सूखा :** जब प्राकृतिक पारिस्थितिक तंत्र में जल की कमी से उत्पादकता में कमी हो जाती है और परिणामस्वरूप पारिस्थितिक तंत्र में तनाव आ जाता है तथा यह क्षतिग्रस्त हो जाता है, तो पारिस्थितिक सूखा कहलाता है।

भारत में सूखा ग्रस्त क्षेत्र

भारतीय कृषि काफी हद तक मानसून वर्षा पर निर्भर करती रही है। भारतीय जलवायु तंत्र में सूखा और बाढ़ महत्त्वपूर्ण तत्त्व हैं। कुछ अनुमानों के अनुसार भारत में कुल भौगोलिक क्षेत्र का 19 प्रतिशत भाग और जनसंख्या का 12 प्रतिशत हिस्सा हर वर्ष सूखे से प्रभावित होता है। देश का लगभग 30 प्रतिशत क्षेत्र सूखे से प्रभावित हो सकता है जिससे 5 करोड़ लोग इससे प्रभावित होते हैं। यह प्रायः देखा गया है कि जब देश के कुछ भागों में बाढ़ कहर ढा रही होती है, उसी समय दूसरे भाग सूखे से जूझ रहे होते हैं। यह मानसून में परिवर्तनशीलता और इसके व्यवहार में अनिश्चितता का परिणाम है। सूखे का प्रभाव भारत में बहुत व्यापक है, परंतु कुछ क्षेत्र जहाँ ये बार-बार पड़ते हैं और जहाँ उनका असर अधिक है सूखे की तीव्रता के आधार पर निम्नलिखित क्षेत्रों में बाँटा गया है।

- **अत्यधिक सूखा प्रभावित क्षेत्र :** राजस्थान में ज्यादातर भाग, विशेषकर अरावली के पश्चिम में स्थित मरुस्थली और गुजरात का कच्छ क्षेत्र अत्यधिक सूखा प्रभावित है। इसमें राजस्थान के जैसलमेर और बाड़मेर जिले भी शामिल हैं, जहाँ 90 मिलीलीटर से कम औसत वार्षिक वर्षा होती है।
- **अधिक सूखा प्रभावित क्षेत्र :** इसमें राजस्थान के पूर्वी भाग, मध्य प्रदेश के ज्यादातर भाग, महाराष्ट्र के पूर्वी भाग, आंध्र प्रदेश के अंदरूनी भाग, कर्नाटक का पठार, तमिलनाडु के उत्तरी भाग, झारखंड का दक्षिणी भाग और ओडिशा का आंतरिक भाग शामिल है।
- **मध्यम सूखा प्रभावित क्षेत्र :** इस वर्ग में राजस्थान के उत्तरी भाग, हरियाणा, उत्तर प्रदेश के दक्षिणी जिले, गुजरात के बचे हुए जिले, कोंकण को छोड़कर महाराष्ट्र, झारखंड, तमिलनाडु में कोयंबटूर पठार और आंतरिक कर्नाटक शामिल हैं। भारत के बचे हुए भाग बहुत कम या न के बराबर सूखे से प्रभावित हैं।

सूखे के परिणाम

पर्यावरण और समाज पर सूखे का सोपानी प्रभाव पड़ता है। फसलें बर्बाद होने से अन्न की कमी हो जाती है, जिसे अकाल कहा जाता है। चारा कम होने की स्थिति को तृण अकाल कहा जाता है। जल आपूर्ति की कमी जल अकाल कहलाती है, तीनों परिस्थितियाँ मिल जाएँ तो त्रि-अकाल कहलाती है जो सबसे अधिक विध्वंसक है। सूखा प्रभावित क्षेत्रों में वृहत् पैमाने पर मवेशियों और अन्य पशुओं की मौत, मानव प्रवास तथा पशु पलायन एक सामान्य परिवेश है। पानी की कमी के

कारण लोग दूषित जल पीने को बाध्य होते हैं। इसके परिणामस्वरूप पेयजल संबंधी बीमारियाँ जैसे-आंत्रशोथ, हैजा और हेपेटाइटिस हो जाती है।

सूखे से निपटने के लिए तैयार की जा रही योजनाओं को उन्हें ध्यान में रखकर बनाना चाहिए। सूखे की स्थिति में तात्कालिक सहायता में सुरक्षित पेयजल वितरण, दवाइयाँ, पशुओं के लिए चारे और जल की उपलब्धता तथा लोगों और पशुओं को सुरक्षित स्थान पर पहुँचाना शामिल है। सूखे से निपटने के लिए दीर्घकालिक योजनाओं में विभिन्न कदम उठाए जा सकते हैं, जैसे-भूमिगत जल के भंडारण का पता लगाना, जल आधिक्य क्षेत्रों से अल्पजल क्षेत्रों में पानी पहुँचाना, नदियों को जोड़ना और बाँध व जलाशयों का निर्माण इत्यादि। नदियाँ जोड़ने के लिए द्रोणियों की पहचान तथा भूमिगत जल भंडारण की संभावना का पता लगाने के लिए सुदूर संवेदन और उपग्रहों से प्राप्त चित्रों का प्रयोग करना चाहिए।

भूस्खलन

भूस्खलन भूकंप, ज्वालामुखी फटने, सुनामी और चक्रवात की तुलना में कोई बड़ी घटना नहीं है, परन्तु इसका प्राकृतिक पर्यावरण और राष्ट्रीय अर्थव्यवस्था पर गहरा प्रभाव पड़ता है। अन्य आपदाओं के विपरीत, जो आकस्मिक, अननुमेय तथा बृहत स्तर पर दीर्घ एवं प्रादेशिक कारकों से नियंत्रित हैं, भूस्खलन मुख्य रूप से स्थानीय कारणों से उत्पन्न होते हैं। इसलिए भूस्खलन के बारे में आँकड़े एकत्र करना और इसकी संभावना का अनुमान लगाना न सिर्फ मुश्किल अपितु काफी महँगा पड़ता है।

भूस्खलन को परिभाषित करना और इसके व्यवहार को शब्दों में बाँधना मुश्किल कार्य है। परंतु फिर भी पिछले अनुभवों, इसकी बारंबारता और इसके घटने को प्रभावित करने वाले कारकों, जैसे - भूविज्ञान, भूआकृतिक कारक, ढ़ाल, भूमि उपयोग, वनस्पति आवरण और मानव क्रियाकलापों के आधार पर भारत को विभिन्न भूस्खलन क्षेत्रों में बाँटा गया है।

भूस्खलनों के परिणाम

भूस्खलनों का प्रभाव अपेक्षाकृत छोटे क्षेत्र में पाया जाता है तथा स्थानीय होता है। परन्तु सड़क मार्ग में अवरोध, रेलपटरियों का टूटना और जल वाहिकाओं में चट्टानें गिरने से पैदा हुई रुकावटों के गंभीर परिणाम हो सकते हैं। भूस्खलन की वजह से हुए नदी रास्तों में बदलाव बाढ़ ला सकते हैं और जान माल का नुकसान हो सकता है। इससे इन क्षेत्रों में आवागमन मुश्किल हो जाता है और विकास कार्यों की रफ्तार धीमी पड़ जाती है।

निवारण

भूस्खलन से निपटने के उपाय अलग-अलग क्षेत्रों के लिए अलग-अलग होने चाहिए। अधिक भूस्खलन संभावी क्षेत्रों में सड़क और बड़े बाँध बनाने जैसे निर्माण कार्य तथा विकास कार्य पर प्रतिबंध होना चाहिए। इन क्षेत्रों में कृषि नदी घाटी तथा कम ढाल वाले क्षेत्रों तक सीमित होनी चाहिए तथा बड़ी विकास परियोजनाओं पर नियंत्रण होना चाहिए। सकारात्मक कार्य जैसे-बृहत स्तर पर वनीकरण को बढ़ावा और जल बहाव को कम करने के लिए बाँध का निर्माण भूस्खलन के उपायों के पूरक हैं। स्थानांतरी कृषि वाले उत्तर-पूर्वी क्षेत्रों में सीढ़ीनुमा खेत बनाकर कृषि की जानी चाहिए।

आपदा प्रबंधन

आपदा प्रबंधन में आपदा के दुष्प्रभाव को टालने या कम करने के लिए कई गतिविधियों को सम्मिलित किया जाता है। इसमें पहले से तैयारी के उपाय और आपदा के बाद सुधार तथा आपदा के लिए तैयार रहना सभी शासकीय, गैर सरकारी और समुदाय आधारित संस्थान इसमें महत्वपूर्ण भूमिका निभाते हैं। इसमें आपदा पूर्व योजना और तैयारी संगठनात्मक योजना प्रशिक्षण, सूचना प्रबंधन और जनसंपर्क शामिल है। इसमें पूर्व योजना प्रतिक्रिया पुनरुत्थान शामिल होते हैं।

- **आपदा की तैयारीः** यह आपदा का बेहतर तरीके से सामना करने के लिए शुरू में ही अपनाए जाने वाले उपाय होते हैं। इसका प्राथमिक लक्ष्य मानव जीवन और संपत्ति की हानि को कम करना है।
- **आपदा रोकथामः** आपदा के दुष्प्रभाव को टालने की व्यवस्था को आपदा रोकथाम कहा जाता है। यह बिल्कुल स्पष्ट है कि किसी भी आपदा को पूर्णतः टाला जाना संभव नहीं है, लेकिन इसे कम किया जा सकता है। इसके संयुक्त प्रभावों को व्यक्ति/समाज या समुदाय की क्षमता को बढ़ाकर टाला जा सकता है।
- **आपदा कम करनाः** यह आपदा के हानिकारक प्रभावों को कम करता है। यह व्यक्ति, स्थानीय समुदाय से लेकर राज्य और राष्ट्रीय स्तर पर विभिन्न स्तरों पर होने वाले प्रयासों को बताता है। इसमें आपदा और आपदा के लिए विशेष योजनाएँ बनाने के साथ आपदा प्रभावित क्षेत्रों में आपदा के समय लागू करने की योजनाएँ सम्मिलित होती हैं, जो आपदा को कम करते हैं।
- **आपदा सहायताः** यह प्रभावित लोगों के लिए उपलब्ध की जाने वाली तत्परता और सहायता है। यह पीड़ा को कम करने और जीवन की आधारभूत सहातया के लिए महत्वपूर्ण होती है। इसमें भोजन, पानी, आवास और चिकित्सा सेवाएं प्रदान करना शामिल होता है।
- **आपदा प्रतिक्रियाः** यह आपदा के होने के तुरंत बाद की जाने वाली कार्रवाई को संदर्भित करता है। इसमें बचाव, सीमित स्वास्थ्य सेवा की स्थापना, घायलों का उपचार, खाद्य सामग्री की आपूर्ति, लोगों को सुरक्षित स्थानों पर स्थानांतरित करने आदि कई प्रयास शामिल होते हैं। पहली और तुरंत प्रतिक्रिया आमतौर पर स्थानीय युवाओं, स्वयंसेवकों द्वारा प्रदान की जाती है और उसके बाद जिला, राज्य या स्थानीय स्तर की सहायता आती है।

- **आपदा के बाद पुनरुत्थानः** इसका तात्पर्य होता है प्रभावित लोगों को संक्षिप्त समय में सहायता प्रदान करना यह संगठन/गैर-सरकारी संगठनों, जिला, राज्य या राष्ट्रीय स्तर के आपदा प्रबंधन प्राधिकरण द्वारा किए गए प्रयासों और क्षमता पर निर्भर करता है।
- **आपदा पुनर्निर्माणः** इसका तात्पर्य आपदा के कारण अस्थिरता/असंतुलन होने के बाद स्थिति का पुनः निर्माण करना होता है। इसमें महत्वपूर्ण बुनियादी संरचनाओं और आवास की आंशिक या पूर्ण स्थापना शामिल होती है। यह आघात को कुछ हद तक कम करने में मदद करता है, विशेष रूप से संक्रमित लोगों के लिए आवश्यक भौतिक सुविधाओं के संबंध में।

भारत में प्रमुख प्राकृतिक आपदाओं का प्रबंधन और रोकथाम

बाढ़

- **जलाशयः** नदी के पथ में जलाशय निर्माण बाढ़ के समय अतिरिक्त जल को संग्रहित किया जा सकता है।
- **बांधः** बाढ़ से सुरक्षा के लिए बांध निर्माण करके बांधों से जल के बहाव को रोका जा सकता है और निकटवर्ती क्षेत्रों में फैलने से बचा जा सकता है।
- **वनीकरणः** नदी के अपवाह क्षेत्रों में पेड़ लगाकर बाढ़ के प्रकोप को कम किया जा सकता है।

कुछ महत्वपूर्ण सावधानियाँ :

- जब तक आप अपने घर को ऊंचा करके और मजबूत नहीं करते हैं बाढ़ प्रवण क्षेत्र में घर बनाने से बचें।
- जब बाढ़ का खतरा हो, तो भट्टी, वॉटर हीटर और इलेक्ट्रॉनिक पैनल को उच्च स्थान पर रखें।
- सीवर में 'चेक वाल्व' स्थापित करें, ताकि वापसी वाले बाढ़ जल को रोका जा सके।
- कोई भी बांध या बाढ़ दीवार निर्माण करने की योजना बना रहे हों, तो समुदाय या सरकारी अधिकारी से संपर्क करें।
- अपने बेसमेंट की दीवारों को जलरोधी बनाएं।
- सूचना के लिए रेडियो या टेलीविजन पर सुनें।
- त्वरित बाढ़ की जानकारी रखें। यदि बाढ़ की कोई संभावना हो, तो तुरंत उच्च्य स्थान पर चलें जायें।
- धाराओं, नालों और अन्य ऐसे क्षेत्रों की जानकारी रखे जहाँ अचानक बाढ़ आ सकती है।
- अपने घर को सुरक्षित रखें। अगर समय हो, बाह्य फर्नीचर और आवश्यक वस्त्रों को ऊपरी मंजिल पर ले जाएं।
- बिजली के उपकरणों को बंद कर दें। यदि आप गीले हैं या पानी में खड़े हैं, तो बिजली उपकरणों को छूने से बचें।
- बाढ़ भरे क्षेत्र में गाड़ी न चलाएं। यदि बाढ़ जल आपकी कार के आस-पास उठता है, तो कार को छोड़ दें और ऊंची जगह पर चलें।

सूखा

- **रेगिस्तानी क्षेत्रों के लिए उपयुक्त कृषि विधियाँः** मोटे और अनाजों का उत्पादन; गहरे हल की जुताई करके मिट्टी की नमी को संरक्षित करना, छोटे बांधों के पीछे पानी संग्रह करना, तालाब में पानी इकट्ठा करना और फुहारा विधि का उपयोग सिंचाई के लिए करना।
- **सूखा से टिकाऊ फसलें बोनाः** सूखा से टिकाऊ फसलों जैसे कि कपास, मूंग, बाजरा, गेहूँ आदि को बोने से, सूखे के प्रभाव को एक सीमा तक कम किया जा सकता है।
- **वर्षा जल संग्रहणः** बारिश की हर एक बूंद का संचय करने से सूखे के साथ निपटने में मदद मिल सकती है।
- खेतों के चारों ओर ऊँची मेढ़ बनाना, खेतों के मेढ़ों पर पेड़ लगाना तथा वर्षा का जल का उपयोग अधिकतम किया जा सकता है।
- गारा और ईंट से सिंचाई नहर का निर्माण।
- बूंद-बूंद (ड्रिप) सिंचाई विधि का उपयोग करके कम मात्रा में पानी से बहुत बड़े क्षेत्र को सींचा जा सकता है।

भूस्खलन

- स्वदेशी एवं आधुनिक दोनों पद्धतियों के प्रति जागरूकता एवं विकास।
- विस्तृत भूस्खलन संकट क्षेत्र का मानचित्रण।
- नवीकरणः पेड़ और झाड़ियों का इस्तेमाल मिट्टी की संरचना को बाँधने में मदद करता है।
- नाजुक क्षेत्रों में पत्थरों के उत्खनन और खनिजों के खनन पर प्रतिबंध।
- पहाड़ी ढलानों पर अवरोधी दीवारें बनाई जा सकती हैं।
- भूस्खलन संभावित क्षेत्रों/स्थानों पर निर्माण गतिविधियों पर प्रतिबंध लगाएं।

भूकंप

- भूकंपीय जोखिम और उसके क्षेत्र का विश्लेषण।
- भूकंप प्रतिरोधी संरचनाओं का डिजाइन और निर्माण।
- मौजूदा संरचनाओं की का पुनः संयोजन कर उन्हें मजबूत बनाना।
- व्यक्तियों पर आर्थिक प्रभाव को कम करने के लिए घरों के लिए भूकंप बीमा।
- भूकंपीय गतिविधि की निगरानी के लिए भूकंपीय अवलोकनों की स्थापना।

चक्रवात

- घर की जांच करें; ढीले टाइल्स को सुरक्षित करें और दरवाजे और खिड़कियों की मरम्मत करें।
- घर के पास सूखी शाखाओं या सूखते पेड़ों को हटा दें।
- लकड़ी के ढेरों, ढीली टिन शीट, ढीली ईंटें, खाद्य डिब्बे, संकेत-बोर्ड आदि को सुरक्षित करें।
- यदि आवश्यक हो तो कुछ लकड़ी की पट्टियाँ रखें ताकि कांच की खिड़कियों को मजबूत किया जा सके।
- एक चक्रवातीय लालटेन में केरोसीन भरकर, बैटरी संचालित टॉर्च और पर्याप्त सूखी सेलें रखें।
- कमजोर इमारतें तोड़ दें।
- कुछ अतिरिक्त बैटरी जरूर रखें।
- कुछ सूखे और देर तक चलने वाले खाद्य को आपातकाल के लिए हमेशा तैयार रखें।
- मौसम की सूचना के लिए रेडियो सुनें।
- सूचनाओं की निगरानी करें। यह आपको चक्रवात आपातकाल के लिए तैयारी करने में मदद करेगा।
- दूसरों को जानकारी पहुंचाएं।
- जब आपके क्षेत्र के लिए चक्रवात चेतावनी जारी हो, तो सतर्क रहें।

आपदा जोखिम में कमी के लिए राष्ट्रीय और अंतर्राष्ट्रीय पहल

2005 में भारत सरकार ने अपनी पहली महत्वपूर्ण पहल की जिसे आपदा प्रबंधन अधिनियम-2005 के रूप में जाना जाता है। बाद में, यह राष्ट्रीय आपदा प्रबंधन नीति-2009 और राष्ट्रीय आपदा प्रबंधन योजना-2016 हुई।

भारत में आपदा प्रबंधन के नए दिशा-निर्देश

- एक राष्ट्रीय आपदा रोकथाम कोष राष्ट्रीय आपदा प्रबंधन प्राधिकरण (NDMA) द्वारा संबंधित किया जाएगा। राज्य और जिले इस कोष को प्रबंधित करेंगे।
- राष्ट्रीय आपदा प्रतिक्रिया कोष एनडीएमए द्वारा राष्ट्रीय कार्यकारी समिति के माध्यम से प्रबंधित किया जाएगा। राज्यों और जिलों को अपने आपदा रोकथाम कोष और आपदा प्रतिक्रिया कोष प्रबंधित करने के लिए कहा गया है।
- राष्ट्रीय आपदा मोचन बल (NDRF) के 8 बटालियनों को CSSR और MFR उपकरण और साधनों के साथ तैनात किया जा रहा है और इन्हें आठ रणनीतिक स्थानों पर तैनात किया जाएगा। राष्ट्रीय आपदा प्रबंधन संस्थान (NIDM) एक राष्ट्रीय स्तर का प्रशिक्षण संस्थान है जो पेशेवर, शैक्षिक, सरकारी संगठनों, स्कूल और कॉलेज के छात्रों को प्रशिक्षित करता है।
- एक राष्ट्रीय आपदा प्रबंधन नीति और राष्ट्रीय आपदा प्रतिक्रिया योजना भी तैयार की जाएगी।
- राज्य आपदा प्रबंधन प्राधिकरणों (SDMAs) और जिला आपदा प्रबंधन प्राधिकरणों (DDMAs) को मजबूत किया जाएगा।

भविष्य की दिशाएँ

- ज्ञान तंत्रों को प्रोत्साहित और संयोजित करना।
- आपदा मित्र योजना।
- अधिक प्रभावी तैयारी, रोकथाम और प्रतिक्रिया आदि के लिए आपदा स्वयंसेवकों को जुटाना और प्रशिक्षित करना (राष्ट्रीय सेवा योजना, राष्ट्रीय कैडेट कोर, स्काउट और गाइड, नागरिक सुरक्षा, नगर सेना)।
- प्रभावी क्षमता निर्माण से आपदा भेद्यता में कमी।
- आपदा तैयारी, संशोधन और आपदा प्रतिक्रिया में सर्वश्रेष्ठ अनुभवों से सीखना।

आपदा जोखिम में कमी के लिए सेंडाई फ्रेमवर्क (2015-30) को 18 मार्च, 2015 को सेंडाई, जापान में आयोजित संयुक्त राष्ट्र के आपदा जोखिम न्यूनीकरण के विश्व सम्मेलन में अपनाया गया। यह राष्ट्रों और समुदायों को आपदा के प्रति संगठित करने के बारे में था जोकि ह्योगो न्यूनतम कार्ययोजना (HFA) 2005-15 के आगे की प्रक्रिया थी।

वैश्विक तापन को रोकने के लिए अंतर्राष्ट्रीय प्रयास

मानव पर्यावरण पर संयुक्त राष्ट्र सम्मेलन : पर्यावरण पर संयुक्त राष्ट्र का सम्मेलन जिसको स्टॉकहोम सम्मेलन भी कहा जाता है, वर्ष जून 5 से 11, 1972 स्टॉकहोम में आयोजित हुआ था। इसी कारण 5 जून को पर्यावरण दिवस के रूप में भी मनाया जाता है।

- **वियेना कन्वेंशनः** यह ओजोन परत के संरक्षण के लिए हुआ बहुपक्षीय समझौता है। इस पर वर्ष 1985 में सहमति बनी और 1988 में लागू हुआ।
- **जलवायु परिवर्तन पर संयुक्त राष्ट्र फ्रेमवर्क कन्वेंशन :** यह कन्वेंशन दक्षिण अमेरिकी देश ब्राजील के शहर रियो डि जेनेरो में 3-4 जून, 1992 के मध्य हुआ 'संयुक्त राष्ट्र पर्यावरण और विकास सम्मेलन' पर्यावरण संबंधी वैश्विक मुद्दों पर एक प्रमुख साझा मानवीय प्रयास था। इस सम्मेलन में 116 राष्ट्राध्यक्षों/शासनाध्यक्षों ने प्रतिभाग किया और इसे 'पृथ्वी शिखर सम्मेलन' या 'रियो सम्मेलन' के नाम से भी जाना जाता है। पृथ्वी सम्मेलन में अन्य दस्तावेजों पर सहमति के अलावा तीन बाध्यकारी समझौते किए गए जिन्हें 'जैव विविधता पर अभिसमय' (Convention on Biological Diversity—CBD), 'जलवायु परिवर्तन पर

फ्रेमवर्क अभिसमय' (Framework Convention of Climate Change—FCCC) और 'मरुस्थलीकरण से निपटने हेतु संयुक्त राष्ट्र अभिसमय' (United Nations Convention to Combat Desertification—UNCCD) के नाम से जाना जाता है।

- इसके अंतर्गत हर वर्ष उन देशों का सम्मेलन होता है जिन्होंने UNCCC पर हस्ताक्षर किए हैं। उनको पार्टीज कहा जाता है एवं सम्मेलन को Conference of Parties (COP)।

मुख्य सम्मेलन निम्नलिखित हैं :

- **COP 1 (1995):** सबसे पहला सम्मेलन जर्मनी की राजधानी बर्लिन में हुआ था।
- **COP 3 (1997):** इनका परिणाम क्योटो प्रोटोकॉल था।
- **COP 8 (2002):** नई दिल्ली में इसमें विकसित देशों से पर्यावरण सुधार हेतु तकनीक को विकासशील देशों को स्थानांतरित करने की माँग की गई।
- **COP 11 (2005):** मांट्रियल, कनाडा—इसको मांट्रियल एक्शन प्लान भी कहा जाता है, जिसमें यह निर्णय लिया गया कि क्योटो प्रोटोकॉल को 2012 से आगे भी बढ़ाया जाए।
- **COP 13 (2007):** बाली, इंडोनेशिया—बाली एक्शन प्लान में 2012 के बाद सम्भावित स्थिति से निपटने के बारे में निर्णय लिए गए।
- **COP 15 (2009):** कोपेनहेगेन, डेनमार्क—इसमें स्वेच्छापूर्वक अल्पीकरण शपथ संभावित स्थिति से निपटने के बारे में निर्णय लिए गए।
- **COP 16 (2010):** कैनकुन, मेक्सिको—हरित जलवायु कोष की स्थापना।
- **COP 18 (2012):** दोहा, कतर—क्योटो प्रोटोकॉल को वर्ष 2020 तक बढ़ा दिया गया।
- **COP 20 (2014):** वॉरसा (पोलैंड)—राष्ट्रीय स्तर पर निर्धारित आशयित योगदान।
- **COP 21 (2015):** इसके अंतर्गत ऐतिहासिक पेरिस समझौता हुआ जिसकी अलग से चर्चा की गई है।
- **COP 24 (2018):** इस सम्मेलन का उद्देश्य पेरिस समझौते का पूर्ण कार्यान्वयन करना था।
- **COP 27 (2022):** इस सम्मेलन के परिणामस्वरूप पहली बार हानि एवं क्षति निधि (Loss and damage fund) बनाई गई।
- **COP 29 (2024):** इस सम्मेलन में जलवायु परिवर्तन के प्रभावों को कम करने और विकासशील देशों को अधिक टिकाऊ ऊर्जा स्रोतों में परिवर्तन करने में मदद करने के लिए वित्त की योजनाओं पर समझौता किया गया।

क्योटो प्रोटोकॉल

क्योटो प्रोटोकॉल संयुक्त राष्ट्र के पर्यावरण बदलाव पर एक अंतर्राष्ट्रीय संधि है। इस संधि का लक्ष्य जलवायु परिवर्तन के जिम्मेदार कारकों पर नियंत्रण कर विश्व के पर्यावरण में गुणात्मक सुधार लाना था। इस संधि पर दिसम्बर, 1997 में क्योटो सम्मेलन के दौरान हस्ताक्षर किए गए। यह एक कानूनी एवं बाध्यकारी संधि है। इसमें इस बात को स्वीकार किया गया कि पिछले 150 वर्षों में औद्योगिकीकृत देश उत्तरदायी हैं, और हरित गृह गैसों के उत्सर्जन में उनको अधिक कटौती की जानी चाहिए। इस सिद्धांत को 'सामान्य लेकिन विभेदित उत्तरदायित्व' कहा जाता है।

इसमें उत्सर्जन पर कटौती लगाने के लक्ष्य के लिए छह हरित गृह गैसों को चिन्हित किया गया—कार्बन डाइऑक्साइड, मीथेन, नाइट्रस ऑक्साइड, हाइड्रोफ्लोरो कार्बन, परफ्लोरोकार्बन, और सल्फर हेक्साफ्लोराइड।

यह प्रोटोकॉल फरवरी, 2005 में लागू किया गया था।

पेरिस समझौता

पर्यावरण सुरक्षा के प्रति लोगों को जागरूक करने के लिए प्रति वर्ष 22 अप्रैल को वर्ष 1970 से ही 'विश्व पृथ्वी दिवस' मनाया जाता है। इस दिन की महत्ता तब और बढ़ गई जब 22 अप्रैल, 2016 को भारत सहित 130 से अधिक देशों ने कार्बन उत्सर्जन में कमी लाने वाली ऐतिहासिक 'पेरिस जलवायु परिवर्तन समझौता' हस्ताक्षरित किया।

फ्रांस की राजधानी पेरिस में 30 नवंबर से 11 दिसंबर, 2015 तक जलवायु परिवर्तन सम्मेलन (COP 21/CMP 11) का आयोजन किया गया था। इस सम्मेलन के अंतिम दिन लगभग 196 देशों ने कार्बन उत्सर्जन में तेजी से कमी लाने के लिए हर संभव प्रयास करने हेतु सहमति जताई थी।

ज्ञातव्य है कि पेरिस समझौते के तहत देशों ने सहमति व्यक्त की थी कि 21वीं शताब्दी के औसत तापमान में पूर्व औद्योगिक युग के औसत तापमान के स्तर से 2°C से अधिक की वृद्धि नहीं होने दी जाएगी।

इसमें इस बात पर भी सहमति बनी थी कि सदस्य देशों का यह प्रयास होगा कि वैश्विक औसत तापमान वृद्धि को 1.5°C के स्तर तक रखा जाए।

इस समझौते के अनुसार, विकासशील देशों को भी उत्सर्जन घटाने की कार्यवाही करनी होगी, किंतु वे अपनी प्रकृति और अपने देश के मुताबिक इसकी मात्रा तय कर सकेंगे।

जलवायु योजना के तहत देशों को कार्बन उत्सर्जन में कमी का लक्ष्य जिसे 'भावी राष्ट्रीय निर्धरित अंशदान' (INDC) की संज्ञा दी गई है, निर्धरित करना होगा।

कार्बन ट्रेडिंग

क्योटो प्रोटोकॉल में प्रदूषण कम करने के दो तरीके सुझाए गए थे। इस कमी को कार्बन क्रेडिट की यूनिट में नापा जाना था। एक कार्बन

यूनिट एक टन कार्बन के बराबर है। इन तरीकों में पहला था कि अमीर देश क्लीन डवलपमेंट मैकेनिज्म में पैसे लगाएं या फिर, बाजार से कार्बन क्रेडिट खरीद लें।

कार्बन सिक्वीस्ट्रेशन

कार्बन सिक्वीस्ट्रेशन वायुमण्डलीय कार्बन डाईऑक्साइड (CO_2) को ग्रहण करके लंबे समय तक भंडारण करने की एक विधि है। इस विधि के निम्नलिखित पहलू हैं :

- CO_2 को सीधे उत्सर्जन स्रोत जैसे कारखानों की चिमनियों से ग्रहण करके भूमिगत स्थानों में भंडारित करना।
- कार्बन को सीधे वायुमण्डल से ग्रहण करना तथा भंडारित करना।
- प्राकृतिक रूप से चलने वाला कार्बन चक्र (carbon cycle)।

कार्बन के संग्रहण से वायुमण्डलीय CO_2 में कमी आती है, इससे वैश्विक तापमान (global warming) तथा जलवायु परिवर्तन जैसी समस्याओं से बचा जा सकता है।

जलवायु परिवर्तन पर अंतर-सरकारी पैनल (IPCC)

यह अंतर सरकारी (Inter-governmental) वैज्ञानिक निकाय है। यह संयुक्त राष्ट्र का आधिकारिक पैनल है, जो जलवायु में बदलाव और ग्रीनहाउस गैसों का ध्यान रखता है। इस संस्था को 2007 में शांति नोबेल पुरस्कार से सम्मानित किया गया। IPCC की पाँचवीं आकलन रिपोर्ट 2014 के अनुसार, 2°C से अधिक तापमान की वृद्धि अनेक गंभीर समस्याओं को जन्म देगी। तापमान में 2°C से कम वृद्धि रखने के लक्ष्य को प्राप्त करने हेतु वर्ष 2050 तक 40-50 प्रतिशत तक हरित गृह के उत्सर्जन में कम करनी पड़ेगी जबकि शताब्दी के अंत तक शून्य कार्बन उत्सर्जन को प्राप्त करना होगा।

पर्यावरण संरक्षण हेतु विभिन्न कार्य योजना या प्रयास (Various Action Plans for Environmental Protection)

पर्यावरण (संरक्षण) अधिनियम, 1986

संयुक्त राष्ट्र का प्रथम मानव पर्यावरण सम्मेलन 5 जून, 1972 में स्टॉकहोम में सम्पन्न हुआ। इसी से प्रभावित होकर भारत ने पर्यावरण के संरक्षण के लिए पर्यावरण (संरक्षण) अधिनियम, 1986 पास किया। इस अधिनियम का मुख्य उद्देश्य वातावरण में घातक रसायनों की अधिकता को नियंत्रित करना व पारिस्थितिकी तंत्र को प्रदूषण मुक्त रखने का प्रयत्न करना है। इस अधिनियम में 26 धाराएं हैं जिन्हें 4 अध्यायों में बाँटा गया है। यह कानून पूरे देश में 19 नवंबर, 1986 से लागू किया गया। अधिनियम की पृष्ठभूमि व उद्देश्यों के अंतर्गत शामिल बिंदुओं के आधार पर अधिनियम के निम्न उद्देश्य हैं :

पर्यावरण का संरक्षण एवं सुधार करना, मानव पर्यावरण के स्टॉकहोम सम्मेलन के नियमों को कार्यान्वित करना, मानव, प्राणियों, जीवों, पादपों को संकट से बचाना, पर्यावरण संरक्षण हेतु सामान्य एवं व्यापक विधि निर्मित करना, विद्यमान कानूनों के अंतर्गत पर्यावरण संरक्षण प्राधिकरणों का गठन करना तथा उनके क्रियाकलापों के बीच समन्वय करना। मानवीय पर्यावरण सुरक्षा एवं स्वास्थ्य को खतरा उत्पन्न करने वालों के लिए दण्ड की व्यवस्था करना।

पर्यावरण संरक्षण अधिनियम (1986) एक व्यापक कानून है। इसके द्वारा केंद्र सरकार के पास ऐसी शक्तियां आ गई हैं जिनके द्वारा वह पर्यावरण की गुणवत्ता के संरक्षण व सुधार हेतु उचित कदम उठा सकती है। इसके अंतर्गत केंद्रीय सरकार को पर्यावरण गुणवत्ता मानक निर्धारित करने, औद्योगिक क्षेत्रों को प्रतिबंध करने, दुर्घटना से बचने के लिए सुरक्षात्मक उपाय निर्धारित करने तथा हानिकारक तत्वों का निपटान करने, प्रदूषण के मामलों की जाँच एवं शोध कार्य करने, प्रभावित क्षेत्रों का तत्काल निरीक्षण करने, प्रयोगशालाओं का निर्माण तथा जानकारी एकत्रित करने के कार्य सौंपे गए हैं। इस कानून की एक महत्वपूर्ण बात यह है कि पहली बार व्यक्तिगत रूप से नागरिकों को इस कानून का पालन न करने वाली फैक्ट्रियों के खिलाफ केस दर्ज करने का अधिकार प्रदान किया गया है।

जैव विविधता पर अंतर्राष्ट्रीय प्रयास

जैव विविधता सम्मेलन

यह संयुक्त राष्ट्र के तत्वावधान में लायी गई एक अंतर्राष्ट्रीय संधि है, इसे वर्ष 1992 में रियो पृथ्वी सम्मेलन जो कि दूसरा United Nations Conference on Environment and Development (UNCED) था, में प्रस्तावित किया गया। जैव विविधता पर अभिसमय के तीन प्रमुख लक्ष्य हैं–

(*i*) जैव विविधता का संरक्षण,
(*ii*) इसके अवयवों का संवहनीय प्रयोग और
(*iii*) महत्त्वपूर्ण लक्ष्य है जेनेटिक संसाधनों से उत्पन्न लाभों का उचित और समतापूर्ण वितरण।

यह संधि 1994 में लागू की गई थी। इस संधि के उद्देश्यों के लिए भारत में जैव विविधता अधिनियम 2002 पारित किया गया।

इसका मूल संदेश–पहुँच और लाभ सेवाएँ (Access and Benefit Services; ABS) है।

कार्टाजेना प्रोटोकॉल (2001)

यहाँ यह वर्णनीय है कि प्रोटोकॉल मूलतः उपसंधि होते हैं, जिन्हें विशेष उद्देश्यों के साथ लाया जाता है, इसमें समय सीमा एवं सदस्यों की जिम्मेवारी का उल्लेख भी रहता है।

इसका मुख्य उद्देश्य जैव सुरक्षा सुनिश्चित करना है। इसको वर्ष 2000 में हुए पेरिस में आयोजित जैव विविधता सम्मेलन में अंगीकृत किया गया, यह प्रोटोकॉल वर्ष 2003 से लागू हुआ।

नागोया प्रोटोकॉल

संयुक्त राष्ट्र महासभा वर्ष 2010 को जैव विविधता के अंतर्राष्ट्रीय वर्ष तथा 2011-2020 के दशक को संयुक्त राष्ट्र जैव विविधता दशक के रूप में घोषित किया गया था।

उल्लेखनीय है कि नागोया प्रोटोकॉल के लागू होने के लिए सीबीडी के 50 पक्षकारों द्वारा अनुसमर्थन आवश्यक था। वर्ष 2014 में 50 पक्षकारों का अनुसमर्थन मिल जाने के पश्चात अब नागोया प्रोटोकॉल के लागू होने का मार्ग प्रशस्त हो गया है। उरुग्वे 50वां देश है जिसने नागोया प्रोटोकॉल का अनुसमर्थन किया है।

भारत अपने जेनेटिक संसाधनों और उनके जुड़े पारंपरिक ज्ञान की चोरी का शिकार रहा है, जिन्हें अन्य देशों में पेटेंट करा लिया जाता है (उदाहरणार्थ–नीम और हल्दी पर कराए गए पेटेंट)। नागोया प्रोटोकॉल के लागू होने से इस समस्या से निपटने में मदद मिलेगी।

जैव संसाधनों की चोरी को रोकने के घरेलू प्रयास के रूप में भारत में 'जैव विविधता अधिनियम, 2002 लागू किया गया था।

इस प्रोटोकॉल के सदस्यों को वर्ष 2020 तक ABS के प्रावधानों के संदर्भ में न्यूनतम मापदण्ड तय करना है तथा अपने जैव विविधता अधिनियमों को उनके अनुरूप बना लेना है। ये Bio Piracy से संबंधित है।

आईची लक्ष्य : नागोया में CBD के दसवें सम्मेलन में 10 लक्ष्यों को स्वीकार किया गया, इन लक्ष्यों को आईची लक्ष्य कहा गया है। आईची उस प्रांत का नाम है, जिसमें नागोया स्थित है।

मनुष्य और जैवमण्डल कार्यक्रम : वर्ष 1971 में UNESCO द्वारा स्थापित कार्यक्रम के अंतर्गत विश्व भर में जैवमण्डल प्रारक्षण क्षेत्रों की एक सूची तैयार की गई है। इसका मुख्य उद्देश्य प्रकृति और मनुष्य में अनुकूलन में वृद्धि करना है। वर्तमान में इसके अंतर्गत 136 देशों में फैले हुए 759 जैवमण्डल प्रारक्षण क्षेत्र है।

भारत सरकार ने अपने स्तर पर 18 जैवमण्डल संरक्षित क्षेत्र स्थापित किए हैं, जिनमें से 10 यूनेस्को की MAB सूची में सम्मिलित हैं।

किसी भी जैवमण्डल प्रारक्षण क्षेत्र को निम्न तीन क्षेत्रों में विभाजित किया जा सकता है :

- **क्रोड़ क्षेत्र :** इसमें किसी भी प्रकार की मानव गतिविधियों की छूट नहीं है। इसमें सरकारी कर्मचारियों के अलावा कोई और प्रवेश नहीं कर सकता है।
- **मध्यवर्ती क्षेत्र :** यह एक सीमांकित क्षेत्र है, इसमें पूरी तरह से नियंत्रित एवं अविध्वंसक कार्य ही किए जा सकते हैं। इसमें शोध कार्य, शिक्षा एवं प्रशिक्षण तथा पर्यटन से संबंधित गतिविधियाँ होती हैं।
- **संक्रमण क्षेत्र :** यह जैव-भौगोलिक क्षेत्र है, न कि कोई प्रशासनिक इकाई। इसमें स्थानीय समुदाय, NGO, शोधकर्त्ता, आदि की सहभागिता से जीवों का संरक्षण किया जाता है।

भारत में बायोस्फीयर रिजर्व

क्र.सं.	नाम	वर्ष	क्षेत्रफल (वर्ग किमी. में)
1.	नीलगिरी*	1986	5520
2.	नन्दा देवी*	1988	2860.69
3.	नोकरेक*	1988	820
4.	ग्रेट निकोबार*	1989	885
5.	मन्नार की खाड़ी*	1989	10500
6.	मानस	1989	2837
7.	सुंदरवन*	1989	9630
8.	सिमलीपाल*	1994	4374
9.	डिब्रू सैखोवा	1997	765
10.	देहांग-दिबांग	1998	5111.50
11.	पंचमढ़ी*	1999	4926
12.	कंचनजंगा*	2000	2619.92
13.	अगस्त्य मलाई*	2001	1828
14.	अचानकमार*	2005	3835.51
15.	कच्छ	2008	12454
16.	कोल्ड डिजर्ट	2009	7770
17.	शेषाचलम	2010	4755.997
18.	पन्ना*	2011	2998.98

स्रोतः भारतीय वन्यजीव संस्थान * यूनेस्को की सूची में शामिल

जैव विविधता हॉटस्पॉट

एक जैव विविधता वाला हॉटस्पॉट ऐसा जैविक भौगोलिक क्षेत्र है, जिसे मनुष्यों से खतरा रहता है। विश्व के प्रत्येक जैव विविधता हॉटस्पॉट आज संकट की स्थिति में है।

भारत में निम्नलिखित चार हॉटस्पॉट हैं :

(*i*) हिमालयन क्षेत्र

(*ii*) इंडो-बर्मा क्षेत्र

(*iii*) सुंडालैंड (अंडमान निकोबार द्वीप समूह)

(*iv*) पश्चिमी घाट तथा श्रीलंका

विश्व के 35 हॉटस्पॉटों में से 8 को 'Hottest' हॉटस्पॉट में रखा गया है। अंडमान एवं निकोबार भारत का पहला हॉटस्पॉट है।

रामसर सम्मेलन

आर्द्र भूमि पर रामसर सम्मेलन (1971) में रामसर, ईरान में झीलों पर हुए सम्मेलन में एक अंतर्राष्ट्रीय संधि पर हस्ताक्षर किए गए, जो झीलों और अपने संसाधनों से झीलों के संरक्षण और सही उपयोग के लिए राष्ट्रीय कार्य और अंतर्राष्ट्रीय सहयोग के लिए रूपरेखा प्रदान करती है।

जलवायु परिवर्तन पर राष्ट्रीय कार्य योजना (National Action Plan for Climate Change)

जलवायु परिवर्तन पर राष्ट्रीय कार्य योजना (NAPCC) को औपचारिक रूप से 30 जून 2008 को लागू किया गया। यह उन साधनों की पहचान करता है जो विकास के लक्ष्य को प्रोत्साहित करते हैं, साथ ही जलवायु परिवर्तन पर विमर्श के लाभों को प्रभावशाली रूप से प्रस्तुत करता है। राष्ट्रीय कार्य योजना के कोर के रूप में आठ राष्ट्रीय मिशन हैं। वे जलवायु परिवर्तन, अनुकूलन तथा न्यूनीकरण, ऊर्जा दक्षता एवं प्राकृतिक संसाधन संरक्षण की समझ को बढ़ावा देने पर केंद्रित हैं।

आठ मिशन हैं:

- राष्ट्रीय सौर मिशन
- वर्धित ऊर्जा दक्षता मिशन
- सतत पर्यावास मिशन
- राष्ट्रीय जल मिशन
- हिमालयी पारिस्थितिकी संवर्द्धन मिशन
- हरित भारत मिशन
- सतत कृषि मिशन
- जलवायु परिवर्तन संबंधी कार्य नीति

राष्ट्रीय सौर मिशन

जलवायु परिवर्तन पर राष्ट्रीय कार्य योजना के अंतर्गत राष्ट्रीय सौर मिशन को अत्यंत महत्वपूर्ण माना गया है। इस मिशन का उद्देश्य देश में कुल ऊर्जा उत्पादन में सौर ऊर्जा के अंश के साथ अन्य नवीकरणीय साधनों की संभावना को भी बढ़ाना है। यह मिशन शोध एवं विकास कार्यक्रम को आरंभ करने की भी माँग करता है जो अंतर्राष्ट्रीय सहयोग को साथ लेकर अधिक लागत-प्रभावी, सुस्थिर एवं सुविधाजनक और ऊर्जा तंत्रों की संभावना की तलाश करता है।

वर्धित ऊर्जा दक्षता मिशन

भारत सरकार ने ऊर्जा दक्षता को बढ़ावा देने हेतु पहले से ही कई उपायों को अपनाया है। इनके अतिरिक्त जलवायु परिवर्तन पर राष्ट्रीय कार्य-योजना के उद्देश्यों में शामिल हैं:

- बड़े पैमाने पर ऊर्जा का उपभोग करने वाले उद्योगों में ऊर्जा कटौती की मितव्ययिता को वैधानिक बनाना एवं बाजार आधारित संरचना के साथ अधिक ऊर्जा की बचत को प्रमाणित करने हेतु एक ढाँचा तैयार करना ताकि इस बचत से व्यावसायिक लाभ लिया जा सके।
- कुछ क्षेत्रों में ऊर्जा-दक्ष उपकरणों/उत्पादों को वहन योग्य बनाने हेतु नवीन उपायों को अपनाना।
- वित्तीय आवश्यकताओं की पूर्ति हेतु एक तंत्र का नियंत्रण तथा भविष्य में होने वाली ऊर्जा बचतों के दोहन हेतु कार्यक्रमों का निर्माण और इसके लिए सरकारी निजी भागीदारी की व्यवस्था करना।
- ऊर्जा दक्षता बढ़ाने हेतु ऊर्जा-दक्ष प्रमाणित उपकरणों पर विभेदीकृत करारोपण सहित करों में छूट जैसे वित्तीय उपायों को विकसित करना।

सतत पर्यावास मिशन

इस मिशन का लक्ष्य निवास को अधिक सुस्थिर बनाना है। इसके लिए तीन सूत्री अभिगम पर जोर दिया गया है:

- आवासीय एवं व्यावसायिक क्षेत्रों के भवनों में ऊर्जा दक्षता को बढ़ावा देना।
- शहरी ठोस अपशिष्ट पदार्थों का प्रबंधन
- शहरी सार्वजनिक परिवहन को बढ़ावा देना।

राष्ट्रीय जल मिशन

राष्ट्रीय जल मिशन का लक्ष्य जल संरक्षण, जल की बर्बादी कम करना तथा एकीकृत जल संसाधन प्रबंधन के द्वारा जल का अधिक न्यायोचित वितरण करना है। राष्ट्रीय जल मिशन, जल के उपयोग में 20% तक दक्षता बढ़ाने हेतु एक ढाँचा का निर्माण करेगा। यह वर्षाजल एवं नदी प्रवाह की विषमता से निबटने हेतु सतही एवं भूगर्भीय जल के भंडारण, वर्षाजल संचयन तथा स्प्रिंकलर अथवा ड्रिप सिंचाई जैसी अधिक दक्ष सिंचाई व्यवस्था की सिफारिश करता है।

हिमालयी पारिस्थितिकी संवर्द्धन मिशन

इस कार्यक्रम में शामिल हैं— स्थानीय समुदाय, विशेषकर पंचायतों का पारिस्थितिक संसाधनों के प्रबंधन हेतु सशक्तीकरण करना। यह राष्ट्रीय पर्यावरण नीति, 2006 में वर्णित निम्नलिखित उपायों की पुष्टि करता है:

- पर्वतीय पारिस्थितिकी तंत्र के सुस्थिर विकास हेतु भूमि उपयोग की उचित योजना एवं जल-छाजन प्रबंधन नीति को अपनाना।
- संवेदनशील पारिस्थितिकी तंत्र को नुकसान से बचाने एवं भू-दृश्यों के संरक्षण हेतु आधारभूत संरचना के निर्माण की सर्वोत्तम नीति अपनाना।
- जैव कृषि को बढ़ावा देकर फसलों की पारंपरिक किस्मों की खेती एवं बागवानी को प्रोत्साहित करना ताकि किसान मूल्य प्रीमियम का लाभ प्राप्त कर सकें।
- स्थानीय समुदायों को आजीविका के बेहतर साधन उपलब्ध हो सकें इस हेतु सुस्थिर पर्यटन को बढ़ावा देने हेतु उचित नीतियों का निर्माण एवं बहुल भागीदारी को सुनिश्चित करना।

- पर्वतीय क्षेत्रों में पर्यटकों के आवागमन को नियंत्रित करने के उपायों पर बल देना ताकि पर्वतीय पारिस्थितिकी तंत्र की वहन क्षमता प्रभावित न हों।
- विशिष्ट "अतुलनीय मूल्यों" के साथ कुछ पर्वतीय क्षेत्रों के लिए सुरक्षात्मक रणनीति का विकास करना।

हरित भारत मिशन

इस मिशन का लक्ष्य कार्बन सिंक जैसे पारिस्थितिकीय सेवाओं को बढ़ावा देना है। यह 60 लाख हेक्टेयर भूमि में वनारोपण के लिए प्रधानमंत्री का हरित भारत अभियान का हिस्सा है ताकि देश में वन आवरण को 23% से बढ़ाकर 33% किया जा सके। इसका कार्यान्वयन राज्यों के वन विभाग द्वारा संयुक्त वन प्रबंधन समितियों के माध्यम से ऊसर वन भूमि पर किया जाना है। ये समितियाँ समुदायों द्वारा सीधी कार्यवाही को प्रोत्साहित करेंगी।

सतत कृषि मिशन

इसका लक्ष्य फसलों की नई किस्म, खासकर जो तापमान वृद्धि सहन कर सके, उसकी पहचान कर तथा वैकल्पिक फसल स्वरूप द्वारा भारतीय कृषि को जलवायु परिवर्तन के प्रति अधिक लचीला बनाना है। इसे किसानों के पारंपरिक ज्ञान तथा व्यावहारिक विधियों, सूचना प्रौद्योगिकी एवं जैव तकनीकी के साथ-साथ नवीन ऋण तथा बीमा व्यवस्था द्वारा समर्थित किया जाना है।

जलवायु परिवर्तन संबंधी कार्य नीति

यह मिशन, शोध तथा तकनीकी विकास के विभिन्न क्रियाविधियों द्वारा सहभागिता हेतु वैश्विक समुदाय के साथ कार्य करने पर बल देता है। इसके अतिरिक्त, जलवायु परिवर्तन से संबंधित समर्पित संस्थानों एवं विश्वविद्यालयों के नेटवर्क तथा जलवायु-शोध कोष द्वारा समर्थित इसके स्वयं का शोध एजेंडा होगा। यह मिशन, अनुकूलन तथा न्यूनीकरण हेतु नवीन तकनीकियों के विकास के लिए निजी क्षेत्र के उपक्रमों को भी प्रोत्साहित करेगा।

मिशन का क्रियान्वयन

इन 8 राष्ट्रीय मिशन को संबद्ध मंत्रालयों द्वारा संस्थाकृत किया जाना है तथा इसे अंतर-क्षेत्रक समूहों द्वारा संगठित किया जाएंगा। इसके क्रियान्वयन में अन्य मंत्रालयों के अलावा शामिल हैं: वित्त मंत्रालय, नीति आयोग, उद्योग जगत एवं अकादमियों के विशेषज्ञ तथा नागरिक समाज।

अभ्यास प्रश्न

1. निम्न में से किस के दौरान जैव विविधता संबंधी अभिसमय (कन्वेशन) को हस्ताक्षर के लिए खोला गया था?

A. रियो शिखर सम्मेलन B. स्टॉकहोम सम्मेलन
C. रामसर कन्वेंशन D. मॉन्ट्रियल प्रोटोकॉल

2. **कथन I:** ओजोन अवक्षयकारी पदार्थ (ODS) की दो श्रेणियाँ वर्ग I व वर्ग II थीं।

कथन II: वर्ग II ODS का उत्पादन 2000 में बंद हो गया था।

उपरोक्त कथन के आलोक में, नीचे दिए गए विकल्पों में से सही उत्तर का चयन कीजिए।

A. कथन I और II दोनों सत्य हैं
B. कथन I और II दोनों असत्य हैं
C. कथन I सत्य है, लेकिन कथन II असत्य है
D. कथन I असत्य है, लेकिन कथन II सत्य है

3. वायु प्रदूषकों के एक प्रकार, PAN का पूर्ण नाम निम्न में से कौन-सा है?

A. पॉलीसाइक्लिक ऐरोमेटिक नाइट्रेट
B. पॉलीसाइक्लिक ऐसिटाइल नाइट्रेट
C. पेरोक्सी ऐरोमेटिक नाइट्रेट
D. पेरोक्सी ऐसिटाइल नाइट्रेट

4. निम्न सौर ऊर्जा संग्रहण प्रणलियों में से किस प्रणाली में उष्मा ऊर्जा के भंडारण के लिए लवण प्रवणता की संकल्पना का प्रयोग किया जाता है?

A. सौर ताप संग्रहक
B. सौर सेल
C. सौर ताल
D. सौर भट्टी

5. पर्यावरणीय शिक्षा निम्नलिखित के लिए आवश्यक है:

(*a*) प्राकृतिक संसाधनों का संरक्षण
(*b*) प्रदूषण के कारणों का ज्ञान
(*c*) प्रदूषण रोकने के उपायों का ज्ञान
(*d*) प्राकृतिक संसाधनों का व्यापक निष्कर्षण
(*e*) वैज्ञानिक आविष्कार पर मितव्ययिता

नीवे दिए गए विकल्पों में से सबसे उपयुक्त उत्तर का चयन कीजिए:

A. केवल (*a*), (*b*) और (*c*)
B. केवल (*b*), (*c*) और (*d*)
C. केवल (*c*), (*d*) और (*e*)
D. केवल (*a*), (*d*) और (*e*)

6. **अभिकथन (A):** प्लास्टिक, काष्ठ उत्पादों, विद्युत-रोधी सामग्री, सरेस व वस्त्रों में व्यापक रूप से प्रयुक्त होने वाला फार्मल्डिहाइड गंभीर एलर्जी कारक है।

कारण (R): एलर्जीकारक वे पदार्थ होते हैं जो प्रतिरक्षा प्रणाली को सक्रिय कर देते हैं।

उपरोक्त कथन के आलोक में, नीचे दिए गए विकल्पों में से सही उत्तर का चयन कीजिएः

A. (A) और (R) दोनों सत्य हैं और (R), (A) की सही व्याख्या है
B. (A) और (R) दोनों सत्य हैं, लेकिन (R), (A) की सही व्याख्या नहीं है
C. (A) सत्य है, लेकिन (R) असत्य है
D. (A) असत्य है, लेकिन (R) सत्य है

7. वायुमंडलीय धुंध का प्रमुख कारण कौन-सा है?
A. परासूक्ष्म आकार के विविक्त पदार्थ
B. नाइट्रोजन और सल्फर के ऑक्साइड
C. ओजोन
D. कार्बन डाईऑक्साइड और कार्बन मोनोऑक्साइड

8. नीचे दो कथन दिए गए हैंः

कथन I : नैनो स्केल धात्विक और द्वि-धात्विक कण पोली क्लोरो बेंजीन्स (पी.सी.बी.), ऑर्गेनो क्लोरीन् कीटनाशकों और हैलोजनित कार्बनिक विलायकों जैसे सामान्य जल प्रदूषकों को कार्यकुशल ढंग से हटा सकते हैं।

कथन II : नैनो स्केल धात्विक और द्वि-धात्विक कण निकेल, आर्सेनिक, पारा आदि जैसी भारी धातुओं को नहीं घटा सकते हैं।

उपरोक्त कथनों के आलोक में, नीचे दिए गए विकल्पों में से सही उत्तर का चयन कीजिएः

A. कथन I और II दोनों सही हैं।
B. कथन I और II दोनों गलत हैं।
C. कथन I सही है, लेकिन कथन II गलत है।
D. कथन I गलत है, लेकिन कथन II सही है।

9. नीचे दो कथन दिए गए हैंः एक अभिकथन (A) केरूप में लिखित है तो दूसरा उसके कारण (R) के रूप में:

अभिकथन (A) : किसी तटीय स्थान पर समुद्र स्तर में परिवर्तन वैश्विक, क्षेत्रीय एवं स्थानीय कारकों के योग पर निर्भर करता है।

कारण (R) : इसलिए, वैश्विक माध्यम समुद्र तल में वृद्धि, समग्र विश्व में समुद्र स्तर में एक समान वृद्धि के रूप में रूपांतरित होती है।

उपरोक्त कथन के आलोक में, नीचे दिए गए विकल्पों में से सही उत्तर का चयन कीजिएः

A. (A) और (R) दोनों सत्य हैं और (R), (A) की सही व्याख्या है।
B. (A) और (R) दोनों सत्य हैं, लेकिन (R), (A) की सही व्याख्या नहीं है।
C. (A) सत्य है, लेकिन (R) असत्य है।
D. (A) असत्य है, लेकिन (R) सत्य है।

10. ऑक्सीजन मांग वाले अपशिष्ट :
A. जल में ऑक्सीजन-स्तर को घटाते हैं
B. जल में ऑक्सीजन-स्तर को बढ़ाते हैं
C. जल में ऑक्सीजन-स्तर को परिवर्तित नहीं करते हैं
D. जल के तापमान को बढ़ाते हैं

11. सूची-I के साथ सूची-II का मिलान कीजिए :

सूची-I (संधारणीय विकास लक्ष्य (एस.डी.जी. संख्या)	**सूची-II** (लक्ष्य)
(a) SDG 2	I. संधारणीय नगर और समुदाय
(b) SDG 3	II. शून्य भुखमरी
(c) SDG 6	III. अच्छा स्वास्थ्य और आरोग्य
(d) SDG 11	IV. शुद्ध जल और स्वच्छता

निम्नलिखित विकल्पों में से सही उत्तर का चयन कीजिएः

	(a)	*(b)*	*(c)*	*(d)*
A.	I	III	II	IV
B.	III	II	I	IV
C.	II	III	IV	I
D.	II	III	I	IV

12. सौर तालाब (सोलर पॉन्ड)
(a) पेय जल उत्पन्न करते हैं।
(b) ताप-ऊर्जा संग्राहक हैं।
(c) उष्मा-ह्रास रोकने के लिए लवण प्रवणता का उपयोग करते हैं।
(d) ठंड़े क्षेत्रों में तैरने के लिए उपयोग में आते हैं।
(e) गर्म पानी उत्पन्न करते हैं।

नीचे दिए गए विकल्पों में से सही उत्तर चुनें:
A. केवल *(a)*, *(b)* और *(c)*
B. केवल *(b)*, *(c)* और *(e)*
C. केवल *(a)*, *(b)*, *(c)* और *(d)*
D. केवल *(b)*, *(c)*, *(d)* और *(e)*

13. जल में निम्नलिखित में से किस संदूषक से मानसिक अशांति और वाणी, श्रवण एवं दृष्टि की बाधाओं जैसे प्रतिकूल प्रभाव मानव स्वास्थ्य पर हो सकते हैं?

A. आर्सेनिक B. सीसा
C. मिथाइल पारा D. निकेल और क्रोमियम

14. यूरोपीय संघ (EU) के देशों के राष्ट्रीय स्तर पर निर्धारित योगदानों का उद्देश्य है कि 2030 तक (1990 के स्तरों के संदर्भ में) हरितगृह गैसों के उत्सर्जन में ______ तक की कमी की जाए।

A. 35% B. 40%
C. 50% D. 55%

15. विश्व के अग्रणी भूतापीय ऊर्जा (MW) उत्पादक देशों के सही क्रम की पहचान करें:

(*a*) न्यूजीलैंड (*b*) आइसलैंड
(*c*) यूएसए (*d*) इंडोनेशिया

नीचे दिए गए विकल्पों में से सही उत्तर का चयन कीजिए:

A. (*a*) > (*c*) > (*b*) > (*d*)
B. (*c*) > (*a*) > (*b*) > (*d*)
C. (*c*) > (*d*) > (*a*) > (*b*)
D. (*d*) > (*c*) > (*a*) > (*b*)

16. निम्नलिखित में से कौन-से जलवायु परिवर्तन पर राष्ट्रीय कार्य योजना के मिशन हैं?

(*a*) राष्ट्रीय सौर मिशन
(*b*) हरित भारत मिशन
(*c*) पश्चिमी घाट विकास मिशन
(*d*) राष्ट्रीय जल मिशन
(*e*) वायु प्रदूषण उपशमन मिशन

नीचे दिए गए विकल्पों में से सही उत्तर का चयन कीजिए:

A. केवल (*a*), (*b*) और (*e*)
B. केवल (*a*), (*b*) और (*d*)
C. केवल (*a*), (*b*), (*d*) और (*e*)
D. केवल (*a*), (*c*), (*d*) और (*e*)

17. सूची-I को सूची-II से सुमेलित कीजिए:

सूची-I	**सूची-II**
(*a*) मॉन्ट्रियल प्रोटोकॉल	I. पर्यावरण और संधारणीय विकास
(*b*) रियो शिखर सम्मेलन	II. हरितगृह गैसों के उत्सर्जन में कमी लाना
(*c*) क्योटो प्रोटोकॉल	III. जलवायु परिवर्तन उपशमन व अनुकूलन
(*d*) पेरिस समझौता	IV. ओजोन क्षरण

नीचे दिए गए विकल्पों में से सही उत्तर चुनिए:

	(*a*)	(*b*)	(*c*)	(*d*)
A.	II	III	IV	I
B.	III	I	II	IV
C.	IV	I	II	III
D.	IV	II	I	III

18. संयुक्त राष्ट्र पर्यावरण कार्यक्रम (यू.एन.ई.पी.) कब अस्तित्व में आया?

A. 1972 B. 1975
C. 1982 D. 1992

19. जंगलों की आग किससे प्रभावित होती है?

(*a*) ढलान
(*b*) भूमि की नमी
(*c*) वायु

निम्नलिखित में से सही विकल्प चुनिए:

A. केवल (*a*) और (*b*) B. केवल (*b*) और (*c*)
C. केवल (*a*) और (*c*) D. (*a*), (*b*) और (*c*)

20. नीचे दो कथन दिए गए हैं, पहला कथन अभिकथन (A) और दूसरा तर्क (R) है:

अभिकथन (A) : गर्मी के मौसम में चिलचिलाती धूप वाली दोपहर के बाद के समय में दिल्ली जैसे शहर में क्षोभ मंडलीय ओजोन स्तर सुबह और शाम की तुलना में कम होने की संभावना होती है।

तर्क (R) : दोपहर बाद की अवधि में वायु मंडल अस्थिर रहता है तथा सुबह और शाम की तुलना में इसकी विलयन क्षमता अधिक होती है।

उपर्युक्त दो कथनों को ध्यान में रखकर सही विकल्प का चयन करें:

A. (A) और (R) दोनों सही हैं और (R), (A) की सही व्याख्या है।
B. (A) और (R) दोनों सही हैं किंतु (R), (A) की सही व्याख्या नहीं है।
C. (A) सही है, किंतु (R) गलत है।
D. (A) गलत है, किंतु (R) सही है।

21. निम्नलिखित में से किस प्रदूषक को भारत में वायु गुणवत्ता सूचकांक में शामिल किया गया है?

A. कार्बन डाइऑक्साइड
B. क्लोरोफ्लोरो कार्बन
C. सल्फर डाइऑक्साइड
D. मीथेन

22. जलवायु परिवर्तन के संबंध में राष्ट्रीय कार्य योजना के अन्तर्गत निम्नलिखित में से कौन मिशन है/हैं?

(*a*) हिमालयी पारिस्थितिकी तंत्र को सम्बोधन करना

(*b*) सतत वन प्रबंधन

(*c*) जलवायु परिवर्तन हेतु रणनीतिक जानकारी

सही उत्तर चुनिएः

A. केवल (*a*) और (*b*)

B. केवल (*b*)

C. केवल (*b*) और (*c*)

D. केवल (*a*) और (*c*)

23. पानी में किसकी अधिकता से ब्ल्यू बेबी सिन्ड्रॉम होती है?

A. कैल्सियम B. मैग्नेशियम

C. नाइट्रेट D. कृमिनाशक (पेस्टिसाइड)

24. दिसम्बर, 2004 में दक्षिण तथा दक्षिण-पूर्व एशिया में आए सुनामी का कारण थाः

A. भूकंप

B. ज्वालामुखी का निकलना

C. प्रभंजन (हरिकेन)

D. उष्णकटिबंधीय तूफान

25. ऊपरी वायुमंडल में निम्नलिखित में से कौन-सी गैस उस शृंखलित प्रतिक्रिया को आरंभ करती है जिससे ओजोन टूटता है?

A. नाइट्रोजन डाइऑक्साइड

B. कार्बन डाइऑक्साइड

C. हाइड्रोजन सल्फाइड

D. क्लोरीन

26. अंतःश्वसन अथवा भोजन के माध्यम से भारी मात्रा में सीसा (Pb) के प्रभाव में रहने से क्या होता है?

(*a*) मानसिक मंदन

(*b*) उच्च रक्त चाप

(*c*) केंद्रीय स्नायु तंत्र में विकार

निम्नलिखित में से सही कूट का चयन कर उत्तर दीजिएः

A. केवल (*a*) तथा (*b*) B. केवल (*b*) तथा (*c*)

C. केवल (*c*) तथा (*a*) D. (*a*), (*b*) तथा (*c*)

27. प्राकृतिक विपदाओं के निम्नलिखित प्रकारों में से किसका निश्चित प्रारम्भ और अंत नहीं होता है?

A. भूकम्प B. भूस्खलन

C. प्रभंजन (हरीकेन) D. सूखा

28. **अभिकथन (A):** अंतः वायु प्रदूषण स्वास्थ्य के लिए एक गंभीर खतरा है।

तर्क (R): अंतः पर्यावरण में वायु प्रदूषकों का विसर्जन अपेक्षाकृत सीमित होता है।

नीचे दिए गए कूट में से **सही** उत्तर को चुनिएः

A. (A) एवं (R) दोनों सही हैं और (R), (A) की सही व्याख्या है।

B. (A) एवं (R) दोनों सही हैं, लेकिन (R), (A) की सही व्याख्या नहीं है।

C. (A) सही है और (R) गलत है।

D. (A) और (R) दोनों गलत हैं।

29. भारत की नदियों में निम्नलिखित में से किसको प्रदूषण का प्रमुख स्रोत माना जाता है?

A. अविनियमित लघु स्तरीय उद्योग

B. अशोधित वाहितमल

C. कृषि वाह

D. ताप विद्युत संयंत्र

30. **अभिकथन (A):** सतत् विकास मानव समाज के कल्याण के लिए महत्वपूर्ण है।

तर्क (R): पर्यावरणीय दृष्टि से सही नीति पर्यावरण को क्षति नहीं पहुँचाती है अथवा प्राकृतिक संसाधनों का क्षरण नहीं करती है।

सही कूट का चयन करेंः

A. (A) और (R) दोनों सही है और (R), (A) का सही स्पष्टीकरण है।

B. (A) और (R) दोनों सही है, लेकिन (R), (A) का सही स्पष्टीकरण नहीं है।

C. (A) सही तथा (R) गलत है।

D. (A) गलत तथा (R) सही है।

31. शहरी क्षेत्रों में नाइट्रोजन ऑक्साइड्स (NO_X) .... के कारण प्रदूषण का प्रमुख स्रोत है।

A. सड़क परिवहन

B. वाणिज्यिक क्षेत्र

C. उद्योगों में प्रयुक्त ऊर्जा

D. पावर प्लांट

32. निम्नलिखित में से जल जनित-रोग **नहीं** है?

A. टाइफॉइड B. हेपेटाइटिस

C. हैजा D. डेंगू

33. भारत सरकार का लघु जल-विद्युत परियोजनाओं से वर्ष 2022 तक पावर उत्पादन का लक्ष्य है

A. 1 गीगावाट B. 5 गीगावाट
C. 10 गीगावाट D. 15 गीगावाट

34. किस देश में हाल ही में हाइड्रो फ्लोरो कार्बन्स (HFCs) को चरणबद्ध तरीके से समाप्त करने संबंधी अंतर्राष्ट्रीय करार पर हस्ताक्षर किए गए?

A. रवांडा B. मोरक्को
C. दक्षिण अफ्रीका D. अल्जीरिया

35. निम्नलिखित प्राकृतिक आपदाओं में से कौन-सी हाइड्रो-मौसमी **नहीं** है?

A. हिम स्खलन
B. समुद्री कटाव
C. उष्णकटिबन्धीय चक्रवात
D. सुनामी

36. भारत की बड़ी-बड़ी नदियों में जल प्रदूषण का निम्नलिखित में से सबसे बड़ा स्रोत क्या है?

A. असंसाधित मलजल
B. कृषि संबंधी जल-प्रवाह
C. अविनियमित लघु उद्योग
D. धार्मिक रीति-रिवाज

37. ग्रामीण घरों में, नाइट्रोजन ऑक्साइड प्रदूषण का/के स्रोत हो सकता है/सकते हैं:

(*a*) धूम्र निकास की सुविधारहित गैस चूल्हा
(*b*) लकड़ी चूल्हा
(*c*) मिट्टी तेल वाले हीटर

सही कूट का चयन कीजिए:

A. केवल (*a*) और (*b*)
B. केवल (*b*) और (*c*)
C. केवल (*b*)
D. (*a*), (*b*) और (*c*)

38. निम्नलिखित में से किस प्रदूषक के कारण मानव को कैंसर हो सकता है?

A. कीटनाशक B. पारा
C. सीसा D. ओजोन

39. अभिकथन (A): जनसंख्या नियंत्रण के उपायों से अनिवार्य रूप से पर्यावरणीय ह्रास को रोकने में मदद नहीं मिलती है।

तर्क (R): जनसंख्या वृद्धि और पर्यावरणीय ह्रास के बीच का सम्बन्ध जटिल है।

निम्नलिखित से **सही** उत्तर का चयन कीजिए:

A. (A) और (R) दोनों सत्य हैं और (R), (A) का सही स्पष्टीकरण है
B. (A) और (R) दोनों सत्य हैं, परन्तु (R), (A) का सही स्पष्टीकरण नहीं है।
C. (A) सत्य है, परन्तु (R) असत्य है
D. (A) असत्य है, परन्तु (R) सत्य है

40. कुल वैश्विक कार्बन डाइऑक्साइड उत्सर्जनों में भारत का योगदान लगभग कितना है?

A. ~3% B. ~6%
C. ~10% D. ~15%

41. दो भूकंप A और B रिक्टर स्केल पर क्रमशः 5 और 6 परिमाण के आए। उत्सर्जित ऊर्जाओं का अनुपात लगभग (E_B/E_A) कितना होगा?

A. ~8 B. ~16
C. ~32 D. ~64

42. निम्नलिखित में से कौन-सा संयोजन नवीकरणीय प्राकृतिक संसाधन प्रकट करता है?

A. उर्वर मृदा, ताजा जल और प्राकृतिक गैस
B. स्वच्छ वायु, फॉस्फेट्स और जैव विविधता
C. मछलियाँ, उर्वर मृदा और ताजा जल
D. तेल, वन और ज्वार

43. भारत में हाल ही में प्रारम्भ किये गये वायु गुणवत्ता सूचकांक में, निम्नलिखित में से कौन-सा प्रदूषक सम्मिलित **नहीं** किया गया है?

A. कार्बन मोनोक्साइड
B. सूक्ष्म विविक्त (पार्टिक्युलेट) पदार्थ
C. ओजोन
D. क्लोरोफ्लूरोकार्बन्स

44. किसी देश से कुल CO_2 के उत्सर्जन के संदर्भ में सही क्रम को पहचानिए:

A. यू.एस.ए. > चीन > भारत > रूस
B. चीन > यू.एस.ए. > भारत > रूस
C. चीन > यू.एस.ए. > रूस > भारत
D. यू.एस.ए. > चीन > रूस > भारत

45. सूची-I को सूची-II से सुमेलित करें और सही कूट की पहचान करिए:

सूची-I	सूची-II
(*a*) विश्व स्वास्थ्य दिवस	(*i*) 16 सितम्बर
(*b*) विश्व जनसंख्या दिवस	(*ii*) 1 दिसम्बर
(*c*) विश्व ओजोन दिवस	(*iii*) 11 जुलाई
(*d*) विश्व एड्स दिवस	(*iv*) 7 अप्रैल

कूटः

	(a)	(b)	(c)	(d)
A.	(i)	(ii)	(iii)	(iv)
B.	(iv)	(iii)	(i)	(ii)
C.	(ii)	(iii)	(iv)	(i)
D.	(iii)	(iv)	(ii)	(i)

46. चक्रवात 'हुदहुद' किस राज्य के तट से टकराया?

A. आंध्र प्रदेश B. कर्नाटक
C. केरल D. गुजरात

47. निम्नलिखित में से कौन-सा नवीकरणीय प्राकृतिक स्रोत नहीं है?

A. स्वच्छ वायु B. ताजा पानी
C. उर्वर मिट्टी D. नमक

48. निम्नलिखित नगरों में से कौन-सा नगर हाल ही के समय में नगरीय कोहरे से सर्वाधिक प्रभावित है?

A. पेरिस B. लंदन
C. लॉस एंजिल्स D. बीजिंग

49. ताजा जलाशयों में जैविक प्रदूषण का प्राथमिक स्रोत है :

A. नगरीय क्षेत्रों से प्रवाह
B. कृषि फार्मों से प्रवाह
C. मलजल का बहिःस्राव
D. औद्योगिक जल का बहिःस्राव

50. 'लहर' एक प्राकृतिक आपदा है जिसमें

A. भारी मात्रा में सामग्री का उद्भेदन होता है।
B. जबरदस्त हवाएँ चलती हैं।
C. जल की बलवती लहरें उठती हैं।
D. जबरदस्त हवाएँ और बलवती लहरें उठती हैं।

51. भारत की जनसंख्या लगभग 1.2 बिलियन है। मान लीजिए कि भारत में बिजली की औसत खपत प्रति व्यक्ति प्रति वर्ष 30 मेगा जूल है। यदि इस खपत को कार्बन आधारित ईंधनों से पूरा किया जाए और कार्बन उत्सर्जन की दर 15×10^6 किलोग्राम प्रति किलो जूल हो, तो भारत से प्रति वर्ष कुल कार्बन-उत्सर्जन कितना होगा?

A. 54 मिलियन मीट्रिक टन
B. 540 मिलियन मीट्रिक टन
C. 5400 मिलियन मीट्रिक टन
D. 2400 मिलियन मीट्रिक टन

52. राष्ट्रीय आपदा प्रबन्धन प्राधिकरण केंद्र के किस मन्त्रालय के अधीन कार्य करता है?

A. पर्यावरण B. जल संसाधन
C. गृह मामले D. रक्षा

53. सूची-I को सूची-II से सुमेलित कीजिए और प्रदत्त कूट से सही उत्तर का चयन कीजिएः

सूची-I	सूची-II
(a) बाढ़	1. पर्याप्त अवधि में वर्षा का न होना
(b) सूखा	2. धरती की चट्टानों में उठती लहरों के मार्ग में हलचल पैदा करना
(c) भूचाल	3. एक छिद्र जिससे पिघले हुए पदार्थ निकलते हैं।
(d) ज्वालामुखी	4. अति वर्षा एवं जल का असमान वितरण।

कूट :

	(a)	(b)	(c)	(d)
A.	4	1	2	3
B.	2	3	4	1
C.	3	4	2	1
D.	4	3	1	2

54. निम्नलिखित ग्रीन हाऊस गैसों में कौन-सी वायुमण्डल में लघुत्तम समय तक ठहर पाती है?

A. क्लोरोफ्लोरोकार्बन B. कार्बन डाइऑक्साइड
C. मीथेन D. नाइट्रस ऑक्साइड

55. जलवायु परिवर्तन के भयावह परिणामों से बचने के लिए विश्व के सभी देशों में यह सहमति है कि औद्योगिक समय की औसत तापमान की वृद्धि की तुलना में धरती के सतही तापमान को किस सीमा से आगे न बढ़ने दिया जाए?

A. 1.5 °C से 2 °C
B. 2.0 °C से 3.5 °C
C. 0.5 °C से 1.0 °C
D. 0.25 °C से 0.5 °C

56. निम्नलिखित कथनों पर विचार कीजिए और सही उत्तर का चयन प्रदत्त कूट से करें:

(i) देश में सर्वाधिक सौर विकिरण राजस्थान में है।
(ii) वायु ऊर्जा में भारत देश विश्व का पाँचवां सबसे बड़ा देश है।
(iii) वायु ऊर्जा की सर्वाधिक मात्रा तमिलनाडु से प्राप्त होती है।
(iv) भारत में यूरेनियम की प्राप्ति का प्रमुख स्रोत जादुगुड़ा है।

कूटः

A. (i) और (ii) B. (i), (ii) और (iii)
C. (ii) और (iii) D. (i) और (iv)

57. भारत के शहरों में धूम में मुख्यतः शामिल होते हैं:

A. सल्फर के ऑक्साइड्स
B. नाइट्रोजन के ऑक्साइड्स और अनजले हाइड्रोकार्बन
C. कार्बन मोनोक्साइड और एस.पी.एम.
D. सल्फर के ऑक्साइड और ओजोन

58. निम्नलिखित में से किस प्रकार के प्राकृतिक खतरों से मनुष्य को नुकसान पहुँचने की सबसे अधिक संभावना होती है?

A. भूकम्प B. जंगल में आग
C. ज्वालामुखी उद्भेदन D. अकाल और बाढ़

59. भारत में विद्युत उत्पादन में नवीकरणीय ऊर्जा स्रोतों का प्रतिशत भाग है:

A. 2-3% B. 22-25%
C. 10-12% D. <1%

60. भारत की ऊर्जा आवश्यकता में जीवाश्मी ईंधन (फॉसिल फ्यूल) के बाद योगदान करने वाला दूसरा सबसे महत्त्वपूर्ण स्रोत है :

A. सौर ऊर्जा B. जल ऊर्जा (हाइड्रो पावर)
C. नाभिक ऊर्जा D. पवन ऊर्जा

61. भूकम्पों के सन्दर्भ में रिक्टर स्केल पर परिणाम 1 की वृद्धि का अर्थ है :

A. भूकम्पी तरंगों के आयाम में दस-गुना वृद्धि
B. भूकम्पी तरंगों की ऊर्जा में दस-गुना वृद्धि
C. भूकम्पी तरंगों के आयाम में दो-गुना वृद्धि
D. भूकम्पी तरंगों की ऊर्जा में दो-गुना वृद्धि

62. नेत्रों में जलन किस प्रदूषक वस्तु के कारण होती है?

A. सल्फर डाई-ऑक्साइड B. ओजोन
C. PAN (पैन) D. नाइट्रस ऑक्साइड

63. क्लोरोफ्लोरोकार्बन्स का स्रोत कौन-सा है?

A. तापीय शक्ति संयंत्र
B. स्वचालित वाहन
C. प्रशीतन एवं वातानुकूलन
D. उर्वरक

64. निम्नलिखित में से कौन-सा नवीकरणीय प्राकृतिक संसाधन नहीं है?

A. स्वच्छ वायु B. उपजाऊ मृदा
C. ताजा जल D. लवण

65. निम्नांकित में से कौन-सा प्राचल जल में प्रदूषण संकेतक के रूप में उपयोग नहीं किया जाता है?

A. कुल विघटित ठोस पदार्थ
B. कॉलिफार्म काऊंट
C. विघटित ऑक्सीजन
D. घनत्व

66. S एवं P तरंगें किसके साथ सम्बन्धित हैं?

A. बाढ़ B. वायु ऊर्जा
C. भूकम्प D. ज्वारीय ऊर्जा

67. सूची-I और सूची-II को सुमेलित कीजिये और नीचे दिये कूटों से सही उत्तर का चयन कीजिये :

सूची-I	सूची-II
(*i*) ओजोन छिद्र	(*a*) सुनामी
(*ii*) हरितगृह प्रभाव	(*b*) UV विकिरणें
(*iii*) प्राकृतिक आपदाएँ	(*c*) मिथेन (गैस)
(*iv*) धारणीय विकास	(*d*) पारिस्थितिकीय-केंद्रवाद

कूट :

	(*i*)	(*ii*)	(*iii*)	(*iv*)
A.	(*b*)	(*c*)	(*a*)	(*d*)
B.	(*c*)	(*b*)	(*a*)	(*d*)
C.	(*d*)	(*c*)	(*a*)	(*b*)
D.	(*d*)	(*b*)	(*c*)	(*a*)

68. तापीय ऊर्जा तथा परिवहन क्षेत्र दोनों से इकट्ठा कुल CO_2 उत्सर्जन कितना है?

A. 3.25 mmt B. 1.5 mmt
C. 2.5 mmt D. 4 mmt

69. निम्नलिखित में से कौन सा प्रदूषक मानव के श्वसन मार्ग को प्रभावित करता है?

A. कार्बन मोनो-ऑक्साइड
B. नाइट्रिक ऑक्साइड
C. सल्फर डाइऑक्साइड
D. एरोसोल्स

70. निम्नलिखित में से कौन सी प्रदूषित करने वाली वस्तु परिवहन क्षेत्र से नहीं उत्सर्जित की जाती?

A. ऑक्साइड्स ऑफ नाइट्रोजन
B. क्लोरोफ्लोरोकार्बन्स
C. कार्बन मोनो-ऑक्साइड
D. पॉलि एरोमैटिक हाइड्रोकार्बन्स

71. ऊर्जा के निम्नलिखित स्रोतों में से कौन सा भारत में अधिकतम सम्भाव्य (शक्य) रखता है?

A. सौर ऊर्जा B. वात (वायु) ऊर्जा
C. समुद्री तापीय ऊर्जा D. ज्वारीय ऊर्जा

72. मृदा में प्रदूषण का स्रोत निम्नलिखित में से कौन सा नहीं है?

A. परिवहन क्षेत्र B. कृषि क्षेत्र
C. तापीय ऊर्जा संयंत्र D. हाइड्रो पावर प्लांट्स

73. निम्नलिखित में से कौन सी प्राकृतिक आपदा नहीं है?

A. भूकम्प B. सुनामी
C. आकस्मिक-बाढ़ D. नाभिकीय दुर्घटना

74. भारत के शक्ति खण्ड में भाग की दृष्टि से ऊर्जा के स्रोतों का सही क्रम है :

A. तापीय > न्यूक्लीय > जलीय > वायु
B. तापीय > जलीय > न्यूक्लीय> वायु
C. जलीय > न्यूक्लीय > तापीय > वायु
D. न्यूक्लीय > जलीय > वायु > तापीय

75. पेयजल में उचित से अधिक मात्रा में होने पर क्रोमियम एक संदूषक के रूप में कारक होता है

A. कंकाल-क्षति का
B. गैस्ट्रोइन्टेस्टाइन संबंधी समस्या का
C. चर्म/स्नायु संबंधी समस्या का
D. यकृत/गुर्दा संबंधी समस्या का

76. शीतकालीन धूम-कोहरा (Smog) के प्रमुख पुरोगामी होते हैं

A. NO_2 एवं हाइड्रोकार्बन B. NO_x एवं हाइड्रोकार्बन
C. SO_2 एवं हाइड्रोकार्बन D. SO_2 एवं ओजोन

77. तात्क्षणिक बाढ़ (Flash Flood) घटित होती है जब वायुमण्डल :

A. संवहनिक दृष्टि (कन्वेक्टिवली) से अस्थिर होता है तथा उसमें यथेष्ट वायु प्रतिबल (शियर) होता है।
B. स्थिर होता है।
C. संवहनिक दृष्टि (कन्वेक्टिवली) अस्थिर होता है एवं वायु प्रतिबल नहीं होता है।
D. वायु अपचयी (कैटेबोलिक) होती हैं।

78. भारत के महानगरों में वायु का प्रमुख स्रोत है :

A. परिवहन खण्ड (सेक्टर) B. तापीय शक्ति
C. म्यूनिसिपल अपशिष्ट D. वाणिज्यिक खण्ड (सेक्टर)

79. पेयजल में कुल द्रवीभूत ठोस पदार्थ का सांद्रण निम्नलिखित से अधिक नहीं होना चाहिए :

A. 500 mg/L से B. 400 mg/L से
C. 300 mg/L से D. 200 mg/L से

80. 'चिपको' आन्दोलन सर्वप्रथम आरंभ किया गया था :

A. अरुंधती राय द्वारा B. मेधा पाटकर द्वारा
C. इला भट्ट द्वारा D. सुन्दरलाल बहुगुणा द्वारा

81. आँख में जलन के लिये उत्तरदायी प्रकाश रसायन (फोटोकेमिकल) युक्त धूम-कोहरे के घटक हैं

A. SO_2 एवं O_3 B. SO_2 एवं NO_2
C. HCHO एवं PAN D. SO_2 एवं SPM

82. **कथन (A) :** कुछ कार्बनिक एयरोसॉल कैन्सरजन (कार्सिनजेन) हो सकते हैं।

कारण (R) : उनमें बहुचक्रीय एरोमेटिक हाइड्रोकार्बन हो सकते हैं।

A. (A) तथा (R) दोनों सही हैं एवं (R), (A) की सही व्याख्या है।
B. (A) तथा (R) दोनों सही हैं, परंतु (R), (A) की सही व्याख्या नहीं है।
C. (A) सही है, परंतु (R) गलत है।
D. (A) गलत है, परंतु (R) सही है।

83. कौन-सा प्राकृतिक प्रकोप सम्पत्ति और जीवन को अधिकतम नुकसान पहुँचाता है?

A. जल प्रकोप B. जल-मौसमी प्रकोप
C. भू-वैज्ञानिक प्रकोप D. भू-रासायनिक प्रकोप

84. डायोक्सिन किससे उत्सर्जित होता है?

A. बंजर धरती B. बिजली-यन्त्र
C. चीनी के कारखाने D. प्लास्टिक दहन

85. "प्रत्येक बालक के लिए एक पेड़" का नारा किस आशय से गढ़ा गया?

A. सामाजिक वन कार्यक्रम
B. स्वच्छ वायु कार्यक्रम
C. भूमि संरक्षण कार्यक्रम
D. पर्यावरण सुरक्षा कार्यक्रम

86. निम्नलिखित में से बायो-गैस का प्रमुख तत्त्व कौन-सा है?

A. मीथेन और कार्बन डाइऑक्साइड
B. मीथेन और नाइट्रिक ऑक्साइड
C. मीथेन, हाइड्रोजन और नाइट्रिक ऑक्साइड
D. मीथेन और सल्फर डाइऑक्साइड

87. महान भारतीय सोहन चिड़िया (ग्रेट इंडियन बस्टर्ड चिड़िया) कहाँ पायी जाती है?

A. राजस्थान का थार रेगिस्तान
B. भारत के तटीय क्षेत्र
C. मालाबार तट
D. डेल्टा क्षेत्र

88. किस पर्वतीय शिखर के पारिस्थितिकी तंत्र के संरक्षण के लिये सागरमंथन राष्ट्रीय उद्यान की स्थापना हुई है?

A. कंचनजंगा B. ऐवरेस्ट पर्वत
C. अन्नपूर्णा D. धौलावीरा

89. सबसे अधिक कज्जल (कालिख) किससे निकलता है?

A. पेट्रोल वाहन B. सी एन जी वाहन
C. डीजल वाहन D. तापीय शक्ति संयन्त्र

90. सतही ओजोन किससे उत्पन्न होती है?

A. परिवहन क्षेत्र B. सीमेंट संयन्त्र
C. वस्त्र उद्योग D. रासायनिक उद्योग

91. निम्नलिखित गैर पारम्परिक ऊर्जा स्रोतों में से किसका अति मितव्यायिता के साथ दोहन किया जा सकता है?

A. सौर
B. पवन
C. भू-तापीय
D. समुद्री तापीय ऊर्जा संपरिवर्तन

92. भारत में सबसे अधिक होने वाली प्राकृतिक आपदा कौन-सी है?

A. भूकम्प B. बाढ़
C. भूस्खलन D. ज्वालामुखी

93. चट्टानों का रासायनिक अपक्षयण (weathering) निर्भर करता है:

A. उच्च तापमान पर
B. तेज हवाओं के प्रभाव पर
C. भारी वर्षा पर
D. हिमाच्छादन पर

94. पृथ्वी प्रणाली की संरचना निम्नलिखित से बनती है:

सूची-I को **सूची-II** से मिलाते हुए सही उत्तर दीजिए:

सूची-I (जोन)	**सूची-II (रसायनिक लक्षण)**
(*a*) वातावरण	(*i*) निष्क्रिय गैसें
(*b*) जैव वातावरण	(*ii*) लवण, ताजा पानी, बर्फ और आइस
(*c*) आर्द्रता वातावरण (हाइड्रोस्फेयर)	(*iii*) सावयव पदार्थ, स्केलाटेन पदार्थ
(*d*) लिथोस्फेयर	(*iv*) लाइट सिलिकेट्स

कोड:

	(*a*)	(*b*)	(*c*)	(*d*)
A.	(*ii*)	(*iii*)	(*i*)	(*iv*)
B.	(*i*)	(*iii*)	(*ii*)	(*iv*)
C.	(*ii*)	(*i*)	(*iii*)	(*iv*)
D.	(*iii*)	(*i*)	(*ii*)	(*iv*)

95. नीचे लिखे प्राकृतिक खतरों में मनुष्यों के सर्वाधिक क्षति के लिए उत्तरदायी है :

A. भूकंप
B. ज्वालामुखी का फूटना
C. बर्फीले तूफान
D. सुनामी

96. नीचे लिखे में से प्राकृतिक आपदा से बचने के लिए कौन सबसे उपयुक्त है?

A. अंतर्राष्ट्रीय सहायता B. समय पर चेतावनी
C. पुनर्वास D. सामुदायिक सहभागिता

97. महानगरों में झुग्गी-झोपड़ियाँ किसका परिणाम है?

A. गाँवों से शहरों की ओर पलायन
B. शहरों के कुछ क्षेत्रों में गरीबी
C. शहरों में अभिरचना का अभाव
D. शहरी-अभिशासन

98. "ग्रेट इंडियन बस्टर्ड" पक्षी पाया जाता है:

A. भारत के थार मरुस्थल में
B. भारत के समुद्र तटीय क्षेत्रों में
C. हिमालय के समशीतोष्ण क्षेत्रों में
D. हिमालय की तराई क्षेत्रों में

99. ज्वालामुखी उद्गार के सर्वाधिक महत्वपूर्ण प्रभाव की अनुभूति हुई है:

A. मौसम परिवर्तन के रूप में
B. द्वीपों के धँसने से
C. वनस्पति का क्षय होने से
D. पशुओं का विलोप होने से

100. महासागरीय जल में CO_2 के सामान्य वांछित स्तर से अधिक अवशोषण तथा विघटन होने के साथ:

A. तापमान में कमी होगी
B. खारेपन में बढ़ोतरी होगी
C. पादप प्लैंकटन में वृद्धि होगी
D. सामुद्रिक स्तर में उत्थान होगा

101. कालम-II को कालम-I से सुमेलित करने के लिए समुचित अनुक्रम में व्यवस्थित कीजिए तथा नीचे दिए गए कूट से सही उत्तर चुनिए:

कालम-I जल की गुणवत्ता	**कालम-II pH मूल्य**
(*a*) न्यूट्रल	(*i*) 5
(*b*) मामूली आम्ल	(*ii*) 7
(*c*) क्षार	(*iii*) 4
(*d*) हानिकारक	(*iv*) 8

कूट:

	(*a*)	(*b*)	(*c*)	(*d*)
A.	(*ii*)	(*iii*)	(*i*)	(*iv*)
B.	(*i*)	(*iii*)	(*ii*)	(*iv*)
C.	(*ii*)	(*i*)	(*iv*)	(*iii*)
D.	(*iv*)	(*ii*)	(*iii*)	(*i*)

102. भारत में ईंधन स्रोतों से प्रदूषकों का सर्वाधिक उत्सर्जन होता हैः
A. कोयले द्वारा
B. जलावन द्वारा
C. कचड़ा जलाने से
D. वनस्पति अपशिष्ट उत्पाद द्वारा

103. नगरीकरण प्रक्रिया के कारण रात्रि में नगरों में वायुः
A. ग्रामीण क्षेत्रों की अपेक्षा तीव्रतर रहती है।
B. ग्रामीण क्षेत्रों की अपेक्षा धीमी रहती है।
C. ग्रामीण क्षेत्रों जैसी ही रहती है।
D. ग्रामीण क्षेत्रों की अपेक्षा ठंडी रहती है।

104. भू-मण्डलीय तापन (Global Warming) शीतकाल में और अधिक हो जाती हैः
A. विषुवत रेखा पर
B. ध्रुवों पर
C. कर्क रेखा पर
D. मकर रेखा पर

105. मानव-पर्यावरण अन्तर्प्रक्रिया के अध्ययन में मिस सेम्पुल का कथन कि "मानव पूर्णतः अपने पर्यावरण का उत्पाद है" एकः
A. मत है
B. पूर्वाग्रह है
C. तथ्य है
D. बहु स्वीकृत संवृत्ति है

उत्तरमाला

1	2	3	4	5	6	7	8	9	10
A	C	D	C	A	B	A	C	C	A
11	**12**	**13**	**14**	**15**	**16**	**17**	**18**	**19**	**20**
C	B	C	B	C	B	C	A	D	D
21	**22**	**23**	**24**	**25**	**26**	**27**	**28**	**29**	**30**
C	D	C	A	D	D	D	A	B	B
31	**32**	**33**	**34**	**35**	**36**	**37**	**38**	**39**	**40**
A	D	B	A	D	A	D	A	A	B
41	**42**	**43**	**44**	**45**	**46**	**47**	**48**	**49**	**50**
C	C	D	B	B	A	D	D	C	A
51	**52**	**53**	**54**	**55**	**56**	**57**	**58**	**59**	**60**
B	C	A	C	A	D	C	A	C	B
61	**62**	**63**	**64**	**65**	**66**	**67**	**68**	**69**	**70**
A	C	C	D	D	C	A	A	A	B
71	**72**	**73**	**74**	**75**	**76**	**77**	**78**	**79**	**80**
B	D	D	B	D	D	A	A	A	D
81	**82**	**83**	**84**	**85**	**86**	**87**	**88**	**89**	**90**
B	A	C	D	D	A	A	B	D	A
91	**92**	**93**	**94**	**95**	**96**	**97**	**98**	**99**	**100**
A	B	C	B	A	B	A	A	A	C
101	**102**	**103**	**104**	**105**					
C	C	B	B	A					

——❖–❖–❖——

UNIT–10

उच्च शिक्षा प्रणाली

(Higher Education System)

भारत में औपचारिक शिक्षा तीन अलग-अलग चरणों या स्तरों पर दी जाती है, ये हैं: प्राथमिक, माध्यमिक और तृतीयक। प्राथमिक और माध्यमिक शिक्षा, विद्यालय में दी जाने वाली शिक्षा से संबंधित है और विद्यालयी शिक्षा के दायरे में आती है। तृतीयक स्तर की शिक्षा विद्यालयी शिक्षा का अनुसरण करती है, और इसे उच्च शिक्षा के रूप में जाना जाता है। उच्च शिक्षा (Higher Education) एक विश्वविद्यालय या महाविद्यालय में सीखने का एक रूप है जो विद्यालयी शिक्षा के वरिष्ठ माध्यमिक स्तर से परे अध्ययन कार्यक्रम शामिल करता है। उच्च शिक्षा या तृतीयक शिक्षा विश्वविद्यालयों - (दोनों सार्वजनिक और निजी) महाविद्यालय और व्यावसायिक व तकनीकी प्रशिक्षण संस्थान में शिक्षा से संदर्भित है।

सरकारी एजेंसियों द्वारा उच्च शिक्षा के संस्थानों के रूप में अनुमोदित विश्वविद्यालयों, महाविद्यालय और अन्य शैक्षणिक संस्थानों को अध्ययन के विभिन्न क्षेत्रों में डिग्री, डिप्लोमा और प्रमाणपत्र कार्यक्रम प्रदान किए जा सकते हैं।

स्नातक की उपाधि को पूरा करने के लिए दिया गया समय तीन से चार साल और स्नातकोत्तर स्तर पर दो साल (उदाहरण : एम.एससी, एम.ए., एम.कॉम) हो सकता है। डॉक्टरेट उच्च शिक्षा स्तर पर दी जाने वाली उच्चतम शैक्षणिक डिग्री है। इसके आगे या आजीवन शिक्षा के लिए डिप्लोमा और प्रमाण पत्र की अवधि, छह महीने से दो साल तक हो सकती है। उच्च शिक्षा में मुख्य गतिविधियों में शिक्षण (प्रसारण, प्रसार और ज्ञान का आदान-प्रदान), अनुसंधान (बौद्धिक जांच के सभी संभावित क्षेत्रों में ज्ञान का निर्माण) और ज्ञान का विस्तार (समुदाय या समाज के लिए योगदान) सम्मिलित है।

उच्च शिक्षा के लक्ष्य

उच्च शिक्षा संस्थान ज्ञान, कौशल, और योग्यता विकसित करने में महत्वपूर्ण भूमिका निभाते हैं जो उन्हें समाज के सक्रिय सदस्य बनने में सक्षम बना सकते हैं। यह अंधविश्वास और पूर्वाग्रहों से हमारे मन को मुक्त करने के लिए तर्क और वितर्क के साथ सोचने के उपकरण देता है। उच्च शिक्षा, व्यक्ति की बौद्धिक क्षमताओं और योग्यता को विकसित करती है जिससे वह जीवन में अपने लक्ष्यों, सपनों और आकांक्षाओं को पूरा कर सके। यह व्यक्ति को उसके सामाजिक-सांस्कृतिक परिवेश में मौजूद अवसरों का पता लगाने में सक्षम बनाता है और उसकी क्षमता में सबसे अच्छा योगदान देता है। यह व्यक्ति की गंभीर रूप से प्रतिबिंबित समीक्षा और उसके समुदाय में प्रचलित सामाजिक-सांस्कृतिक प्रथाओं को बदलने की क्षमता का पोषण करता है। इसके अतिरिक्त, यह शांति, बंधुत्व, अहिंसा के सार्वभौमिक मानवीय मूल्यों को विकसित करता है और एक व्यक्ति के संबंध को उसकी संस्कृति, समाज, अर्थव्यवस्था और वातावरण के साथ देखने के लिए एक महत्वपूर्ण दृष्टिकोण विकसित करने में सहायता करता है। व्यक्तियों को शिक्षित करके और उन्हें प्रासंगिक कौशल और दक्षताओं के साथ प्रशिक्षित करके, उच्च शिक्षा श्रम बाजार के लिए मानव पूंजी प्रदान करती है। वर्तमान में, ज्ञान क्षेत्र में विशेषज्ञता के बिना कोई नौकरी करने या किसी वृत्ति या व्यवसाय में प्रवेश की उम्मीद नहीं कर सकता है। सभी आर्थिक प्राप्ति ज्ञान संचालित व ज्ञान निर्भर है। उच्च शिक्षा व्यक्तियों को ज्ञान और कौशल के साथ तैयार करती है जिससे वे एक अर्थव्यवस्था में प्रवेश कर सकें, जैसे–एक व्यावसायिक के रूप में। उच्च शिक्षा भी शिक्षा के सभी चरणों में औपचारिक शिक्षा का समर्थन करने के लिए आवश्यक संसाधनों का निर्माण करती है, उदाहरण–शिक्षक शिक्षा (बी.एड, एम.एड), जो विद्यालयी शिक्षा से संबंधित है।

उच्च शिक्षा का लाभ केवल व्यक्ति तक सीमित नहीं है, अपितु वे समाज के लिए भी लाभ उपार्जित करते हैं। एक शिक्षित आबादी, नागरिक गतिविधियों में भाग लेती है क्योंकि नागरिक, अच्छे स्वास्थ्य की आवश्यकता और लाभों से अवगत होते हैं, पर्यावरण के प्रति जागरूक होते हैं और एक मजबूत राष्ट्र के निर्माण में योगदान देते हैं।

उच्च शिक्षा और आर्थिक विकास और गरीबी में कमी के बीच एक सकारात्मक संबंध है। शिक्षित लोगों के पास बेहतर रोजगार के अवसर हैं, वे उच्च वेतन अर्जित करते हैं और अपने जीवन पर नियंत्रण रखने के लिए बेहतर स्थिति में होते हैं।

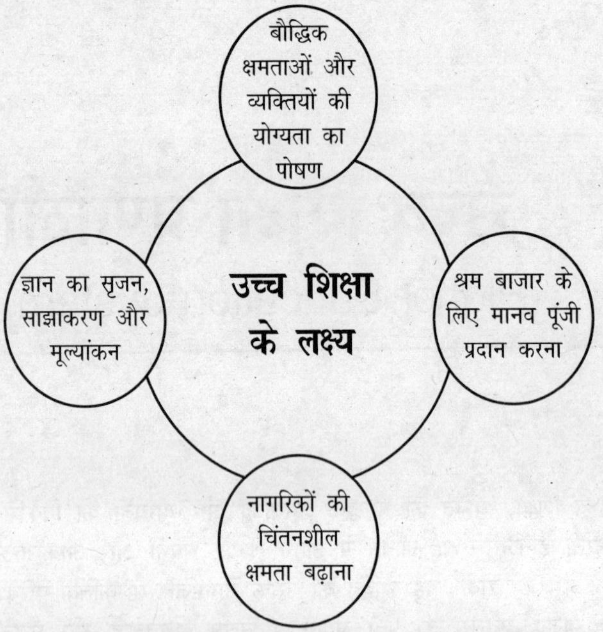

भारत में उच्च शिक्षा का ऐतिहासिक अवलोकन

भारत में उच्च शिक्षा की वर्तमान संरचना अपने संगठन और निष्पादन के मामले में औपनिवेशिक प्रणाली से प्रभावित है। परन्तु अंग्रेजों के भारत आने से पहले, भारत में वैदिक काल से ही उच्च शिक्षा की समृद्ध परंपरा थी। इस अवधि में, गुरुकुल उच्च शिक्षा के केंद्र थे। उच्च शिक्षा की प्रकृति गुरु और शिष्य के बीच के संबंधों पर आधारित थी। प्रत्येक शिष्य को एक गुरु, एक शिक्षक चुनना होता था। एक शिक्षक के मार्गदर्शन में, शिष्य शास्त्रों और स्मृतियों का अध्ययन करते थे जिसका उद्देश्य था–आत्मा की शुद्धि। कौशल-आधारित शिक्षा का भी प्रावधान था। कुशलकर्मियों के एक समुदाय को 'गिल्ड्स' के रूप में जाना जाता है, जहां कला और शिल्प के विशेषज्ञों ने अपने संबंधित डोमेन में शिक्षार्थियों को ज्ञान और कौशल प्रदान किए। बौद्ध काल में, मठ सीखने के केंद्र के रूप में उभरे। इन केंद्रों पर बौद्ध ग्रंथों का अध्ययन हुआ। मठों ने चीन, नेपाल, तिब्बत आदि से कई विदेशी छात्रों को आकर्षित किया। वेद, वेदांग, लोकायत, खगोल विज्ञान, संस्कृत और पाली साहित्य प्राचीन भारत में शिक्षण संस्थानों के पाठ्यक्रम का हिस्सा थे। नालंदा, विक्रमशिला और वल्लभी विश्वविद्यालय अपनी शैक्षणिक प्रतिष्ठा के लिए प्रसिद्ध थे। प्राचीन केंद्रों ने समस्याओं का सामना किया और मध्ययुगीन भारत में विदेशी आक्रमणों के कारण होने वाले सामाजिक और राजनीतिक विकार के तहत जीवित नहीं रह सके। भले ही इन संस्थानों ने अपनी पहचान खो दी, लेकिन वे पूरी तरह से गायब नहीं हुए। वे मदरसों के साथ सह-अस्तित्व में थे जो उच्च शिक्षा के नए केंद्रों के रूप में उभरे थे। वे ज्ञान और जानने की इस्लामी परंपरा से प्रभावित थे। मदरसों में शिक्षा का माध्यम अरबी और फारसी भाषा थी।

इस अवधि के बाद, अंग्रेजों द्वारा भारत में उच्च शिक्षा संस्थानों, अर्थात् विश्वविद्यालयों और महाविद्यालयों की स्थापना की गई। 1818 में, अंग्रेजों ने भारत में कोलकाता के पास सेरामपुर में औपचारिक शिक्षा के पश्चिमी मॉडल पर आधारित पहला महाविद्यालय स्थापित किया। इसके बाद, कई महाविद्यालय आगरा, बॉम्बे, मद्रास, नागपुर और पटना, जैसे–महत्वपूर्ण प्रशासनिक केंद्रों में स्थापित किए गए। 1857 में तीन विश्वविद्यालयों–कलकत्ता, बॉम्बे और मद्रास की स्थापना की गई थी। इन विश्वविद्यालयों का उद्देश्य ब्रिटिश दर्शन की प्रशासनिक व्यवस्था को चलाने और भारतीय दर्शन, साहित्य और कला के स्थान पर पश्चिमी कला, विज्ञान, दर्शन और साहित्य का ज्ञान प्रदान करने के लिए स्नातकों का उत्पादन करना था। लंदन विश्वविद्यालय के मॉडल को अपनाया गया था और इन विश्वविद्यालयों को महाविद्यालय के छात्रों को डिग्री प्रदान करने के लिए प्रशासनिक, संबद्ध और जांच निकायों के रूप में स्थापित किया गया था। 1857 में, इन विश्वविद्यालयों से संबद्ध 25 महाविद्यालय थे। महाविद्यालयों की संख्या हालांकि धीरे-धीरे बढ़ी। बीसवीं शताब्दी की शुरुआत में नए विश्वविद्यालयों को खोलने की मांग बढ़ी और कई नए विश्वविद्यालय खोले गए आजादी के समय, 1947 में भारत में 19 विश्वविद्यालय थे, वे सभी औपनिवेशिक भारत के प्रशासनिक और व्यापारिक केंद्रों में स्थित थे, जिससे इन शहरों के बाहर रहने वालों के लिए इन संस्थानों तक पहुँच मुश्किल हो गई थी। भारत में शिक्षा औपनिवेशिक काल के दौरान अभिजात्य थी, जिससे कि वो सीमित लोगों, तक पहुंच पाती थी। अधिकांश लोगों के लिए, महाविद्यालयों और विश्वविद्यालयों में शिक्षा प्राप्त करना मुश्किल था।

वैदिककालीन शिक्षा व्यवस्था

प्राचीन भारत में भारतीय समाज में विचार का केन्द्र-बिन्दु धार्मिक व्यवस्था के अनुरूप होती थी, जिसके परिणामस्वरूप शिक्षा भी इससे अछूती नहीं थी। धार्मिक व्यवस्था से शिक्षा की नीति निर्धारित होती थी। प्राचीन भारत में मुख्य रूप से तीन धर्म थे- (1) वैदिक धर्म या हिन्दू धर्म, (2) बौद्ध धर्म तथा (3) जैन धर्म। इन तीनों धर्मों में शिक्षा के ऊपर मुख्य रूप से वैदिक धर्म एवं बौद्ध धर्म का प्रभाव पड़ा।

भारतीय इतिहास में ईसा पूर्व से 600 वर्ष तक के काल को वैदिक काल के नाम से पुकारा जाता है। यह वेदों पर अधारित धार्मिक, सामाजिक एवं शैक्षिक व्यवस्था का काल था। प्राचीन भारतीय शिक्षा का आरम्भ वेदों से माना जाता है। वैदिक काल धर्म आधारित शिक्षा का काल था। प्रकृति से लगाव, प्रकृति की शक्तियों का एहसास और दैनिक धर्म कर्म से उनका सम्बन्ध विशेष लक्षण थे। वैदिक काल में धार्मिकता से ही राजनैतिक, आर्थिक व सामाजिक धारायें प्रवाहित हुई। सत्याचरण, प्रेम, अहिंसा आदि पर ही सामाजिक जीवन की नींव रखी गयी थी। वैदिककालीन युग में वेदों का ज्ञान प्रत्येक भारतीयों के जीवन में समाहित था। इन्हीं के अनुसार प्रत्येक भारतीय मानव का जीवन निर्देशित होता था। वेदों का ज्ञान आज भी भारतीय संस्कृतियों, प्रभावों एवं परम्पराओं में विद्यमान है। वेद को चार भागों में विभक्त किया जाता है:

(1) ऋग्वेद (2) सामवेद
(3) यजुर्वेद (4) अथर्ववेद

शिक्षा के उद्देश्य

वैदिक काल में शिक्षा के लिए विद्या, ज्ञान, प्रबोध तथा विनय आदि शब्दों का प्रयोग किया गया है। प्राचीन काल के ग्रन्थों में अशिक्षित मनुष्य को पशु के समान अर्थात, विद्या विहीन पशु कहा गया है। शिक्षा को प्रकाश का स्रोत माना गया है। वैदिक काल की शिक्षा के प्रमुख उद्देश्य निम्नांकित हैं:

- **व्यक्तित्व का सर्वांगीण विकास करना :** इस उद्देश्य की प्राप्ति हेतु छात्रों में आत्म संयम, आत्म सम्मान, आत्म विश्वास आदि सद्‌गुणों का विकास किया जाता था।
- **चरित्र निर्माण करना :** ब्रह्मचर्य, सदाचार, परोपकार, मानव कल्याण, सत्यव्रत, कर्तव्य पालन आदि संस्कारों को विकसित करके छात्रों में नैतिक चरित्र का निर्माण किया जाता था।
- **धार्मिकता एवं ईश्वर शक्ति :** वैदिक काल में उसी शिक्षा को सार्थक माना जाता था जो इस संसार से व्यक्ति को मुक्ति दिलाए। "सा विद्या या विमुक्तये"।
- **सामाजिक कुशलता में वृद्धि करना** भी वैदिककालीन शिक्षा का प्रमुख उद्देश्य था।
- **राष्ट्रीय संस्कृति का संरक्षण एवं प्रचार :** धर्म व संस्कृति का ज्ञान प्रदान करके सांस्कृतिक विरासत को एक पीढ़ी से दूसरी पीढ़ी में हस्तान्तरित किया जाता था।
- **जीविकोपार्जन के लिए शिक्षा :** प्राचीन गुरुकुलों में पशुपालन, कृषि, प्राकृतिक चिकित्सा, शिल्प व्यवसाय एवं युद्ध कला का प्रशिक्षण दिया जाता था।

पाठ्यचर्या व शिक्षण विधि

वैदिक काल में वेदों के अध्ययन को प्रमुखता दी जाती थी। इसी कारण पाठ्य विषयों की संख्या अधिक नहीं हो सकी थी। कालान्तर में व्याकरण, गणित, रेखागणित, ज्योतिष, अर्थशास्त्र, इतिहास, राजनीतिशास्त्र, कृषि, युद्ध शिक्षा, न्याय दर्शन, प्राकृतिक चिकित्सा आदि अनेक विषय पढ़ाये जाते थे। शिक्षा का माध्यम संस्कृत भाषा था। इस युग में अधिकांश शैक्षिक क्रियाएं मौलिक होती थीं और लेखन क्रिया को कम से कम अवसर दिया जाता था। यह क्रिया प्रायः संस्कृत ग्रन्थों के लिखने तक ही सीमित रखी जाती थी। इस काल में शंका समाधान, शुद्ध उच्चारण पर बल, प्रश्नोत्तर, वाद विवाद, कंठस्थ विधि आदि शिक्षण विधियों द्वारा शिक्षा दी जाती थी। व्याकरण, ज्योतिष, न्याय तथा आयुर्वेद में प्रयोगात्मक कार्य पर बल दिया जाता था।

शिक्षक एवं शिक्षार्थी

वैदिक काल में व्यवसाय का निर्धारण जन्म के आधार पर होने के कारण और न्यूनतम स्तर से आगे की शिक्षा केवल ब्राह्मणों द्वारा प्राप्त करने के कारण मूल रूप से ब्राह्मण वर्ग को ही शिक्षक बनने योग्य समझा जाता था। वैदिक काल में शिक्षक एवं शिक्षार्थी के बीच एक मधुर एवं आत्मीय संबंध होते थे। शिक्षक का स्थान अत्यन्त महत्वपूर्ण और वैदिक सामाजिक व्यवस्था में सर्वोपरि था। वैदिक काल में गुरुकुल किसी सुन्दर प्राकृतिक स्थान पर नदियों के तट पर स्थापित होते थे। गुरु परिवार में शिष्य पारिवारिक सदस्य की भांति रहते थे। वे गुरु की सेवा करना, भिक्षाटन, पशुचारण आदि कार्य करते थे।

वैदिक शिक्षा का प्रारम्भ उपनयन संस्कार के बाद आरम्भ होती थी। विभिन्न वर्णों के बालकों के लिए उपनयन संस्कार की आयु भिन्न भिन्न होती थी। मनु के अनुसार–ब्राह्मण, क्षत्रिय और वैश्य छात्रों का उपनयन संस्कार क्रमशः 8, 11 और 12 वर्ष की आयु तक हो जाना चाहिये। उपनयन संस्कार की अधिकतम आयु ब्राह्मण, क्षत्रिय और वैश्य वर्णों के लिए क्रमशः 16, 20 तथा 24 वर्ष थी। वैदिक काल में शूद्रों को शिक्षा प्राप्त करने का अधिकार नहीं था। शिक्षा समाप्त होने के बाद समावर्तन संस्कार होता था। यह संस्कार 25 वर्ष की आयु में होता था।

संगठनात्मक स्वरूप व वित्त

वैदिक काल में प्रारम्भिक शिक्षा परिवार में ही प्रारम्भ हो जाती थी। उपनयन संस्कार के बाद आश्रम या गुरुकुल में औपचारिक रूप से शिक्षा प्रदान की जाती थी। वैदिक काल में विद्यालय स्थानीय सहायता से चलते थे। शिक्षा की सुलभता केवल सीमित व्यक्तियों तक होने के कारण अधिकतर शैक्षिक व्यय को अभिभावक स्वयं वहन करते थे। गुरुकुल आश्रमों को अनुदान देना धार्मिक दृष्टि से एक नैतिक कार्य माना जाता था। इस कारण सामान्य जनता, धनी व समृद्ध व्यक्ति, राजा तथा व्यापारी आदि आश्रमों को धन, भूमि, पशु, अश्व आदि दान में देते थे। उच्च श्रेणी के आश्रमों या शिक्षकों को स्थानीय राजाओं द्वारा संरक्षण एवं अनुदान मिलता था। इन सभी से प्राप्त आय द्वारा आश्रम चलते थे। वैदिक काल में शैक्षिक व्यय की मर्द अत्यन्त सीमित थी। अधिकांश व्यय गुरु, गुरु परिवार, शिष्यों के भोजन, वस्त्र एवं आवास पर ही होता था।

बौद्धकालीन शिक्षा व्यवस्था

छः सौ ईसा पूर्व से लेकर बारहवीं शताब्दी तक के काल को बौद्ध काल की संज्ञा दी जाती है। वैदिककालीन शिक्षा में कर्मकाण्ड की प्रबलता, पुरोहितवाद के उदय, शिक्षा पर ब्राह्मणों का एकाधिकार, शूद्रों एवं नारी शिक्षा की उपेक्षा, वैदिक धर्म की शुद्ध भावना का लोप एवं धीरे-धीरे अनैतिकता का बोलबाला के फलस्वरूप बौद्ध धर्म का उदय हुआ। आज से लगभग 2500 वर्ष पूर्व महात्मा गौतम बुद्ध (563-483) ने बौद्ध धर्म की स्थापना की थी। वास्तव में बौद्ध धर्म कोई नया धर्म नहीं है। अपितु हिन्दू धर्म का ही परिवर्तित रूप है। बौद्ध धर्म के प्रचार प्रसार हेतु बौद्ध विहार या मठों की स्थापना हुई। बौद्ध विहार या मठों का एक मात्र कार्य नये बौद्ध भिक्षुओं को दीक्षित करना था। परन्तु धीरे-धीरे इन मठों या विहारों में सभी धर्मों के छात्रों को शिक्षा दी जाने लगी। बौद्धकालीन शिक्षा व्यवस्था काफी हद तक वैदिककालीन शिक्षा व्यवस्था के समान ही थी।

शिक्षा के उद्देश्य

बौद्धकालीन शिक्षा ने निर्वाण प्राप्ति पर सर्वाधिक जोर दिया जो **वैदिककालीन शिक्षा** के आध्यात्मिक विकास के समान ही था। परन्तु **बौद्धकालीन शिक्षा** ने नैतिकता के पक्ष को सबल पक्ष मानकर नैतिक पक्ष पर अधिक ध्यान दिया। बौद्धकालीन शिक्षा के मुख्य उद्देश्य निम्नांकित हैं।

- **शिक्षा के माध्यम से निर्वाण की प्राप्तिः** बौद्ध शिक्षा का प्रमुख उद्देश्य निर्वाण की प्राप्ति है। महात्मा बुद्ध द्वारा बताये गये अष्टांगिक मार्गों का सतत् अभ्यास करने पर निर्वाण प्राप्त हो जाता है।
- **नैतिक चरित्र निर्माण पर बलः** बौद्ध धर्म में नैतिक चरित्र के निर्माण तथा शील पर अधिक जोर दिया जाता था जिससे छात्रों में कर्तव्य पालन, सत्य वचन, सदाचरण एवं धर्माचरण जैसे अनेक गुणों का विकास हो सके।
- **बौद्ध धर्म का प्रचार एवं प्रसार करनाः** बौद्ध शिक्षा द्वारा बौद्ध धर्म का प्रचार एवं प्रसार करना भी एक महत्वपूर्ण उद्देश्य था। बौद्ध भिक्षुओं एवं मठों और विहारों द्वारा बौद्ध धर्म का प्रचार एवं प्रसार किया जाता था।
- **व्यक्तित्व का विकास करनाः** बौद्ध शिक्षा द्वारा बालकों के व्यक्तित्व का सर्वांगीण विकास किया जाता था जिससे बालक अपने पारिवारिक, सामाजिक, धार्मिक एवं आर्थिक क्षेत्रों में अपने जिम्मेदारियों का निवर्हन कर सकें।
- **जीविकोपार्जन के लिए प्रशिक्षण देनाः** बौद्ध शिक्षा द्वारा बौद्ध भिक्षुओं को भावी जीवन के लिए भी तैयार किया जाता था जिससे यह स्वयं और अपने परिवार का भरण पोषण कर सकें।
- **राष्ट्रीय संस्कृति का संरक्षण और प्रसारणः** बौद्ध शिक्षा का एक उद्देश्य राष्ट्रीय संस्कृति का संरक्षण और प्रसारण करने का भी था जिसमें बालकों को राष्ट्रीय संस्कृति के संरक्षण और प्रसारण की शिक्षा दी जाती थी।

शिक्षक एवं शिक्षार्थी

बौद्ध शिक्षा में भी शिक्षक का पद सम्मानित था। शिक्षा देने का कार्य बौद्ध विहार या मठों में बौद्ध भिक्षु किया करते थे। बौद्धकालीन शिक्षा व्यवस्था में छात्रों और अध्यापकों के बीच मधुर तथा स्नेहपूर्ण सम्बन्ध होता था। शिक्षक अपने विशाल व्यक्तिव, उत्तम चरित्र, संयम, अनुशासन तथा गरिमापूर्ण व्यवहार से छात्रों को प्रभावित करता था। बौद्धकाल में शिक्षा का प्रारम्भ 6 से 8 वर्ष की आयु में होता था। शिक्षा प्रारम्भ करने के लिए में छात्रों का प्रवज्जया संस्कार (पब्बज्जया) होता था। विनयपिटक के अनुसार इस संस्कार में छात्र अपने सिर के बाल मुंडवाकर नवीन पीले वस्त्र धारण करके मठ के बड़े भिक्षु जिन्हें उपाध्याय कहते थे के चरणों में अपना माथा टेककर शरणत्रयी लेता था। अर्थात बालक बुद्धं शरणम गच्छामि, धम्मं शरणम गच्छामि, संघं शरणम गच्छामि का उद्‌बोधन करता था। प्रवज्जया संस्कार के पश्चात बालक 'सामनेर', 'श्रमण', और सिद्धविहारिका कहलाता था। परन्तु अस्वस्थ, विकलांग, दण्डित व्यक्तियों तथा राज्य के कर्मचारियों व सैनिकों के लिए प्रवज्जया संस्कार का निषेध था। बौद्धकालीन छात्रों (सामनेर) को 'दससिक्खापदानि' अर्थात दस पद का अनुसरण करना पड़ता थाः

- अहिंसा का पालन करना,
- शुद्ध आचरण करना,
- सदैव सत्य बोलना,
- सत् आहार करना,
- मादक वस्तुओं का प्रयोग न करना,
- किसी की निन्दा न करना,
- सादा और सरल जीवन व्यतीत करना,
- नृत्यादि तमाशों से दूर रहना,
- अपरिग्रह अर्थात बिना दिये हुए वस्तुओं को न लेना, तथा
- बहुमूल्य वस्तुओं का दान न लेना।

बौद्ध शिक्षा का अंतिम संस्कार उपसंपदा संस्कार होता था। इस संस्कार के उपरांत सामनेर पूर्णतः भिक्षु बन जाता था। उसका गृहस्थ जीवन से कोई संबंध नहीं होता था।

संगठनात्मक स्वरूप व वित्त

बौद्ध काल में शिक्षा गुरुओं का व्यक्तिगत उद्यम न होकर संस्थागत हो गयी थी जिसे बौद्ध संघ, बौद्ध मठ या बौद्ध संघाराम कहते थे, जहाँ धार्मिक, विद्यालयी तथा व्यावहारिक शिक्षा प्रदान की जाती थीं। चूँकि बौद्धकालीन शिक्षण संस्थाएं संस्थागत रूप ले चुकी थीं अतएव वित्तीय प्रबन्धन व्यवस्थित एवं स्थायी हो गया था। इस समय राजकीय सहायता अत्यधिक बढ़ गयी थीं। राजस्व, धर्म एवं उपहार दान, सामाजिक सहायता, भिक्षा तथा शुल्क आदि बौद्ध विद्यापीठ के आय के प्रमुख स्रोत थे।

बौद्धकालीन शिक्षा में सभी जाति, धनी-निर्धन, पुरुष-महिला सभी को शिक्षा प्राप्त करने का अधिकार था। परन्तु बौद्ध धर्म के अनुयायियों को प्राथमिकता पहले दी जाती थी। बौद्धकालीन शिक्षा केन्द्र तक्षशिला, नालन्दा, वल्लभी, विक्रमशिला, ओदन्तपुरी, जगद्दला, मिथिला, नादिया अपनी शिक्षा व्यवस्था के लिए विख्यात थे।

पाठ्यचर्या व शिक्षण विधि

बौद्धकालीन शिक्षा का प्रमुख उद्देश्य निर्वाण की प्राप्ति था। इसलिए शिक्षा में बुद्ध के ज्ञान का बोलबाला था। परन्तु पाठ्यक्रम में जीवनोपयोगी शिक्षा का भी समावेश था। बौद्धकालीन शिक्षा दो स्तरों में विभाजित थी।

- **प्रारंभिक शिक्षा :** जिसमें लिखना, पढ़ना तथा साधारण गणित सिखाया जाता था।
- **उच्च शिक्षा :** इसमें धर्म, दर्शन, व्याकरण, ज्योतिष, आयुर्वेद, सैनिक शिक्षा, कला, कृषि शिल्प कौशल तथा बौद्ध धर्म से संबंधित विभिन्न ग्रन्थों का व्यापक एवं विस्तृत अध्ययन किया जाता था।

प्रचलित शिक्षण विधियों में मौलिक शिक्षा के साथ साथ प्रवचन विधि, प्रश्नोत्तर विधि, वाद विवाद विधि, व्याख्या विधि, कक्षानायकी विधि, सम्मेलन विधि, देशाटन, प्रकृति निरीक्षण तथा निदिध्यासन आदि विधियों का प्रयोग किया जाता था। शिक्षा का माध्यम पाली या प्राकृत भाषा थीं। पाली का प्रयोग जनसाधारण अपनी सुविधा के लिए ही करते थे।

मुस्लिमकालीन शिक्षा व्यवस्था

12वीं शताब्दी से लेकर 8वीं शताब्दी तक की अवधि को मध्यकाल अथवा मुस्लिम काल कहा जाता है। भारत की सम्पन्नता से आकृष्ट होकर धन दौलत की लूट की नियत से मुसलमानों ने आठवीं शताब्दी में अपने आक्रमण प्रारम्भ कर दिये थे। परन्तु आरम्भ में ये लूट पाट कर अपने देश चले जाते थे जिससे भारतीय शिक्षा पर इनका कोई विशेष प्रभाव नहीं पड़ा। परन्तु महमूद गजनवी (998 ई.–1030 ई.) के आक्रमण के बाद भारतीय शिक्षा प्रणाली की अकल्पनीय क्षति हुई। आरम्भ में मुस्लिम शासकों ने हिन्दुओं की शिक्षा से कोई छेड़छाड़ नहीं की। लेकिन धीरे-धीरे मुस्लिम शासकों की अपेक्षा मुस्लिम धार्मिक नेताओं ने इस्लाम के प्रचार एवं प्रसार हेतु अपना ध्यान युवा वर्ग की शिक्षा पर लगाया। इसलिये उन्होंने अपने धर्मस्थलों पर मकतब तथा मदरसे खोले।

मुस्लिम शासकों व धार्मिक नेताओं के द्वारा भारत में इस्लामी शिक्षा का प्रसार बढ़ा जिसका सीधा असर हिन्दूधर्म की शिक्षा पर पड़ा। मुस्लिम शासकों ने हिन्दू शिक्षा केन्द्रों को तोड़कर वहाँ मदरसे, मस्जिदें एवं मकबरों का निर्माण कराया। राजकीय भाषा के रूप में फारसी को बढ़ावा दिया गया। सारे प्रशासनिक कार्यों में फारसी के दखल से आम जनमानस पर बुरा प्रभाव पड़ा। इसी के परिणाम स्वरूप प्राचीन संस्कृत शिक्षा और बौद्धकालीन शिक्षा मृतप्राय हो गयी।

शिक्षा के उद्देश्य

पैगम्बर हजरत मुहम्मद साहब के अनुसार "माँ बाप द्वारा बच्चों को दी जाने वाली सभी भेटों में उदार शिक्षा की भेंट सर्वोत्तम है। विद्यार्थियों के कलम की स्याही शहीदों के खून से अधिक पवित्र है।"

उपर्युक्त पंक्तियों के अनुशीलन से मुस्लिम सम्प्रदाय के लिए शिक्षा की प्रतिशय महत्ता एवं उपयोगिता का सहजता से अनुमान लगाया जा सकता है। मुस्लिम काल में भारत भूमि पर एक पूर्णतया नवीन संस्कृति का प्रचलन हुआ, इसलिए इस काल की शिक्षा के उद्देश्य पूर्ववर्ती शिक्षा के उद्देश्य से पूर्णतया भिन्न थे, जो निम्नलिखित हैं :

- **इस्लाम धर्म का प्रचार करना :** इस्लाम धर्म के अनुसार प्रत्येक मुसलमान द्वारा इस धर्म का प्रचार प्रसार करना अत्यंत सबाब (पुण्य का कार्य) माना जाता था।
- **इस्लामी संस्कृति का प्रसार करना :** इस्लाम धर्म के रीति रिवाज, परम्पराओं, सिद्धान्तों तथा कानूनों को भारतीयों के बीच प्रसारित करना महत्वपूर्ण उद्देश्य था।
- **मुसलमानों में ज्ञान का प्रसार करना :** मुहम्मद साहब ने ज्ञान को अमृत बताया था और कहा था कि ज्ञान ही निजात अर्थात मुक्ति का साधन है।
- **मुस्लिम श्रेष्ठता की स्थापना :** मुस्लिम शिक्षा का एक उद्देश्य यह भी था कि हिन्दुओं को मुस्लिम शिक्षा द्वारा प्रभावित करके भारत में मुस्लिम शासन को सुदृढ़ आधार पर स्थापित किया जाए।
- **सांसारिक ऐश्वर्य की प्राप्ति :** मुसलमान पुनर्जन्म में बिल्कुल नहीं तथा परलोक में कम विश्वास करते थे, इसलिए सांसारिक वैभव और ऐश्वर्य प्राप्ति को महत्व देते थे।
- **विशिष्ट नैतिकता का विकास :** इस्लामिक शिक्षा के द्वारा मुसलमानों में उन नैतिक आदर्शों का समावेश किया जाता था जो हिन्दुओं के आदर्शों से पूर्णतया भिन्न थे।

शिक्षक एवं शिक्षार्थी

इस्लामिक शिक्षा व्यवस्था में भी शिक्षकों को सम्मानित पद प्राप्त था। मुल्ला और मौलवी शिक्षा देने का कार्य करते थे। शिक्षकों की शिक्षा भी उच्चकोटि की थी। मुस्लिम शासन में विद्वानों को उच्च स्थान प्राप्त था। अधिकांश मदरसों में छात्रावास की व्यवस्था होती थी। जिससे छात्रों और अध्यापकों में घनिष्ठ और मधुर संबंध बना रहता था।

मुस्लिम शिक्षा का प्रारम्भ बालक बिस्मिल्लाह रस्म से करता था। जब बालक 4 वर्ष 4 माह 4 दिन का हो जाता था तो उसे नूतन वस्त्र धारण करवाकर मौलवी साहब के पास ले जाया जाता था। जहाँ मौलवी साहब द्वारा उच्चारित कुरान की आयतों को बालक को दुहराना पड़ता था जिसके फलस्वरूप इस रस्म की अदायगी हो जाती थी और बालक की औपचारिक शिक्षा प्रारम्भ हो जाती थी। कभी-कभी बालक द्वारा कुरान की आयतों का उच्चारण न कर पाने की दशा में **"बिस्मिल्लाह"** शब्द कहना ही पर्याप्त माना जाता है।

संगठनात्मक स्वरूप व वित्त व्यवस्था

मुस्लिम काल में शिक्षा व्यवस्था के लिए द्वि-स्तरीय शिक्षण संस्थान मकतब तथा मदरसा थे। मकतबों में प्राथमिक शिक्षा प्रदान की जाती थी। मकतबों में प्रवेश के पूर्व 'बिस्मिल्लाह रस्म' की अदायगी की जाती थी। मकतब की शिक्षा पूरी कर लेने के बाद बालक उच्च शिक्षा हेतु मदरसा में प्रवेश लेता था। मदरसों में प्रवेश हेतु कोई विशेष रस्म अदायगी नहीं होती थी। इस बात में भी शिक्षा के प्रति शासकों का प्रोत्साहन अनिश्चित होने के कारण मुस्लिम शिक्षण संस्थाओं को मुस्लिम शिक्षा के विकास में अनेक कठिनाइयों का सामना करना पड़ता था। अनेक मुस्लिम शिक्षण संस्थायें बन्द हो गयी थी। धार्मिक अनुष्ठानों, संकोचशील राजकीय सहायता, व्यक्तिगतदान, उपहार तथा बालकों से प्राप्त होने वाले शुल्क से मौजूदा शिक्षण संस्थाओं की वित्तीय सहायता चलती थीं।

पाठ्यचर्या और शिक्षण विधि

मकतबों में बालकों को पढ़ने लिखने और साधारण गणित, अर्जी-नवीसी, अरबी, फारसी और उर्दू की शिक्षा प्रदान की जाती थी बालकों के लिए उनका समझना महत्वपूर्ण नहीं था। बल्कि उनका शुद्ध उच्चारण

करना अनिवार्य था। मदरसों में अरबी, व्याकरण, गच्यसाहित्य, तर्कशास्त्र, दर्शनशास्त्र, कानून, गणित, इतिहास, भूगोल, यूनानी चिकित्सा, कृषि आदि विषय पढ़ाये जाते थे। धार्मिक शिक्षा के लिए बालकों को कुरान हदीस (परम्पराएँ) और फिक का गहन एवं विस्तृत अध्ययन कराया जाता था। शिक्षा का माध्यम फारसी, अरबी और उर्दू था। मुस्लिमकालीन शिक्षा अधिकांशतः मौखिक प्रदान की जाती थी। इसमें रटने पर बल दिया जाता था। इसके अतिरिक्त व्याख्यान, प्रश्नोत्तर व वाद-विवाद विधियों की सहायता से भी शिक्षण कार्य होता था।

प्राचीन भारत के मुख्य शिक्षण संस्थान

- तक्षशिला विश्वविद्यालय (पाकिस्तान)
- नालंदा विश्वविद्यालय (राजगृह, बिहार)
- वल्लभी विश्वविद्यालय (गुजरात)
- विक्रमशिला विश्वविद्यालय (बिहार)
- ओदंतपुरी विश्वविद्यालय (बिहार)
- जगद्दला विश्वविद्यालय (बंगाल)
- मिथिला विश्वविद्यालय (नेपाल)
- नादिया विश्वविद्यालय (बंगाल)

ब्रिटिश काल में शिक्षा का विकास (1600 ई. से 1902 ई. तक)

31 दिसम्बर 1600 ई. को इंग्लैण्ड की महारानी एलिजाबेथ का ब्रिटिश ईस्ट इण्डिया कम्पनी को पूर्वी देशों के साथ व्यापार करने का आज्ञापत्र मिला। यह कम्पनी मूलतः एक व्यापारिक संस्था थी जो भारत में व्यापार करने आयी थी न कि शासन करने के लिए। परन्तु परिस्थितिवश ही वह भारत की शासिका बन गयी। इस कम्पनी के साथ कुछ ईसाई मिशनरियों ने भारत में ईसाई धर्म के प्रचार-प्रसार के लिए प्रवेश किया। धीरे-धीरे उन्होंने ईसाई धर्म के प्रचार-प्रसार के साथ-साथ अंग्रेजी शिक्षा के प्रचार-प्रसार का भी मिशन बनाया। फलस्वरूप भारत में ईसाई मिशनरियों के प्रयास से अनेक शिक्षण संस्थाओं की स्थापना हुई। ब्रिटिश संसद के द्वारा पारित किए गये 1813 के आज्ञापत्र में ईस्ट इण्डिया कम्पनी को भारत में शिक्षा पर कम से कम एक लाख रुपये प्रति वर्ष व्यय करने का आदेश दिया गया। 1833 के आज्ञापत्र में इस धनराशि में वृद्धि करके ब्रिटिश संसद ने 40 लाख रुपये प्रति वर्ष कर दिया।

1835 में लार्ड मैकाले जो पाश्चात्य शिक्षा का समर्थक था उसने भारतीय साहित्य के बारे में लिखा– "भारतीय तथा अरबी साहित्य का ज्ञान एक अच्छे यूरोपीय पुस्तकालय की एक आलमारी की पुस्तकों से अधिक नहीं है।" लार्ड मैकाले ने भारत में शिक्षा का उद्देश्य बदलकर अंग्रेजी माध्यम से यूरोपीय साहित्य तथा विज्ञान का प्रचार करना प्रारम्भ कर दिया। उसका मुख्य उद्देश्य ब्रिटिश सरकार और भारतीय जनता के बीच मध्यस्थ एवं भारत में भारतीय अंग्रेज पैदा करने की थी। मैकाले ने **अधोगामी निस्पन्दन सिद्धान्त** पर बल देते हुये कहा कि उच्च वर्ग को शिक्षित करने पर समाज के निम्न वर्ग तक शिक्षा स्वतः पहुँच जायेगी।

19 जुलाई 1854 को 100 अनुच्छेदों वाला एक अभिलेख चार्ल्स वुड के घोषणा पत्र के नाम से प्रकाशित हुआ, जिसमें कहा गया कि – "कोई भी अन्य विषय हमारा ध्यान इतना आकर्षित नहीं कर सकता है जितना कि शिक्षा। यह हमारा एक पुनीत कर्तव्य है कि भारत के समस्त नागरिकों को उस नैतिक या भौतिक समृद्धि से युक्त करें जो उपयोगी ज्ञान के सामान्य विस्तारण से फैलती है तथा जो भारत, इंग्लैण्ड से अपने संबंधों के कारण प्राप्त कर सकता है।"

वुड घोषणा पत्र की प्रमुख सिफारिशें इस प्रकार थीं- प्रत्येक प्रान्त में शिक्षा विभाग की स्थापना करना, कलकत्ता, मद्रास और मुम्बई में विश्वविद्यालय की स्थापना की जाए। जन सामान्य के शिक्षा पर बल दिया जाए तथा शिक्षण संस्थाओं को सहायता सरकारी अनुदान दिया जाए, स्त्री शिक्षा रोचक शिक्षकों के प्रशिक्षण हेतु संस्थान खोले जाएं। 1882 में गठित हण्टर आयोग ने अपनी अनुशंसा प्रस्तुत की। इस आयोग के अध्यक्ष सर विलियम हण्टर थे। इसमें 2 सदस्य थे जिनमें 7 भारतीय थे इसलिए इसे भारतीय शिक्षा आयोग भी कहा जाता है। इस आयोग ने प्राथमिक शिक्षा का विस्तार करने, स्त्री शिक्षा को प्रोत्साहन देने, शिक्षण संस्थाओं को आर्थिक अनुदान देने की अनुशंसा की।

प्राच्य-पाश्चात्य शिक्षा विवाद

सन 1813 के आज्ञापत्र की 43वीं धारा ने भारतीय शिक्षा का उत्तरदायित्व कम्पनी पर रखा और उसे उनकी शिक्षा पर प्रति वर्ष कम से कम एक लाख रुपये की धनराशि व्यय करने का आदेश दिया। किन्तु 43वीं धारा में इस बात का स्पष्टीकरण नहीं किया गया था कि यह धनराशि किस प्रकार की शिक्षा पर व्यय की जाए - प्राच्य शिक्षा या पाश्चात्य शिक्षा पर? फलस्वरूप इस प्रश्न को लेकर, कम्पनी के कर्मचारियों में शिक्षा के स्वरूप के विषय में विवाद उठ खड़ा हुआ। इसी विवाद को "प्राच्य पाश्चात्य" शिक्षा विवाद की संज्ञा दी गयी है।

प्राच्यवादी दल में कम्पनी के पुराने और अनुभवी कर्मचारी थे। इसमें सर्वप्रथम स्थान वारेन हेस्टिंग्स और जोनाथन डंकन का था, जिन्होंने 'कलकत्ता' 'मदरसा' और 'बनारस संस्कृत कॉलेज' की स्थापना करके प्राच्यवादी नीति के पक्ष में अपना मत प्रकट किया। लार्ड मिण्टो भी इस नीति का पोषक था। प्राच्यवादी शिक्षा के समर्थक भारतीय सभ्यता व संस्कृति से प्रभावित कदापि नहीं थे वरन उच्च कोटि के कूटनीतिज्ञ थे। उनका विचार था कि भारतीयों को अनेक वर्गों व समूहों में विभाजित कर ही उन पर शासन किया जा सकता है। अतः वे इस देश के निवासियों को अरबी, फारसी और संस्कृत पर आधारित शिक्षा प्रदान करके भारतीयों को विभिन्न धर्मों तथा जातियों में विभक्त रखना चाहते थे।

पाश्चात्यवादी दल में कम्पनी के कुछ नवयुवक ईसाई पादरी तथा राजा राममोहन राय जैसे कुछ भारतीय भी सम्मिलित थे। इस दल का न तो कोई संगठित स्वरूप था और न उनका कोई नेता ही था। फिर भी, उन्होंने प्राच्यवादियों की नीति का जमकर विरोध किया। पाश्चात्यवादियों का मत था कि प्राच्य शिक्षा प्रणाली मृत प्राय हो गयी है। उसको पुनर्जीवन प्रदान करना मानव प्रयास से बाहर की बात है।

उनका यह भी विचार था कि उर्दू, अरबी, फारसी और संस्कृत के साहित्यों में पुरातन और निरर्थक विचार से भरा पड़ा है जो वर्तमान समय में उपयोगी नहीं है। अतः भारतीयों को आधुनिक विश्व से जोड़ने के लिए उनको अंग्रेजी माध्यम से पाश्चात्य ज्ञान और विद्वानों से अवगत कराया जाना अत्यन्त आवश्यक है। यहाँ पर इस बात का उल्लेख करना उचित होगा कि पाश्चात्यवादियों ने भारत में यूरोपीय ज्ञान और विज्ञानों के प्रसार का समर्थन किसी निस्वार्थ भावना से नहीं, वरन् निजी हित की भावना से प्रेरित होकर किया। उन्हें अपने व्यापारिक और प्रशासकीय कार्यों के लिए अंग्रेजी शिक्षित 'बाबू वर्ग' की आवश्यकता थी। क्योंकि उनके देशवासियों का बड़ी संख्या में यहाँ आना सम्भव नहीं था। इस परिस्थिति में यही उचित समझा गया कि भारत में पाश्चात्य शिक्षा का प्रसार करके अंग्रेजी विचारों से युक्त लिपिक वर्ग भारत में ही तैयार किये जाएं।

1902 से 1937 के मध्य ब्रिटिश शासन में शिक्षा का विकास

लार्ड कर्जन ने लार्ड मैकाले की नीति की आलोचना करते हुए शिक्षा की गुणवत्ता को सुधारने के लिए एक अभियान आरम्भ किया। लार्ड कर्जन ने शिक्षा के क्षेत्र में शासन की उदासीन नीतियों को परिवर्तित करके शासन को शिक्षा के क्षेत्र में सक्रिय बना दिया। 27 जनवरी 1902 में सर थॉमस रेले की अध्यक्षता में भारतीय विश्वविद्यालय आयोग की स्थापना की गयी। भारतीय विश्वविद्यालय आयोग ने भारत के विभिन्न प्रान्तों का सर्वेक्षण करके विश्वविद्यालयी शिक्षा का गहन अध्ययन कर अपना प्रतिवेदन जून 1902 में प्रस्तुत किया। उस प्रतिवेदन में आयोग ने विश्वविद्यालयों और कॉलेजों में सुधार करने के निमित्त जिन सुझावों और सिफारिशों को लेखबद्ध किया उनमें से निम्नांकित महत्वपूर्ण हैं:

- नवीन विश्वविद्यालयों की स्थापना नहीं की जानी चाहिए। उनकी सीनेट तथा सिंडीकेट का पुनर्गठन किया जाना चाहिए। सिण्डीकेट के सदस्यों की संख्या 9 से 15 के बीच होनी चाहिए। सीनेट के सदस्यों की संख्या कम कर देनी चाहिए तथा उनकी अवधि पांच वर्ष होनी चाहिए।
- वर्तमान विश्वविद्यालयों द्वारा शिक्षण कार्य किया जाना चाहिए।
- विश्वविद्यालयों और कॉलेजों के विद्वान अध्यापकों को सीनेट में प्रतिनिधित्व दिया जाना चाहिए।
- सम्बद्धता नियमों का कठोरता से पालन किया जाना चाहिए।
- मैट्रिक परीक्षा का स्तर ऊँचा होना चाहिए तथा इन्टरमीडिएट की कक्षाओं को समाप्त करके स्नातक का पाठ्यक्रम तीन वर्ष का होना चाहिए।
- प्रत्येक सम्बद्ध कॉलेज का प्रबन्ध एक संगठित समिति के द्वारा किया जाना चाहिए।
- स्नातक पूर्ण शिक्षण कार्य, सम्बद्ध कालेजों में और स्नातकोत्तर शिक्षण कार्य विश्वविद्यालयों में किया जाना चाहिए।

भारतीय विश्वविद्यालय आयोग की सिफारिशों के आधार पर सरकार ने 21 मार्च 1904 को भारतीय विश्वविद्यालय अधिनियम पारित कर दिया। इस अधिनियम द्वारा भारतीय विश्वविद्यालयों के प्रशासन, अधिकार, कार्य क्षेत्र आदि में अनेक महत्वपूर्ण परिवर्तित किए गये।

- सीनेट के सदस्यों की संख्या को सीमित करके, यह निश्चित कर दिया गया कि उनकी न्यूनतम संख्या 50 एवं अधिकतम संख्या 100 होगी और वे अपने पद पर आजीवन न रहकर सिर्फ 5 वर्ष तक रहेंगे।
- विश्वविद्यालयों के कार्यक्षेत्र में विस्तार करते हुए परीक्षा संचालन के साथ साथ शिक्षण अधिकार भी प्रदान किये गये।
- सीनेट में चुने गये सदस्यों की अधिकतम संख्या कलकत्ता, बम्बई व मद्रास विश्वविद्यालयों के लिए 20 निश्चित की गयी तथा अन्य विश्वविद्यालयों के लिए 5 निश्चित की गयी।
- सिंडीकेटों को कानूनी स्वीकृति प्रदान की गयी और विश्वविद्यालयों के शिक्षकों को उनमें उचित प्रतिनिधित्व दिया गया।
- विश्वविद्यालयों से मान्यता प्राप्त करने के इच्छुक महाविद्यालयों के लिए नियम कठोर कर दिये गये और सिंडीकेटों को इनका नियमित रूप से निरीक्षण करने का अधिकार दे दिया गया।
- विश्वविद्यालय सीनेट द्वारा बनाये गये नियमों और संशोधनों व सुधारों को स्वीकृति देने का अधिकार सरकार ने अपने पास रखा। सरकार ने इस सम्बन्ध में नियम बनाने का अधिकार सिंडीकेट को दे दिया परन्तु सिंडीकेट द्वारा समय पर नियम न बनाये जाने पर सरकार ने स्वयं नियम बनाने का अधिकार अपने पास सुरक्षित रख लिया।
- गवर्नर-जनरल को विश्वविद्यालयों की क्षेत्रीय सीमाओं को निश्चित करने का अधिकार दिया गया।

संक्षेप में, हम कह सकते हैं कि लार्ड कर्जन ने अपने अल्प कार्यकाल में भारतीय शिक्षा के सभी अंगों में सुधार करके, उनको सशक्त किया। उसके इस कार्य का गुणगान करते हुये, नूरूल्ला व नायक ने लिखा है– "जो कार्य, लार्ड कर्जन ने सात वर्ष में किए, उनको करने में किसी अन्य पुरुष को निश्चित रूप से दुगने या तिगुने समय की आवश्यकता पड़ती।" लार्ड कर्जन की बंग भंग नीति के परिणाम स्वरूप स्वदेशी आन्दोलन और राष्ट्रीय आन्दोलन छिड़ गया। भारतीय राष्ट्रीय कांग्रेस द्वारा संचालित राष्ट्रीय आन्दोलन का शिक्षा के विकास पर व्यापक प्रभाव पड़ा। भारतीय नेताओं द्वारा भारतीय शिक्षा के विदेशी स्वरूप की आलोचना की गयी और भारतीय संस्कृति पर आधारित शिक्षा व्यवस्था लागू करने की मांग की गयी। **एनी बेसेन्ट** ने कांग्रेस के कलकत्ता अधिवेशन (1906) में कहा– "समस्त देश में ऐसी राष्ट्रीय शिक्षा का आयोजन किया जाए जो भारत के राष्ट्रीय लक्ष्य की प्राप्ति तथा देश की आवश्यकता की पूर्ति में समर्थ हो सके।"

भारतीय राष्ट्रीय आंदोलन ने राष्ट्रीय शिक्षा के लिए इन बातों पर तर्क दिया–

- भारतीयों के नियंत्रण में शिक्षा व्यवस्था लागू हो।
- मातृभूमि के प्रति प्रेम हो।
- पश्चिम की दासता का अनुकरण समाप्त हो।

- पाश्चात्य ज्ञान विज्ञान का अध्ययन किया जाए।
- अंग्रेजों के प्रभुत्व की समाप्ति हो।
- व्यावसायिक शिक्षा का विकास किया जाए।

इस विचारधारा को लेकर देश में राष्ट्रीय विद्यालयों की स्थापना होने लगी। आर्य समाज, ब्रह्म समाज, प्रार्थना समाज आदि ने राष्ट्रीय चरित्र की शिक्षा देने वाले विद्यालय खोले। इस आन्दोलन ने शान्ति निकेतन, गुरुकल कांगड़ी, जामिया मिलिया इस्लामिया, गुजरात विद्यापीठ, काशी विद्यापीठ, वीमेन्स यूनिवर्सिटी आदि राष्ट्रीय संस्थाओं को जन्म दिया। गोपाल कृष्ण गोखले ने सन् 1910 व 1911 में केन्द्रीय धारा सभा में निःशुल्क एवं अनिवार्य प्राथमिक शिक्षा क लिए प्रस्ताव रखा। परन्तु ब्रिटिश सरकार की उदासीनता एवं आश्वासन पर उन्होंने अपना प्रस्ताव वापस ले लिया। **सन् 1917 में डॉ. एम. ई. सैडलर की अध्यक्षता में कलकत्ता विश्वविद्यालय आयोग** की नियुक्ति की गयी जिसमें स्नातक पाठ्यक्रम को तीन वर्षीय बनाने, सीनेट व सिंडीकेट के स्थान पर छोटे आकार की प्रतिनिधि सभा व कार्यकारिणी परिषद गठित करने तथा प्रत्येक प्रान्त में माध्यमिक व इन्टरमीडिएट बोर्ड स्थापित करने की सिफारिशें की गयी। कला, इन्जीनियरिंग, चिकित्सा, कानून, कृषि, वाणिज्य, शिक्षक प्रशिक्षण आदि विषयों को उच्च शिक्षा के क्षेत्र में रखने की सिफारिश की गयी। आवासीय विश्वविद्यालय की स्थापना पर बल दिया गया। इस आयोग ने स्त्री शिक्षा, अध्यापक प्रशिक्षण, प्रौद्योगिकी एवं व्यावसायिक शिक्षा पर अधिक बल दिया। **सन् 1929 में सर फिलिप हार्टोग की अध्यक्षता** में एक समिति का गठन किया गया। हार्टोग समिति ने प्राथमिक शिक्षा को राष्ट्रीय आवश्यकता मानते हुये इसका उत्तरदायित्व शासन पर होने की सिफारिश की। माध्यमिक शिक्षा में बच्चों के अनुत्तीर्ण होने की समस्या पर हार्टोग समिति ने कहा कि प्रारम्भिक कक्षाओं को उन्नति देनी चाहिए। योग्य विद्यार्थियों को व्यापारिक तथा व्यावसायिक पाठ्यक्रमों में भेजना चहिए। इस समिति का कथन था– "लड़कों को अधिक संख्या में मिडिल स्तर से ही औद्योगिक व्यापारिक दिशा की ओर मोड़ा जाए" और उन्हें ऐसी ही संस्थाओं में भेजा जाए।" अर्थात् माध्यमिक स्तर की शिक्षा के व्यवसायीकरण पर बल दिया। उसने विश्वविद्यालयों में प्रवेश के नियमों को कठोर बनाने की अनुशंसा की। **1936-37 में भारत सरकार ने मेसर्स एबॉट एवं वुड** को आमंत्रित किया। इन्होंने अपने प्रतिवेदन में भारत सरकार को सुझाव दिया कि व्यावसायिक एवं औद्योगिक शिक्षा संस्थानों का अधिनियंत्रण स्वतंत्र हो और उसकी सत्ता अन्य परम्परागत विद्यालयों के समान हो। इसके प्रतिवेदन का प्रभाव यह हुआ कि देश में पॉलीटेक्निक संस्थानों का जन्म हुआ। इस प्रतिवेदन में शिशु शिक्षा, नारी शिक्षा, रूचि तथा अभिरूचि के अनुसार शिक्षा पर बल दिया गया।

सन् 1939 से सन् 1946-47 के प्रान्तीय स्वराज में शिक्षा का विकास

यह दशक औपनिवेशिक शासन का अंतिम काल था। राजनैतिक ढांचे में परिवर्तन हो रहा था। भारत सरकार अधिनियम 1935 ने द्वैध शासन समाप्त कर प्रान्तीय सरकारों को स्वायत्तता दे दी। ढाँचागत रूकावटें और शिक्षा के वित्तीय प्रबन्ध की कठिनाइयाँ इस अवधि में कम हो गयीं। आरम्भ में भारतीय राष्ट्रीय कांग्रेस के नेतृत्व में निर्वासित प्रान्तीय सरकारों के त्यागपत्र देने और द्वितीय विश्व युद्ध आरम्म होने से ये अपेक्षाएँ पूरी नहीं हो पायी। इस काल में उच्च शिक्षा में काफी विस्तार हुआ। परन्तु माध्यमिक शिक्षा के विस्तार की गति धीमी पड़ गयी। इस विशेषता को स्पष्ट करते हुए नूरूल्ला और नायक ने बताया कि इस समय तक माध्यमिक शिक्षा को केवल चुने हुए व्यक्ति ही प्राप्त करते थे। इसे चुनने का अधिकार आर्थिक था न कि बौद्धिक परन्तु इस काल में प्राथमिक शिक्षा का विस्तार रूक गया।

बुनियादी शिक्षा

2 अक्टूबर 1937 को गांधीजी ने 'हरिजन' में एक लेख प्रकाशित किया। यही लेख कालान्तर में बुनियादी शिक्षा योजना का आधार बना। महात्मा गांधी ने शिक्षा संबंधी अपने विचारों को निम्नलिखित शब्दों में अभिव्यक्त किया– "राष्ट्र के रूप में हम शिक्षा में इतने पिछड़े हुए हैं कि यदि हमने शिक्षा का यह कार्यक्रम धन पर आधारित किया तो हम राष्ट्र के प्रति शिक्षा के अपने कर्तव्य को इस पीढ़ी में एक निश्चित समय में पूर्ण करने की आशा नहीं कर सकते हैं अतः मैंने यह प्रस्ताव करने का साहस किया है कि शिक्षा आत्मनिर्भर होनी चाहिए। शिक्षा से मेरा अभिप्राय बालक और मनुष्य में शारीरिक, मानसिक और आध्यात्मिक शक्तियों के सर्वोत्तम और सर्वांगीण विकास से है। अतः मैं बालक की शिक्षा का प्रारम्भ उसे एक उपयोगी हस्त शिल्प सिखाकर और जिस समय से वह अपनी शिक्षा आरम्भ करता है उसी समय से उत्पादन योग्य बनाकर आरम्भ करना चाहता हूँ। यदि राज्य स्कूलों में निर्मित की जाने वाली वस्तुओं को खरीद ले तो प्रत्येक स्कूल को आत्मनिर्भर बनाया जा सकता है।

उपर्युक्त पंक्तियों के अनुशीलन में वस्तुतः महात्मा गांधी की बुनियादी शिक्षा की आधारभूत संकल्पनाएं निहित हैं। वर्धा शिक्षा सम्मेलन में विख्यात शिक्षा शास्त्रियों की एक समिति का गठन बेसिक शिक्षा की विस्तृत योजना तैयार करने के लिए किया गया। इस समिति के अध्यक्ष "जामिया मिलिया दिल्ली" के तात्कालिक प्राचार्य डॉ. जाकिर हुसैन थे जिसने अपना पहला प्रतिवेदन दिसम्बर 1937 और दूसरा प्रतिवेदन अप्रैल 1938 में प्रस्तुत किया जिसका प्रमुख प्रस्ताव निम्नलिखित है:

- निःशुल्क तथा अनिवार्य शिक्षा की अवधि सम्पूर्ण राष्ट्र में 7 वर्ष की होनी चाहिए।
- शिक्षा का माध्यम मातृभाषा हो।
- सम्पूर्ण अवधि में शिक्षा किसी शारीरिक व उत्पादक कार्य पर केन्द्रित होनी चाहिए।
- बुनियादी शिक्षा के पाठ्यक्रम में आधारभूत शिल्प जैसे कताई, बुनाई, काष्ठ शिल्प, कृषि बागवानी, चर्म शिल्प, मातृभाषा, गणित, सामाजिक अध्ययन, सामान्य विज्ञान, कला तथा संगीत को सम्मिलित किया जाए।

यह रूपरेखा प्रान्तीय कांग्रेस सरकारों के लिए नीति निर्धारक बन गयी परन्तु राजनैतिक परिस्थितियों में परिवर्तन और दूसरे विश्व युद्ध के कारण इस दिशा में आगे प्रगति नहीं हुई।

1944 की सार्जेण्ट रिपोर्ट

1944 में प्रकाशित युद्धोत्तर (द्वितीय विश्व युद्ध) शिक्षा प्रगति की योजना सार्जेण्ट योजना कहलाती है। इस रिपोर्ट में पूर्व माध्यमिक शिक्षा से लेकर उच्च शिक्षा तक सभी स्तरों की शिक्षा तथा उनके विभिन्न पहलुओं पर विचार विमर्श करने के उपरान्त "सर जॉन सार्जेण्ट" की अध्यक्षता में सार्जेण्ट योजना प्रस्तुत की गयी, जिसकी मुख्य सिफारिशें निम्नलिखित हैं–

- प्राथमिक शिक्षा मातृभाषा के माध्यम से दी जानी चाहिए।
- 6 से 14 वर्ष के सभी बच्चों के लिए अनिवार्य शिक्षा का प्रावधान।
- हाई स्कूल की शिक्षा दो प्रकार की हो–(1) एकेडेमिक, तथा (2) टेक्निकल।
- शिशुशालाओं में प्रशिक्षण प्राप्त शिक्षिकाओं की नियुक्ति हो तथा आधारभूत शिल्प के माध्यम से शिक्षा दी जाए।
- विकलांगों के लिए विशिष्ट विद्यालय खोले जाएं।
- अध्यापकों के लिए अच्छे वेतनमान की सिफारिश।
- पाठ्यचर्चा का पुनर्संगठन हो।
- विश्वविद्यालयों में भीड़भाड़ को प्रभावी ढंग से रोका जाना चाहिए।
- विश्वविद्यालय अनुदान आयोग की स्थापना की जाए।
- छात्रों को व्यवसाय का चयन करने में परामर्श देने के लिए जगह-जगह पर सेवा योजनालयों की स्थापना की जाए।
- राष्ट्रीय शिक्षा प्रणाली की स्थापना के लिए केंद्रीय एवं प्रान्तीय सरकारों में निकट सहयोग हो।
- विश्वविद्यालयों के प्रवेश नियमों को कठोर बना दिया जाना चाहिए ताकि माध्यमिक शिक्षा प्राप्त करने वाले 15 छात्रों में से मात्र 1 छात्र ही विश्वविद्यालय में प्रवेश कर सकें।
- अध्यापकों को प्रशिक्षण प्रदान करने हेतु पर्याप्त संख्या में अध्यापक प्रशिक्षण संस्थानों की स्थापना की जाए।
- सभी शिक्षकों के लिए अभिनव पाठ्यक्रम की व्यवस्था की जानी चाहिए।

भारतीय शिक्षा के इतिहास में सार्जेण्ट रिपोर्ट का अपना विशेष स्थान है। इससे पूर्व भारत में आयोगों की नियुक्तियां हुई थीं, समितियों का गठन हुआ था, सरकारी प्रस्तावों की घोषणा हुई थीं। परंतु इनमें से एक भी सार्जेण्ट के समकक्ष नहीं था। इस रिपोर्ट में व्यापकता या बुनियादी एवं अनिवार्य प्राथमिक शिक्षा का उद्देश्य था, भारतीय शिक्षा का सम्पूर्ण चित्र था और उसके दोषों का निर्भीक वर्णन था।

स्वतंत्रता के बाद भारत में उच्च अधिगम और शोध का उद्भव (Evolution of Higher Learning and Research in Post-Independence India)

भारत का संविधान एक सर्वाधिक व्यापक दस्तावेज है। यह अनेक दृष्टियों से अनूठा है। भारतीय संविधान में शिक्षा के सम्बन्ध में किये गये विभिन्न संकल्पों का संक्षिप्त विवरण निम्नवत् है :

पूर्व प्राथमिक शिक्षा

भारतीय संविधान के अनुच्छेद 45 में निःशुल्क एवं प्राथमिक शिक्षा का दायित्व राज्य सरकार को सौंपा गया था। अनुच्छेद 45 में कहा गया है- "राज्य इस संविधान के प्रारम्भ में दस वर्ष की कालावधि के भीतर सब बच्चों को चौदह वर्ष की अवस्था समाप्ति तक निःशुल्क अनिवार्य शिक्षा प्रदान करने का प्रयास करेगा।" परन्तु वर्ष 2002 में हुए 86वें संविधान संशोधन में निःशुल्क एवं अनिवार्य शिक्षा को प्रतिस्थापित करते हुए इसे मात्र छः वर्ष की आयु के बालक बालिकाओं तक सीमित कर दिया गया। संविधान संशोधन के बाद अनुच्छेद 45 में कहा गया है कि "राज्य सभी बच्चों को उनकी आयु छः वर्ष होने तक शैशवपूर्व परिचर्या तथा शिक्षा की व्यवस्था का प्रयास करेगा।"

निःशुल्क एवं अनिवार्य प्राथमिक शिक्षा

2002 में हुए 86वें संविधान संशोधन द्वारा निःशुल्क एवं अनिवार्य प्राथमिक शिक्षा को जीवन के मूल अधिकार अनुच्छेद 2 (क) के अन्तर्गत 6 से 14 वर्ष के सभी बच्चों को राज्य द्वारा शिक्षा का प्रावधान किया गया। 86वें संशोधन के द्वारा ही संविधान के मूल कर्तव्य में अनुच्छेद 5 (क) के अन्तर्गत माता-पिता अथवा अभिभावक को अपने 6 से 14 वर्ष के बच्चे को शिक्षा के अवसर प्रदान करने का प्रावधान किया गया। अब माता पिता या संरक्षक को 6 से 14 वर्ष के बच्चों को शिक्षा के अवसर उपलब्ध कराना संवैधानिक कर्तव्य है।

अल्पसंख्यकों की शिक्षा

भारतीय संविधान के अनुच्छेद 30 (1) में कहा गया है कि धर्म या भाषा पर आधारित सभी अल्पसंख्यक वर्गों को अपनी रूचि की शिक्षा संस्थाओं की स्थापना और उनके प्रबंध का अधिकार होगा। अनुच्छेद 30(2) में यह उपबंध किया गया है कि कोई भी राज्य सरकार अनुदान अथवा सहायता प्रदान करते समय अल्पसंख्यकों के द्वारा स्थापित

शैक्षिक संस्थाओं से भेदभाव नहीं करेगी। इस प्रकार भारतीय संविधान अल्पसंख्यकों के शैक्षिक हितों की रक्षा करता है। अनुच्छेद 30 पूर्णतया अल्पसंख्यकों के अधिकार से सम्बद्ध है।

अनुसूचित जाति, अनुसूचित जनजाति व दुर्बल वर्गों की शिक्षा

संविधान में अनुसूचित जाति, अनुसूचित जनजाति व दुर्बल वर्गों की शिक्षा हेतु विशेष उपबन्ध किये गये हैं। अनुच्छेद 46 में कहा गया है कि "राज्य जनता के दुर्बल वर्गों, विशेषकर अनुसूचित जातियों, अनुसूचित जनजातियों की शिक्षा तथा अर्थ सम्बन्धी हितों की विशेष सावधानी से अभिवृद्धि करेगा तथा सामाजिक अन्याय और हर प्रकार के शोषण से उनकी रक्षा करेगा।"

संविधान में वर्णित इस अनुच्छेद से समाज के दलित, शोषित व कमजोर वर्गों को शिक्षा में पर्याप्त अवसर उपलब्ध होते हैं, जिससे उनके शैक्षिक, सामाजिक व आर्थिक विकास का मार्ग प्रशस्त हो सके।

धार्मिक शिक्षा की स्वतंत्रता

भारत एक धर्म निरपेक्ष राज्य है। भारत में अनेक धर्म हैं और उनके अनुयायियों की संख्या भी पर्याप्त है। अतः संविधान में अनुच्छेद 25-28 के अन्तर्गत सभी व्यक्तियों को धर्म में विश्वास करने, धार्मिक कार्य करने व उनका प्रचार-प्रसार करने का अधिकार प्रदान किया गया है। अनुच्छेद 28 (1, 2 तथा 3) यह प्रावधान करता है कि "जो विद्यालय पूरी तरह से सरकारी राजकोष से चलाये जाते हैं, उनमें किसी भी प्रकार की धार्मिक शिक्षा नहीं दी जायेगी और जो विद्यालय सरकार से आंशिक वित्तीय सहायता प्राप्त करते हैं अथवा जो राज्य द्वारा मान्यता प्राप्त है उनमें विद्यार्थी या उसके संरक्षक की स्वीकृति के बिना दी जाने वाली धार्मिक शिक्षा के लिए बाध्य नहीं किया जायेगा।" इस कथन से स्पष्ट है कि भारत में प्रत्येक नागरिक को धार्मिक शिक्षा प्राप्त करने की पूर्ण स्वतंत्रता है। भारत विभिन्न धर्मो, भाषाओं तथा संस्कृतियों का देश है। अतः संविधान में अल्पसंख्यक वर्गो की भाषा, लिपि और संस्कृति की सुरक्षा की व्यवस्था की गयी है।

स्त्रियों तथा पिछड़े वर्गों की शिक्षा

भारतीय संविधान का अनुच्छेद 5 खण्ड 3 में राज्य को स्त्रियों और बालकों के लिये विशेष प्रावधान करने की शक्ति प्रदान करता है। प्रथम संवैधानिक संशोधन द्वारा अनुच्छेद 5 में खण्ड-4 जोड़ा गया। इसमें "राज्य को महिलाओं तथा सामाजिक व शैक्षिक दृष्टि से पिछड़े वर्गों तथा अनुसूचित जाति और अनुसूचित जनजातियों के लिए विशेष प्रावधान करने का अधिकार दिया गया।" यहाँ तक कि सरकारी सेवाओं में आरक्षण का प्रावधान अनुच्छेद 5 (4) के आधार पर ही किया गया। इससे स्पष्ट है कि महिलाओं तथा पिछड़े वर्गों की शिक्षा के लिए विशेष व्यवस्था करने के लिए संविधान की दृष्टि से राज्य पूर्ण स्वतंत्र है।

हिन्दी भाषा का विकास तथा मातृभाषा में शिक्षा

भारतीय संविधान में हिन्दी भाषा के विकास तथा प्रचार-प्रसार के लिए अनुच्छेद 351 में कहा गया है—"संघ का यह कर्तव्य होगा कि वह हिन्दी भाषा का प्रसार एवं वृद्धि करे, उसका विकास करे ताकि वह भारत की सामासिक संस्कृति के सब तत्वों की अभिव्यक्ति का माध्यम हो सके तथा उसकी आत्मीयता में हस्तक्षेप किए बिना हिन्दुस्तानी और अष्टम अनुसूची में उल्लिखित अन्य भारतीय भाषाओं के रूप, शैली और पदावली को आत्मसात करते हुए तथा जहाँ तक आवश्यक या वांछनीय हो, वहाँ उसके शब्द भण्डार के लिए मुख्यतः संस्कृत से तथा गौणतया अन्य भाषाओं से शब्द ग्रहण करते हुए उसकी समृद्धि सुनिश्चित करे।"

सातवें संविधान संशोधन 1956 द्वारा प्राथमिक स्तर पर शिक्षा प्रदान करने हेतु प्रान्तीय भाषाओं के महत्व को स्वीकार करते हुए अनुच्छेद 350-(क) में कहा गया है कि "प्रत्येक राज्य तथा राज्य के भीतर स्थानीय प्राधिकारी भाषायी अल्पसंख्यक वर्गों के बालकों को शिक्षा के प्राथमिक स्तर पर मातृभाषा में शिक्षा की पर्याप्त सुविधाओं की व्यवस्था करने का प्रयास करेगा और राष्ट्रपति को यह शक्ति दी गयी है कि वह निमित्त राज्य को उचित निर्देश दे।" इस प्रकार हिन्दी भाषा के प्रसार, संवर्धन तथा इसको भारत के नागरिकों की अभिव्यक्ति का माध्यम बनाने का संवैधानिक उत्तरदायित्व केन्द्र सरकार तथा भाषायी अल्पसंख्यकों के लिये उनकी भाषा में प्राथमिक शिक्षा उपलब्ध कराना राज्य का उत्तरदायित्व स्वीकार किया गया। निःसन्देह शिक्षा प्रदान करने का सर्वोत्तम माध्यम बच्चों की मातृभाषा ही हो सकती है।

शैक्षिक अवसरों की समानता

भारतीय लोकतंत्र की मूल भावना का सम्मान करते हुए संविधान के अनुच्छेद 29(2) में धर्म, जाति, मूलवंश एवं भाषा आदि की परवाह किये बिना शैक्षिक अधिकारों में समानता सुनिश्चित की गयी है। अनुच्छेद 29(2) में कहा गया है कि "राज्य द्वारा पोषित या राज्य निधि से सहायता पाने वाली किसी शिक्षा संस्था में प्रवेश से किसी भी नागरिक को केवल धर्म, मूलवंश, जाति, भाषा या इनमें से किसी के आधार पर वंचित नहीं किया जायेगा।" अर्थात् किसी नागरिक के विरुद्ध राज्य द्वारा वित्तपोषित या सहायता पाने वाली किसी शिक्षण संस्थान में प्रवेश के विषय में धर्म, मूलवंश, जाति या भाषा के आधार पर कोई विभेद नहीं किया जा सकता। यह एक बड़ा व्यापक उपबंध है। जिसका आशय न केवल धार्मिक अल्पसंख्यकों को संरक्षण प्रदान करना है बल्कि स्थानीय या भाषायी अल्पसंख्यकों को भी। जैसे ही किसी भी आधार पर विभेद किया जाता है वैसे ही यह उपबन्ध आकृष्ट हो जाता है। भारतीय लोकतंत्र में सभी नागरिकों के शिक्षा के क्षेत्र में समानता बनाये रखने के लिए इस उपबन्ध को संविधान में स्थान दिया गया।

कृषि शिक्षा

अनुच्छेद 48 के अनुसार यदि राज्य चाहे तथा यदि वह उत्तरदायित्व स्वीकार करने में सक्षम हो तो वह वैज्ञानिक दृष्टि से कृषि, पशुपालन का संगठन करने, नस्लों का संरक्षण व सुधार करने हेतु उचित शिक्षा की व्यवस्था कर सकता है।

प्रमुख शैक्षिक आयोग एवं समितियाँ

भारत सरकार ने शिक्षा व्यवस्था को राष्ट्रीय एवं अंतर्राष्ट्रीय आवश्यकतानुसार उपयोगी बनाने हेतु समय-समय पर अनेक शिक्षा आयोगों एवं शिक्षा समितियों का गठन किया। इन आयोगों एवं शिक्षा समितियों ने भारत में शैक्षिक विकास हेतु विभिन्न स्तरों पर शिक्षा से संबंधित समस्याओं को दूर करने हेतु भारत सरकार को अपना प्रतिवेदन समय-समय पर प्रस्तुत किया जिससे भारतीय शिक्षा प्रणाली में सुधार हो सके। स्वतंत्रता के बाद गठित प्रमुख शिक्षा आयोग एवं समितियाँ निम्नलिखित हैं :

- विश्वविद्यालय शिक्षा आयोग (राधाकृष्णन कमीशन, 1948-49)
- माध्यमिक शिक्षा आयोग (मुदालियर कमीशन, 1952-53)
- शिक्षा आयोग (कोठारी कमीशन, 1964-66)
- आचार्य नरेन्द्र देव समिति (1952-53)
- दुर्गाबाई देशमुख समिति (1957-59)
- श्री प्रकाश समिति (1959)
- डॉ. सम्पूर्णानन्द समिति (1961)
- हंसा मेहता समिति (1961-64)
- 10 + 2 + 3 राष्ट्रीय समिति (1973)
- ईश्वर भाई पटेल समिति (1977)
- प्रो. यशपाल समिति (1992-93)

नई शिक्षा नीति (NEP), 2020

नई शिक्षा नीति 2020 भारत की शिक्षा नीति है जिसे भारत सरकार द्वारा 29 जुलाई, 2020 को घोषित किया गया। सन् 1986 में जारी हुई नई शिक्षा नीति के बाद भारत की शिक्षा नीति में यह बड़ा परिवर्तन है। यह नीति अंतरिक्ष वैज्ञानिक के. कस्तूरीरंगन की अध्यक्षता वाली समिति की रिपोर्ट पर आधारित है। राष्ट्रीय शिक्षा नीति 27 अध्याय और 4 भागों में विभक्त है।

नई शिक्षा नीति के प्रमुख बिंदु

स्कूली शिक्षा संबंधी प्रावधान

- नई शिक्षा नीति में 5 + 3 + 3 + 4 डिजाइन वाले शैक्षणिक संरचना का प्रस्ताव किया गया है जो 3 से 18 वर्ष की आयु वाले बच्चों को शामिल करता है।
  - ❑ पाँच वर्ष की फाउंडेशनल स्टेज–3 साल का प्री-प्राइमरी स्कूल और ग्रेड 1, 2
  - ❑ तीन वर्ष का प्रीपेट्री स्टेज
  - ❑ तीन वर्ष का मध्य (या उच्च प्राथमिक) चरण–ग्रेड 6, 7, 8 और
  - ❑ 4 वर्ष का उच्च (या माध्यमिक) चरण–ग्रेड 9, 10, 11, 12
- NEP 2020 के तहत HHRO द्वारा "बुनियादी साक्षरता और संख्यात्मक ज्ञान पर एक राष्ट्रीय मिशन" की स्थापना का प्रस्ताव किया गया है। इसके द्वारा वर्ष 2025 तक कक्षा-3 स्तर तक के बच्चों के लिये आधारभूत कौशल सुनिश्चित किया जाएगा।

भाषायी विविधता का संरक्षण

- NEP 2020 में कक्षा-5 तक की शिक्षा में मातृभाषा/स्थानीय या क्षेत्रीय भाषा को अध्ययन के माध्यम के रूप में अपनाने पर बल दिया गया है। साथ ही इस नीति में मातृभाषा को कक्षा-8 और आगे की शिक्षा के लिये प्राथमिकता देने का सुझाव दिया गया है।
- स्कूली और उच्च शिक्षा में छात्रों के लिये संस्कृत और अन्य प्राचीन भारतीय भाषाओं का विकल्प उपलब्ध होगा परंतु किसी भी छात्र पर भाषा के चुनाव की कोई बाध्यता नहीं होगी।

शारीरिक शिक्षा

- विद्यालयों में सभी स्तरों पर छात्रों को बागवानी, नियमित रूप से खेल-कूद, योग, नृत्य, मार्शल आर्ट को स्थानीय उपलब्धता के अनुसार प्रदान करने की कोशिश की जाएगी ताकि बच्चे शारीरिक गतिविधियों एवं व्यायाम वगैरह में भाग ले सकें।

पाठ्यक्रम और मूल्यांकन संबंधी सुधार

- इस नीति में प्रस्तावित सुधारों के अनुसार, कला और विज्ञान, व्यावसायिक तथा शैक्षणिक विषयों एवं पाठ्यक्रम व पाठ्वेत्तर गतिविधियों के बीच बहुत अधिक अंतर नहीं होगा।
- कक्षा-6 से ही शैक्षिक पाठ्यक्रम में व्यावसायिक शिक्षा को शामिल कर दिया जाएगा और इसमें इंटर्नशिप की व्यवस्था भी की जाएगी।
- राष्ट्रीय शैक्षिक अनुसंधान और प्रशिक्षण परिषद (NCERT) द्वारा "स्कूली शिक्षा के लिये राष्ट्रीय पाठ्यक्रम रूपरेखा" (National Curricular Framework for School Education—NCFSE) तैयार की जाएगी।
- छात्रों के समग्र विकास के लक्ष्य को ध्यान में रखते हुए कक्षा-10 और कक्षा-12 की परीक्षाओं में बदलाव किया जाएगा। इसमें भविष्य में समेस्टर या बहुविकल्पीय प्रश्न आदि जैसे सुधारों को शामिल किया जा सकता है।
- छात्रों की प्रगति के मूल्यांकन के लिये मानक-निर्धारक निकाय के रूप में "परख" (PARAKH) नामक एक नए राष्ट्रीय आकलन केंद्र की स्थापना की जाएगी।
- छात्रों की प्रगति के मूल्यांकन तथा छात्रों को अपने भविष्य से जुड़े निर्णय लेने में सहायता प्रदान करने के लिये "कृत्रिम बुद्धिमत्ता" (AI) आधारित सॉफ्टवेयर का प्रयोग।

शिक्षण व्यवस्था से संबंधित सुधार

- शिक्षकों की नियुक्ति में प्रभावी और पारदर्शी प्रक्रिया का पालन तथा समय-समय पर किये गए कार्य-प्रदर्शन आकलन के आधार पर पदोन्नति।
- राष्ट्रीय अध्यापक शिक्षा परिषद द्वारा वर्ष 2022 तक ''शिक्षकों के लिये राष्ट्रीय मानक'' (NPST) का विकास किया जाएगा।
- राष्ट्रीय अध्यापक शिक्षा परिषद द्वारा NCERT के परामर्श के आधार पर ''अध्यापक शिक्षा हेतु राष्ट्रीय पाठ्यचर्या की रूपरेखा'' का विकास किया जाएगा।
- वर्ष 2030 तक अध्यापन के लिये न्यूनतम डिग्री योग्यता 4-वर्षीय एकीकृत बी.एड, डिग्री का होना अनिवार्य किया जाएगा।

उच्च शिक्षा से संबंधित प्रावधान

- NEP-2020 के तहत उच्च शिक्षण संस्थानों में ''सकल नामांकन अनुपात'' (GER) को 26.3% (वर्ष 2018) से बढ़ाकर 50% तक करने का लक्ष्य रखा गया है, इसके साथ ही देश के उच्च शिक्षण संस्थानों में 3.5 करोड़ नई सीटों को जोड़ा जाएगा।
- NEP-2020 के तहत स्नातक पाठ्यक्रम में मल्टीपल एंट्री एंड एक्जिट व्यवस्था को अपनाया गया है, इसके तहत 3 या 4 वर्ष के स्नातक कार्यक्रम में छात्र कई स्तरों पर पाठ्यक्रम का छोड़ सकेंगे और उन्हें उसी के अनुरूप डिग्री या प्रमाण-पत्र प्रदान किया जाएगा (1 वर्ष के बाद प्रमाण-पत्र, 2 वर्षों के बाद एडवांस डिप्लोमा, 3 वर्षो के बाद स्नातक की डिग्री तथा 4 वर्षों के बाद शोध के साथ स्नातक)।
- विभिन्न उच्च शिक्षण संस्थानों से प्राप्त अंकों या क्रेडिट को डिजिटल रूप से सुरक्षित रखने के लिये एक ''एकेडमिक बैंक ऑफ क्रेडिट'' दिया जाएगा, ताकि अलग-अलग संस्थानों में छात्रों के प्रदर्शन के आधार पर उन्हें डिग्री प्रदान की जा सके।
- नई शिक्षा नीति के तहत एम.फिल. कार्यक्रम को समाप्त कर दिया गया।

विकलांग बच्चों हेतु प्रावधान

- इस नई नीति में विकलांग बच्चों के लिये क्रास विकलांगता प्रशिक्षण, संसाधन केंद्र, आवास, सहायक उपकरण, उपर्युक्त प्रौद्योगिकी आधारित उपकरण, शिक्षकों का पूर्ण समर्थन एवं प्रारंभिक से लेकर उच्च शिक्षा तक नियमित रूप से स्कूली शिक्षा प्रक्रिया में भागीदारी सुनिश्चित करना आदि प्रक्रियाओं को सक्षम बनाया जाएगा।

डिजिटल शिक्षा से संबंधित प्रावधान

- एक स्वायत्त निकाय के रूप में ''राष्ट्रीय शैक्षिक प्रौद्योगिकी मंच'' का गठन किया जाएगा जिसके द्वारा शिक्षण, मूल्यांकन योजना एवं प्रशासन में अभिवृद्धि हेतु विचारों का आदान-प्रदान किया जा सकेगा।
- डिजिटल शिक्षा संसाधनों को विकसित करने के लिये अलग प्रौद्योगिकी इकाई का विकास किया जाएगा जो डिजिटल बुनियादी ढाँचे, सामग्री और क्षमता निर्माण हेतु समन्वयन का कार्य करेगी।

पारंपरिक ज्ञान-संबंधी प्रावधान

भारतीय ज्ञान प्रणालियाँ, जिनमें जनजातीय एवं स्वदेशी ज्ञान शामिल होंगे, को पाठ्यक्रम में सटीक एवं वैज्ञानिक तरीके से शामिल किया जाएगा।

- आकांक्षी जिले (Aspirational districts) जैसे क्षेत्र जहाँ बड़ी संख्या में आर्थिक, सामाजिक या जातिगत बाधाओं का सामना करने वाले छात्र पाए जाते हैं, उन्हें ''विशेष शैक्षिक क्षेत्र'' के रूप में नामित किया जाएगा।
- देश में क्षमता निर्माण हेतु केंद्र सभी लड़कियों और ट्रांसजेंडर छात्रों को समान गुणवत्ता प्रदान करने की दिशा में एक ''जेंडर इंक्लूजन फंड'' की स्थापना करेगा।
- गौरतलब है कि 8 वर्ष की आयु के बच्चों के लिये प्रारंभिक बचपन देखभाल और शिक्षा हेतु एक राष्ट्रीय पाठ्यचर्या और शैक्षणिक ढाँचे का निर्माण एनसीआरटीई द्वारा किया जाएगा।

वित्तीय सहायता

- एससी, एसटी, ओबीसी और अन्य सामाजिक और आर्थिक रूप से वंचित समूहों से संबंधित मेधावी छात्रों को प्रोत्साहन के रूप में वित्तीय सहायता प्रदान की जाएगी।

भारतीय उच्च शिक्षा आयोग

नई शिक्षा नीति (NEP) में देश भर के उच्च शिक्षा संस्थानों के लिये एक एकल नियामक अर्थात् भारतीय उच्च शिक्षा परिषद (HECI) की परिकल्पना की गई है जिसमें विभिन्न भूमिकाओं को पूरा करने हेतु कई कार्यक्षेत्र होंगे। भारतीय उच्च शिक्षा आयोग चिकित्सा एवं कानूनी शिक्षा को छोड़कर पूरे उच्च शिक्षा क्षेत्र के लिये एक एकल निकाय के रूप में कार्य करेगा।

HECI के कार्यों के प्रभावी निष्पादन हेतु चार निकाय हैं :

- **राष्ट्रीय उच्चतर शिक्षा नियामकीय परिषद (NHERC):** यह शिक्षक शिक्षा सहित उच्च शिक्षा क्षेत्र के लिए क नियामक का कार्य करेगा।

- **सामान्य शिक्षा परिषद (GEC):** यह उच्च शिक्षा कार्यक्रमों के लिये अपेक्षित सीखने के परिणामों का ढाँचा तैयार करेगा अर्थात् उनके मानक निर्धारण का कार्य करेगा।
- **राष्ट्रीय प्रत्यायन परिषद (NAC):** यह संस्थानों के प्रत्यायन का कार्य करेगा जो मुख्य रूप से बुनियादी मानदंडों, सार्वजनिक स्व-प्रकटीकरण, सुशासन और परिणामों पर आधारित होगा।
- **उच्चतर शिक्षा अनुदान परिषद (HGFC):** यह निकाय कॉलेजों एवं विश्वविद्यालयों के लिये वित्तपोषण का कार्य करेगा।

भारत में उच्च शिक्षा की संरचना

यद्यपि शिक्षा एक आजीवन प्रक्रिया है, इसकी एक औपचारिक, अनुक्रमिक संरचना और परिभाषित उद्देश्य हैं। सामान्य शिक्षा सीखने का व्यवस्थित और संरचित तरीका है। यह कक्षा-कक्ष आधारित है और विभिन्न एजेंसियों और शैक्षिक निकायों द्वारा हस्तांतरित किया जाता है। छात्र माध्यमिक विद्यालयी शिक्षा पूरा होने पर उच्च शिक्षा में शामिल होते हैं। वे महाविद्यालय, विश्वविद्यालय या किसी अन्य समान संस्थान में जाते हैं और अध्ययन के पाठ्यक्रमों से संबंधित शिक्षण-अधिगम गतिविधियों में भाग लेते हैं। पाठ्यक्रमों के बीच संरचना, गतिशीलता और अंतर-शृंखला, पूर्व-परिभाषित है और डिग्री या डिप्लोमा अर्जित करने के लिए इसका कड़ाई से पालन किया जाता है।

इस तरह की संरचना को उच्च शिक्षा की औपचारिक संरचना के रूप में जाना जाता है। औपचारिक शिक्षा के अतिरिक्त, उच्च शिक्षा में डिग्री हासिल करने के कई गैर-औपचारिक तरीके हैं। कोई भी अनौपचारिक शिक्षा छात्रों को समय और स्थान की संरचनात्मक बाधाओं से परे अपनी शिक्षा जारी रखने की अनुमति देती है। यह उन्हें अपनी रुचि को आगे बढ़ाने और ज्ञान की खोज के लिए अंशकालिक कार्यक्रमों में संलग्न होने का अवसर प्रदान करता है। प्रौढ़ और सतत् शिक्षा कार्यक्रम, भाषा, संस्कृति और लोकतंत्र पर विशेष कार्यक्रम, व्यावसायिक विकास के कार्यक्रम ज्यादातर अनौपचारिक शिक्षा के माध्यम से प्रस्तुत किए जाते हैं।

औपचारिक, अनौपचारिक और गैर-औपचारिक शिक्षा के बीच वैचारिक अंतर

औपचारिक शिक्षा परिभाषित और श्रेणीबद्ध संस्थागत संरचना के भीतर एक व्यवस्थित, संरचित और संगठित अधिगम की प्रक्रिया को दर्शाती है। यह प्रायः पूर्णकालिक होता है और इसमें अच्छी तरह से परिभाषित चरण होते हैं। यह एक औपचारिक कक्षा कक्ष में होता है जहाँ शिक्षक और छात्र उपस्थित होते हैं।	**गैर-औपचारिक** शिक्षा भी संगठित सीखने की गतिविधियों के बारे में है, लेकिन यह तंत्र, समय और स्थान की सीमा के भीतर काम नहीं करता है। यह एक औपचारिक कक्षा की चार दीवारी से परे होता है। यह उन लोगों को शिक्षा प्रदान करता है जो अन्यथा औपचारिक शिक्षा को छोड़ देते हैं। यह औपचारिक शिक्षा के बाद सीखने का एक विस्तार है। यह अपने समय और संसाधन की कमी को ध्यान में रखते हुए शिक्षा की आवश्यकताओं को पूरा करता है। MOOC के माध्यम से शिक्षा और शिक्षा का मुक्त व दूरस्थ अधिगम तंत्र (ओपन एंड डिस्टेंस लर्निंग सिस्टम-ODL) निरौपचारिक शिक्षा के कुछ उदाहरण हैं।	**अनौपचारिक शिक्षा** जीवन भर चलने वाली प्रक्रिया है जहाँ एक व्यक्ति अपने वातावरण जिसमें परिवार, साथी, कार्य स्थान, आदि हैं, के दैनिक अनुभव से सीखता है।

भारत की उच्च शिक्षा प्रणाली, उच्च शिक्षा की दुनिया में नामांकन के सन्दर्भ में तीसरी सबसे बड़ी प्रणाली है। वर्तमान में लगभग 36.6 मिलियन छात्र उच्च शिक्षा (HE) में नामांकित हैं।

इस संरचना में योग्यता के तीन स्तर शामिल हैं:

- **स्नातक या अन्डर ग्रेजुएट डिग्री कार्यक्रमः** अधिकांश स्नातक की डिग्री कार्यक्रम तीन साल की अवधि के होते हैं और छात्र द्वारा विद्यालयी शिक्षा के बारह साल पूरे करने के बाद ही प्रदान किये जाते हैं। बैचलर ऑफ आर्टस (B.A.), बैचलर ऑफ साइंस (B.Sc.) और बैचलर ऑफ कॉमर्स (B.Com) कुछ ऐसे लोकप्रिय स्नातक कार्यक्रम हैं जिनमें तीन साल के अध्ययन की आवश्यकता होती है। स्नातक स्तर पर व्यावसायिक शिक्षा चार साल की अवधि की है। इंजीनियरिंग, कृषि, फार्मेसी और दंत चिकित्सा में अध्ययन कार्यक्रम ऐसे कार्यक्रमों के कुछ उदाहरण हैं। चिकित्सा की स्नातक की डिग्री कार्यक्रम, एक अपवाद है, यह 5 साल की अवधि का है। शिक्षा और पुस्तकालय विज्ञान में स्नातक की डिग्री कार्यक्रम भी है। स्नातक की डिग्री हासिल करने के बाद उन्हें पूरा किया जा सकता है। इसलिए, उन्हें दूसरी स्नातक डिग्री के रूप में माना जाता है। कानून जैसे कुछ नवीन एकीकृत स्नातक कार्यक्रम हैं जो उदार शिक्षा के साथ-साथ व्यावसायिक शिक्षा प्रदान करते हैं।
- **मास्टर/परास्नातक या पोस्ट ग्रेजुएट डिग्री प्रोग्रामः** वे आमतौर पर दो साल के पाठ्यक्रम हैं। एक परास्नातक स्तर का कार्यक्रम विशेष क्षेत्र में विशेषज्ञता के साथ कठोर अनुशासनात्मक प्रशिक्षण देता है। अधिकांश पाठ्यक्रम बुनियादी अनुसंधान प्रशिक्षण भी प्रदान करते हैं।
- **प्री-डॉक्टरल और डॉक्टरेट कार्यक्रमः** इनमें मास्टर ऑफ फिलॉसफी (एम.फिल.) और डॉक्टर ऑफ फिलॉसफी (पीएचडी) शामिल हैं। इन पाठ्यक्रमों को आगे बढ़ाने वाले विद्वानों को अपने शोधों में कठोर अनुसंधान पद्धति से गुजरना पड़ता है। छात्रों को डिग्री अर्जित करने के लिए एक मूल शोध कार्य का उत्पादन करने की उम्मीद की जाती है।

उच्च शिक्षा में नियामक निकाय

शिक्षा भारतीय संविधान के समवर्ती सूची में है, जिसका अर्थ है कि केंद्रीय और राज्य सरकारें उच्च शिक्षा को विनियमित करने, निष्पादित करने और मूल्यांकन करने के लिए जिम्मेदार हैं। केंद्र में उच्च शिक्षा, शिक्षा की संरचनात्मक ढांचे के शीर्ष पर है।

शिक्षा मंत्रालय

शिक्षा मंत्रालय पूरे देश हेतु शिक्षा के लिए नीति ढांचा प्रदान करता है और इसके कार्यान्वयन को सुनिश्चित करने के लिए प्रयास करता है। यह अधिक से अधिक विश्वविद्यालयों और महाविद्यालयों की स्थापना करके शिक्षा में अवसरों के विस्तार की योजना बनाता है, जिससे महिलाओं और गरीबों सहित वंचित समूहों और दूरदराज के क्षेत्रों में रहने वाले लोग शिक्षा प्राप्त कर सकें। यह शिक्षा के वित्तपोषण के लिए भी उत्तरदायी है।

मानव संसाधन विकास मंत्रालय (MHRD) 1985 में बनाया गया था, इससे पहले, मंत्रालय को शिक्षा मंत्रालय के रूप में जाना जाता था। वर्ष 2020 में इसे पुनः शिक्षा मंत्रालय कहा जाने लगा। शिक्षा मंत्रालय दो विभागों के माध्यम से अपने उत्तरदायित्वों का निष्पादन करता है :

- **विद्यालयी शिक्षा और साक्षरता विभाग :** यह विद्यालय शिक्षा और साक्षरता कार्यक्रमों को देखता है।
- **उच्च शिक्षा विभाग :** यह विभाग उच्च शिक्षा की नीति, योजना, वित्त व्यवस्था से संबंधित है। यह उच्च शिक्षा में अंतर्राष्ट्रीय सहयोग से संबंधित मामलों से भी संबंधित है। विभाग समानता और उत्कृष्टता के साथ उच्च शिक्षा में पहुंच हेतु सुधार के लिए कई नीतिगत पहल करता है। यह राज्य के विशिष्ट सुधारों के लिए रणनीति तैयार करता है। यह पाठ्यक्रम के विकास और इसके कार्यान्वयन के लिए एक रूपरेखा भी तैयार करता है तथा परीक्षा संबंधी सुधारों का सुझाव देता है। शासन का देखरेख और निगरानी भी इसके दायरे में आता है।

इसके प्रयासों को उच्च शिक्षा के संस्थागत आधार के विस्तार के लिए निर्देशित किया जाता है। उच्च शिक्षा में बढ़ी हुई पहुंच और भागीदारी को शिक्षा मंत्रालय द्वारा किए गए प्रयासों के लिए स्वीकार किया जा सकता है। यह समाज के हाशिए पर रहने वाले विभिन्न लोगों को गुणवत्तापूर्ण शिक्षा प्रदान करने के उद्देश्य से अभिनव कार्यक्रमों का नेतृत्व कर रहा है। यह उच्च शिक्षा के केंद्रों में गुणवत्ता वृद्धि प्रक्रियाओं को सुनिश्चित करता और बनाए रख रहा है। यह संस्थागत स्वायत्तता सुनिश्चित करने के उद्देश्य से कई शैक्षणिक सुधारों का भी नेतृत्व कर रहा है। नियामक निकाय सरकारी निकाय है जो यह सुनिश्चित करने के लिए उत्तरदायी हैं कि नियमों, मानदंडों और प्रक्रियाओं का पालन किया जाता है और ठीक से लागू किया जाता है। वे शिक्षक-शिक्षण में मानकों और गुणवत्ता को बनाए रखने के लिए भी जिम्मेदार हैं। उच्च शिक्षा के क्षेत्र में भारत में मुख्य नियामक निकाय निम्नलिखित हैं :

- **विश्वविद्यालय अनुदान आयोग (यूजीसी) :** इसे यूजीसी अधिनियम के तहत 1956 में स्थापित किया गया था। यह विश्वविद्यालय शिक्षा के मानकों का समन्वय और रखरखाव करता है। यह विश्वविद्यालयों और अनुसंधान संगठनों को अनुदान प्रदान करता है।
- **अखिल भारतीय तकनीकी शिक्षा परिषद (एआईसीटीई) :** भारत में गुणवत्ता पूर्ण तकनीकी शिक्षा प्रणाली को बढ़ावा देने और विकसित करने के लिए एक शीर्ष निकाय के रूप में एआईसीटीई अधिनियम (1987) के तहत इसकी स्थापना की गई है। तकनीकी संस्थानों के मानकों और मानदंडों को परिभाषित करने के लिए इसे वैधानिक अधिकार दिया गया है। इसे तकनीकी शिक्षा की गुणवत्ता को बनाए रखने, निगरानी करने के लिए बनाया गया है।
- **मेडिकल काउंसिल ऑफ इंडिया (एमसीआइ) :** भारतीय चिकित्सा परिषद अधिनियम (1956) द्वारा स्थापित और 1993 में संशोधित किया गया। परिषद भारत में विश्वविद्यालयों या चिकित्सा संस्थानों द्वारा मान्यता प्राप्त चिकित्सा शिक्षा के लिए न्यूनतम मानकों को निर्धारित करती है। नए मेडिकल महाविद्यालयों की स्थापना के लिए केंद्र सरकार को अपनी सिफारिशें देना और अध्ययन के नए या उच्चतर पाठ्यक्रम खोलने की सिफारिश करना परिषद की जिम्मेदारी है। 2018 में, MCI को भंग कर दिया गया और वर्ष 2019 में, भारतीय चिकित्सा परिषद संशोधन 2019 पारित किया गया। अब भारत में चिकित्सा शिक्षा को विनियमित करने के लिए एक राष्ट्रीय चिकित्सा आयोग की स्थापना की गई है।
- **भारतीय कृषि अनुसंधान परिषद (आईसीएआर) :** यह कृषि अनुसंधान और शिक्षा विभाग, कृषि और किसान कल्याण विभाग के तहत एक स्वायत्त संगठन है। यह भारत में कृषि शिक्षा और अनुसंधान के मार्गदर्शन, समन्वय और प्रबंधन के लिए उत्तरदायी है। 101 कृषि अनुसंधान संस्थान और 71 कृषि विश्वविद्यालय इसके दायरे में आते हैं।
- **राष्ट्रीय अध्यापक शिक्षा परिषद (NCTE) :** यह राष्ट्रीय अध्यापक शिक्षा परिषद अधिनियम, 1993 के तहत स्थापित किया गया है। इसे यह जिम्मेदारी दी गई है कि शिक्षक शिक्षा प्रणाली के नियोजित और समन्वित विकास को परिभाषित करने और मानदंडों की सिफारिश करने की सुविधा प्रदान करें व शिक्षक-शिक्षा के क्षेत्र में मानक की संस्तुति भी प्रस्तुत करें। इसे विभिन्न स्तरों पर पाठ्यक्रमों की पेशकश करने वाले संस्थानों को मान्यता प्रदान करने का अधिकार है।
- **दंत चिकित्सा परिषद (DCI) :** दंत चिकित्सा शिक्षा और पूरे भारत में दंत चिकित्सा के व्यवसाय को विनियमित करने के लिए एक वैधानिक निकाय के रूप में दंत चिकित्सा अधिनियम (1948) के तहत इसका गठन किया गया है। यह दंत शिक्षा के लिए मानकों को बनाए रखने और दंत चिकित्सा शिक्षा

प्रदान करने वाली संस्थाओं को मान्यता प्रदान करने, पाठ्यक्रम को निर्धारित करने और भारत में दंत चिकित्सा शिक्षा की परीक्षा आयोजित करने के लिए जिम्मेदार है।

- **फार्मेसी काउंसिल ऑफ इंडिया (PCI) :** PCI का गठन फार्मेसी अधिनियम, (1948) की धारा 3 के तहत किया गया था। यह भारत में फार्मेसी शिक्षा और व्यवसाय को स्नातक स्तर तक नियंत्रित और नियमित करता है। परिषद फार्मासिस्ट के रूप में शिक्षा का न्यूनतम मानक और योग्यता निर्धारित करती है।
- **भारतीय नर्सिंग परिषद (INC) :** भारतीय नर्सिंग परिषद अधिनियम (1947) के तहत गठित एक सांविधिक निकाय है। परिषद दाइयों, नर्सों के लिए प्रशिक्षण के एक समान मानक के विनियमन और रख-रखाव के लिए जिम्मेदार है।
- **बार काउंसिल ऑफ इंडिया (बीसीआई) :** बीसीआई एक वैधानिक निकाय है जो अधिवक्ता अधिनियम, 1961 के तहत स्थापित किया गया है। यह कानूनी अभ्यास और कानूनी शिक्षा को नियंत्रित करता है और अधिवक्ता के रूप में नामांकित होने वाले व्यक्ति के वर्ग या श्रेणी को निर्धारित करता है। यह उन शर्तों को भी निर्दिष्ट करता है जिनके अधीन एक अधिवक्ता को अभ्यास करने का अधिकार होना चाहिए और जिन परिस्थितियों में एक व्यक्ति को एक अदालत में एक वकील के रूप में अभ्यास करने के लिए समझा जाना चाहिए।
- **केंद्रीय होम्योपैथी परिषद (CCH) :** इस निकाय की स्थापना होम्योपैथी केंद्रीय परिषद अधिनियम (1973) के तहत की गई थी। परिषद होम्योपैथिक चिकित्सा योग्यताओं को निर्धारित करती है और उन्हें मान्यता देती है। कोई भी चिकित्सा संस्थान जो होम्योपैथी में चिकित्सा योग्यता प्रदान करना चाहता है, उसे होम्योपैथी चिकित्सा शिक्षा चलाने के लिए परिषद में आवेदन करना आवश्यक है।
- **सेंट्रल काउंसिल फॉर इंडियन मेडिसिन (CCIM) :** यह केंद्रीय भारतीय चिकित्सा परिषद अधिनियम, 1970 के तहत गठित एक सांविधिक निकाय है। यह भारतीय चिकित्सा पद्धति अर्थात आयुर्वेद, सिद्ध, यूनानी तिब्बती में शिक्षा के न्यूनतम मानकों को निर्धारित करता है।
- **काउंसिल ऑफ आर्किटेक्चर (सीओए) :** सी.ओ.ए का गठन भारत की संसद द्वारा अधिनियमित आर्किटेक्ट्स अधिनियम (1972) के प्रावधानों के तहत किया गया था। सीओए आर्किटेक्ट्स के पंजीकरण, शिक्षा के मानकों, मान्यता प्राप्त योग्यता और अभ्यास के मानकों का अनुपालन करने के लिए जिम्मेदार है। यह आर्किटेक्ट्स के रजिस्टर को बनाए रखने के अलावा पूरे भारत में व्यावसायिक शिक्षा और व्यवहार को विनियमित करने के लिए भी जिम्मेदार है। "आर्किटेक्ट" के पेशे में जाने के इच्छुक किसी भी व्यक्ति को काउंसिल ऑफ आर्किटेक्चर में स्वयं को पंजीकृत कराना चाहिए।
- **भारतीय पुनर्वास परिषद (RCI) :** इसका गठन, 1992 में भारतीय पुनर्वास परिषद अधिनियम द्वारा किया गया है। इसका जनादेश दिव्यांगता से ग्रस्त व्यक्ति को दी जाने वाली सेवाओं को विनियमित और निगरानी करना है। यह मानकीकृत और अलग-अलग दिव्यांग व्यक्तियों को दी जाने वाली शिक्षा की गुणवत्ता को भी सुनिश्चित करता है। यह उन लोगों की व्यावसायिक तैयारी की गुणवत्ता को देखता और सुनिश्चित करता है जो अलग-अलग रूप से दिव्यांग व्यक्ति को अपनी सेवाएं देते हैं।

उच्च शिक्षण संस्थानों के प्रकार

भारत में विभिन्न प्रकार के उच्च शिक्षण संस्थान–विश्वविद्यालय और महाविद्यालय हैं। वे अपनी विधायिका स्थिति और शैक्षणिक संरचना में भिन्न होते हैं। उन्हें निम्नलिखित समूहों में वर्गीकृत किया जा सकता है:

- **केंद्रीय विश्वविद्यालय :** एक केंद्रीय विश्वविद्यालय संसद के एक अधिनियम द्वारा स्थापित किया जाता है। वर्तमान में भारत में 56 केंद्रीय विश्वविद्यालय हैं।
- **राज्य सार्वजनिक विश्वविद्यालय :** इस प्रकार के विश्वविद्यालय, राज्य विधान अधिनियम द्वारा स्थापित किए जाते हैं। वर्तमान में 460 राज्य विश्वविद्यालय हैं।
- **मुक्त विश्वविद्यालय :** इस श्रेणी में आने वाले संस्थान किसी भी शाखा या ज्ञान की शाखाओं में मुक्त और दूरस्थ माध्यम से शिक्षा प्रदान करते हैं। वर्तमान में केवल एक केंद्रीय मुक्त विश्वविद्यालय-इंदिरा गांधी राष्ट्रीय मुक्त विश्वविद्यालय (IGNOU) और 14 राज्य मुक्त विश्वविद्यालय हैं।
- **डीम्ड विश्वविद्यालय :** डीम्ड विश्वविद्यालय उच्च प्रदर्शन करने वाले संस्थान हैं। उन्हें एक विश्वविद्यालय का दर्जा दिया जाता है और वे अपनी ही डिग्री प्रदान कर सकते हैं। वर्तमान में 128 डीम्ड यूनिवर्सिटी हैं।
- **राष्ट्रीय महत्व के संस्थान :** देश में कई HE संस्थान हैं जिन्हें संसद के एक अधिनियम द्वारा 'राष्ट्रीय महत्व' का दर्जा दिया गया है।
- **निजी विश्वविद्यालय :** राज्य केंद्रीय अधिनियम के माध्यम से निजी विश्वविद्यालयों की स्थापना की जाती है, लेकिन उनके प्रबंधन का ध्यान सोसायटी पंजीकरण अधिनियम, 1860 और या उस समय के लिए किसी अन्य संबंधित कानून के तहत पंजीकृत कराया जाता है, जो कि राज्य या सार्वजनिक ट्रस्ट या एक्ट में लागू होता है व कंपनी अधिनियम, 1956 की धारा 25 के तहत राज्य/केंद्रीय अधिनियम के माध्यम से पंजीकृत है। वर्तमान में 430 राज्य निजी विश्वविद्यालय हैं।
- **राज्य विधानमंडल अधिनियम के तहत संस्थान :** ये राज्य विधायिका अधिनियम द्वारा स्थापित या निगमित संस्थान हैं तथा उच्च शिक्षा संस्थानों के स्तर का ही सम्मान पाते हैं।

मुक्त एवं दूरस्थ शिक्षा (ODL)

मुक्त एवं दूरस्थ शिक्षा (ओडीएल) प्रणाली उच्च अध्ययन के लिए एक शिक्षार्थी केंद्रित माध्यम प्रदान करती है, जहां शिक्षार्थी किसी भी समय और किसी भी स्थान पर सीखने में संलग्न हो सकते हैं। किसी विशेष समय और स्थान पर उपस्थित होने की कोई बाध्यता नहीं है और न ही किसी निश्चित समय सीमा के भीतर किसी भी कठोर पाठ्यक्रम संरचना का सख्ती से पालन किया जाता है। प्रवेश के संदर्भ में प्रणाली लचीली है, यह उन लोगों को आसान पहुँच प्रदान करता है जो औपचारिक प्रणाली में उच्च शिक्षा प्राप्त करने में सक्षम नहीं हैं। यह अध्ययन और प्रवेश के तरीकों में शिक्षार्थियों की सुविधा और जरूरतों को संबोधित करता है जो सूचना और संचार प्रौद्योगिकियों की सहायता से प्रदान की जाती है, जो शिक्षा के विकास में सहायता प्रदान करते हैं। पारंपरिक पाठ्यक्रमों और अध्ययन के कार्यक्रमों के साथ, ओडीएल विभिन्न व्यावसायिक और तकनीकी क्षेत्रों में आजीवन सीखने और व्यावसायिक विकास के अवसर भी प्रदान करता है, जो स्वयं करने के अनुभवों के माध्यम से कौशल विकास के उपयुक्त अवसरों के साथ होता है।

ओडीएल के लिए शिक्षण सामग्री

सीखने के लिए व्यक्तिगत सहायता प्रदान करना ओडीएल के प्रमुख घटकों में से एक है। ओडीएल माध्यम में पाठ्यक्रम प्रदान करने वाले विश्वविद्यालयों में इसके लिए बड़ी संख्या में अध्ययन केंद्र हैं। अध्ययन केंद्रों पर, शिक्षार्थी शैक्षिक निर्देशक/पथ-प्रदर्शक साथियों और अन्य विशेषज्ञों के साथ बातचीत कर सकते हैं। वे पुस्तकालयों और अन्य मल्टीमीडिया संसाधनों का उपयोग कर सकते हैं। दूरस्थ शिक्षा का शैक्षणिक दृष्टिकोण स्व-पुस्तक सीखने पर आधारित है। टेक्स्ट पाठ्यक्रम में स्व-अनुदेशात्मक लिखित सामग्री, श्रव्य-दृश्य सामग्री, टेलीकांफ्रेंसिंग, इंटरएक्टिव रेडियो कॉन्फ्रेंसिंग के रूप में शिक्षण सामग्री शामिल है।

ओडीएल प्रणाली की विशेषताएँ

समय, गति, स्थान, आयु और प्रवेश मानदंड के संदर्भ में ओडीएल प्रणाली लचीली है। शिक्षार्थी अपनी सुविधानुसार अपनी गति से अध्ययन कर सकता है। यह लचीली प्रणाली तंत्र को शिक्षार्थी केंद्रित बनाता है।

ओडीएल प्रणाली लागत प्रभावी है क्योंकि यह पैमाने की अर्थव्यवस्थाओं पर काम करती है, यह बड़ी संख्या में छात्रों को दाखिला देती है। ओडीएल में शामिल होने वाले छात्र, प्रणाली को बहुत कम लागत वाला पाते हैं क्योंकि इससे उन्हें परिवहन की लागत बचाने में मदद मिलती है, हर दिन संस्थान का खर्च होता है और अध्ययन सामग्री आदि पर खर्च होता है, भी बचता है।

अध्ययन का समय और गति और सीखने का समय शिक्षार्थियों द्वारा अपनी सुविधा के अनुसार निर्धारित किया जाता है। किसी भी कठिनाई के मामले में, वे अपने परामर्शदाता से ऑनलाइन और ऑफलाइन मदद ले सकते हैं। भारत में जनसंख्या का एक बड़ा वर्ग है, जो उच्च शिक्षा सामाजिक-आर्थिक या सांस्कृतिक कारणों से आगे नहीं बढ़ पाया है, ओडीएल प्रणाली उन्हें शिक्षा को लचीला और सीखने के अनुकूल बनाकर अध्ययन करने के अवसर प्रदान करती है। ओडीएल प्रणाली उन लोगों के लिए ज्ञान उन्नयन और कौशल विकास के अवसर भी प्रदान करती है जो कार्यशील हैं या सेवा में हैं।

भारत में ओडीएल संस्थान

भारत में, आंध्र प्रदेश मुक्त विश्वविद्यालय, 1982 में स्थापित किया गया था जो ओडीएल माध्यम में पाठ्यक्रम प्रदान करता है। वर्तमान में यह डॉ. बी. आर. अम्बेडकर मुक्त विश्वविद्यालय के नाम से जाना जाता है। 1985 में, केंद्र सरकार ने इंदिरा गांधी राष्ट्रीय मुक्त विश्वविद्यालय (IGNOU) की स्थापना की। वर्तमान में भारत में एक केंद्रीय और 14 राज्य मुक्त विश्वविद्यालय हैं।

व्यापक मुक्त ऑनलाइन पाठ्यक्रम (MOOC)

सूचना और संचार प्रौद्योगिकियों ने उच्च शिक्षा को जन-जन तक पहुंचाने का एक अवसर प्रदान किया है। हालांकि मुक्त व दूरस्थ (ओपन एंड डिस्टेंस लर्निंग) कार्यक्रम पहले से ही थे, लेकिन आईसीटी के उपयोग के कारण शिक्षा को अधिक सुलभ बनाया गया है। अगर किसी के पास इंटरनेट है तो वह भी किसी भी समय कहीं भी सीख सकता है। उच्च शिक्षा के क्षेत्र में इंटरनेट क्रांति ने मैसिव ओपन ऑनलाइन पाठ्यक्रम के रूप को जन्म दिया है। MOOC वैश्विक स्तर पर और असीमित भागीदारी के लिए ऑनलाइन पाठ्यक्रमों की पेशकश के प्रभावी तरीकों में से एक है। MOOC एक मंच के माध्यम से प्रस्तुत होते हैं। कोर्सइरा, एडएक्स और उडोसिटी, MOOC प्लेटफॉर्म के कुछ उदाहरण हैं। यह उच्च शिक्षा में नामांकन बढ़ाने, शैक्षिक आधारभूत संरचना की चुनौतियों का सामना करने और आम जनता को गुणवत्तापूर्ण शिक्षा प्रदान करने का एक अवसर है।

स्वयं (SWAYAM)

स्टडी वेब्स ऑफ एक्टिव लर्निंग फॉर यंग एस्पायरिंग माइंड्स (SWAYAM) एक उच्च विद्यालय से विश्वविद्यालय स्तर तक ऑनलाइन पाठ्यक्रमों की मेजबानी के लिए एक वेब आधारित अंतःक्रिया हेतु मंच है। यह कभी भी, कहीं भी मल्टीमीडिया का उपयोग करके गुणवत्तापूर्ण शिक्षण सामग्री प्रदान करता है। SWAYAM पर दिए जाने वाले पाठ्यक्रमों तक पहुंच और निगरानी करना आसान है। यह एक अंतःक्रिया का अपसारी क्षेत्र है जहां सहपाठियों के साथ समूह चर्चा व अंतःक्रिया होती है। कई पाठ्यक्रमों में हाइब्रिड मॉडल द्वारा ऑनलाइन व ऑफलाइन द्वारा पाठ्य वस्तु प्रदान की जाती है। "MOOC" मंच पर उपलब्ध पाठ्यक्रमों को चतुर्भुजी दृष्टिकोण को अपनाते हुए विकसित किया गया है।

राष्ट्रीय उच्चतर शिक्षा अभियान (RUSA)

भारत में प्राथमिक और माध्यमिक शिक्षा के विस्तार के लिए ईमानदार प्रयास किए गए थे। सर्व शिक्षा अभियान (SSA) और राष्ट्रीय उच्चतर

शिक्षा अभियान (RUSA) जैसे दो प्रमुख कार्यक्रमों ने उच्च शिक्षा के लिए जनसमूह की गतिशीलता बढ़ाई है। उच्च शिक्षा प्रणाली को बड़ी संख्या में छात्रों को समायोजित करने और उन्हें गुणवत्तापूर्ण शिक्षा प्रदान करने की चुनौती का सामना करना पड़ता है।

इन चुनौतियों का सामना करने के लिए केंद्र सरकार ने 2013 में राष्ट्रीय उच्चतर शिक्षा अभियान (RUSA) शुरू किया।

रूसा (RUSA) के उद्देश्य

- यह सुनिश्चित करना कि राज्य संस्थान उच्च शिक्षा के लिए निर्धारित मानदंडों और मानकों को पूरा करते हैं। वे मान्यता की प्रक्रिया से गुजर चुके हैं।
- योजना और निगरानी के लिए एक संस्थागत संरचना बनाना, उच्च शिक्षा संस्थानों की स्वायत्तता को बढ़ावा देना और शासन में सुधार करना।
- संबद्धता, शैक्षणिक और परीक्षा प्रणाली से संबंधित सुधार सुनिश्चित करना।
- संकाय शिक्षकों की उपलब्धता सुनिश्चित करना और रोजगार के सभी स्तरों पर क्षमता निर्माण को बढ़ावा देना।
- अनुसंधान और नवाचार के अनुकूल शिक्षण वातावरण बनाना और बनाए रखना।
- मौजूदा संस्थानों की अतिरिक्त क्षमता का विस्तार करना और उन्हें सुलभ बनाने के लिए नए संस्थानों की स्थापना करना।
- नए संस्थानों की स्थापना करके क्षेत्रीय असंतुलन के मुद्दे को संबोधित करना।
- समाज के विभिन्न सीमांत समूहों को उच्च शिक्षा में अवसर प्रदान करना।

रूसा के मार्गदर्शक सिद्धांत

इस योजना के कुछ मार्गदर्शक सिद्धांत निम्नलिखित हैं:

- **गुणवत्ता और अनुसंधान पर केन्द्रितः** रूसा की संकल्पना है कि सभी राज्य उच्च शिक्षा संस्थानों को सबको उच्च गुणवत्ता वाली शिक्षा प्रदान करनी चाहिए। अंतर्निहित सिद्धांत यह है कि उच्च शिक्षा के लिए बड़े पैमाने पर पहुंच उच्च गुणवत्ता मानकों के बिना उच्च फलदायी नहीं होगी। यह बल देता है कि सभी राज्य संस्थानों को NAAC (नैक) मान्यता से गुजरना चाहिए ताकि न्यूनतम गुणवत्ता आश्वासन दिया जाए। इसके अतिरिक्त, इन संस्थानों को अनुसंधान और नवाचार को बढ़ावा देने के लिए प्रोत्साहित किया जाएगा, जिसके लिए उन्हें संसाधन और धन उपलब्ध कराया जाएगा, इस आधार पर कि उन्हें अनुसंधान की गुणवत्ता सुनिश्चित करनी है जो विभिन्न मानदंड जैसे शोध प्रकाशनों की संख्या, पत्रिकाओं के प्रभाव कारक जिसमें पत्र प्रकाशित किए जाते हैं, उद्धरण, शोध निधि की राशि को आकर्षित किया जाता है, आदि का उपयोग अनुसंधान की गुणवत्ता सुनिश्चित करने के लिए किया जाएगा। राज्यों के संस्थानों से अपेक्षा की जाती है कि वे इस क्षेत्र में ईमानदारी से अपनी वर्तमान स्थिति की घोषणा करें और सूचना और संचार प्रौद्योगिकी (आईसीटी) के उपयोग सहित सुधार के लिए विशिष्ट रणनीतियों की रूपरेखा तैयार करें।
- **मानक आधारित व प्राप्य आधारित वित्तीय सहायताः** रूसा अनुदान प्रदान करने के लिए केंद्र प्रायोजित योजना है। इसे इस तरह से रूपांकित किया गया है कि यह वित्तीय वर्ष आधारित है और भविष्य के अनुदान परिणाम पर निर्भर है। शिक्षा मंत्रालय प्रस्तुत धन की पिछली उपलब्धियों और उपयोग के आधार पर भविष्य के वित्तपोषण का निर्णय लेता है।
- **अराजनैतिक निर्णय लेनाः** रूसा यह सुनिश्चित करने के लिए प्रतिबद्ध है कि योजना के तहत सभी निर्णय निष्पक्ष, अपारंपरिक और व्यावसायिक तरीके से किए जाएं। इसलिए, यह प्रदर्शन-आधारित मूल्यांकन को अपनाता है। यह भी अपेक्षा करता है कि राज्य सुधारों को निष्पादित और सुविधाजनक बनाते हुए निष्पक्ष, उदासीन और व्यावसायिक होंगे।
- **स्वायत्तताः** रूसा गुणवत्ता और जवाबदेही के लिए एक अनिवार्य शर्त के रूप में स्वायत्तता की परिकल्पना करता है। इसलिए, यह संस्थानों को उनकी विशेष आवश्यकताओं और जरूरतों के आधार पर विशिष्ट हस्तक्षेप की योजना बनाने की पूर्ण स्वतंत्रता देता है।
- **प्रकटीकरण-आधारित शासनः** भाग लेने वाले संस्थानों को छात्रों, अभिभावकों और समाज के लिए जिम्मेदार बनाया जाता है। प्रकटीकरण-आधारित शासन को भी बरकरार रखा जाता है, जहाँ कोई भी संस्था अपने नियामक अधिकारियों के साथ-साथ अपने ग्राहकों के लिए भी जिम्मेदार होती है।
- **समानता आधारित विकासः** रूसा योजना के तहत पहल का उद्देश्य हाशिए पर रहने वाले समूहों अर्थात महिलाओं, जनजातियों और अलग-अलग लोगों के लिए समान अवसर तैयार करना है।

रूसा के घटक

रूसा योजना के प्राथमिक घटक निम्नलिखित हैं:

- मौजूदा स्वायत्त महाविद्यालयों का विश्वविद्यालयों में उन्नयन
- महाविद्यालयों को समूह विश्वविद्यालयों में बदलना
- विश्वविद्यालयों को आधार-संरचना अनुदान
- नए मॉडल महाविद्यालयों की स्थापना
- मौजूदा डिग्री महाविद्यालयों का मॉडल महाविद्यालयों में उन्नयन
- नए व्यावसायिक महाविद्यालयों का विकास करना
- अनुसंधान, नवाचार और गुणवत्ता में सुधार
- समानता की पहल
- संकाय भर्ती का समर्थन

- संकाय में सुधार
- उच्च शिक्षा का व्यवसायीकरण
- शैक्षिक प्रशासकों का नेतृत्व विकास
- क्षमता निर्माण और तैयारी, डेटा/प्रदत्त संग्रह और नियोजन

विश्वविद्यालय अनुदान आयोग (UGC)

उच्च शिक्षा में नीतिगत दिशा-निर्देशों की सिफारिश करने के लिए वर्ष 1948 में विश्वविद्यालय शिक्षा आयोग का गठन किया गया था। आयोग ने ब्रिटेन में विश्वविद्यालय अनुदान आयोग के मॉडल पर भारत में विश्वविद्यालय अनुदान आयोग की स्थापना की सिफारिश की। यूजीसी 1953 में अस्तित्व में आया। यह संसद के अधिनियम द्वारा 1956 में एक वैधानिक निकाय बन गया। यूजीसी को दो जिम्मेदारियां सौंपी गई हैं : विश्वविद्यालयों को धन मुहैया कराना और देश में विश्वविद्यालय शिक्षा के मानकों का समन्वय, निर्धारण और रखरखाव। UGC के शासनादेश निम्नानुसार हैं:

- विश्वविद्यालय शिक्षा को बढ़ावा देना और समन्वय करना।
- विश्वविद्यालयों में शिक्षण, परीक्षा और अनुसंधान के मानकों का निर्धारण और रखरखाव।
- शिक्षा के न्यूनतम मानकों के लिए नियम बनाना।
- महाविद्यालय और विश्वविद्यालय शिक्षा के क्षेत्र में विकास की निगरानी करना, विश्वविद्यालयों और महाविद्यालयों को अनुदान देना।
- केंद्र और राज्य सरकारों और उच्च शिक्षा संस्थानों के बीच एक महत्वपूर्ण कड़ी के रूप में सेवा करना।
- विश्वविद्यालय शिक्षा में सुधार के लिए आवश्यक उपायों पर केंद्र और राज्य सरकारों को सलाह देना।

केन्द्रीय शिक्षा सलाहकार बोर्ड (CABE)

सेंट्रल एडवाइजरी बोर्ड ऑफ एजुकेशन (CABE) राष्ट्रीय स्तर का निकाय है जो केंद्र और राज्य सरकारों को शिक्षा के मुद्दों पर सलाह देता है। CABE को 1920 में स्थापित किया गया था और 1923 में भंग कर दिया गया था। इसे 1935 में पुनर्गठित किया गया और 1994 तक जारी रखा गया। CABE शैक्षिक नीति और इसके कार्यान्वयन की समीक्षा और सलाह देने में महत्वपूर्ण भूमिका निभाता है। CABE को पुनः 2004 में पुनर्गठित किया गया। इस बोर्ड में केंद्र और राज्य सरकारों के मंत्री, विभिन्न हित समूहों के प्रतिनिधि और लोकसभा और राज्यसभा के नामित सदस्य शामिल होते हैं। CABE के कार्य इस प्रकार हैं:

- समय-समय पर शिक्षा की प्रगति की समीक्षा करना।
- केंद्र और राज्य सरकारों और अन्य संबंधित एजेंसियों द्वारा शिक्षा नीति को किस हद तक लागू किया गया है, इसका मूल्यांकन करना।
- शिक्षा के मुद्दों के बारे में उचित सलाह देना।
- शिक्षा नीति के अनुसार शैक्षिक विकास के लिए केंद्र और राज्य सरकारों/केंद्र शासित प्रदेशों के प्रशासन, राज्य सरकारों और गैर-सरकारी एजेंसियों के बीच समन्वय के बारे में सलाह देना।
- किसी शैक्षिक प्रश्न पर केंद्र सरकार या किसी राज्य सरकार या केंद्र शासित प्रदेश प्रशासन द्वारा किए गए संदर्भ पर सलाह देना।

भारत में प्राच्य, पारंपरिक और गैर–पारंपरिक अधिगम कार्यक्रम (Oriental, Conventional and Non-conventional Learning Programmes in India)

भारत में अधिगम कार्यक्रमों को प्राच्य, पारंपरिक और गैर-पारंपरिक कार्यक्रमों में विभाजित किया गया है। एशिया की भाषा और संस्कृति की विद्वत्तापूर्ण ज्ञान वाले व्यक्तियों को प्राच्यविद कहा जाता है।

प्राच्य अधिगम कार्यक्रम : प्राच्य अधिगम प्रणाली में प्राच्य भाषाओं, साहित्य या संस्कृतियों के बारे में सटीक जानकारी और ज्ञान शामिल है जो एशियाई देशों के साथ संबंधित है। प्राच्य शोध संस्थान विशेष रूप से भारत-विद्या अध्ययनों के लिए बनाये गए हैं। भारत-विद्या भारतीय समाज के अध्ययन की ओर प्राच्यविद् दृष्टिकोण का एक भाग है। यह भारतीय (दक्षिण एशियाई) समाज, इसकी संस्कृति, भाषाओं, साहित्य, इतिहास और राजनीति के अध्ययन को संदर्भित करता है।

भारत में प्राच्य अधिगम संस्थान

1. **एशियाटिक सोसाइटीः** इसकी कल्पना वर्ष 1784 में सर विलियम जोन्स (1746-1794) द्वारा की गई थी, जिन्होंने एशियाटिक अध्ययन केंद्र की कल्पना की थी जिसमें महाद्वीप की भौगोलिक सीमाओं में मनुष्य और प्रकृति से जुड़ी हर चीज शामिल थी। एशियाटिक सोसाइटी का पुस्तकालय भारत-विद्या और एशियाई विद्या पर पुस्तकों से समृद्ध है। एशियाटिक सोसाइटी के संग्रहालय में चित्रों, पांडुलिपियों, मूर्तियों, कांसे, सिक्कों और शिलालेखों का एक बड़ा संग्रह है।

2. **पौराणिक समाजः** यह दक्षिण भारत में प्राच्य अध्ययन का एक अग्रणी संस्थान है, जिसकी स्थापना 1909 में बैंगलोर में कुछ यूरोपीय उत्साही लोगों द्वारा की गई थी। बैंगलोर के तत्कालीन कलेक्टर और सैन्य स्टेशन छावनी के प्रमुख एफ. जे. रिचईस ने पहल की और 5 मई 1909 को उनके निवास पर इसके गठन के संबंध में एक बैठक आयोजित की गई। इसकी अपनी इमारत, डेली मेमोरियल हॉल है, जिसका नाम रेजिडेंट ह्यूग डेली के नाम पर रखा गया है और इसे 1917 में बनाया गया। डेली मेमोरियल हॉल में महात्मा गांधी, रवीन्द्रनाथ टैगोर और सी.वी रमन जैसे नोबेल पुरस्कार विजेताओं का आना जाना होता था। सोसाइटी में दुर्लभ पुस्तकों का एक मूल्यवान संग्रह है, जिसमें लगभग 43,000 पुस्तकें हैं, जो 17वीं, 18वीं और 19वीं शताब्दी में प्रकाशित हैं।
3. **मद्रास संस्कृत महाविद्यालय :** इसकी स्थापना फरवरी 1906 में, सबसे शानदार व्यक्तियों में से एक और प्रतिष्ठित न्यायविद् माननीय वी. कृष्ण स्वामी अय्यर, फिर मद्रास उच्च न्यायालय के तत्कालीन पूर्व न्यायाधीश और मद्रास सरकार के कार्यकारी परिषद् के सदस्य द्वारा की गई थी। कॉलेज ने विशेष रूप से संस्कृत के क्षेत्र में समाज के लिए सौ साल की सेवा पूरी की है और स्वदेशी परंपरा और संस्कृति को पुनस्थापित करने और फिर से जीवंत करने में सफल हुआ है। कॉलेज वर्ष 1977 से आदर्श महाविद्यालय योजना के तहत मद्रास विश्वविद्यालय और एम.एच.आर.डी भारत सरकार द्वारा आंशिक रूप से सम्बद्ध है।

पारंपरिक और गैर-पारंपरिक शिक्षा

पारंपरिक और गैर-पारंपरिक प्रशिक्षण के संयोजन की प्रणाली से ही शिक्षण गतिविधि सुचारू रूप से हो सकती है। यहाँ पारंपरिक का अर्थ है शिक्षा-कक्ष या नियमित संस्थान में शिक्षा प्राप्त करना। गैर-पारंपरिक का अर्थ है कि हम रोजगार के साथ शिक्षा प्राप्त करना चाहते हैं, जैसे कि दूरस्थ शिक्षा। यहाँ पारंपरिक और गैर-पारंपरिक शिक्षा का एक तुलनात्मक दृष्टि से वर्णन किया गया है।

	पारंपरिक शिक्षा	गैर-पारंपरिक शिक्षा
1.	यह मूल रूप से निष्क्रिय शिक्षा है, जहाँ बच्चा शिक्षक को सुनता है शिक्षक से मिले निर्देशों का पालन करता है, शिक्षक निर्देशों के लिए गति भी निर्धारित करता है।	सक्रिय शिक्षण, जो स्वतंत्र रूप से चलता है, अपना कार्य चुनता है कि किस गति से यह किया जा रहा है। शिक्षक, यदि कोई हो, तो सुविधा हो जाती है।
2.	छात्रों को ज्ञान, कौशल और अनुभव प्रदान किया जाता है।	यहां छात्रों का सामान्य विकास होता है, और वह मॉडयूल को सीखने में पर्याप्त ज्ञान प्राप्त कर लेता है।
3.	मुख्य क्षमता प्राप्त होती है, जैसे कि उदाहरण, तथ्य, तर्क और पाठ, समर्पित समय और प्रयास। इसका उद्देश्य परिभाषित कौशल में प्रवीणता प्राप्त करना है और सामाजिक रूप से विकसित होना है।	समग्र विकास क्योंकि इसमें कानून, सिद्धांत, नियम और अवधारणा का सामान्यीकरण करना शामिल है। यह मन का संज्ञानात्मक, सामाजिक और मनोवैज्ञानिक विकास है।
4.	यहाँ विद्यार्थी सहकर्मी निरंतर संपर्क में रहते हैं।	यहाँ सीमित सहकर्मी संपर्क में रहते हैं।
5.	समूह, व्यक्तिगत, पूरी कक्षा	टीमवर्क और प्रशिक्षण का सामूहिक ढंग
6.	मौखिक, दृश्य और व्यावहारिक सीमित संपर्क समय	समस्या कथन, आंशिक शोध और अनुमानी/मंथन विधियां
7.	शिक्षक द्वारा नियंत्रण और मूल्यांकन	आत्म नियंत्रण और आत्म मूल्यांकन
8.	विषय-वस्तु संबंध	सहयोग और सहकार्यता

यदि कोई विद्यार्थी इंजीनियरिंग में स्नातक है, उसके नित्य-कर्म को पारंपरिक शिक्षा कहेंगे, और बाद में रोजगार में पांच वर्ष के बाद उसको प्रबंधन में उत्तर स्नातक की डिग्री चाहिए या कोई कंप्यूटर कोर्स करना है तो इस शिक्षा को हमें गैर-पारंपरिक कहना होगा।

कौशल आधारित शिक्षा

जनसांख्यिकी लाभांश (Demographic Dividend) की दृष्टि से भारत विश्व का सबसे युवा देश है। भारत की केवल 2% श्रमशक्ति ही कुशल है, जबकि हमारी तुलना में दक्षिण कोरिया की 96%, चीन की 45%, यूएसए की 50-55% और जर्मनी की 74%, श्रमशक्ति कुशल है। हम इतने सारे वर्ष उच्च शिक्षा पर ध्यान देते रहे, परंतु अब आवश्यकता है रोजगार क्षमता बढ़ाने और कौशल प्रशिक्षण प्रयासों द्वारा कुशल मानव-शक्ति निर्माण की।

भारतीय शिक्षा क्षेत्र ने संस्थाओं तथा विद्यार्थियों की संख्या के अनुसार पिछले कुछ दशकों में तेज गति से विकास किया है। यूजीसी की रिपोर्ट के अनुसार 1950-51 में 30 विश्वविद्यालयों से संलग्न 750 महाविद्यालय थे जो कि वर्ष 2023 में बढ़कर 1074 हो गए।

इतने सांख्यिकी विकास के बावजूद, उच्च शिक्षा युवाओं को नियोक्ता की आवश्यकतानुसार नौकरी में लेने योग्य बनाने में अधिक सफल नहीं हो पाई है। शायद इसका मुख्य कारण है, हमारे यहां निम्न कौशल होना।

आज के वैश्वीकरण के युग में कौशल प्रशिक्षण किसी भी देश के स्वस्थ आर्थिक विकास हेतु बढ़ती कार्यक्षमता और उत्पादकता के लिए अनिवार्य घटक हैं। भारत में ये अभी प्राथमिक अवस्था में है, हालांकि कुशल श्रमशक्ति की मांग बहुत बड़ी है। इस खाई को पाटने के लिए कौशल परितंत्र की पुनर्रचना करना आवश्यक है।

एक ओर जहाँ भारत वैश्विक आर्थिक शक्ति बनने की राह पर चल रहा है, उसकी कामकाजी जनसंख्या के लिए रोजगार क्षम कौशल से सुसज्जित होना बहुत ही आवश्यक है।

कौशल आधारित शिक्षा रोजगार क्षमता पर ध्यान केन्द्रित करते हुए इन विषयों पर काम करती हैं :

- छात्रों को व्यावहारिक और क्रियाशील कौशल प्रदान करना, जो उन्हें रोजगार के लिए तैयार करे।
- रोजगार आधारित कौशल व्यापक विशेषज्ञता की ओर ले जाता है, जिससे प्रत्याशी की प्रभावकारिता बढ़ती है।
- कौशल विकास हस्तक्षेप की मदद से आत्मविश्वास बढ़ता है, केंद्रित परिणाम-आधारित शिक्षा के द्वारा व्यक्ति की उत्पादकता और क्षमता का विकास होता है।

2014 में प्रधानमंत्री श्री नरेंद्र मोदी के दूरदर्शी नेतृत्व में कौशल विकास को बढ़ावा मिलने लगा—उन्होंने 'स्किल इंडिया मिशन' को प्रोत्साहन दिया और सभी कौशल विकास गतिविधियों का संचालन करने, क्षमता और तांत्रिक/व्यावहारिक प्रशिक्षण के संरचना निर्माण और उसके मूल्यांकन के लिए कौशल विकास तथा उद्यमिता कौशल मंत्रालय का निर्माण भी किया।

एमएसडीई (MSDE) ने इस परिणाम-आधारित कौशल विकास योजना की फ्लैंगशिप 'प्रधान मंत्री कौशल विकास योजना' का शुभारंभ किया। इस कौशल प्रमाणीकरण और पुरस्कार योजना का उद्देश्य है—भारतीय युवाओं को भारी संख्या में इस परिणाम-आधारित कौशल विकास योजना में सहभागी होने के लिए प्रेरित करना ताकि वे रोजगार-क्षम बन सकें और अपनी आजीविका कमा सकें।

नेशनल स्किल डेवलपमेंट कॉर्पोरेशन, एमएसडीई के अंतर्गत एक केंद्रीय आधारभूत संस्था है, जो प्रशिक्षण भागीदारों को वित्तीय सहायता देकर सशक्त कौशल प्रशिक्षण क्षमता का निर्माण करने के लिए उत्तरदायी है।

नेशनल स्किल क्वालिफिकेशन फ्रेमवर्क (एनएसडीसी) के अंतर्गत सभी प्रशिक्षण राष्ट्रीय स्तर पर निर्धारित और संलग्न करने पर काम कर रही है, जैसा कि राष्ट्रीय कौशल विकास नीति में निश्चित किया गया है। प्रस्तुत नीति का लक्ष्य संपूर्ण विश्व में मान्यता-प्राप्त प्रमाणित परितंत्र को लाना है।

भारत आने वाले वर्षों में कुशल राष्ट्रों में से एक के रूप में पहचान पाने के लिए प्रयासरत है। अब उच्च शिक्षा और कौशल प्रशिक्षण दोनों का एक साथ, एक ही जगह, एक ही पाठ्यक्रम के भाग के रूप में सहज और एकत्रित अस्तित्व होना आवश्यक है। इसको साध्य बनाने के लिए उद्योग और शिक्षा क्षेत्र ने एक साथ काम करते हुए शिक्षा और रोजगार-क्षम विशेषताओं से युक्त व्यावहारिक और क्रियाशील प्रत्याशियों को तैयार करना बहुत महत्वपूर्ण है।

भारत में तकनीकी शिक्षा

भारत में तकनीकी शिक्षा के कार्य क्षेत्र में इंजीनियरिंग, तकनीकी, प्रबंधन, फार्मेसी, एप्लाइड कला और शिल्प, होटल प्रबंधन, आदि आते हैं।

- सबसे पहला इंजीनियरिंग कॉलेज रूड़की, उत्तरप्रदेश (अब उत्तराखंड) में 1847 में प्रारंभ हुआ।
- कलकत्ता (कोलकाता), बॉम्बे (मुम्बई) एवं मद्रास (चेन्नई) प्रान्तों में 1856 में तीन इंजीनियरिंग कॉलेज आरंभ किए गए।
- बंगाल में स्वदेशी नेताओं ने बहुत सारे संस्थान आरम्भ किए जिनमें से कॉलेज ऑफ इंजीनियरिंग एंड टेक्नोलोजी, जादवपुर ही अस्तित्व में है, अब यह जादवपुर विश्वविद्यालय बन चुका है।
- पंडित मदन मोहन मालवीय ने बनारस विश्वविद्यालय में काफी तकनीकी कोर्स शुरू किए।
- वर्ष 1930 में बंगाल इंजीनियरिंग कॉलेज, शिवपुर में भी तकनीकी शिक्षा शुरू की गई।

भारत में स्वतंत्रता के बाद भी बहुत सारे तकनीकी संस्थान प्रारंभ किए गए। भारत में तकनीकी शिक्षा का नियामक (regulator) अखिल भारतीय तकनीकी शिक्षा परिषद है।

अखिल भारतीय तकनीकी शिक्षा परिषद्

अखिल भारतीय तकनीकी शिक्षा परिषद् (एआईसीटीई) की स्थापना परामर्शी निकाय के रूप में 1945 में की गई और बाद में वर्ष 1987 में इसे संसद के अधिनियम द्वारा सांविधिक दर्जा दिया गया। अखिल भारतीय तकनीकी शिक्षा परिषद तकनीकी संस्थान खोलने, नए पाठ्यक्रम प्रारंभ करने और तकनीकी संस्थाओं में दाखिला क्षमता में विविधता के लिए अनुमोदन देता है।

अखिल भारतीय तकनीकी शिक्षा परिषद के तहत तकनीकी संस्थानों में तकनीकी शिक्षा के वृहद परिदृश्य में स्नातकोत्तर, अवर-स्नातक और डिप्लोमा शामिल हैं, जिसमें इंजीनियरिंग/प्रौद्योगिकी, फार्मेसी, वास्तुशिल्प, होटल प्रबंधन और कैटरिंग प्रौद्योगिकी, प्रबंध अध्ययन, कंप्यूटर एप्लीकेशन और अनुप्रयुक्त कला और शिल्प शामिल हैं। अखिल भारतीय तकनीकी शिक्षा परिषद का मुख्यालय नई दिल्ली में है और इसके 7 क्षेत्रीय कार्यालय कोलकाता, चेन्नई, कानपुर, मुंबई, चंडीगढ़, भोपाल और बंगलौर में स्थित हैं। हैदराबाद में एक नया क्षेत्रीय कार्यालय स्थापित किया गया है।

परिषद् अपने कार्यों का संचालन कार्यकारी परिषद के माध्यम से करता है।

मूल्य शिक्षा

अच्छा-बुरा, सही-गलत के मापदण्ड पर ही व्यक्ति, वस्तु, व्यवहार व घटना की परख की जाती है। ये मानदंड ही मूल्य कहलाते हैं। हमारी शिक्षा केवल बौद्धिक विकास पर ध्यान देती है। हमारी शिक्षा शिक्षार्थी में बोध जाग्रत नहीं करती, वह जिज्ञासा नहीं जगाती जो स्वयं सत्य को खोजने के लिए प्रेरित करे और आत्मज्ञान की ओर ले जाए, सही शिक्षा वही हो सकती है, जो शिक्षार्थी में नैतिक और आध्यात्मिक मूल्यों को विकसित कर सके।

नैतिक मूल्यों का विस्तार व्यक्ति से विश्व तक, जीवन के सभी क्षेत्रों में होता है। व्यक्ति, परिवार, समुदाय, समाज, राष्ट्र से मानवता तक नैतिक मूल्यों की यात्रा होती है। नैतिक मूल्यों के महत्व को व्यक्ति, समाज, राष्ट्र व विश्व की दृष्टियों से देखा समझा जा सकता है। सामाजिक जीवन में तेजी से हो रहे परिवर्तन के कारण उत्पन्न समस्याओं की चुनौतियों से निपटने के लिए और नवीन व प्राचीन के मध्य स्वस्थ अंतःक्रिया को संभव बनाने में नैतिक मूल्य सेतु का कार्य करते हैं। नैतिक मूल्यों के कारण ही समाज में संगठनकारी शक्तियाँ व प्रक्रिया गति पाती हैं और विघटनकारी शक्तियों का क्षय होता है।

नैतिकता सामाजिक जीवन को सुगम बनाती है और समाज पर अप्रत्यक्ष रूप से नियंत्रण रखती है। समाज व राष्ट्र का एकीकरण और अस्मिता की रक्षा नैतिकता के अभाव में नहीं हो सकती है। विश्व बंधुत्व की भावना, मानवतावाद, समता भाव, प्रेम और त्याग जैसे नैतिक गुणों के अभाव में विश्व शांति, अंतर्राष्ट्रीय सहयोग, मैत्री, आदि की कल्पना भी नहीं की जा सकती।

मूल्य शिक्षा का उद्देश्य एक व्यापक परिप्रेक्ष्य में शिक्षा के मौलिक प्रश्नों के साथ जुड़ा हुआ है।

- **व्यक्तिगत परिप्रेक्ष्यः** यह छात्रों को जीवन और कार्य में सफलता हेतु सक्षम बनाता है।
- **सामाजिक परिप्रेक्ष्यः** शिक्षा का उद्देश्य युवाओं को समाज, देश और दुनिया के लिए योगदान देने हेतु तैयार करना है।

प्लेटो ने 'Republic' में लिखा था, 'एक शिक्षित व्यक्ति समाज की समस्याओं को हल करने के लिए अपने ज्ञान एवं कौशल का उपयोग करने की तत्परता रखता है।'

मूल्य शिक्षा में महत्वपूर्ण विकास

- राष्ट्रीय माध्यमिक शिक्षा आयोग (1952-53) ने शिक्षा के निर्णायक लक्ष्य के रूप में चरित्र निर्माण पर बल दिया।
- विश्वविद्यालय शिक्षा आयोग (1962) में कहा गया है कि यदि हम अपने संस्थानों में आध्यात्मिक प्रशिक्षण को सम्मिलित नहीं करते तो हम अपने इतिहास के साथ न्याय नहीं कर रहे होते।
- शिक्षा आयोग (1964-66) ने भी मूल्य शिक्षा और राष्ट्रीय विकास पर ध्यान केंद्रित किया। श्री प्रकाश समिति ने भी वर्ष 1959 में नैतिक शिक्षा पर जोर दिया।
- राष्ट्रीय शिक्षा नीति 1986 और 1992 ने नैतिक शिक्षा को पाठ्यक्रम में सम्मिलित करने की बात की। चवण समिति (1999), राष्ट्रीय पाठ्यचर्या रूपरेखा (2005), ने भी शिक्षा के मूल्य उन्मुखीकरण (Value Orientation of Education), पर विशेष जोर दिया।

मूल्य शिक्षा के विकास में मुख्य कारक

- **परम्परा और आधुनिकता में सामंजस्य** (Tradition Versus Modernity): भारत जैसे विकासशील देश में, बहुत सारे विद्यार्थी हर परंपरागत वस्तु या मूल्य को संशय की दृष्टि से और हर आधुनिक मूल्य को उच्च समझते हैं, जबकि वास्तव में, ऐसा नहीं है। उनकी इन चरमताओं के बीच के अंतर को पाटना जरूरी है।
- **वैश्वीकृत और विविधता से परिपूर्ण समाज** (Globalised and Divese Society): वैश्वीकरण एक सर्व-भूत संस्कृति है, हम जिस बहु-सांस्कृतिक, बहु-भाषी, बहु-धार्मिक समाज में रहते हैं, उसमें कई प्रकार के विरोधाभास उत्पन्न हो चुके हैं। जीवन विज्ञान और तकनीकी क्षेत्र में प्रगति के बावजूद जटिल होता जा रहा है। ऐसे में नैतिक शिक्षा आवश्यक है। ऐसे वातावरण में पूर्णतया समावेशित समाज नैतिक शिक्षा के बिना संभव नहीं है।
- **वैज्ञानिक उन्नति और पर्यावरण** (Scientific Progress and Environment): हमारा परिवेश निरंतर दूषित होता जा रहा है– जलवायु परिवर्तन, ग्लोबल वार्मिंग, आदि हमें यह सोचने पर विवश कर देते हैं कि हम उन्नति के पथ पर अग्रसर हैं या अवनति के। ऐसे में नैतिक शिक्षा हमें सही दिशा दिखा सकती है, ताकि हम सतत विकास (sustainable development) के अपने उद्देश्य को पूरा कर सकें। हमें विज्ञान और तकनीक को मानव विकास के ज्यादा अनुरूप बनाने का सतत प्रयास करना होगा।
- **जनसंचार और सोशल मीडिया** (Mass and Social Media): हमारे जीवन का कोई भी ऐसा क्षेत्र या पहलू नहीं है, जो जनसंचार या सोशल मीडिया से अछूता है। वैचारिक अभिव्यक्ति का अधिकार कभी-कभी समाज या देश के विरुद्ध भी जा सकता है। इसका प्रभाव भी बहुत तेज गति से फैलता है, जिसमें कई बार सरकारें भी असहाय महसूस करती हैं। इसलिए इसके दुष्प्रभावों से सचेत रहना और इसको समाज के बृहत्तर उद्देश्यों के लिए उपयोग करना एक बड़ी चुनौती है, इसमें समाज के सभी वर्गों का नैतिकता के धरातल पर सहयोग देना बहुत आवश्यक है।

पर्यावरणपरक शिक्षा (Environmental Education)

पर्यावरण शिक्षा एक ऐसी शिक्षा है जो पर्यावरण के माध्यम से, पर्यावरण के संबंध में, पर्यावरण के हेतु होती है। वास्तव में पर्यावरण जड़ एवं चेतन दोनों को शिक्षा देने वाला है। पर्यावरण व्यक्ति के उन कार्यों को प्रोत्साहित करता है जो उनके अनुकूल होते हैं। पर्यावरण एक महान शिक्षक है क्योंकि शिक्षा का कार्य छात्रों को उस वातावरण के अनुकूल बनाना है जिससे कि वे जीवित रह सकें तथा अपनी मूल-प्रवृत्तियों को संतुष्ट करने हेतु अधिक से अधिक संभव अवसर प्राप्त कर सकें। शिक्षा व्यक्ति को पर्यावरण से अनुकूलन करना ही नहीं सिखाती वरन् पर्यावरण को अपने अनुकूल बनाने हेतु उसे प्रशिक्षित भी करती है।

पर्यावरण-शिक्षा की परिभाषा

पर्यावरण-शिक्षा के अर्थ को स्पष्ट करते हुए इसे निम्न तरह से परिभाषित किया गया है।

1. **संयुक्त राज्य अमेरिका का पर्यावरण-शिक्षा अधिनियम, 1970 :** ''पर्यावरण-शिक्षा का अर्थ है, वह शैक्षिक प्रक्रिया जो मानव के प्राकृतिक एवं मानव निर्मित वातावरण से संबंधित है। इसमें जनसंख्या, प्रदूषण, संसाधनों का विनियोजन एवं निःशोषण, संरक्षण, यातायात, प्रौद्योगिकी एवं संपूर्ण मानवीय पर्यावरण के शहरी एवं ग्रामीण नियोजन का संबंध भी निहित है।''
2. **एनसाइक्लोपीडिया ऑफ रिसर्च :** ''पर्यावरण-शिक्षा को परिभाषित करना सरल कार्य नहीं है, क्योंकि पर्यावरण-शिक्षा का अधिगम क्षेत्र ही अभी तक सुनिश्चित नहीं हो पाया है। परंतु यह सर्वसम्मत अवश्य है कि पर्यावरण-शिक्षा की विषय-वस्तु अंतर्विषयक (Interdiciplinary) प्रकृति की है। इसमें जीव-विज्ञान, राजनीति विज्ञान, अर्थशास्त्र, समाजशास्त्र, एवं अन्य लोकोपकारी विषयों की विषय-सामग्री सम्मिलित है। इस विचार से सभी सहमत हैं कि पर्यावरणीय शिक्षा की सम्प्रत्यात्मक विधि सर्वश्रेष्ठ है।''
3. **फिनिश नेशनल कमीशन :** ''पर्यावरण-शिक्षा पर्यावरण संरक्षण के लक्ष्यों को लागू करने का एक तरीका है। यह विज्ञान की एक अलग शाखा अथवा कोई अलग अध्ययन विषय नहीं है। इसको जीवन-पर्यंत एकीकृत शिक्षा के सिद्धांत के रूप में लागू किया जाना चाहिए।''
4. **चैपमैन :** ''पर्यावरण-शिक्षा का अभिप्राय अच्छी नागरिकता विकसित करने के लिए संपूर्ण पाठयक्रम को पर्यावरण मूल्यों तथा समस्याओं पर केद्रित करना है जिससे कि अच्छी नागरिकता का विकास हो सके एवं अधिगमकर्ता पर्यावरण के संबंध में भिज्ञ, प्रेरित एवं उत्तरदायी हो सके।''

पर्यावरण-शिक्षा का स्वरूप/प्रकृति

पर्यावरण-शिक्षा को विभिन्न रूपों में स्पष्ट किया जा सकता है, यथा

1. **पर्यावरण-शिक्षा का माध्यम पर्यावरणीय वातावरण है:** मनुष्य का पर्यावरण प्राकृतिक, मानव निर्मित, सुन्दर एवं शिक्षाप्रद है। जब बच्चे चिड़ियों अथवा तितलियों को देखकर आकर्षित होते हैं तो उनके विषय में अवगत कराना वातावरण के माध्यम से शिक्षा प्रदान करना है। वास्तव में इस प्रकार की शिक्षा कक्ष की चारदीवारी में प्रदान की गयी शिक्षा की अपेक्षा अधिक महत्वपूर्ण होती है। फलस्वरूप, पर्यावरण के माध्यम से व्यक्ति को शिक्षण अधिगम पर्याप्त मात्रा में कराया जाना चाहिए।
2. **पर्यावरण-शिक्षा पर्यावरण से संबंधित है :** मनुष्य प्रतिदिन अपने अस्तित्व की रक्षा और समृद्धि के हेतु पर्यावरण के संपर्क में कार्य करता है। किसी भी स्थिति में वह इससे बच नहीं सकता। परिवार में जन्म लेकर बच्चा परिवार के बाद पड़ोस, समुदाय आदि के संपर्क में आता है और उसके क्रिया कलापों में भाग लेता है, इस तरह वह वातावरण के संबंध में सीखता है। व्यक्ति को समुदाय में सामाजिक संस्थाओं के विषय में जानकारी मिलती है और इस जानकारी के अभाव में वह अपना जीवन सफलतापूर्वक नहीं व्यतीत कर सकता। यही स्थिति प्राकृतिक पर्यावरण की भी है। उसे अपने प्राकृतिक पर्यावरण से ही यह जानकारी प्राप्त होती है। वह खाद्य सामग्री कहाँ और किस तरह प्राप्त करता है, यह सामग्री किस प्रकार की भूमि से उत्पन्न होनी चाहिए आदि बातें वह स्वयं ही सीखता है। पर्यावरण के संबंध में यह जानकारी पर्यावरणीय शिक्षा है।
3. **पर्यावरण-शिक्षा का पर्यावरण है :** वर्तमान युग में पर्यावरण के क्षेत्र में क्रांति हुई है। जनसंख्या विस्फोट के कारण पर्यावरण में परिवर्तन हुआ है। इस विस्फोट के फलस्वरूप प्रौद्योगिकी का विकास हुआ है और औद्योगीकरण के फलस्वरूप वायु-प्रदूषण, जल-प्रदूषण, परिवहन-प्रदूषण, ध्वनि-प्रदूषण, सामाजिक-प्रदूषण आदि समस्याएँ उत्पन्न हुई। इनके फलस्वरूप मानव-जीवन अत्यंत कष्टप्रद हो गया। फलस्वरूप यह आवश्यक हो गया कि उन उपायों की खोज की जाए जिससे पर्यावरण का संरक्षण हो सके। इस तरह पर्यावरण के सुधार तथा संरक्षण से संबंधित जानकारी पर्यावरणीय शिक्षा है। वास्तव में पर्यावरण-शिक्षा, शिक्षा की विषय-वस्तु और शैली दोनों ही है। शैली के रूप में यह पर्यावरण को शिक्षण अधिगम सामग्री के रूप में प्रयुक्त करती है। विषय वस्तु के रूप में यह पर्यावरण के निर्णायक तत्वों के संबंध में शिक्षण है। पर्यावरण के हेतु शिक्षा के रूप में यह पर्यावरण का नियंत्रण, पारिस्थितिकी (Ecology) संतुलन के स्थापन और पर्यावरणीय प्रदूषण के नियंत्रण से संबंधित है।

प्रशासन, राजनीति और शासन प्रबंध (Governance, Polity and Administration)

भारत का संविधान

- संविधान का निर्माण भारतीय जनता द्वारा चुने गए प्रतिनिधियों की संविधान सभा द्वारा किया गया।
- संविधान सभा का प्रथम अधिवेशन 9 दिसम्बर, 1946 को दिल्ली में हुआ जिसकी अध्यक्षता डॉ. सच्चिदानंद सिन्हा ने की थी।
- 11 दिसम्बर, 1946 को डॉ. राजेन्द्र प्रसाद को संविधान सभा का स्थायी अध्यक्ष नियुक्त किया गया।
- डॉ. भीमराव अम्बेडकर की अध्यक्षता में सात सदस्यों वाली प्रारूप समिति ने संविधान का अन्तिम रूप से निर्माण किया।
- संविधान की प्रस्तावना को संविधान की कुंजी कहा जाता है।
- भारतीय संविधान का लगभग दो-तिहाई भाग 'भारत शासन अधिनियम 1935' से लिया गया था।
- 26 नवम्बर, 1949 को संविधान अंगीकृत किया गया तथा 26 जनवरी, 1950 से इसे सम्पूर्ण भारत में लागू किया गया। इसी कारण 26 जनवरी को गणतंत्र दिवस मनाया जाता है।
- 26 नवम्बर, 1949 को पारित भारतीय संविधान में 22 भाग, 395 अनुच्छेद तथा 8 अनुसूचियां थीं।
- संविधान के 42वें संशोधन अधिनियम 1976 के द्वारा इसमें 'पन्थ निरपेक्ष' तथा 'समाजवादी' एवं 'अखंडता' शब्द जोड़े गए।
- भारतीय संविधान के निर्माण में विभिन्न देशों के संविधान से उनके महत्वपूर्ण तत्व समावेशित किए गए थे।

भारतीय संविधान में विदेशी तत्व

राष्ट्र	विविध स्रोत
• संयुक्त राज्य अमेरिका	मौलिक अधिकार, न्यायिक पुनर्विलोकन, संविधान की सर्वोच्चता, न्यायपालिका की स्वतंत्रता, निर्वाचित राष्ट्रपति एवं उस पर महाभियोग, उपराष्ट्रपति का पद, उच्चतम एवं उच्च न्यायालयों के न्यायाधीशों को हटाने की विधि एवं वित्तीय आपात।
• ब्रिटेन	संसदीय शासन प्रणाली; एकल नागरिकता व विधि निर्माण प्रक्रिया।
• आयरलैंड	नीति निर्देशक तत्व, राष्ट्रपति के निर्वाचक मंडल की व्यवस्था, आपातकालीन उपबंध।
• ऑस्ट्रेलिया	प्रस्तावना की भाषा, समवर्ती सूची का प्रावधान, केन्द्र व राज्यों के बीच संबंध तथा शक्तियों का विभाजन।
• सोवियत संघ (रूस)	मौलिक कर्त्तव्य।
• जापान	विधि द्वारा स्थापित प्रक्रिया।
• फ्रांस	गणतंत्रात्मक शासन पद्धति।
• कनाडा	संघात्मक शासन व्यवस्था एवं अवशिष्ट शक्तियों का केन्द्र के पास होना।
• द० अफ्रीका	संविधान संशोधन की प्रक्रिया का प्रावधान।
• जर्मनी	आपातकाल के प्रवर्तन के दौरान राष्ट्रपति को मौलिक अधिकारों से संबंधित शक्तियां।

भारतीय संविधान की अनुसूचियाँ

- **पहली अनुसूचीः** इसमें भारतीय संघ के घटक राज्यों (28 राज्यों) एवं संघ शासित क्षेत्रों (8) का उल्लेख है।
- **दूसरी अनुसूचीः** इसमें भारतीय राजव्यवस्था के विभिन्न पदाधिकारियों को प्राप्त होने वाले वेतन, भत्ते और पेन्शन आदि का उल्लेख है।
- **तीसरी अनुसूचीः** इसमें विभिन्न पदाधिकारियों द्वारा पद-ग्रहण के समय लिये जाने वाले शपथ का उल्लेख है।
- **चौथी अनुसूचीः** इसमें विभिन्न राज्यों तथा संघीय क्षेत्रों की राज्य सभा में प्रतिनिधित्व का विवरण दिया गया है।
- **पाँचवीं अनुसूचीः** इसमें विभिन्न अनुसूचित क्षेत्रों और अनुसूचित जनजाति के प्रशासन और नियंत्रण के बारे में उल्लेख है।
- **छठी अनुसूचीः** इसमें असम, मेघालय, त्रिपुरा और मिजोरम राज्यों के जनजाति क्षेत्रों के प्रशासन का प्रावधान है।
- **सातवीं अनुसूचीः** इसमें केन्द्र और राज्यों के बीच शक्तियों के बँटवारे के बारे में उल्लेख है। इसके अन्तर्गत तीन सूचियाँ हैं–संघ सूची, राज्य सूची और समवर्ती सूची।
- **आठवीं अनुसूचीः** इसमें भारत की 22 भाषाओं का उल्लेख है।
- **नौवीं अनुसूचीः** संविधान में यह अनुसूची प्रथम संविधान संशोधन अधिनियम, 1951 द्वारा जोड़ी गई। इसके अन्तर्गत राज्य द्वारा सम्पत्ति के अधिग्रहण की विधियों का उल्लेख है।
- **दसवीं अनुसूचीः** यह संविधान में 52वें संशोधन (1985), द्वारा जोड़ी गई। इसमें दल-बदल से सम्बन्धित प्रावधानों का उल्लेख है।
- **ग्यारहवीं अनुसूचीः** यह अनुसूची 73वें संवैधानिक संशोधन (1993) द्वारा जोड़ी गई। इसमें पंचायती राज संस्थाओं को कार्य करने के लिए 29 विषय प्रदान किए गए हैं।
- **बारहवीं अनुसूचीः** यह अनुसूची 74वें संवैधानिक संशोधन (1993) द्वारा जोड़ी गई। इसमें शहरी क्षेत्र की स्थानीय स्वशासन संस्थाओं को कार्य करने के लिए 18 विषय दिए गए हैं।

भारतीय संविधान के कुछ महत्वपूर्ण अनुच्छेद

अनुच्छेद	प्रावधान
अनुच्छेद 1	संघ का नाम और उसका राज्य क्षेत्र
अनुच्छेद 2	नये राज्यों का प्रवेश व स्थापना
अनुच्छेद 3	नये राज्यों का निर्माण और वर्तमान राज्यों के क्षेत्रों, सीमाओं और नामों में परिवर्तन
अनुच्छेद 5-11	नागरिकता के प्रावधान
अनुच्छेद 12-35	मौलिक अधिकारों का प्रावधान
अनुच्छेद 36-51	राज्य के नीति-निदेशक तत्व
अनुच्छेद 51(क)	मौलिक कर्त्तव्य
अनुच्छेद 52-73	भारत के राष्ट्रपति एवं उपराष्ट्रपति
अनुच्छेद 74-75	मंत्रिपरिषद् की व्यवस्था एवं उसके कार्य
अनुच्छेद 76	भारत का महान्यायवादी
अनुच्छेद 79	संसद का गठन
अनुच्छेद 80	राज्य सभा की संरचना
अनुच्छेद 81	लोक सभा की संरचना
अनुच्छेद 89	राज्य सभा का सभापति एवं उपसभापति
अनुच्छेद 93	लोक सभा का अध्यक्ष एवं उपाध्यक्ष
अनुच्छेद 108	कुछ दशाओं में दोनों सदनों की संयुक्त बैठक
अनुच्छेद 109	धन विधेयक के सम्बन्ध में विशेष प्रक्रिया
अनुच्छेद 110	धन विधेयक की परिभाषा
अनुच्छेद 112	वार्षिक वित्तीय विवरण
अनुच्छेद 124	उच्चतम न्यायालय की स्थापना और गठन
अनुच्छेद 143	उच्चतम न्यायालय से परामर्श करने की राष्ट्रपति की शक्ति
अनुच्छेद 148	भारत का नियंत्रक महालेखा परीक्षक
अनुच्छेद 149	नियंत्रक एवं महालेखा परीक्षक के कर्त्तव्य और शक्तियाँ
अनुच्छेद 153-162	राज्यपाल की नियुक्ति व अधिकार
अनुच्छेद 163-164	राज्य की मंत्रिपरिषद्
अनुच्छेद 165	राज्य का महाधिवक्ता
अनुच्छेद 168-177	राज्य का विधानमंडल
अनुच्छेद 178-187	राज्य विधानमंडल के अधिकारी
अनुच्छेद 188-193	राज्य विधानमंडल का कार्य संचालन
अनुच्छेद 216	उच्च न्यायालय का गठन
अनुच्छेद 226	कुछ रिट निकालने की उच्च न्यायालय की शक्ति
अनुच्छेद 233	जिला न्यायाधीशों की नियुक्ति
अनुच्छेद 239-241	संघ राज्य क्षेत्र
अनुच्छेद 243-243(ण)	पंचायती राज का गठन व इसके अन्य उपबन्ध
अनुच्छेद 243(त) से 243(य, छ)	नगरपालिकाएँ व इसके अन्य उपबंध
अनुच्छेद 248	अवशिष्ट विधायी शक्तियां
अनुच्छेद 249	राज्य की सूची के विषयों के संबंध में राष्ट्रीय हित में विधि बनाने की संसद की शक्ति
अनुच्छेद 250	यदि आपात की उद्घोषणा प्रवर्तन में हो तो राज्यसूची के विषय के संबंध में विधि बनाने की संसद की शक्ति
अनुच्छेद 253	अन्तर्राष्ट्रीय करारों को प्रभावी करने के लिए विधान
अनुच्छेद 262	अन्तर्राज्यिक नदियों या नदी के जल संबंधी विवादों का न्यायनिर्णयन
अनुच्छेद 263	अन्तर्राज्य परिषद् के संबंध में उपबंध
अनुच्छेद 266	भारत और राज्यों की संचित निधियां और लोक लेखा
अनुच्छेद 267	आकस्मिक निधि
अनुच्छेद 280	वित्त आयोग का गठन
अनुच्छेद 300(क)	विधि के प्राधिकार के बिना व्यक्तियों को सम्पत्ति से वंचित न किया जाना
अनुच्छेद 312	अखिल भारतीय सेवाएं
अनुच्छेद 315	संघ और राज्यों के लिए लोक सेवा आयोग
अनुच्छेद 324	भारत का निर्वाचन आयोग
अनुच्छेद 326	लोक सभा और राज्यों की विधान सभाओं के लिए निर्वाचन में वयस्क मताधिकार का होना
अनुच्छेद 330	लोक सभा में अनुसूचित जातियों और जनजातियों के लिए स्थानों का आरक्षण
अनुच्छेद 331	लोक सभा में आंग्ल-भारतीय समुदाय का प्रतिनिधित्व
अनुच्छेद 332	राज्यों की विधान सभा में अनुसूचित जातियों और अनुसूचित जनजातियों के लिए स्थानों का आरक्षण
अनुच्छेद 333	राज्य की विधानसभाओं में आंग्ल- भारतीय समुदाय का प्रतिनिधित्व
अनुच्छेद 343	संघ की भाषा
अनुच्छेद 344	राजभाषा के संबंध में आयोग और संसद की समिति
अनुच्छेद 348	उच्चतम न्यायालय और उच्च न्यायालयों में और अधिनियमों, विधेयकों आदि के लिए प्रयोग की जाने वाली भाषा
अनुच्छेद 350 (क)	प्राथमिक स्तर पर मातृभाषा में शिक्षा की सुविधाएं
अनुच्छेद 351	हिन्दी भाषा के विकास के लिए निर्देश
अनुच्छेद 352	आपात की उद्घोषणा
अनुच्छेद 356	राज्यों में सांविधिक तंत्र के विफल हो जाने की दशा में उपबंध
अनुच्छेद 358	आपात के दौरान अनुच्छेद 19 के उपबंधों का निलंबन
अनुच्छेद 360	वित्तीय आपात के बारे में उपबंध
अनुच्छेद 368	संविधान का संशोधन करने की संसद की शक्ति और उसके लिए प्रक्रिया

नागरिकता (भाग-2, अनुच्छेद 5 से 11)

- भारत में एकल नागरिकता का प्रावधान किया गया है।
- भारतीय नागरिकता अधिनियम, 1955 के अनुसार निम्नलिखित में से किसी एक आधार पर नागरिकता प्राप्त की जा सकती है–
  1. **जन्मजातः** इसके अन्तर्गत 26 जनवरी, 1950 तथा उसके बाद भारत में जन्म लेने वाला व्यक्ति भारत का जन्मजात नागरिक होगा। इस नियम के दो अपवाद हैं– प्रथम, विदेशी राजनयिकों के भारत में जन्मे बच्चे। द्वितीय, शत्रुओं के अधीन भारत के किसी भाग में उत्पन्न बच्चे।
  2. **वंशानुगतः** 26 जनवरी, 1950 तथा उसके उपरान्त भारत के बाहर जन्म लेने वाला बच्चा वंशानुक्रम से भारत का ही नागरिक कहलाएगा, यदि उसके जन्म के समय उसका पिता भारत का नागरिक हो।
  3. **देशीयकरण द्वाराः** भारत सरकार से देशीयकरण का प्रमाण-पत्र प्राप्त कर भारत की नागरिकता प्राप्त की जा सकती है।
  4. **पंजीकरण द्वाराः** पंजीकरण के द्वारा भारत की नागरिकता प्राप्त की जा सकती है।
  5. **भूमि विस्तार द्वाराः** राज्य भू-भाग का अगर विस्तार होता है तब उस अधिगृहीत क्षेत्र के निवासियों को भारत की नागरिकता मिल जाती है।

मौलिक अधिकार

(भाग-3, अनुच्छेद 12 से 35 तक)

- जब संविधान का प्रवर्तन किया गया, उस समय मूल अधिकारों की संख्या 7 थी। लेकिन 44वें संविधान संशोधन, 1976 के द्वारा सम्पत्ति के मूल अधिकार को समाप्त करके इस अधिकार को विधिक अधिकार बना दिया गया।
- भारतीय नागरिकों को निम्नलिखित छः प्रकार के मौलिक अधिकार प्राप्त हैं–

1. समता का अधिकार

- **अनुच्छेद 14ः** विधि के समक्ष समता का अधिकार।
- **अनुच्छेद 15ः** धर्म, नस्ल, जाति, लिंग या जन्म-स्थान के आधार पर भेदभाव का निषेध।
- **अनुच्छेद 16ः** लोक नियोजन के विषय में अवसर की समता।
- **अनुच्छेद 17ः** अस्पृश्यता का अंत।
- **अनुच्छेद 18ः** उपाधियों का अंत।

2. स्वतंत्रता का अधिकार

- **अनुच्छेद 19ः** संविधान में छः प्रकार की स्वतंत्रता का अधिकार है–
  (*i*) बोलने की स्वतंत्रता,
  (*ii*) शांतिपूर्वक बिना हथियारों के एकत्रित होने और सभा करने की स्वतंत्रता,
  (*iii*) संघ बनाने की स्वतंत्रता,
  (*iv*) देश के किसी भी क्षेत्र में आवागमन की स्वतंत्रता,
  (*v*) देश के किसी भी क्षेत्र में निवास करने और बसने की स्वतंत्रता,
  (*vi*) सम्पत्ति का अधिकार।
- **अनुच्छेद 20ः** अपराधों के लिए दोष-सिद्धि के संबंध में संरक्षण।
- **अनुच्छेद 21ः** प्राण एवं दैहिक स्वतंत्रता का संरक्षण।
- **अनुच्छेद 21 (क)ः** राज्य 6 से 14 वर्ष की आयु के समस्त बच्चों को इस ढंग से जैसा कि राज्य, विधि द्वारा अवधारित करें, निःशुल्क तथा अनिवार्य शिक्षा उपलब्ध करेगा। (86वाँ संशोधन-2002 के द्वारा।)
- **अनुच्छेद 22ः** कुछ दशाओं में गिरफ्तारी और निरोध में संरक्षण।

3. शोषण के विरुद्ध अधिकार

- **अनुच्छेद 23ः** मानव के दुर्व्यापार और बलात् श्रम का प्रतिषेध।
- **अनुच्छेद 24ः** बालकों के नियोजन का प्रतिषेध।

4. धार्मिक स्वतंत्रता का अधिकार

- **अनुच्छेद 25ः** अंतःकरण की और धर्म के अबाध रूप से मानने, आचरण और प्रचार करने की स्वतंत्रता।
- **अनुच्छेद 26ः** धार्मिक कार्यों के प्रबंध की स्वतंत्रता।
- **अनुच्छेद 27ः** राज्य किसी भी व्यक्ति को ऐसे कर देने के लिए बाध्य नहीं कर सकता है, जिसकी आय किसी विशेष धर्म अथवा धार्मिक सम्प्रदाय की उन्नति या पोषण में व्यय करने के लिए विशेष रूप से निश्चित कर दी गई है।
- **अनुच्छेद 28ः** राज्य-विधि से पूर्णतः पोषित किसी शिक्षा संस्था में कोई धार्मिक शिक्षा नहीं दी जाएगी।

5. संस्कृति एवं शिक्षा संबंधी अधिकार

- **अनुच्छेद 29ः** अल्पसंख्यक वर्गों के हितों का संरक्षण।
- **अनुच्छेद 30ः** शिक्षा संस्थाओं की स्थापना और प्रशासन करने का अल्पसंख्यक वर्गों को अधिकार।

6. सवैधानिक उपचारों का अधिकारः

- **अनुच्छेद 32ः** इसके अन्तर्गत मौलिक अधिकारों को प्रवर्तित कराने के लिए समुचित कार्रवाइयों द्वारा उच्चतम न्यायालय में आवेदन करने का अधिकार प्रदान किया गया है। इस सन्दर्भ में सर्वोच्च न्यायालय को पाँच तरह के रिट (writ) निकालने की शक्ति प्रदान की गयी है। ये रिट निम्नलिखित हैं–
  (*i*) बन्दी प्रत्यक्षीकरण, (*ii*) परमादेश,
  (*iii*) प्रतिषेध-लेख, (*iv*) उत्प्रेषण,
  (*v*) अधिकार-पृच्छा-लेख।

राज्य के नीति निदेशक सिद्धांत

(भाग-4, अनुच्छेद 36 से 51 तक)

- नीति निदेशक सिद्धांत राष्ट्र के प्रशासकों के लिए एक आचार संहिता है।
- इसे न्यायालय द्वारा लागू नहीं किया जा सकता अर्थात् इसे वैधानिक शक्ति प्राप्त नहीं है।

- राज्य के नीति निदेशक सिद्धांत निम्न हैं–
  - **अनुच्छेद 38:** राज्य लोक कल्याण की अभिवृद्धि के लिए सामाजिक व्यवस्था बनायेगा।
  - **अनुच्छेद 39:** राज्य का यह कर्त्तव्य है कि वह समान कार्य के लिए समान वेतन प्रदान करे।
  - **अनुच्छेद 40:** ग्राम पंचायतों का गठन।
  - **अनुच्छेद 41:** कुछ दशाओं में काम, शिक्षा और लोक सहायता पाने का अधिकार।
  - **अनुच्छेद 42:** काम की न्याय संगत और मानवोचित दशाओं तथा प्रसूति सहायता का उपबंध।
  - **अनुच्छेद 43:** कर्मकारों के लिए निर्वाहन मजदूरी एवं कुटीर उद्योग को प्रोत्साहन।
  - **अनुच्छेद 44:** नागरिकों के लिए एक समान सिविल संहिता।
  - **अनुच्छेद 45:** बालकों के लिए निःशुल्क और अनिवार्य शिक्षा का उपबन्ध।
  - **अनुच्छेद 46:** राज्य की अनुसूचित जातियों, अनुसूचित जनजातियों और अन्य दुर्बल वर्गों की शिक्षा और अर्थ संबंधी हितों की अभिवृद्धि।
  - **अनुच्छेद 47:** पोषाहार स्तर और जीवन-स्तर को ऊंचा करने तथा लोक स्वास्थ्य का सुधार करने का राज्य कर्त्तव्य।
  - **अनुच्छेद 48:** कृषि और पशुपालन का संगठन।
  - **अनुच्छेद 48 (क):** पर्यावरण का संरक्षण तथा संवर्धन **और वन्य** जीवों की रक्षा का प्रयास करेगा।
  - **अनुच्छेद 49:** राष्ट्रीय महत्व के संस्मारकों, **स्थानों** और वस्तुओं का संरक्षण।
  - **अनुच्छेद 50:** कार्यपालिका से न्यायपालिका का **पृथक्करण**।
  - **अनुच्छेद 51:** अन्तर्राष्ट्रीय शांति और सुरक्षा की **अभिवृद्धि**।

मौलिक कर्त्तव्य

[भाग-4 (क) में अनुच्छेद 51 (क)]

- मौलिक कर्त्तव्य संविधान के 42वें संशोधन अधिनियम द्वारा अंतःस्थापित किये गये।
- मौलिक कर्त्तव्यों की संख्या 11 है, जो इस प्रकार हैं: प्रत्येक नागरिक का यह कर्त्तव्य होगा कि–

1. संविधान का पालन करे और उसके आदर्शों, संस्थाओं, राष्ट्रध्वज और राष्ट्रगान का आदर करें।
2. स्वतंत्रता के लिए हमारे राष्ट्रीय आन्दोलन को प्रेरित करने वाले उच्च आदर्शों को हृदय में संजोये रखे और उनका पालन करे।
3. भारत की प्रभुता, एकता और अखण्डता की रक्षा करे और उसे अक्षुण्ण रखे।
4. देश की रक्षा करें और आह्वान किये जाने पर राष्ट्र की सेवा करे।
5. भारत के सभी लोगों में समरसता और समान भ्रातृत्व की भावना का निर्माण करे।
6. हमारी सामाजिक संस्कृति की गौरवशाली परंपरा का महत्व समझें और उसका परिरक्षण करे।
7. प्राकृतिक पर्यावरण की रक्षा और उसका संवर्द्धन करे।
8. वैज्ञानिक दृष्टिकोण और ज्ञानार्जन की भावना का विकास करे।
9. सार्वजनिक संपत्ति को सुरक्षित रखें।
10. व्यक्तिगत और सामूहिक गतिविधियों के सभी क्षेत्रों में उत्कर्ष की ओर बढ़ने का सतत् प्रयास करें।
11. 6 से 14 साल तक की आयु के बच्चे के माता-पिता या अभिभावक अपने बच्चे को शिक्षा दिलाने के लिए अवसर उपलब्ध कराने का प्रयास करेंगे।

संघीय कार्यपालिका

- भारत में संसदीय शासन प्रणाली को अपनाया गया है। संसद के अन्तर्गत राष्ट्रपति, राज्य सभा और लोक सभा आते हैं।
- राष्ट्रपति देश का सवैधानिक प्रधान होता है।
- अनुच्छेद 58 के अनुसार कोई व्यक्ति राष्ट्रपति होने योग्य तब होगा, जब वह–

1. भारत का नागरिक हो।
2. 35 वर्ष की आयु पूरी कर चुका हो।
3. लोक सभा का सदस्य निर्वाचित किए जाने योग्य हो।
4. चुनाव के समय लाभ का पद धारण नहीं किया हो।

राष्ट्रपति

- राष्ट्रपति का निर्वाचन एक निर्वाचक मंडल के द्वारा होता है।
- निर्वाचक मंडल में राज्य सभा, लोक सभा और राज्यों की विधानसभाओं में निर्वाचित सदस्य शामिल होते हैं।
- राष्ट्रपति का निर्वाचन समानुपातिक प्रतिनिधित्व प्रणाली और एकल संक्रमणीय मत पद्धति के द्वारा होता है।
- राष्ट्रपति के निर्वाचन से संबंधित विवादों का निपटारा उच्चतम न्यायालय द्वारा किया जाता है।
- राष्ट्रपति का कार्यकाल 5 वर्षों का होता है। अपने पद की समाप्ति के बाद भी वह पद पर तब तक बना रहेगा जब तक उसका उत्तराधिकारी पद ग्रहण नहीं कर लेता है।
- उच्चतम न्यायालय का प्रधान न्यायाधीश राष्ट्रपति को शपथ दिलाता है।
- राष्ट्रपति अपना पदत्याग उपराष्ट्रपति को संबोधित अपने त्यागपत्र के द्वारा कर सकता है।
- राष्ट्रपति द्वारा संविधान के प्रावधानों के उल्लंघन पर संसद में उस पर महाभियोग चलाया जा सकता है।

- **राष्ट्रपति के अधिकार एवं कर्त्तव्यः** राष्ट्रपति संविधान के अधीन निम्नलिखित अधिकारियों एवं आयोगों को नियुक्त करने की शक्ति रखता है–
  1. भारत का प्रधानमंत्री
  2. संघीय मंत्रिपरिषद् के अन्य मंत्री
  3. भारत का महान्यायवादी
  4. नियंत्रक एवं महालेखा परीक्षक
  5. उच्चतम न्यायालय के न्यायाधीश
  6. उच्च न्यायालय के न्यायाधीश
  7. राज्यों के राज्यपाल
  8. केन्द्रशासित प्रदेशों के प्रशासक
  9. भारत के विदेशों में राजदूत एवं उच्चायुक्त
  10. जल प्रदाय से संबंधित आयोग
  11. वित्त आयोग
  12. संघ लोक सेवा आयोग के अध्यक्ष तथा सदस्य
  13. राज्यों के समूहों के लिए संयुक्त आयोग
  14. मुख्य निर्वाचन आयुक्त तथा निर्वाचन आयोग के अन्य सदस्य
  15. अनुसूचित जाति तथा अनुसूचित जनजातियों के लिए विशेष अधिकारी/आयोग
  16. अनुसूचित क्षेत्रों के प्रशासन पर प्रतिवेदन देने के लिए आयोग
  17. पिछड़े वर्गों का अध्ययन करने के लिए आयोग
  18. राजभाषा आयोग
  19. भाषायी अल्पसंख्यक आयोग

विधायी शक्तियां

1. संसद का सत्रावसान तथा विघटन।
2. राष्ट्रपति का अभिभाषण तथा संदेश भेजना।
3. संसद के सदस्यों का मनोनयन – (क) लोक सभा के लिए आंग्ल-भारतीय समुदाय के 2 सदस्यों एवं (ख) राज्य सभा के लिए कला, साहित्य, विज्ञान, समाज सेवा या सहकारिता क्षेत्र के 12 सदस्यों को मनोनीत कर सकता है।
4. संसद द्वारा पारित विधेयक राष्ट्रपति के अनुमोदन के बाद ही कानून बनते हैं।
5. संसद में निम्न विधेयकों को प्रस्तुत करने से पूर्व राष्ट्रपति की अनुमति आवश्यक है–
   - (*i*) नये राज्यों का निर्माण और वर्तमान राज्य के क्षेत्रों, सीमाओं या नामों में परिवर्तन संबंधी विधेयक।
   - (*ii*) धन विधेयक (अनुच्छेद 110)।
   - (*iii*) संचित निधि में व्यय करने वाले विधेयक।
   - (*iv*) ऐसे कराधान पर, जिसमें राज्य-हित जुड़े हैं, प्रभाव डालने वाले विधेयक।
   - (*v*) राज्यों के बीच व्यापार, वाणिज्य और समागम पर निर्बन्धन लगाने वाले विधेयक।
6. अनुच्छेद 123 के अन्तर्गत अध्यादेश जारी करने की शक्ति।
7. राष्ट्रपति भारतीय सेना का सर्वोच्च कमांडर होता है।
8. संविधान के अनुच्छेद 72 के अन्तर्गत राष्ट्रपति को किसी अपराध के लिए दोषी ठहराए गए किसी व्यक्ति के दण्ड को क्षमा करने, उसका प्रविलम्बन, परिहार और लघुकरण की शक्ति प्राप्त है।
9. राष्ट्रपति अनुच्छेद 143 के अधीन किसी सार्वजनिक महत्व के प्रश्न पर उच्चतम न्यायालय से परामर्श ले सकता है, लेकिन वह यह परामर्श मानने के लिए बाध्य नहीं है।
10. **राष्ट्रपति की आपातकालीन शक्तियाँः** संविधान में अनुच्छेद 352 से अनुच्छेद 360 तक आपातकालीन उपबंध किए गए हैं। केन्द्रीय मंत्रिपरिषद् के परामर्श से राष्ट्रपति तीन प्रकार के आपात लागू कर सकता है– (i) युद्ध या बाह्य आक्रमण या सशस्त्र विद्रोह के कारण लगाया गया आपात (अनु॰ 352)। (ii) राज्यों में सांविधानिक तंत्र के विफल होने से उत्पन्न आपात (अनु॰ 356)। (iii) वित्तीय आपात (अनु॰ 360)।

उपराष्ट्रपति

- संविधान के अनुच्छेद 63 के अनुसार, भारत का एक उपराष्ट्रपति होगा। इसका कार्यकाल 5 वर्षों का होता है।
- उपराष्ट्रपति राज्य सभा का पदेन सभापति होता है।
- उपराष्ट्रपति का निर्वाचन संसद के दोनों सदनों के सदस्यों से मिलकर बनने वाले निर्वाचक मंडल द्वारा आनुपातिक प्रतिनिधित्व पद्धति के अनुसार एकल संक्रमणीय मत द्वारा होगा तथा ऐसा निर्वाचन गुप्त होगा। कोई व्यक्ति उपराष्ट्रपति निर्वाचित होने का पात्र तभी होगा जब वह–
  - (*i*) भारत का नागरिक हो,
  - (*ii*) पैंतीस वर्ष की आयु पूरी कर चुका हो,
  - (*iii*) राज्य सभा का सदस्य निर्वाचित होने के योग्य हो।

मंत्रिपरिषद्

- अनु॰ 74 के अनुसार, राष्ट्रपति को सहायता और सलाह देने के लिए मंत्रिपरिषद् होगी, जिसका प्रमुख **प्रधानमंत्री** होगा।
- प्रधानमंत्री की नियुक्ति राष्ट्रपति करता है तथा अन्य मंत्रियों की नियुक्ति राष्ट्रपति प्रधानमंत्री की सलाह पर करता है।
- मंत्री राष्ट्रपति के प्रसादपर्यंत अपने-अपने पद धारण करते हैं।
- मंत्रिपरिषद् लोक सभा के प्रति सामूहिक रूप से उत्तरदायी होती है।
- राष्ट्रपति मंत्रियों को पद एवं गोपनीयता की शपथ दिलाता है।
- किसी भी गैर संसद सदस्य को मंत्री बनाया जा सकता है, लेकिन उसे 6 मास की अवधि तक संसद का सदस्य हो जाना चाहिए।
- प्रधानमंत्री नीति (NITI) आयोग का पदेन अध्यक्ष होता है।
- संवैधानिक रूप से देश की समस्त शक्तियाँ राष्ट्रपति के हाथों में होती हैं किन्तु उसकी समस्त शक्तियों का उपयोग मंत्रिपरिषद् प्रधानमंत्री के नेतृत्व में संचालित करती है।

संसद

- भारत की केन्द्रीय व्यवस्थापिका को संसद कहा जाता है। भारतीय संसद के तीन अंग हैं–राष्ट्रपति, राज्य सभा और लोक सभा।
- संसद के उच्च सदन को राज्य सभा तथा निम्न सदन को लोक सभा कहा जाता है।

राज्य सभा

- संविधान के अनुच्छेद 80 के अनुसार, राज्य सभा का गठन 250 सदस्यों द्वारा होता है। इनमें 12 सदस्य राष्ट्रपति द्वारा नाम निर्देशित किये जाते हैं तथा शेष 238 का चुनाव राज्य तथा संघ राज्य क्षेत्रों की विधानसभाओं द्वारा किया जाता है। राज्य सभा की वर्तमान सदस्य संख्या 245 है।
- राज्य सभा का कभी विघटन नहीं होता, लेकिन इसके सदस्य 6 वर्ष के लिए चुने जाते हैं।
- राज्य सभा पहली बार 3 अगस्त, 1952 को विधिवत गठित हुई थी।
- राज्य सभा का कोई सदस्य यदि सदन की अनुमति के बिना सदन से 60 दिनों से अधिक अनुपस्थित रहता है, तो सदन में उसका स्थान समाप्त हो सकता है।
- राज्य सभा के सदस्यों का चुनाव अप्रत्यक्ष रूप से होता है।
- राज्य सभा का सदस्य होने के लिए अर्हता–
  1. वह भारत का नागरिक हो।
  2. उसकी आयु सीमा 30 वर्ष या उससे अधिक हो।
  3. संसदीय विधि द्वारा निर्धारित सभी योग्यताएँ रखता हो।
- राज्य सभा का अधिवेशन वर्ष में कम-से-कम दो बार राष्ट्रपति द्वारा बुलाया जाता है। संविधान में यह प्रावधान है कि राज्य सभा के दो अधिवेशनों के बीच 6 महीने से अधिक का अन्तराल नहीं हो सकता।
- राज्य सभा को यह अधिकार प्राप्त है कि वह संविधान के अनुच्छेद 249 के तहत राज्य सूची के किसी विषय को राष्ट्रीय महत्व का घोषित कर सके।
- केवल राज्य सभा को यह अधिकार प्राप्त है कि वह संविधान के अनुच्छेद 312 के तहत अखिल भारतीय सेवाओं का सृजन कर सके।

लोक सभा

- अनुच्छेद 81 के अनुसार, लोक सभा का गठन 5 वर्ष के लिए किया जाता है। इसके सदस्यों की अधिकतम संख्या 550 हो सकती है। इसकी वर्तमान सदस्य संख्या 543 है। दो आंग्ल-भारतीय सदस्य राष्ट्रपति द्वारा मनोनीत किए जाते थे लेकिन 104वें संविधान संशोधन द्वारा इस व्यवस्था को समाप्त कर दिया गया है।
- लोक सभा के सदस्यों का चुनाव गुप्त मतदान के द्वारा वयस्क मताधिकार (18 वर्ष) के आधार पर होता है।
- लोक सभा की सदस्यता के लिए अनिवार्य योग्यताएँ निम्नलिखित हैं–
  (*i*) भारत का नागरिक हो,
  (*ii*) उसकी आयु 25 वर्ष या इससे अधिक हो,
  (*iii*) भारत सरकार अथवा किसी राज्य सरकार के अन्तर्गत वह कोई लाभ के पद पर नहीं हो,
  (*iv*) वह पागल तथा दिवालिया न हो।
- प्रधानमंत्री के परामर्श के आधार पर राष्ट्रपति के द्वारा लोक सभा को समय से पूर्व भी भंग किया जा सकता है।
- आपातकाल की घोषणा लागू होने पर विधि द्वारा संसद लोक सभा के कार्यकाल में वृद्धि कर सकती है, जो एक बार में एक वर्ष से अधिक नहीं होगी। लोक सभा की दो बैठकों में 6 माह से अधिक का अन्तर नहीं होना चाहिए।
- लोक सभा की गणपूर्ति या कोरम कुल सदस्य संख्या का दसवाँ भाग होता है।
- संविधान के अनुच्छेद 108 में संसद के संयुक्त अधिवेशन की व्यवस्था है। संयुक्त अधिवेशन की अध्यक्षता लोक सभा अध्यक्ष करता है।
- धन विधेयक के सम्बन्ध में लोक सभा का निर्णय अंतिम होता है। इस संबंध में संयुक्त अधिवेशन की व्यवस्था नहीं है।
- संविधान के अनुच्छेद 93 के अनुसार, लोक सभा स्वयं ही अपने सदस्यों में से एक अध्यक्ष और एक उपाध्यक्ष का निर्वाचन करेगी।
- प्रथम लोक सभा अध्यक्ष जी.वी. मावलंकर एवं उपाध्यक्ष श्री अनंतशयनम आयंगर थे।
- किसी संसद सदस्य की योग्यता अथवा अयोग्यता से सम्बन्धित प्रश्न का अंतिम विनिश्चय चुनाव आयोग की सलाह से राष्ट्रपति करता है।
- यदि कोई सदस्य सदन की अनुमति के बिना 60 दिनों की अवधि से अधिक समय के लिए सदन के सभी बैठकों से अनुपस्थित रहता है तो सदन उसकी सदस्यता समाप्त कर सकता है।
- संविधान के अनुच्छेद 110 में धन विधेयक एवं अनु॰ 112 में वार्षिक वित्तीय विवरण (बजट) का उल्लेख है।

संसद की समितियां

- **लोक लेखा समितिः** इस समिति में लोकसभा के 15 तथा राज्यसभा के 7 सदस्य होते हैं। इसका कार्यकाल एक वर्ष का होता है तथा लोकसभा में विपक्ष का नेता इसका अध्यक्ष होता है। यह समिति मुख्य रूप से सरकार के अर्थव्यय के लेखा-जोखा का जांच करती है।
- **प्राक्कलन समितिः** इस समिति में लोकसभा के 30 सदस्य होते हैं। इसका मुख्य कार्य विभिन्न मंत्रालयों व विभागों के प्रस्तावित अर्थ व्यय की जांच होता है।
- **सार्वजनिक उद्यम समितिः** इस समिति में लोकसभा के 15 और राज्यसभा के 7 सदस्य होते हैं। इसका कार्यकाल एक वर्ष होता है। यह सार्वजनिक उपक्रम से संबंधित उन मुद्दों की जांच करती है जो लोकसभा अध्यक्ष द्वारा समय-समय पर उन्हें सौंपे जाते हैं।

- **याचिका संबंधी समितिः** यह समिति सांसदों द्वारा दाखिल की गई याचिकाओं पर विचार करती है तथा उपचारात्मक उपाय सुझाती है।
- **विशेषाधिकार समितिः** यह समिति सदस्यों के विशेषाधिकारों की सुरक्षा करती है।
- **सरकारी आश्वासन समितिः** यह समिति यह सुनिश्चित करती है कि सरकार द्वारा किए गए वायदे और दिए गए आश्वासन पूरे हों।

भारत का महान्यायवादी

- अनु॰ 76 के अनुसार, भारत का एक महान्यायवादी होता है। यह भारत सरकार का सर्वोच्च विधि अधिकारी होता है।
- महान्यायवादी संसद का सदस्य नहीं होता परन्तु वह किसी भी सदन में अथवा उसकी समितियों में बोल सकता है और उसकी कार्यवाही में भाग ले सकता है, यद्यपि उसे मत देने का अधिकार नहीं होता है।
- भारत का महान्यायवादी राष्ट्रपति के प्रसादपर्यंत पद धारण करता है।

भारत का नियंत्रक एवं महालेखा परीक्षक (CAG)

- भारतीय संविधान के अनुच्छेद 148 के अन्तर्गत नियंत्रक एवं महालेखा परीक्षक के पद का प्रावधान किया गया है।
- नियंत्रक एवं महालेखा परीक्षक की नियुक्ति राष्ट्रपति द्वारा की जाती है। यह देश की समस्त वित्तीय प्रणाली का लेखा परीक्षण करता है।
- संविधान के अनुच्छेद 151 के अन्तर्गत कैग अपनी रिपोर्ट केन्द्र के सम्बन्ध में राष्ट्रपति को तथा राज्यों के सन्दर्भ में राज्यपाल को सौंपता है।
- यह लोक लेखा समिति के समीप रहकर कार्य करता है।

संविधान में संशोधन

- अनुच्छेद 368 में संविधान संशोधन की प्रक्रिया का उल्लेख है। इसमें संशोधन की तीन विधियों को अपनाया गया है–
  (*i*) साधारण विधि द्वारा संशोधन।
  (*ii*) संसद के विशेष बहुमत द्वारा संशोधन।
  (*iii*) संसद के विशेष बहुमत और राज्य के विधानमंडलों की स्वीकृति से संशोधन।

न्यायपालिका

उच्चतम न्यायालय

- अनुच्छेद 124 में उच्चतम न्यायालय के गठन संबंधी प्रावधान किये गये हैं।
- उच्चतम न्यायालय में एक मुख्य न्यायाधीश तथा 33 अन्य न्यायाधीश होते हैं।
- उच्चतम न्यायालय के मुख्य न्यायाधीश तथा अन्य न्यायाधीशों की नियुक्ति राष्ट्रपति द्वारा की जाती है।
- उच्चतम न्यायालय के न्यायाधीश के लिए योग्यताएँ हैं–
  (*i*) वह भारत का नागरिक हो।
  (*ii*) वह किसी उच्च न्यायालय अथवा दो या दो से अधिक न्यायालयों में लगातार कम-से-कम 5 वर्षों तक न्यायाधीश के रूप में कार्य कर चुका हो।
  या
  किसी उच्च न्यायालय या न्यायालयों में लगातार 10 वर्षों तक अधिवक्ता रह चुका हो।
  या
  राष्ट्रपति की राय में पारंगत विधिवेत्ता हो।
- उच्चतम न्यायालय का प्रत्येक न्यायाधीश तब तक पद धारण करेगा जब तक वह 65 वर्ष की आयु प्राप्त नहीं कर लेता। इससे पूर्व उसे उसके पद से साबित कदाचार या असमर्थता के आधार पर हटाया जा सकता है।
- कदाचार या असमर्थता के आधार पर हटाये जाने के लिए संसद के प्रत्येक सदन द्वारा अपनी कुल संदस्य संख्या के बहुमत द्वारा तथा उपस्थित और मत देने वाले सदस्यों के कम-से-कम दो-तिहाई बहुमत द्वारा पारित प्रस्ताव को राष्ट्रपति के समक्ष उसी सत्र में रखा जाता है, तब राष्ट्रपति के आदेश से न्यायाधीश को हटाया जाता है।

उच्चतम न्यायालय का क्षेत्राधिकार

1. प्रारंभिक क्षेत्राधिकार

(*i*) भारत संघ तथा एक या एक से अधिक राज्यों के मध्य उत्पन्न विवादों में।
(*ii*) भारत संघ तथा कोई एक राज्य या अनेक राज्यों और एक या एक से अधिक राज्यों के बीच विवादों में।
(*iii*) दो या दो से अधिक राज्यों के बीच ऐसे विवाद में जिसमें अनेक वैधानिक अधिकारों का प्रश्न निहित है।

- प्रारंभिक क्षेत्राधिकार के अन्तर्गत उच्चतम न्यायालय उसी विवाद को निर्णय के लिए स्वीकार करेगा, जिसमें किसी तथ्य या विधि का प्रश्न शामिल है।

2. अपीलीय क्षेत्राधिकारः देश का सबसे बड़ा अपीलीय न्यायालय उच्चतम न्यायालय है। भारत के राज्य क्षेत्र के किसी उच्च न्यायालय के निर्णय के विरुद्ध अपील सुनने का अधिकार है।

3. परामर्शदात्री क्षेत्राधिकारः यदि किसी समय राष्ट्रपति को ऐसा प्रतीत होता है, किसी व्यापक विधि या तथ्य का प्रश्न है या उत्पन्न होने वाला है तथा वह उच्चतम न्यायालय से राय लेना समीचीन समझता है, तो उच्चतम न्यायालय से राय ले सकता है तथा उच्चतम न्यायालय उस पर अपनी राय देगा।

4. पुनर्विचार सम्बन्धी क्षेत्राधिकारः अनु॰ 137 के अनुसार, उच्चतम न्यायालय स्वयं के दिए गए आदेश या निर्णय पर पुनर्विचार कर सकता है तथा यदि उचित समझें तो उसमें आवश्यक परिवर्तन कर सकता है।

5. **अभिलेख न्यायालयः** अनु. 129 उच्चतम न्यायालय को अभिलेख न्यायालय का स्थान प्रदान करता है। इसका अभिप्राय यह है कि इस न्यायालय के निर्णय सब जगह साक्षी के रूप में स्वीकार किए जाएंगे और इसकी प्रामाणिकता के विषय में प्रश्न नहीं किया जाएगा।
6. **मौलिक अधिकारों का रक्षकः** भारत का उच्चतम न्यायालय नागरिकों के मौलिक अधिकारों का रक्षक है। अनु. 32 सर्वोच्च न्यायालय को विशेष रूप से उत्तरदायी ठहराता है कि वह मौलिक अधिकारों को लागू करने के लिए आवश्यक कार्रवाई करें। न्यायालय मौलिक अधिकारों की रक्षा के लिए बन्दी प्रत्यक्षीकरण, परमादेश, प्रतिषेध, अधिकार पृच्छा और उत्प्रेषण के लेख जारी कर सकता है।

- भारत में संविधान की सर्वोच्चता की रक्षा करने का उत्तरदायित्व उच्चतम न्यायालय का है। अतः उच्चतम न्यायालय संघीय या राज्यों के विधानमण्डलों के द्वारा अतिक्रमण किये जाने पर उनके द्वारा बनाये गये कानूनों को रद्द कर सकता है। यह शक्ति न्यायिक पुनरावलोकन के रूप में समझी जाती है।

उच्च न्यायालय

- संविधान के अनुच्छेद 214 में यह उपबंध है कि प्रत्येक राज्य में एक उच्च न्यायालय होगा।
- प्रत्येक उच्च न्यायालय में एक मुख्य न्यायाधीश सहित अन्य अनेक न्यायाधीश होते हैं जो समय-समय पर राष्ट्रपति द्वारा नियुक्त किये जाते हैं।
- संविधान के अनुच्छेद 217 में उच्च न्यायालय के न्यायाधीशों के लिए निम्नलिखित शर्तें हैं–
  (*i*) वह भारत का नागरिक हो।
  (*ii*) भारत में कम-से-कम 10 वर्ष तक न्यायाधीश के पद पर कार्य कर चुका हो अथवा किसी उच्च न्यायालय अथवा दो या दो से अधिक न्यायालयों में लगातार कम-से-कम 10 वर्ष तक अधिवक्ता रहा हो।

  या

  राष्ट्रपति की दृष्टि में प्रतिष्ठित विधिवेत्ता हो।

  (*iii*) जिसकी आयु 62 वर्ष से अधिक न हो।
- **उच्च न्यायालय के कार्य एवं क्षेत्राधिकार–**
  1. प्रारंभिक क्षेत्राधिकार
  2. अपीलीय क्षेत्राधिकार
  3. रिट जारी करने का अधिकार
  4. अधीनस्थ न्यायालयों पर नियंत्रण

राज्य की कार्यपालिका

- राज्य की कार्यपालिका का प्रधान **राज्यपाल** होता है, जो मंत्रिपरिषद् की सलाह के अनुसार कार्य करता है।
- अनुच्छेद 153 के अन्तर्गत सामान्यतया प्रत्येक राज्य के लिए एक राज्यपाल होगा, किन्तु 1956 में किये गये संशोधन के अनुसार एक ही व्यक्ति को दो या दो से अधिक राज्यों का राज्यपाल नियुक्त किया जा सकता है।
- राज्यपाल की नियुक्ति राष्ट्रपति करता है। इस पद पर नियुक्ति हेतु निम्नलिखित योग्यताएँ होनी चाहिए–
  1. वह भारत का नागरिक हो,
  2. वह 35 वर्ष की आयु पूरी कर चुका हो,
  3. वह राज्य सरकार या केन्द्र सरकार या राज्यों के नियंत्रण के अधीन किसी सार्वजनिक उपक्रम में लाभ के पद पर न हो, तथा
  4. वह राज्य विधान सभा का सदस्य चुने जाने की योग्यता रखता हो।
- राज्यपाल की नियुक्ति 5 वर्षों के लिए होती है। पाँच वर्ष की अवधि से पूर्व भी उसे राष्ट्रपति के द्वारा हटाया जा सकता है।
- राज्यपाल अपने कार्यकाल की समाप्ति के पूर्व भी राष्ट्रपति को अपना त्यागपत्र भेज सकता है।

राज्यपाल के कार्य तथा अधिकार

कार्यपालिका संबंधी

- राज्य के समस्त कार्यपालिका संबंधी कार्य राज्यपाल के नाम से किए जाते हैं।
- राज्यपाल मुख्यमंत्री की नियुक्ति करता है तथा मुख्यमंत्री की सलाह पर मंत्रिपरिषद् के अन्य सदस्यों की नियुक्ति करता है।
- राज्य के महाधिवक्ता तथा राज्य के लोक सेवा आयोग के सदस्यों की नियुक्ति करता है।
- राज्यपाल का अधिकार है कि वह राज्य के प्रशासन के संबंध में मुख्यमंत्री से सूचना प्राप्त करे।
- राज्यपाल राज्य के विश्वविद्यालयों का कुलाधिपति होता है तथा उपकुलपतियों को भी नियुक्त करता है।
- राज्यपाल संवैधानिक तंत्र की विफलता की स्थिति में राष्ट्रपति से राज्य में राष्ट्रपति शासन की सिफारिश करता है।
- अध्यादेश जारी करने का अधिकार।

विधायी शक्तियां

- राज्यपाल राज्य विधान मंडल का अंग होता है।
- राज्य विधान मंडल का सत्रावसान करने, सत्र बुलाने तथा विधान सभा को विघटित करने का अधिकार है।
- राज्यपाल को विधान मंडल में अभिभाषण करने व संदेश भेजने का अधिकार है।
- राज्यपाल को यदि यह विश्वास हो जाये कि विधान मंडल में आंग्ल-भारतीय समुदाय के सदस्यों को पर्याप्त प्रतिनिधित्व नहीं मिला है, तो वह इस समुदाय के एक सदस्य को मनोनीत कर सकता है।
- जिन राज्यों में विधानपरिषद् है, वहां पर राज्यपाल ऐसे व्यक्तियों को, जिन्हें साहित्य, विज्ञान, कला, समाज सेवा तथा सहकारिता आन्दोलन के संबंध में विशेष ज्ञान या व्यावहारिक अनुभव होता है, मनोनीत कर सकता है। इनकी संख्या कुल सदस्य संख्या के 1/6 होती है।

- राज्य विधान मंडल के समक्ष राज्यपाल वार्षिक वित्तीय विवरण (बजट) प्रस्तुत करवाता है।
- विधान सभा में धन विधेयक राज्यपाल की पूर्व अनुमति से ही पेश किया जाता है।

राज्यपाल की न्यायिक शक्तियां

- राज्यपाल को उस विषय संबंधी, जिस विषय पर उस राज्य की कार्यपालिका शक्ति का विस्तार है, किसी विधि के विरुद्ध, किसी अपराध के लिए सिद्ध दोष ठहराये गए किसी व्यक्ति के दंड को क्षमा, उसका प्रविलंबन, लघुकरण या परिहार कर सकता है।

महाधिवक्ता

- प्रत्येक राज्य का एक महाधिवक्ता होगा (अनु॰ 165)। वह भारत के महान्यायवादी के समान राज्य का अधिकारी होगा और राज्य में उसके महान्यायवादी के कार्यों के समान ही कृत्य होंगे।
- महाधिवक्ता राज्य के राज्यपाल द्वारा नियुक्त किया जायेगा और राज्यपाल के प्रसादपर्यंत पद धारण करेगा।
- महाधिवक्ता को राज्य के विधानमंडल के सदनों की कार्यवाहियों में भाग लेने और बोलने का अधिकार है, किंतु मतदान का अधिकार नहीं है। (अनु॰ 177)

राज्य मंत्रिपरिषद्

- अनुच्छेद 163 के अन्तर्गत राज्यपाल की सहायता और सलाह देने के लिए एक मंत्रिपरिषद् होती है जिसका प्रधान **मुख्यमंत्री** होता है।
- अनुच्छेद 164 के अनुसार, मुख्यमंत्री की नियुक्ति राज्यपाल करता है तथा अन्य मंत्रियों की नियुक्ति राज्यपाल, मुख्यमंत्री की सलाह पर करता है।
- मंत्रिपरिषद् राज्य की विधान सभा के प्रति सामूहिक रूप से उत्तरदायी होता है। सामान्यतः मुख्यमंत्री अपने पद पर तब तक बना रहता है जब तक उसे विधान सभा का विश्वास प्राप्त होता है।

विधानपरिषद्

- संविधान के अनुच्छेद 168 में प्रत्येक राज्य के लिए विधानमण्डल की व्यवस्था की गई है, जो कि राज्यपाल तथा जहाँ दो सदन हैं वहां दो सदनों से और जहां एक सदन है वहां एक सदन से मिलकर बनेगा।
- राज्य विधान सभा की (दो-तिहाई बहुमत) अनुशंसा पर संसद सम्बन्धित राज्य में विधान परिषद् का उत्सादन एवं गठन कर सकती है।
- विधान परिषद् के सदस्यों की संख्या उस राज्य के विधानसभा के सदस्यों की संख्या से 1/3 से अधिक नहीं हो सकती। किन्तु, वह संख्या 40 से कम नहीं होनी चाहिए।
- विधान परिषद् एक स्थायी सदन है। इसका विघटन नहीं होता।
- इसके सदस्यों का कार्यकाल 6 वर्ष का होता है। इसके 1/3 सदस्य प्रत्येक दो वर्ष की समाप्ति पर अपना पद त्याग करते हैं और उनके स्थान पर नए सदस्यों का चुनाव होता है।
- विधान परिषद् का सत्र एक वर्ष में दो बार अवश्य होना चाहिए।
- निम्नलिखित छह राज्यों में विधान परिषद् विद्यमान हैं–

  1. उत्तर-प्रदेश 2. कर्नाटक 3. महाराष्ट्र
  4. आंध्र प्रदेश 5. बिहार 6. तेलंगाना

विधान सभा

- अनुच्छेद 170 के अनुसार, विधान सभा के सदस्यों की संख्या अधिकतम 500 और न्यूनतम 60 होगी। अपवादस्वरूप सिक्किम (32), गोवा (40) एवं मिजोरम (40) हैं।
- विधान सभा में निर्वाचित होने के लिए न्यूनतम आयु सीमा 25 वर्ष है।
- किसी विधेयक को धन विधेयक माना जाए अथवा नहीं, इसका निर्णय विधान सभा अध्यक्ष ही करता है।
- सदन की कार्यवाही आयोजित करने के लिए गणपूर्ति के रूप में एक-दहाई सदस्यों की आवश्यकता होती है।
- विधान सभा का कार्यकाल 5 वर्ष है, किन्तु राज्य मंत्रिपरिषद् की सिफारिश पर इसे समय से पूर्व भी भंग किया जा सकता है।
- **विधान सभा के अधिकार एवं कार्य–**
  1. **विधायी:** विधान सभा को संविधान द्वारा विधित राज्य सूची के विषय पर कानून बनाने का अधिकार प्राप्त है।
  2. **वित्तीय:** विधान सभा को राज्य बजट पारित करने का अधिकार है। राज्य विधानमंडल राज्य सरकार की वित्तीय अवस्था को पूर्णतया नियंत्रित करता है। कोई धन विधेयक प्रारंभ में विधान सभा में ही प्रस्तुत किया जा सकता है। जब विधान सभा किसी धन विधेयक को पारित कर देती है, तब वह विधानपरिषद् के पास भेज दिया जाता है। विधानपरिषद् को 14 दिनों के भीतर इसे विधान सभा को लौटाना पड़ता है। विधान परिषद् उस विधेयक के संबंध में संस्तुतियाँ तो दे सकती हैं, किन्तु वह न तो उसे अस्वीकार कर सकती है और न उसमें संशोधन कर सकती है।
  3. **कार्यपालिका पर नियंत्रण:** मंत्रिपरिषद् सामूहिक रूप से विधान सभा के प्रति उत्तरदायी होती है। विधान सभा में मंत्रिपरिषद् के विरुद्ध अविश्वास प्रस्ताव पारित हो जाने के बाद समूची मंत्रिपरिषद् को त्यागपत्र देना पड़ता है।

अन्तर्राज्य परिषद्

- संविधान के अनुच्छेद 263 के अन्तर्गत केन्द्र एवं राज्यों के बीच समन्वय स्थापित करने के लिए राष्ट्रपति एक अन्तर्राज्य परिषद् की स्थापना कर सकता है।
- अन्तर्राज्य परिषद् में प्रधानमंत्री तथा उनके द्वारा मनोनीत छह कैबिनेट स्तर के मंत्री, सभी राज्यों एवं संघ राज्य क्षेत्रों के मुख्यमंत्री एवं संघ राज्य क्षेत्रों के प्रशासक इसके सदस्य होते हैं।

- अन्तर्राज्य परिषद् की बैठक वर्ष में तीन बार की जाएगी जिसकी अध्यक्षता प्रधानमंत्री या उनकी अनुपस्थिति में प्रधानमंत्री द्वारा नियुक्त कैबिनेट स्तर का मंत्री करता है।
- अंतर्राज्य परिषद् का प्राथमिक उद्देश्य समन्वय और परिसंघीय घनिष्ठता स्थापित करना है।

वित्त आयोग

- अनुच्छेद 280 के अनुसार, राष्ट्रपति प्रत्येक पाँचवें वर्ष की समाप्ति पर या ऐसे पूर्वत्तर समय पर, जिसे वह आवश्यक समझे वित्त आयोग का गठन करेगा।
- वित्त आयोग में एक अध्यक्ष तथा चार अन्य सदस्य होते हैं।
- वित्त आयोग की सिफारिशों पर विचार करने के बाद ही करों एवं प्राप्तियों का वितरण संघ एवं राज्यों के बीच किया जाता है।

लोक सेवा आयोग

- संविधान के अनुच्छेद 315 के अनुसार, संघ एवं राज्यों के लिए एक लोक सेवा आयोग होंगे।
- अनुच्छेद 316 के अनुसार, संघ लोक सेवा आयोग के अध्यक्ष एवं अन्य सदस्यों की नियुक्ति राष्ट्रपति करता है तथा राज्य लोक सेवा आयोग के अध्यक्ष एवं अन्य सदस्यों की नियुक्ति राज्यपाल करता है।
- संघ लोक सेवा आयोग के अध्यक्ष एवं अन्य सदस्यों की नियुक्ति 6 वर्षों के लिए की जाती है। यदि वह 6 वर्षों के अन्दर 65 वर्ष की आयु पूरी कर लेता है तो वह पदमुक्त हो जाता है। राज्य लोक सेवा आयोग के सम्बन्ध में यह आयु सीमा 62 वर्ष है।
- लोक सेवा आयोग संघ तथा राज्यों में सेवाओं में नियुक्तियों के लिए परीक्षाओं का संचालन करते हैं।

निर्वाचन आयोग

- अनुच्छेद 324 के अनुसार, निर्वाचनों के अधीक्षण, निदेशन और नियंत्रण के लिए एक निर्वाचन आयोग होगा।
- निर्वाचन आयोग का गठन मुख्य निर्वाचन आयुक्त एवं अन्य निर्वाचन आयुक्तों से किया जाता है, जिनकी नियुक्ति राष्ट्रपति द्वारा की जाती है।
- मुख्य चुनाव आयुक्त का कार्यकाल 6 वर्ष या 65 वर्ष की आयु, जो भी पहले हो, तक होगा। अन्य चुनाव आयुक्तों का कार्यकाल 6 वर्ष या 62 वर्ष की आयु जो पहले हो, तक रहता है।
- अनुच्छेद 326 के अनुसार, लोक सभा और प्रत्येक विधान सभा के लिए निर्वाचन वयस्क मताधिकार के आधार पर होते हैं।
- मुख्य निर्वाचन आयुक्त को महाभियोग जैसी प्रक्रिया से ही हटाया जा सकता है।

निर्वाचन आयोग के मुख्य कार्य

- मतदाता सूचियों को तैयार करना।
- चुनाव क्षेत्रों का परिसीमन।
- राजनीतिक दलों को मान्यता प्रदान करना।
- राजनीतिक दलों को चुनाव चिह्न प्रदान करना।
- संसद एवं विधानमंडल के सदस्यों तथा राष्ट्रपति एवं उपराष्ट्रपति का समयानुसार चुनाव करवाना।
- राजनीतिक दलों के लिए आचारसंहिता का निर्माण करना।

राजभाषा

- अनुच्छेद 343 के अनुसार, संघ की राजभाषा हिन्दी और लिपि देवनागरी होगी।
- अनुच्छेद 344 में राष्ट्रपति को राजभाषा से सम्बन्धित कुछ विषयों में सलाह देने के लिए एक आयोग की नियुक्ति का प्रावधान है।
- संविधान के अनुच्छेद 345 के अधीन प्रत्येक राज्य के विधानमंडल को यह अधिकार दिया गया है कि वह आठवीं अनुसूची में अन्तर्विष्ट भाषाओं में से किसी एक या अधिक को सरकारी कार्यों के लिए राज्य की सरकारी भाषा के रूप में अंगीकार कर सकता है। किन्तु राज्यों में परस्पर संबंधों में तथा संघ एवं राज्यों के परस्पर संबंधों में संघ की राजभाषा को ही प्राधिकृत भाषा माना जाएगा।

स्थानीय प्रशासन

पंचायती राज

- अनुच्छेद 40 के अनुसार, 'राज्य ग्राम पंचायतों का संगठन करने के लिए कदम उठायेगा और उनको ऐसी शक्तियाँ और प्राधिकार प्रदान करेगा, जो उन्हें स्वायत्त शासन की इकाइयों के रूप में कार्य करने योग्य बनाने के लिए आवश्यक हों।
- 73वाँ संविधान संशोधन पंचायती राज से संबंधित है। इसके मुख्य प्रावधान निम्नलिखित हैं–
  1. पंचायती राज का ढाँचा त्रिस्तरीय होगा। ग्राम स्तर पर ग्राम पंचायत, प्रखण्ड स्तर पर पंचायत समिति तथा जिला स्तर पर जिला परिषद् के गठन की व्यवस्था की गई है।
  2. इसका निर्वाचन पाँच वर्षों के लिए होता है। समय पूर्व पंचायत के भंग होने पर 6 माह के अन्दर निर्वाचन होंगे।
  3. पंचायती राज संस्था के प्रत्येक स्तर में महिलाओं को एक-तिहाई स्थानों पर आरक्षण का प्रावधान है।

नगरपालिकाएँ

- 74वां संविधान संशोधन अधिनियम, 1993 के तहत भारतीय संविधान के अनुच्छेद 243(त) से 243(य)(छ) तक इसका विशेष उल्लेख है।
- इसके अन्तर्गत तीन प्रकार की नगरीय व्यवस्था का उल्लेख है–
  (1) नगर पंचायत (2) नगरपालिका परिषद् (3) नगर निगम
- नगरपालिकाओं में महिलाओं के लिए एक-तिहाई भाग स्थान आरक्षित है।
- नगरीय संस्थाओं का कार्यकाल पाँच वर्ष का होगा। विघटन की स्थिति में छह माह के अन्दर चुनाव अनिवार्य होते हैं।

अभ्यास प्रश्न

1. निम्नलिखित में से कौन-सा उच्च शिक्षा का नियामक है?
A. एनसीईआरटी
B. एआईसीटीई
C. विश्वविद्यालय अनुदान आयोग
D. मानव संसाधन विकास मंत्रालय

2. निम्नलिखित में से किस संस्था ने शिक्षा के चार स्तंभों की अवधारणा दी?
A. यूनिसेफ B. यूजीसी
C. एनसीटीई D. यूनेस्को

3. निम्नलिखित में से किस संस्था का उद्देश्य उच्चतर शिक्षा में विद्यार्थियों के नामांकन में वृद्धि करना है?
A. राष्ट्रीय उच्चतर शिक्षा अभियान
B. सर्व शिक्षा अभियान
C. दोनों (A) और (B)
D. उपरोक्त में से कोई नहीं

4. 'भारत की नियति को इसकी कक्षाओं में साकार रूप दिया जा रहा है' निम्नलिखित में से किस दस्तावेज में इस बात का उल्लेख हैं?
A. राष्ट्रीय शिक्षा नीति
B. राष्ट्रीय ज्ञान आयोग
C. शिक्षा आयोग
D. विश्वविद्यालय शिक्षा आयोग

5. निम्नलिखित में से किस कथन को समेकित दृष्टिकोण कहा जा सकता है?
A. शिक्षण संस्थानों द्वारा शिक्षा
B. शिक्षा को जीवन से जोड़ना
C. परम्परागत शिक्षण
D. उपरोक्त सभी

6. निम्नलिखित में से किस एजेंसी या संगठन को उच्च शिक्षा में संवैधानिक रूप से संस्थानों में समन्वय और मानक-निर्धारण का कार्य सौंपा गया था?
A. यूजीसी B. संबंधित राज्य सरकारों
C. केंद्र सरकार D. उपरोक्त में से कोई नहीं

7. निम्नलिखित में से किन दस्तावेजों को भारत में अंग्रेजी शिक्षा का मैग्ना कार्टा के रूप में जाना जाता है?
A. चार्ल्स वुड प्रेषण
B. मैकाले मिनट
C. माउंट एल्फिंस्टन मिनट
D. वर्धा प्रणाली

8. निम्नलिखित में से किस वर्ष में, कलकत्ता, बंबई और मद्रास के प्रेसीडेंसी विश्वविद्यालयों को 'वुड्स डिस्पैच' की सिफारिशों के बाद स्थापित किया गया?
A. 1854 B. 1857
C. 1858 D. 1861

9. निम्नलिखित में से इलाहाबाद विश्वविद्यालय की स्थापना किस वर्ष में की गई थी?
A. 1887 B. 1901
C. 1905 D. 1911

10. निम्नलिखित में से कौन-सी संस्था वर्ष 1945 में, अलीगढ़, बनारस और दिल्ली केंद्रीय विश्वविद्यालयों की कार्य पद्धति को देखने के बाद स्थापित की गई थी?
A. विश्वविद्यालय अनुदान आयोग
B. विश्वविद्यालय अनुदान समिति
C. इंटर यूनिवर्सिटी बोर्ड
D. भारतीय विश्वविद्यालय संघ

11. भारत में शैक्षिक विकास पर केंद्रीय शिक्षा सलाहकार बोर्ड की रिपोर्ट को क्या कहा जाता है?
A. सार्जेंट रिपोर्ट B. नेहरू रिपोर्ट
C. वर्धा रिपोर्ट D. उपरोक्त में से कोई नहीं

12. निम्नलिखित में से किस वर्ष में एल्फिंस्टन रिपोर्ट आई जिसने अंग्रेजी और यूरोपियन विज्ञान के पाठ्यक्रमों के भारतीय स्कूलों में प्रारंभ करने की अनुशंसा की?
A. 1823 B. 1835
C. 1858 D. 1861

13. इंटर यूनिवर्सिटी बोर्ड वर्ष 1925 में, शिक्षा, संस्कृति एवं खेल के क्षेत्र में जानकारी और सहयोग साझा करके विश्वविद्यालय की गतिविधियों को बढ़ावा देने हेतु स्थापित किया गया था। इस बोर्ड को अन्य किस नाम से जाना जाता है?
A. भारतीय विश्वविद्यालय संघ
B. केन्द्रीय शिक्षा सलाहकार बोर्ड
C. केन्द्रीय माध्यमिक शिक्षा बोर्ड
D. उपरोक्त में से कोई नहीं

14. निम्नलिखित में से किसे कलकत्ता विश्वविद्यालय आयोग के रूप में जाना जाता है?
A. सैडलर आयोग B. कोठारी आयोग
C. हंटर आयोग D. वुड डिस्पैच

15. निम्नलिखित में से किस को उच्च शिक्षा के बारे में पहली नीति के रूप में माना जाता है?

A. वुड प्रेषण
B. मैकाले मिनट
C. एल्फिंस्टन रिपोर्ट
D. उपरोक्त में से कोई नहीं

16. निम्नलिखित में से कौन-सा आयोग 10 + 2 + 3 के लिए एक अग्रगामी माना जाता है?

A. सैडलर आयोग
B. वुड प्रयोग
C. कोठारी आयोग
D. उपरोक्त में से कोई नहीं

17. निम्नलिखित में से किस आयोग की रिपोर्ट को शिक्षा और राष्ट्रीय विकास रिपोर्ट के रूप में जाना जाता है?

A. राधाकृष्णनन आयोग
B. कोठारी आयोग
C. मुदलियार आयोग रिपोर्ट
D. उपरोक्त में से कोई नहीं

18. निम्नलिखित में से किसकी अध्यक्षता में वर्ष 1972 में, 10 + 2 + 3 शिक्षा संरचना पर राष्ट्रीय समिति की स्थापना की गई थी?

A. डॉ. पी. डी. शुक्ला
B. डॉ. डी एस कोठारी
C. डॉ. राधाकृष्णन
D. उपरोक्त में से कोई नहीं

19. स्वतंत्रता के बाद सरकार या उसकी एजेंसियों द्वारा कई आयोग स्थापित किए गए थे, जिसका वर्णन नीचे दिया गया है। इन आयोगों को उनके स्थापित किए जाने के क्रम में लिखिए:

I. विश्वविद्यालय शिक्षा आयोग
II. माध्यमिक शिक्षा आयोग
III. शिक्षा आयोग

कूटः

A. III, II, तथा I
B. II, I, तथा III
C. I, II, तथा III
D. I, III, तथा II

20. निम्नलिखित में से किस समिति ने यूजीसी द्वारा प्रत्येक वर्ष बुनियादी विज्ञान के क्षेत्र में अनुसंधान पर 500 करोड़ रुपये खर्च करने की सिफारिश की?

A. एम.एम. शर्मा समिति
B. काकोदकर समिति
C. प्रो. यशपाल समिति
D. उपरोक्त में से कोई नहीं

21. मानव संसाधन विकास मंत्रालय द्वारा स्थापित की गई समिति में भारतीय प्रौद्योगिकी संस्थानों की स्वायत्तता की अनुशंसा की गई।

A. प्रो. अनिल काकोदकर
B. प्रो. यशपाल
C. सैम पित्रोदा
D. उपरोक्त में से कोई नहीं

22. निम्नलिखित में से राष्ट्रीय ज्ञान आयोग (National Knowledge Commission) की स्थापना किस विख्यात व्यक्ति की अध्यक्षता में की गई थी?

A. प्रो. अनिल काकोदकर
B. प्रो. यशपाल
C. सैम पित्रोदा
D. उपरोक्त में से कोई नहीं

23. वर्ष 1990 में राष्ट्रीय शिक्षा नीति की समीक्षा करने के लिए एक समिति की स्थापना की गयी, जिसका शीर्षक 'एक प्रबुद्ध और मानवीय समाज की ओर'। निम्नलिखित में से कौन-सा व्यक्ति इस समिति का अध्यक्ष था?

A. आचार्य राममूर्ति
B. प्रोफेसर यशपाल
C. प्रोफेसर मुरली मनोहर जोशी
D. उपरोक्त में से कोई नहीं

24. निम्नलिखित में से कौन-सी समिति ने राष्ट्रीय उच्च शिक्षा एवं अनुसंधान आयोग की स्थापना की अनुशंसा की जो कि उच्च शिक्षक संस्थानों में अकादमिक गुणवत्ता और ज्ञानवर्धक के लिए सुझाव देगा?

A. सैम पित्रोदा समिति
B. प्रो. यशपाल समिति
C. प्रो. एम.एम. शर्मा समिति
D. गणनाम समिति

25. किस समिति ने सिफारिश की कि देश में 1500 विश्वविद्यालय स्थापित होने चाहिए, ताकि 30% के सकल नामांकन के उद्देश्य को प्राप्त किया जा सके।

निम्नलिखित में से कौन इस समिति के अध्यक्ष थे?

A. डॉ. डी एस कोठारी
B. सैम पित्रोदा
C. प्रो. यशपाल
D. उपरोक्त में से कोई नहीं

26. कोठारी आयोग और राष्ट्रीय शिक्षा नीति द्वारा शिक्षा पर कौन-सा प्रतिशत आंकड़ा खर्च किए जाने की सिफारिश की गई?

A. सकल घरेलू उत्पाद का 4%
B. सकल घरेलू उत्पाद का 5%
C. सकल घरेलू उत्पाद का 6%
D. उपरोक्त में से कोई नहीं

27. निम्नलिखित में से कौन-सी संस्था या संगठन 'विश्वविद्यालय हैंडबुक' को प्रकाशित करता है?

A. विश्वविद्यालय अनुदान आयोग
B. भारतीय विश्वविद्यालय संघ
C. इंटर यूनिवर्सिटी केन्द्र
D. केंद्रीय शिक्षा सलाहकार बोर्ड

28. निम्नलिखित में से किस वर्ष में भारतीय विश्वविद्यालय संघ मूल रूप से स्थापित किया गया था?

A. 1925 B. 1945

C. 1953 D. उपरोक्त में से कोई नहीं

29. 'विश्वविद्यालय अनुदान आयोग' से भी पहले 'विश्वविद्यालय अनुदान समिति' का गठन सार्जेंट कमीशन की अनुशंसा के अनुसार किया गया, इसकी स्थापना किस वर्ष में की गई थी?

A. 1901 B. 1937

C. 1940 D. 1945

30. वैदिक काल की प्रख्यात विदुषी महिलाएँ हैं।

(*a*) गार्गी (*b*) मैत्रेयी

(*c*) संघमित्रा (*d*) विश्वम्भरा

(*e*) अपाला

नीचे दिए गए विकल्पों में से सही उत्तर चुनिए।

A. (*a*), (*b*), (*c*) और (*d*)

B. (*b*), (*c*), (*d*) और (*e*)

C. (*a*), (*b*), (*d*) और (*e*)

D. (*a*), (*c*), (*d*) और (*e*)

31. निम्नलिखित में से किस प्राचीन विश्वविद्यालय ने अन्य विषयों के साथ विशेष विषय वज्रयान बौद्धमत के शिक्षण को भी उपलब्ध करवाया?

A. मिथिला विश्वविद्यालय

B. जगद्दला विश्वविद्यालय

C. नालंदा विश्वविद्यालय

D. ओदन्तपुरी विश्वविद्यालय

32. 'हीनयान' के विशिष्ट अध्ययन के लिए प्रसिद्ध प्राचीन विश्वविद्यालय था:

A. नादिया विश्वविद्यालय

B. नालंदा विश्वविद्यालय

C. वल्लभी विश्वविद्यालय

D. विक्रमशिला विश्वविद्यालय

33. निम्नलिखित में से कौन-सा प्राचीन शैक्षिक संस्थान गंगा नदी के तट पर स्थित था?

A. नालंदा विश्वविद्यालय

B. पुष्पगिरि विश्वविद्यालय

C. विक्रमशिला विश्वविद्यालय

D. तक्षशिक्षा विश्वविद्यालय

34. प्राचीन भारत में निम्नलिखित में से शिक्षा का प्रमुख लक्ष्य क्या था?

A. मुक्ति अथवा उद्धार

B. शारीरिक विकास

C. व्यावसायिक आवश्यकताओं की पूर्ति

D. सामाजिक मूल्यों का परीक्षण

35. प्राचीन भारत के प्रथम भारतीय इतिहासकार थे:

A. मेगस्थनीज B. फाह्यान

C. ह्वेन त्सांग D. कल्हण

36. वे कौन-से प्राचीन भारतीय विश्वविद्यालय हैं जिन्हें यूनेस्को ने विश्व धरोहर स्थल घोषित किया है?

(*a*) मिथिला

(*b*) वल्लभी

(*c*) पुष्पगिरि

(*d*) तक्षशिला

(*e*) नालंदा

A. केवल (*a*) और (*b*) B. केवल (*a*) और (*b*)

C. केवल (*c*) और (*d*) D. केवल (*d*) और (*e*)

37. प्राचीन बौद्ध शिक्षा प्रणाली में मठ में प्रवेश के बाद, विद्यार्थी को समस्त भौतिक और पारिवारिक संबंधों का त्याग करना होता था, इसे निम्न में से क्या कहा जाता था?

A. प्रवज्या B. उपसम्पदा

C. संवर्तन D. उपनयन

38. नीचे दो कथन दिए गए हैं:

कथन (I) : प्राचीन भारत के नालंदा, तक्षशिक्षा और विक्रमशिला विश्वविद्यालय वर्तमान में सभी भारतीय क्षेत्र में अवस्थित हैं।

कथन (II) : भारत के प्राचीन शिक्षा केन्द्रों में प्रवेश हेतु उच्च स्तर की परीक्षा होती थी।

उपर्युक्त कथनों के आलोक में निम्नांकित विकल्पों में से सर्वाधिक उपयुक्त उत्तर चुनें :

A. कथन I और II दोनों सही हैं।

B. कथन I और II दोनों गलत हैं।

C. कथन I सही है किंतु कथन II सही नहीं है।

D. कथन I सही नहीं है किंतु कथन II सही है।

39. तक्षशिला विश्वविद्यालय में प्रवेश लेने के इच्छुक विद्यार्थियों के लिए आयु संबंधी पात्रता क्या निर्धारित किया गया था?

A. 22 वर्ष B. 20 वर्ष

C. 16 वर्ष D. 18 वर्ष

40. निम्नलिखित में से किस आयोग ने यूजीसी की स्थापना की सिफारिश की जिसे विश्वविद्यालय शिक्षा आयोग के रूप में भी जाना जाता है?

A. राधाकृष्णन आयोग B. मुदलियार आयोग
C. वर्धा आयोग D. कोठारी आयोग

41. निम्नलिखित में से किस वर्ष में सरकार ने संसदीय अधिनियम द्वारा विश्वविद्यालय अनुदान आयोग की स्थापना की?

A. 1980 B. 1948
C. 1953 D. 1956

42. निम्नलिखित में से किस महापुरुष द्वारा बनारस हिंदू विश्वविद्यालय की स्थापना की गई थी?

A. लाला लाजपत राय B. पंडित मदन मोहन मालवीय
C. महात्मा गांधी D. ज्योतिबा फूले

43. निम्नलिखित में से यूजीसी अधिनियम की कौन-सी धारा विश्वविद्यालय शिक्षा के समन्वय और शिक्षण, परीक्षा और अनुसंधान के मानकों के अनुरक्षण के बारे में है?

A. धारा 12 B. धारा 15
C. धारा 25 D. धारा 28

44. निम्नलिखित में से किस राज्य में सबसे अधिक केंद्रीय विश्वविद्यालय हैं?

A. नई दिल्ली B. उत्तर प्रदेश
C. (A) और (B) दोनों D. उपरोक्त में से कोई नहीं

45. निम्न में से कौन-सा विकल्प विश्वविद्यालय को अस्तित्व में लाने के लिए सशक्त नहीं है?

A. राज्य सरकार B. केंद्रीय सरकार
C. यूजीसी D. उपरोक्त में से कोई नहीं

46. निम्नलिखित में से कितने विश्वविद्यालय केंद्रीय विश्वविद्यालय अधिनियम, 2009 के अंतर्गत स्थापित किए गए थे?

A. 12 B. 16
C. 40 D. 43

47. निम्नलिखित में से विश्वविद्यालयों के किस वर्गीकरण के अंतर्गत सबसे अधिक विश्वविद्यालय आते हैं?

A. केंद्रीय विश्वविद्यालय B. राज्य विश्वविद्यालय
C. डीम्ड विश्वविद्यालय D. निजी विश्वविद्यालय

48. निम्नलिखित में से विश्वविद्यालयों के किस वर्गीकरण के अंतर्गत विद्यार्थियों के सबसे अधिक नामांकन होते हैं?

A. केंद्रीय विश्वविद्यालय B. राज्य विश्वविद्यालय
C. डीम्ड विश्वविद्यालय D. निजी विश्वविद्यालय

49. निम्नलिखित में से कौन-से विश्वविद्यालय अपने केंद्रीय परिसर में ही शिक्षा प्रदान करते हैं?

A. केंद्रीय विश्वविद्यालय
B. सम विश्वविद्यालय
C. आवासीय विश्वविद्यालय
D. मुक्त विश्वविद्यालय

50. निम्नलिखित में कौन-सी एजेंसी इंदिरा गांधी राष्ट्रीय मुक्त विश्वविद्यालय का वित्त पोषण करती है?

A. विश्वविद्यालय अनुदान आयोग
B. मानव संसाधन विकास मंत्रालय
C. दोनों (A) और (B)
D. उपरोक्त में से कोई नहीं

51. निम्नलिखित में से कौन-सा विश्वविद्यालय स्वयं के चैनल के माध्यम से इंटरैक्टिव शिक्षा कार्यक्रमों का प्रसारण करता है?

A. डॉ. बी.आर. अम्बेडकर मुक्त विश्वविद्यालय
B. इंदिरा गांधी राष्ट्रीय मुक्त विश्वविद्यालय
C. पूणे विश्वविद्यालय
D. अन्नामलाई विश्वविद्यालय

52. निम्नलिखित में से कौन-से राज्य में सबसे अधिक विश्वविद्यालय हैं?

A. तमिलनाडु B. आंध्र प्रदेश
C. राजस्थान D. उत्तर प्रदेश

53. निम्नलिखित में से कौन-से राज्य में सबसे अधिक सम विश्वविद्यालय है?

A. तमिलनाडु B. आंध्र प्रदेश
C. महाराष्ट्र D. कर्नाटक

54. 'राष्ट्रीय महत्व के संस्थान' उच्च शिक्षा में ऐसे संस्थान होते हैं, जो कि किसी राज्य या क्षेत्र में छात्रों को विशिष्ट कौशल प्रदान करने के लिए महत्वपूर्ण भूमिका निभाते हैं।

निम्नलिखित में से उनको यह प्रतिष्ठित स्थान कौन प्रदान करता है?

A. विश्वविद्यालय अनुदान आयोग
B. संसद का अधिनियम
C. अखिल भारतीय तकनीकी शिक्षा परिषद
D. उपरोक्त सभी

55. 'अधिगम राष्ट्रमंडल' (CoL) केवल ऐसी सरकारी राष्ट्रमंडल एजेंसी है, जो कि ब्रिटेन के बाहर स्थित है। निम्नलिखित में से यह कहाँ पर स्थित है?

A नई दिल्ली, भारत B. सिडनी, ऑस्ट्रेलिया
C. बैंकूबर, कनाडा D. इस्लामाबाद, पाकिस्तान

56. 12वीं पंचवर्षीय योजना में, कॉलेज क्लस्टर विश्वविद्यालय की अवधारणा के अंतर्गत किसी शहर या जिले में या उस के इर्द-गिर्द एक न्यूनतम संख्या में महाविद्यालय मिल कर एक विश्वविद्यालय की स्थापना कर सकते हैं। निम्न में से यह न्यूनतम संख्या कितनी है?

निम्न में से यह न्यूनतम संख्या कितनी हैं?

A. 25 B. 50
C. 60 D. 100

57. निम्नलिखित में से किस संगठन ने 'राष्ट्रीय मूल्यांकन एवं प्रत्यायन परिषद' की स्थापना की?

A. एआईसीटीई
B. यूजीसी
C. मानव संसाधन विकास मंत्रालय
D. उपरोक्त में से कोई नहीं

58. 'राष्ट्रीय मूल्यांकन एवं प्रत्यायन परिषद' (एनएएसी) का मुख्य कार्यालय कहाँ पर स्थित है?

A. नई दिल्ली B. मुंबई
C. हैदराबाद D. बेंगलुरू

59. निम्नलिखित में से NUEPA मुख्य रूप से किस से संबंधित हैं?

A. शैक्षिक पर्यवेक्षण
B. शैक्षिक एकता
C. शैक्षिक योजना
D. शैक्षिक मूल्यांकन

60. निम्नलिखित में से यशपाल समिति की रिपोर्ट (1993) का मुख्य शीर्षक क्या है?

A. ICT के क्षेत्र में शिक्षकों की शिक्षा
B. बिना बोझ के शिक्षा
C. प्रसारण के माध्यम से शिक्षण
D. उपरोक्त में से कोई नहीं

61. निम्नलिखित में से यू.जी.सी. में केन्द्र सरकार के प्रतिनिधियों की संख्या कितनी है?

A. 9 B. 2
C. 6 D. 3

62. निम्नलिखित में से कौन-सी एजेंसी या संस्था ने प्रत्यायन बोर्ड (Accreditation Board) की स्थापना की?

A. भारतीय कृषि अनुसंधान परिषद
B. अखिल भारतीय तकनीकी शिक्षा परिषद
C. विश्वविद्यालय अनुदान आयोग
D. मानव संसाधन विकास मंत्रालय

63. निम्नलिखित में से किस संस्था द्वारा राष्ट्रीय प्रत्यायन बोर्ड (National Accreditation Board) वर्ष 1987 में स्थापित किया गया?

A. एआईसीटीई
B. यूजीसी
C. मानव संसाधन विकास मंत्रालय
D. इंदिरा गांधी राष्ट्रीय मुक्त विश्वविद्यालय

64. निम्नलिखित में से किस वर्ष में 'राष्ट्रीय शिक्षा नीति' को संशोधित किया गया और इसके साथ 'कार्य योजना' (Programme of Action) को भी संलग्न किया गया था?

A. 1968 B. 1976
C. 1986 D. 1992

65. निम्नलिखित में से कौन-सा दिन 'राष्ट्रीय शिक्षा दिवस' के रूप में मनाया जाता है?

A. सितंबर 5 B. अक्टूबर 2
C. नवंबर 11 D. नवंबर 14

66. निम्नलिखित में से राष्ट्रीय शिक्षा नीति का मुख्य उद्देश्य क्या है?

A. प्राथमिक शिक्षा का सार्वभौमिकरण
B. शिक्षा का व्यवसायीकरण
C. शिक्षा की समीक्षा करना
D. सबको शिक्षा का समान अवसर प्रदान करना

67. 12वीं पंचवर्षीय योजना के विजन पेपर के अनुसार, उच्च शिक्षा में विज्ञान और प्रौद्योगिकी के क्षेत्र में लक्षित कर्मचारियों की कितनी संख्या (शिक्षक छात्र अनुपात के संदर्भ में) उल्लेखित की गई है?

A. 1:10 B. 1:15
C. 1:20 D. 1:30

68. 12वीं पंचवर्षीय योजना में, उच्च शिक्षा के लिए प्रस्तावित महिला विश्वविद्यालयों की संख्या कितनी है?

A. 10 B. 15
C. 20 D. 30

69. कुल अल्प-अवधि कार्यक्रमों के अलावा, शिक्षकों के प्रशिक्षण के लिए अकादमिक स्टाफ कॉलेजों की स्थापना की गई जो कि मूल रूप से प्रस्तुत करते हैं:

A. विषय विशेष रिफ्रेशर कोर्स
B. सामान्य उन्मुखीकरण कार्यक्रम
C. दोनों (A) और (B)
D. उपरोक्त में से कोई नहीं

70. निम्नलिखित में से ऐसी कौन-सी समिति है, जो स्वतंत्रता के बाद भारत सरकार द्वारा महिलाओं की शिक्षा के लिए गठित की गई?

A. डॉ. राधाकृष्णन आयोग
B. मुदलियार आयोग
C. श्री प्रकाश समिति
D. डॉ. दुर्गाबाई देशमुख समिति

71. निम्नलिखित में से संविधान का कौन-सा अनुच्छेद अल्पसंख्यक वर्ग को अपनी पसंद के संस्थानों को स्थापित करने एवं उनके प्रशासन के लिए अधिकारों का वर्णन करता है?

A. अनुच्छेद 21 (1) B. अनुच्छेद 30 (1)
C. अनुच्छेद 32 D. उपरोक्त में से कोई नहीं

72. निम्नलिखित में से कौन-से वर्ष में राष्ट्रीय अल्पसंख्यक शिक्षण संस्थान आयोग (NCMI) स्थापित किया गया?

A. 2001 B. 2003
C. 2004 D. 2005

73. निम्नलिखित में से संयुक्त राष्ट्र की ऐसी कौन-सी विशेष एजेंसी है, जो बौद्धिक संपदा अधिकारों से संबंधित है?

A. डब्ल्यूआईपीओ (WIPO)
B. गैट्स (GATS)
C. गैट (GAT)
D. उपरोक्त में से कोई भी नहीं

74. निम्नलिखित में से किस संवैधानिक संशोधन के अंतर्गत शिक्षा को समवर्ती सूची में स्थानांतरित किया गया था?

A. 42वें B. 73वें
C. 74वें D. उपरोक्त में से कोई नहीं

75. निम्नलिखित में से यूजीसी के संकाय सुधार कार्यक्रम (Faculty Improvement Programme) का मुख्य उद्देश्य क्या है?

A. अतिरिक्त शिक्षकों की नियुक्ति करना
B. संकाय को अनुसंधान उन्मुख बनाना
C. भौतिक आधारिक संरचना में सुधार
D. उपरोक्त में से कोई नहीं

76. निम्नलिखित में से 'महात्मा गांधी अंतर्राष्ट्रीय हिंदी विश्वविद्यालय' कहाँ पर स्थित है?

A. नई दिल्ली B. जयपुर
C. पोरबंदर D. वर्धा

77. निम्नलिखित में से किस वर्ष में केंद्रीय शिक्षा सलाहकार बोर्ड (CABE) की स्थापना की गई?

A. 1925 B. 1857
C. 1956 D. 1992

78. निम्न में से किस वर्ष में इंदिरा गांधी मुक्त विश्वविद्यालय (इग्नू) स्थापित किया गया था?

A. 1985 B. 1988
C. 1991 D. 1992

79. निम्नलिखित में से किस वर्ष में मानव संसाधन विकास मंत्रालय सृजित किया गया था?

A. 1972 B. 1980
C. 1985 D. 1991

80. सरकार ने किस वर्ष तक उच्च शिक्षा में सकल नामांकन अनुपात 30% बढ़ाने का लक्ष्य निर्धारित किया था?

A. 2015 B. 2020
C. 2025 D. 2030

81. निम्नलिखित में से कौन-से व्यक्ति यूजीसी के पहले अध्यक्ष थे?

A. डॉ. शान्ति स्वरूप भटनागर
B. डॉ. मनमोहन सिंह
C. श्री हुमायूं कबीर
D. श्री सी डी देशमुख

82. निम्नलिखित में से भारत में सबसे पहला मुक्त विश्वविद्यालय कौन-सा था?

A. आंध्र प्रदेश मुक्त विश्वविद्यालय
B. इंदिरा गांधी राष्ट्रीय मुक्त विश्वविद्यालय
C. दिल्ली विश्वविद्यालय
D. उपरोक्त में से कोई नहीं

83. भारत में सबसे पहले किस विश्वविद्यालय में पत्राचार पाठ्यक्रम शुरू किया गया था?

A. आंध्र प्रदेश मुक्त विश्वविद्यालय
B. इंदिरा गांधी राष्ट्रीय मुक्त विश्वविद्यालय
C. दिल्ली विश्वविद्यालय
D. उपरोक्त में से कोई नहीं

84. निम्नलिखित में से भारत का उच्च शिक्षा संस्थानों में नामांकन के संदर्भ में कौन-सा स्थान है?

A. प्रथम B. दूसरा
C. तीसरा D. चौथा

85. निम्नलिखित में से किस के द्वारा मेटा विश्वविद्यालय की अवधारणा प्रतिपादित की गई थी?

A. मेसाचुसेट्स प्रौद्योगिकी संस्थान
B. जवाहर लाल नेहरू विश्वविद्यालय
C. हार्वर्ड बिजनेस स्कूल
D. दिल्ली विश्वविद्यालय

86. निम्नलिखित में से संव्यावसायिक डिग्री की पाठ्यक्रम-सामग्री किस पर जोर देती है?

A. कौशल और व्यावहारिक विश्लेषण प्राप्त करने पर
B. सिद्धांतों और अनुसंधान पर
C. अवधारणाओं पर
D. उपरोक्त में से कोई नहीं

87. सूची-I से सूची-II का मिलान कीजिए और नीचे दिए गए कूटों से सही उत्तर का चयन कीजिए।

सूची-I (संस्थान)	सूची-II (स्थान)
(*a*) विक्रम साराभाई अंतरिक्ष अनुसंधान केंद्र	I. तिरुवनंतपुरम
(*b*) कोशिकीय और आणविक जीवविज्ञान केंद्र	II. हैदराबाद
(*c*) भारतीय अंतरिक्ष अनुसंधान संगठन	III. बेंगलुरु
(*d*) ऊर्जा और संसाधन संस्थान	IV. नई दिल्ली

नीचे दिए गए विकल्पों में से सही उत्तर चुनिए:

	(*a*)	(*b*)	(*c*)	(*d*)
A.	I	II	III	IV
B.	I	III	II	IV
C.	III	II	I	IV
D.	IV	III	II	I

88. निम्नलिखित में से किस वर्ष में राष्ट्रीय प्रत्यायन बोर्ड की स्थापना की गई थी?

A. 1991 B. 1994
C. 2001 D. 2005

89. अलीगढ़ मुस्लिम विश्वविद्यालय किस वर्ष में स्थापित किया गया था?

A. 1857 B. 1875
C. 1905 D. 1916

90. निम्नलिखित में से कौन-से व्यक्ति हैं, जो स्वतंत्र भारत के पहले शिक्षा मंत्री बने थे?

A. अबुल कलाम आजाद B. सरदार वल्लभभाई पटेल
C. एस राधाकृष्णन D. उपरोक्त में से कोई नहीं

91. निम्नलिखित में से ऐसा कौन-सा सैटेलाइट चैनल है, जो 26 जनवरी 2003 को भारत में दूरस्थ शिक्षा के तकनीकी विकास के लिए शुरू किया गया था?

A. एकलव्य B. द्रोणाचार्य
C. ज्ञान दर्शन D. ज्ञान वाणी

92. निम्नलिखित में से कौन-सा संस्थान मानव संसाधन विकास मंत्रालय द्वारा स्थापित किया गया है?

A. राष्ट्रीय बाल भवन, नई दिल्ली
B. भारतीय अंतरिक्ष अनुसंधान संगठन (ISRO)
C. रक्षा अनुसंधान एवं विकास संगठन (DRDO)
D. उपरोक्त में से कोई नहीं

93. निम्नलिखित में से 'शिक्षक एवं प्रशिक्षण राष्ट्रीय मिशन' का मुख्य उद्देश्य क्या है?

A. छात्र नामांकन B. शिक्षा की गुणवत्ता
C. महिला शिक्षा D. उपरोक्त सभी

94. निम्नलिखित में से कौन-से व्यक्ति विश्वविद्यालय शिक्षा आयोग, 1948 के अध्यक्ष थे?

A. डॉ. एस. राधाकृष्णन
B. डॉ. डी.एस. कोठारी
C. मौलाना अबुल कलाम आजाद
D. सी.डी. देशमुख

95. निम्नलिखित में से कौन-से देश के विश्वविद्यालय अनुदान आयोग की तर्ज पर विश्वविद्यालय शिक्षा आयोग ने यूजीसी की स्थापना की सिफारिश की?

A. संयुक्त राज्य अमेरिका B. ग्रेट ब्रिटेन
C. जर्मनी D. सोवियत संघ

96. राष्ट्रीय शिक्षा नीति (NEP), 2020 के अनुसार ECCE का पूर्ण रूप क्या है?

A. एजुकेशन ऑफ ए केरींग चाइल्ड इन एलेमेन्टरी क्लास
B. एलेमेन्टरी क्लासेस ऑफ चाइल्ड एजुकेशन
C. एजुकेशनल क्लासेस फॉर केरींग अर्ली चाइल्डहुड
D. अर्ली चाइल्डहुड केयर एंड एजुकेशन

97. नई शिक्षा नीति स्तंभों पर आधारित है, NEP-2020 में कितने स्तंभ हैं?

A. 5 B. 4
C. 3 D. 8

98. NEP 2020 के अनुसार, वर्तमान 10+2 शैक्षिक मॉडल को एक नए शैक्षिक पाठ्यक्रम प्रणाली के आधार पर विभाजित करने की बात कही गई है। वह नई शैक्षिक पाठ्यक्रम प्रणाली क्या है?

A. 3+4+4+5 B. 5+3+3+4
C. 4+3+3+5 D. 5+4+3+3

99. राष्ट्रीय शिक्षा नीति 2020 में, शिक्षक को किस कक्षा तक मातृभाषा/स्थानीय या क्षेत्रीय भाषा में पाठ पढ़ाने पर बल दिया गया है?

A. कक्षा 3 B. कक्षा 4
C. कक्षा 5 D. उपरोक्त में से कोई नहीं

100. राष्ट्रीय शिक्षा नीति 2020 के अनुसार, उच्च शिक्षण संस्थानों में 'सकल नामांकन अनुपात' (Gross Enrolment Ratio) को कितना प्रतिशत बढ़ाने का लक्ष्य रखा गया है?

A. 25% B. 30%
C. 40% D. 50%

101. भारत के संविधान को कब अपनाया गया था?

A. 15 अगस्त, 1947
B. 26 जनवरी, 1950
C. 26 नवंबर, 1949
D. 15 अगस्त, 1950

102. उपराष्ट्रपति को पद व गोपनीयता की शपथ कौन दिलाता है?

A. भारत का मुख्य न्यायाधीश
B. भारत का राष्ट्रपति
C. लोकसभा का अध्यक्ष
D. भारत का महाधिवक्ता

103. निम्नलिखित में से किसकी नियुक्ति राष्ट्रपति द्वारा नहीं की जाती है?

A. संघ लोकसेवा आयोग के अध्यक्ष
B. राज्य के राज्यपाल
C. उच्च न्यायालय के न्यायाधीश
D. उपराष्ट्रपति

104. राष्ट्रपति किसकी सलाह पर लोकसभा को समयपूर्व भंग कर सकता है?

A. प्रधानमंत्री B. स्पीकर
C. उपराष्ट्रपति D. निर्वाचन आयुक्त

105. राष्ट्रपति का अध्यादेश लागू रहता है :

A. तीन माह
B. एक माह
C. छ: माह
D. जब तक उसे निरस्त न कर दिया जाए

106. मौलिक कर्तव्यों का विचार कहां के संविधान से लिया गया है?

A. रूस के संविधान
B. ब्रिटेन के संविधान
C. अमेरिका के संविधान
D. जर्मनी के संविधान

107. वह मौलिक अधिकार जिसे आपातकाल में भी लम्बित नहीं किया जा सकता, वह है :

A. समानता का अधिकार
B. अभिव्यक्ति की स्वतंत्रता का अधिकार
C. स्वतंत्र भ्रमण का अधिकार
D. जीवन का अधिकार

108. संसद में लाया गया कोई विधेयक धन विधेयक है या नहीं इसका निर्णय कौन करता है?

A. प्रधानमंत्री
B. स्पीकर
C. राष्ट्रपति
D. नियंत्रक या महालेखा परीक्षक

109. निम्नलिखित में से किसकी अध्यक्षता एक गैर-सदस्य करता है?

A. लोकसभा
B. राज्यसभा
C. विधानसभा
D. लोकसभा और राज्यसभा की संयुक्त बैठक

110. ऐसे संघ शासित प्रदेशों के लिए जिनकी अपनी विधायिका नहीं है, उनके लिए कौन कानून बनाता है?

A. संसद B. राष्ट्रपति
C. प्रशासकगण D. कानून मंत्रालय का संघ

111. अरुणाचल प्रदेश को किस वर्ष राज्य का दर्जा दिया गया?

A. 1972 B. 1984
C. 1985 D. 1987

112. जम्मू एवं कश्मीर की अधिकारिक भाषा है :

A. डोगरी B. कश्मीरी
C. उर्दू D. हिन्दुस्तानी

113. राज्यसभा की सदस्यता के लिए निर्धारित न्यूनतम आंयु सीमा है :

A. 18 वर्ष B. 21 वर्ष
C. 25 वर्ष D. 30 वर्ष

114. एक मंत्री जो संसद के किसी भी सदन का सदस्य नहीं है, उसे कितनी अवधि तक सदस्यता ग्रहण कर लेनी चाहिए?

A. एक वर्ष B. छ: माह
C. तीन माह D. दो माह

115. परंपरा के अनुसार किसी राज्य का राज्यपाल संबद्ध होता है :

A. राज्य के सत्ताधारी दल B. राज्य की विपक्षी पार्टी
C. राज्य के आईएएस कैडर D. अन्य राज्य

116. लद्दाख को किस वर्ष एक केन्द्रशासित प्रदेश बनाया गया?

A. 2019 B. 2017
C. 2018 D. 2016

117. संविधान भारत का वर्णन किसके रूप में करता है?

A. राज्यों का परिसंघ B. अर्ध संघ
C. राज्यों का संघ D. स्वतंत्र राज्यों की रियासत

118. निम्नलिखित में से किस अनुच्छेद को साधारण बहुमत से संशोधित नहीं किया जा सकता?

A. नए राज्यों का गठन
B. राष्ट्रपति के निर्वाचन की प्रक्रिया
C. संघ की अधिकारिक भाषा
D. संसद में गणपूर्ति

119. संविधान अवशिष्ट शक्तियां किसे प्रदान करता है?

A. संघीय सरकार B. राज्य सरकार
C. राष्ट्रपति D. उच्चतम न्यायालय

120. भारत के राष्ट्रपति को निम्न में से किसके खिलाफ सुरक्षा प्रदान की गई है?

A. कार्यकाल के दौरान आपराधिक मुकदमे
B. कार्यकाल के दौरान दीवानी मुकदमे
C. कार्यकाल के दौरान दीवानी व आपराधिक दोनों मुकदमे
D. अवकाश प्राप्ति के बाद दीवानी और आपराधिक मुकदमे

121. राष्ट्रपति पद के लिए निर्धारित न्यूनतम आयु सीमा है :

A. 21 वर्ष B. 25 वर्ष
C. 30 वर्ष D. 35 वर्ष

122. वह संविधान संशोधन जिसके तहत् सिक्किम को भारत का राज्य बनाया गया, वह था :

A. 34वां B. 35वां
C. 36वां D. 37वां

123. राज्य विधानमंडलों को इनमें से किस पर चर्चा करने का अधिकार नहीं है?

A. स्पीकर के आचरण
B. किसी उच्च न्यायालय के न्यायाधीश का आचरण
C. स्वायत्तता संबंधी मुद्दे
D. करारोपण

124. आरंभ में अनुसूचित जातियों/जनजातियों के लिए आरक्षण की व्यवस्था किस वर्ष तक की गई थी?

A. 1955 B. 1960
C. 1970 D. 1980

125. राष्ट्रपति और उपराष्ट्रपति की अनुपलब्धता की स्थिति में राष्ट्रपति का कार्य निर्वहन कौन करता है?

A. प्रधानमंत्री
B. लोकसभा का अध्यक्ष
C. वरिष्ठ कैबिनेट मंत्री
D. भारत का मुख्य न्यायाधीश

126. किस मौलिक अधिकार की व्याख्या 'संविधान की आत्मा और उसके हृदय' के रूप में की जाती है?

A. समानता का अधिकार
B. समृद्धि का अधिकार
C. संवैधानिक उपचारों का अधिकार
D. भाषण की स्वतंत्रता का अधिकार

127. अध्यादेश कौन लागू करता है?

A. प्रधानमंत्री B. लोकसभा का अध्यक्ष
C. राष्ट्रपति D. राज्यसभा का अध्यक्ष

128. भारतीय राज्य मुख्यत: किस आधार पर गठित किए गए हैं?

A. भौगोलिक स्थिति
B. भाषा
C. प्रशासन की सहूलियत
D. आर्थिक स्थिति

129. मुख्य निर्वाचन आयुक्त को किसके द्वारा हटाया जा सकता है?

A. प्रधानमंत्री
B. राष्ट्रपति
C. सर्वोच्च न्यायालय का मुख्य न्यायाधीश
D. संसद

130. लोकसभा का अध्यक्ष केवल :

A. सदन को स्थगित कर सकता है।
B. सत्रावसान कर सकता है।
C. सदन को सम्मन दे सकता है।
D. सदन को भंग कर सकता है।

131. राज्य विधान सभा के सदस्यों की संख्या कितनी हो सकती है?

A. 30 से 300 B. 40 से 400
C. 50 से 600 D. 60 से 500

132. उच्चतम न्यायालय के न्यायाधीशों का वेतन कहां से दिया जाता है?

A. कानून मंत्रालय के अनुदान से
B. भारत की संचित निधि से
C. गृह मंत्रालय के अनुदान से
D. संसदीय अनुदान से

133. पंचायती राज संस्थान की स्थापना की आवश्यकता को किसमें निर्दिष्ट किया गया है?

A. नीति-निर्देशक तत्व
B. मौलिक अधिकार
C. प्रस्तावना
D. सातवीं अनुसूची

134. किस संविधान संशोधन ने उच्चतम न्यायालय द्वारा न्यायिक पुनर्विलोकन के अधिकार को संक्षिप्त कर दिया?

A. 24वां संशोधन　B. 42वां संशोधन
C. 43वां संशोधन　D. 44वां संशोधन

135. लोकसभा की बैठकों के लिए कोरम होता है :

A. 50
B. 55
C. कुल सदस्य संख्या का एक तिहाई
D. कुल सदस्य संख्या का दसवां भाग

136. लोकसभा और राज्यसभा के बीच असहमति का निवारण होता है :

A. संयुक्त चयन समिति की स्थापना से
B. लोकसभा को भंग कर
C. पंचाट समिति के गठन से
D. संयुक्त सत्र आहूत करने से

137. सातवीं अनुसूची में शामिल है :

A. राष्ट्रीय भाषाओं की सूची
B. शपथ और उनकी स्वीकारोक्ति की सूची
C. राज्य और संघ प्रदेशों की सूची
D. अनुसूचित जनजातियों तथा जनजातीय क्षेत्रों के प्रशासन तथा नियन्त्रण की सूची

138. दलबदल की स्थिति में अयोग्य करार देने के संबंध में आधारभूत प्रावधानों की चर्चा किसमें की गई है?

A. दूसरी अनुसूची
B. चौथी अनुसूची
C. आठवीं अनुसूची
D. दसवीं अनुसूची

139. संघ प्रदेशों को प्रतिनिधित्व मिलता है :

A. केवल लोकसभा में
B. केवल राज्यसभा में
C. लोकसभा और राज्यसभा दोनों में
D. न तो लोकसभा में न राज्यसभा में

140. यदि लोकसभा और राज्यसभा एक संविधान संशोधन विधेयक पर असहमत हों तो :

A. विधेयक का पतन हो जाता है।
B. एक संयुक्त बैठक बुलाई जाती है।
C. लोकसभा का निर्णय प्रभावी होता है।
D. राज्यसभा का निर्णय प्रभावी होता है।

141. संविधान की प्रस्तावना में किस संशोधन द्वारा संशोधन किया गया था?

A. पहला संशोधन　B. 26वां संशोधन
C. 42वां संशोधन　D. 44वां संशोधन

142. लोक लेखा समिति अपनी रिपोर्ट प्रस्तुत करती है :

A. नियंत्रक एवं महालेखा परीक्षक को
B. लोक सभा के अध्यक्ष को
C. संसदीय मामलों के मंत्री को
D. राष्ट्रपति को

143. उच्चतम न्यायालय के न्यायाधीशों के लिए अवकाश प्राप्ति की उम्र है :

A. 58 वर्ष　B. 60 वर्ष
C. 62 वर्ष　D. 65 वर्ष

144. एक व्यक्ति को केवल किसके आधार पर मतदान के अयोग्य ठहराया जा सकता है।

A. आयु　B. लिंग
C. धर्म　D. शिक्षा

145. राज्यों के राज्यपाल :

A. मुख्यमंत्री द्वारा नियुक्त किए जाते हैं
B. राष्ट्रपति द्वारा नियुक्त किए जाते हैं
C. विधानमंडल के सदस्यों द्वारा चुने जाते हैं
D. जनता द्वारा चुने जाते हैं

146. भारत में पहले आम चुनाव कब हुए थे?

A. 1948　B. 1950
C. 1953　D. 1952

147. राष्ट्रपति राज्यसभा के लिए कुल कितने सदस्यों को मनोनीत कर सकता है?

A. 6　B. 12
C. 15　D. 18

148. संघीय कार्यपालिका किसके प्रति उत्तरादायी होती है?

A. लोकसभा　B. राज्यसभा
C. राष्ट्रपति　D. उच्चतम न्यायालय

149. भारत के महान्यायवादी की नियुक्ति किसके द्वारा होती है?

A. यूपीएससी　B. राष्ट्रपति
C. प्रधानमंत्री　D. लोकसभा अध्यक्ष

150. संसद के दो सत्रों के बीच कितने से अधिक की अवधि नहीं होनी चाहिए?

A. 3 माह　B. 6 माह
C. 1 वर्ष　D. कोई तय अवधि नहीं

151. सुरक्षा बलों का सर्वोच्च कमाण्डर कौन होता है?

A. सेना प्रमुख B. रक्षामंत्री
C. प्रधानमंत्री D. राष्ट्रपति

152. निम्नलिखित में कौन एक पूर्ण राज्य नहीं है?

A. मिजोरम B. मणिपुर
C. पुडुचेरी D. अरुणाचल प्रदेश

153. भारत एक गणतंत्र है क्योंकि :

A. प्रत्येक वयस्क मतदान कर सकता है
B. कार्यपालिका विधायिका के प्रति उत्तरदायी है
C. निर्वाचित प्रतिनिधियों को वापस बुलाया जा सकता है
D. राष्ट्रपति एक नियत अवधि के लिए चुना जाता है

154. अनुच्छेद 356 का संबंध किससे है?

A. राष्ट्रीय आपातकाल
B. संवैधानिक आपातकाल
C. वित्तीय आपातकाल
D. आपातकाल के दौरान मौलिक अधिकारों से

155. एकमात्र राष्ट्रपति, जिन्हें दोबारा राष्ट्रपति चुना गया :

A. राजेन्द्र प्रसाद B. राधाकृष्णन्
C. वी.वी. गिरि D. नीलम संजीवा रेड्डी

156. उपराष्ट्रपति अपना त्यागपत्र किसे दे सकता है?

A. राष्ट्रपति को
B. प्रधानमंत्री को
C. भारत के मुख्य न्यायाधीश को
D. राज्यसभा के उपसभापति को

157. 42वें संविधान संशोधन द्वारा किन दो शब्दों को संविधान की प्रस्तावना में जोड़ा गया?

A. पंथनिरपेक्ष, लोकतांत्रिक
B. लोकतंत्रात्मक, गणराज्य
C. पंथनिरपेक्ष, समाजवादी
D. गणराज्य, समाजवादी

158. संविधान के प्रारूप समिति के अध्यक्ष कौन थे?

A. राजेन्द्र प्रसाद
B. जवाहरलाल नेहरू
C. बी.आर. अम्बेडकर
D. सरदार पटेल

159. मौलिक अधिकार :

A. केवल कुछ नागरिकों को उपलब्ध हैं
B. सिर्फ कुछ अधिकार ही भारतीय नागरिकों को प्राप्त हैं
C. गैर-नागरिकों को एक भी उपलब्ध नहीं है
D. गैर-नागरिकों को केवल कुछेक अधिकार ही उपलब्ध हैं

160. निम्नलिखित में से कौन राष्ट्रीय कर्तव्य नहीं है?

A. संविधान का सम्मान
B. राष्ट्रपति का आदर
C. देश की सुरक्षा
D. प्राकृतिक पर्यावरण की सुरक्षा

161. निम्नलिखित में से कौन उच्चतम न्यायालय द्वारा जारी रिट नहीं है?

A. निषेध B. बंदी प्रत्यक्षीकरण
C. उत्प्रेषण D. सु-मोतो

162. निम्नलिखित में कौन नीति-निर्देशक सिद्धांत नहीं है?

A. समान कार्य हेतु समान वेतन
B. गौहत्या पर रोक
C. प्रदूषण नियंत्रण
D. अंतर्राष्ट्रीय शांति को बढ़ावा

163. सरकारें नीति-निर्देशक सिद्धांतों पर अमल करने का प्रयास करती हैं क्योंकि :

A. विधानमंडल इस मुद्दे पर अविश्वास प्रस्ताव पारित कर सकता है
B. वे लोगों की आवश्यकताओं और आकांक्षाओं का प्रतिनिधित्व करते हैं
C. यदि इन्हें स्वीकार नहीं किया गया तो अदालतें निषेधाज्ञा लागू कर सकती हैं
D. राष्ट्रपति सरकार को भंग कर सकते हैं

164. किस निर्देशक सिद्धांत को देश में पूरी तरह लागू किया गया है?

A. स्वशासन की इकाइयों के रूप में ग्राम पंचायतों की स्थापना
B. देशभर में एक समान नागरिक संहिता को सुनिश्चित करना
C. देशभर में मादक पदार्थों पर रोक
D. सभी नागरिकों को जीवनयापन के उपयुक्त साधन मुहैया कराना

165. संसद का कौन सदन अखिल भारतीय सेवाओं का गठन कर सकता है?

A. लोकसभा
B. राज्यसभा
C. दोनों में से कोई भी सदन
D. दोनों सदनों की संयुक्त बैठक

166. किसके संदर्भ में संसद के दोनों सदनों के अधिकार एक बराबर होते हैं।

A. धन विधेयक
B. राष्ट्रपति का निर्वाचन
C. सरकार को हटाना
D. अखिल भारतीय सेवाओं का गठन

167. सरकार के वित्तीय मामलों की निगरानी करने वाली समिति है :

A. व्यवसाय सलाहकार समिति
B. सरकारी आश्वासन समिति
C. विशेषाधिकार समिति
D. लोक-लेखा समिति

168. निम्नलिखित में से कौन लोकसभा को संबोधित नहीं कर सकता?

A. उपराष्ट्रपति
B. महाधिवक्ता
C. लोकसभा की सदस्यता नहीं रखने वाला मंत्री
D. लोकसभा अध्यक्ष

169. राष्ट्रपति निम्नलिखित में से किसकी नियुक्ति नहीं करता?

A. प्रधानमंत्री
B. लोकसभा अध्यक्ष
C. निर्वाचन आयुक्त
D. नियंत्रक और महालेखा परीक्षक

170. नियुक्ति के वक्त भारत के प्रधानमंत्री को :

A. भारत का नागरिक होना जरूरी नहीं
B. 25 वर्ष से अधिक आयु का होना जरूरी नहीं
C. संसद का सदस्य होना अनिवार्य नहीं
D. सशक्त मस्तिष्क का स्वामी होना जरूरी नहीं

171. वह प्रधानमंत्री कौन था जिसने एक बार भी संसद का सामना नहीं किया?

A. वी.पी.सिंह B. चरणसिंह
C. मोरारजी देसाई D. देवेगौड़ा

172. न्यायिक शक्तियों के अंतर्गत राष्ट्रपति को निम्न में से कौन-सा अधिकार नहीं है?

A. क्षमादान दे सकता है।
B. प्राणदंड स्थगित कर सकता है।
C. राजनीतिक अपराधियों को क्षमादान दे सकता है।
D. अदालत के परिवर्तन को अनुमोदित कर सकता है।

173. राष्ट्रीय आपातकाल इनमें से किस मामले में नहीं लगाया जा सकता है?

A. सशस्त्र विद्रोह
B. राजनीतिक संकट
C. बाह्य आक्रमण
D. युद्ध

174. संवैधानिक आपातकाल को अधिकतम कितने समय तक बहाल रखा जा सकता है?

A. 6 माह B. 2 वर्ष
C. 3 वर्ष D. अनिश्चित काल

175. उपराष्ट्रपति होता है :

A. राज्यसभा का सदस्य
B. राज्यसभा का सभापति
C. लोकसभा का सदस्य
D. लोकसभा का अध्यक्ष

176. राज्यपाल किस सिलसिले में राष्ट्रपति से संपर्क कर सकता है?

A. मुख्यमंत्री की नियुक्ति
B. वित्त विधेयक
C. गैर-वित्त विधेयक
D. विधानमंडल को भंग करने

177. विधानपरिषद् के गठन अथवा उसकी समाप्ति से संबंधित विधेयक को :

A. विधानमंडल के उपस्थित सदस्यों के 2/3 सदस्यों द्वारा अनुमोदित होना चाहिए।
B. विधानमंडल के कुल सदस्य संख्या के 2/3 सदस्यों द्वारा अनुमोदित होना चाहिए।
C. विधानमंडल के उपस्थित सदस्यों के साधारण बहुमत से अनुमोदित होना चाहिए।
D. साधारण बहुमत से अनुमोदित होना चाहिए तथा इसे राज्यपाल को भेजा गया होना चाहिए।

178. निम्नलिखित में से किस उच्च न्यायालय का न्यायाधिकरण एक संघ शासित प्रदेश पर है?

A. कलकत्ता B. पटना
C. कर्नाटक D. इलाहाबाद

179. किस राज्य की राजधानी में वहां का उच्च न्यायालय अवस्थित नहीं है?

A. आंध्र प्रदेश B. केरल
C. बिहार D. कर्नाटक

180. निम्नलिखित में से कौन-सा कर केन्द्र सरकार नहीं लगाती?

A. आयकर B. निगम कर
C. व्यवसाय कर D. वस्तु एवं सेवा कर

181. संघ की अधिकारिक भाषा है :

A. देवनागरी लिपि में हिन्दी
B. रोमन लिपि में हिन्दी
C. रोमन लिपि में अंग्रेजी
D. हिन्दी और अंग्रेजी

182. प्रथम संविधान संशोधन किससे संबद्ध है?

A. प्रस्तावना
B. नीति-निदेशक सिद्धांत
C. मौलिक कर्तव्य
D. नौवीं अनुसूची

183. संविधान में मौजूद अनुसूचियों की संख्या — है।

A. 395 B. 100
C. 12 D. 8

184. भारतीय नागरिकता को — द्वारा समाप्त नहीं किया जा सकता।

A. परित्याग B. समाप्ति
C. वंचना D. कैद

185. निम्नलिखित में से किसके उल्लंघन करने पर सर्वोच्च न्यायालय मौलिक अधिकारों की रक्षा करने के लिए आगे आता है?

A. कार्यपालिका B. विधायिका
C. एक व्यक्ति विशेष D. उपर्युक्त में से कोई भी

186. कानून बनाने की अवशिष्ट शक्तियां किसके पास हैं?

A. केन्द्र B. राज्य
C. केन्द्र और राज्य दोनों D. सर्वोच्च न्यायालय

187. वित्त आयोग का गठन कौन करता है?

A. संसद B. राष्ट्रपति
C. प्रधानमंत्री D. लोकसभा अध्यक्ष

188. निम्नलिखित में से कौन राज्य का विषय नहीं है?

A. न्याय का संचालन
B. कृषि
C. लेखा परीक्षा और लेखा
D. जन-स्वास्थ्य

189. राष्ट्रपति के चुनाव से संबंधित विवाद को किसको सौंप दिया जाता है?

A. चुनाव आयुक्त B. उच्चतम न्यायालय
C. संसद D. संसद और राज्य विधानमंडल

190. प्रधानमंत्री की अनुपस्थिति में कैबिनेट की बैठकों की अध्यक्षता कौन करता है?

A. रक्षामंत्री
B. गृहमंत्री
C. वित्त मंत्री
D. इसका निर्णय प्रधानमंत्री करता है

191. भारत सरकार को कानूनी विषयों पर परामर्श कौन देता है?

A. एटॉर्नी जनरल
B. उच्चतम न्यायालय का मुख्य न्यायाधीश
C. विधि आयोग का अध्यक्ष
D. इनमें से कोई नहीं

192. निम्नलिखित में से कौन लोकसभा की कार्यवाहियों में भाग तो ले सकता है, किन्तु मतदान नहीं कर सकता।

A. एटॉर्नी जनरल B. लोकसभा अध्यक्ष
C. लोकसभा उपाध्यक्ष D. प्रधानमंत्री

193. भारत के नियंत्रक एवं महालेखा परीक्षक का कार्यकाल है–

A. 6 वर्ष
B. 65 वर्ष की आयु तक
C. 6 वर्ष या 65 वर्ष की आयु जो भी पहले हो
D. 6 वर्ष या 62 वर्ष की आयु जो भी पहले हो

194. लोक लेखा समिति अपनी रिपोर्ट प्रस्तुत करती है–

A. नियंत्रक एवं महालेखा परीक्षक को
B. लोक सभा के अध्यक्ष को
C. संसदीय मामलों के मंत्री को
D. भारत के राष्ट्रपति को

195. भारत के सर्वोच्च न्यायालय की स्थापना हुई थी–

A. 1950 के संसद के एक अधिनियम द्वारा
B. भारतीय स्वाधीनता अधिनियम, 1947 के अधीन
C. भारत सरकार अधिनियम, 1935 के अधीन
D. भारतीय संविधान के द्वारा

196. भारत में उच्चतम न्यायालय में न्यायाधीशों की संख्या बढ़ाने का अधिकार किसके पास होता है?

A. भारत की संसद
B. भारत का राष्ट्रपति
C. केन्द्रीय विधि मंत्रालय
D. भारत का मुख्य न्यायाधीश

197. उच्च न्यायालय के मुख्य न्यायाधीश की नियुक्ति कौन करता है?

A. राष्ट्रपति
B. सर्वोच्च न्यायालय का मुख्य न्यायाधीश
C. राज्य का राज्यपाल
D. राज्य का मुख्यमंत्री

198. स्वतंत्र भारत में निम्नलिखित में से कौन-सी महिला किसी राज्य की पहली राज्यपाल थी?

A. सरोजिनी नायडू B. सुचेता कृपलानी
C. इंदिरा गांधी D. विजयलक्ष्मी पंडित

199. राज्य के गवर्नर को कौन शपथ दिलाता है?

A. राज्य का मुख्य न्यायाधीश
B. उपराष्ट्रपति
C. भारत का मुख्य न्यायाधीश
D. राष्ट्रपति

200. भारत में राज्य विधानमंडल का उच्च सदन कौन-सा है?

A. विधान परिषद्
B. विधानपालिका समिति
C. विधानसभा
D. इनमें से कोई नहीं

उत्तरमाला

1	2	3	4	5	6	7	8	9	10
C	D	A	C	B	A	A	B	A	B
11	**12**	**13**	**14**	**15**	**16**	**17**	**18**	**19**	**20**
A	A	B	A	C	A	B	A	C	A
21	**22**	**23**	**24**	**25**	**26**	**27**	**28**	**29**	**30**
A	C	A	B	B	C	B	A	D	C
31	**32**	**33**	**34**	**35**	**36**	**37**	**38**	**39**	**40**
B	C	C	A	D	D	A	D	C	A
41	**42**	**43**	**44**	**45**	**46**	**47**	**48**	**49**	**50**
C	B	A	B	C	B	B	B	B	B
51	**52**	**53**	**54**	**55**	**56**	**57**	**58**	**59**	**60**
B	A	A	B	C	A	B	D	C	B
61	**62**	**63**	**64**	**65**	**66**	**67**	**68**	**69**	**70**
B	A	A	D	C	C	B	C	C	C
71	**72**	**73**	**74**	**75**	**76**	**77**	**78**	**79**	**80**
B	C	A	A	D	D	A	A	C	B
81	**82**	**83**	**84**	**85**	**86**	**87**	**88**	**89**	**90**
D	A	C	B	A	A	A	B	B	A
91	**92**	**93**	**94**	**95**	**96**	**97**	**98**	**99**	**100**
A	A	D	A	B	D	A	B	C	D
101	**102**	**103**	**104**	**105**	**106**	**107**	**108**	**109**	**110**
C	B	D	A	C	A	D	B	B	A
111	**112**	**113**	**114**	**115**	**116**	**117**	**118**	**119**	**120**
D	C	D	B	D	A	C	B	A	B
121	**122**	**123**	**124**	**125**	**126**	**127**	**128**	**129**	**130**
D	C	B	B	D	C	C	B	D	A
131	**132**	**133**	**134**	**135**	**136**	**137**	**138**	**139**	**140**
D	B	A	B	D	D	C	D	C	A
141	**142**	**143**	**144**	**145**	**146**	**147**	**148**	**149**	**150**
C	B	D	A	B	D	B	A	B	B
151	**152**	**153**	**154**	**155**	**156**	**157**	**158**	**159**	**160**
D	C	D	B	A	A	C	C	D	B
161	**162**	**163**	**164**	**165**	**166**	**167**	**168**	**169**	**170**
D	C	B	A	B	B	D	A	B	C
171	**172**	**173**	**174**	**175**	**176**	**177**	**178**	**179**	**180**
B	D	B	C	B	C	A	A	B	C
181	**182**	**183**	**184**	**185**	**186**	**187**	**188**	**189**	**190**
A	D	C	D	D	A	B	C	B	D
191	**192**	**193**	**194**	**195**	**196**	**197**	**198**	**199**	**200**
A	A	C	B	C	A	A	A	A	A